How to con... S0-AKR-439

Gender of translation	**beast** [biːst] *n* bestia, animal *m*. **beastly** [ˈbiːstlɪ] *adj* bestial.
New grammatical category	**beat** [biːt] *n* (*of heart*) latido. 2 MUS ritmo. 3 (*of policeman*) ronda. – 4 *t* (*hit*) golpear; (*metals*) martillear; (*person*) azotar; (*drum*) tocar. 5 CULIN batir. 6 (*defeat*) vencer, derrotar. 7 *fam* (*puzzle*) extra- ñar. – 8 *i* (*heart*) latir. – 9 *adj fam* ago-
Phrasal verb	tado,-a. ◆*to ~ up t* dar una paliza a. ●*to* *~ about the bush,* andarse por las ra- mas; MUS *to ~ time,* llevar el compás. ▲ *pt* **beat**; *pp* **beaten** [ˈbiːtən].

Phonetic transcription	**become** [bɪˈkʌm] *i* (*with noun*) convertir- se en, hacerse; llegar a ser: *to ~ a doc-*
Interchangeable elements	*tor/teacher,* hacerse médico,-a/maes- tro,-a; *to ~ president,* llegar a la presi- dencia; *what has ~ of Peter?,* ¿qué ha sido de Peter? 2 (*with adj*) volverse, po- nerse: *to ~ angry/sad,* enojarse/entris-
Grammar note	tecerse. 3 (*suit*) favorecer. ▲ *pt* **became**; *pp* **become**.

Register label	**beef** [biːf] *n* carne *f* de vaca. – 2 *i fam* quejarse.
	beefburger [ˈbiːfbɜːgəʳ] *n* hamburguesa.
Translation with explanation	**beefeater** [ˈbiːfiːtəʳ] *n* alabardero *de la* *Torre de Londres.*
	beefsteak [ˈbiːfsteɪk] *n* bistec *m*.

	before [bɪˈfɔːʳ] *prep* (*order, time*) antes de. 2 (*place*) delante de; (*in the presence of*)
Examples of use	ante: *~ God,* ante Dios. – 3 *conj* (*earlier* *than*) antes de + *inf*, antes de que + *subj*: *~ you go,* antes de irte, antes de que te vayas. 4 (*rather than*) antes de (+ *inf*). – 5 *adv* antes. 6 (*place*) delante.
Represents headword	●*the day ~ yesterday,* antes de ayer.

Cross-reference	**bled** [bled] *pt & pp →* **bleed**.
	blemish [ˈblemɪʃ] *n* imperfección. 2 (*on* *fruit*) maca. 3 *fig* mancha.
Intransitive translated by reflexive	**blend** [blend] *n* mezcla, combinación. – 2 *t-i* (*mix*) mezclar(se), combinar(se). 3 (*match*) matizar, armonizar.

Adverb of manner	**blind** [blaɪnd] *adj* ciego,-a. – 2 *n* (*on win-* *dow*) persiana. – 3 *blindly adv* ciega- mente, a ciegas. – 4 *t* cegar, dejar cie- go,-a. 5 (*dazzle*) deslumbrar. ●*to be/go* *~,* estar/quedarse ciego,-a.
American English	**blinders** [ˈblaɪndəz] *npl* US anteojeras *fpl*. **blindfold** [ˈblaɪndfəʊld] *n* venda. – 2 *t* vendar los ojos a. – 3 *adj-adv* con los ojos vendados.

Right column labels:
- Género de traducción
- Cambio de categoría gramatical
- Verbo preposicional
- Transcripción fonética
- Elementos intercambiables
- Nota gramatical
- Etiqueta de registro lingüístico
- Traducción con explicación
- Ejemplos de uso
- Sustituye entrada
- Envío
- Intransitivo traducido por pronominal
- Adverbio de manera
- Inglés americano

DICCIONARIO ESENCIAL
INGLÉS • ESPAÑOL
ESPAÑOL • INGLÉS

VOX
HARRAP'S

DICCIONARIO ESENCIAL
INGLÉS · ESPAÑOL
ESPAÑOL · INGLÉS

Segunda Edición
(Reimpresión)
Julio 1993

BIBLOGRAF

Calabria, 108
08015 BARCELONA

Esta nueva edición ha sido realizada bajo la iniciativa y coordinación general del Editor, por su propio equipo de redactores y con la colaboración de:

Anna Jené Palat
Salut Llonch Soler
Suzanne MacNamee
Carmen Soler Rodríguez

Dirección y coordinación de la obra:

Andrew Hastings

© 1992 Biblograf, S.A.
       Calabria, 108
       08015 Barcelona

Impreso en España - Printed in Spain

ISBN 84-7153-354-5
Depósito Legal: B-18.098-1993

Impreso por LITOGRAFIA ROSÉS, S.A.
Progrés, 54-60, Polig. Ind. La-Post
08850 GAVÀ (Barcelona)

Índice/Contents

PRÓLOGO

Dada la importancia que ha adquirido el inglés en tantas esferas de la actividad humana en el mundo de hoy, no es de extrañar que tanta gente en tantos países lo use a diario como segundo o tercer idioma para comunicarse con sus congéneres. Entre este grupo creciente de anglohablantes se encuentran muchos que acaban de iniciar sus estudios del idioma, otros que llevan ya tiempo estudiándolo y han llegado a tener cierto dominio de sus estructuras y vocabulario, y algunos, que si bien hasta hace poco podían prescindir de él, ahora se ven en la necesidad de utilizarlo para el mejor funcionamiento de sus negocios o en sus viajes particulares.

Este VOX/Harrap's *Diccionario Esencial Inglés-Español, Español-Inglés* recoge más de dieciséis mil entradas por cada idioma, cifra que supera ampliamente el vocabulario activo medio de una persona culta, y contiene no sólo el léxico básico sino también frases hechas, expresiones populares, palabras de argot, y tecnicismos que han pasado al uso cotidiano, pero además, incluye resúmenes gramaticales y apéndices de nombres geográficos e idiomas. Ha sido diseñado específicamente para que el anglófono o hispanohablante pueda tener siempre a mano, en casa, en el trabajo, en clase, o de viaje en el hotel o en la playa, una obra de consulta práctica, fácil de manejar, completa y moderna.

El principiante encontrará en el cuerpo del diccionario todas las palabras básicas que necesitará tanto para hacerse entender como para comprender a los demás, y en los resúmenes de gramática las respuestas a sus preguntas y dudas sobre la construcción de las frases. El usuario más avanzado lo encontrará muy útil no sólo para refrescar su memoria en aquellas ocasiones en que no se acuerda de una determinada traducción sino también para aprender nuevas y más variadas maneras de expresarse, aumentando así su dominio del idioma.

Estamos convencidos de que ambos encontrarán en sus más de seiscientas páginas una información amplia, precisa y clara que responde a las exigencias de los años noventa.

FOREWORD

Given its cultural heritage and status as a major world language, it is the mother tongue of over three hundred million people, it is hardly surprising that interest in Spanish continues to grow in both Europe and North America. There are many who have only just taken up Spanish as a second language, others who have been learning it for some time and have by now mastered many of its structures and accumulated a certain amount of vocabulary, and some who may until recently have managed without it, but who are now coming to the realization that a knowledge of it would help them in business or make their holidays abroad more enjoyable.

This *Diccionario Esencial VOX/Harrap's Inglés-Español, Español-Inglés* contains over sixteen thousand entries for each language, well over the average active vocabulary of an educated person, and includes, in addition to basic vocabulary, set phrases, colloquial expressions, slang, and technical words which have passed into everyday usage, as well as grammar summaries for both languages, and appendices of geographical names and languages. It has been designed specifically so that both English and Spanish speakers can always have available, whether at home, at work, at school or university, on holiday in the hotel or on the beach a dictionary which is practical, compact, comprehensive and up to date.

The beginner will find in the two halves of the dictionary all the basic words he requires both to make himself understood and to understand others, and in the grammatical summaries the answers to his doubts about how to construct sentences. The more advanced user will find it of great use not only to refresh his memory when a particular translation will not come readily to mind, but also as a means of learning new and more varied ways of expressing himself, thus increasing his mastery of the language.

We are sure that all users will find that the ample information contained within the over six hundred pages of this dictionary is precise, clear and calculated to meet the needs of the nineteen nineties.

ENGLISH-SPANISH

Abbreviations used in this dictionary

abbr	abbreviation	*irreg*	irregular
adj	adjective	JUR	jurisprudence
adv	adverb, adverbial phrase	LING	linguistics
AER	aeronautics	*lit*	literary
AGR	agriculture	*m*	masculine
algn	alguien	*m & f*	masculine or feminine
ANAT	anatomy	MAR	maritime
ARCH	architecture	MATH	mathematics
art	article	MED	medicine
ART	arts	METEOR	meteorology
ASTROL	astrology	MIL	military
ASTRON	astronomy	MUS	music
AUTO	automobile	*n*	noun
aux	auxiliary	*neut*	neuter
AV	aviation	o.s.	oneself
BIOL	biology	*pej*	pejorative
BOT	botany	*pers*	person, personal
CHEM	chemistry	*phr*	phrase
CINEM	cinematography	PHYS	physics
COM	comercial	*pl*	plural
comp	comparative	POL	politics
COMPUT	computer science	*poss*	possessive
conj	conjunction	*pp*	past participle
CULIN	culinary, cooking	*prep*	preposition
def	definite	*pres*	present
ECON	economy	*prn*	proper noun
EDUC	education	*pron*	pronoun
ELEC	electricity	*pt*	past
esp	especially	®	trademark
etc	etcétera	RAD	radio
euph	euphemism	*rel*	relative
f	feminine	REL	religion
fam	familiar	sb.	somebody
fig	figurative	SEW	sewing
FIN	finances	*sing*	singular
fml	formal	*sl*	slang
gen	generally	SP	sport
GEOG	geography	sth.	something
GRAM	grammar	*subj*	subjunctive
HIST	history	*superl*	superlative
i	intransitive	*t*	transitive
IND	industry	TECH	technical
indef	indefinite	THEAT	theatre
indic	indicative	TV	television
inf	infinitive	ZOOL	zoology
interj	interjection	*	taboo
interrog	interrogative	≈	approximately equivalent to
inv	invariable	→	see
iron	ironical		

Grámatica inglesa

Fonética

Todas las entradas inglesas en este diccionario llevan transcripción fonética basada en el sistema de la Asociación Fonética Internacional (AFI). He aquí una relación de los símbolos empleados. El símbolo ' delante de una sílaba indica que es ésta la acentuada.

Las consonantes

[p]	pan [pæn], happy ['hæpɪ], slip [slɪp].
[b]	big [bɪg], habit ['hæbɪt], stab [stæb].
[t]	top [tɒp], sitting ['sɪtɪŋ], bit [bɪt].
[d]	drip [drɪp], middle ['mɪdəl], rid [rɪd].
[k]	card [kuːd], maker ['meɪkəʳ], sock [sɒk].
[g]	god [gɒd], mugger ['mʌgəʳ], dog [dɒg].
[tʃ]	chap [tʃæp], hatchet ['hæːtʃɪt], beach [biːtʃ].
[dʒ]	jack [dʒæk], digest [daɪ'dʒest], wage [weɪdʒ].
[f]	fish [fɪʃ], coffee ['kɒfɪ], wife [waɪf].
[v]	very ['verɪ], never ['nevəʳ], give [gɪv].
[θ]	thing [θɪŋ], cathode ['kæθəʊd], filth [fɪlθ].
[ð]	they [ðeɪ], father ['fuːðəʳ], loathe [ləʊð].
[s]	spit [spɪt], stencil ['stensəl], niece [niːs].
[z]	zoo ['zuː], weasel ['wiːzəl], buzz [bʌz].
[ʃ]	show [ʃəʊ], fascist [fæ'ʃɪst], gush [gʌʃ].
[ʒ]	gigolo ['ʒɪgələʊ], pleasure ['pleʒəʳ], massage ['mæsaːʒ].
[h]	help [help], ahead [ə'hed].
[m]	moon [muːn], common ['kɒmən], came [keɪm].
[n]	nail [neɪl], counter ['kaʊntəʳ], shone [ʃɒn].
[ŋ]	linger ['fɪŋgə], sank [sæŋk], thing [θɪŋ].
[l]	light [laɪt], illness ['ɪlnəs], bull [bʊl].
[r]	rug [rʌg], merry ['merɪ].
[j]	young [jʌŋ], university [juːnɪ'vɜːsɪtɪ], Europe ['jʊərəp].
[w]	want [wɒnt], rewind [riː'waɪnd].
[x]	loch [lɒx].
[']	se llama 'linking r' y se encuentra únicamente a final de palabra. Se pronuncia sólo cuando la palabra siguiente empieza por una vocal: mother and father ['mʌðər ən 'fuːðəʳ].

Las vocales y los diptongos

[i:]	sheep [ʃiːp], sea [siː], scene [siːn], field [fiːld].
[ɪ]	ship [ʃɪp], pity [ˈpɪtɪ], roses [ˈrəʊzɪz], babies [ˈbeɪbɪz], college [ˈkɒlɪdʒ].
[e]	shed [ʃed], instead [ɪnˈsted], any [ˈenɪ], bury [ˈberɪ], friend [frend].
[æ]	fat [fæt], thank [θæŋk], plait [plæt].
[ɑ:]	rather [ˈrɑːðəʳ], car [kɑːʳ], heart [hɑːt], clerk [klɑːk], palm [pɑːm], aunt [ɑːnt].
[ɒ]	lock [lɒk], wash [wɒʃ], trough [trɒf], because [bɪˈkɒz].
[ɔ:]	horse [hɔːs], straw [strɔː], fought [fɔːt], cause [kɔːz], fall [fɔːl], boar [bɔːʳ], door [dɔːʳ].
[ʊ]	look [lʊk], pull [pʊl], woman [ˈwʊmən], should [ʃʊd].
[u:]	loop [luːp], do [duː], soup [suːp], elude [ɪˈluːd], true [truː], shoe [ʃuː], few [fjuː].
[ʌ]	cub [kʌb], ton [tʌn], young [jʌŋ], flood [flʌd], does [dʌz].
[ɜ:]	third [θɜːd], herd [hɜːd], heard [hɜːd], curl [kɜːl], word [wɜːd], journey [ˈdʒɜːnɪ].
[ə]	actor [ˈæktəʳ], honour [ˈɒnəʳ], about [əˈbaʊt].
[ə]	opcional. En algunos casos se pronuncia y en otros se omite: trifle [ˈtraɪfəl].
[eɪ]	cable [ˈkeɪbəl], way [weɪ], plain [pleɪn], freight [freɪt], prey [preɪ], great [greɪt].
[əʊ]	go [gəʊ], toad [təʊd], toe [təʊ], though [ðəʊ], snow [snəʊ].
[aɪ]	lime [laɪm], thigh [θaɪ], height [haɪt], lie [laɪ], try [traɪ], either [ˈaɪðəʳ].
[aʊ]	house [haʊs], cow [kaʊ].
[ɔɪ]	toy [tɔɪ], soil [sɔɪl].
[ɪə]	near [nɪəʳ], here [hɪəʳ], sheer [ʃɪəʳ], idea [aɪˈdɪə], museum [mjuːˈzɪəm], weird [wɪəd], pierce [pɪəs].
[eə]	hare [heəʳ], hair [heəʳ], wear [weəʳ].
[ʊə]	pure [pjʊəʳ], during [ˈdjʊərɪŋ], tourist [ˈtʊərɪst].

Ortografía

1. **El sufijo -s/-es según la forma de la raíz.**

   a) Para formar la tercera persona del singular del presente de indicativo se añade **s** al infinitivo, pero si el infinitivo acaba en *-sh*, *-ch*, *-s*, *-x*, *-z* y, a veces, *-o*, se añade **es**. Lo mismo pasa cuando se añade **s** para formar el plural de los sustantivos. Véase también el apartado sobre los sustantivos.

wish	- *wishes*		*fix*	- *fixes*
teach	- *teaches*		*buzz*	- *buzzes*
kiss	- *kisses*		*go*	- *goes*

   b) Si la raíz acaba en cualquier consonante + **y**, ésta se convierte en **i** y se añade *-es*. Pero si la **y** va precedida de una vocal no experimenta ningún cambio.

	fry	- *fries*		*worry* - *worries*
pero				
	play	- *plays*		

2. **Cambios ortográficos en la raíz al añadir ciertos sufijos.**

   a) Para formar el gerundio o participio presente se añade *-ing* al infinitivo, pero si el infinitivo acaba en cualquier consonante + *e*, ésta desaparece. Si acaba en *-ie* esta combinación se convierte en *y*.

give	- giving		die	- dying
move	- moving		lie	- lying

b) Si se trata de una raíz monosílaba que acaba en una sola consonante precedida de una sola vocal, la consonante se duplica en los siguientes casos: al añadir
-*ing* al verbo para formar el gerundio o participio presente
-*ed* al verbo para formar el pasado simple
-*er* al verbo para formar el agente,
-*er* o -*est* al adjetivo para formar el comparativo y superlativo

	stab	- stabbing	trek	- trekked
	swim	- swimming	clap	- clapped
	run	- runner	grin	- grinned
pero				
	sleep	- sleeping	look	- looked
	pant	- panting	grasp	- grasped
	sad	- sadder, saddest	hot	- hotter, hottest
	wet	- wetter, wettest	big	- bigger, biggest
pero				
	cold	- colder, coldest	cool	- cooler, coolest
	dear	- dearer, dearest	fast	- faster, fastest

NB   Las consonantes *y*, *w* y *x* no se duplican.

c) También se duplica la consonante final de los verbos de más de una sílaba si el acento tónico recae en la última sílaba.

	begin	- beginning	admit	- admitted
	refer	- referring		
pero				
	offer	- offering	open	- opened

Sin embargo, si la consonante final es *l*, ésta se duplica independientemente de donde recaiga el acento tónico. Véase también el apartado 3f.

travel	- travelling	model	- modelled

d) Si la raíz acaba en cualquier consonante + *y*, al añadir -*ed* a la raíz del verbo o -*er* o -*est* a la del adjetivo, la *y* se convierte en *i*.

spy	- spied	carry	- carried
pretty	- prettier, prettiest		

e) Si un adjetivo acaba en -*y*, al formar el adverbio añadiendo -*ly* la *y* se convierte en *i*.

happy	- happily	gay	- gaily

3. Las contracciones

En inglés familiar el uso de las formas contractas de ciertos verbos en las que un apóstrofo ocupa el lugar de una letra suprimida es muy frecuente. He aquí una lista de las más usuales:

's	is, has	*'re*	are
've	have	*'d*	would, had
'm	am	*'ll*	will, shall
-n't	not	*can't*	cannot
won't	will not		

4. Diferencias ortográficas entre el inglés británico y el americano.

Hay varias diferencias regulares entre la ortografía británica y la americana. Las que se resumen aquí no constan en el cuerpo del diccionario. El punto de referencia es siempre el inglés británico.

a) Algunas palabras que acaban en *-tre* se escriben con *-ter* en el inglés americano.

centre	- *center*	*mitre*	- *miter*
theatre	- *theater*		

b) Algunas palabras que acaban en *-our* se escriben con *-or* en el inglés americano.

harbour	- *harbor*	*vapour*	- *vapor*
colour	- *color*		

c) Algunas palabras que contienen el dígrafo *ae* en el ingles americano se escriben con *e*.

mediaeval	- *medieval*	*gynaecology*	- *gynecology*

d) Algunas palabras que contienen el dígrafo *oe* en el ingles americano se escriben con *eu*.

manoeuvre	- *maneuver*	*oestrogen*	- *estrogen*

e) Algunas palabras que acaban en *-ogue* acaban en *-og* en el inglés americano.

catalogue	- *catalog*	*dialogue*	- *dialog*

f) A pesar de lo expresado arriba en el apartado 2c), mientras que en el inglés británico una *l* final suele duplicarse independientemente de donde recaiga el acento tónico, en el inglés americano esta *l* solo se duplica si el acento recae en la última sílaba:

travel	-	*traveled, traveling*
rebel	-	*rebelled, rebelling.*

El artículo

El artículo indefinido

El artículo indefinido es *a* y es invariable: *a man, a young woman, a boy a girl, a big dog, a tree, a planet.*
Delante de las palabras que empiecen por vocal, *a* se convierte en *an*: *an apple, an eagle, an easy test, an Indian, an untidy room.*
Sin embargo una palabra puede empezar por una vocal escrita y no empezar por sonido vocálico: esto ocurre con las palabras que empiezan por *eu-* y algunas de las que empiezan por *u-* (véanse las transcripciones fonéticas en el diccionario). En estos casos se usa *a* en vez de *an*: *a European, a euphemistic expression; a union, a university professor.*
Aimismo, si una *h* inicial se pronuncia se empleará *a*, si es muda *an*: *a house, a helpful person,* pero *an hour, an honest man.*

El artículo indefinido solo se pone delante de los sustantivos en singular.

a dog	un perro	*dogs*	unos perros
an eel	una angula	*eels*	unas angulas
an old house	una casa antigua	*old houses*	casas antiguas

El artículo definido

El artículo definido es *the* y es invariable. Sirve tanto para el singular como para el plural: *the man , the men, the woman, the women, the children, the earth, the sea*. Su pronunciación es [ðə], pero delante de las palabras que empiecen por un sonido vocálico se pronuncia [ðɪ].

El sustantivo

Género

En inglés, a diferencia del español, los sustantivos carecen de género gramatical y los artículos y adjetivos son invariables. Solo algunos nombres referentes a las personas tienen forma femenina y en algunos casos existen palabras diferentes para designar el varón y la hembra:

actor	- *actress*	*prince*	- *princess*	*host*	- *hostess*
king	- *queen*	*boy*	- *girl*	*son*	- *daughter*
cock	- *hen*	*bull*	- *cow*	*ram*	- *ewe*

El genitivo sajón

Para indicar la relación de poseedor/posesión en inglés se usa el llamado genitivo sajón, que consiste en añadir *'s* al poseedor y colocarlo delante de lo poseído. Funciona para las personas y también para los animales:

Lawrence's mother	la madre de Lawrence
the boy's bicycle	la bicicleta del chico
my teacher's glasses	las gafas de mi profesor
the government's policies	la política del gobierno
our dog's tail	la cola de nuestro perro

Si el poseedor está en plural y acaba en -*s*, en vez de añadir *'s* se añade únicamente el apóstrofo, pero si se trata de un plural irregular que no acaba en -*s* se añade *'s*:

the boys' bicycles	las bicicletas de los chicos
my parents' car	el coche de mis padres
your children's toys	los juguetes de tus niños
men's trousers	pantalones de caballero

Si el poseedor acaba en -*s* en el singular se suele añadir *'s*, aunque a algunos nombres extranjeros, antiguos o clásicos, se añade solo el apóstrofo:

Charles's wife	la mujer de Charles
Mrs Jones's house	la casa de la Sra. Jones
Cervantes' novels	las novelas de Cervantes
Aristophanes' plays	las obras de Aristófanes

Sustantivos contables e incontables

En inglés los sustantivos son contables o incontables. Los primeros pueden ser contados y, por tanto, pueden optar a tener singular y plural: *boy, boys; knife, knives; pencil, pencils* - es evidente que los chicos, cuchillos y lápices se pueden contar. Sin embargo, *electricity* es incontable, la electricidad no se puede contar.

Mientras que los contables pueden tener singular y plural, los incontables sólo tienen forma singular: *furniture, advice, news, information, health, chaos, honesty, peace*. No obstante, algunos de estos sustantivos incontables pueden contarse mediante el uso de *a piece of*:

furniture	los muebles	*a piece of furniture*	un mueble
advice	los consejos	*two pieces of advice*	dos consejos
news	las noticias	*three pieces of news*	tres noticias

Plurales irregulares

La mayoría de sustantivos en inglés son regulares y el plural se forma añadiendo -*s* (o -*es*, véase el apartado 1 de la sección de ortografía) a la forma del singular. Existen plurales irregulares y formas invariables, los cuales constan en el diccionario, pero también hay irregularidades "regulares".

Los sustantivos que acaban en -*o* pueden formar el plural añadiendo -*s*, -*es*, o bien cualquiera de las dos.

Forman el plural añadiendo -*s*: *albino, avocado, bingo, cameo, casino, cello, concerto, contralto, duo, dynamo, ego, embryo, giro, hairdo, igloo, impresario, inferno, jumbo, nuncio, patio, photo, piano, pimento, pistachio, poncho, portfolio, radio, ratio, rodeo, scenario, shampoo, silo, solo, soprano, stereo, studio, taboo, tango, tattoo, tempo, to-do, torso, trio, tuxedo, two, ufo, video, violoncello, virtuoso, voodoo, zoo.*

Forman el plural añadiendo -*es*: *buffalo* (también *inv*)*, commando, domino, echo, embargo, go, hero, negro, potato, tomato, torpedo, vertigo, veto, weirdo.*

Forman el plural de las dos maneras: *archipelago, banjo, calico, cargo, fiasco, flamingo, fresco, ghetto, halo, indigo, innuendo, lasso, mango, manifesto, memento, mosquito, motto, proviso, tobacco, tornado, volcano, zero.*

Los sustantivos que acaban en -*f* pueden formar el plural añadiendo -*s*, cambiando la *f* en *v* y añadiendo -*es*, o bien de cualquiera de las dos maneras. Los que acaban en -*ff* siempre (salvo el caso de *staff* que también tiene un plural irregular) forman el plural añadiendo una sola *s*.

El plural acaba en -*fs* en: *aperitif, belief, brief, chef, chief, clef, gulf, handkerchief, motif, oaf, poof, proof, reef, reproof, roof, spoof, surf, waif.*

El plural acaba en -*ves* en: *calf, elf, half, knife, leaf, loaf, scarf, self, sheaf, shelf, thief, wolf, yourself.*

El plural acaba de cualquiera de las dos formas en: *dwarf, hoof, turf, wharf.*

Los sustantivos que acaban en -*fe* suelen formar el plural en -*ves* como en el caso de: *housewife, jack-knife, knife, life, midwife, penknife* y *wife*, mientras que *safe* y los acabados en -*ffe* solo añaden una -*s*.

El pronombre

Cuadro de pronombres y adjetivos posesivos

pronombre sujeto	pronombre complemento directo/indirecto	adjetivo posesivo	pronombre posesivo	pronombre reflexivo
I	me	my	mine	myself
you	you	your	yours	yourself
he	him	his	his	himself
she	her	her	hers	herself
it	it	its	—	itself
we	us	our	ours	ourselves
you	you	your	yours	yourselves
they	them	their	theirs	themselves

Los pronombres sujeto

En inglés el pronombre sujeto debe figurar siempre:

I was very pleased to see him there,

aunque en una misma frase no es preciso repetir el pronombre si el sujeto no varía:
she locked the door and then put the key in her pocket.

Los pronombres de complemento directo/indirecto
El pronombre de complemento directo se coloca detrás del verbo que complementa:
she shot him; I washed and dried it.

El pronombre de complemento indirecto, si acompaña un complemento directo que es un sustantivo, se coloca también detrás del verbo que complementa:
she made me a cake; I gave him the keys,

pero cuando acompaña un complemento directo que es pronombre es más corriente usar las preposiciones *to* o *for*, nótese también el cambio de orden:
she made it for me; I gave them to him.

El pronombre con función de complemento también se usa:
1. detrás de una preposición:
   she goes out with him; look at them.
2. detrás de *than* y *as ... as ...* en los comparativos:
   he's taller than her; she's as quick as him.
3. en inglés informal detrás del verbo *to be*:
   it's me, John; it wasn't me, it was him.
4. para respuestas cortas como:
   who's got my pencil? —me!

Los adjetivos posesivos
Los adjetivos posesivos no varían según lo poseído sino según el poseedor:
my sister, my sisters; their friend, their friends.

Los pronombres posesivos
Los pronombres posesivos se usan para sustituir la estructura adjetivo posesivo + nombre:
this is my car, where's yours? (= *your car*); *his family is bigger than mine.* (= *my family*).

Los pronombres reflexivos
Los pronombres reflexivos se usan:
1. cuando el sujeto y el complemento del verbo son el mismo:
   I've hurt myself; please help yourselves!
2. cuando se quiere remarcar que es una persona y no otra quien realiza la acción:
   if nobody will do it for me, I'll have to do it myself.

El pronombre impersonal
Como pronombre impersonal en inglés coloquial se usa *you*, mientras que en inglés formal se usa *one*:
you push this button if you want tea; you can't drive a car if you're under 17.
one must be sure before one makes such serious accusations.

El adjetivo

General
Los adjetivos en inglés son invariables y casi siempre van delante de los sustantivos:
an old man, an old woman; old men, old women.

Pueden ir después de los siguientes verbos: *be, look, seem, appear, feel, taste, smell, sound.*

Si un sustantivo en una expresión numérica se usa como adjetivo, siempre va en singular: *a two-mile walk; an eight-hour day.*

El comparativo y el superlativo

Los comparativos se usan para comparar una o dos personas, cosas, etc. con otra u otras. Los superlativos se usan para comparar una persona o cosa de un grupo con dos o más personas o cosas del mismo grupo.

Añaden a la raíz *-er* para el comparativo y *-est* para el superlativo:
- los adjetivos de una sola sílaba:

big	*bigger*	*biggest*
cold	*colder*	*coldest.*

- los de dos sílabas que acaban en *-y*:

pretty	*prettier*	*prettiest.*

Forman el comparativo con *more* y el superlativo con *most*:
- la mayoría de los demás adjetivos de dos sílabas:

boring	*more boring*	*the most boring.*

- los de tres sílabas y más:

beautiful	*more beautiful*	*the most beautiful.*

Pueden formar el comparativo y superlativo de cualquiera de las dos maneras los adjetivos de dos sílabas acabados en *-er*, *-ure*, *-le* y *-ow* así como (entre otros) *common*, *quiet*, *tired*, *pleasant*, *handsome*, *stupid*, *cruel*, *wicked* y *polite*, aunque es más corriente la forma con *more* y *most*.

Son irregulares los siguientes:

good	*better*	*best*
bad	*worse*	*worst*
far	*farther/further*	*farther/furthest.*

El adverbio

General

Los adverbios muy a menudo pueden formarse a partir de los adjetivos añadiendo *-ly*: *sad - sadly*, *quick - quickly*, *happy - happily*, *beautiful - beautifully*.

Si el adjetivo acaba en *-ly* esto no es posible: los adjetivos *lovely*, *friendly*, *ugly*, *lonely* y *silly*, entre otros, no tienen adverbio correspondiente.

En algunos casos esta formación de un adverbio conlleva cambios ortográficos, véase el apartado de ortografía.

Algunos adverbios tienen la misma forma que el adjetivo correspondiente: *hard*, *late*, *early*, *fast*, *far*, *much*, *little*, *high*, *low*, *near*.

Algunos adverbios cambian de sentido respecto al adjetivo al que corresponden:

hard	= duro/duramente	*hardly*	= apenas
late	= tarde	*lately*	= últimamente
near	= cercano	*nearly*	= casi
high	= alto	*highly*	= muy o muy favorablemente

Posición

Aunque los adverbios pueden ir al principio de la frase, la posición más frecuente es después del verbo y el complemento. Sin embargo hay ciertos adverbios que suelen ir delante del verbo (después del primer auxiliar si es un tiempo compuesto) y después del verbo *be*. Los más frecuentes de este grupo son *always, usually, generally, normally, often, sometimes, occasionally, seldom, rarely, never, almost, just, still, already* y *only*.

El comparativo y el superlativo
La regla general es como la de los adjetivos; los adverbios de dos o más sílabas anteponen siempre *more* para la comparación y *most* para el superlativo, y los de una sola sílaba añaden los sufijos *-er* para el comparativo y *-est* para el superlativo:

quickly	*more quickly*	*most quickly*
beautifully	*more beautifully*	*most beautifully*
fast	*faster*	*fastest*
hard	*harder*	*hardest*
near	*nearer*	*nearest*
pero		
early	*earlier*	*earliest*

Son irregulares:

well	*better*	*best*
badly	*worse*	*worst*
little	*less*	*least*
much	*more*	*most*
far	*farther/further*	*farthest/furthest*
late	*later*	*last*

El verbo

Conjugación
La conjugación del verbo inglés es sencilla. La mayoría de los verbos ingleses son regulares y el pasado simple y participio pasado se forman añadiendo *-ed* a la raíz; solo *-d* si la raíz ya tiene *-e* final. El participio presente se forma añadiendo *-ing* a la raíz. Véase también la sección de ortografía.

Infinitivo	Pasado simple	Participio pasado	Participio presente
sail	*sailed*	*sailed*	*sailing*
grab	*grabbed*	*grabbed*	*grabbing*
kiss	*kissed*	*kissed*	*kissing*
waste	*wasted*	*wasted*	*wasting*

Pronunciación del pasado y participio pasado regulares
El sufijo *-ed* siempre se escribe igual, pero se pronuncia de tres maneras distintas según la pronunciación (fíjese en la transcripción fonética) de la raíz a la que se añade.
   Se pronuncia [d] si la raíz acaba en una consonante sonora [b], [g], [dʒ], [v], [ð], [z], [ʒ], [m], [n] y [l] o cualquier vocal:
   - *stabbed* [stabd], *begged* [begd], *opened* [ˈəʊpənd], *filled* [fɪld], *vetoed* [ˈviːtəʊd].
   Se pronuncia [t] si la raíz acaba en una consonante sorda [p], [k], [tʃ], [f], [θ], [s], [ʃ]:
   - *clapped* [klapt], *licked* [lɪkt], *kissed* [kɪst], *wished* [wɪʃt].
   Se pronuncia [ɪd] si la raíz acaba en [t] o [d];
   - *tasted* [ˈteɪstɪd], *defended* [dɪˈfendɪd].

Para los verbos irregulares véase la tabla al final de esta sección y las respectivas entradas.

Phrasal verbs
Los *phrasal verbs* o verbos preposicionales son muy numerosos en inglés. Al añadir una partícula adverbial o preposición a un verbo, se modifica o cambia totalmente el sig-

nificado del verbo original.

put (poner)	*put out* (apagar)
turn (girar)	*turn on* (encender)

En este diccionario los *phrasal verbs* aparecen precedidos cada uno por el símbolo ◆ al final de la entrada.

La formación de los tiempos verbales

Presente simple
Tiene la misma forma que el infinitivo del verbo en todas las personas excepto en la tercera persona del singular, en la que se añade la terminación -*s* o -*es* (véase el apartado de ortografía):

I sail	*we sail*
you sail	*you sail*
he/she/it sails	*they sail*

Los verbos *to be* y *to have* son irregulares:

I am	*we are*	*I have*	*we have*
you are	*you are*	*you have*	*you have*
he/she/it is	*they are*	*he/she/it has*	*they have*

Presente continuo
Se forma del presente del verbo *to be* + el participio presente:

I am resting, you are painting etc.

Pretérito perfecto
Se forma del presente del verbo *to have* + el participio pasado:

he has arrived, they have just left etc.

Pretérito perfecto continuo
Se forma del presente del verbo *to have* + *been* + el participio presente:

I have been dreaming, we have been riding etc.

Pasado simple
Véase el principio de esta sección y la tabla de verbos irregulares. El verbo *to be* es irregular:

I was	*we were*
you were	*you were*
he/she/it was	*they were*

Pasado continuo
Se forma del pasado simple de *to be* + el participio presente:

it was raining, they were laughing, etc.

Pluscuamperfecto
Se forma del pasado simple de *to have* + el participio pasado:

I had lost my slippers, the dog had taken them etc.

Pluscuamperfecto continuo
Se forma del pasado simple de *to have* + *been* + el participio pasado:

he had been repairing his motorbike etc.

Futuro
Se forma de *will/shall* + el infinitivo. (Como norma general *will* se usa para todas las

personas aunque, en el lenguaje formal, *shall* lo sustituye en la primera persona tanto del singular como del plural):

it will be here next week etc.

Futuro continuo
Se forma de *will/shall* + *be* + el participio presente:

they will be lying on the beach etc.

Futuro perfecto
Se forma de *will/shall* + *have* + participio pasado:

I will have finished in ten minutes etc.

Futuro perfecto continuo
Se forma de *will/shall* + *have* + *been* + participio presente:

we will have been living here for forty years etc.

Las oraciones condicionales
Aquí damos cuenta de los tres tipos básicos de oraciones condicionales del inglés, las llamadas reales, irreales e imposibles. Las construcciones 1) y 2) hacen referencia al presente y futuro mientras que 3) describe situaciones en el pasado.

1) Condicional real (first conditional)
   if + presente simple   *will/shall* + infinitivo
   if it snows this week,   *we will go skiing on Saturday*
2) Condicional irreal (second conditional)
   if + pasado simple   *would* + infinitivo
   if we had a corkscrew,   *we would be able to open the bottle*
3) Condicional imposible (third conditional)
   if + pluscuamperfecto   *would have* + participio pasado
   if you had run a little faster,   *you would have caught the train.*

La voz pasiva
La voz pasiva es frecuente en inglés. Se forma de la siguiente manera: se invierten el sujeto y el complemento directo, se pone el verbo *be* en el mismo tiempo que el verbo en la frase activa seguido del participio pasado del verbo, y se coloca la partícula *by* delante del sujeto:

John broke the window   -   *the window was broken by John*
Leeds United have beaten Stoke City -   *Stoke City have been beaten by Leeds United.*

A menudo se emplea para dar más énfasis al complemento directo o cuando el sujeto no se conoce o no tiene mucha importancia:

the police will tow away your car   -   *your car will be towed away (by the police)*
someone has stolen my pen   -   *my pen has been stolen.*

El imperativo
Tanto en singular como en plural, el imperativo se forma con el infinitivo sin *to*:

shut up!; open this door!; give me my umbrella!

Las oraciones negativas se forman con *do not (don't)* + infinitivo:

do not feed the animals!; don't put your feet on the chair!

Se usa *let's (let us)* + infinitivo (sin *to*) como imperativo para la primera persona del plural o para hacer sugerencias:

let's watch the other channel; let's not quarrel o don't let's quarrel.

La construcción de las frases negativas e interrogativas

Negativas
Los tiempos compuestos forman las frases negativas intercalando *not* después del verbo auxiliar:

he has finished	-	*he has not finished*
it is raining	-	*it is not raining*
she will see you later	-	*she will not see you later*

En el presente simple la negación se forma empleando el infinitivo del verbo (que es invariable) junto con el verbo auxiliar *do* (*does* para la tercera persona singular) seguido de *not*:

he works on Saturdays	-	*he does not work on Saturdays*
you make a lot of mistakes	-	*you do not make a lot of mistakes*

Para el pasado simple el auxiliar *do/does* toma la forma del pasado *did* mientras que el verbo principal se mantiene en infinitivo:

he worked last Saturday	-	*he did not work last Saturday*
you made a lot of mistakes	-	*you did not make a lot of mistakes*

Interrogativas
En los tiempos compuestos se forman las frases interrogativas anteponiendo el verbo auxiliar al sujeto:

she is having a shower	-	*is she having a shower?*
we shall come to help you	-	*shall we come to help you?*

En el presente simple se forma empleando el infinitivo del verbo (que es invariable) junto con el verbo auxiliar *do* (*does* para la tercera persona singular) que se coloca antes del sujeto:

he works on Saturdays	-	*does he work on Saturdays?*
they eat fish	-	*do they eat fish?*

Para el pasado simple el auxiliar *do/does* toma la forma del pasado *did*:

he worked last Saturday	-	*did he work last Saturday?*
they ate all of it	-	*did they eat all of it?*

Tablas de verbos irregulares ingleses

Infinitivo	Pasado simple	Participio pasado
arise	arose	arisen
awake	awoke	awaked/awoken
bear	bore	borne/born
beat	beat	beaten
become	became	become
begin	began	begun
behold	beheld	beheld
bend	bent	bent
beseech	besought/beseeched	besought/beseeched
beset	beset	beset
bide	bode/bided	bided
bind	bound	bound
bite	bit	bitten
bleed	bled	bled
blow	blew	blown
break	broke	broken

breed	bred	bred
bring	brought	brought
broadcast	broadcast	broadcast
build	built	built
burn	burnt/burned	burnt/burned
burst	burst	burst
buy	bought	bought
cast	cast	cast
catch	caught	caught
choose	chose	chosen
cleave	cleft/cleaved/clove	cleft/cleaved/cloven
cling	clung	clung
clothe	clothed/clad	clothed/clad
come	came	come
cost	cost	cost
creep	crept	crept
crow	crowed/crew	crowed
cut	cut	cut
deal	dealt	dealt
dig	dug	dug
draw	drew	drawn
dream	dreamed/dreamt	dreamed/dreamt
drink	drank	drunk
drive	drove	driven
dwell	dwelt	dwelt
eat	ate	eaten
fall	fell	fallen
feed	fed	fed
feel	felt	felt
fight	fought	fought
find	found	found
flee	fled	fled
fling	flung	flung
fly	flew	flown
forbear	forbore	forborne
forbid	forbade	forbidden
forecast	forecast/forecasted	forecast/forecasted
for(e)go	for(e)went	for(e)gone
foresee	foresaw	foreseen
foretell	foretold	foretold
forget	forgot	forgotten
forgive	forgave	forgiven
forsake	forsook	forsaken
freeze	froze	frozen
get	got	got, US gotten
give	gave	given
grind	ground	ground
grow	grew	grown
hang	hung/hanged[1]	hung/hanged[1]
hear	heard	heard
hide	hid	hidden/hid
hit	hit	hit
hold	held	held
hurt	hurt	hurt
input	input	input
keep	kept	kept
kneel	knelt	knelt
knit	knit/knitted	knit/knitted
know	knew	known
lay	laid	laid

lean	leant/leaned	leant/leaned
leap	leapt/leaped	leapt/leaped
learn	learnt/learned	learnt/learned
leave	left	left
lend	lent	lent
let	let	let
light	lighted/lit	lighted/lit
lose	lost	lost
make	made	made
may	might	-
mean	meant	meant
meet	met	met
mislead	misled	misled
misread	misread	misread
misspell	misspelled/misspelt	misspelled/misspelt
mistake	mistook	mistaken
mow	mowed	mowed/mown
offset	offset	offset
outdo	outdid	outdone
outgrow	outgrew	outgrown
overcome	overcame	overcome
overdo	overdid	overdone
overhear	overheard	overheard
override	overrode	overridden
overrun	overran	overrun
oversee	oversaw	overseen
oversleep	overslept	overslept
overtake	overtook	overtaken
overthrow	overthrew	overthrown
pay	paid	paid
prove	proved	proved/proven
read	read	read
rebuild	rebuilt	rebuilt
rend	rent	rent
rid	rid/ridded	rid/ridded
ride	rode	ridden
ring	rang	rung
rise	rose	risen
run	ran	run
saw	sawed	sawed/sawn
say	said	said
see	saw	seen
seek	sought	sought
sell	sold	sold
send	sent	sent
set	set	set
sew	sewed	sewed/sewn
shake	shook	shaken
shear	sheared	sheared/shorn
shed	shed	shed
shine	shone	shone
shoe	shod	shod
shoot	shot	shot
show	showed	showed/shown
shrink	shrank	shrunk
shut	shut	shut
sing	sang	sung
sink	sank	sunk
sit	sat	sat
slay	slew	slain

sleep	slept	slept
slide	slid	slid
sling	slung	slung
slink	slunk	slunk
slit	slit	slit
smell	smelled/smelt	smelled/smelt
speak	spoke	spoken
speed	speeded/sped	speeded/sped
spell	spelled/spelt	spelled/spelt
spend	spent	spent
spill	spilled/spilt	spilled/spilt
spin	spun/span	spun
spit	spat	spat
split	split	split
spoil	spoiled/spoilt	spoiled/spoilt
spread	spread	spread
spring	sprang	sprung
stand	stood	stood
steal	stole	stolen
stick	stuck	stuck
sting	stung	stung
stink	stank/stunk	stunk
strew	strewed	strewed/strewn
stride	strode	stridden
strike	struck	struck
string	strung	strung
strive	strove	striven
sublet	sublet	sublet
swear	swore	sworn
sweep	swept	swept
swell	swelled	swollen
swim	swam	swum
swing	swung	swung
take	took	taken
teach	taught	taught
tear	tore	torn
think	thought	thought
thrive	throve/thrived	thrived/thriven
throw	threw	thrown
tread	trod	trodden/trod
undercut	undercut	undercut
undergo	underwent	undergone
understand	understood	understood
undertake	undertook	undertaken
underwrite	underwrote	underwritten
undo	undid	undone
unwind	unwound	unwound
wake	woke	woken
waylay	waylaid	waylaid
wear	wore	worn
wed	wedded/wed	wedded/wed
weep	wept	wept
win	won	won
withdraw	withdrew	withdrawn
withhold	withheld	withheld
withstand	withstood	withstood
wring	wrung	wrung
write	wrote	written

[1] Para la diferencia véase la entrada.

A

a [eɪ, ə] *indef art* un, una. 2 *(per)* por: *three times ~ week,* tres veces por semana; £2 ~ *kilo,* dos libras el kilo. ▲ *Se usa delante de las palabras que empiezan con sonido no vocálico.* → **an.**

aback [ə'bæk] *adv* hacia atrás. ●*to be taken ~,* asombrarse.

abacus ['æbəkəs] *n* ábaco. ▲ *pl* **abacuses.**

abandon [ə'bændən] *t* abandonar.

abashed [ə'bæʃ] *adj* confundido,-a.

abate [ə'beɪt] *i* menguar, amainar.

abatement [ə'beɪtmənt] *n* reducción.

abattoir ['æbətwɑːʳ] *n* matadero.

abbess ['æbes] *n* abadesa.

abbey ['æbɪ] *n* abadía.

abbot ['æbət] *n* abad *m.*

abbreviate [ə'briːvɪeɪt] *t* abreviar.

abbreviation [ə'briːvɪ'eɪʃən] *n (shortening)* abreviación. 2 *(shortened form)* abreviatura.

abdicate ['æbdɪkeɪt] *t-i* abdicar.

abdication [æbdɪ'keɪʃən] *n* abdicación.

abdomen ['æbdəmən] *n* abdomen *m.*

abdominal [æb'dɒmɪnəl] *adj* abdominal.

abduct [æb'dʌkt] *t* raptar, secuestrar.

abduction [æb'dʌkʃən] *n* rapto, secuestro.

abductor [æb'dʌktəʳ] *n* secuestrador,-ra.

aberration [æbə'reɪʃən] *n* aberración.

abet [ə'bet] *t* incitar.

abeyance [ə'beɪəns] *in ~, adv* en desuso.

abhor [əb'hɔːʳ] *t* aborrecer, detestar.

abhorrence [əb'hɒrəns] *n* aborrecimiento, odio.

abhorrent [əb'hɒrənt] *adj* detestable, odioso,-a.

abide [ə'baɪd] *t (bear, stand)* soportar, tolerar. ◆*to ~ by t (promise)* cumplir con; *(rules, decision)* acatar.

ability [ə'bɪlɪtɪ] *n (capability)* capacidad, aptitud. 2 *(talent)* talento.

abject ['æbdʒekt] *adj* abyecto,-a.

ablaze [ə'bleɪz] *adj* ardiendo, en llamas. ●*fig ~ with light,* resplandeciente de luz.

able ['eɪbəl] *adj* que puede. 2 *(capable)* hábil, capaz. – 3 **ably** *adv* hábilmente. ●*to be ~ to,* poder.

abnormal [æb'nɔːməl] *adj (not normal)* anormal. 2 *(unusual)* inusual.

abnormality [æbnɔː'mælɪtɪ] *n* anomalía.

aboard [ə'bɔːd] *adv* a bordo.

abode [ə'bəʊd] *n fml* morada, domicilio.

abolish [ə'bɒlɪʃ] *t* abolir, suprimir.

abolition [æbə'lɪʃən] *n* abolición, supresión.

abominable [ə'bɒmɪnəbəl] *adj* abominable; *(terrible)* terrible, horrible.

abomination [əbɒmɪ'neɪʃən] *n* abominación.

aboriginal [æbə'rɪdʒɪnəl] *adj-n* aborigen *(mf).*

aborigine [æbə'rɪdʒɪnɪ] *n* aborigen *mf.*

abort [ə'bɔːt] *i* abortar.

abortion [ə'bɔːʃən] *n* aborto.

abound [ə'baʊnd] *i* abundar.

about [ə'baʊt] *prep (concerning)* sobre, acerca de: *to speak ~ ...,* hablar de ...; *what is the book ~?,* ¿de qué trata el libro?; *what did you do ~ ...?,* ¿qué hiciste con ...? 2 *(showing where)* por, en: *he's somewhere ~ the house,* está por algún rincón de la casa. – 3 *adv (approximately)* alrededor de: – £500, unas quinientas libras; *at ~ three o'clock,* a eso de las tres. 4 *(near)* por aquí/ahí. *there was nobody ~,* no había nadie. 5 *(available)* disponible. ●*to be ~ to ...,* estar a punto de ...; *how/what ~ a drink?,* ¿te apetece tomar algo?; *how/ what ~ going to Paris?,* ¿qué te parece ir a París?

above [ə'bʌv] *prep (higher than)* por encima de: ~ *our heads,* por encima de nuestras cabezas; *fig* ~ *suspicion,* por encima de toda sospecha; *fig only the manager is* ~ *him,* sólo el gerente está por encima de él. 2 *(more than)* más de/ que: ~ *5,000 people,* más de 5.000 personas: *those* ~ *the age of 65,* los mayores de 65 años. – 3 *adv* arriba, en lo alto. 4 *(in writing)* arriba: see ~, véase arriba. ●~ *all,* sobre todo.

above-board [əbʌv'bɔːd] *adj* legítimo,-a, legal.

above-mentioned [əbʌv'menʃənd] *adj* arriba mencionado,-a.

abrasion [ə'breɪʒən] *n* abrasión.

abreast [ə'brest] *adv* de frente: *to walk four* ~, caminar cuatro de frente.

abridged [ə'brɪdʒd] *adj* abreviado,-a.

abroad [ə'brɔːd] *adv* en el extranjero: *to go* ~, ir al extranjero. 2 *fml (everywhere)* por todas partes.

abrupt [ə'brʌpt] *adj (sudden)* repentino,-a. 2 *(rude)* brusco,-a, arisco,-a.

abscess ['æbses] *n* absceso.

abscond [əb'skɒnd] *i* fugarse.

absence ['æbsəns] *n (of person)* ausencia. 2 *(of thing)* falta, carencia.

absent ['æbsənt] *adj* ausente. – 2 *t to* ~ *o.s.,* ausentarse. ▲ *En* 2 *(verbo)* [æb'sent].

absentee [æbsən'tiː] *n* ausente *mf.*

absent-minded [æbsənt'maɪndɪd] *adj* distraído,-a.

absinthe ['æbsɪnθ] *n* ajenjo.

absolute ['æbsəluːt] *n* absoluto,-a: *it's* ~ *rubbish,* es una perfecta tontería.

absolution [æbsə'luːʃən] *n* absolución.

absolutism ['æbsəluːtɪzəm] *n* absolutismo.

absolve [əb'zɒlv] *t* absolver.

absorb [əb'zɔːb] *t (soak up)* absorber; *fig (ideas etc.)* asimilar. ●*to be absorbed in sth.,* estar absorto,-a en algo.

absorbent [əb'zɔːbənt] *adj* absorbente.

absorbing [əb'zɔːbɪŋ] *adj* absorbente.

absorption [əb'zɔːpʃən] *n* absorción.

abstain [əb'steɪn] *i* abstenerse.

abstemious [æb'stiːmɪəs] *adj* abstemio,-a.

abstention [æb'stenʃən] *n* abstención.

abstinence ['æbstɪnəns] *n* abstinencia.

abstract ['æbstrækt] *adj (not concrete)* abstracto,-a. – 2 *n (summary)* resumen *m.* – 3 *t (summarize)* resumir. 4 *euph (steal)* sustraer. ▲ *En* 3 *y* 4 *(verbo)* [æb'strækt].

abstraction [æb'strækʃən] *n* abstracción. 2 *(absent-mindedness)* distracción, ensimismamiento.

abstruse [əb'struːs] *adj* abstruso,-a.

absurd [əb'sɜːd] *adj* absurdo,-a.

absurdity [əb'sɜːdɪtɪ] *n* disparate *m.*

abundance [ə'bʌndəns] *n* abundancia.

abundant [ə'bʌndənt] *adj* abundante.

abuse [ə'bjuːs] *n (verbal)* insultos *mpl; (physical)* malos tratos *mpl.* 2 *(misuse)* abuso. – 3 *t (verbally)* insultar; *(physically)* maltratar. 4 *(misuse)* abusar de. ▲ *En* 3 *y* 4 *(verbo)* [ə'bjuːz].

abusive [ə'bjuːsɪv] *adj (insulting)* injurioso,-a, insultante.

abysmal [ə'bɪzməl] *adj fam* malísimo,-a, fatal.

abyss [ə'bɪs] *n* abismo.

acacia [ə'keɪʃə] *n* acacia.

academic [ækə'demɪk] *adj-n* académico,-a.

academy [ə'kædəmɪ] *n* academia.

accede [æk'siːd] *i fml (agree)* acceder *(to,* a). 2 *(to throne)* ascender/subir *(to,* a).

accelerate [æk'seləreɪt] *t-i* acelerar(se).

acceleration [ækselə'reɪʃən] *n* aceleración.

accelerator [ək'seləreɪtəʳ] *n* acelerador *m.*

accent ['æksənt] *n* acento. – 2 *t* acentuar. ▲ *En* 2 *(verbo)* [æk'sent].

accentuate [æk'sentʃʊeɪt] *t* acentuar.

accentuation [æksentʃʊ'eɪʃən] *n* acentuación.

accept [ək'sept] *t (gift, offer, etc.)* aceptar. 2 *(admit to be true)* admitir, creer.

acceptable [ək'septəbəl] *adj (satisfactory)* aceptable. 2 *(welcome)* grato,-a, acepto,-a.

acceptance [ək'septəns] *n* aceptación, acogida.

access ['ækses] *n* acceso. ■ ~ *road,* carretera de acceso.

accessible [æk'sesɪbəl] *adj* accesible.

accession [æk'seʃən] *n (agreement)* asentimiento. 2 *(to throne)* advenimiento.

accessory [æk'sesərɪ] *n* accesorio. 2 *(accomplice)* cómplice *mf.*

accident ['æksɪdənt] *n* accidente *m: I'm sorry, it was an* ~, lo siento, lo hice sin querer. 2 *(coincidence)* casualidad. ●*by* ~, por casualidad.

accidental [æksɪ'dentəl] *adj* accidental, casual.

accident-prone ['æksɪdəntprəʊn] *adj* propenso,-a a los accidentes.

acclaim [ə'kleɪm] *n* aclamación. − 2 *t* aclamar.

acclamation [æklə'meɪʃən] *n* aclamación.

acclimatize [ə'klaɪmətaɪz] *t-i* aclimatar(se).

accolade ['ækəleɪd] *n* elogio.

accommodate [ə'kɒmədeɪt] *t (guests etc.)* alojar, hospedar. 2 *(satisfy)* complacer.

accommodating [ə'kɒmədeɪtɪŋ] *adj* servicial, complaciente.

accommodation [əkɒmə'deɪʃən] *n* alojamiento.

accompaniment [ə'kʌmpənɪmənt] *n* acompañamiento.

accompany [ə'kʌmpənɪ] *t* acompañar.

accomplice [ə'kɒmplɪs] *n* cómplice *mf.*

accomplish [ə'kɒmplɪʃ] *t* lograr.

accomplished [ə'kɒmplɪʃt] *adj* cumplido,-a, consumado,-a.

accomplishment [ə'kɒmplɪʃmənt] *n (act of achieving)* realización. 2 *(achievement)* logro. 3 *pl (skills)* aptitudes *fpl*, dotes *mpl*, habilidades *fpl.*

accord [ə'kɔ:d] *n* acuerdo. − 2 *t (award)* conceder, otorgar. − 3 *i (agree)* concordar. •*of one's own* ~, espontáneamente, por propia voluntad; *with one* ~, unánimemente.

accordance [ə'kɔ:dəns] *n in* ~ *with,* de acuerdo con.

according [ə'kɔ:dɪŋ] *prep* ~ *to,* según: ~ *to Philip/the paper/my watch,* según Philip/el periódico/mi reloj. 2 *(consistent with)* de acuerdo *(to,* con): *it went* ~ *to plan,* salió tal como se había previsto; *we were paid* ~ *to our experience,* se nos pagó de acuerdo con nuestra experiencia. − 3 *accordingly adv (appropriately)* de conformidad. 4 *(therefore)* por consiguiente.

accordion [ə'kɔ:dɪən] *n* acordeón *m.*

accost [ə'kɒst] *t* abordar, dirigirse a.

account [ə'kaʊnt] *n* cuenta. 2 *(advantage)* provecho. 3 *(reason)* causa, motivo. 4 *(report)* relación, informe *m.* 5 *(importance)* importancia: *it is of no* ~, no tiene importancia. ◆*to* ~ *for i* explicar. •*on* ~, a cuenta; *on* ~ *of,* por, a causa de; *on no* ~, bajo ningún concepto; *there's no accounting for tastes,* sobre gustos no hay nada escrito; *to call sb. to* ~, pedir cuentas a algn; *to take into* ~, tener en cuenta; *to turn sth. to (good)* ~, sacar (buen) provecho de algo. ■ *current* ~, cuenta corriente; *deposit* ~, cuenta de ahorros.

accountable [ə'kaʊntəbəl] *adj* responsable *(to,* ante).

accountant [ə'kaʊntənt] *n* contable *mf.*

accounting [ə'kaʊntɪŋ] *n* contabilidad.

accredited [ə'kredɪtɪd] *adj* autorizado,-a, reconocido,-a.

accrue [ə'kru:] *i* FIN acumularse.

accumulate [ə'kju:mjʊleɪt] *t-i* acumular(se).

accumulation [əkju:mjʊ'leɪʃən] *n* acumulación.

accuracy ['ækjʊrəsɪ] *n (of numbers, instrument, information)* exactitud, precisión. 2 *(of shot)* certeza.

accurate ['ækjʊrət] *adj (numbers etc.)* exacto,-a, preciso,-a. 2 *(instrument)* de precisión. 3 *(shot)* certero,-a. 4 *(information etc.)* exacto,-a.

accusation [ækju:'zeɪʃən] *n* acusación: *to bring an* ~ *against,* presentar una denuncia contra.

accusative [ə'kju:zətɪv] *adj-n* acusativo,-a *(m).*

accuse [ə'kju:z] *t* acusar *(of,* de).

accused [ə'kju:zd] *n the* ~, el/la acusado,-a.

accuser [ə'kju:zə^r] *n* acusador,-ra.

accustom [ə'kʌstəm] *t* acostumbrar *(to,* a).

accustomed [ə'kʌstəmd] *adj* acostumbrado,-a *(to,* a).

ace [eɪs] *n (cards)* as *m.* 2 *(tennis)* ace *m.* 3 *fam (expert)* as *m.* •*within an* ~ *of,* a dos dedos de.

ache [eɪk] *n* dolor *m.* − 2 *i* doler: *my head aches,* me duele la cabeza, tengo dolor de cabeza.

achieve [ə'tʃi:v] *t (finish)* realizar, llevar a cabo. 2 *(attain)* lograr, conseguir.

achievement [ə'tʃi:vmənt] *n (completion)* realización. 2 *(attainment)* logro. 3 *(feat)* hazaña, proeza.

aching ['eɪkɪŋ] *adj* dolorido,-a.

acid ['æsɪd] *adj-n* ácido,-a *(m).*

acidic [ə'sɪdɪk] *adj* ácido,-a.

acidity [ə'sɪdɪtɪ] *n* acidez *f.*

acknowledge [ək'nɒlɪdʒ] *t (admit)* reconocer, admitir: *to* ~ *defeat,* admitir la derrota. 2 *(an acquaintance)* saludar. 3 *(be thankful)* agradecer, expresar agradecimiento por. •*to* ~ *receipt of,* acusar recibo de.

acknowledgement [ək'nɒlɪdʒmənt] *n* reconocimiento. 2 *(thanks)* gratitud. 3 *(of letter etc.)* acuse de recibo.

acme ['ækmɪ] *n* apogeo, colmo.

acne ['æknɪ] *n* acné *f.*

acorn ['eɪkɔ:n] *n* bellota.
acoustic [ə'ku:stɪk] *adj* acústico,-a. − 2 *npl* acústica *f sing.*
acquaint [ə'kweɪnt] *t* informar (*with,* de): *to be acquainted with,* (*person*) conocer, tener trato con; (*subject*) conocer, tener conocimientos de.
acquaintance [ə'kweɪntəns] *n* (*knowledge*) conocimiento. 2 (*person*) conocido,-a.
acquiesce [ækwɪ'es] *i* consentir (*in,* en), conformarse (*in,* con).
acquiescence [ækwɪ'esəns] *n* aquiescencia, conformidad.
acquire [ə'kwaɪə'] *t* adquirir. ●*to ~ a taste for sth.,* tomarle gusto a algo.
acquisition [ækwɪ'zɪʃən] *n* adquisición.
acquisitive [ə'kwɪzɪtɪv] *adj* codicioso,-a, acaparador,-ra.
acquit [ə'kwɪt] *t* absolver, declarar inocente.
acquittal [ə'kwɪtəl] *n* absolución.
acre ['eɪkə'] *n* acre *m.*
acrid ['ækrɪd] *adj* acre. 2 *fig* (*remark*) cáustico,-a.
acridity [æ'krɪdɪti] *n* acritud.
acrimonious [ækrɪ'məʊnɪəs] *adj* (*remark*) cáustico,-a; (*dispute*) enconado,-a, amargo,-a.
acrimony ['ækrɪməni] *n* acritud, aspereza.
acrobat ['ækrəbæt] *n* acróbata *mf.*
acrobatics [ækrə'bætɪks] *npl* acrobacia *f sing.*
across [ə'krɒs] *prep* (*movement*) a través de: *to go ~ the road,* cruzar la carretera; *to swim ~ a river,* cruzar un río nadando/a nado; *to fly ~ the Atlantic,* sobrevolar el Atlántico. 2 (*position*) al otro lado de: *they live ~ the road,* viven enfrente. − 3 *adv* de un lado a otro: *it's 4 metres ~,* mide 4 metros de lado a lado; *he ran/swam ~,* cruzó corriendo/nadando.
acrostic [ə'krɒstɪk] *adj-n* acróstico,-a (*m*).
act [ækt] *n* acto, hecho, acción. 2 THEAT acto. 3 (*of parliament*) ley *f.* − 4 *i* obrar, actuar, conducirse. 5 THEAT actuar. ●*to catch sb. in the ~,* coger a algn. in fraganti. ■ *~ of God,* fuerza mayor; *the Acts of the Apostles,* los Hechos de los Apóstoles.
acting ['æktɪŋ] *adj* interino,-a, en funciones. − 2 *n* THEAT (*profession*) teatro; (*performance*) representación.
action ['ækʃən] *n* acción. 2 MIL combate *m,* acción. 3 JUR demanda. ●*actions speak louder than words,* hechos son

amores y no buenas razones; *killed in ~,* muerto,-a en combate; *out of ~,* fuera de servicio; *to bring an ~ against sb.,* entablar una demanda contra algn.
activate ['æktɪveɪt] *t* activar.
active ['æktɪv] *adj* activo,-a. 2 (*volcano*) en actividad. 3 (*energetic*) vivo,-a, vigoroso,-a.
activity [æk'tɪvɪti] *n* actividad.
actor ['æktə'] *n* actor *m.*
actress ['æktrɪs] *n* actriz *f.*
actual ['æktʃʊəl] *adj* real, verdadero,-a. − 2 *actually adv* en realidad, realmente, de hecho. ▲ 2 *nunca se traduce por "actualmente".*
actuary ['æktʃʊəri] *n* actuario de seguros.
actuate ['æktʃʊeɪt] *t* (*make work*) accionar. 2 (*motivate*) mover, impulsar.
acuity [ə'kju:ɪti] *n* agudeza.
acumen ['ækjʊmən] *n* perspicacia.
acute [ə'kju:t] *adj* (*keen*) agudo,-a; (*hearing etc.*) muy fino,-a; (*mind*) perspicaz. 2 (*severe*) agudo,-a, acusado,-a, grave.
ad [æd] *n fam* anuncio.
Adam ['ædəm] *n* Adán *m.* ■ *Adam's apple,* nuez *f* (de la garganta).
adamant ['ædəmənt] *adj* firme, inflexible.
adapt [ə'dæpt] *t-i* adaptar(se).
adaptable [ə'dæptəbəl] *adj to be ~,* saber adaptarse.
adaptation [ædəp'teɪʃən] *n* adaptación.
adaptor [ə'dæptə'] *n* ELEC ladrón *m.*
add [æd] *t* añadir, agregar. − 2 *t-i* sumar. ◆*to ~ to t* aumentar. ◆*to ~ up t* sumar. − 2 *i fig* cuadrar.
adder ['ædə'] *n* ZOOL víbora.
addict ['ædɪkt] *n* adicto,-a. 2 *fam* (*fanatic*) fanático,-a. ■ *drug ~,* drogadicto,-a; *heroin ~,* heroinómano,-a.
addicted [ə'dɪktɪd] *adj* adicto,-a.
addiction [ə'dɪkʃən] *n* adicción.
addictive [ə'dɪktɪv] *adj to be ~,* crear adicción.
addition [ə'dɪʃən] *n* adición, añadidura. 2 MATH adición, suma. ●*in ~ to,* además de.
additional [ə'dɪʃənəl] *adj* adicional.
address [ə'dres] *n* (*on letter*) dirección, señas *fpl.* 2 (*speech*) discurso, alocución. − 3 *t* (*speak to*) dirigirse a. 4 (*letter*) poner la dirección en. ■ *form of ~,* tratamiento.
addressee [ædre'si:] *n* destinatario,-a.
adduce [ə'dju:s] *t* aducir.

adenoids ['ædənɔɪdz] *npl* vegetaciones *fpl.*

adept ['ædept] *adj* experto,-a, perito,-a.

adequate ['ædɪkwɪt] *adj (enough)* suficiente. 2 *(satisfactory)* adecuado,-a.

adhere [əd'hɪəʳ] *i (stick)* adherirse, pegarse. ◆*to ~ to t (cause)* adherirse a. 2 *(rules)* observar.

adherence [əd'hɪərəns] *n (to cause)* adhesión. 2 *(to rules)* observación.

adherent [əd'hɪərənt] *adj* adherente. – 2 *n (supporter)* adherido,-a, partidario,-a.

adhesive [əd'hi:sɪv] *adj-n* adhesivo,-a *(m).*

adjacent [ə'dʒeɪsənt] *adj* adyacente.

adjective ['ædʒɪktɪv] *n* adjetivo.

adjoin [ə'dʒɔɪn] *t* lindar con. – 2 *i* colindar.

adjoining [ə'dʒɔɪnɪŋ] *adj (buliding)* contiguo,-a; *(land)* colindante.

adjourn [ə'dʒɜ:n] *t-i (postpone)* aplazar(se), suspender(se).

adjournment [ə'dʒɜ:nmənt] *n* aplazamiento, suspensión.

adjunct ['ædʒʌŋkt] *n* adjunto, accesorio.

adjust [ə'dʒʌst] *t* ajustar, arreglar. – 2 *i (person)* adaptarse.

adjustment [ə'dʒʌstmənt] *n* ajuste *m,* arreglo. 2 *(person)* adaptación.

administer [əd'mɪnɪstəʳ] *t (control)* administrar. 2 *(give)* administrar, dar.

administration [ədmɪnɪs'treɪʃən] *n* administración.

administrator [əd'mɪnɪstreɪtəʳ] *n* administrador,-ra.

admirable ['ædmɪrəbəl] *adj* admirable.

admiral ['ædmərəl] *n* almirante *m.*

admiration [ædmɪ'reɪʃən] *n* admiración.

admire [əd'maɪəʳ] *t* admirar.

admirer [əd'maɪərəʳ] *n* admirador,-ra.

admission [əd'mɪʃən] *n (to hospital)* ingreso. 2 *(price)* entrada. 3 *(acknowledgement)* reconocimiento.

admit [əd'mɪt] *t (allow in)* admitir; *(to hospital)* ingresar. 2 *(acknowledge)* reconocer.

admittance [əd'mɪtəns] *n* entrada. ●*no ~,* prohibida la entrada.

admittedly [əd'mɪtɪdlɪ] *adv* lo cierto es que.

admonish [əd'mɒnɪʃ] *t* amonestar.

admonition [ædmə'nɪʃən] *n* admonición.

ado [ə'du:] *n without further ~,* sin más (preámbulos); *much ~ about nothing,* mucho ruido y pocas nueces.

adolescence [ædə'lesəns] *n* adolescencia.

adolescent [ædə'lesənt] *adj-n* adolescente.

adopt [ə'dɒpt] *t* adoptar.

adoption [ə'dɒpʃən] *n* adopción.

adorable [ə'dɔ:rəbəl] *adj* adorable.

adoration [ædə'reɪʃən] *n* adoración.

adore [ə'dɔ:ʳ] *t* adorar.

adorn [ə'dɔ:n] *t* adornar.

adornment [ə'dɔ:nmənt] *n* adorno.

adrift [ə'drɪft] *adj* a la deriva.

adroit [ə'drɔɪt] *adj* diestro,-a, hábil.

adulation [ædjʊ'leɪʃən] *n* adulación.

adult ['ædʌlt] *adj-n* adulto,-a *(m).*

adulterate [ə'dʌltəreɪt] *t* adulterar.

adulteration [ə'dʌltəreɪʃən] *n* adulteración.

adulterer [ə'dʌltərəʳ] *n* adúltero,-a.

adultery [ə'dʌltərɪ] *n* adulterio.

advance [əd'vɑ:ns] *n (movement)* avance *m.* 2 *(progress)* adelanto, progreso. 3 *(payment)* anticipo. – 4 *t (move forward)* adelantar, avanzar. 5 *(promote)* ascender. 6 *(encourage)* promover, fomentar. 7 *(pay)* adelantar, anticipar. – 8 *i (move forward)* adelantarse.

advanced [əd'vɑ:nst] *adj* avanzado,-a.

advancement [əd'vɑ:nsmənt] *n (promotion)* ascenso, promoción. 2 *(encouragement)* difusión, promoción.

advantage [əd'vɑ:ntɪdʒ] *n* ventaja. ●*to take ~ of, (thing)* aprovechar; *pej (person)* aprovecharse de.

advantageous [ædvən'teɪdʒəs] *adj* ventajoso,-a, provechoso,-a.

advent ['ædvənt] *n* advenimiento.

adventure [əd'ventʃəʳ] *n* aventura.

adventurer [əd'ventʃərəʳ] *n* aventurero.

adventuress [əd'ventʃərəs] *n* aventurera.

adventurous [əd'ventʃərəs] *adj* aventurero,-a. 2 *(risky)* arriesgado,-a.

adverb ['ædvɜ:b] *n* adverbio.

adversary ['ædvəsərɪ] *n* adversario,-a.

adverse ['ædvɜ:s] *adj* adverso,-a.

adversity [əd'vɜ:sɪtɪ] *n* adversidad.

advert ['ædvɜ:t] *n fam* anuncio.

advertise ['ædvətaɪz] *t* anunciar.

advertisement [əd'vɜ:tɪsmənt] *n* anuncio.

advertiser ['ædvətaɪzəʳ] *n* anunciante *mf.*

advertising ['ædvətaɪzɪŋ] *n* publicidad, propaganda.

advice [əd'vaɪs] *n* consejos *mpl.*

advisable [əd'vaɪzəbəl] *adj* aconsejable.

advise [əd'vaız] *t* aconsejar. **2** *(inform)* informar.

adviser [əd'vaızə^r] *n* consejero,-a.

advocate ['ædvəkət] *n* abogado,-a. – *t* abogar por, propugnar. ▲ *En 2 (verbo)* ['ædvəkeıt].

aerial ['eərıəl] *adj* aéreo,-a. – **2** *n* antena.

aerodrome ['eərədrəum] *n* aeródromo.

aerodynamics [eərəudaı'næmıks] *n* aerodinámica.

aeronautics [eərə'nɔ:tıks] *n* aeronáutica.

aeroplane ['eərəpleın] *n* aeroplano, avión *m*.

aesthetic [i:s'θetık] *adj* estético,-a.

aesthetics [i:s'θetıks] *n* estética.

affability [æfə'bılıtı] *n* afabilidad.

affable ['æfəbəl] *adj* afable.

affair [ə'feə^r] *n (matter)* asunto. **2** *(event)* acontecimiento. ■ **foreign affairs**, asuntos exteriores; **love ~**, aventura amorosa.

affect [ə'fekt] *t* afectar. **2** *(move)* conmover, impresionar.

affectation [æfek'teıʃən] *n* afectación.

affected [ə'fektıd] *adj* afectado,-a, falso,-a.

affection [ə'fekʃən] *n* afecto, cariño.

affectionate [ə'fekʃənət] *adj* afectuoso,-a, cariñoso,-a.

affidavit [æfı'deıvıt] *n* declaración jurada, afidávit *m*.

affiliate [ə'fılıət] *n* afiliado,-a.

affiliated [ə'fılıeıtıd] *adj* afiliado,-a.

affiliation [əfılı'eıʃən] *n* afiliación.

affinity [ə'fınıtı] *n* afinidad.

affirm [ə'fɜ:m] *t* afirmar.

affirmation [æfə'meıʃən] *n* afirmación.

affix ['æfıks] *n* afijo. – **2** *t* pegar, añadir. ▲ *En 2 (verbo)* [ə'fıks].

afflict [ə'flıkt] *t* afligir.

affliction [ə'flıkʃən] *n* aflicción.

affluence ['æfluəns] *n* riqueza, prosperidad.

affluent ['æfluənt] *adj* rico,-a, próspero,-a.

afford [ə'fɔ:d] *t* permitirse, costear: **I can't ~ to pay £750 for a coat,** no puedo (permitirme) pagar 750 libras por un abrigo; **how does she ~ it?,** ¿cómo se lo costea?; **can you ~ to reject his offer?,** ¿puedes permitirte el lujo de rechazar su oferta? **2** *fml* dar, proporcionar. ▲ *En 1 gen con can/be able.*

affront [ə'frʌnt] *n* afrenta, insulto. – **2** *t* afrentar, insultar.

afield [ə'fi:ld] *adv* far **~,** lejos.

afloat [ə'fləut] *adj* a flote.

afoot [ə'fut] *adv* something's **~,** se está tramando algo.

aforesaid [ə'fɔ:sed] *adj* mencionado,-a, antedicho,-a.

afraid [ə'freıd] *adj* temeroso,-a. ● **to be ~,** tener miedo.

afresh [ə'freʃ] *adv* de nuevo.

after ['ɑ:ftə^r] *prep (time)* después de: **~ class,** después de la clase. **2** *(following)* detrás de: **we all went ~ the thief,** todos fuimos detrás del ladrón; **the police are ~ us,** la policía nos está persiguiendo. – **3** *adv* después: **the day ~,** el día después. – **4** *conj* después que; **~ he left, I went to bed,** después de que se marchara, me acosté.

after-effect ['ɑ:ftərıfekt] *n* efecto secundario.

afterlife ['ɑ:ftəlaıf] *n* vida después de la muerte.

aftermath ['ɑ:ftəmɑ:θ] *n* secuelas *fpl*.

afternoon [ɑ:ftə'nu:n] *n* tarde *f*.

afters ['ɑ:ftəz] *npl fam* postre *m sing*.

aftershave ['ɑ:ftəʃeıv] *n* loción para después del afeitado.

aftertaste ['ɑ:ftəteıst] *n* regusto.

afterwards ['ɑ:ftəwədz] *adv* después, luego.

again [ə'gen, ə'geın] *prep* de nuevo, otra vez. ● **~ and ~,** repetidamente; **now and ~,** de vez en cuando.

against [ə'genst, ə'geınst] *prep* contra: **~ the wall,** contra la pared. **2** *(opposed to)* en contra de: **it's ~ the law,** va en contra de la ley; **I am ~ the plan,** me opongo al plan.

agate ['ægət] *n* ágata.

age [eıdʒ] *n* edad. **2** *pl fam* años *mpl*: **it's ages since she left,** hace años que se marchó. – **3** *i-t* envejecer. ● **of ~,** mayor de edad; **under ~,** menor de edad. ■ **old ~,** vejez *f*, senectud; **the Middle Ages,** la Edad Media.

aged ['eıdʒıd] *adj* viejo,-a, anciano,-a. **2** de (tantos años de) edad: **a boy ~ ten,** un muchacho de diez años. ▲ *En 2* [eıdʒd].

agency ['eıdʒənsı] *n* agencia.

agenda [ə'dʒendə] *n* orden *m* del día.

agent ['eıdʒənt] *n* agente *mf*.

agglomeration [əglɒmə'reıʃən] *n* aglomeración.

aggravate ['ægrəveıt] *t (make worse)* agravar. **2** *fam (annoy)* irritar, molestar.

aggravation [ægrə'veıʃən] *n (worsening)* agravamiento. **2** *(annoyance)* exasperación.

aggregate ['ægrɪgət] *n* agregado, totalidad.

aggression [ə'greʃən] *n* agresión.

aggressive [ə'gresɪv] *adj* agresivo,-a.

aggressor [ə'gresəʳ] *n* agresor,-ra.

aggrieved [ə'griːvd] *adj* afligido,-a, apenado,-a.

aghast [ə'gɑːst] *adj* horrorizado,-a.

agile ['ædʒaɪl] *adj* ágil.

agility [ə'dʒɪlɪtɪ] *n* agilidad.

agitate ['ædʒɪteɪt] *t (shake)* agitar. 2 *(worry)* inquietar, perturbar.

agitation ['ædʒɪ'teɪʃən] *n (shaking)* agitación. 2 *(worry)* inquietud, perturbación.

agitator ['ædʒɪteɪtəʳ] *n* agitador,-ra.

aglow [ə'gləʊ] *adj* resplandeciente.

ago [ə'gəʊ] *adv* hace, atrás: *two years ~,* hace dos años.

agog [ə'gɒg] *adj* anhelante, deseoso,-a.

agonize ['ægənaɪz] *i* sufrir angustiosamente.

agony ['ægənɪ] *n (pain)* dolor muy agudo. 2 *(anguish)* angustia.

agrarian [ə'greərɪən] *adj* agrario,-a.

agree [ə'griː] *i-t (be in agreement)* estar de acuerdo: *I ~ with you,* estoy de acuerdo contigo. 2 *(reach an agreement)* ponerse de acuerdo: *we agreed not to say anything,* nos pusimos de acuerdo en no decir nada. 3 *(say yes)* acceder, consentir: *will he ~ to our request?,* ¿accederá a nuestra petición? 4 *(square)* concordar, encajar: *the two men's stories don't ~,* las historias de los dos hombres no encajan. 5 *(food)* sentar bien: *the prawns didn't ~ with me,* las gambas no me sentaron bien. 6 GRAM concordar.

agreeable [ə'griːəbəl] *adj (pleasant)* agradable. 2 *(in agreement)* conforme.

agreement [ə'griːmənt] *n* acuerdo. 2 GRAM concordancia. ●*in ~,* de acuerdo.

agricultural [ægrɪ'kʌltʃərəl] *adj* agrícola.

agriculture ['ægrɪkʌltʃəʳ] *n* agricultura.

agriculturist [ægrɪ'kʌltʃərɪst] *n* ingeniero,-a agrónomo,-a.

aground [ə'graʊnd] *adv to run ~,* encallar, varar.

ahead [ə'hed] *adv (in front)* delante: *there's a police checkpoint ~,* hay un control de policía aquí delante; *Tom went on ~ to look for water,* Tom se adelantó a por agua; *we are ~ of the others,* llevamos ventaja sobre los otros. ●*go ~!,* ¡adelante!; *to plan ~,* planear para el futuro; *to think ~,* pensar en el futuro.

aid [eɪd] *n* ayuda, auxilio. – 2 *t* ayudar, auxiliar.

aids [eɪdz] *n* sida *m.*

ailing ['eɪlɪŋ] *adj* enfermo,-a.

ailment ['eɪlmənt] *n* dolencia, achaque *m.*

aim [eɪm] *n (marksmanship)* puntería. 2 *(objective)* meta, objetivo. ●*to ~ at t* apuntar a. ●*to ~ to t* tener la intención de. ●*to take ~,* apuntar; *to miss one's ~,* errar el tiro.

air [eəʳ] *n* aire *m.* 2 *(feeling)* aire, aspecto. 3 *(affectation)* afectación, tono: *to put on airs,* darse tono. 4 MUS aire, tonada. – 5 *t (clothes)* airear, orear. 6 *(room)* ventilar. 7 *(opinions)* airear; *(knowledge)* hacer alarde de. ■ *~ conditioning,* aire acondicionado; *~ force,* fuerzas *fpl* aéreas; *~ gun,* pistola de aire comprimido; *~ hostess,* azafata; *~ mail,* correo aéreo; *~ raid,* ataque aéreo; *fresh ~,* aire fresco.

air-conditioned [eəkən'dɪʃənd] *adj* con aire acondicionado.

aircraft ['eəkrɑːft] *n* avión *m.* ■ *~ carrier,* portaaviones *m inv.*

airline ['eəlaɪn] *n* línea aérea.

airman ['eəmən] *n* aviador *m.*

airplane ['eəpleɪn] *n* aeroplano, avión *m.*

airport ['eəpɔːt] *n* aeropuerto.

airship ['eəʃɪp] *n* aeronave *f.*

airsick ['eəsɪk] *adj* mareado,-a (en el avión).

airspace ['eəspeɪs] *n* espacio aéreo.

airstrip ['eəstrɪp] *n* pista de aterrizaje.

airtight ['eətaɪt] *adj* hermético,-a.

airway ['eəweɪ] *n* línea/vía aérea.

airy ['eərɪ] *adj (ventilated)* bien ventilado,-a. 2 *(carefree)* despreocupado,-a.

aisle [aɪl] *n (in theatre)* pasillo. 2 *(in church)* nave *f* lateral.

ajar [ə'dʒɑːʳ] *adj* entreabierto,-a.

akimbo [ə'kɪmbəʊ] *adv* en jarras.

akin [ə'kɪn] *adj* parecido,-a.

alabaster ['æləbɑːstəʳ] *n* alabastro.

alacrity [ə'lækrɪtɪ] *n* presteza.

alarm [ə'lɑːm] *n* alarma. 2 *(fear)* temor *m,* alarma. – 3 *t* alarmar, asustar. ■ *~ clock,* despertador *m.*

alarming [ə'lɑːmɪŋ] *adj* alarmante.

alas [ə'lɑːs] *interj* ¡ay!, ¡ay de mí!

albeit [ɔːl'biːɪt] *conj fml* aunque.

albino [æl'biːnəʊ] *adj-n* albino,-a.

album ['ælbəm] *n* álbum *m.*

albumen ['ælbjʊmɪn] *n* albúmina.

alchemy ['ælkɪmɪ] *n* alquimia.

alcohol ['ælkəhɒl] *n* alcohol *m.*

alcoholic [ælkə'hɒlɪk] *adj* alcohólico,-a.

alcove ['ælkəʊv] *n* hueco, hornacina, cavidad.

ale [eɪl] *n* cerveza.

alert [ə'lɜ:t] *adj (quick to act)* alerta, vigilante. 2 *(lively)* vivo,-a. – 3 *n* alarma. – 4 *t* alertar, avisar. ●*on the ~*, alerta, sobre aviso.

algae ['æld͡ʒi:] *npl* algas *fpl.*

algebra ['æld͡ʒɪbrə] *n* álgebra.

algorithm ['ælɡərɪðəm] *n* algoritmo.

alias ['eɪlɪəs] *adv-n* alias *(m).*

alibi ['ælɪbaɪ] *n* coartada.

alien ['eɪlɪən] *adj-n (foreign)* extranjero,-a. 2 *(exterrestrial)* extraterrestre *(mf).* 3 *(strange)* extraño,-a: *his ideas are ~ to me,* sus ideas me son ajenas.

alienate ['eɪlɪəneɪt] *t* alienar, enajenar.

alienation [eɪlɪə'neɪʃən] *n* alienación, enajenación.

alight [ə'laɪt] *adj* encendido,-a, ardiendo. – 2 *i fml* apearse. ●*to ~ on* *t* posarse en.

align [ə'laɪn] *t-i* alinear(se).

alike [ə'laɪk] *adj* igual, semejante. – 2 *adv* igualmente: *dressed ~,* vestidos,-as iguales; *men and women ~,* tanto hombres como mujeres.

alimentary [ælɪ'mentərɪ] *adj* alimenticio,-a. ■ *~ canal,* tubo digestivo.

alimony ['ælɪmənɪ] *n* pensión alimenticia.

alive [ə'laɪv] *adj (not dead)* vivo,-a, viviente. 2 *(lively)* vivo,-a, vivaz. ●*~ to,* consciente de; *~ with,* lleno,-a de.

alkali ['ælkəlaɪ] *n* álcali *m.*

alkaline ['ælkəlaɪn] *adj* alcalino,-a.

all [ɔ:l] *adj* todo,-a; todos,-as: *~ the money/ink,* todo el dinero/toda la tinta; *~ the books/chairs,* todos los libros/todas las sillas; *~ kinds of ...,* toda clase de ... . – 2 *pron (everything)* todo, la totalidad. 3 *(everybody)* todos *mpl.* – 4 *adv* completamente, muy: *you're ~ dirty!,* ¡estás todo sucio! ●*after ~,* después de todo; *~ but,* casi; *~ of a sudden,* de pronto, de repente; *~ over,* en todas partes; *~ right,* bueno,-a, competente, satisfactorio,-a: *are you ~ right?,* ¿estás bien?; *~ the better,* tanto mejor; *~ the same,* igualmente, a pesar de todo; *at ~,* (emphatic negative) en absoluto; *it's ~ the same to me,* me da lo mismo; *not at ~,* (you're welcome) no hay de qué.

allay [ə'leɪ] *t* calmar, apaciguar.

allegation [ælə'ɡeɪʃən] *n* alegato.

allege [ə'led͡ʒ] *t* alegar.

allegiance [ə'li:d͡ʒəns] *n* lealtad.

allegory ['ælɪɡərɪ] *n* alegoría.

allergy ['æləd͡ʒɪ] *n* alergia.

alleviate [ə'li:vɪeɪt] *t* aliviar, mitigar.

alley ['ælɪ] *n* callejuela, callejón *m.*

alliance [ə'laɪəns] *n* alianza.

allied ['ælaɪd] *adj* POL aliado,-a. 2 *(related)* relacionado,-a, afín.

alligator ['ælɪɡeɪtə'] *n* caimán *m.*

allocate ['æləkeɪt] *t* asignar, destinar.

allocation [ælə'keɪʃən] *n (distribution)* asignación; *(of money)* distribución. 2 *(amount allocated)* cuota.

allot [ə'lɒt] *t* asignar, destinar.

allotment [ə'lɒtmənt] *n (of time etc.)* asignación; *(of money)* distribución. 2 *(land)* huerto.

allow [ə'laʊ] *t (permit)* permitir, dejar: *to ~ sb. to do sth.,* dejar que algn. haga algo; *dogs are not allowed in,* no se permite la entrada con perros. 2 *(set aside)* conceder, dar, asignar. ●*to ~ for* *t* tener en cuenta.

allowance [ə'laʊəns] *n (money)* pensión, subsidio. ●*to make allowances for,* tener en cuenta.

alloy ['ælɔɪ] *n* aleación.

allude [ə'lu:d] *i* aludir *(to,* a).

allure [ə'ljʊə'] *n* atractivo, encanto. – 2 *t* atraer, seducir.

alluring [ə'ljʊərɪŋ] *adj* seductor,-ra.

allusion [ə'lu:ʒən] *n* alusión.

alluvial [ə'lu:vɪəl] *adj* aluvial.

ally ['ælaɪ] *n* aliado,-a. – 2 *t-i* aliar(se).

almanac ['ɔ:lmənæk] *n* almanaque *m.*

almighty [ɔ:l'maɪtɪ] *adj* todopoderoso,-a.

almond ['ɑ:mənd] *n* almendra. ■ *~ tree,* almendro.

almost ['ɔ:lməʊst] *adv* casi.

alms [ɑ:mz] *npl* limosna *f sing,* caridad *f sing.*

aloft [ə'lɒft] *adv* arriba, en lo alto.

alone [ə'ləʊn] *adj (unaccompanied)* solo,-a. – 2 *adv (only)* sólo, solamente.

along [ə'lɒŋ] *prep* a lo largo de. – 2 *adv* a lo largo. ●*all ~,* todo el tiempo; *~ with,* junto con; *come ~,* (sing) ven; *(pl)* venid; *(including speaker)* vamos.

aloof [ə'lu:f] *adv* a distancia. – 2 *adj* distante.

aloud [ə'laʊd] *adv* en voz alta.

alphabet ['ælfəbet] *n* alfabeto.

alphabetical [ælfə'betɪkəl] *adj* alfabético,-a.

alpine [ɪ'ælpaɪn] *adj* alpino,-a.

already [ɔ:l'redɪ] *adv* ya.

also ['ɔ:lsəʊ] *adv* también.

altar ['ɔːltəʳ] *n* altar *m*.

altarpiece ['ɔːltəpiːs] retablo.

alter ['ɔːltəʳ] *t-i* cambiar(se), modificar(se).

alteration [ɔːltə'reɪʃən] *n* modificación.

altercation ['ɔːltɜː'keɪʃən] *n* altercado, disputa.

alternate [ɔːl'tɜːnət] *adj* alterno,-a. − 2 *t-i* alternar(se). ▲ *En 2 (verbo)* ['ɔːltɜːneɪt].

alternating ['ɔːltɜːneɪtɪŋ] *adj* ~ **current,** corriente alterna.

alternative [ɔːl'tɜːnətɪv] *adj* alternativo,-a. − 2 *n (option)* alternativa.

although [ɔːl'ðəʊ] *conj* aunque.

altitude ['æltɪtjuːd] *n* altitud, altura.

altogether [ɔːltə'geðəʳ] *adv (completely)* del todo. 2 *(on the whole)* en conjunto. •*fam in the ~,* en cueros.

altruism ['æltrʊɪzəm] *n* altruismo.

altruist ['æltrʊɪst] *n* altruista *mf.*

aluminium [æljʊ'mɪnɪəm], US **aluminum** [ə'luːmɪnəm] *n* aluminio.

always ['ɔːlweɪz] *adv* siempre.

amalgam [ə'mælgəm] *n* amalgama.

amalgamate [ə'mælgəmeɪt] *t-i (metals)* amalgamar(se). 2 *(groups)* fusionar(se).

amass [ə'mæs] *t* acumular.

amateur ['æmətəʳ] *adj-n* aficionado,-a.

amaze [ə'meɪz] *t* asombrar, pasmar.

amazement [ə'meɪzmənt] *n* asombro, pasmo.

amazing [ə'meɪzɪŋ] *adj* asombroso,-a, pasmoso,-a.

Amazon ['æməzən] *n (river)* el Amazonas. 2 *(warrior)* amazona.

ambassador [æm'bæsədəʳ] *n* embajador,-a.

amber ['æmbəʳ] *n* ámbar *m.*

ambiguity [æmbɪ'gjuːɪtɪ] *n* ambigüedad.

ambiguous [æm'bɪgjʊəs] *adj* ambiguo,-a.

ambition [æm'bɪʃən] *n* ambición.

ambitious [æm'bɪʃəs] *adj* ambicioso,-a.

ambivalent [æm'bɪvələnt] *adj* ambivalente.

amble ['æmbəl] *i* deambular.

ambulance ['æmbjʊləns] *n* ambulancia.

ambush ['æmbʊʃ] *n* emboscada. − 2 *t* poner una emboscada a.

amen [ɑː'men] *interj* amén.

amenable [ə'miːnəbəl] *adj* susceptible: ~ *to reason,* razonable.

amend [ə'mend] *t-i (law)* enmendar(se). 2 *(error)* corregir(se).

amendment [ə'mendmənt] *n* enmienda.

amends [ə'mendz] *n* reparación, compensación: *to make ~ to sb. for sth.,* compensar a algn. por algo.

amenities [ə'miːnɪtɪz] *npl* servicios *mpl,* prestaciones *fpl.*

Americanism [ə'merɪkənɪzəm] *n* americanismo.

amiable ['eɪmɪəbəl] *adj* amable.

amicable ['æmɪkəbəl] *adj* amistoso,-a.

amid(st) [ə'mɪd(st)] *prep* en medio de, entre.

amiss [ə'mɪs] *adv-adj* mal. •*to take ~,* tomar a mal.

ammonia [ə'məʊnɪ] *n* amoníaco.

ammunition [æmjʊ'nɪʃən] *n* municiones *fpl.*

amnesia [əm'niːzɪə] *n* amnesia.

amnesty ['æmnestɪ] *n* amnistía.

amoeba [ə'miːbə] *n* ameba.

amok [ə'mɒk] *adv to run ~,* volverse loco,-a.

among(st) [ə'mʌŋ(st)] *prep* entre.

amoral [æ'mɒrəl] *adj* amoral.

amorous ['æmərəs] *adj* amoroso,-a.

amorphous [ə'mɔːfəs] *adj* amorfo,-a.

amount [ə'maʊnt] *n* cantidad, suma. ◆*to ~ to t* ascender a; *fig* equivaler a.

amp(ere) ['æmp(eəʳ)] *n* amperio, ampere.

amphibian [æm'fɪbɪən] *n* anfibio.

amphibious [æm'fɪbɪəs] *adj* anfibio,-a.

amphitheatre ['æmfɪθɪətəʳ] *n* anfiteatro.

ample ['æmpəl] *adj (enough)* bastante. 2 *(plenty)* más que suficiente. 3 *(large)* amplio,-a.

amplifier ['æmplɪfaɪəʳ] *n* amplificador *m.*

amplify ['æmplɪfaɪ] *t (sound)* amplificar. 2 *(statement)* ampliar.

amplitude ['æmplɪtjuːd] *n* amplitud.

amputate ['æmpjʊteɪt] *t* amputar.

amputation [æmpjʊ'teɪʃən] *n* amputación.

amuck [ə'mʌk] *adv* → **amok.**

amuse [ə'mjuːz] *t* entretener, divertir.

amusement [ə'mjuːzmənt] *n (enjoyment)* diversión, entretenimiento. 2 *(pastime)* pasatiempo.

amusing [ə'mjuːzɪŋ] *adj (fun)* entretenido,-a, divertido,-a. 2 *(funny)* gracioso,-a.

an [ən, æn] *indef art* un,-a. 2 *(per)* por. ▲ *Se usa delante de las palabras que empiezan por un sonido vocálico;* ↔ **a.**

anachronism [ə'nækrənɪzəm] *n* anacronismo.

anaemia [ə'niːmɪə] *n* anemia.

anaemic [ə'niːmɪk] *adj* anémico,-a.

anaesthetic [ænəs'θetɪk] *n* anestético.

anaesthetist [ə'niːsθətɪst] *n* anestetista *mf*.

anaesthetize [ə'niːsθətaɪz] *t* anestetizar.

anagram ['ænəgræm] *n* anagrama *m*.

anal ['eɪnəl] *adj* anal.

analgesic [ænəl'dʒiːzɪk] *adj-n* analgésico,-a *(m)*.

analogous [ə'næləgəs] *adj* análogo,-a *(to/with,* a).

analogy [ə'nælədʒɪ] *n* analogía, semejanza.

analyse ['ænəlaɪz] *t* analizar.

analysis [ə'nælɪsɪs] *n* análisis *m*. ▲ *pl* **analyses**.

analyst ['ænəlɪst] *n* analista *mf*.

anarchist ['ænəkɪst] *n* anarquista *mf*.

anarchy ['ænəkɪ] *n* anarquía.

anatomy [ə'nætəmɪ] *n* anatomía.

ancestor ['ænsəstəʳ] *n* antepasado.

ancestral [æn'sestrəl] *adj* ancestral. ■ ~ *home,* casa solariega.

ancestry ['ænsəstrɪ] *n* linaje *m*.

anchor ['æŋkəʳ] *n* ancla, áncora. – **2** *t-i* anclar.

anchovy ['æntʃəvɪ] *n (salted)* anchoa; *(fresh)* boquerón *m*.

ancient ['eɪnʃənt] *adj* antiguo,-a; *(monument)* histórico,-a. **2** *fam* viejísimo,-a.

ancillary [æn'sɪlərɪ] *adj* auxiliar.

and [ænd, ənd] *conj* y; *(before i- and hi-)* e.

anecdote ['ænɪkdəʊt] *n* anécdota.

anemone [ə'nemənɪ] *n* BOT anémona.

anew [ə'njuː] *adv* nuevamente, de nuevo, otra vez.

angel ['eɪndʒəl] *n* ángel *m*.

angelic [æn'dʒelɪk] *adj* angélico,-a.

anger ['æŋgəʳ] *n* cólera, ira. – **2** *t* encolerizar, enojar.

angle ['æŋgəl] *n* ángulo. – **2** *i* pescar (con caña).

angler ['æŋgləʳ] *n* pescador,-ra (de caña). ■ ~ *fish,* rape *m*.

Anglican ['æŋglɪkən] *adj-n* anglicano,-a.

angling ['æŋglɪŋ] *n* pesca (con caña).

angry ['æŋgrɪ] *adj* colérico,-a, enojado,-a.

anguish ['æŋgwɪʃ] *n* angustia.

angular ['æŋgjʊləʳ] *adj* angular.

animal ['ænɪməl] *adj-n* animal *(m)*.

animate ['ænɪmɪt] *adj* animado,-a, vivo,-a. – **2** *t* animar. **3** *fig* estimular. ▲ *En 2 (verbo)* ['ænɪmeɪt].

animated ['ænɪmeɪtɪd] *adj* animado,-a.

animation [ænɪ'meɪʃən] *n* animación. **2** *(life)* vida, marcha.

animosity [ænɪ'mɒsɪtɪ] *n* animosidad.

aniseed ['ænɪsiːd] *n* anís *m*.

ankle ['æŋkəl] *n* tobillo.

annals ['ænəlz] *npl* anales *mpl*.

annex [ə'neks] *t* anexar.

annexe ['ænəks] *n* anexo.

annihilate [ə'naɪəleɪt] *t* aniquilar.

annihilation [ənaɪə'leɪʃən] *n* aniquilación.

anniversary [ænɪ'vɜːsərɪ] *n* aniversario.

annotated ['ænəteɪtɪd] *adj (edition)* crítico,-a.

annotation [ænə'teɪʃən] *n* anotación.

announce [ə'naʊns] *t* anunciar, hacer saber.

announcement [ə'naʊnsmənt] *n* anuncio, declaración.

announcer [ə'naʊnsəʳ] *n* TV RAD presentador,-ra, locutor,-ra.

annoy [ə'nɔɪ] *t* molestar.

annoyance [ə'nɔɪəns] *n* molestia.

annoying [ə'nɔɪɪŋ] *adj* molesto,-a, enojoso,-a.

annual ['ænjʊəl] *adj* anual.

annuity [ə'njuːɪtɪ] *n* renta vitalicia.

annul [ə'nʌl] *t* anular.

annulment [ə'nʌlmənt] *n* anulación.

anode ['ænəʊd] *n* ánodo.

anoint [ə'nɔɪnt] *t* untar, ungir.

anomalous [ə'nɒmələs] *adj* anómalo,-a.

anomaly [ə'nɒməlɪ] *n* anomalía.

anonymous [ə'nɒnɪməs] *adj* anónimo,-a.

another [ə'nʌðəʳ] *adj-pron* otro,-a.

answer ['ɑːnsəʳ] *n (reply)* respuesta, contestación. **2** *(solution)* solución. – **3** *t-i* responder, contestar. ◆*to* ~ *back t-i* replicar. ◆*to* ~ *for t* responder por/de.

answerable ['ɑːnsərəbəl] *adj* responsable *(to,* ante) *(for,* de).

ant [ænt] *n* hormiga. ■ ~ *hill,* hormiguero.

antagonism [æn'tægənɪzəm] *n* antagonismo.

antagonist [æn'tægənɪst] *n* antagonista *mf*.

antagonize [æn'təgənaɪz] *t* enemistarse con.

antecedent [æntɪ'siːdənt] *adj-n* antecedente *(m)*.

antelope ['æntɪləʊp] *n* antílope *m*.

antenna [æn'tenə] *n* ZOOL antena. **2** TV RAD antena. ▲ *En 1 pl* **antennae** [æn'teniː]; *en 2* **antennas**.

anthem ['ænθəm] *n* motete *m*. ■ *national* ~, himno nacional.

anthology [æn'θɒlədʒɪ] *n* antología.

anthracite ['ænθrəsaɪt] *n* antracita.

anthropologist [ænθrə'pɒlədʒɪst] *n* antropólogo,-a.

anthropology [ænθrə'pɒlədʒɪ] *n* antropología.

anti-aircraft ['æntɪ'eəkrɑːft] *adj* antiaéreo,-a.

antibiotic ['æntɪbaɪ'ɒtɪk] *adj-n* antibiótico,-a *(m)*.

antibody ['æntɪbɒdɪ] *n* anticuerpo.

antics ['æntɪks] *npl* payasadas.

anticipate [æn'tɪsɪpeɪt] *t (expect)* esperar. **2** *(get ahead of)* adelantarse a. **3** *(forsee)* prever.

anticipation [æntɪsɪ'peɪʃən] *n (expectation)* expectación.

anticlockwise [æntɪ'klɒkwaɪz] *adj* en el sentido contrario al de las agujas del reloj.

anticyclone ['æntɪ'saɪkləʊn] *n* anticiclón *m*.

antidote ['æntɪdəʊt] *n* antídoto.

antifreeze ['æntɪfriːz] *n* anticongelante *m*.

antipathy [æn'tɪpəθɪ] *n* antipatía.

antiquated ['æntɪkweɪtɪd] *adj* anticuado,-a.

antique [æn'tiːk] *adj* antiguo,-a. — **2** *n* antigüedad.

antiquity [æn'tɪkwɪtɪ] *n* antigüedad.

antiseptic [æntɪ'septɪk] *adj-n* antiséptico,-a *(m)*.

antithesis [æn'tɪθəsɪs] *n* antítesis *f*.

antlers ['æntləʳ] *npl* cornamenta *f sing*.

antonym ['æntənɪm] *n* antónimo.

anus ['eɪnəs] *n* ano.

anvil ['ænvɪl] *n* yunque *m*.

anxiety [æŋ'zaɪətɪ] *n (worry)* ansiedad, inquietud. **2** *(strong desire)* ansia, afán *m*.

anxious ['æŋkʃəs] *adj (worried)* ansioso,-a, inquieto,-a. **2** *(desirous)* ansioso,-a.

any ['enɪ] *adj (in questions)* algún,-una; *(negative)* ningún,-una; *(no matter which)* cualquier,-ra; *(every)* todo,-a: **have you got ~ money/gloves?,** ¿tienes dinero/guantes?; **he hasn't bought ~ milk/biscuits,** no ha comprado leche/galletas; **~ fool knows that,** cualquier tonto sabe eso; **without ~ difficulty,** sin ninguna dificultad; **~ old rag will do,** cualquier trapo sirve. — **2** *pron (in questions)* alguno,-a; *(negative)* ninguno,-a; *(no matter which)* cualquiera: **I asked for snails/caviar, but they hadn't got ~,** pedí caracoles/caviar pero no tenían. — **3** *adv I don't work there ~ more,* ya no trabajo allí; **do you want ~ more?,** ¿quieres más? ▲ *En preguntas y frases negativas no*

se usa *any* sino *a/an* con substantivos contables en singular; en **3** *(adverbio)* generalmente no se traduce.

anybody ['enɪbɒdɪ] *pron (in questions)* alguien, alguno,-a; *(negative)* nadie, ninguno,-a; *(no matter who)* cualquiera.

anyhow ['enɪhaʊ] *adv (despite that)* en todo caso. **2** *(changing the subject)* bueno, pues. **3** *(carelessly)* de cualquier forma.

anyone ['enɪwʌn] *pron* → **anybody**.

anything ['enɪθɪŋ] *pron. (in questions)* algo, alguna cosa; *(negative)* nada; *(no matter what)* cualquier cosa, todo cuanto.

anyway ['enɪweɪ] *adv* → **anyhow**.

anywhere ['enɪweəʳ] *adv (in questions) (situation)* en algún sitio; *(direction)* a algún sitio. **2** *(negative) (situation)* en ningún sitio; *(direction)* a ningún sitio. **3** *(no matter where) (situation)* donde sea, en cualquier sitio; *(direction)* a donde sea, a cualquier sitio.

aorta [eɪ'ɔːtə] *n* aorta.

apart [ə'pɑːt] *adv* separado,-a: **these nails are too far ~,** estos clavos están demasiado separados. **2** *(in pieces)* en piezas. ●**~ from,** aparte de; **to take ~,** desarmar, desmontar; **to fall ~,** deshacerse.

apartment [ə'pɑːtmənt] *n* piso.

apathetic [æpə'θetɪk] *adj* apático,-a.

apathy ['æpəθɪ] *n* apatía.

ape [eɪp] *n* simio. — **2** *t* imitar.

aperitif [əperɪ'tiːf] *n* aperitivo.

aperture ['æpətjəʳ] *n* abertura.

apex ['eɪpeks] *n* ápice *m*; *(of triangle)* vértice *m*.

aphorism ['æfərɪzəm] *n* aforismo.

aphrodisiac [æfrə'dɪzɪæk] *adj-n* afrodisíaco,-a *(m)*.

apiece [ə'piːs] *adv* cada uno,-a.

apologetic [əpɒlə'dʒetɪk] *adj* compungido,-a, arrepentido,-a. — **2** *apologetically adv* disculpándose.

apologize [ə'pɒlədʒaɪz] *i* disculparse, pedir perdón.

apology [ə'pɒlədʒɪ] *n* disculpa.

apoplexy ['æpəpleksɪ] *n* apoplejía.

apostle [ə'pɒsl] *n* apóstol *m*.

apostrophe [ə'pɒstrəfɪ] *n* apóstrofo.

appal [ə'pɔːl] *t* horrorizar.

appalling [ə'pɔːlɪŋ] *adj* horroroso,-a.

apparatus [æpə'reɪtəs] *n (equipment)* aparatos *mpl*.

apparent [ə'pærənt] *adj (obvious)* evidente. **2** *(seeming)* aparente. — **3 apparently**

adv (obviously) evidentemente; *(seemingly)* aparentemente.

apparition [æpə'rɪʃən] *n* aparición.

appeal [ə'pi:l] *n (request)* ruego, llamamiento; *(plea)* súplica. **2** *(attraction)* atractivo. **3** JUR apelación. **– 4** *i (request)* pedir, solicitar; *(plead)* suplicar : *to ~ for help,* pedir ayuda. **5** *(attract)* atraer: *it doesn't ~ to me,* no me atrae. **6** JUR apelar.

appealing [ə'pi:lɪŋ] *adj (moving)* suplicante. **2** *(attractive)* atrayente.

appear [ə'pɪəʳ] *i (become visible)* aparecer. **2** *(before a court etc.)* comparecer *(before,* ante). **3** *(on stage etc.)* actuar. **4** *(seem)* parecer. **●***to ~ on television,* salir en la televisión.

appearance [ə'pɪərəns] *n (becoming visible)* aparición. **2** *(before a court etc.)* comparecencia. **3** *(on stage)* actuación. **4** *(look)* apariencia, aspecto.

appease [ə'pi:z] *t* aplacar, calmar.

append [ə'pend] *t* añadir.

appendage [ə'pendɪdʒ] *n* apéndice *m,* añadidura.

appendicitis [əpendɪ'saɪtɪs] *n* apendicitis *f inv.*

appendix [ə'pendɪks] *n* apéndice *m.*

appetite ['æpɪtaɪt] *n* apetito.

appetizer ['æpɪtaɪzəʳ] *n* aperitivo.

appetizing ['æpɪtaɪzɪŋ] *adj* apetitoso,-a.

applaud [ə'plɔːd] *t-i (clap)* aplaudir. **– 2** *t (praise)* alabar.

applause [ə'plɔːz] *n* aplausos *mpl.*

apple ['æpəl] *n* manzana. ■ *~ tree,* manzano.

appliance [ə'plaɪəns] *n* aparato. ■ *electrical ~,* electrodoméstico.

applicable ['æplɪkəbəl] *adj* aplicable.

applicant ['æplɪkənt] *n (for job)* candidato,-a.

application [æplɪ'keɪʃən] *n (for job)* solicitud. **2** *(of ointment, theory, etc.)* aplicación.

apply [ə'plaɪ] *t (ointment, theory, etc.)* aplicar. **– 2** *i (be true)* aplicarse, ser aplicable. **3** *(for job)* solicitar: *to ~ for information,* pedir información.

appoint [ə'pɔɪnt] *t (person for job)* nombrar. **2** *(day, date, etc.)* fijar, señalar.

appointment [ə'pɔɪntmənt] *n (meeting)* cita: *to ask for an ~ (with the doctor),* pedir hora (con el médico). **2** *(person for job)* nombramiento.

apportion [ə'pɔːʃən] *t* repartir, distribuir. **●***to ~ blame to sb.,* echar la culpa a algn.

appraisal [ə'preɪzəl] *n* valoración, evaluación.

appraise [ə'preɪz] *t* valorar, evaluar.

appreciable [ə'pri:ʃəbəl] *adj* apreciable.

appreciate [ə'pri:ʃɪeɪt] *t (be thankful for)* agradecer. **2** *(understand)* entender. **3** *(value)* valorar, apreciar. **– 4** *i* valorarse, valorizarse.

appreciation [əpri:ʃɪ'eɪʃən] *n (thanks)* agradecimiento, gratitud. **2** *(understanding)* comprensión. **3** *(appraisal)* evaluación. **4** *(increase in value)* apreciación, aumento en valor.

apprehend [æprɪ'hend] *t (arrest)* detener, capturar. **2** *(understand)* comprender.

apprehension [æprɪ'henʃən] *n (arrest)* detención, captura. **2** *(fear)* temor *m,* recelo.

apprehensive [æprɪ'hensɪv] *adj (fearful)* temeroso,-a, receloso,-a.

apprentice [ə'prentɪs] *n* aprendiz,-za.

apprenticeship [ə'prentɪsʃɪp] *n* aprendizaje *m.*

approach [ə'prəʊtʃ] *n (coming near)* aproximación, acercamiento. **2** *(way in)* entrada, acceso. **3** *(to problem)* enfoque *m.* **– 4** *i (come near)* acercarse, aproximarse. **– 5** *t (come near)* acercarse a, aproximarse a. **6** *(tackle)* enfocar, abordar; *(person)* dirigirse a. ■ *~ road,* vía de acceso.

approbation [æprə'beɪʃən] *n* aprobación.

appropriate [ə'prəʊprɪət] *adj* apropiado,-a, adecuado,-a. **– 2** *t (allocate)* asignar, destinar. **3** *(steal)* apropiarse de. **●***at the ~ time,* en el momento oportuno. **▲** *En 2 y 3 (verbo)* [ə'prəʊprɪeɪt].

appropriation [əprəʊprɪ'eɪʃən] *n (allocation)* asignación. **2** *(seizure)* apropiación.

approval [ə'pru:vəl] *n* aprobación, visto bueno. **2** COM *on ~,* a prueba.

approve [ə'pru:v] *t* aprobar, dar el visto bueno a. **●***to ~ of t* aprobar.

approximate [ə'prɒksɪmət] *adj* aproximado,-a. **– 2** *i* aproximarse *(to,* a). **– 3** **approximately** *adv* aproximadamente. **▲** *En 2 (verbo)* [ə'prɒksɪmeɪt].

approximation [əprɒksɪ'meɪʃən] *n* aproximación.

apricot ['eɪprɪkɒt] *n* albaricoque *m.* ■ *~ tree,* albaricoquero.

April ['eɪprɪl] *n* abril *m.*

apron ['eɪprən] *n* delantal *m.*

apropos ['æprəpəʊ] *adj* oportuno,-a. **– 2** *~ of adv* a propósito de.

apt [æpt] *adj (suitable)* apropiado,-a; *(remark)* acertado,-a. **2** *(liable to)* propenso,-a.

aptitude [ˈæptɪtjuːd] *n* aptitud.

aptness [ˈæptnəs] *n* lo acertado.

aquarium [əˈkweərɪəm] *n* acuario. ▲ *pl aquaria* o *aquariums.*

Aquarius [əˈkweərɪəs] *n* Acuario.

aquatic [əˈkwætɪk] *adj* acuático,-a.

aqueduct [ˈækwɪdʌkt] *n* acueducto.

aquiline [ˈækwɪlaɪn] *adj* aguileño,-a.

Arabic [ˈærəbɪk] *adj* arábigo,-a, árabe; ~ **numerals,** números arábigos. **— 2** *n (language)* árabe *m.*

arable [ˈærəbəl] *adj* cultivable.

arbitrary [ˈɑːbɪtrərɪ] *adj* arbitrario,-a.

arbitrate [ˈɑːbɪtreɪt] *t-i* arbitrar.

arbitration [ɑːbɪˈtreɪʃən] *n* arbitraje *m.*

arc [ɑːk] *n* arco.

arcade [ɑːˈkeɪd] *n* pasaje *m.* ■ *shopping* ~, galerías *fpl* (comerciales).

arch [ɑːtʃ] *n* ARCH arco; *(vault)* bóveda. **— 2** *t* arquear, enarcar. **3** *(vault)* abovedar. **— 4** *i* arquearse. **5** *(vault)* formar bóveda.

archaeological [ɑːkɪəˈlɒdʒɪkəl] *adj* arqueológico,-a.

archaeologist [ɑːkɪˈɒlədʒɪst] *n* arqueólogo,-a.

archaeology [ɑːkɪˈɒlədʒɪ] *n* arqueología.

archaic [ɑːˈkeɪɪk] *adj* arcaico,-a.

archbishop [ɑːtʃˈbɪʃəp] *n* arzobispo.

archer [ˈɑːtʃəʳ] *n* arquero.

archery [ˈɑːtʃərɪ] *n* tiro con arco.

archetypal [ˈɑːkɪtaɪp] *n* arquetípico,-a.

archipelago [ɑːkɪˈpelɪgəʊ] *n* archipiélago.

architect [ˈɑːkɪtekt] *n* arquitecto,-a.

architecture [ˈɑːkɪtektʃəʳ] *n* arquitectura.

archives [ˈɑːkaɪvz] *npl* archivo *m sing.*

arctic [ˈɑːktɪk] *adj-n* ártico,-a *(m).*

ardent [ˈɑːdənt] *adj* apasionado,-a, fervoroso,-a.

ardour [ˈɑːdəʳ] *n* ardor *m.*

arduous [ˈɑːdjuəs] *adj* arduo,-a.

are [ɑːʳ, əʳ] *2ª pers sing; 1ª, 2ª y 3ª pers pl del pres indic.* → **be.**

area [ˈeərɪə] *n (surface)* área, superficie *f.* **2** *(region)* región *f; (of town)* zona. **3** *(field)* campo. ■ SP *penalty* ~, área de castigo.

arena [əˈriːnə] *n (stadium)* estadio. **2** *(ring)* ruedo. **3** *fig* ámbito.

argue [ˈɑːgjuː] *i (quarrel)* discutir. **2** *(reason)* argüir, argumentar.

argument [ˈɑːgjumənt] *n (quarrel)* discusión, disputa. **2** *(reasoning)* argumento.

argumentative [ɑːgjʊˈmentətɪv] *adj* que discute/replica.

arid [ˈærɪd] *adj* árido,-a.

Aries [ˈeəriːz] *n* Aries *m.*

aridity [æˈrɪdɪtɪ] *n* aridez *f.*

arise [əˈraɪz] *i (crop up)* surgir. **2** *(old use)* levantarse. ▲ *pt* **arose;** *pp* **arisen** [əˈrɪzən].

aristocracy [ærɪsˈtɒkrəsɪ] *n* aristocracia.

aristocrat [ˈærɪstəkræt] *n* aristócrata *mf.*

aristocratic [ærɪstəˈkrætɪk] *adj* aristocrático,-a.

arithmetic [əˈrɪθmətɪk] *n* aritmética.

ark [ɑːk] *n* arca. ■ *Noah's* ~, el arca de Noé.

arm [ɑːm] *n* ANAT brazo. **2** *(of coat etc.)* manga; *(of chair)* brazo. **3** *pl (weapons)* armas *fpl.* **— 4** *t-i* armar(se). ●~ *in* ~, cogidos,-as del brazo; *with open arms,* con los brazos abiertos; *to keep sb. at arm's length,* mantener a algn. a distancia. ■ *arms race,* carrera armamentística.

armaments [ˈɑːməmənt] *npl* armamentos *mpl.*

armchair [ˈɑːmtʃeəʳ] *n* sillón *m.*

armful [ˈɑːmfʊl] *n* brazado.

armistice [ˈɑːmɪstɪs] *n* armisticio.

armour [ˈɑːməʳ] *n (suit of)* ~, armadura. **2** *(on vehicle)* blindaje *m.*

armoury [ˈɑːmərɪ] *n* armería.

armpit [ˈɑːmpɪt] *n* sobaco, axila.

army [ˈɑːmɪ] *n* ejército.

aroma [əˈrəʊmə] *n* aroma.

aromatic [ærəˈmætɪk] *adj* aromático,-a.

arose [əˈrəʊz] *pt* → **arise.**

around [əˈraʊnd] *adv (near, in the area)* alrededor: *is there anybody* ~?, ¿hay alguien (cerca)?; *don't leave your money* ~, *put it away,* no dejes tu dinero por ahí, guárdalo. **2** *(from place to place) they cycle* ~ *together,* van juntos en bicicleta. **3** *(available, in existence)* £1 *coins have been* ~ *for some time,* hace tiempo que circulan las monedas de una libra; *there isn't much fresh fruit* ~, hay poca fruta fresca. **4** *(to face the opposite way) turn* ~ *please,* dese la vuelta por favor. **— 5** *prep (approximately)* alrededor de: *it costs* ~ *£5,000,* cuesta unas cinco mil libras. **6** *(near) there aren't many shops* ~ *here,* hay pocas tiendas por aquí. **7** *(all over) there were clothes* ~ *the room,* había ropa por toda la habitación. **8** *(in a circle or curve)* alrededor de: *he put his* *arms ~ her*, la cogió en los brazos. ●~ *the corner*, a la vuelta de la esquina.

arouse [ə'rauz] *t (awake)* despertar. 2 *(sexually)* excitar.

arrange [ə'reɪndʒ] *t (hair, flowers)* arreglar; *(furniture etc.)* colocar, ordenar. 2 *(plan)* planear, organizar. 3 *(agree on)* acordar. ●*to ~ to do sth.*, quedar en hacer algo.

arrangement [ə'reɪndʒmənt] *n (of flowers)* arreglo (floral). 2 *(agreement)* acuerdo, arreglo. 3 MUS adaptación. 5 *pl (plans)* planes *mpl; (preparations)* preparativos *mpl*.

arrears [ə'rɪəz] *npl* atrasos *mpl*.

arrest [ə'rest] *n* arresto, detención. – 2 *t* arrestar, detener. 3 *fml (stop)* detener.

arrival [ə'raɪvəl] *n* llegada.

arrive [ə'raɪv] *i* llegar.

arrogance ['ærəgəns] *n* arrogancia.

arrogant ['ærəgənt] *adj* arrogante.

arrow ['ærəʊ] *n* flecha.

arse* [ɑːs] *n* culo.

arsenal ['ɑːsənəl] *n* arsenal *m*.

arsenic ['ɑːsənɪk] *n* arsénico.

arson ['ɑːsən] *n* incendio provocado.

art [ɑːt] *n (painting etc.)* arte *m*. 2 *(skill)* arte, habilidad. 3 *pl (branch of knowledge)* letras *fpl*. ■ *arts and crafts*, artes *pl* y oficios; *work of ~*, obra de arte.

artery ['ɑːtərɪ] *n* ANAT arteria.

artful ['ɑːtfʊl] *adj* ladino,-a, astuto,-a.

arthritic [ɑːˈθrɪtɪk] *adj* artrítico,-a.

arthritis [ɑːˈθraɪtɪs] *n* artritis *f inv*.

artichoke ['ɑːtɪtʃəʊk] *n* alcachofa.

article ['ɑːtɪkəl] *n* artículo. ■ *~ of clothing*, prenda de vestir; *leading ~*, editorial *m*.

articulate [ɑːˈtɪkjʊlət] *adj (person)* que se expresa con facilidad; *(speech)* claro,-a. – 2 *t* articular. 3 *(pronounce)* pronunciar. ▲ *En 2 y 3 (verbo)* [ɑːˈtɪkjʊleɪt].

artificial [ɑːtɪˈfɪʃəl] *adj (flowers, light, etc.)* artificial. 2 *(limb, hair)* postizo,-a. 3 *(smile etc.)* afectado,-a, fingido,-a.

artillery [ɑːˈtɪlərɪ] *n* artillería.

artisan [ɑːtɪˈzæn] *n* artesano,-a.

artist ['ɑːtɪst] *n* artista *mf*. 2 *(painter)* pintor,-ra.

artistic [ɑːˈtɪstɪk] *adj* artístico,-a.

as [æz, əz] *adv* como: *he works ~ a clerk*, trabaja de oficinista; *dressed ~ a monkey*, disfrazado,-a de mono. 2 *(in comparatives) ~ big ~*, tan grande como; *~ much ~*, tanto,-a como. – 3 *conj (while)* mientras; *(when)* cuando. 4 *(because)* ya que. 5 *(although)* aunque. ●*~ a rule*,

como regla general; *~ far ~*, hasta; *~ far ~ I know*, que yo sepa; *~ far ~ I'm concerned*, por lo que a mí respecta; *~ for/regards*, en cuanto a; *~ if/though*, como si; *~ long ~*, mientras; *~ of*, desde; *~ soon ~*, tan pronto como; *~ well ~*, además de; *~ yet*, hasta ahora.

asbestos [æzˈbestəs] *n* amianto.

ascend [ə'send] *t-i* ascender, subir.

ascendancy [ə'sendənsɪ] *n* ascendiente *m*.

ascendant [ə'sendənt] *n* ascendiente *m*.

ascension [ə'senʃən] *n* ascensión.

ascent [ə'sent] *n* subida.

ascertain [æsə'teɪn] *t* averiguar.

ascetic [ə'setɪk] *adj* ascético,-a. – 2 *n* asceta *mf*.

ascribe [əs'kraɪb] *t* atribuir.

ash [æʃ] *n* ceniza. 2 *(tree)* fresno. ■ *~ tray*, cenicero; *Ash Wednesday*, miércoles *m* de ceniza.

ashamed [ə'ʃeɪmd] *adj* avergonzado,-a. ●*to be ~ of*, avergonzarse de, tener vergüenza de.

ashore [ə'ʃɔːʳ] *adv (position)* en tierra; *(movement)* a tierra. ●*to go ~*, desembarcar.

aside [ə'saɪd] *adv* al lado, a un lado. – 2 *n* THEAT aparte *m*. ●*to set ~*, apartar, reservar; *to step ~*, apartarse; *to take sb. ~*, separar a algn. (del grupo) para hablar aparte.

ask [ɑːsk] *t (inquire)* preguntar. 2 *(request)* pedir. 3 *(invite)* invitar, convidar. ◆*to ~ after/about t* preguntar por. ◆*to ~ for t* pedir. ◆*to ~ out t* invitar a salir.

askance [əs'kæns] *adv* *to look ~ at*, mirar con recelo.

askew [əs'kjuː] *adv* de lado. – 2 *adj* ladeado,-a.

asleep [ə'sliːp] *adj-adv* dormido,-a: *to fall ~*, dormirse.

asp [æsp] *n* áspid *m*.

asparagus [æs'pærəgəs] *n (plant)* espárrago; *(shoots)* espárragos *mpl*.

aspect ['æspekt] *n* aspecto. 2 *(of building)* orientación.

asperity [æs'perɪtɪ] *n* aspereza.

aspersions [əs'pɜːʃənz] *npl* *to cast ~ on*, difamar a.

asphalt ['æsfælt] *n* asfalto.

asphyxia [æs'fɪksɪə] *n* asfixia.

asphyxiate [æs'fɪksɪeɪt] *t* asfixiar.

aspic ['æspɪk] *n* CULIN gelatina.

aspirant [əs'paɪərənt] *n* aspirante *mf*.

aspirate ['æspəreɪt] *t* aspirar. – 2 *adj* aspirado,-a. ▲ *En 2 (adjetivo)* ['æspɪrət].

aspiration [æspə'reɪʃən] *n* LING aspiración. 2 *(ambition)* ambición.

aspire [əs'paɪəʳ] *i* aspirar *(to,* a).

aspirin ® ['æspɪrɪn] *n* aspirina®.

ass [æs] *n* burro, asno. 2* US culo.

assail [ə'seɪl] *t* asaltar.

assailant [ə'seɪlənt] *n* atacante *mf,* agresor,-ra.

assassin [ə'sæsɪn] *n* asesino,-a.

assassinate [ə'sæsɪneɪt] *t* asesinar.

assassination [əsæsɪ'neɪʃən] *n* asesinato.

assault [ə'sɔ:lt] *n* MIL asalto. 2 JUR agresión. – 3 *t* MIL asaltar. 4 JUR agredir.

assemble [ə'sembəl] *t (bring together)* reunir. 2 *(put together)* montar. – 3 *i* reunirse.

assembly [ə'semblɪ] *n (meeting)* reunión. 2 TECH *(putting together)* montaje *m.*

assent [ə'sent] *n* asentimiento. – 2 *i* asentir *(to,* a).

assert [ə'sɜ:t] *t (declare)* aseverar, afirmar. ●*to ~ oneself,* imponerse.

assertion [ə'sɜ:ʃən] *n* aseveración.

assess [ə'ses] *t (value)* tasar, valorar. 2 *(calculate)* calcular. 3 *fig* evaluar.

assessment [ə'sesmənt] *n (valuation)* tasación, valoración. 2 *(calculation)* cálculo. 3 *fig* evaluación.

assessor [ə'sesəʳ] *n* asesor,-ra.

asset ['æset] *n (quality)* calidad positiva, ventaja. 2 *pl* COM bienes *mpl.*

assiduity [æsɪ'dju:ɪtɪ] *n* asiduidad.

assiduous [ə'sɪdjuəs] *adj* asiduo,-a.

assign [ə'saɪn] *t (allot)* asignar. 2 *(choose)* designar.

assignment [ə'saɪnmənt] *n (misión)* misión. 2 *(task)* tarea.

assimilate [ə'sɪmɪleɪt] *t-i* asimilar(se).

assimilation [əsɪmɪ'leɪʃən] *n* asimilación.

assist [ə'sɪst] *t* ayudar.

assistance [ə'sɪstəns] *n* ayuda.

assistant [ə'sɪstənt] *n* ayudante *mf.* ■ ~ *manager,* subdirector,-ra; *shop ~,* dependiente *mf.*

associate [ə'səʊʃɪət] *adj (company)* asociado,-a. 2 *(member)* correspondiente. – 3 *n (partner)* socio,-a. – 4 *t-i* asociar(se). ●*to ~ with sb.,* relacionarse con algn.

association [əsəʊsɪ'eɪʃən] *n* asociación.

assorted [ə'sɔ:tɪd] *adj* surtido,-a, variado,-a.

assortment [ə'sɔ:tmənt] *n* surtido, variedad.

assume [ə'sju:m] *t (suppose)* suponer. 2 *(power, responsibility)* tomar, asumir. 3 *(attitude, expression)* adoptar.

assumption [ə'sʌmpʃən] *n (supposition)* suposición. 2 *(of power)* toma.

assurance [ə'ʃʊərəns] *n (guarantee)* garantía. 2 *(confidence)* confianza. 3 *(insurance)* seguro.

assure [ə'ʃʊəʳ] *t* asegurar.

assured [ə'ʃʊəd] *adj* seguro,-a.

asterisk ['æstərɪsk] *n* asterisco.

asthma ['æsmə] *n* asma.

asthmatic [æs'mætɪk] *adj-n* asmático,-a.

astonish [əs'tɒnɪʃ] *t* asombrar, sorprender.

astonishing [əs'tɒnɪʃɪŋ] *adj* asombroso,-a, sorprendente.

astonishment [əs'tɒnɪʃmənt] *n* asombro.

astound [əs'taʊnd] *t* pasmar, asombrar.

astray [əs'streɪ] *adv-adj* extraviado,-a. ●*to go ~,* descarriarse.

astride [ə'straɪd] *prep* a horcajadas sobre.

astringent [əs'trɪndʒənt] *adj* astringente.

astrologer [əs'trɒlədʒəʳ] *n* astrólogo,-a.

astrology [əs'trɒlədʒɪ] *n* astrología.

astronaut ['æstrənɔ:t] *n* astronauta *mf.*

astronomical [æstrə'nɒmɪkəl] *n* astronómico,-a.

astronomer [əs'trɒnəməʳ] *n* astrónomo,-a.

astronomy [əs'trɒnəmɪ] *n* astronomía.

astute [əs'tju:t] *adj* astuto,-a, sagaz.

astuteness [əs'tju:tnəs] *n* astucia.

asylum [ə'saɪləm] *n* asilo, refugio. ■ *mental ~,* manicomio; *political ~,* asilo político.

at [æt, ət] *prep (position)* en, a: ~ *the door,* a la puerta; ~ *home/school/work,* en casa/el colegio/el trabajo. 2 *(time)* a: ~ *two o'clock,* a las dos; ~ *night,* por la noche; ~ *Christmas,* en Navidad; ~ *the beginning/end,* al principio/final. 3 *(direction, violence) to shout ~ sb.,* gritarle a algn; *to shoot ~,* disparar contra; *to throw a stone ~ sb.,* lanzar una piedra contra algn. 4 *(rate)* a: ~ *50 miles an hour,* a 50 millas la hora: ~ *£1000 a ton,* a mil libras la tonelada; *three ~ a time,* de tres en tres. 5 *(ability) he's good ~ French/painting/swimming,* va bien en francés/pinta bien/es buen nadador. ●~ *first,* al principio; ~ *last!,* ¡por fin!; ~ *least,* por lo menos; ~ *once,* en seguida.

ate [et] *pt* → **eat.**

atheism ['eɪθɪɪzəm] *n* ateísmo.

atheist ['eɪθɪɪst] *n* ateo,-a.

athlete ['æθliːt] *n* atleta *mf.*

athletic [æθ'letɪk] *adj* atlético,-a. **2** *(sporty)* deportista.

athletics [æθ'letɪks] *n* atletismo.

atlas ['ætləs] *n* atlas *m inv.*

atmosphere ['ætməsfɪə^r] *n* atmósfera. **2** *(ambience)* ambiente *m.*

atoll ['ætɒl] *n* atolón *m.*

atom ['ætəm] *n* átomo. ■ ~ *bomb*, bomba atómica.

atomic [ə'tɒmɪk] *adj* atómico,-a.

atomizer ['ætəmaɪzə^r] *n* atomizador *m.*

atone [ə'təʊn] *i to* ~ *for*, expiar.

atonement [ə'təʊnmənt] *n* expiación.

atrocious [ə'trəʊʃəs] *adj (cruel)* atroz. **2** *fam* fatal, malísimo,-a.

atrocity [ə'trɒsɪtɪ] *n* atrocidad.

attach [ə'tætʃ] *t (fasten)* sujetar. **2** *(tie)* atar. **3** *(stick)* pegar. **4** *(document)* adjuntar. ●*to* ~ *importance to*, considerar importante; *to be attached to*, tener cariño a.

attachment [ə'tætʃmənt] *n* TECH accesorio. **2** *(fondness)* cariño, apego.

attack [ə'tæk] *n* ataque. – **2** *t* atacar.

attain [ə'teɪn] *t (ambition)* lograr. **2** *(rank)* llegar a.

attainment [ə'teɪnmənt] *n (sth. achieved)* logro. **2** *(skill)* talento.

attempt [ə'tempt] *n (try)* intento, tentativa. – **2** *t* intentar. ●*to make an* ~ *on sb.'s life*, atentar contra la vida de algn.

attend [ə'tend] *t (be present at)* asistir a. **2** *(care for)* atender, cuidar. **3** *(accompany)* acompañar. – **4** *i (be present)* asistir. ◆*to* ~ *to* *t* ocuparse de. **2** *(in shop)* despachar.

attendance [ə'tendəns] *n (being present)* asistencia. **2** *(people present)* asistentes *mpl.*

attendant [ə'tendənt] *n (in car park, museum)* vigilante *mf*; *(in cinema)* acomodador,-ra.

attention [ə'tenʃən] *n* atención. **2** MIL ~!, ¡firmes! ●*to pay* ~, prestar atención; *to stand to* ~, cuadrarse.

attentive [ə'tentɪv] *adj* atento,-a. **2** *(helpful)* solícito,-a.

attic ['ætɪk] *n* desván *m,* buhardilla.

attire [ə'taɪə^r] *n* traje *m,* vestido.

attitude ['ætɪtjuːd] *n* actitud.

attorney [ə'tɜːnɪ] *n* US abogado,-a. ■ GB *Attorney General*, Ministro,-a de Justicia.

attract [ə'trækt] *t* atraer. ●*to* ~ *attention*, llamar la atención.

attraction [ə'trækʃən] *n (power)* atracción. **2** *(thing)* atractivo. **3** *(incentive)* aliciente *m.*

attractive [ə'træktɪv] *adj (person)* atractivo,-a. **2** *(offer)* interesante.

attribute ['ætrɪbjuːt] *n* atributo. – **2** *t* atribuir. ▲ *En* **2** *(verbo)* [ə'trɪbjuːt].

attribution [ætrɪ'bjuːʃən] *n* atribución.

aubergine ['əʊbəʒiːn] *n* berenjena.

auburn ['ɔːbən] *adj* castaño,-a.

auction ['ɔːkʃən] *n* subasta. – **2** *t* subastar.

audacious [ɔː'deɪʃəs] *adj* audaz.

audacity [ɔː'dæsɪtɪ] *n* audacia.

audible ['ɔːdɪbəl] *adj* audible.

audience ['ɔːdɪəns] *n (spectators)* público. **2** *(interview)* audiencia.

audio-visual [ɔːdɪəʊ'vɪzjʊəl] *adj* audiovisual.

audit ['ɔːdɪt] *n* revisión de cuentas. – **2** *t* revisar.

audition [ɔː'dɪʃən] *n* prueba.

auditor ['ɔːdɪtə^r] *n* revisor,-ra de cuentas.

auditorium [ɔːdɪ'tɔːrɪəm] *n* auditorio, sala.

augment [ɔːg'ment] *t-i fml* aumentar(se).

augur ['ɔːgə^r] *t-i* presagiar. ●*to* ~ *well/ill*, ser de buen/mal agüero.

August ['ɔːgəst] *n* agosto.

august [ɔː'gʌst] *adj* augusto,-a.

aunt [ɑːnt] *n* tía.

auntie ['ɑːntɪ] *n fam* tía.

aura ['ɔːrə] *n (of person)* aura; *(of place)* sensación.

aural ['ɔːrəl] *adj* auditivo,-a.

auspices ['ɔːspɪsɪz] *npl* auspicios *mpl*; *under the* ~ *of*, bajo los auspicios de.

auspicious [ɔːs'pɪʃəs] *adj* propicio,-a, de buen augurio.

austere [ɒs'tɪə^r] *adj* austero,-a.

austerity [ɒs'terɪtɪ] *n* austeridad.

authentic [ɔː'θentɪk] *adj* auténtico,-a.

authenticity [ɔːθen'tɪsɪtɪ] *n* autenticidad.

author ['ɔːθə^r] *n* autor,-ra, escritor,-ra.

authoritative [ɔː'θɒrɪtətɪv] *adj (reliable)* autorizado,-a, fidedigno,-a. **2** *(authoritarian)* autoritario,-a.

authoritarian [ɔːθɒrɪ'teərɪən] *adj* autoritario,-a.

authority [ɔː'θɒrɪtɪ] *n* autoridad. ●*on good* ~, de buena tinta.

authorization [ɔːθəraɪ'zeɪʃən] *n* autorización.

authorize ['ɔːθəraɪz] *t* autorizar.

autobiographical [ɔːtəbaɪə'græfɪkəl] *adj* autobiográfico,-a.

autobiography [ɔːtəbaɪ'ɒgrəfɪ] *n* autobiografía.

autocracy [ɔː'tɒkrəsɪ] *n* autocracia.

autocrat ['ɔːtəkræt] *n* autócrata *mf*.

autocratic [ɔːtə'krætɪk] *adj* autocrático,-a.

autograph ['ɔːtəgrɑːf] *n* autógrafo.

automatic [ɔːtə'mætɪk] *adj* automático,-a.

automaton [ɔː'tɒmətən] *n* autómata *m*.

automobile ['ɔːtəməbiːl] *n* automóvil *m*.

autonomous [ɔː'tɒnəməs] *adj* autónomo,-a.

autonomy [ɔː'tɒnəmɪ] *n* autonomía.

autopsy ['ɔːtəpsɪ] *n* autopsia.

autumn ['ɔːtəm] *n* otoño.

autumnal [ɔː'tʌmnəl] *adj* otoñal.

auxiliary [ɔːg'zɪljərɪ] *adj-n* auxiliar *(m)*.

avail [ə'veɪl] *n to no ~*, en vano. – 2 *t to ~ oneself of*, aprovecharse de.

available [ə'veɪləbəl] *adj (thing)* disponible: *it's ~ in four colours*, lo hay en cuatro colores. 2 *(person)* libre.

avalanche ['ævəlɑːnʃ] *n* alud *m; fig* avalancha.

avarice ['ævərɪs] *n* avaricia.

avaricious [ævə'rɪʃəs] *adj* avaro,-a.

avenge [ə'vendʒ] *t* vengar.

avenger [ə'vendʒəʳ] *n* vengador,-ra.

avenue ['ævənjuː] *n* avenida.

average ['ævərɪdʒ] *n* promedio, media. – 2 *adj* medio,-a. 3 *(not special)* corriente, regular. – 4 *t* hacer un promedio de: *I ~ 10 cigarettes a day*, fumo un promedio de 10 cigarrillos al día. 5 *(calculate)* determinar el promedio de. ●*above/below ~*, por encima/debajo de la media; *on ~*, por término medio.

averse [ə'vɜːs] *adj* reacio,-a *(to*, a).

aversion [ə'vɜːʃən] *n* aversión.

avert [ə'vɜːt] *t (avoid)* evitar. ●*to ~ one's eyes*, apartar la vista.

aviary ['eɪvjərɪ] *n* pajarera.

aviation [eɪvɪ'eɪʃən] *n* aviación.

aviator ['eɪvɪeɪtəʳ] *n* aviador,-ra.

avid ['ævɪd] *adj* ávido,-a.

avidity [ə'vɪdɪtɪ] *n* avidez *f*.

avocado [ævə'kɑːdəʊ] *n ~ (pear)*, aguacate *m*.

avoid [ə'vɔɪd] *t* evitar. 2 *(question)* eludir. 3 *(person)* esquivar.

avow [ə'vaʊ] *t* declarar.

await [ə'weɪt] *t fml* aguardar, esperar.

awake [ə'weɪk] *adj* despierto,-a. – 2 *t-i* despertar(se). ▲ *pt* **awoke**; *pp* **awaked** o **awoken**.

awaken [ə'weɪkən] *t-i* → **awake**.

award [ə'wɔːd] *n (prize)* premio. 2 *(grant)* beca. 3 *(damages)* indemnización. – 4 *t (prize, grant)* otorgar, conceder. 5 *(damages)* adjudicar.

aware [ə'weəʳ] *adj* consciente. ●*to be ~ of*, ser consciente de; *to become ~ of*, darse cuenta de.

away [ə'weɪ] *adv* lejos, fuera, alejándose; *he lives 4 km ~*, vive a 4 km (de aquí); *the wedding is 6 weeks ~*, faltan 6 semanas para la boda. 2 *(indicating continuity) they worked ~ all day*, trabajaron todo el día. ●*to be ~*, estar fuera; *(from school)* estar ausente; *to go ~*, irse, marcharse; sp *to play ~*, jugar fuera; *to run ~*, irse corriendo.

awe [ɔː] *n (fear)* temor *m*. 2 *(wonder)* asombro.

awful ['ɔːfʊl] *adj (shocking)* atroz, horrible. 2 *fam (very bad)* fatal, horrible, espantoso,-a. – 3 *awfully adv fam* terriblemente.

awhile [ə'waɪl] *adv* un rato.

awkward ['ɔːkwəd] *adj (clumsy)* torpe. 2 *(difficult)* difícil. 3 *(embarrassing)* embarazoso,-a, delicado,-a. 4 *(inconvenient)* inconveniente, oportuno,-a. 5 *(uncomfortable)* incómodo,-a.

awl [ɔːl] *n* lezna.

awning ['ɔːnɪŋ] *n* toldo.

awoke [ə'wəʊk] *pt* → **awake**.

awoken [ə'wəʊkən] *pp* → **awake**.

ax(e) [æks] *n* hacha.

axiom ['æksɪəm] *n* axioma *m*.

axiomatic [æksɪə'mætɪk] *adj* axiomático,-a.

axis ['æksɪs] *n* eje *m*.

axle ['æksəl] *n* eje *m*.

azure ['eɪʒəʳ] *adj-n* azul *(m)* celeste.

B

baa [bɑ:] *i* balar.

babble ['bæbəl] *t* (*excitedly*) barbullar. 2 (*meaninglessly*) balbucear. 3 (*water*) murmurar. – 4 *n* (*confused voices*) murmullo.

baboon [bə'bu:n] *n* mandril *m*.

baby ['beɪbɪ] *n* bebé *m*.

babyhood ['beɪbɪhʊd] *n* infancia.

babyish ['beɪbɪʃ] *adj* infantil.

baby-sit ['beɪbɪsɪt] *i* hacer de canguro, cuidar niños.

baby-sitter ['beɪbɪsɪtə'] *n* canguro *mf*.

bachelor ['bætʃələ'] *n* soltero. ■ *Bachelor of Arts/Science*, Licenciado,-a en Filosofía y Letras/Ciencias.

back [bæk] *n* ANAT espalda. 2 (*of animal, book*) lomo. 3 (*of chair*) respaldo. 4 (*of cheque*) dorso. 5 (*of stage, room, cupboard*) fondo. 6 SP (*player*) defensa *mf*; (*position*) defensa *f*. – 7 *adj* trasero,-a, posterior. – 8 *adv* (*at the rear*) atrás; (*towards the rear*) hacia atrás; (*time*) hace: *several years* ~, hace varios años. – 9 *t* (*support*) apoyar, respaldar. 10 FIN financiar. 11 (*bet on*) apostar por. 12 (*vehicle*) dar marcha atrás a. – 13 *i* retroceder. 14 (*vehicle*) dar marcha atrás. ◆*to* ~ *away i* retirarse. ◆*to* ~ *down i* claudicar. ◆*to* ~ *out i* volverse atrás. ● ~ *to front*, al revés; *behind sb.'s* ~, a espaldas de algn.; *to answer* ~, replicar; *to be* ~, estar de vuelta; *to come/go* ~, volver; *to hit* ~, devolver el golpe; *fig* contestar a una acusación; *to have one's* ~ *to the wall*, estar entre la espada y la pared; *to put/give* ~, devolver; *to phone* ~, volver a llamar; *to turn one's* ~ *on*, volver la espalda a. ■ ~ *door*, puerta trasera; ~ *number*, número atrasado; ~ *pay*, atrasos *mpl*; ~ *seat*, asiento de atrás; ~ *street*, callejuela; ~ *wheel*, rueda trasera.

backbiting ['bækbaɪtɪŋ] *n* murmuración.

backbone ['bækbəʊn] *n* columna vertebral, espinazo. 2 *fig* carácter *m*.

backdated [bæk'deɪtɪd] *adj* con efecto retroactivo.

backdrop ['bækdrɒp] *n* telón *m* de fondo.

backer ['bækə'] *n* FIN promotor,-ra. 2 (*supporter*) partidario,-a.

backfire [bæk'faɪə'] *t* fallar: *our plan backfired*, nos salió el tiro por la culata.

background ['bækgraʊnd] *n* fondo. 2 *fig* (*origin*) origen *m*: (*education*) formación. ■ ~ *music*, música de fondo.

backhand ['bækhænd] *n* revés *m*.

backing ['bækɪŋ] *n* (*support*) apoyo, respaldo. 2 MUS acompañamiento.

backlash ['bæklæʃ] *n* reacción violenta y repentina.

backlog ['bæklɒg] *n* acumulación.

backside [bæk'saɪd] *n* fam trasero.

backstroke ['bækstrəʊk] *n* espalda.

backward ['bækwəd] *adj* hacia atrás. 2 (*child*) atrasado,-a. 3 (*country*) subdesarrollado,-a. – 4 *adv* *esp* US → **backwards**.

backwards ['bækwədz] *adv* hacia atrás. 2 (*the wrong way*) al revés.

backwater ['bækwɔ:tə'] *n* remanso.

bacon ['beɪkən] *n* tocino, bacon *m*.

bacterium [bæk'tɪərɪəm] *n* bacteria. ▲ *pl* **bacteria** [bæk'tɪərɪə].

bad [bæd] *adj* malo,-a; (*before masc noun*) mal. 2 (*rotten*) podrido,-a. 3 (*serious*) grave. 4 (*harmful*) nocivo,-a, perjudicial. 5 (*naughty*) malo,-a, travieso,-a. 6 (*aches, illnesses*) fuerte. – 7 *n* lo malo. – 8 *badly adv* mal. 9 (*seriously*) gravemente. 10 (*very much*) muchísimo,-a. ●*to come to a* ~ *end*, acabar mal; *to go* ~, pudrirse; *to go from* ~ *to worse*, ir de mal en peor. ▲ *comp* **worse**; *superl* **worst**.

banker

baddie, baddy ['bædɪ] *n fam* malo,-a de la película.

bade [beɪd] *pt* → **bid**.

badge [bædʒ] *n* insignia, distintivo. 2 *(metallic)* chapa.

badger ['bædʒə'] *n* ZOOL tejón *m*. – 2 *t* acosar, importunar.

badminton ['bædmɪntən] *n* bádminton *m*.

badness ['bædnəs] *n* maldad.

baffle ['bæfəl] *t* confundir, desconcertar.

bag [bæg] *n (paper, plastic)* bolsa; *(large)* saco. 2 *(handbag)* bolso. 3 *fam (woman)* arpía. 4 *pl fam* pantalones *mpl*. – 5 *t* embolsar, ensacar. 6 *fam (catch)* cazar. ●*bags of,* montones de.

baggage ['bægɪdʒ] *n* equipaje *m*, bagaje *m*.

baggy ['bægɪ] *adj* holgado,-a, ancho,-a.

bagpipes ['bægpaɪps] *npl* gaita *f sing*.

bail [beɪl] *n* JUR fianza. ◆*to ~ out t* JUR conseguir la libertad de (algn.) bajo fianza. 2 *fig* sacar de un apuro. 3 MAR achicar.

bailiff ['beɪlɪf] *n* JUR alguacil *m*. 2 *(steward)* administrador,-ra.

bait [beɪt] *n* cebo. – 2 *t* cebar. 3 *(torment)* atosigar.

bake [beɪk] *t* cocer (al horno). – 2 *i* hacer mucho calor.

baker ['beɪkə'] *n* panadero,-a.

bakery ['beɪkərɪ] *n* panadería.

balance ['bæləns] *n* equilibrio. 2 *(scales)* balanza. 3 FIN saldo. 4 *(remainder)* resto. – 5 *t* poner en equilibrio. 6 FIN *(budget)* equilibrar; *(account)* saldar. – 7 *i* mantenerse en equilibrio. 8 FIN cuadrar. ●*to ~ the books,* hacer el balance.

balcony ['bælkənɪ] *n* balcón *m*. 2 US THEAT anfiteatro; *(gallery)* gallinero.

bald [bɔːld] *adj* calvo,-a. 2 *(tyre)* desgastado,-a. 3 *(style)* escueto,-a. – 4 *baldly adv* francamente.

baldness ['bɔːldnəs] *n* calvicie *f*, calvez *f*.

bale [beɪl] *n* bala. – 2 *t* embalar. ◆*to ~ out t* MAR achicar. – 2 *i* AER saltar (de un avión) en paracaídas.

balk [bɔːk] *t* poner obstáculos a, frustrar. – 2 *i* negarse.

ball [bɔːl] *n* pelota; *(football)* balón *m*; *(golf, billiards)* bola. 2 *(of paper)* bola; *(of wool)* ovillo. 3 *(dance)* baile *m*, fiesta. 4* *pl* cojones* *mpl*. ■ *~ bearing,* rodamiento de bolas.

ballad ['bæləd] *n* balada.

ballast ['bæləst] *n* lastre *m*.

ballerina [bælə'riːnə] *n* bailarina.

ballet ['bæleɪ] *n* ballet *m*.

ballistics [bə'lɪstɪks] *n* balística.

balloon [bə'luːn] *n* globo.

ballot ['bælət] *n (vote)* votación (secreta). 2 *(paper)* papeleta. – 3 *t* hacer votar. ■ *~ box,* urna.

ballpoint ['bɔːlpɔɪnt] *n ~ (pen),* bolígrafo.

ballroom ['bɔːlruːm] *n* sala de baile.

balm [bɑːm] *n* bálsamo.

balmy ['bɑːmɪ] *adj (weather)* suave.

balsam ['bɔːlsəm] *n* → **balm**.

balustrade [bælə'streɪd] *n* balaustrada.

bamboo [bæm'buː] *n* bambú *m*.

bamboozle [bæm'buːzəl] *t fam* engatusar.

ban [bæn] *n* prohibición. – 2 *t* prohibir.

banal [bə'nɑːl] *adj* banal.

banana [bə'nɑːnə] *n* plátano, banana.

band [bænd] *n* MUS banda; *(pop)* conjunto. 2 *(strip)* faja, tira. 3 *(youths)* pandilla; *(thieves)* banda. ◆*to ~ together,* acuadrillarse. ■ *elastic/rubber ~,* goma (elástica).

bandage ['bændɪdʒ] *n* venda, vendaje *m*. – 2 *t* vendar.

bandit ['bændɪt] *n* bandido,-a.

bandstand ['bændstænd] *n* quiosco de música.

bandwagon ['bændwægən] *n to jump on the ~,* subirse al tren.

bandy ['bændɪ] *adj* torcido,-a hacia fuera. ◆*to ~ about t* difundir. ●*to ~ words with,* discutir con.

bandy-legged ['bændɪleg(ɪ)d] *adj* estevado,-a.

bang [bæŋ] *n (blow)* golpe *m*. 2 *(noise)* ruido; *(of gun)* estampido; *(explosion)* estallido; *(of door)* portazo. – 3 *t-i* golpear. 4* *(have sex with)* follar*. – 5 *adv fam* justo: *~ in the middle,* justo en medio. ●*to ~ the door,* dar un portazo.

banger ['bæŋə'] *n (firework)* petardo. 2 *fam (sausage)* salchicha. 3 *fam (car)* tartana.

bangle ['bæŋgəl] *n* ajorca, brazalete *m*.

banish ['bænɪʃ] *t* desterrar.

banishment ['bænɪʃmənt] *n* destierro.

banister ['bænɪstə'] *n* barandilla.

banjo ['bændʒəʊ] *n* banjo.

bank [bæŋk] *n* FIN banco. 2 *(of river)* ribera; *(edge)* orilla. 3 *(mound)* loma; *(embankment)* terraplén *m*. 4 *(slope)* pendiente *f*. 5 *(sandbank)* banco. – 6 *t* ingresar, depositar. ◆*to ~ on t* contar con. ■ GB *~ holiday,* (día) festivo.

banker ['bæŋkə'] *n* banquero,-a.

banking ['bæŋkɪŋ] *n* banca.
bankrupt ['bæŋkrʌpt] *adj* quebrado,-a.
● *to go* ~, quebrar.
bankruptcy ['bæŋkrʌptsɪ] *n* bancarrota.
banner ['bænə'] *n* bandera. 2 *(placard)* pancarta.
banns [bænz] *npl* amonestaciones *fpl*.
banquet ['bæŋkwɪt] *n* banquete *m*.
banter ['bæntə'] *n* bromas *fpl*, chanzas *fpl*. – 2 *i* bromear.
baptism ['bæptɪzəm] *n* bautismo.
baptismal [bæp'tɪzməl] *adj* bautismal.
baptize [bæp'taɪz] *t* bautizar.
bar [bɑ:'] *n (iron, gold)* barra. 2 *(prison)* barrote *m*. 3 *(soap)* pastilla. 4 *(chocolate)* tableta. 5 *(on door)* tranca. 6 *(gymnastics)* barra. 7 *(obstacle)* obstáculo. 8 *(counter)* barra, mostrador *m*. 9 *(room)* bar *m*. 10 JUR *the Bar*, el colegio de abogados. – 11 *t (door)* atrancar; *(road, access)* cortar. 12 *(ban)* prohibir, vedar. – 13 *prep* excepto.
barb [bɑ:b] *n* púa, lengüeta.
barbarian [bɑ:'beərɪən] *adj-n* bárbaro,-a.
barbaric [bɑ:'bærɪk] *adj* bárbaro,-a.
barbarity [bɑ:'bærɪtɪ] *n* barbaridad.
barbarous ['bɑ:bərəs] *adj* bárbaro,-a.
barbecue ['bɑ:bɪkju:] *n* barbacoa.
barbed [bɑ:bd] *adj* armado,-a con púas, punzante. ■ ~ *wire*, alambre *m* de púas.
barber ['bɑ:bə'] *n* barbero. ■ *barber's shop*, barbería.
barbiturate [bɑ:'bɪtʃʊrət] *n* barbitúrico.
bare [beə'] *adj (naked)* desnudo,-a; *(head)* descubierto,-a; *(feet)* descalzo,-a. 2 *(land)* raso,-a. 3 *(empty)* vacío,-a. 4 *(basic)* mero,-a. – 5 *t* desnudar; *(uncover)* descubrir.
barefaced ['beəfeɪst] *adj* descarado,-a.
barefoot ['beəfut] *adj* descalzo,-a.
bareheaded [beə'hedɪd] *adj* con la cabeza descubierta, sin sombrero.
barely ['beəlɪ] *adv* apenas.
bareness ['beənəs] *n* desnudez *f*.
bargain ['bɑ:gən] *n (agreement)* trato. 2 *(good buy)* ganga. – 3 *i (negotiate)* negociar. 4 *(haggle)* regatear. ◆ *to* ~ *for t* contar con.
barge [bɑ:dʒ] *n* gabarra. – 2 *i* irrumpir *(through/into,* en*)*.
baritone ['bærɪtəʊn] *n* barítono.
bark [bɑ:k] *n (of tree)* corteza. 2 *(of dog)* ladrido. – 3 *i* ladrar. ● *to* ~ *up the wrong tree,* ir descaminado,-a.
barley ['bɑ:lɪ] *n* cebada.
barmaid ['bɑ:meɪd] *n* camarera.

barman ['bɑ:mən] *n* camarero, barman *m*.
barmy ['bɑ:mɪ] *adj fam* chiflado,-a.
barn [bɑ:n] *n* granero.
barnacle ['bɑ:nəkəl] *n* percebe *m*.
barometer [bə'rɒmɪtə'] *n* barómetro.
baron ['bærən] *n* barón *m*.
baroness ['bærənəs] *n* baronesa.
baronet ['bærənət] *n* baronet *m*.
baroque [bə'rɒk] *adj* barroco,-a.
barrack ['bærək] *t* abuchear.
barracks ['bærəks] *n* cuartel *m*.
barrage ['bærɑ:ʒ] *n (dam)* presa. 2 MIL barrera de fuego. 3 *fig* bombardeo.
barrel ['bærəl] *n (of beer)* barril *m*; *(of wine)* tonel *m*, cuba. 2 *(of gun)* cañón *m*.
barren ['bærən] *adj* estéril.
barricade [bærɪ'keɪd] *n* barricada. – 2 *t* poner barricadas en.
barrier ['bærɪə'] *n* barrera.
barrister ['bærɪstə'] *n* abogado,-a *capacitado,-a para actuar en tribunales superiores.*
barrow ['bærəʊ] *n* carretilla.
barter ['bɑ:tə'] *n* trueque *m*. – 2 *t* trocar.
basalt ['bæsɔ:lt] *n* basalto.
base [beɪs] *n* base *f*. – 2 *t* basar. 3 MIL *(troops)* estacionar. – 4 *adj* bajo,-a, vil. 5 *(metal)* común.
baseball ['beɪsbɔ:l] *n* béisbol *m*.
baseless ['beɪsləs] *adj* infundado,-a.
basement ['beɪsmənt] *n* sótano.
bash [bæʃ] *fam t* golpear. – 2 *n* golpe *m*. 3 *(try)* intento. ● *to have a* ~ *at sth.,* probar/intentar algo.
bashful ['bæʃful] *adj* vergonzoso,-a, tímido,-a, modesto,-a.
basic ['beɪsɪk] *adj* básico,-a. – 2 *npl the basics,* lo esencial.
basin ['beɪsən] *n (bowl)* cuenco. 2 *(wash-basin)* lavabo. 3 GEOG cuenca.
basis ['beɪsɪs] *n* base *f,* fundamento. ▲ *pl bases.*
bask [bɑ:sk] *i* tumbarse al sol.
basket ['bɑ:skɪt] *n* cesta, cesto.
basketball ['bɑ:skɪtbɔ:l] *n* baloncesto.
bass [bæs] *n (fish)* róbalo, lubina; *(freshwater)* perca. 2 MUS *(singer)* bajo. 3 MUS *(notes)* graves *mpl*. – 4 *adj* MUS bajo,-a. ▲ *En 2, 3 y 4* [beɪs].
bassoon [bə'su:n] *n* fagot *m*.
bastard ['bæstəd] *adj-n* bastardo,-a.
baste [beɪst] *t* CULIN bañar. 2 SEW hilvanar.
bastion ['bæstɪən] *n* baluarte *m*.
bat [bæt] *n* ZOOL murciélago. 2 SP bate *m*; *(table tennis)* pala. – 3 *i* batear. – 4 *t* pes-

tañear. ●*without batting an eyelid,* sin inmutarse.

batch [bætʃ] *n* lote *m,* remesa; *(bread etc.)* hornada.

bated ['beɪtɪd] *adj* **with ~ breath,** sin respirar.

bath [bɑ:θ] *n* baño. 2 *(tub)* bañera. 3 *pl* piscina *f sing* municipal. − 4 *t-i* bañar(se). ●*to have a ~,* bañarse.

bathe [beɪð] *i* bañarse. − 2 *t* MED lavar.

bather ['beɪðə'] *n* bañista *mf.*

bathing ['beɪðɪŋ] *n* baño. ■ **~ costume/ suit,** traje *m* de baño.

bathrobe ['bɑ:θrəʊb] *n* albornoz *m.*

bathroom ['bɑ:θru:m] *n* cuarto de baño.

bathtub ['bɑ:θtʌb] *n* bañera.

baton ['bætən] *n (truncheon)* porra. 2 MUS batuta. 3 SP testigo.

batsman ['bætsmən] *n* bateador *m.*

battalion [bə'tæljən] *n* batallón *m.*

batten ['bætən] *n* listón *m.* ◆*to ~ down t* sujetar con listones.

batter ['bætə'] *n* CULIN pasta para rebozar. 2 SP bateador,-ra. − 3 *t* golpear, apalear. ■ *in ~,* rebozado,-a.

battery ['bætəri] *n* ELEC *(wet)* batería; *(dry)* pila. 2 MIL batería.

battle ['bætəl] *n* batalla. − 2 *i* luchar.

battlefield ['bætəlfi:ld] *n* campo de batalla.

battlements ['bætəlmənts] *npl* almenas *fpl.*

battleship ['bætəlʃɪp] *n* acorazado.

bauble ['bɔ:bəl] *n* baratija.

baulk [bɔ:k] *t →* **balk.**

bawdy ['bɔ:dɪ] *adj* grosero,-a.

bawl [bɔ:l] *i-t* chillar.

bay [beɪ] *n* GEOG bahía; *(large)* golfo. 2 *(tree)* laurel *m.* 3 ARCH hueco. 4 *(horse)* caballo bayo. − 5 *i* ladrar. ●*at ~,* acorralado,-a. ■ *~ leaf,* hoja de laurel; *~ window,* ventana saliente; *loading ~,* cargadero.

bayonet ['beɪənət] *n* bayoneta.

bazaar [bə'zɑ:'] *n (eastern)* bazar *m.* 2 *(at church etc.)* venta benéfica.

bazooka [bə'zu:kə] *n* bazuca.

be [bi:] *i (permanent characteristic, essential quality, nationality, occupation, origin, ownership, authorship)* ser: *she's clever,* ella es inteligente; *diamonds are hard,* los diamantes son duros; *John's English,* John es inglés; *we are both teachers,* los dos somos profesores; *they are from York,* son de York; *this house is ours,* esta casa es nuestra; *this painting is by Fraser,* este cuadro es de Fraser. 2 *(lo-*

cation, temporary state) estar: *Whitby is on the coast,* Whitby está en la costa; *how are you?,* ¿cómo estás?; *your supper is cold/in the oven,* tu cena está fría/ en el horno. 3 *(age)* tener: *Philip is 17,* Philip tiene 17 años. 4 *(price)* costar, valer: *a single ticket is £7.50,* un billete de ida sola cuesta £7.50; *prawns are cheap today,* las gambas están bien de precio hoy. − 5 *aux (with pres p)* estar: *it is raining,* está lloviendo; *the train is coming,* viene el tren; *I am going to- morrow,* iré mañana. 6 *(passive)* ser: *it has been sold,* ha sido vendido,-a, se ha vendido. 7 *(obligation) you are not to come here again,* no debes volver aquí; *you are to do as I say,* tienes que hacer lo que yo te diga. 8 *(future) the King is to visit Egypt,* el Rey visitará Egipto. ●*there is/are,* hay; *there was/were,* había; *there will/would be,* habrá/habría. ▲ *pres 1st pers am; 2nd pers sing & all persons pl are; 3rd pers sing is; pt 1st & 3rd persons sing was; 2nd pers sing & all persons pl were; pp been.*

beach [bi:tʃ] *n* playa. − 2 *t* varar.

beacon ['bi:kən] *n (fire)* almenara. 2 AV MAR baliza.

bead [bi:d] *n (on necklace)* cuenta. 2 *(of liquid)* gota.

beak [bi:k] *n* pico.

beaker ['bi:kə'] *n* taza alta. 2 CHEM vaso de precipitación.

beam [bi:m] *n* ARCH viga. 2 *(of light)* rayo. 3 *(of ship)* manga. 4 *(smile)* sonrisa radiante. − 5 *(shine)* brillar. 6 *(smile)* sonreír. − 7 *t* irradiar, emitir.

beaming ['bi:mɪŋ] *adj* radiante.

bean [bi:n] *n* alubia, judía, haba. 2 *(of cof- fee)* grano. ●*to be full of beans,* rebosar vitalidad; *to spill the beans,* descubrir el pastel. ■ *baked beans,* alubias *fpl* cocidas; *broad ~,* haba; *French/green/run- ner/string ~,* judía verde.

bear [beə'] *n* ZOOL oso. 2 FIN bajista *mf.* − 3 *t (carry)* llevar. 4 *(weight)* soportar, aguantar. 5 *(tolerate)* soportar, aguantar. 6 *(fruit)* producir. 7 *(give birth)* dar a luz; *he was born in London,* nació en Londres. ◆*to ~ out t* confirmar. ◆*to ~ up i* mantenerse firme. ◆*to ~ with t* tener paciencia con. ●*to ~ in mind,* tener presente; *to ~ a grudge,* guardar rencor; *to ~ a resemblance to,* parecerse a. ▲ *pt bore; pp borne o born.*

bearable ['beərəbəl] *adj* soportable.

beard [bɪəd] *n* barba.

bearded ['bɪədɪd] *adj* barbudo,-a.

bearer ['beərə'] *n (of news, cheque, etc.)* portador,-ra; *(of passport)* titular *mf.* 2 *(porter)* portador,-ra.

bearing ['beərɪŋ] *n (posture)* porte *m.* 2 *(relevance)* relación. 3 TECH cojinete *m.* 4 MAR orientación. ●*to lose one's bearings,* desorientarse; *fig* perder el norte.

beast [bi:st] *n* bestia, animal *m.*

beastly ['bi:stlɪ] *adj* bestial.

beat [bi:t] *n (of heart)* latido. 2 MUS ritmo. 3 *(of policeman)* ronda. − 4 *t (hit)* golpear; *(metals)* martillear; *(person)* azotar; *(drum)* tocar. 5 CULIN batir. 6 *(defeat)* vencer, derrotar. 7 *fam (puzzle)* extrañar. − 8 *i (heart)* latir. − 9 *adj fam* agotado,-a. ◆*to ~ up t* dar una paliza a. ●*to ~ about the bush,* andarse por las ramas; MUS *to ~ time,* llevar el compás. ▲ *pt* **beat**; *pp* **beaten** ['bi:tən].

beater ['bi:tə'] *n* CULIN batidora.

beatify [bɪ'ætɪfaɪ] *t* beatificar.

beating ['bi:tɪŋ] *n (thrashing)* paliza. 2 *(defeat)* derrota. 3 *(of heart)* latidos *mpl.*

beatitude [bɪ'ætɪtju:d] *n* beatitud. ■ *the Beatitudes,* las Bienaventuranzas.

beautician [bju:'tɪʃən] *n* esteticista *mf.*

beautiful ['bju:tɪfʊl] *adj* hermoso,-a, bonito,-a. 2 *(wonderful)* maravilloso,-a.

beautify ['bju:tɪfaɪ] *t* embellecer.

beauty ['bju:tɪ] *n* belleza, hermosura. ■ *~ spot, (on face)* lunar *m: (place)* lugar pintoresco.

beaver ['bi:və'] *n* castor *m.*

became [bɪ'keɪm] *pt →* **become.**

because [bɪ'kɒz] *conj* porque. − 2 *prep ~ of,* a causa de.

beckon ['bekən] *t* llamar por señas. − 2 *i* hacer señas.

become [bɪ'kʌm] *i (with noun)* convertirse en, hacerse; llegar a ser: *to ~ a doctor/ teacher,* hacerse médico,-a/maestro,-a; *to ~ president,* llegar a la presidencia; *what has ~ of Peter?,* ¿qué ha sido de Peter? 2 *(with adj)* volverse, ponerse: *to ~ angry/sad,* enojarse/entristecerse. 3 *(suit)* favorecer. ▲ *pt* **became**; *pp* **become.**

becoming [bɪ'kʌmɪŋ] *adj (dress etc.)* que sienta bien. 2 *(behaviour)* apropiado,-a.

bed [bed] *n* cama. 2 *(of flowers)* macizo. 3 *(of river)* lecho, cauce *m; (of sea)* fondo. 4 GEOL capa, yacimiento. − 5 *t sl* acostarse con. ●*to go to ~,* acostarse; *fam to get out of ~ on the wrong side,* levantarse con el pie izquierdo.

bedbug ['bedbʌg] *n* chinche *m.*

bedclothes ['bedkləʊðz] *npl,* **bedding** ['bedɪŋ] *n* ropa de cama.

bedlam ['bedləm] *n* alboroto, jaleo.

bedpan ['bedpæn] *n* cuña.

bedraggled [bɪ'drægəld] *adj* desordenado,-a.

bedridden ['bedrɪdən] *adj* postrado,-a en cama.

bedroom ['bedru:m] *n* dormitorio.

bedside ['bedsaɪd] *n* cabecera. ■ *~ table,* mesita de noche.

bedsitter [bed'sɪtə'] *n* estudio.

bedspread ['bedspred] *n* cubrecama.

bedstead ['bedsted] *n* armazón *m* de la cama.

bedtime ['bedtaɪm] *n* la hora de acostarse.

bee [bi:] *n* abeja. ●*fam to have a ~ in one's bonnet,* tener una obsesión.

beech [bi:tʃ] *n* haya.

beef [bi:f] *n* carne *f* de vaca. − 2 *i fam* quejarse.

beefburger ['bi:fbɜ:gə'] *n* hamburguesa.

beefeater ['bi:fi:tə'] *n* alabardero *de la Torre de Londres.*

beefsteak ['bi:fsteɪk] *n* bistec *m.*

beefy ['bi:fɪ] *adj* robusto,-a.

beehive ['bi:haɪv] *n* colmena.

beeline ['bi:laɪn] *n* línea recta.

been [bi:n, bɪn] *pp →* **be.**

beer [bɪə'] *n* cerveza.

beetle ['bi:təl] *n* escarabajo.

beetroot ['bi:tru:t] *n* remolacha.

before [bɪ'fɔ:'] *prep (order, time)* antes de. 2 *(place)* delante de; *(in the presence of)* ante: *~ God,* ante Dios. − 3 *conj (earlier than)* antes de + *inf,* antes de que + *subj: ~ you go,* antes de irte, antes de que te vayas. 4 *(rather than)* antes de (+ *inf*). − 5 *adv* antes. 6 *(place)* delante. ●*the day ~ yesterday,* antes de ayer.

beforehand [bɪ'fɔ:hænd] *adv (earlier)* antes. 2 *(in advance)* de antemano, con antelación.

befriend [bɪ'frend] *t* ofrecer su amistad a.

beg [beg] *i* mendigar. − 2 *t (ask for)* pedir. 3 *(beseech)* suplicar, rogar. ●*I ~ your pardon?* ¿cómo ha dicho usted?

began [bɪ'gæn] *pt →* **begin.**

beggar ['begə'] *n* mendigo,-a. − 2 *t* empobrecer, arruinar; *fig* hacer imposible.

begin [bɪ'gɪn] *t-i* empezar, comenzar. ▲ *pt* **began**; *pp* **begun.**

beginner [bɪ'gɪnə'] *n* principiante *mf.*

beginning [bɪ'gɪnɪŋ] *n* principio.

beguile [bɪ'gaɪl] *t (cheat)* engañar. 2 *(seduce)* seducir, atraer.

begun [bɪ'gʌn] *pp →* **begin.**

behalf [bɪ'hɑ:f] *n on ~ of,* en nombre de, de parte de.

behave [bɪ'heɪv] *i* comportarse, portarse.
●*to ~ o.s.,* portarse bien.

behaviour [bɪ'heɪvjəˀ] *n* conducta, comportamiento.

behead [bɪ'hed] *t* decapitar.

beheld [bɪ'held] *pt & pp →* **behold.**

behind [bɪ'haɪnd] *prep (place)* detrás de. 2 *(in time)* después de. — 3 *adv* detrás. 4 *(late)* atrasado,-a. — 5 *n fam* trasero. ●*~ sb.'s back,* a espaldas de algn; *~ schedule,* atrasado,-a; *~ the scenes,* entre bastidores; *to leave sth. ~,* olvidar algo.

behindhand [bɪ'haɪndhænd] *adv* en retraso. — 2 *adj* atrasado,-a, retrasado,-a.

behold [bɪ'həʊld] *t* contemplar. ▲ *pt & pp* **beheld.**

beige [beɪʒ] *adj-n* beige (*m*).

being ['biːɪŋ] *n (living thing)* ser *m.* 2 *(existence)* existencia. ●*for the time ~,* por ahora.

belated [bɪ'leɪtɪd] *adj fam* tardío,-a.

belch [beltʃ] *n* eructo. — 2 *i* eructar. — 3 *t* vomitar.

belief [bɪ'liːf] *n* creencia. 2 *(opinion)* opinión. 3 *(faith)* fe *f.*

believe [bɪ'liːv] *t* creer: *~ me,* créeme. 2 *(suppose)* creer, suponer: **he is believed to be dead,** se cree que está muerto. — 3 *i* creer *(in,* en): *we ~ in God,* creemos en Dios. 4 *(trust)* confiar *(in,* en). 5 *(support)* ser partidario,-a *(in,* de): *they ~ in free trade,* creen en el libre comercio.

believer [bɪ'liːvəˀ] *n* creyente *mf.*

belittle [bɪ'lɪtəl] *t* menospreciar.

bell [bel] *n (of church etc.)* campana. 2 *(handbell)* campanilla. 3 *(on bicycle, door, etc.)* timbre *m.* 4 *(cowbell)* cencerro. ●*that rings a ~,* esto me suena.

bellboy ['belbɔɪ], US **bellhop** ['belhɒp] *n* botones *m inv.*

belligerent [bɪ'lɪdʒərənt] *adj* beligerante.

bellow ['beləʊ] *n* bramido. — 2 *i* bramar.

bellows ['beləʊz] *npl* fuelle *m sing.*

belly ['belɪ] *n (person)* vientre *m,* barriga. 2 *(animal)* panza. ■ *fam ~ button,* ombligo; *~ laugh,* carcajada.

bellyache ['belɪeɪk] *fam n* dolor *m* de barriga. — 2 *i* quejarse.

belong [bɪ'lɒŋ] *i* pertenecer *(to,* a), ser *(to,* de). 2 *(to a club)* ser socio,-a *(to,* de).

belongings [bɪ'lɒŋɪŋz] *npl* pertenencias *fpl.*

beloved [bɪ'lʌvd] *adj* querido,-a, amado,-a. — 2 *n* amado,-a. ▲ *En 2 (sustantivo)* [bɪ'lʌvɪd].

below [bɪ'ləʊ] *prep* (por) debajo de. — 2 *adv* abajo. ●*~ zero,* bajo cero; *see ~,* véase abajo.

belt [belt] *n* cinturón *m.* 2 TECH correa. 3 *(area)* zona. — 4 *t fam* pegar. ◆*to ~ along i* ir a todo gas. ◆*to ~ up i fam* callarse. ●*a blow below the ~,* un golpe bajo. ■ *conveyor ~,* cinta transportadora; *safety/seat ~,* cinturón *m* de seguridad.

bemoan [bɪ'məʊn] *t* lamentar.

bemused [bɪ'mjuːzd] *adj* perplejo,-a.

bench [bentʃ] *n* banco. 2 JUR tribunal *m.*

bend [bend] *n (in road etc.)* curva. 2 *(in pipe)* ángulo. — 3 *t* doblar. 4 *(head)* inclinar. — 5 *i* doblarse. 6 *(road)* torcer. ◆*to ~ down i* agacharse. ◆*to ~ over i* inclinarse. ●*round the ~,* loco,-a perdido,-a. ▲ *pt & pp* **bent.**

beneath [bɪ'niːθ] *prep* bajo, debajo de. — 2 *adv* abajo, debajo.

benediction [benɪ'dɪkʃən] *n* bendición.

benefactor ['benɪfæktəˀ] *n* benefactor.

benefactress ['benɪfæktrəs] *n* benefactora.

beneficial [benɪ'fɪʃəl] *adj* beneficioso,-a, provechoso,-a.

beneficiary [benɪ'fɪʃərɪ] *n* beneficiario,-a.

benefit ['benɪfɪt] *n (advantage)* beneficio, provecho. 2 *(good)* bien *m.* 3 *(allowance)* subsidio. — 4 *t-i* beneficiar(se). ■ *unemployment ~,* subsidio de desempleo.

benevolence [bɪ'nevələns] *n* benevolencia.

benevolent [bɪ'nevələnt] *adj* benévolo,-a.

benign [bɪ'naɪn] *adj* benigno,-a.

bent [bent] *pt & pp →* **bend.** — 2 *adj* torcido,-a, doblado,-a. 3 *sl (corrupt)* corrupto,-a. 4 *sl (homosexual)* de la acera de enfrente. — 5 *n* inclinación. ●*~ on,* empeñado,-a en.

benzine ['benziːn] *n* bencina.

bequeath [bɪ'kwiːð] *t* legar.

bequest [bɪ'kwest] *n* legado.

bereaved [bɪ'riːvd] *adj* desconsolado,-a.

bereavement [bɪ'riːvmənt] *n (loss)* pérdida. 2 *(mourning)* duelo.

bereft [bɪ'reft] *adj* privado,-a *(of,* de).

beret ['bereɪ] *n* boina.

berk [bɜːk] *n fam* capullo.

berry ['berɪ] *n* baya.

berserk [bə'sɜːk] *adj* enloquecido,-a.

berth [bɜːθ] *n (in harbour)* amarradero. 2 *(on ship)* camarote *m,* litera. — 3 *t* poner en dique. — 4 *i* atracar.

beseech [bɪ'siːtʃ] *t* implorar, suplicar. ▲ *pt & pp* **besought** o **beseeched.**

beset [bɪ'set] *t* acosar. ▲ *pt & pp* **beset.**

beside [bɪˈsaɪd] *prep* al lado de. ●~ *o.s.*, fuera de sí; ~ *o.s. with joy*, loco,-a de alegría; ~ *the point*, que no viene al caso.

besides [bɪˈsaɪdz] *prep (as well as)* además de. 2 *(except)* excepto. – 3 *adv* además.

besiege [bɪˈsiːdʒ] *t* MIL sitiar. 2 *fig* asediar.

besought [bɪˈsɔːt] *pt & pp →* beseech.

best [best] *adj (superl of good)* mejor. – 2 *adv (superl of well)* mejor. – 3 *n* lo mejor. ●*all the ~!*, ¡que le vaya bien!; *as ~ you can*, lo mejor que puedas; *at ~*, en el mejor de los casos; *the ~ part of*, la mayor parte de; *to do one's ~*, esmerarse; *to make the ~ of*, sacar el mejor partido de. ■ ~ *man*, padrino de boda.

bestial [ˈbestɪəl] *adj* bestial.

bestow [bɪˈstəʊ] *t (honour)* otorgar (*on*, a); *(favour)* conceder (*on*, a); *(title)* conferir (*on*, a).

best-seller [bestˈseləʳ] *n* best-seller *m*, superventas *m inv*.

bet [bet] *n* apuesta. – 2 *t-i* apostar.

betray [bɪˈtreɪ] *t* traicionar. 2 *(secret)* revelar.

betrayal [bɪˈtreɪəl] *n* traición.

betrothed [bɪˈtrəʊðd] *adj-n* prometido,-a.

better [ˈbetəʳ] *adj (comp of good)* mejor. – 2 *adv (comp of well)* mejor. – 3 *n* lo mejor. 4 *pl* superiores *mpl*. – 5 *t (improve)* mejorar. 6 *(surpass)* superar. ●~ *late than never*, más vale tarde que nunca; *had ~*, más vale que + subj: *we'd ~ be going*, más vale que nos vayamos; *so much the ~*, tanto mejor; *to get ~*, mejorar. ■ ~ *half*, media naranja.

betting [ˈbetɪŋ] *n* apuestas *fpl*. ●*what's the ~ that ...*, ¿qué te apuestas a que ...?

bettor [ˈbetəʳ] *n* apostante *mf*.

between [bɪˈtwiːn] *prep* entre. – 2 *adv* en medio. ●~ *the lines*, entre líneas; ~ *you and me*, entre tú y yo, en confianza.

bevel [ˈbevəl] *n* bisel *m*, chaflán *m*. – 2 *t* biselar.

beverage [ˈbevərɪdʒ] *n* bebida.

bewail [bɪˈweɪl] *t fml* lamentar.

beware [bɪˈweəʳ] *i* tener cuidado (*of*, con).

bewilder [bɪˈwɪldəʳ] *t* desconcertar, confundir.

bewitch [bɪˈwɪtʃ] *t* hechizar; *fig* fascinar.

beyond [bɪˈjɒnd] *prep* más allá de. – 2 *adv* más allá. – 3 *n the ~*, el más allá.

●~ *belief*, increíble; ~ *doubt*, indudablemente; *it's ~ me*, no lo entiendo.

bias [ˈbaɪəs] *n (prejudice)* parcialidad, prejuicio. 2 *(inclination)* tendencia. – 3 *t* predisponer.

bias(s)ed [ˈbaɪəst] *adj* parcial.

bib [bɪb] *n* babero.

Bible [ˈbaɪbəl] *n* Biblia.

biblical [ˈbɪblɪkəl] *adj* bíblico,-a.

bibliography [bɪblɪˈɒɡrəfɪ] *n* bibliografía.

biceps [ˈbaɪsəps] *n* bíceps *m inv*.

bicker [ˈbɪkəʳ] *i* discutir.

bicycle [ˈbaɪsɪkəl] *n* bicicleta.

bid [bɪd] *n (at auction)* puja. 2 *(attempt)* intento. 3 *(offer)* oferta. – 4 *t (at auction)* pujar. 5 *(say)* decir. 6 *(order)* ordenar, mandar. 7 *(invite)* invitar. – 8 *i (at auction)* pujar. ▲ *En 4 y 8 pt & pp bid*; *en 5, 6 y 7 pt bid/bade*; *pp bid/bidden*.

bidder [ˈbɪdəʳ] *n* postor,-ra.

bidding [ˈbɪdɪŋ] *n (at auction)* puja. 2 *(order)* orden *f*.

bide [baɪd] *t-i to ~ one's time*, esperar el momento oportuno. ▲ *pt bode o bided*.

bidet [ˈbiːdeɪ] *n* bidé *m*.

biennial [baɪˈenɪəl] *adj* bienal.

bifocal [baɪˈfəʊkəl] *adj* bifocal. – 2 *npl* lentes *fpl* bifocales.

big [bɪɡ] *adj* grande; *(before sing noun)* gran: *a ~ car*, un coche grande; *a ~ day*, un gran día. ●*too ~ for one's boots*, muy fanfarrón,-ona. ■ ~ *brother/sister*, hermano/hermana mayor; ~ *game*, caza mayor; ~ *noise/shot*, pez gordo.

bigamy [ˈbɪɡəmɪ] *n* bigamia.

bighead [ˈbɪɡhed] *n* sabihondo,-a, creído,-a.

bigheaded [bɪɡˈhedɪd] *adj* sabihondo,-a, creído,-a.

big-hearted [bɪɡˈhɑːtɪd] *adj* de buen corazón, generoso,-a.

bight [baɪt] *n* bahía.

bigmouth [ˈbɪɡmaʊθ] *n* bocazas *mf inv*.

bigot [ˈbɪɡət] *n* fanático,-a.

bigotry [ˈbɪɡətrɪ] *n* fanatismo.

bigwig [ˈbɪɡwɪɡ] *n fam* pez gordo.

bike [baɪk] *n fam (bicycle)* bici *f*. 2 *(motorcycle)* moto *f*.

bikini [bɪˈkiːnɪ] *n* biquini *m*.

bilateral [baɪˈlætərəl] *adj* bilateral.

bilberry [ˈbɪlbərɪ] *n* arándano.

bile [baɪl] *n* bilis *f*, hiel *f*.

bilge [bɪldʒ] *n* MAR agua de sentina. 2 *fig* tonterías *fpl*.

bilingual [baɪˈlɪŋɡwəl] *adj* bilingüe.

bilious [ˈbɪlɪəs] *adj* bilioso,-a.

bill [bɪl] *n* factura; *(in restaurant)* cuenta. 2 *(law)* proyecto de ley. 3 US *(banknote)* billete *m*. 4 *(poster)* cartel *m*. − 5 *t* facturar. 6 THEAT programar. ●*to fit the* ~, cumplir los requisitos; THEAT *to top the* ~, encabezar el reparto. ■ ~ *of exchange,* letra de cambio; ~ *of lading,* conocimiento de embarque; *Bill of Rights,* declaración de derechos.

billboard ['bɪlbɔːd] *n* US valla publicitaria.

billiards ['bɪliədz] *n* billar *m*.

billion ['bɪliən] *n* GB billón *m*. 2 US mil millones *mpl*.

billow ['bɪləʊ] *n (of water)* ola. 2 *(of smoke)* nube *f*. − 3 *t (sea)* ondear. 4 *(sail)* hincharse.

billowy ['bɪləʊi] *adj (sea)* ondoso,-a. 2 *(sail)* hinchado,-a.

billy-goat ['bɪligəʊt] *n* macho cabrío.

bin [bɪn] *n* arca, cajón. 2 *(for rubbish)* cubo de la basura; *(for paper)* papelera.

binary ['baɪnəri] *adj* binario,-a.

bind [baɪnd] *n fam* fastidio, molestia. − 2 *t (tie up)* atar. 3 CULIN ligar. 4 *(book)* encuadernar. 5 *(bandage)* vendar. 6 *(require)* obligar. ▲ *pt & pp* **bound.**

binder ['baɪndə^r] *n* AGR agavilladora. 2 *(file)* carpeta. 3 *(of books)* encuadernador,-ra.

binding ['baɪndɪŋ] *n* SEW ribete *m*. 2 *(of skis)* fijación. 3 *(of book)* encuadernación. − 4 *adj* obligatorio,-a.

binge [bɪndʒ] *n* borrachera.

bingo ['bɪŋgəʊ] *n* bingo.

binocular [bɪˈnɒkjʊlə^r] *adj* binocular. − 2 *npl* gemelos *mpl*.

biographer [baɪˈɒgrəfə^r] *n* biógrafo,-a.

biographical [baɪəˈgræfɪkəl] *adj* biográfico,-a.

biography [baɪˈɒgrəfɪ] *n* biografía.

biological [baɪəˈlɒdʒɪkəl] *adj* biológico,-a.

biologist [baɪˈɒlədʒɪst] *n* biólogo,-a.

biology [baɪˈɒlədʒɪ] *n* biología.

biopsy ['baɪɒpsɪ] *n* biopsia.

biorhythm ['baɪərɪðəm] *n* biorritmo.

biosphere ['baɪəsfɪə^r] *n* biosfera.

bipartite [baɪˈpɑːtaɪt] *adj* bipartito,-a.

biped ['baɪped] *adj-n* bípedo,-a *(m)*.

birch [bɜːtʃ] *n (tree)* abedul *m*. 2 *(rod)* vara (de abedul). − 3 *t* azotar.

bird [bɜːd] *n (large)* ave *f; (small)* pájaro. 2 GB *(girl)* chica. ●*a* ~ *in the hand is worth two in the bush,* más vale pájaro en mano que ciento volando; *to kill two birds with one stone,* matar dos pájaros de un tiro. ■ ~ *of prey,* ave *f* de rapiña.

birdie ['bɜːdɪ] *n* pajarito. 2 *(golf)* birdie *m*.

birdseed ['bɜːdsiːd] *n* alpiste *m*.

bird's-eye view [bɜːdzaɪˈvjuː] *n* vista de pájaro.

bird-watcher ['bɜːdwɒtʃə^r] *n* ornitólogo,-a.

Biro® ['baɪrəʊ] *n fam* boli *m*.

birth [bɜːθ] *n (of baby)* nacimiento. 2 MED parto. 3 *(descent)* linaje *m*. ●*to give* ~ *to,* dar a luz a. ■ ~ *certificate,* partida de nacimiento; ~ *control,* control *m* de (la) natalidad.

birthday ['bɜːθdeɪ] *n* cumpleaños *m inv*.

birthmark ['bɜːθmɑːk] *n* lunar *m*.

birthplace ['bɜːθpleɪs] *n* lugar *m* de nacimiento.

biscuit ['bɪskɪt] *n* galleta.

bisect [baɪˈsekt] *t* bisecar.

bisexual [baɪˈseksjʊəl] *adj* bisexual.

bishop ['bɪʃəp] *n* obispo. 2 *(chess)* alfil *m*.

bishopric ['bɪʃəprɪk] *n* obispado.

bison ['baɪsən] *n* bisonte *m*.

bit [bɪt] *n (small piece)* trozo, pedacito. 2 *(small amount)* poco. 3 *(of bridle)* bocado. 4 *(of drill)* broca. 5 COMPUT bit *m*. 6 *(coin)* moneda. − 7 *pt* → **bite.** ●~ *by* ~, poco a poco; *bits and pieces,* trastos; *to come to bits,* romperse; *to take to bits,* desmontar; *fig to go to bits,* ponerse histérico,-a. ■ *a* ~ *of advice,* un consejo.

bitch [bɪtʃ] *n* hembra; *(of dog)* perra. 2 *pej (woman)* bruja. − 3 *i fam* quejarse.

bite [baɪt] *n (act)* mordisco. 2 *(of insect)* picadura. 3 *(of dog etc.)* mordedura. 4 *(of food)* bocado. − 5 *t-i* morder. 6 *(insect)* picar. 7 *(fish)* picar. ▲ *pt* **bit**; *pp* **bitten.**

biting ['baɪtɪŋ] *adj (wind)* cortante; *fig* mordaz.

bitten ['bɪtən] *pp* → **bite.**

bitter ['bɪtə^r] *adj (gen)* amargo,-a. 2 *(weather)* glacial. 3 *(person)* amargado,-a. 4 *(fight)* enconado,-a. − 5 *n* cerveza amarga. 6 *pl* bíter *m sing*. − 7 *bitterly adv* con amargura: ~ *disappointed,* terriblemente decepcionado,-a; *it's* ~ *cold,* hace un frío glacial.

bitterness ['bɪtənəs] *n (gen)* amargura. 2 *(of person)* amargura, rencor *m*.

bitty ['bɪtɪ] *adj* fragmentario,-a.

bitumen ['bɪtjʊmɪn] *n* betún *m*.

bivouac ['bɪvʊæk] *n* vivaque *m*. − 2 *i* hacer vivaque. ▲ *pt & pp* **bivouacked.**

bizarre [bɪˈzɑː^r] *adj* raro,-a, extraño,-a.

blab [blæb] *i fam* parlotear. 2 *(tell secret)* cantar, descubrir el pastel.

black [blæk] *adj* negro,-a. 2 *(gloomy)* aciago,-a, negro,-a. − 3 *n (colour)* negro. 4

(person) negro,-a. **5** *(mourning)* luto. – **6** *t (make black)* ennegrecer. **7** *(boycott)* boicotear. ◆**to ~ out** *t* apagar las luces de. – **2** *i (faint)* desmayarse. ●**~ and white,** blanco y negro; *fam* **to put down sth. in ~ and white,** poner algo por escrito. ■ **~ coffee,** café solo; **~ eye,** ojo morado/a la funerala; **~ hole,** agujero negro; **~ market,** mercado negro; **~ marketeer,** estraperlista *mf; fig* **~ sheep,** oveja negra.

black-and-blue [blækən'blu:] *adj* amoratado,-a.

blackberry ['blækbəri] *n* (zarza)mora.

blackbird ['blækbɜ:d] *n* mirlo.

blackboard ['blækbɔ:d] *n* pizarra.

blackcurrant [blæk'kʌrənt] *n* grosella negra.

blacken ['blækən] *t* ennegrecer. **2** *fig (defame)* manchar.

blackguard ['blægɑ:d] *n* pillo.

blackhead ['blækhed] *n* espinilla.

blackish ['blækiʃ] *adj* negruzco,-a.

blackleg ['blækleg] *n* esquirol *m.*

blackmail ['blækmeil] *n* chantaje *m.* – **2** *t* hacer un chantaje a.

blackmailer ['blækmeilər] *n* chantajista *mf.*

blackness ['blæknəs] *n* negrura, oscuridad.

blackout ['blækaut] *n* apagón *m.* **2** *(fainting)* pérdida de conocimiento.

blacksmith ['blæksmiθ] *n* herrero.

bladder ['blædər] *n* vejiga.

blade [bleid] *n (of sword, knife, etc.)* hoja. **2** *(of iceskate)* cuchilla. **3** *(of propeller, oar)* pala. **4** *(of grass)* brizna.

blame [bleim] *n* culpa. – **2** *t* culpar, echar la culpa a. ●**to be to ~,** tener la culpa; **to put the ~ on,** echar la culpa a.

blanch [blɑ:ntʃ] *t* CULIN escaldar. – **2** *i* palidecer.

bland [blænd] *adj* soso,-a.

blank [blæŋk] *adj (page etc.)* en blanco. **2** *(look etc.)* vacío,-a. – **3** *n* (espacio en) blanco. ●**my mind went ~,** me quedé en blanco; *fam* **to draw a ~,** no tener éxito. ■ **~ cartridge,** cartucho de fogueo; **~ cheque,** cheque *m* en blanco; **~ verse,** verso blanco.

blanket ['blæŋkit] *n* manta. – **2** *adj* general.

blare [bleər] *n* estruendo. ◆**to ~ out** *i* sonar muy fuerte.

blaspheme [blæs'fi:m] *t-i* blasfemar.

blasphemous ['blæsfiməs] *adj* blasfemo,-a.

blasphemy ['blæsfimi] *n* blasfemia.

blast [blɑ:st] *n (of wind)* ráfaga. **2** *(of water, air, etc.)* chorro. **3** *(of horn etc.)* toque *m.* **4** *(explosion)* explosión, voladura. **5** *(shock wave)* onda expansiva. – **6** *t (explode)* volar, hacer volar. **7** *(criticize)* criticar. – **8** *interj* ¡maldito sea! ●**at full ~,** a todo volumen. ■ **~ furnace,** alto horno.

blasted ['blɑ:stid] *adj* maldito,-a.

blast-off ['blɑ:stɒf] *n* despegue *m.*

blatant ['bleitənt] *adj* descarado,-a.

blaze [bleiz] *n (fire)* incendio. **2** *(flame)* llamarada. **3** *(of light)* resplandor *m.* – **5** *i (fire)* arder. **6** *(sun)* brillar con fuerza. ●**like blazes,** a toda pastilla, a todo gas; **to ~ a trail,** abrir un camino.

blazer ['bleizər] *n* chaqueta de deporte.

bleach [bli:tʃ] *n* lejía. – **2** *t* blanquear.

bleak [bli:k] *adj (countryside)* desolado,-a. **2** *(weather)* desapacible. **3** *(future)* poco prometedor,-ra.

bleary ['bliəri] *adj (from tears)* nubloso,-a. **2** *(from tiredness)* legañoso,-a.

bleat [bli:t] *n* balido. – **2** *i* balar.

bleed [bli:d] *t-i* MED sangrar. ●**to ~ sb. dry,** sacarle a algn. hasta el último céntimo; **to ~ to death,** morir desangrado,-a. ▲ *pt & pp* **bled.**

bleeder ['bli:dər] *n sl* hijo,-a de tal.

bleeding ['bli:diŋ] *adj sl* despñetero,-a.

bleep [bli:p] *n* pitido. – **2** *i* pitar. – **3** *t* localizar con un busca.

bleeper ['bli:pər] *n* busca(personas) *m inv.*

bled [bled] *pt & pp* → **bleed.**

blemish ['blemiʃ] *n* imperfección. **2** *(on fruit)* maca. **3** *fig* mancha.

blend [blend] *n* mezcla, combinación. – **2** *t-i (mix)* mezclar(se), combinar(se). **3** *(match)* matizar, armonizar.

blender ['blendər] *n* CULIN batidora, minipímer® *m.*

bless [bles] *t* bendecir. ●**~ you!,** ¡Jesús!

blessed ['blesid] *adj* bendito,-a.

blessing ['blesiŋ] *n* bendición. **2** *(advantage)* ventaja.

blew [blu:] *pt* → **blow.**

blight [blait] *n fig* plaga.

blind [blaind] *adj* ciego,-a. – **2** *n (on window)* persiana. – **3** **blindly** *adv* ciegamente, a ciegas. – **4** *t* cegar, dejar ciego,-a. **5** *(dazzle)* deslumbrar. ●**to be/go ~,** estar/quedarse ciego,-a.

blinders ['blaindəz] *npl* US anteojeras *fpl.*

blindfold ['blaindfəuld] *n* venda. – **2** *t* vendar los ojos a. – **3** *adj-adv* con los ojos vendados.

blindness ['blaɪndnəs] *n* ceguera.

blink [blɪŋk] *n* parpadeo. – 2 *i* parpadear. ●*fam on the* ~, averiado,-a.

blinkers ['blɪŋkəz] *npl* anteojeras *fpl*.

bliss [blɪs] *n* felicidad, dicha.

blister ['blɪstə^r] *n (on skin)* ampolla. 2 *(on paint)* burbuja. – 3 *t-i* ampollar(se).

blithe [blaɪð] *adj* alegre.

blizzard ['blɪzəd] *n* tempestad de nieve.

bloated ['bləʊtɪd] *adj* hinchado,-a.

blob [blɒb] *n* gota. 2 *(of colour)* mancha.

bloc [blɒk] *n* POL bloque *m*.

block [blɒk] *n* bloque *m*. 2 *(of wood, stone)* taco. 3 *(building)* edificio, bloque *m*. 4 *(group of buildings)* manzana. 5 *(obstruction)* bloqueo. – 6 *t (pipe etc.)* obstruir, cegar, embozar. 7 *(streets etc.)* bloquear. ■ ~ *letters*, mayúsculas *fpl*.

blockade [blɒ'keɪd] *n* MIL bloqueo. – 2 *t* bloquear.

blockage ['blɒkɪdʒ] *n* obstrucción.

blockhead ['blɒkhed] *n* zoquete *mf*.

bloke [bləʊk] *n* GB *fam* tipo, tío.

blond [blɒnd] *adj-n* rubio,-a. ▲ *Suele escribirse* **blonde** *cuando se refiere a una mujer.*

blood [blʌd] *n* sangre *f*. 2 *(ancestry)* alcurnia. ■ ~ *group*, grupo sanguíneo; ~ *pressure*, tensión arterial; *high/low* ~ *pressure*, tensión alta/baja.

bloodcurdling ['blʌdkɜ:dlɪŋ] *adj* horripilante.

bloodhound ['blʌdhaʊnd] *n* sabueso.

bloodless ['blʌdləs] *adj (pale)* pálido,-a. 2 *(revolution etc.)* incruento,-a, sin derramamiento de sangre.

bloodshed ['blʌdʃed] *n* derramamiento de sangre.

bloodshot ['blʌdʃɒt] *adj* inyectado,-a de sangre.

bloodstream ['blʌdstri:m] *n* corriente sanguínea.

bloodthirsty ['blʌdθɜ:stɪ] *adj* sanguinario,-a.

bloody ['blʌdɪ] *adj (battle)* sangriento,-a. 2 *sl (damned)* puñetero,-a, condenado,-a.

bloody-minded [blʌdɪ'maɪndɪd] *adj* tozudo,-a.

bloom [blu:m] *n* flor *f*. – 2 *i* florecer.

bloomer ['blu:mə^r] *n* GB *fam* metedura de pata.

bloomers ['blu:məz] *npl* pololos *mpl*.

blooper ['blu:pr] *n* US *fam* metedura de pata.

blossom ['blɒsəm] *n* flor. – 2 *i* florecer.

blot [blɒt] *n (of ink)* borrón *m*. – 2 *t (stain)* manchar. 3 *(dry)* secar. ◆*to* ~ *out t (hide)* ocultar. 2 *(memory)* borrar. ●*to* ~ *one's copybook*, manchar su reputación.

blotch [blɒtʃ] *n* mancha.

blotter ['blɒtə^r] *n* papel *m* secante. 2 US registro.

blotting-paper ['blɒtɪŋpeɪpə^r] *n* papel *m* secante.

blouse [blaʊz] *n* blusa.

blow [bləʊ] *n* golpe *m*. – 2 *i (wind)* soplar. 3 *(instrument)* tocar. 4 *(fuse)* fundirse. 5 *(tyre)* reventarse. – 6 *t (instrument)* tocar; *(whistle)* pitar; *(horn)* sonar. 7 *fam (money)* despilfarrar. ◆*to* ~ *out t-i* apagar(se). ◆*to* ~ *over i (storm)* amainar. 2 *(scandal)* olvidarse. ◆*to* ~ *up t (explode)* (hacer) volar. 2 *(inflate)* hinchar. 3 *(photograph)* ampliar. – 4 *i (explode)* explotar. 5 *(lose one's temper)* salirse de sus casillas. ●*fam euph* ~ *you!*, ¡vete a hacer puñetas!; *to* ~ *one's nose*, sonarse las narices; *to* ~ *one's top*, salirse de sus casillas. ▲ *pt* **blew**; *pp* **blown** [bləʊn].

blowlamp ['bləʊlæmp] *n* soplete *m*.

blowout ['bləʊaʊt] *n* AUTO reventón *m*. 2 *sl* comilona.

blowpipe ['bləʊpaɪp] *n* cerbatana.

blowtorch ['bləʊtɔ:tʃ] *n* soplete *m*.

blubber ['blʌbə^r] *n* grasa de ballena. – 2 *i* lloriquear.

blue [blu:] *adj* azul. 2 *(sad)* triste. 3 *(depressed)* deprimido,-a. 4 *(obscene)* verde. – 5 *n* azul *m*. ●*once in a* ~ *moon*, de Pascuas a Ramos; *out of the* ~, como llovido del cielo. ■ *the blues*, melancolía; MUS el blues.

blueberry ['blu:bərɪ] *n* arándano.

bluebottle ['blu:bɒtəl] *n* moscarda.

blue-eyed ['blu:aɪd] *adj* de ojos azules. ■ ~ *boy*, niño mimado.

blueprint ['blu:prɪnt] *n* cianotipo. 2 *fig* anteproyecto.

bluetit ['blu:tɪt] *n* herrerillo común.

bluff [blʌf] *n* farol *m*, fanfarronada. – 2 *i* tirarse un farol, fanfarronear. – 3 *adj (person)* francote, campechano,-a.

bluish ['blu:ɪʃ] *adj* azulado,-a.

blunder ['blʌndə^r] *n* plancha, metedura de pata. – 2 *i* meter la pata.

blunt [blʌnt] *adj (knife)* desafilado,-a; *(pencil)* despuntado,-a. 2 *(person)* franco,-a. – 3 *t* desafilar; *(pencil)* despuntar. – 4 *bluntly adv* sin rodeos.

blur [blɜ:^r] *n* borrón *m*.

blurred [blɜ:d] *adj* borroso,-a.

blurt [blɜːt] *t to ~ out,* soltar bruscamente.

blush [blʌʃ] *n* rubor *m,* sonrojo *m.* – 2 *i* ruborizarse, sonrojarse.

bluster ['blʌstəʳ] *n* fanfarronadas *fpl.* – 2 *t* fanfarronear.

blustery ['blʌstərɪ] *adj (windy)* ventoso,-a.

boa ['bəʊə] *n* boa.

boar [bɔːʳ] *n* verraco. ■ *wild ~,* jabalí *m.*

board [bɔːd] *n (piece of wood)* tabla, tablero. 2 *(food)* comida, pensión. 3 *(committee)* junta, consejo. – 4 *t (ship etc.)* subirse a, embarcar en. – 5 *i (lodge)* alojarse. ◆MAR *on ~,* a bordo; *fig above ~,* en regla, legal; *fig across the ~,* general.

boarder ['bɔːdəʳ] *n* huésped,-da. 2 *(at school)* interno,-a.

boarding ['bɔːdɪŋ] *n* embarque *m.* 2 *(lodging)* pensión, alojamiento. ■ *~ card,* tarjeta de embarque; *~ house,* casa de huéspedes; *~ school,* internado.

boast [bəʊst] *n* jactancia. – 2 *i* jactarse. – 3 *t* ostentar, presumir de.

boastful ['bəʊstfʊl] *adj* jactancioso,-a.

boat [bəʊt] *n* barco; *(small)* barca; *(large)* buque *m; (launch)* lancha.

boating ['bəʊtɪŋ] *n to go ~,* dar un paseo en barca.

boatload ['bəʊtləʊd] *n fam* montón *m.*

boatswain ['bəʊsən] *n* contramaestre *m.*

bob [bɒb] *n (haircut)* pelo a lo chico. 2 *fam inv* chelín *m.* – 3 *t (hair)* cortar a lo chico. – 4 *i to ~ up/down,* subir/bajar.

bobbin ['bɒbɪn] *n* bobina.

bobby ['bɒbɪ] *n fam* poli *m.*

bode [bəʊd] *pt →* **bide.** – 2 *t-i* presagiar. ◆*to ~ ill/well,* ser de buen/mal agüero.

bodice ['bɒdɪs] *n* corpiño.

bodily ['bɒdɪlɪ] *adj* físico,-a, corporal. – 2 *adv* físicamente. 3 *(en masse)* como un solo hombre.

body ['bɒdɪ] *n* cuerpo. 2 *(corpse)* cadáver *m.* 3 *(organization)* organismo, entidad. 4 *(of wine)* cuerpo. 5 *(main part)* parte *f* principal. ■ *heavenly ~,* cuerpo celeste.

body-building ['bɒdɪbɪldɪŋ] *n* culturismo.

bodyguard ['bɒdɪgɑːd] *n* guardaespaldas *m inv.*

bodywork ['bɒdɪwɜːk] *n* AUTO carrocería.

bog [bɒg] *n* pantano, cenagal *m.* 2 *sl (toilet)* meódromo. ◆*to ~ down t* atascar.

bogey ['bəʊgɪ] *n* fantasma *m.* 2 *(golf)* bogey *m.*

boggy ['bɒgɪ] *adj* pantanoso,-a.

bogus ['bəʊgəs] *adj* falso,-a.

bohemian [bəʊ'hiːmɪən] *adj-n* bohemio,-a.

boil [bɔɪl] *n* MED furúnculo. – 2 *t-i (water)* hervir; *(food)* hervir, cocer(se); *(egg)* cocer(se). ◆*to ~ down to t* reducirse a. ◆*to come to the ~,* empezar a hervir.

boiler ['bɔɪləʳ] *n* caldera.

boiling ['bɔɪlɪŋ] *adj* hirviente. ■ *~ point,* punto de ebullición.

boisterous ['bɔɪstərəs] *adj* bullicioso,-a.

bold [bəʊld] *adj (brave)* valiente. 2 *(daring)* audaz, atrevido,-a. 3 *(cheeky)* descarado,-a. ■ *~ type,* negrita.

boldness ['bəʊldnəs] *n (courage)* valor *m.* 2 *(daring)* audacia. 3 *(cheek)* descaro.

bollard ['bɒlɑːd] *n* MAR noray *m.* 2 AUTO baliza.

bolshie, bolshy ['bɒlʃɪ] *adj* GB *fam* rebelde.

bolster ['bəʊlstəʳ] *n* cabezal *m,* travesaño. – 2 *t* reforzar.

bolt [bəʊlt] *n (on door etc.)* cerrojo; *(small)* pestillo. 2 *(screw)* perno, tornillo. 3 *(lightning)* rayo. – 4 *t (lock)* cerrar con cerrojo/pestillo. 5 *(screw)* sujetar con pernos/tornillos. 6 *fam (food)* engullir. – 7 *i (person)* escaparse; *(horse)* desbocarse. ◆*~ upright,* tieso,-a; *to make a ~ for it,* escaparse.

bomb [bɒm] *n* bomba. – 2 *t* MIL bombardear; *(terrorist)* colocar una bomba en. ■ *car ~,* coche-bomba.

bombard [bɒm'bɑːd] *t* bombardear.

bombastic [bɒm'bæstɪk] *adj* rimbombante, ampuloso,-a.

bomber ['bɒməʳ] *n* MIL bombardero. 2 *(terrorist)* terrorista *mf* que coloca bombas.

bombing ['bɒmɪŋ] *n* MIL bombardeo. 2 *(terrorist act)* atentado con bomba.

bomb-proof ['bɒmpruːf] *adj* a prueba de bombas.

bombshell ['bɒmʃel] *n* MIL obús *m.* 2 *fig* bomba. 3 *fam* mujer explosiva.

bona fide [bəʊnə'faɪdɪ] *adj* genuino,-a, auténtico,-a.

bond [bɒnd] *n (link)* lazo, vínculo. 2 FIN bono, obligación. 3 JUR fianza. 4 *(agreement)* pacto, compromiso. 5 *(adhesion)* unión. – 6 *t-i (stick)* pegar(se).

bondage ['bɒndɪdʒ] *n* esclavitud, servidumbre *f.*

bone [bəʊn] *n* hueso. 2 *(of fish)* espina. – 3 *t* deshuesar.

bone-idle [bəʊn'aɪdəl] *adj* holgazán,-ana.

bonfire ['bɒnfaɪə^r] *n* hoguera. ▲ GB *Bon-fire night* es *la noche del cinco de noviembre; se celebra con hogueras y fuegos de artificio.*

bonkers ['bɒŋkəz] *adj* GB *sl* chalado,-a.

bonnet ['bɒnɪt] *n* (*child's*) gorro, gorra. 2 AUTO capó *m.*

bonny ['bɒnɪ] *adj* hermoso,-a, lindo,-a.

bonus ['bəʊnəs] *n* prima.

bony ['bəʊnɪ] *adj* huesudo,-a.

boo [bu:] *interj* ¡bu! – 2 *n* abucheo. – 3 *t-i* abuchear.

boob [bu:b] *n fam* metedura de pata. 2 *pl* tetas *fpl.* – 3 *i* meter la pata.

booby trap ['bu:bɪtræp] *n* trampa explosiva. – 2 *booby-trap t* poner una bomba en.

booby prize ['bu:bɪpraɪz] *n* premio de consolación.

book [bʊk] *n* libro. 2 (*of tickets*) taco; (*of matches*) cajetilla. 3 *pl* COM libros *mpl,* cuentas *fpl.* – 4 *t* (*reserve*) reservar; (*contract*) contratar. 5 (*police*) multar; FTB amonestar. ●*exercise* ~, cuaderno; *'phone* ~, listín *m.*

bookbinding ['bʊkbaɪndɪŋ] *n* encuadernación.

bookcase ['bʊkkeɪs] *n* librería, estantería.

booking ['bʊkɪŋ] *n* reservación. ■ ~ *office,* taquilla.

book-keeping ['bʊkki:pɪŋ] *n* teneduría de libros.

booklet ['bʊklət] *n* folleto.

bookmaker ['bʊkmeɪkə^r] *n* GB corredor,-ra de apuestas.

bookseller ['bʊkselə^r] *n* librero,-a.

bookshop ['bʊkʃɒp], **bookstore** ['bʊkstɔ:^r] *n* librería.

bookworm ['bʊkwɜ:m] *n fig* ratón *m* de biblioteca.

boom [bu:m] *n* (*noise*) estampido, retumbo. 2 *fig* (*success*) boom *m,* auge *m.* 3 MAR botalón *m.* 4 (*of microphone*) jirafa. 5 (*barrier*) barrera. – 6 *i* tronar. 7 (*prosper*) estar en auge.

boomerang ['bu:məræŋ] *n* bumerang *m.*

boon [bu:n] *n* bendición.

boor [bʊə^r] *n* patán *m.*

boorish ['bʊərɪʃ] *adj* tosco,-a, zafio,-a.

boost [bu:st] *n* empuje *m.* 2 *fig* estímulo. – 3 *t* aumentar. 4 (*morale*) levantar.

boot [bu:t] *n* bota. 2 GB AUTO maletero. ◆*to* ~ *out t* echar (a patadas). ●*to* ~, además.

booth [bu:ð] *n* cabina. 2 (*at fair*) puesto.

bootlegger ['bu:tlegə^r] *n* contrabandista *mf.*

booty ['bu:tɪ] *n* botín *m.*

booze [bu:z] *fam n* bebida, alcohol *m.* – 2 *i* mamar.

boozer ['bu:zə] *n fam* (*person*) borracho,-a. 2 (*pub*) tasca.

bop [bɒp] *fam n* baile *m.* – 2 *i* bailar.

border ['bɔ:də^r] *n* (*of country*) frontera. 2 (*edge*) borde *m.* 3 SEW ribete *m.* ◆*to* ~ *on t* lindar con; *fig* rayar en.

bore [bɔ:^r] *pt* → **bear.** – 2 *n* (*person*) pelmazo,-a, pesado,-a; (*thing*) lata, rollo. 3 (*of gun*) ánima, alma; (*calibre*) calibre *m.* – 4 *t* aburrir. 5 (*perforate*) horadar. ●*to* ~ *a hole in,* abrir un agujero en.

bored [bɔ:d] *adj* aburrido,-a.

boredom ['bɔ:dəm] *n* aburrimiento.

boring ['bɔ:rɪŋ] *adj* aburrido,-a.

born [bɔ:n] *pp* → **bear.** ●*to be* ~, nacer.

borne [bɔ:n] *pp* → **bear.**

borough ['bʌrə] *n* ciudad. 2 (*district*) barrio.

borrow ['bɒrəʊ] *t* tomar/pedir prestado,-a.

borrower ['bɒrəʊə^r] *n* prestatario,-a.

bosom ['bʊzəm] *n* pecho. 2 (*centre*) seno. ■ ~ *friend,* amigo,-a del alma.

boss [bɒs] *n fam* jefe,-a. ◆*to* ~ *around t* mangonear.

bossy ['bɒsɪ] *adj* mandón,-ona.

botanic(al) [bə'tænɪk(əl)] *adj* botánico,-a.

botanist ['bɒtənɪst] *n* botánico,-a.

botany ['bɒtənɪ] *n* botánica.

botch [bɒtʃ] *n* chapuza. – 2 *t* remendar chapuceramente.

both [bəʊθ] *adj-pron* ambos,-as, los/las dos. – 2 *conj* a la vez: *it's* ~ *cheap and good,* es bueno y barato a la vez. ●~ ... *and,* tanto ... como.

bother ['bɒðə^r] *n* (*nuisance*) molestia. 2 (*problems*) problemas *mpl.* – 3 *t* (*be a nuisance*) molestar. 4 (*worry*) preocupar. – 5 *i* (*take trouble*) molestarse: *he didn't even* ~ *to ring,* ni se molestó en llamar. 6 (*worry*) preocuparse.

bothersome ['bɒðəsəm] *adj* fastidioso,-a.

bottle ['bɒtəl] *n* botella; (*small*) frasco. 2 *sl* (*nerve*) agallas *fpl.* – 3 *t* (*wine etc.*) embotellar; (*fruit*) envasar. ■ ~ *opener,* abrebotellas *m inv.*

bottleneck ['bɒtəlnek] *n fig* cuello de botella.

bottom ['bɒtəm] *n* (*of sea, box, garden, street, etc.*) fondo; (*of bottle*) culo; (*of hill,* *page)* pie *m; (of dress)* bajo; *(of trousers)* bajos *mpl.* 2 *(buttocks)* trasero, culo. – 3 *adj* de abajo. ●*to get to the ~ of sth.,* llegar al fondo de algo.

bottomless ['bɒtəmləs] *adj* sin fondo, insondable.

bough [baʊ] *n* rama.

bought [bɔːt] *pt & pp* → **buy.**

boulder ['bəʊldəʳ] *n* canto rodado.

boulevard ['buːləvɑː] *n* bulevar *m.*

bounce [baʊns] *n (of ball)* bote *m.* 2 *fig (energy)* vitalidad. – 3 *i* (re)botar. 4 *(cheque)* ser rechazado,-a por el banco. – 5 *t* hacer botar.

bouncer ['baʊnsəʳ] *n sl* gorila *m.*

bound [baʊnd] *pt & pp* → **bind.** – 2 *adj (tied)* atado,-a. 3 *(forced)* obligado,-a. 4 *(book)* encuadernado,-a. – 5 *n* salto, brinco. – 6 *i* saltar. ●*~ for,* con destino/rumbo a; *to be ~ to,* ser seguro que: *Sue's ~ to win,* seguro que ganará Sue.

boundary ['baʊndəri] *n* límite *m,* frontera.

bounds [baʊndz] *npl* límites *mpl.*

bounteous ['baʊntɪəs], **bountiful** ['baʊntɪfʊl] *adj* generoso,-a. 2 *(abundant)* abundante.

bounty ['baʊntɪ] *n* generosidad. 2 *(reward)* prima.

bouquet [buː'keɪ] *n (flowers)* ramillete *m.* 2 *(wine)* aroma.

bourgeois ['bʊəʒwɑː] *adj-n* burgués,-esa.

bourgeoisie [bʊəʒwɑː'ziː] *n* burguesía.

bout [baʊt] *n (period)* rato. 2 *(of illness)* ataque *m.* 3 *(boxing)* encuentro.

boutique [buː'tiːk] *n* boutique *f,* tienda.

bow [baʊ] *n (with body)* reverencia. 2 MAR proa. 3 *(weapon)* arco. 4 *(of violin)* arco. 5 *(knot)* lazo. – 6 *i (in respect)* inclinarse, hacer una reverencia. 7 *(wall)* arquearse. ■ *~ tie,* pajarita. ▲ En 3, 4, 5 y 7 [bəʊ].

bowel ['baʊəl] *n* intestino. 2 *pl* entrañas *fpl.*

bowl [bəʊl] *n (for soup)* escudilla. 2 *(for mixing)* cuenco. 3 *(for washing) (hands)* palangana; *(clothes)* barreño. 4 *(of toilet)* taza. 5 *pl (game)* bochas *fpl.* 6 *(ball)* bocha. – 7 *i (play bowls)* jugar a las bochas. 8 *(cricket)* lanzar la pelota.

bow-legged ['bəʊleg(ɪ)d] *adj* estevado,-a.

bowler ['bəʊləʳ] *n (hat)* bombín *m.* 2 *(cricket)* lanzador,-ra.

bowling ['bəʊlɪŋ] *n (game)* bolos *mpl.* ●*to go ~,* *(tenpin)* jugar a los bolos; *(bowls)* jugar a las bochas. ■ *~ alley,* bolera.

box [bɒks] *n* caja; *(large)* cajón *m.* 2 *(of matches)* cajetilla. 3 THEAT palco. 4 GB *fam (telly)* caja tonta. 5 BOT boj *m.* 6 *(blow)* cachete *m.* – 7 *t* poner en cajas, encajonar. – 8 *i* boxear. ■ *~ office,* taquilla.

boxer ['bɒksəʳ] *n* boxeador,-ra. 2 *(dog)* bóxer *m.*

boxing ['bɒksɪŋ] *n* boxeo. ■ GB *Boxing Day,* día m de San Esteban.

boy [bɔɪ] *n (baby)* niño *m; (child)* chico, muchacho; *(youth)* joven *m.* ■ *~ scout,* explorador *m.*

boycott ['bɔɪkɒt] *n* boicot *m.* – 2 *t* boicotear.

boyfriend ['bɔɪfrend] *n* novio.

boyhood ['bɔɪhʊd] *n* niñez *f.*

boyish ['bɔɪʃ] *adj* muchachil, juvenil.

bra [brɑː] *n* → **brassiere.**

brace [breɪs] *n (clamp)* abrazadera. 2 *(support)* riostra. 3 *(drill)* berbiquí *m.* 4 *(on teeth)* aparato. 5 *(two)* par *m.* 6 *pl* tirantes *mpl.* – 7 *t* reforzar. ●*to ~ o.s. for sth.,* prepararse para algo.

bracelet ['breɪslət] *n* brazalete *m.*

bracing ['breɪsɪŋ] *adj* tonificante.

bracket ['brækɪt] *n* paréntesis *m inv; (square)* corchete *m.* 2 *(for shelf)* soporte *m.* 3 *(group)* grupo, sector *m.*

brag [bræg] *n* jactancia. – 2 *i* jactarse *(about,* de).

braid [breɪd] *n* galón *m.* 2 US *(plait)* trenza.

Braille [breɪl] *n* braille *m.*

brain [breɪn] *n* cerebro. 2 *pl* inteligencia *f sing.* ■ *~ wave,* idea genial.

brainchild ['breɪntʃaɪld] *n* invento.

brainy ['breɪnɪ] *adj fam* inteligente.

brake [breɪk] *n* freno. – 2 *t* frenar.

bramble ['bræmbəl] *n* zarza.

bran [bræn] *n* salvado.

branch [brɑːntʃ] *n (tree)* rama. 2 *(road etc.)* ramal *m.* 3 COM sucursal *f.* – 4 *i* bifurcarse.

brand [brænd] *n* COM marca. 2 *(type)* clase *f.* 3 *(cattle)* hierro. – 4 *t* marcar.

brandish ['brændɪʃ] *t* blandir.

brand-new [bræn(d)'njuː] *adj* flamante.

brandy ['brændɪ] *n* brandy *m.*

brass [brɑːs] *n* latón *m.* 2 *sl (money)* pasta.

brassiere ['bræzɪəʳ] *n* sujetador *m,* sostén *m.*

brat [bræt] *n fam* mocoso,-a.

brave [breɪv] *adj* valiente. – 2 *n* guerrero indio. – 3 *t* desafiar.

bravery ['breɪvərɪ] *n* valentía.

bravo! [brɑː'vəʊ] *interj* ¡bravo!

brawl [brɔːl] *n* reyerta, riña. – 2 *i* albo-
rotar.

brazen ['breɪzən] *adj* desvergonzado,-a.

brazier ['breɪzjəʳ] *n* brasero.

breach [briːtʃ] *n* (*opening*) brecha, abertura. 2 (*violation*) incumplimiento.

bread [bred] *n* pan. 2 *sl* (*money*) guita,
pasta.

breadth [bredθ] *n* anchura.

break [breɪk] *n* rotura, ruptura. 2 (*pause*)
interrupción, pausa. 3 (*chance*) oportunidad. – 4 *t* romper. 5 (*record*) batir. 6
(*promise*) faltar a. 7 (*news*) comunicar. 8
(*code*) descifrar. 9 (*fall*) amortiguar. 10
(*journey*) interrumpir. – 11 *i* romperse.
12 (*storm*) estallar. 13 (*voice*) cambiar.
14 (*health*) quebrantarse. ◆**to ~ down** *t*
derribar. 2 (*analyse*) desglosar. – 3 *i* (*car*)
averiarse; (*driver*) tener una avería. 4
(*appliance*) estropearse. ◆**to ~ in** *t* domar. ◆**to ~ into** *t* (*house*) entrar por la
fuerza en; (*safe*) forzar. ◆**to ~ out** *i* (*pris-
oners*) escaparse. 2 (*war etc.*) estallar.
◆**to ~ up** *t-i* (*crowd*) disolver(se). – 2 *i*
(*marriage*) fracasar; (*couple*) separarse. 3
(*school*) empezar las vacaciones. ▲ *pt*
broke; *pp* **broken**.

breakage ['breɪkɪdʒ] *n* rotura.

breakdown ['breɪkdaʊn] *n* avería. 2 MED
crisis (nerviosa). 3 (*in negotiations*) ruptura. 4 (*analysis*) análisis *m*; FIN desglose
m.

breakfast ['brekfəst] *n* desayuno. – 2 *i*
desayunar.

breakthrough ['breɪkθruː] *n* avance *m*
importante.

breakwater ['breɪkwɔːtəʳ] *n* rompeolas
m inv.

breast [brest] *n* pecho. 2 (*of chicken etc.*)
pechuga.

breaststroke ['breststrəʊk] *n* braza.

breath [breθ] *n* aliento. ●**out of ~**, sin
aliento.

breathalyze ['breθəlaɪz] *t* hacer la prueba del alcohol a.

breathe [briːð] *t-i* respirar.

breathing ['briːðɪŋ] *n* respiración.

breathless ['breθləs] *adj* sin aliento, jadeante.

bred [bred] *pt & pp* → **breed**.

breech [briːtʃ] *n* (*of gun*) recámara.

breeches ['brɪtʃɪz] *npl* pantalones *mpl*.

breed [briːd] *n* raza. – 2 *t* criar. – 3 *i* reproducirse. ▲ *pt & pp* **bred**.

breeding ['briːdɪŋ] *n* cría. 2 (*of person*)
educación.

breeze [briːz] *n* brisa.

brethren ['breðrɪn] *npl* REL hermanos
mpl.

brevity ['brevɪtɪ] *n fml* brevedad.

brew [bruː] *n* (*tea etc.*) infusión. 2 (*potion*)
brebaje *m*. – 3 *t* (*beer*) elaborar. 4 (*tea
etc.*) preperar. – 5 *i* (*tea etc.*) reposar.

brewery ['bruərɪ] *n* cervecería.

briar ['braɪəʳ] *n* brezo.

bribe [braɪb] *n* soborno. – 2 *t* sobornar.

bribery ['braɪbərɪ] *n* soborno.

bric-a-brac ['brɪkəbræk] *n* baratijas *fpl*.

brick [brɪk] *n* ladrillo. 2 (*toy*) cubo (de madera). ●GB *fam* **to drop a ~**, meter la
pata.

bricklayer ['brɪkleɪəʳ] *n* albañil *m*.

bridal ['braɪdəl] *adj* nupcial.

bride [braɪd] *n* novia, desposada.

bridegroom ['braɪdgruːm] *n* novio, desposado.

bridesmaid ['braɪdzmeɪd] *n* dama de honor.

bridge [brɪdʒ] *n* puente *m*. 2 (*of nose*) caballete *m*. 3 (*on ship*) puente *m* de mando. 4 (*game*) bridge *m*. – 5 *t* (*river*) tender
un puente sobre.

bridle ['braɪdəl] *n* brida. 2 *t* (*horse*) em-
bridar. – 3 *i* mostrar desagrado (*at*, por).

brief [briːf] *adj* (*short*) breve; (*concise*) conciso,-a. – 2 *n* (*report*) informe *m*. 3 JUR
expediente *m*. 4 MIL instrucciones *fpl*.
– 5 *t* (*inform*) informar. 6 (*instruct*) dar
instrucciones a.

briefcase ['briːfkeɪs] *n* maletín *m*, cartera.

brigade [brɪ'geɪd] *n* brigada.

brigadier [brɪgə'dɪəʳ] *n* brigadier *m*.

bright [braɪt] *adj* (*light, eyes, etc.*) brillante. 2 (*day*) despejado,-a. 3 (*colour*)
vivo,-a. 4 (*future*) prometedor,-ra. 5
(*clever*) inteligente. 6 (*cheerful*) alegre,
animado,-a.

brighten ['braɪtən] *i* animarse, avivarse.
◆**to ~ up** *i* (*weather*) despejarse. 2 (*person*) animarse. – 3 *t* animar, hacer más
alegre.

brightness ['braɪtnəs] *n* (*light*) luminosi-
dad. 2 (*of sun*) resplandor *m*. 3 (*of day*)
claridad. 4 (*of colour*) viveza. 5 (*cleverness*) inteligencia.

brilliance ['brɪljəns] *n* (*light*) brillo. 2 (*of
person*) brillantez *f*.

brilliant ['brɪljənt] *adj* brillante, reluciente. 2 (*person*) brillante, genial. 3 *fam* estupendo,-a, fantástico,-a.

brim [brɪm] *n* (*of glass*) borde *m*. 2 (*of hat*)
ala. – 3 *i* rebosar (**with**, de).

brine [braɪn] *n* salmuera.

bring [brɪŋ] *t* traer: *he brought his sister to the party*, trajo a su hermana a la fiesta. 2 *(lead)* conducir: *he was brought before the court*, fue llevado ante el tribunal; *this path brings you to the church*, este camino te lleva a la iglesia. ◆*to ~ about t* provocar, causar. ◆*to ~ back t (return)* devolver. 2 *(reintroduce)* volver a introducir; *to ~ back memories of*, hacer recordar. ◆*to ~ down t (cause to fall)* derribar. 2 *(reduce)* rebajar. ◆*to ~ forward t* adelantar. ◆*to ~ in t (introduce)* introducir. 2 *(yield)* producir. 3 JUR *(verdict)* emitir. ◆*to ~ off t* conseguir, lograr. ◆*to ~ on t (illness)* provocar. ◆*to ~ out t* sacar (al mercado); *(book etc.)* publicar. ◆*to ~ round t (persuade)* persuadir, convencer. 2 *(revive)* hacer volver en sí. ◆*to ~ to t* hacer volver en sí. ◆*to ~ up t (educate)* criar, educar. 2 *(mention)* plantear. 3 *(vomit)* devolver. ●JUR *to ~ a charge against sb.*, acusar a algn. ▲ *pt & pp* **brought**.

brink [brɪŋk] *n* borde *m*. ●*on the ~ of*, a punto de.

brisk [brɪsk] *adj* enérgico,-a. ●*to go for a ~ walk*, caminar a paso ligero.

bristle ['brɪsəl] *n* cerda. − 2 *i* erizarse. ◆*to ~ with t fig* estar lleno,-a de.

brittle ['brɪtəl] *adj* quebradizo,-a, frágil.

broad [brɔːd] *adj (wide)* ancho,-a; *fig* amplio,-a, extenso,-a. 2 *(general)* general. 3 *(accent)* marcado,-a, cerrado,-a. − 4 *broadly adv* en términos generales. ●*in ~ daylight*, en pleno día.

broadcast ['brɔːdkɑːst] *n* RAD TV emisión. − 2 *t* RAD TV emitir, transmitir. 3 *(make known)* difundir. ▲ *pt & pp* **broadcast**.

broadcasting ['brɔːdkɑːstɪŋ] *n* RAD radiodifusión. 2 TV transmisión.

broaden ['brɔːdən] *t* ensanchar; *fig* ampliar.

broad-minded [brɔːd'maɪndɪd] *adj* liberal, tolerante.

broadside ['brɔːdsaɪd] *n* andanada.

brocade [brəʊ'keɪd] *n* brocado.

broccoli ['brɒkəlɪ] *n* brécol *m*, bróculi *m*.

brochure ['brəʊʃəʳ] *n* folleto.

broil [brɔɪl] *t* US asar a la parrilla.

broiler ['brɔɪləʳ] *n* CULIN pollo.

broke [brəʊk] *pt* → **break**. − 2 *adj fam* sin blanca.

broken ['brəʊkən] *pp* → **break**. − 2 *adj* roto,-a. 3 *(machine)* estropeado,-a. 4 *(bone)* fracturado,-a. 5 *(person)* destrozado,-a. 6 *(language)* chapurreado,-a.

broker ['brəʊkəʳ] *n* COM corredor *m*, agente *mf*.

brolly ['brɒlɪ] *n fam* paraguas *m inv*.

bromide ['brəʊmaɪd] *n* CHEM bromuro.

bromine ['brəʊmaɪn] *n* CHEM bromo.

bronchial ['brɒŋkɪəl] *adj* bronquial.

bronchitis [brɒŋ'kaɪtɪs] *n* bronquitis *f inv*.

bronze [brɒnz] *n* bronce *m*. − 2 *adj (colour)* bronceado,-a.

brooch [brəʊtʃ] *n* broche *m*.

brood [bruːd] *n (birds)* nidada. − 2 *i (hen)* empollar. 3 *fig* considerar, rumiar.

broody ['bruːdɪ] *adj (hen)* clueco,-a. 2 *(thoughtful)* pensativo,-a. 3 *(moody)* melancólico,-a.

brook [brʊk] *n* arroyo, riachuelo.

broom [bruːm] *n* escoba.

broomstick ['bruːmstɪk] *n* palo de escoba.

broth [brɒθ] *n* caldo.

brothel ['brɒθəl] *n* burdel *m*.

brother ['brʌðəʳ] *n* hermano.

brotherhood ['brʌðəhʊd] *n* hermandad.

brother-in-law ['brʌðərɪnlɔː] *n* cuñado.

brotherly ['brʌðəlɪ] *adj* fraternal.

brought [brɔːt] *pt & pp* → **bring**.

brow [braʊ] *n (eyebrow)* ceja. 2 *(forehead)* frente *f*. 3 *(of hill)* cresta.

browbeat ['braʊbiːt] *t* intimidar. ▲ *Se conjuga como* **beat**.

brown [braʊn] *adj* marrón. 2 *(hair etc.)* castaño,-a. 3 *(skin)* moreno,-a. − 4 *t* CULIN dorar. − 5 *t-i (tan)* broncear(se).

browse [braʊz] *i (animal) (grass)* pacer; *(leaves)* ramonear. 2 *(person in shop)* mirar: *to ~ through a book*, hojear un libro.

bruise [bruːz] *n* morado, magulladura, contusión. − 2 *t-i (body)* magullar(se), contusionar(se). 3 *(fruit)* machucar(se).

brunette [bruː'net] *adj-n* morena.

brunt [brʌnt] *n to bear the ~ of*, llevar el peso de.

brush [brʌʃ] *n (for teeth, clothes, etc.)* cepillo. 2 *(artist's)* pincel *m*. 3 *(house painter's)* brocha. 4 *(undergrowth)* maleza. − 5 *t* cepillar. 6 *(touch lightly)* rozar. ◆*to ~ up t* refrescar, repasar.

brush-off ['brʌʃɒf] *n to give sb. the ~*, no hacer ni el mínimo caso a algn.

brushwood ['brʌʃwʊd] *n (twigs)* broza. 2 *(undergrowth)* maleza.

brusque [bruːsk] *adj* brusco,-a, áspero,-a.

Brussels ['brʌsəlz] *prn* Bruselas. ■ *~ sprouts*, coles *fpl* de Bruselas.

brutal ['bru:təl] *adj* brutal, cruel.
brutality [bru:'tælɪtɪ] *n* brutalidad, crueldad.
brute [bru:t] *n* bruto,-a, bestia *mf*. — 2 *adj*
brutal, bruto,-a.
brutish ['bru:tɪʃ] *adj* brutal, bestial.
bubble ['bʌbəl] *n* burbuja. — 2 *i* burbujear; CULIN borbotear.
bubbly ['bʌblɪ] *adj* burbujeante. 2 *(person)* vivaz.
buccaneer [bʌkə'nɪəʳ] *n* bucanero.
buck [bʌk] *n (gen)* macho; *(deer)* ciervo. 2
US *fam* dólar *m*. — 3 *i (horse)* corcovear.
◆*to ~ up* t *fam ~ your ideas up!*, ¡es-
pabílate! — 2 *i* animarse. ●*to pass the ~
to sb.*, echar el muerto a algn.
bucket ['bʌkɪt] *n* cubo.
buckle ['bʌkəl] *n* hebilla. — 2 *t* abrochar.
— 3 *i* torcerse. 4 *(knees)* doblarse.
bucolic [bju:'kɒlɪk] *adj* bucólico,-a.
bud [bʌd] *n (leaf)* yema; *(flower)* capullo.
— 2 *i* brotar.
budding ['bʌdɪŋ] *adj* en ciernes.
buddy ['bʌdɪ] *n* US *fam* amigote *m*.
budge [bʌdʒ] *t-i* mover(se). 2 *(give way)*
ceder.
budgerigar [bʌdʒərɪgɑ:ʳ] *n* periquito.
budget ['bʌdʒɪt] *n* presupuesto. — 2 *t-i*
presupuestar.
buff [bʌf] *n (colour)* color *m* del ante. 2
(enthusiast) aficionado,-a. — 3 *adj* de color del ante. — 4 *t* dar brillo a.
buffalo ['bʌfələʊ] *n* búfalo.
buffer ['bʌfəʳ] *n* tope *m*. 2 COMPUT memoria intermedia.
buffet ['bʌfeɪ] *n (bar)* bar *m*; *(at station)*
cantina. 2 *(meal)* bufet *m* libre. 3 *(slap)*
bofetada. — 4 *t* abofetear. ▲ *En 3 y 4*
['bʌfɪt].
buffoon [bʌ'fu:n] *n* bufón *m*.
bug [bʌg] *n* bicho. 2 *fam (microbe)* microbio. 3 *(microphone)* micrófono oculto. 4
fam (interest) afición. — 5 *t fam* ocultar
micrófonos en. 6 *(annoy)* molestar.
bugbear ['bʌgbeəʳ] *n* tormento.
bugger ['bʌgəʳ] *n* sodomita *m*. 2* *(person)*
cabrón,-ona*. 3* *(thing)* coñazo*. — 4*
interj ¡joder!* — 5 *t* sodomizar. ◆*to ~
about** *i* hacer el gilipollas*. ◆*to ~ off*
i largarse. ◆*to ~ up** *t* joder*.
bugle ['bju:gəl] *n* corneta.
build [bɪld] *n (physique)* constitución. — 2
t construir. ◆*to ~ up* t-i acumular(se).
▲ *pt & pp* **built**.
builder ['bɪldəʳ] *n* constructor,-ra.
building ['bɪldɪŋ] *n* edificio. 2 *(action)*
construcción, edificación. ■ *~ site*,
obra; *~ society*, sociedad hipotecaria.

build-up ['bɪldʌp] *n* aumento. 2 *(of gas)*
acumulación. 3 *(of troops)* concentración.
built [bɪlt] *pt & pp* → **build**.
built-in [bɪlt'ɪn] *adj* incorporado,-a.
built-up [bɪlt'ʌp] *adj* urbanizado,-a.
bulb [bʌlb] *n* BOT bulbo. 2 ELEC bombilla.
bulge [bʌldʒ] *n* bulto. — 2 *i* hincharse.
bulk [bʌlk] *n (mass)* volumen *m*, masa. 2
(greater part) mayor parte *f*. ●COM *in ~*,
a granel.
bulky ['bʌlkɪ] *adj* voluminoso,-a.
bull [bʊl] *n* toro. 2 *(papal)* bula. 3 FIN alcista *mf*.
bulldog ['bʊldɒg] *n* buldog *m*.
bulldozer ['bʊldəʊzəʳ] *n* bulldozer *m*.
bullet ['bʊlɪt] *n* bala.
bulletin ['bʊlɪtɪn] *n* boletín *m*. ■ *news ~*,
boletín informativo/de noticias.
bullet-proof ['bʊlɪtpru:f] *adj* antibalas
inv.
bullfight ['bʊlfaɪt] *n* corrida de toros.
bullfighter ['bʊlfaɪtəʳ] *n* torero,-a.
bullfighting ['bʊlfaɪtɪŋ] *n* los toros; *(art)*
tauromaquia.
bullion ['bʊljən] *n* oro/plata en barras.
bullock ['bʊlək] *n* buey *m*.
bullring ['bʊlrɪŋ] *n* plaza de toros.
bull's-eye ['bʊlzaɪ] *n (target)* diana. ●*to
score a ~*, dar en el blanco.
bullshit* ['bʊlʃɪt] *n* mierda*.
bully ['bʊlɪ] *n* matón *m*. — 2 *t* intimidar,
atemorizar.
bum [bʌm] *fam n* GB culo. 2 US *(tramp)*
vagabundo,-a. 3 *(idler)* vago,-a. — 4 *t* gorrear.
bumblebee ['bʌmbəlbi:] *n* abejorro.
bumbling ['bʌmblɪŋ] *adj* torpe.
bump [bʌmp] *n (swelling)* chichón *m*. 2 *(in
road)* bache *m*. 3 *(blow)* choque *m*, batacazo. — 4 *t-i* chocar *(into,* con), dar
(into, contra). ◆*to ~ into* t *fam* encontrar por casualidad, tropezar con. ◆*to
~ off* t matar.
bumper ['bʌmpəʳ] *n* parachoques *m inv*.
— 2 *adj* abundante.
bumpkin ['bʌmpkɪn] *n* paleto,-a.
bumpy ['bʌmpɪ] *adj (road)* lleno,-a de baches.
bun [bʌn] *n (bread)* panecillo; *(sweet)* bollo. 2 *(cake)* ma(g)dalena. 3 *(hair)* moño.
bunch [bʌntʃ] *n* manojo. 2 *(flowers)*
ramo. 3 *(grapes)* racimo. 4 *(people)* grupo.
bundle ['bʌndəl] *n (clothes)* fardo. 2
(wood) haz *m*. 3 *(papers)* fajo.

bung [bʌŋ] *n* tapón *m*. — **2** *t fam (put)* poner. **3** *fam (throw)* lanzar.

bungalow ['bʌŋgələu] *n* bungalow *m*.

bungle ['bʌŋgəl] *t* chapucear.

bungler ['bʌŋgləʳ] *n* chapucero,-a.

bunion ['bʌnjən] *n* juanete *m*.

bunker ['bʌŋkəʳ] *n (for coal)* carbonera. **2** *(golf)* búnker *m*. **3** MIL búnker *m*.

bunny ['bʌnɪ] *n fam* conejito.

buoy [bɔɪ] *n* boya.

buoyant ['bɔɪənt] *adj* flotante. **2** FIN con tendencia alcista. **3** *(person)* animado,-a.

burden ['bɜːdən] *n* carga. — **2** *t* cargar.

bureau ['bjuərəu] *n (desk)* escritorio. **2** *(office)* oficina. ▲ *pl* **bureaus** o **bureaux**.

bureaucracy [bjuəˈrɒkrəsɪ] *n* burocracia.

bureaucrat ['bjuərəkræt] *n* burócrata *mf*.

bureaucratic [bjuərəˈkrætɪk] *adj* burocrático,-a.

burglar ['bɜːgləʳ] *n* ladrón,-ona.

burglary ['bɜːglərɪ] *n* robo.

burgle ['bɜːgəl] *t* robar.

burial ['berɪəl] *n* entierro.

burly ['bɜːlɪ] *adj* corpulento,-a.

burn [bɜːn] *n* quemadura. — **2** *t* quemar. — **3** *i* arder, quemarse. ◆*to ~ down t-i* incendiar(se). ◆*to ~ out i (fire)* extinguirse. **2** *(person, machine)* gastarse. ▲ *pt & pp* **burnt; burnt** o **burned** *cuando es intransitivo*.

burner ['bɜːnəʳ] *n* quemador *m*.

burning ['bɜːnɪŋ] *adj (on fire)* incendiado,-a, ardiendo. **2** *(passionate)* ardiente. ■ *~ question*, cuestión candente.

burnt [bɜːnt] *pt & pp* → **burn**.

burp [bɜːp] *n fam* eructo. — **2** *i* eructar.

burrow ['bʌrəu] *n* madriguera. — **2** *i* excavar una madriguera.

burst [bɜːst] *n* explosión, estallido. **2** *(of tyre)* reventón *m*. **3** *(of activity)* arranque *m*. **4** *(of applause)* salva. **5** *(of gunfire)* ráfaga. — **6** *t (balloon)* reventar. — **8** *i (balloon, tyre, pipe, etc.)* reventarse. ◆*to ~ into tears*, echarse a llorar; *to ~ out crying/laughing*, echarse a llorar/reír; *(river) to ~ its banks*, salirse de madre. ▲ *pt & pp* **burst**.

bury ['berɪ] *t* enterrar.

bus [bʌs] *n* autobús *m*. ■ *~ stop*, parada de autobús.

bush [buʃ] *n (plant)* arbusto. **2** *(land)* monte *m*.

bushy ['buʃɪ] *adj* espeso,-a, tupido,-a.

business ['bɪznəs] *n (commerce)* los negocios. **2** *(firm)* negocio, empresa. **3** *(duty)* deber *m*. **4** *(affair)* asunto.

businesslike ['bɪznəslaɪk] *adj* formal, serio,-a.

businessman ['bɪznəsmən] *n* hombre *m* de negocios, empresario.

busker ['bʌskəʳ] *n* GB músico,-a callejero,-a.

bust [bʌst] *n* busto. — **2** *t fam* romper. — **3** *adj fam* roto,-a. ●*fam to go ~*, quebrar.

bustle ['bʌsəl] *n* bullicio. ◆*to ~ about i* ir y venir, no parar.

busy ['bɪzɪ] *adj (person)* ocupado,-a, atareado,-a. **2** *(street)* concurrido,-a. **3** *(day)* ajetreado,-a. **4** *(telephone)* ocupado,-a. ●*to ~ o.s. doing sth.*, ocuparse en hacer algo.

busybody ['bɪzɪbɒdɪ] *n* entremetido,-a.

but [bʌt] *conj* pero: *it's cold, ~ dry*, hace frío, pero no llueve; *I'd like to, ~ I can't*, me gustaría, pero no puedo. **2** *(after negative)* sino: *not two, ~ three*, no dos, sino tres. — **3** *adv* sólo: *had I ~ known ...*, si lo hubiese sabido ...; *she is ~ a child*, no es más que una niña. — **4** *prep* excepto, salvo, menos: *all ~ me*, todos menos yo. ●*~ for, (past)* si no hubiese sido por; *(present)* si no fuese por: *~ for his help, we would have failed*, si no hubiese sido por su ayuda, habríamos fracasado.

butane ['bjuːteɪn] *n* butano.

butcher ['butʃəʳ] *n* carnicero,-a.

butler ['bʌtlə] *n* mayordomo.

butt [bʌt] *n (of cigarette)* colilla. **2** *(of rifle)* culata. **3** *(barrel)* tonel *m*. **4** *(target)* blanco. **5** US *fam* culo. **6** *(with head)* cabezazo. — **7** *t (with head)* topet(e)ar. ◆*to ~ in i* entrometerse.

butter ['bʌtəʳ] *n* mantequilla. — **2** *t* untar con mantequilla. ◆*to ~ up t fam* dar coba a. ●*to look as if ~ wouldn't melt in one's mouth*, parecer una mosquita muerta.

butterfingers ['bʌtəfɪŋgəz] *n* manazas *mf inv*.

butterfly ['bʌtəflaɪ] *n* mariposa.

buttock ['bʌtək] *n* nalga.

button ['bʌtən] *n* botón *m*. — **2** *t-i* abrochar(se).

buttonhole ['bʌtənhəul] *n* ojal *m*.

buttress ['bʌtrɪs] *n* contrafuerte *m*.

butty ['bʌtɪ] *n fam* bocata *m*.

buxom ['bʌksəm] *adj* rollizo,-a.

buy [baɪ] *n* compra. — **2** *t* comprar. **3** *(bribe)* sobornar. **4** *fam (believe)* tragar. ▲ *pt & pp* **bought**.

buyer ['baɪəʳ] *n* comprador,-ra.

buzz [bʌz] *n* zumbido. **2** *fam* telefonazo. — **3** *i* zumbar.

byte

buzzer ['bʌzəʳ] *n* zumbador *m.*

by [baɪ] *prep (showing agent)* por: *painted ~ Fraser,* pintado,-a por Fraser. **2** *(manner)* por: *~ air/road,* por avión/carretera; *~ car/train,* en coche/tren; *~ hand,* a mano; *~ heart,* de memoria. **3** *(showing difference)* por: *I won ~ 3 points,* gané por tres puntos; *better ~ far,* muchísimo mejor. **4** *(not later than)* para; *I need it ~ ten,* lo necesito para las diez. **5** *(during)* de: *~day/night,* de día/noche. **6** *(near)* junto a, al lado de: *sit ~ me,* siéntate a mi lado. **7** *(according to)* según: *~ the rules,* según las reglas. **8** *(measurements)* por: *6 metres ~ 4,* 6 metros por 4. **9** *(rate)* por: *paid ~ the hour,* pagado,-a por horas; *two ~ two,* de dos en dos. **– 10** *adv to go ~,* pasar (de largo). **12** *~ and ~,* con el tiempo. **•***~ o.s.,* solo,-a.

bye [baɪ] *interj fam* ¡adiós!, ¡hasta luego!

by-law ['baɪlɔ:] *n* ley *f* municipal.

bypass ['baɪpɑ:s] *n* AUTO variante *f.* **2** MED by-pass *m.*

by-product ['baɪprɒdʌkt] *n* subproducto, derivado.

bystander ['baɪstændəʳ] *n* espectador,-ra.

byte [baɪt] *n* COMPUT byte *m.*

C

cab [kæb] n taxi m. 2 HIST cabriolé m. 3 *(in lorry)* cabina de conductor; *(in train)* cabina de maquinista.

cabaret ['kæbəreɪ] n cabaret m.

cabbage ['kæbɪdʒ] n col f, berza, repollo.

cabin ['kæbɪn] n *(wooden)* cabaña. 2 MAR camarote m. 3 AER cabina.

cabinet ['kæbɪnət] n *(ministers)* gabinete m. 2 *(furniture)* armario; *(glass fronted)* vitrina.

cable ['keɪbəl] n cable m. − 2 t cablegrafiar.

cackle ['kækəl] n cacareo. 2 *(laugh)* risotada. − 3 i cacarear. 4 *(laugh)* reír.

cactus ['kæktəs] n cacto, cactus m.

cad [kæd] n GB fam canalla m.

caddie ['kædɪ] n cadi m.

caddy ['kædɪ] n cajita/lata para el té.

cadence ['keɪdəns] n cadencia.

cadet [kə'det] n cadete m.

cadge [kædʒ] t-i fam gorronear.

cadger ['kædʒəʳ] n fam gorrón,-ona m,f.

café ['kæfeɪ] n cafetería.

cafeteria [kæfɪ'tɪərɪə] n cafetería, autoservicio.

caffeine ['kæfi:n] n cafeína.

cage [keɪdʒ] n jaula. − 2 t enjaular.

cagey ['keɪdʒɪ] adj fam cauteloso,-a.

cagoule [kə'gu:l] n canguro.

cajole [kə'dʒəʊl] t engatusar, camelar.

cake [keɪk] n pastel m, tarta. ●*to sell like hot cakes,* venderse como rosquillas; *fam it's a piece of* ~, está chupado,-a.

calamity [kə'læmɪtɪ] n calamidad.

calcium ['kælsɪəm] n calcio.

calculate ['kælkjʊleɪt] t calcular. − 2 i hacer cálculos.

calculating ['kælkjʊleɪtɪŋ] adj calculador,-ra.

calculation [kælkjʊ'leɪʃən] n cálculo.

calculator ['kælkjʊleɪtəʳ] n calculador m, calculadora.

calculus ['kælkjʊləs] n cálculo.

caldron ['kɔːldrən] n → **cauldron.**

calendar ['kælɪndəʳ] n calendario.

calf [kɑːf] n ZOOL ternero,-a, becerro,-a. 2 ANAT pantorrilla. ▲ pl **calves.**

calibrate ['kælɪbreɪt] t calibrar, graduar.

calibre ['kælɪbəʳ] n calibre m.

calico ['kælɪkəʊ] n calicó m.

call [kɔːl] n grito, llamada. 2 *(telephone)* llamada. 3 *(of animal)* reclamo. 4 *(demand)* demanda. 5 *(summons)* llamada, llamamiento. 6 *(visit)* visita corta. 7 *(need)* necesidad. − 8 t *(gen)* llamar a, telefonear. 9 *(on telephone)* llamar. 10 *(meeting)* convocar. − 11 i *(gen)* llamar(se). 12 *(visit)* pasar. 13 *(train)* parar *(at,* en). ◆*to* ~ *for* t *(pick up)* pasar a buscar. 2 *(demand)* exigir. 3 *(need)* necesitar: *this calls for a celebration,* esto hay que celebrarlo. ◆*to* ~ *off* t *(suspend)* suspender. ◆*to* ~ *on* t *(visit)* visitar. 2 *fml (urge)* instar: *he called on them to negotiate,* les instó a negociar. ◆*to* ~ *out* t *(troops)* sacar a la calle. 2 *(doctor)* hacer venir. 3 *(workers)* llamar a la huelga. − 4 i gritar. ◆*to* ~ *up* t MIL llamar a filas. 2 *(telephone)* llamar. ●*on* ~, de guardia; *to* ~ *into question,* poner en duda; *to* ~ *to mind,* traer a la memoria; *to pay/ make a* ~ *on,* visitar; *fam let's* ~ *it a day,* dejémoslo estar/correr. ■ GB ~ *box,* cabina telefónica; ~ *girl,* prostituta.

caller ['kɔːləʳ] n visita mf, visitante mf. 2 *(telephone)* persona que llama.

calligraphy [kə'lɪgrəfɪ] n caligrafía.

calling ['kɔːlɪŋ] n vocación.

callipers ['kælɪpəz] npl TECH calibrador m sing. 2 MED aparato m sing ortopédico.

callous ['kæləs] adj duro,-a, insensible.

calm [kɑːm] *adj (sea)* en calma, sereno,-a. **2** *(person)* tranquilo,-a, sosegado,-a. − **3** *n (of sea)* calma. **4** *(of person)* tranquilidad, serenidad. − **5** *t-i to* ~ *(down)*, calmar(se), sosegar(se).

calmness ['kɑːmnəs] *n* tranquilidad, calma.

calorie ['kælərɪ] *n* caloría.

calumny ['kæləmnɪ] *n* calumnia.

came [keɪm] *pt* → **come**.

camel ['kæməl] *n* camello.

camellia [kə'miːljə] *n* camelia.

cameo ['kæmɪəʊ] *n* camafeo.

camera ['kæmərə] *n* cámara/máquina fotográfica. ● *in* ~, a puerta cerrada.

cameraman ['kæmərəmən] *n* cámara *m*.

camomile ['kæməmaɪl] *n* BOT manzanilla, camomila.

camouflage ['kæməflɑːʒ] *n* camuflaje *m*. − **2** *t* camuflar.

camp [kæmp] *n* campamento. − **2** *i* acampar. ■ ~ *bed*, cama plegable; ~ *site*, camping *m*, campamento.

campaign [kæm'peɪn] *n* campaña. − **2** *i* hacer campaña *(for*, en favor de).

camper ['kæmpə'] *n* campista *mf*. **2** US *(vehicle)* caravana.

camphor ['kæmfə'] *n* alcanfor *m*.

camping ['kæmpɪŋ] *n to go* ~, ir de camping. ■ ~ *site*, camping *m*, campamento.

campus ['kæmpəs] *n* campus *m*.

can [kæn] *n (for food, drinks)* lata. **2** *(for oil etc.)* bidón *m*. − **3** *t (put in cans)* enlatar. − **4** *aux (be able to)* poder: ~ *you come tomorrow?*, ¿puedes venir mañana? **5** *(know how to)* saber: *he* ~ *swim/speak Chinese*, sabe nadar/hablar chino. **6** *(be allowed to)* poder: *you can't smoke here*, no se puede fumar aquí. **7** *(be possible)* poder: *he can't be here already!*, ¡no puede ser que ya haya llegado!; *what* ~ *it mean?*, ¿qué querrá decir? ▲ *pt & cond could*.

canal [kə'næl] *n* canal *m*.

canary [kə'neərɪ] *n* canario.

cancel ['kænsəl] *t* cancelar. **2** COM anular. **3** *(cross out)* tachar.

cancellation [kænsə'leɪʃən] *n* cancelación. **2** COM anulación.

cancer ['kænsə'] *n* MED cáncer *m*. **2** *Cancer*, ASTROL ASTRON Cáncer *m inv*.

candid ['kændɪd] *adj* franco,-a, sincero,-a.

candidate ['kændɪdɪt] *n* candidato,-a. **2** *(in exam)* opositor,-ra.

candied ['kændɪd] *adj* confitado,-a.

candle ['kændəl] *n* vela; *(in church)* cirio.

candlestick ['kændəlstɪk] *n* candelero, palmatoria.

candour ['kændə'] *n* franqueza, sinceridad.

candy ['kændɪ] *n* US caramelo.

cane [keɪn] *n* BOT caña. **2** *(stick)* bastón *m*; *(for punishment)* palmeta. **3** *(furniture)* mimbre *m*. − **4** *t* castigar con la palmeta.

canine ['keɪnaɪn] *adj* canino,-a.

canister ['kænɪstə'] *n* bote *m*, lata.

canned [kænd] *adj* enlatado,-a. **2** *sl (drunk)* mamado,-a.

cannery ['kænərɪ] *n* fábrica de conservas.

cannibal ['kænɪbəl] *adj-n* caníbal *(mf)*.

cannon ['kænən] *n* cañón *m*. **2** *(billiards)* carambola.

cannot ['kænɒt] *forma compuesta de can + not*.

canoe [kə'nuː] *n* canoa, piragua.

canon ['kænən] *n (rule)* canon *m*. **2** *(priest)* canónigo.

canonize ['kænənaɪz] *t* canonizar.

canopy ['kænəpɪ] *n* dosel *m*.

cant [kænt] *n* hipocresías *fpl*. **2** *(slang)* jerga.

can't [kɑːnt] *contracción de can + not*.

cantankerous [kən'tæŋkərəs] *adj* intratable.

canteen [kæn'tiːn] *n (restaurant)* cantina. **2** *(cutlery)* juego de cubiertos. **3** *(flask)* cantimplora.

canter ['kæntə'] *n* medio galope. − **2** *i* ir a medio galope.

canvas ['kænvəs] *n* lona. **2** ART lienzo.

canvass ['kænvəs] *i* hacer propaganda política.

canyon ['kænjən] *n* cañón.

cap [kæp] *n (man's)* gorro; *(soldier's)* gorra; *(nurse's)* cofia. **2** *(of pen)* capuchón *m*; *(of bottle)* chapa. **3** MED *(Dutch)* ~, diafragma *m*. − **4** *t (crown)* cubrir; *fig* coronar. ● *to* ~ *it all*, para colmo.

capability [keɪpə'bɪlɪtɪ] *n* capacidad, aptitud, habilidad.

capable ['keɪpəbəl] *adj* capaz.

capacity [kə'pæsɪtɪ] *n (of container)* capacidad, cabida. **2** *(of theatre)* capacidad, aforo. **3** *(ability)* capacidad. **4** *(position)* condición, calidad. ● *to be filled to* ~, estar al completo.

cape [keɪp] *n* GEOG cabo. **2** *(garment)* capa corta.

caper ['keɪpə'] *n (jump)* brinco. **2** *(prank)* travesura. **3** BOT alcaparra. − **4** *i* brincar.

capital ['kæpɪtəl] *n* GEOG capital *f*. **2** FIN capital *m*. **3** *(letter)* mayúscula. − **4** *adj*

GEOG JUR capital. **5** *(letter)* mayúscula: ~ *A,* A mayúscula. ■ ~ *punishment,* la pena capital.

capitalism ['kæpɪtəlɪzəm] *n* capitalismo.

capitalist ['kæpɪtəlɪst] *adj-n* capitalista *(mf).*

capitulate [kə'pɪtjʊleɪt] *i* capitular.

capitulation [kəpɪtjʊ'leɪʃən] *n* capitulación.

caprice [kə'priːs] *n* capricho, antojo.

capricious [kə'prɪʃəs] *adj* caprichoso,-a, antojadizo,-a.

Capricorn ['kæprɪkɔːn] *n* Capricornio *m inv.*

capsize [kæp'saɪz] *i* zozobrar. – **2** *t* hacer zozobrar.

capstan ['kæpstən] *n* cabrestante *m.*

capsule ['kæpsjuːl] *n* cápsula.

captain ['kæptɪn] *n* capitán *m.*

caption ['kæpʃən] *n* leyenda, pie *m.*

captivate ['kæptɪveɪt] *t* cautivar, fascinar.

captive ['kæptɪv] *adj-n* cautivo,-a.

captivity [kæp'tɪvɪtɪ] *n* cautiverio.

capture ['kæptʃəʳ] *n (of person)* captura, apresamiento; *(of town)* toma. – **2** *t (person)* capturar, apresar; *(town)* tomar. **3** fig *(mood etc.)* captar.

car [kɑːʳ] *n* AUTO coche *m,* automóvil *m.* **2** *(railways)* vagón *m,* coche *m.* ■ ~ *wash,* túnel *m* de lavado; *dining/sleeping* ~, coche restaurante/cama.

caramel ['kærəmel] *n* CULIN azúcar quemado. **2** *(sweet)* caramelo.

carat ['kærət] *n* quilate *m.*

caravan [kærə'væn] *n* AUTO caravana. **2** *(gypsy)* carruaje *m* de gitanos.

caraway ['kærəweɪ] *n* alcaravea.

carbohydrate [kɑːbəʊ'haɪdreɪt] *n* hidrato de carbono.

carbon ['kɑːbən] *n* CHEM carbono. ■ ~ *dioxide/monoxide,* dióxido/monóxido de carbono; ~ *paper,* papel *m* carbón.

carbuncle ['kɑːbʌŋkəl] *n* MED carbunco.

carburettor ['kɑːbjʊrətəʳ] *n* carburador *m.*

carcass ['kɑːkəs] *n* res muerta. **2** *(at butcher's)* res abierta en canal.

carcinogenic [kɑːsɪnə'dʒenɪk] *adj* MED cancerígeno,-a, carcinógeno,-a.

card [kɑːd] *n (playing card)* carta, naipe *m.* **2** *(business, credit, etc.)* tarjeta. **3** *(in file)* ficha. **4** *(membership, identity)* carnet *m,* carné *m.* **5** *(Christmas, birthday)* felicitación. **6** *(stiff paper)* cartulina.

cardboard ['kɑːdbɔːd] *n* cartón *m.*

cardiac ['kɑːdɪæk] *adj* cardíaco,-a. ■ ~ *arrest,* paro cardíaco.

cardigan ['kɑːdɪgən] *n* rebeca, chaqueta de punto.

cardinal ['kɑːdɪnəl] *adj* cardinal. – **2** *n* REL cardenal *m.*

care [keəʳ] *n (attention, protection, carefulness)* cuidado. **2** *(worry)* preocupación, inquietud. **3** *(custody)* custodia. – **4** *i (be worried)* preocuparse: *he doesn't ~ about others,* no le importan los demás; *I don't ~,* me tiene sin cuidado. **5** *fml (like, want)* gustar: *would you ~ to dance?,* ¿te gustaría bailar? ◆*to ~ for t (look after)* cuidar. **2** *(like)* gustar, interesar. ●*to take ~ of,* *(child etc)* cuidar; *(business, matters)* ocuparse de, hacerse cargo de; *to take ~ not to do sth.,* tener cuidado de no hacer algo.

career [kə'rɪəʳ] *n (profession)* carrera. **2** *(working life)* vida profesional. – **3** *i* correr a toda velocidad.

careful ['keəfʊl] *adj* cuidadoso,-a. **2** *(cautious)* prudente: *a ~ driver,* un conductor prudente. – **3** *carefully adv* cuidadosamente; *(cautiously)* con cuidado: *drive carefully,* conduce con cuidado.

careless ['keələs] *adj* descuidado,-a; *(driving)* negligente; *(work)* dejado,-a.

carelessness ['keələsnəs] *n* despreocupación, negligencia.

caress [kə'res] *n* caricia. – **2** *t* acariciar.

caretaker ['keəteɪkəʳ] *n (in school etc.)* conserje *m; (in flats)* portero,-a.

cargo ['kɑːgəʊ] *n* carga, cargamento.

caricature ['kærɪkətjʊəʳ] *n* caricatura. – **2** *t* caricaturizar.

caries ['keərɪz] *n* caries *f inv.*

carnage ['kɑːnɪdʒ] *n* carnicería.

carnal ['kɑːnəl] *adj* carnal.

carnation [kɑː'neɪʃən] *n* clavel *m.*

carnival ['kɑːnɪvəl] *n* carnaval *m.*

carnivorous [kɑː'nɪvərəs] *adj* carnívoro,-a.

carol ['kærəl] *n* villancico.

carouse [kə'rauz] *i* ir de juerga.

carp [kɑːp] *n (fish)* carpa. – **2** *i* refunfuñar.

carpenter ['kɑːpɪntəʳ] *n* carpintero.

carpentry ['kɑːpɪntrɪ] *n* carpintería.

carpet ['kɑːpɪt] *n* alfombra. – **2** *t* alfombrar.

carriage ['kærɪdʒ] *n* HIST carruaje *m.* **2** *(railway)* vagón *m,* coche *m.* **3** TECH carro. **4** *(transport)* transporte *m.* **5** *(bearing)* porte *m.*

carriageway ['kærɪdʒweɪ] *n* GB calzada.

carrier ['kærɪəʳ] *n (company, person)* transportista *mf.* **2** MED portador,-ra. ■ MAR *aircraft* ~, portaaviones *m inv*; ~ *bag,* bolsa de papel/plástico.

carrion ['kærɪən] *n* carroña.

carrot ['kærət] *n* zanahoria.

carry ['kærɪ] *t (gen)* llevar; *(money etc.)* llevar (encima). **2** *(goods etc.)* transportar. **3** ARCH *(load)* sostener. **4** COM tener (en existencia). **5** *(responsibility, penalty)* conllevar. **6** *(news, story)* publicar. **7** *(vote etc.)* aprobar. **8** *(disease)* ser portador,-ra de. – **9** *i (sound)* oírse. ◆*to ~ forward t* llevar a la columna/página siguiente. ◆*to ~ off t* realizar con éxito. **2** *(prize)* llevarse. ◆*to ~ on t-i* continuar, seguir. – **2** *i fam* exaltarse. ◆*to ~ on with t* estar liado,-a con. ◆*to ~ out t* llevar a cabo, realizar; *(order)* cumplir. ●*to get carried away,* exaltarse.

cart [kɑːt] *n (horse-drawn)* carro. **2** *(handcart)* carretilla. – **3** *t* carretear.

cartel [kɑː'tel] *n* cártel *m*.

cartilage ['kɑːtɪlɪdʒ] *n* cartílago.

cartography [kɑː'tɒgrəfɪ] *n* cartografía.

carton ['kɑːtən] *n (of cream)* bote *m*. **2** *(of cigarettes)* cartón *m*.

cartoon [kɑː'tuːn] *n* caricatura. **2** *(film)* (película de) dibujos *mpl* animados.

cartridge ['kɑːtrɪdʒ] *n* MIL cartucho. **2** *(for pen)* recambio.

cartwheel ['kɑːtwiːl] *n* voltereta.

carve [kɑːv] *t (wood)* tallar. **2** *(stone)* esculpir. **3** *(meat)* cortar, trinchar.

carver ['kɑːvəʳ] *n (of wood)* tallista *mf*. **2** *(of stone)* escultor,-ra. **3** *(knife)* trinchante *m*.

carving ['kɑːvɪŋ] *n (of wood)* talla. **2** *(of stone)* escultura. ■ ~ *knife,* trinchante *m*.

cascade [kæs'keɪd] *n* cascada.

case [keɪs] *n (gen)* caso. **2** JUR causa. **3** *(suitcase)* maleta. **4** *(box)* caja. **5** *(for glasses)* estuche *m*, funda. **6** *(type)* caja. ●*in any* ~, en todo/cualquier caso; *in* ~, por si; *in* ~ *of,* en caso de; *just in* ~, por si acaso. ■ *upper/lower* ~, caja alta/baja.

casement ['keɪsmənt] *n* ventana de bisagras.

cash [kæʃ] *n* efectivo, metálico. – **2** *t (cheque)* cobrar. ●~ *down,* a toca teja; ~ *on delivery,* contra reembolso; *to pay* ~, pagar al contado/en efectivo. ■ ~ *desk,* caja; ~ *register,* caja registradora.

cash-and-carry [kæʃən'kærɪ] *n* comercio al por mayor.

cashew [kə'ʃuː] *n* anacardo.

cashier [kæ'ʃɪəʳ] *n* cajero,-a. – **2** *t* MIL separar del servicio.

cashmere [kæʃ'mɪəʳ] *n* cachemira.

casino [kə'siːnəʊ] *n* casino.

cask [kɑːsk] *n* tonel *m*, barril *m*.

casket ['kɑːskɪt] *n* cofre *m*.

casserole ['kæsərəʊl] *n (dish)* cazuela. **2** *(food)* guisado.

cassette [kə'set] *n* casete *f*. ■ ~ *player/recorder,* casete *m*.

cassock ['kæsək] *n* sotana.

cast [kɑːst] *n (throw)* lanzamiento. **2** THEAT reparto. **3** TECH molde *m*. – **4** *t (fishing)* lanzar. **5** *(shadow)* proyectar. **6** *(vote)* emitir. **7** THEAT *(play)* hacer el reparto de; *(part)* dar el papel de. **8** TECH moldear. ◆*to ~ off t* desechar. – **2** *i* cerrar los puntos. **3** MAR soltar amarras. ●*to be* ~ *away,* naufragar; *to* ~ *a spell on,* hechizar; *to* ~ *doubts on,* poner en duda; *to* ~ *suspicion on,* levantar sospechas sobre. ■ ~ *iron,* hierro colado; *plaster* ~, escayola. ▲ *pt & pp* **cast.**

castanets [kæstə'nets] *npl* castañuelas *fpl*.

castaway ['kɑːstəweɪ] *n* náufrago,-a.

caste [kɑːst] *n* casta.

caster ['kɑːstəʳ] *n* ruedecilla. ■ ~ *sugar,* azúcar extrafino.

casting [kɑːstɪŋ] *n* TECH (pieza de) fundición. **3** THEAT reparto de papeles. ■ ~ *vote,* voto de calidad.

castle ['kɑːsəl] *n* castillo. **2** *(chess)* torre *f*.

castor oil [kɑːstər'ɔɪl] *n* aceite *m* de ricino.

castrate [kæs'treɪt] *t* castrar, capar.

castration [kæ'streɪʃən] *n* castración.

casual ['kæʒjʊəl] *adj* fortuito,-a, casual. **2** *(clothes)* (de) sport. **3** *(not serious)* superficial. **4** *(worker)* ocasional. – **5** *casually adv* sin darle importancia.

casualty ['kæʒjʊəltɪ] *n* MIL baja. **2** *(of accident)* herido,-a. **3** *fig* víctima. ■ ~ *department,* departamento de traumatología.

cat [kæt] *n* gato,-a. ●*fam to let the* ~*out of the bag,* descubrir el pastel; *fam to put the* ~ *among the pigeons,* meter los perros en danza.

cataclysm ['kætəklɪzəm] *n* cataclismo.

catacomb ['kætəkuːm] *n* catacumba.

catalogue, US **catalog** ['kætəlɒg] *n* catálogo. – **2** *t* catalogar.

catalyst ['kætəlɪst] *n* catalizador *m*.

catapult ['kætəpʌlt] *n (weapon)* catapulta. **2** *(toy)* tirador *m*. – **3** *t* catapultar.

cataract ['kætərækt] *n (waterfall)* catarata, cascada. **2** MED catarata.

catarrh [kə'tɑːʳ] *n* catarro.

catastrophe [kə'tæstrəfi] n catástrofe f.
catcall ['kætkɔːl] n silbido.
catch [kætʃ] n (of ball) parada. 2 (of fish) captura. 3 fam (trick) pega. 4 (fastener) cierre m, pestillo. – 5 t (gen) coger; (take, capture) coger, atrapar. 6 (fish) pescar. 7 (train etc.) coger, tomar, AM agarrar. 8 (surprise) pillar, sorprender. 9 (hear) oír. – 10 i (sleeve etc) engancharse (on, en). ◆to ~ on i caer en la cuenta. 2 (get the hang) coger el truco. 3 (become popular) hacerse popular. ◆to ~ out t pillar, sorprender. ◆to ~ up t atrapar, alcanzar. 2 (with news) ponerse al día. ●to ~ a cold, coger un resfriado; to ~ fire, prender fuego, encenderse; to ~ hold of, agarrar, echar mano a; to ~ sb.'s eye, captar la atención de algn.; to ~ sight of, entrever. ▲ pt & pp caught.
catching ['kætʃɪŋ] adj contagioso,-a.
catchy ['kætʃɪ] adj pegadizo,-a.
catechism ['kætɪkɪzəm] n catecismo.
categoric(al) [kætɪ'gɒrɪk(əl)] adj categórico,-a.
category ['kætɪgərɪ] n categoría.
cater ['keɪtər] i (food) proveer comida: to ~ for sb.'s needs, atender a las necesidades de algn.
caterer ['keɪtərər] n proveedor,-ra.
caterpillar ['kætəpɪlər] n oruga.
cathedral [kə'θiːdrəl] n catedral f.
Catholic ['kæθəlɪk] adj-n REL católico,-a.
Catholicism [kə'θɒlɪsɪzəm] n REL catolicismo.
catkin ['kætkɪn] n amento.
catnap ['kætnæp] n cabezadilla.
Catseye® ['kætsaɪ] n GB catafaro.
cattle ['kætəl] n ganado vacuno.
caught [kɔːt] pt & pp → catch.
cauldron ['kɔːldrən] n caldero.
cauliflower ['kɒlɪflaʊər] n coliflor f.
cause [kɔːz] n (gen) causa. 2 (reason) razón f, motivo. – 3 t causar. ●to ~ sb. to do sth., hacer que algn. haga algo.
caustic ['kɔːstɪk] adj cáustico,-a.
cauterize ['kɔːtəraɪz] t cauterizar.
caution ['kɔːʃən] n cautela, precaución. 2 (warning) aviso, advertencia. – 3 t advertir, amonestar.
cautious ['kɔːʃəs] adj cauteloso,-a, prudente.
cautiousness ['kɔːʃəsnəs] n cautela, precaución, prudencia.
cavalier [kævə'lɪər] n caballero. – 2 adj arrogante.
cavalry ['kævəlrɪ] n caballería.

cave [keɪv] n cueva. ◆to ~ in i hundirse, derrumbarse.
caveman ['keɪvmæn] n cavernícola m.
cavern ['kævən] n caverna.
caviar(e) ['kævɪɑːr] n caviar m.
cavity ['kævɪtɪ] n cavidad. 2 (in tooth) caries f inv.
caw [kɔː] n graznido. – 2 i graznar.
cease [siːs] i-t cesar. ●MIL to ~ fire, cesar el fuego.
cease-fire [siːs'faɪər] n alto el fuego.
ceaseless ['siːsləs] adj incesante.
cedar ['siːdər] n cedro.
cede [siːd] t ceder.
ceiling ['siːlɪŋ] n techo. 2 (limit) tope m. ●fam to hit the ~, ponerse histérico,-a.
celebrate ['selɪbreɪt] t-i celebrar.
celebrated ['selɪbreɪtɪd] adj célebre.
celebration [selɪ'breɪʃən] n celebración. 2 pl festejos mpl.
celebrity [sɪ'lebrɪtɪ] n celebridad.
celery ['selərɪ] n apio.
celestial [sɪ'lestɪəl] adj celestial. 2 ASTRON celeste.
celibacy ['selɪbəsɪ] n celibato.
celibate ['selɪbət] adj-n célibe (mf).
cell [sel] n (prison etc.) celda. 2 BIOL célula.
cellar ['selər] n sótano. 2 (for wine) bodega.
cellist ['tʃelɪst] n violoncelista mf.
cello ['tʃeləʊ] n violoncelo.
cellophane® ['seləʊfeɪn] n celofán m.
celluloid ['seljʊlɔɪd] n celuloide m.
cellulose ['seljʊləʊs] n celulosa.
cement [sɪ'ment] n cemento. 2 (concrete) hormigón m. – 3 t unir con cemento. 4 fig cimentar. ■ ~ mixer, hormigonera.
cemetery ['semɪtrɪ] n cementerio.
censor ['sensər] n censor,-ra. – 2 t censurar.
censorship ['sensəʃɪp] n censura.
censure ['senʃər] n censura. – 2 t censurar.
census ['sensəs] n censo, padrón m.
cent [sent] n centavo, céntimo. ●per ~, por ciento.
centenary [sen'tiːnərɪ], US **centennial** [sen'tenɪəl] n centenario.
centigrade ['sentɪgreɪd] adj centígrado,-a.
centimetre ['sentɪmiːtər] n centímetro.
centipede ['sentɪpiːd] n ciempiés m inv.
central ['sentrəl] adj central. ■ ~ heating, calefacción central.
centralization [sentrəlaɪ'zeɪʃən] n centralización.

centralize ['sentrəlaız] *t* centralizar.
centre ['sentər] *n* centro. – 2 *t* centrar. ■ SP ~ *forward,* delantero centro.
centrifugal [sentrı'fju:gəl] *adj* centrífugo,-a.
centurion [sen'tjuərıən] *n* centurión *m*.
century ['sentʃərı] *n* siglo.
ceramic [sı'ræmık] *adj* cerámico,-a. – 2 *npl* cerámica *f sing.*
cereal ['sıərıəl] *n* cereal *m*.
cerebral ['serıbrəl] *adj* cerebral.
ceremonial [serı'məunıəl] *adj* ceremonial.
ceremonious [serı'məunıəs] *adj* ceremonioso,-a, ceremoniero,-a.
ceremony ['serımənı] *n* ceremonia.
certain ['sɜ:tən] *adj (sure)* seguro,-a: *she's ~ to pass,* seguro que aprobará. 2 *(moderate)* cierto,-a. 3 *(unknown)* cierto,-a: *a ~ Mr Buck,* un tal Sr Buck. – 4 *certainly adv* desde luego, por supuesto; *certainly not,* por supuesto que no. ●*for ~,* con toda seguridad; *to a ~ extent,* hasta cierto punto; *to make ~ of,* asegurarse de.
certainty ['sɜ:təntı] *n* certeza. ●*it's a ~ that,* es seguro que.
certificate [sə'tıfıkət] *n gen* certificado. 2 EDUC diploma. ■ *birth ~,* partida de nacimiento; *death ~,* certificado de defunción.
certify ['sɜ:tıfaı] *t* certificar.
cervical ['sɜ:vıkəl] *adj (neck)* cervical. 2 *(uterus)* del útero.
cervix ['sɜ:vıks] *n (neck)* cerviz *f,* cuello. 2 *(uterus)* cuello del útero. ▲ *pl* cervixes o cervices.
cessation [se'seıʃən] *n* cese *m*.
cesspit ['sespıt] *n* pozo negro.
chafe [tʃeıf] *t* rozar, escoriar. – 2 *i* enfadarse *(at,* por).
chaff [tʃæf] *n* barcia.
chaffinch ['tʃæfıntʃ] *n* pinzón *m*.
chain [tʃeın] *n* cadena. 2 *(mountains)* cordillera. 3 *fig* serie *f.* – 4 *t* encadenar.
chair [tʃeər] *n* silla. 2 *(with arms)* sillón *m*. 3 *(position)* presidencia. 4 *(university)* cátedra. – 5 *t* presidir.
chairman ['tʃeəmən] *n* presidente *m*.
chairmanship ['tʃeəmənʃıp] *n* presidencia.
chairperson ['tʃeəpɜ:sən] *n* presidente,-a *m,f.*
chairwoman ['tʃeəwumən] *n* presidenta.
chalet ['ʃæleı] *n* chalet *m,* chalé *m*.
chalice ['tʃælıs] *n* cáliz *m*.

chalk [tʃɔ:k] *n* creta. 2 *(for writing)* tiza. ◆*to ~ up t fam* apuntarse.
challenge ['tʃælındʒ] *n* reto, desafío. – 2 *t* retar, desafiar. 3 MIL dar el alto a. 4 JUR recusar.
challenger ['tʃælındʒər] *n* SP aspirante *mf* (a un título).
chamber ['tʃeımbər] *n* cámara. 2 *(of gun)* recámara. ■ ~ *music,* música de cámara.
chambermaid ['tʃeımbəmeıd] *n* camarera.
chamberpot ['tʃeımbəpɒt] *n* orinal *m*.
chameleon [kə'mi:lıən] *n* camaleón *m*.
champagne [ʃæm'peın] *n* champán *m; (Catalan)* cava *m*.
champion ['tʃæmpıən] *n* campeón,-ona. 2 *fig (defender)* defensor,-ra. – 3 *t fig* defender.
championship ['tʃæmpıənʃıp] *n* campeonato.
chance [tʃɑ:ns] *n (fate)* azar *m*. 2 *(opportunity)* oportunidad. 3 *(possibility)* posibilidad. 4 *(risk)* riesgo. – 6 *t* arriesgar. ●*by ~,* por casualidad; *on the (off) ~,* por si acaso; *to ~ on sth.,* encontrar algo por casualidad; *to ~ to do sth.,* hacer algo por casualidad; *to have a good ~ of doing sth.,* tener buenas posibilidades de hacer algo.
chancellor ['tʃɑ:nsələr] *n* canciller *m*. 2 GB *(of university)* rector,-ra. ■ GB *Chancellor of the Exchequer,* ministro,-a de Hacienda.
chancy ['tʃɑ:nsı] *adj fam* arriesgado,-a.
chandelier [ʃændı'lıər] *n* araña (de luces).
change [tʃeındʒ] *n* cambio. 2 *(money)* cambio, vuelta. – 3 *t* cambiar (de). – 4 *i* cambiar(se). ●*for a ~,* para variar; *to ~ one's mind/the subject,* cambiar de opinión/de tema; *to ~ clothes, to get changed,* cambiarse (de ropa); *to ~ into,* convertirse/transformarse en; *fig to ~ hands,* cambiar de dueño. ■ ~ *of clothes,* muda de ropa; ~ *of heart,* cambio de parecer.
changeable ['tʃeındʒəbəl] *adj (weather)* variable. 2 *(person)* inconstante.
changing ['tʃeındʒıŋ] *adj* cambiante. ■ ~ *room,* vestuario.
channel ['tʃænəl] *n* GEOG canal *m*. 2 RAD TV canal, cadena. – 3 *t* canalizar, encauzar. ●*through the official channels,* por los conductos oficiales. ■ *English Channel,* Canal de la Mancha.

chant [tʃɑ:nt] *n* REL canto litúrgico. 2 *(of crowd)* eslogan *m.* − 3 *t-i* REL cantar. 4 *(crowd)* corear.

chaos ['keɪɒs] *n* caos *m.*

chaotic [keɪ'ɒtɪk] *adj* caótico,-a.

chap [tʃæp] *n fam* tío.

chapel ['tʃæpəl] *n* capilla.

chaperon(e) ['ʃæpərəʊn] *n* carabina. − 2 *t* hacer de carabina a.

chaplain ['tʃæplɪn] *n* capellán *m.*

chapter ['tʃæptəʳ] *n (in book)* capítulo. 2 REL cabildo.

char [tʃɑ:ʳ] *n* GB *fam* asistenta. − 2 *t (burn)* carbonizar.

character ['kærɪktəʳ] *n* carácter *m.* 2 THEAT personaje *m.* 3 *fam* tipo. 4 *(letter)* carácter.

characteristic [kærɪktə'rɪstɪk] *adj-n* característico,-a *(f).*

characterize ['kærɪktəraɪz] *t* caracterizar.

charade [ʃə'rɑ:d] *n (farce)* farsa. 2 *pl (game)* charadas *fpl.*

charcoal ['tʃɑ:kəʊl] *n* carbón *m* de leña. 2 ART carboncillo.

charge [tʃɑ:dʒ] *n (price)* precio, coste *m.* 2 *(responsibility)* cargo. 3 JUR cargo. 4 MIL carga, ataque *m.* 5 *(explosive)* carga explosiva. 6 ELEC carga. − 7 *t* cobrar. 8 JUR acusar *(with,* de). 9 ELEC cargar. 10 MIL cargar contra, atacar. − 11 *i* ELEC cargar. 12 MIL cargar, atacar. ◆*to be in ∼ of,* estar a cargo de; *to bring a ∼ against sb.,* formular una acusación contra algn.; *to ∼ sb. with murder,* acusar a algn. de asesinato; *to take ∼ of,* hacerse cargo de.

charger ['tʃɑ:dʒəʳ] *n* ELEC cargador *m.* 2 *(horse)* corcel *m.*

chariot ['tʃærɪət] *n* carro (de guerra).

charisma [kə'rɪzmə] *n* carisma *m.*

charismatic [kærɪz'mætɪk] *adj* carismático,-a.

charitable ['tʃærɪtəbəl] *adj (person)* caritativo,-a. 2 *(organization)* benéfico,-a.

charity ['tʃærɪtɪ] *n* caridad. 2 *(organization)* institución benéfica.

charlatan ['ʃɑ:lətən] *n* charlatán,-ana.

charm [tʃɑ:m] *n* encanto. 2 *(object)* amuleto. 3 *(spell)* hechizo. − 4 *t* encantar. ◆*to work like a ∼,* funcionar a las mil maravillas.

charming ['tʃɑ:mɪŋ] *adj* encantador,-ra.

chart [tʃɑ:t] *n* tabla; *(graph)* gráfico. 2 MAR carta de marear. 3 MUS *the charts,* la lista de éxitos. − 4 *t (make a map of)* hacer un mapa de; *fig this book charts her rise to fame,* este libro describe su ascenso a la fama.

charter ['tʃɑ:təʳ] *n* carta. − 2 *t (plane etc.)* fletar. ■ *∼ flight,* vuelo chárter.

charwoman ['tʃɑ:wʊmən] *n* asistenta.

chary ['tʃeərɪ] *adj fam* cauteloso,-a, cauto,-a.

chase [tʃeɪs] *n* persecución. − 2 *t* perseguir.

chasm ['kæzəm] *n* GEOG sima. 2 *fig* abismo.

chassis ['ʃæsɪ] *n* chasis *m inv.*

chaste [tʃeɪst] *adj* casto,-a.

chasten ['tʃeɪsən], **chastise** [tʃæs'taɪz] *t* castigar.

chastisement ['tʃæstɪzmənt] *n* castigo, corrección.

chastity ['tʃæstɪtɪ] *n* castidad.

chat [tʃæt] *n* charla. − 2 *i* charlar. ◆*to ∼ up t fam* (intentar) ligar con.

chatter ['tʃætəʳ] *n* cháchara, parloteo. 2 *(of teeth)* castañeteo. − 3 *i* chacharear, parlotear. 4 *(teeth)* castañetear.

chatterbox ['tʃætəbɒks] *n* parlanchín,-ina.

chatty ['tʃætɪ] *adj* hablador,-ra, parlanchín,-ina.

chauffeur ['ʃəʊfəʳ] *n* chófer *m.*

chauvinism ['ʃəʊvɪnɪzəm] *n* chovinismo. ■ *male ∼,* machismo.

chauvinist ['ʃəʊvɪnɪst] *adj-n* chovinista *(mf).* ■ *male ∼,* machista *m.*

cheap [tʃi:p] *adj* barato,-a, económico,-a. 2 *(contemptible)* vil, bajo,-a. ◆*fig to feel ∼,* sentir vergüenza.

cheapen ['tʃi:pən] *t* abaratar. 2 *fig* degradar.

cheapness ['tʃi:pnəs] *n* baratura.

cheat [tʃi:t] *n* tramposo,-a. − 2 *t* engañar. − 3 *i* hacer trampa.

check [tʃek] *n* comprobación, verificación. 2 US → **cheque.** 3 US *(bill)* nota. 4 *(chess)* jaque *m.* 5 *(pattern)* cuadro: *a ∼ shirt,* una camisa a cuadros. − 6 *t* comprobar, revisar, verificar. 7 *(stop)* detener. 8 *(hold back)* contener, refrenar. 9 *(chess)* dar jaque a. ◆*to keep in ∼,* contener.

checkbook ['tʃekbʊk] *n* talonario (de cheques).

checkers ['tʃekəz] *npl* damas *fpl.*

checkmate ['tʃek'meɪt] *n* mate *m.* − 2 *t* dar mate a.

checkup ['tʃekʌp] *n* chequeo, reconocimiento.

cheek [tʃi:k] *n* ANAT mejilla. 2 *fig* descaro.

cheekbone ['tʃi:kbəʊn] *n* pómulo.

cheeky ['tʃiːkɪ] *n* descarado,-a.

cheep ['tʃiːp] *n* pío. – 2 *i* piar.

cheer [tʃɪəʳ] *n* viva *m*, vítor *m*. – 2 *t-i* vitorear, aclamar. ◆*to ~ up* *t-i* animar(se), alegrar(se).

cheers [tʃɪəz] *interj* ¡salud! 2 *(thanks)* ¡gracias!

cheerful ['tʃɪəfʊl] *adj* alegre.

cheese [tʃiːz] *n* queso.

cheesecake ['tʃiːzkeɪk] *n* tarta de queso.

cheesecloth ['tʃiːzklɒθ] *n* estopilla.

cheesed off [tʃiːzd'ɒf] *adj* GB *fam* harto,-a.

cheetah ['tʃiːtə] *n* guepardo.

chef [ʃef] *n* chef *m*, cocinero.

chemical ['kemɪkəl] *adj* químico,-a. – 2 *n* producto químico.

chemist ['kemɪst] *n* químico,-a. 2 GB farmacéutico,-a. ■ *chemist's (shop),* farmacia.

chemistry ['kemɪstrɪ] *n* química.

cheque [tʃek] *n* cheque *m*, talón *m*. ■ *~ book,* talonario (de cheques).

chequered ['tʃekəd] *adj (cloth)* a cuadros. 2 *fig* con altibajos.

cherish ['tʃerɪʃ] *t* apreciar, querer. 2 *(hope)* abrigar.

cherry ['tʃerɪ] *n* cereza. ■ *~ tree,* cerezo.

cherub ['tʃerəb] *n* querubín *m*. ▲ *pl cherubs* o *cherubim.*

chess [tʃes] *n* ajedrez *m*.

chesspiece ['tʃespiːs] *n* pieza de ajedrez.

chessboard ['tʃesbɔːd] *n* tablero de ajedrez.

chessmen ['tʃesmən] *npl* piezas *fpl* de ajedrez.

chest [tʃest] *n* cofre *m*, arca. 2 ANAT pecho. ◆*to get sth. off one's ~,* desahogarse. ■ *~ of drawers* cómoda.

chestnut ['tʃesnʌt] *n* BOT *(nut)* castaña. – 2 *adj-n* castaño,-a *(m)*. 3 *(horse)* alazán,-ana. ■ *~ tree,* castaño.

chew [tʃuː] *t* mascar, masticar. ◆*to ~ sth. over,* darle vueltas a algo.

chewing gum ['tʃuːɪŋgʌm] *n* goma de mascar.

chewy ['tʃuːɪ] *adj* correoso,-a.

chic [ʃiːk] *adj* elegante.

chick [tʃɪk] *n* polluelo.

chicken ['tʃɪkɪn] *n* pollo. 2 *fam (coward)* gallina *mf*. – 3 *adj fam* gallina. ◆*to ~ out* *i fam* rajarse.

chickenpox ['tʃɪkɪnpɒks] *n* varicela.

chickpea ['tʃɪkpiː] *n* garbanzo.

chicory ['tʃɪkərɪ] *n* achicoria.

chief [tʃiːf] *n* jefe *m*. – 2 *adj* principal. – 3 *chiefly adv* principalmente, mayormente. 4 *(especially)* sobre todo.

chieftain ['tʃiːftən] *n* cacique *m*.

chiffon ['ʃɪfɒn] *n* gasa.

chihuahua [tʃɪ'wɑːwə] *n* chihuahua *m*.

chilblain ['tʃɪlbleɪn] *n* sabañón *m*.

child [tʃaɪld] *n* niño,-a. 2 *(son)* hijo; *(daughter)* hija. ▲ *pl children.*

childbirth ['tʃaɪldbɜːθ] *n* parto.

childhood ['tʃaɪldhʊd] *n* infancia, niñez *f*.

childish ['tʃaɪldɪʃ] *adj* pueril, inmaduro,-a.

childlike ['tʃaɪldlaɪk] *adj* infantil, inocente.

children ['tʃɪldrən] *npl* → **child.**

chill [tʃɪl] *n* MED resfriado. 2 *(coldness)* frío. – 3 *adj* frío,-a. – 4 *t (wine)* enfriar.

chilly ['tʃɪlɪ] *adj* frío,-a. ◆*to feel ~,* tener frío.

chime [tʃaɪm] *n* carillón *m*. – 2 *i (bells)* tocar. 3 *(clock)* dar.

chimney ['tʃɪmnɪ] *n* chimenea. ■ *~ sweep,* deshollinador *m*.

chimpanzee [tʃɪmpæn'ziː] *n* chimpancé *m*.

chin [tʃɪn] *n* barbilla, mentón *m*.

china ['tʃaɪnə] *n* loza, porcelana.

chink [tʃɪŋk] *n (crack)* grieta. 2 *(noise)* tintineo. – 3 *t-i* tintinear.

chip [tʃɪp] *n* CULIN patata frita. 2 COMPUT chip *m*. 3 *(of wood)* astilla. 4 *(of stone)* lasca. 5 *(in plate, glass)* desportilladura. 6 *(in casino)* ficha. – 7 *t-i (wood)* astillar(se). 8 *(stone)* resquebrajar(se). 9 *(plate, glass)* desportillar(se). 10 *(paint)* descascarillar(se).

chiropodist [kɪ'rɒpədɪst] *n* podólogo,-a, pedicuro,-a.

chirp [tʃɜːp] *i (insect)* chirriar. 2 *(bird)* gorjear.

chisel ['tʃɪzəl] *n (for wood)* formón *m*, escoplo. 2 *(for stone etc.)* cincel *m*. – 3 *t (wood)* escoplar. 4 *(stone)* cincelar.

chit [tʃɪt] *n* nota.

chitchat ['tʃɪttʃæt] *n fam* palique *m*.

chivalrous ['ʃɪvəlrəs] *adj* caballeroso,-a.

chivalry ['ʃɪvəlrɪ] *n* caballerosidad.

chloride ['klɔːraɪd] *n* cloruro.

chlorine ['klɔːriːn] *n* cloro.

chloroform ['klɒrəfɔːm] *n* cloroformo.

chock [tʃɒk] *n* calzo, cuña.

chock-a-block [tʃɒkə'blɒk], **chock-full** [tʃɒk'fʊl] *adj fam* hasta los topes.

chocolate ['tʃɒkələt] *n* chocolate *m*. 2 *pl* bombones *mpl*.

choice [tʃɔɪs] *n* selección. 2 *(option)* opción, alternativa. – 3 *adj* selecto,-a. ●*to make a* ~, escoger.

choir ['kwaɪəʳ] *n* coro.

choke [tʃəʊk] *t-i* ahogar(se), sofocar(se). – 2 *t (block)* atascar. – 3 *n* AUTO stárter *m*. ◆*to* ~ *back t* contener.

cholera ['kɒlərə] *n* cólera *m*.

choose [tʃuːz] *t* escoger, elegir. 2 *(decide)* decidir. ●*there's not much to* ~ *between them*, son muy parecidos,-as. ▲ *pt* **chose**; *pp* **chosen**.

choos(e)y ['tʃuːzɪ] *adj fam* exigente.

chop [tʃɒp] *n* golpe *m*. 2 CULIN chuleta. – 3 *t* cortar. ◆*to* ~ *down t* talar. ◆*to* ~ *up t* cortar en trozos. 2 CULIN picar. ●*fam to get the* ~, ser despedido,-a (de un trabajo).

choppy ['tʃɒpɪ] *adj (sea)* picado,-a.

choral ['kɔːrəl] *adj* coral.

chord [kɔːd] *n* MATH cuerda. 2 MUS acorde *m*.

chore [tʃɔːʳ] *n* quehacer *m*.

chorus ['kɔːrəs] *n* coro. 2 *(of song)* estribillo.

chose [tʃəʊz] *pt* → **choose**.

chosen ['tʃəʊzən] *pp* → **choose**.

Christ [kraɪst] *n* Cristo.

christen ['krɪsən] *t* bautizar.

christening ['krɪsənɪŋ] *n* bautizo.

Christian ['krɪstɪən] *adj-n* cristiano,-a. ■ ~ *name*, nombre *m* de pila.

Christmas ['krɪsməs] *n* Navidad. ■ ~ *card*, tarjeta de navidad, christmas *m*; ~ *carol*, villancico; ~ *Eve*, Nochebuena.

chrome [krəʊm], **chromium** ['krəʊmɪəm] *n* cromo.

chronic ['krɒnɪk] *adj* crónico,-a.

chronicle ['krɒnɪkəl] *n* crónica. – 2 *t* narrar.

chronological [krɒnə'lɒdʒɪkəl] *adj* cronológico,-a.

chronology [krə'nɒlədʒɪ] *n* cronología.

chrysalis ['krɪsəlɪs] *n* crisálida.

chrysanthemum [krɪ'sænθəməm] *n* crisantemo.

chubby ['tʃʌbɪ] *adj* regordete.

chuck [tʃʌk] *n (of drill)* portabrocas *m inv*. – 2 *t (throw)* tirar. ◆*to* ~ *out t (person)* echar. 2 *(thing)* tirar.

chuckle ['tʃʌkəl] *i* reír en silencio. – 2 *n* risita.

chum [tʃʌm] *n fam* compinche *mf*.

chunk [tʃʌŋk] *n fam* cacho, pedazo.

church [tʃɜːtʃ] *n* iglesia.

churchgoer ['tʃɜːtʃgəʊəʳ] *n* practicante *mf*.

churchyard ['tʃɜːtʃjɑːd] *n* cementerio.

churlish ['tʃɜːlɪʃ] *adj* rudo,-a.

churn [tʃɜːn] *n* GB *(for milk)* lechera. 2 *(for butter)* mantequera. – 3 *i (stomach)* revolverse. ◆*to* ~ *out t* producir en serie.

chute [ʃuːt] *n* tobogán *m*.

cider ['saɪdəʳ] *n* sidra.

cig [sɪg] *n fam* pitillo.

cigar [sɪ'gɑːʳ] *n (cigarro)* puro.

cigarette [sɪgə'ret] *n* cigarrillo. ■ ~ *case*, pitillera; ~ *holder*, boquilla; ~ *lighter*, encendedor *m*.

cinch [sɪntʃ] *n fam it's a* ~, está chupado.

cinder ['sɪndəʳ] *n* ceniza.

cinema ['sɪnɪmə] *n* cine *m*.

cinnamon ['sɪnəmən] *n* canela.

cipher ['saɪfəʳ] *n* código.

circle ['sɜːkəl] *n* círculo. 2 THEAT piso. – 3 *t* rodear. – 4 *i* dar vueltas. ●*fig to come full* ~, completar un ciclo; *to go round in circles*, dar vueltas.

circuit ['sɜːkɪt] *n* circuito. 2 *(of track)* vuelta.

circuitous [sə'kjuːɪtəs] *adj* tortuoso,-a, indirecto,-a.

circular ['sɜːkjʊləʳ] *adj-n* circular *(f)*.

circulate ['sɜːkjʊleɪt] *i* circular. – 2 *t* hacer circular.

circulation [sɜːkjʊ'leɪʃən] *n* circulación. 2 *(newspaper)* tirada.

circumcise ['sɜːkəmsaɪz] *t* circuncidar.

circumcision [sɜːkəm'sɪʒən] *n* circuncisión.

circumference [sə'kʌmfərəns] *n* circunferencia.

circumflex ['sɜːkəmfleks] *adj* circunflejo,-a.

circumlocution [sɜːkəmlə'kjuːʃən] *n* circunloquio.

circumscribe ['sɜːkəmskraɪb] *t* circunscribir.

circumspect ['sɜːkəmspekt] *adj* circunspecto,-a, prudente.

circumstance ['sɜːkəmstəns] *n* circunstancia. ●*in/under no circumstances*, en ningún caso, bajo ningún concepto.

circumstantial [sɜːkəm'stænʃəl] *adj* circunstancial.

circumvent [sɜːkəm'vent] *t* burlar, evitar.

circus ['sɜːkəs] *n* circo. 2 GB *(junction)* plaza redonda.

cirrhosis [sɪ'rəʊsɪs] *n* cirrosis *f inv*.

cistern ['sɪstən] *n* cisterna.

citadel ['sɪtədəl] *n* ciudadela.

cite [saɪt] *t* citar.

citizen ['sɪtɪzən] *n* ciudadano,-a.

citizenship ['sɪtɪzənʃɪp] n ciudadanía.
citric ['sɪtrɪk] adj cítrico,-a.
citrus fruits ['sɪtrəsfru:ts] npl agrios mpl.
city ['sɪtɪ] n ciudad. ■ **the City,** el centro financiero de Londres.
civic ['sɪvɪk] adj cívico,-a.
civics ['sɪvɪks] n educación cívica.
civil ['sɪvəl] adj civil. 2 (polite) cortés. ■ ~.
law, derecho civil; ~ *rights,* derechos mpl civiles; ~ *servant,* funcionario,-a; ~ *service,* administración pública; ~ *war,* guerra civil.
civilian [sɪ'vɪljən] adj-n civil (mf).
civility [sɪ'vɪlɪtɪ] n cortesía.
civilization [sɪvɪlaɪ'zeɪʃən] n civilización.
civilize ['sɪvɪlaɪz] t civilizar.
clad [klæd] pt & pp → **clothe.** – 2 adj vestido,-a.
claim [kleɪm] n (assertion) afirmación. 2 (demand) reclamación. 3 (right) derecho. – 4 t (assert) afirmar, sostener. 5 (property, right, etc.) reclamar. ●*to lay* ~ *to,* reclamar el derecho a.
claimant ['kleɪmənt] n reclamante mf. 2 JUR demandante mf.
clairvoyance [kleə'vɔɪəns] n clarividencia.
clairvoyant [kleə'vɔɪənt] adj-n clarividente (mf).
clam [klæm] n almeja. ●*to* ~ *up* i fam callarse.
clamber ['klæmbər] i trepar.
clammy ['klæmɪ] adj (weather) bochornoso,-a. 2 (hand) pegajoso,-a.
clamour ['klæmər] n clamor m, griterío. – 2 i clamar: *to* ~ *for sth.,* pedir algo a gritos.
clamp [klæmp] n abrazadera. – 2 t sujetar. ●*to* ~ *down on* t dirigir una campaña contra. ■ *wheel* ~, cepo.
clampdown ['klæmpdaʊn] n campaña en contra.
clan [klæn] n clan m.
clandestine [klæn'destɪn] adj clandestino,-a.
clang [klæŋ] n sonido metálico fuerte. – 2 i sonar. – 3 t hacer sonar.
clanger ['klæŋər] n fam metedura f de pata, plancha. ●*to drop a* ~, meter la pata, hacer una plancha.
clank [klæŋk] n sonido metálico seco. – 2 i sonar. – 3 t hacer sonar.
clap [klæp] n (noise) ruido seco: *a* ~ *of thunder,* un trueno. 2 (applause) aplauso. 3 (tap) palmada. – 4 i (applaud) aplaudir. ●*to* ~ *eyes on,* ver; *to* ~ *one's hands,* dar una palmada; *to* ~ *sb. on the*

back, dar una palmada en la espalda a algn.
clapper ['klæpər] n badajo.
clapping ['klæpɪŋ] n aplausos mpl.
claptrap ['klæptræp] n fam disparates mpl.
clarification [klærɪfɪ'keɪʃən] n aclaración, clarificación.
clarify ['klærɪfaɪ] t-i aclarar(se), clarificar(se).
clarinet [klærɪ'net] n clarinete m.
clarity ['klærɪtɪ] n claridad.
clash [klæʃ] n (fight) choque m. 2 (conflict) conflicto. 3 (noise) estruendo. – 4 i (opposing forces) chocar. 5 (dates) coincidir. 6 (colours) desentonar. 7 (cymbals) sonar.
clasp [klɑ:sp] n (on jewellery) broche m (de cierre). 2 (on belt) hebilla. 3 (grasp) apretón m. – 4 t asir, agarrar.
class [klɑ:s] n gen clase f. – 2 t clasificar.
classic ['klæsɪk] adj-n clásico,-a (m).
classical ['klæsɪkəl] adj clásico,-a.
classification [klæsɪfɪ'keɪʃən] n clasificación.
classified ['klæsɪfaɪd] adj clasificado,-a. 2 (secret) secreto,-a. ■ ~ *advertisements,* anuncios mpl por palabras.
classify ['klæsɪfaɪ] t clasificar.
classmate ['klɑ:smeɪt] n compañero,-a de clase.
classroom ['klɑ:srʊm] n aula, clase f.
classy ['klɑ:sɪ] adj sl con clase.
clatter ['klætər] n ruido, estrépito. – 2 i hacer ruido.
clause [klɔ:z] n cláusula. 2 GRAM frase f.
claustrophobia [klɔ:strə'fəʊbɪə] n claustrofobia.
claustrophobic [klɔ:strə'fəʊbɪk] adj (person) que padece claustrofobia. 2 (place) claustrofóbico,-a, que produce claustrofobia.
clavicle ['klævɪkəl] n clavícula.
claw [klɔ:] n (of bird, large animal) garra. 2 (of cat) uña. 3 (of crab) pinza. – 4 t arañar.
clay [kleɪ] n arcilla.
clean [kli:n] adj limpio,-a. – 2 t limpiar. ●*to* ~ *out* t limpiar a fondo. 2 fam dejar sin blanca a. ●*to* ~ *up* t limpiar.
clean-cut [kli:n'kʌt] adj definido,-a, nítido,-a.
cleaner ['kli:nər] n (person) encargado,-a de la limpieza. 2 (product) limpiador m.
cleaner's ['kli:nəz] n tintorería. ●*to take sb. to the* ~, dejar a algn sin blanca.
cleanliness ['klenlɪnəs] n limpieza, aseo.

cleanly ['klenlɪ] *adj* limpio,-a, aseado,-a. − 2 *adv* limpiamente. ▲ *En* 2 ['kli:nlɪ].

cleanse [klenz] *t* limpiar.

clear [klɪəʳ] *adj (glass etc.)* transparente. 2 *(sky, road, view, etc.)* despejado,-a. 3 *(writing, voice)* claro,-a. 4 *(television picture)* nítido,-a. 5 *(thinking, mind)* lúcido,-a. 6 *(obvious)* claro,-a, patente. − 7 *t-i (room, desk, etc.)* despejar(se), vaciar(se). 8 *(pipe)* desatascar(se). − 9 *t (table after a meal)* levantar. 10 *(accused person)* absolver. 11 *(plans etc.)* aprobar. 12 *(debt)* liquidar. 13 *(obstacle)* salvar. − 14 *i (fog, clouds, smoke)* despejarse. 15 *clearly adv* claramente, con claridad. 16 *(obviously)* evidentemente, obviamente. ◆*to ~ away t* quitar. ◆*to ~ off i fam* largarse. ◆*to ~ out i* largarse. − 2 *t (room etc.)* vaciar. 3 *(old things)* tirar. ◆*to ~ up t (solve)* aclarar. 2 *(tidy)* ordenar. − 3 *i (weather)* mejorar. ●*to be ~ about sth.,* tener algo claro; *to ~ one's throat,* aclararse la garganta; *to have a ~ conscience,* tener la conciencia limpia; *to make o.s. ~,* explicarse (con claridad); *fam in the ~, (danger)* fuera de peligro; *(suspicion)* fuera de toda sospecha.

clearance ['klɪərəns] *n (of area)* despejo *m.* 2 *(space)* espacio libre. 3 *(permission)* permiso, autorización. ■ COM ~ *sale,* liquidación.

clear-cut [klɪə'kʌt] *adj* bien definido,-a.

clear-headed ['klɪə'hedɪd] *adj* lúcido,-a.

clearing ['klɪərɪŋ] *n (in wood)* claro.

clearness ['klɪənəs] *n* claridad.

clear-sighted [klɪə'saɪtɪd] *adj* clarividente, perspicaz.

cleavage ['kli:vɪdʒ] *n fam (in dress)* escote *m.*

cleave [kli:v] *t* hender, partir. ▲ *pt* **cleft** *o* **cleaved** *o* **clove;** *pp* **cleft** *o* **cleaved** *o* **cloven.**

clef [klef] *n* MUS clave *f.*

cleft [kleft] *pt & pp →* **cleave.** − 2 *adj* hendido,-a. − 3 *n* hendidura.

clemency ['klemənsɪ] *n* clemencia.

clement ['klemənt] *adj (weather)* suave.

clench [klentʃ] *t* agarrar. 2 *(teeth, fist)* apretar.

clergy ['klɜ:dʒɪ] *n* clero.

clergyman ['klɜ:dʒɪmən] *n* clérigo, eclesiástico.

clerical ['klerɪkəl] *adj* REL eclesiástico,-a. 2 *(to do with clerks)* de oficinista.

clerk [klɑ:k, US klɜ:rk] *n* oficinista *mf.* 2 US *(in shop)* dependiente *mf.* ■ ~ *of the court,* secretario,-a de juez; *town ~,* secretario,-a del ayuntamiento.

clever ['klevəʳ] *adj (person)* listo,-a, espabilado,-a. 2 *(idea)* ingenioso,-a. ■ ~ *Dick,* sabelotodo *mf.*

cleverness ['klevənəs] *n* inteligencia. 2 *(skill)* destreza, habilidad.

cliché ['kli:ʃeɪ] *n* cliché *m.*

click [klɪk] *n* clic *m.* 2 *(with tongue)* chasquido. − 3 *t (tongue)* chasquear. − 4 *i (make noise)* hacer clic. 5 *(realize)* caer en la cuenta. 6 *(be successful)* tener éxito.

client ['klaɪənt] *n* cliente *mf,* clienta.

cliff [klɪf] *n* acantilado.

cliffhanger ['klɪfhæŋəʳ] *n* película/historia etc. de suspense.

climactic [klaɪ'mæktɪk] *adj* culminante.

climate ['klaɪmət] *n* clima *m.*

climatic [klaɪ'mætɪk] *adj* climático,-a.

climax ['klaɪmæks] *n* clímax *m,* punto culminante. 2 *(orgasm)* orgasmo. − 3 *i* culminar.

climb [klaɪm] *n* subida, ascenso. − 2 *t* subir. 3 *(tree)* trepar a. 4 SP escalar. − 5 *i* subirse. 6 *(plant)* trepar. ◆*to ~ down i* bajarse. 2 *fig* volverse atrás.

climber ['klaɪməʳ] *n* SP alpinista *mf,* escalador,-ra. ■ *social ~,* arribista *mf.*

clinch [klɪntʃ] *fam n* abrazo. − 2 *t (deal)* cerrar.

cling [klɪŋ] *i* asirse *(to,* a), aferrarse *(to,* a). ▲ *pt & pp* **clung.**

clinic ['klɪnɪk] *n* clínica. 2 *(part of hospital)* ambulatorio.

clinical ['klɪnɪkəl] *adj* clínico,-a.

clink [klɪŋk] *n (noise)* tintineo. 2 *sl (prison)* chirona. − 3 *i-t (hacer)* tintinear.

clip [klɪp] *n* clip *m.* 2 *(for hair)* pasador *m.* 3 *(of film)* clip. 4 *fam (blow)* cachete *m.* − 5 *t (cut)* cortar. 6 *(sheep)* esquilar. 7 *fam (hit)* dar un cachete a.

clipper ['klɪpəʳ] *n* clíper *m.*

clippers ['klɪpəz] *npl (for nails)* cortauñas *m inv.*

clipping ['klɪpɪŋ] *n* recorte *m* de periódico.

clique [kli:k] *n* camarilla, pandilla.

clitoris ['klɪtərɪs] *n* clítoris *m inv.*

cloak [kləʊk] *n* capa. − 2 *t* encubrir.

cloakroom ['kləʊkrʊm] *n* guardarropa. 2 GB *(toilet)* servicios *mpl.*

clock [klɒk] *n* reloj *m* (de pared). 2 AUTO *fam* cuentakilómetros *m inv.* ◆*to ~ on i* fichar (a la entrada). ◆*to ~ off i* fichar (a la salida). ◆*to ~ up t (miles)* hacer. ●*against the ~,* contra reloj; *round the ~,* día y noche; *to put the ~ back/forward,* atrasar/adelantar el reloj.

clockwise ['klɒkwaɪz] *adj-adv* en el sentido de las agujas del reloj.

clockwork ['klɒkwɜːk] *n* mecanismo de relojería. ●*like* ~, como una seda.

clod [klɒd] *n* terrón *m*.

clog [klɒg] *n* zueco. – 2 *t-i* obstruir(se).

cloister ['klɔɪstəʳ] *n* claustro.

close [kləʊz] *n* (*end*) fin *m*, conclusión. – 2 *t-i* cerrar(se). – 3 *adj* (*near*) cercano,-a. 4 (*stuffy*) cargado,-a. 5 (*weather*) bochornoso,-a. 6 (*friend*) íntimo,-a. 7 (*relative*) cercano,-a. 8 (*detailed*) detallado,-a. 9 (*secretive*) reservado,-a. – 10 *adv* cerca. – 11 *closely adv* estrechamente. 12 (*attentively*) de cerca: *to follow sth. closely*, seguir algo de cerca. ◆*to* ~ *down t-i* cerrar(se) definitivamente. ◆*to* ~ *in i* (*days*) acortarse. 2 (*night*) caer. ●*to bring to a* ~, concluir; *to* ~ *ranks*, cerrar filas; *to draw to a* ~, tocar a su fin; *to keep a* ~ *watch on*, vigilar estrechamente. ■ ~ *season*, época de veda.

closed [kləʊzd] *adj* cerrado,-a. ■ ~ *circuit television*, circuito cerrado de televisión.

close-fitting [kləʊs'fɪtɪŋ] *adj* ceñido,-a.

close-knit [kləʊs'nɪt] *adj* unido,-a.

closeness ['kləʊsnəs] *n* (*nearness*) proximidad.

closet ['klɒzɪt] *n* US armario.

close-up ['kləʊsʌp] *n* primer plano.

closing ['kləʊzɪŋ] *n* cierre *m*. ■ ~ *ceremony*, acto de clausura; ~ *time*, hora de cerrar.

closure ['kləʊʒəʳ] *n* cierre *m*.

clot [klɒt] *n* (*of blood*) coágulo. 2 GB *fam* tonto,-a. – 3 *t-i* coagular(se).

cloth [klɒθ] *n* (*fabric*) tela. 2 (*rag*) trapo.

clothe [kləʊð] *t* vestir. ▲ *pt & pp clothed* o *clad*.

clothes [kləʊðz] *npl* ropa *f sing*. ●*in plain* ~, de paisano,-a. ■ ~ *hanger*, percha; ~ *line*, tendedero; ~ *peg*, pinza.

clothing ['kləʊðɪŋ] *n* ropa.

cloud [klaʊd] *n* nube *f*. ◆*to* ~ *over i* nublarse. ●*every* ~ *has a silver lining*, no hay mal que por bien no venga; *under a* ~, bajo sospecha.

cloudburst ['klaʊdbɜːst] *n* aguacero.

cloudy ['klaʊdɪ] *adj* (*sky*) nublado,-a. 2 (*liquid*) turbio,-a.

clout [klaʊt] *fam n* tortazo. 2 (*influence*) influencia. – 3 *t* dar un tortazo a.

clove [kləʊv] *pt* → **cleave**. – 2 *n* (*spice*) clavo. 3 (*of garlic*) diente *m*.

cloven ['kləʊvən] *pp* → **cleave**. – 2 *adj* hendido,-a.

clover ['kləʊvəʳ] *n* trébol *m*.

clown [klaʊn] *n* payaso. ◆*to* ~ *about/ around t* hacer el payaso.

club [klʌb] *n* club *m*, sociedad. 2 (*stick*) porra, garrote *m*. 3 (*in golf*) palo. 4 (*cards*) trébol *m*. – 5 *t* aporrear. ◆*to* ~ *together i* pagar a escote.

cluck [klʌk] *n* cloqueo. – 2 *i* cloquear.

clue [kluː] *n* pista, indicio; *he hasn't got a* ~, no tiene (ni) idea.

clump [klʌmp] *n* (*of trees*) grupo. 2 (*of plants*) mata. 3 (*of earth*) terrón *m*. – 4 *i* andar pesada y ruidosamente.

clumsiness ['klʌmzɪnəs] *n* torpeza.

clumsy ['klʌmzɪ] *adj* torpe.

clung [klʌŋ] *pt & pp* → **cling**.

cluster ['klʌstəʳ] *n* grupo. – 2 *i* agruparse, apiñarse.

clutch [klʌtʃ] *n* TECH embrague *m*. – 2 *t* estrechar. ◆*to* ~ *at t* intentar agarrar. ●*in sb.'s clutches*, en las garras de algn.

clutter ['klʌtəʳ] *n* trastos *mpl*. – 2 *t* llenar, atestar: *cluttered (up) with toys*, atestado,-a de juguetes.

coach [kəʊtʃ] *n* AUTO autocar *m*. 2 (*carriage*) carruaje *m*. 3 (*on train*) coche *m*. 4 (*tutor*) profesor,-ra particular. 5 (*trainer*) entrenador,-ra. – 6 *t* preparar. ■ ~ *station*, terminal *f* de autobuses.

coachman ['kəʊtʃmən] *n* cochero.

coachwork ['kəʊtʃwɜːk] *n* carrocería.

coagulate [kəʊ'ægjʊleɪt] *t-i* coagular(se).

coal [kəʊl] *n* carbón *m*, hulla. ●*to haul sb. over the coals*, echar un rapapolvo a algn. ■ ~ *mine*, mina de carbón; ~ *mining*, minería del carbón.

coalesce [kəʊə'les] *i* unirse, fundirse.

coalition [kəʊə'lɪʃən] *n* coalición.

coarse [kɔːs] *adj* (*material*) basto,-a. 2 (*person*) grosero,-a, vulgar.

coast [kəʊst] *n* costa, litoral *m*. – 2 *i* (*in car*) ir en punto muerto. 3 (*on bicycle*) ir sin pedalear. ●*fam the* ~ *is clear*, no hay moros en la costa.

coastal ['kəʊstəl] *adj* costero,-a.

coastguard ['kəʊstgɑːd] *n* guardacostas *m inv*.

coastline ['kəʊstlaɪn] *n* costa, litoral *m*.

coat [kəʊt] *n* (*garment*) abrigo. 2 (*of paint*) capa, mano *f*. 3 (*of animal*) pelaje *m*. – 4 *t* cubrir (*with*, de). ■ ~ *of arms*, escudo de armas.

coating ['kəʊtɪŋ] *n* capa, baño.

coax [kəʊks] *t* (*person*) engatusar. ●*to* ~ *sth. out of sb.*, sonsacar algo a algn.

cob [kɒb] *n* mazorca.

cobalt ['kəʊbɔːlt] *n* cobalto.

cobble ['kɒbəl] *n* adoquín *m*. ◆*to ~ together t* amañar, apañar.

cobbled ['kɒbəld] *t* adoquinado,-a.

cobbler ['kɒblə'] *n* zapatero (remendón). **2*** *pl* huevos* *mpl*. **3*** *pl (nonsense)* chorradas *fpl*.

cobra ['kəʊbrə] n cobra.

cobweb ['kɒbweb] *n* telaraña.

cocaine [kə'keɪn] *n* cocaína.

cock [kɒk] *n (male hen)* gallo. **2** *(any male bird)* macho. **3*** polla*. − **4** *t* alzar, levantar. ◆*to ~ up t* GB *sl* chapucear.

cockatoo [kɒkə'tu:] *n* cacatúa.

cockerel ['kɒkərəl] *n* gallito.

cockle ['kɒkəl] *n* berberecho.

cockney ['kɒknɪ] *adj-n* londinense *(mf)* del East End.

cockpit ['kɒkpɪt] *n (in plane)* cabina del piloto. **2** *(in car)* puesto de pilotaje.

cockroach ['kɒkrəʊtʃ] *n* cucaracha.

cocktail ['kɒkteɪl] *n* cóctel *m*.

cockup ['kɒkʌp] *n* GB *sl* chapuza.

cocky ['kɒkɪ] *adj fam* creído,-a.

cocoa ['kəʊkəʊ] *n* cacao.

coconut ['kəʊkənʌt] *n* coco.

cocoon [kə'ku:n] *n* capullo.

cod [kɒd] *n* bacalao.

code [kəʊd] *n* código. **2** *(secret)* clave *f*. − **3** *t* poner en clave, codificar.

codify ['kəʊdɪfaɪ] *t* codificar.

codswallop ['kɒdzwɒləp] *n sl* chorradas *fpl*.

coeducation [kəʊedjʊ'keɪʃən] *n* enseñanza mixta.

coefficient [kəʊɪ'fɪʃənt] *n* coeficiente *m*.

coerce [kəʊ'ɜːs] *t* coaccionar.

coercion [kəʊ'ɜːʃən] *n* coacción.

coexist [kəʊɪg'zɪst] *i* coexistir.

coexistence [kəʊɪg'zɪstəns] *n* coexistencia.

coffee ['kɒfɪ] *n* café *m*. ■ ~ *cup*, taza para café; ~ *grinder*, molinillo de café; ~ *shop*, cafetería; ~ *table*, mesita de café; *black* ~, café solo; *white* ~, café con leche.

coffeepot ['kɒfɪpɒt] *n* cafetera.

coffer ['kɒfə'] *n* arca.

coffin ['kɒfɪn] *n* ataúd *m*, féretro.

cog [kɒg] *n* diente *m* (de engranaje). **2** *fig* pieza.

cogent ['kəʊdʒənt] *adj* convincente.

cognac ['kɒnjæk] *n* coñac *m*.

cognate ['kɒgneɪt] *adj* afín. − **2** *n* palabra afín.

cogwheel ['kɒgwi:l] *n* rueda dentada.

cohabit [kəʊ'hæbɪt] *i* cohabitar.

coherence [kəʊ'hɪərəns] *n* coherencia.

coherent [kəʊ'hɪərənt] *adj* coherente.

cohesion [kəʊ'hi:ʒən] *n* cohesión.

cohesive [kəʊ'hi:sɪv] *adj* cohesivo,-a.

coil [kɔɪl] *n (of rope)* rollo. **2** *(of hair)* rizo. **3** TECH bobina. **4** MED *(IUD)* espiral *f*, DIU *m*. − **5** *t* enrollar. − **6** *i* enroscarse.

coin [kɔɪn] *n* moneda. − **2** *t* acuñar. **3** *fig* inventar.

coincide [kəʊɪn'saɪd] *i* coincidir.

coincidence [kəʊ'ɪnsɪdəns] *n* coincidencia.

coitus ['kəʊɪtəs] *n* coito.

coke [kəʊk] *n* coque *m*. **2** *sl (drug)* coca.

colander ['kʌləndə'] *n* colador *m*.

cold [kəʊld] *adj* frío,-a. − **2** *n* frío. **3** MED resfriado, catarro. ◆*to be ~*, *(person)* tener frío; *(thing)* estar frío,-a; *(weather)* hacer frío; *to catch ~*, resfriarse; *to feel the ~*, ser friolero,-a; *to give sb. the ~ shoulder*, tratar a algn. con frialdad; *to have a ~*, estar resfriado,-a; *to knock sb. out ~*, dejar a algn. inconsciente. ■ ~ *war*, guerra fría; ~ *sore*, herpe(s) *m*.

cold-blooded [kəʊld'blʌdɪd] *adj* ZOOL de sangre fría. **2** *fig* cruel.

cold-hearted [kəʊld'hɑːtɪd] *adj* insensible.

coldness ['kəʊldnəs] *n* frialdad.

coleslaw ['kəʊlslɔː] *n* ensalada de col.

collaborate [kə'læbəreɪt] *i* colaborar.

collaboration [kəlæbə'reɪʃən] *n* colaboración.

collaborator [kə'læbəreɪtə'] *n* colaborador,-a. **2** POL colaboracionista *mf*.

collapse [kə'læps] *n (falling down)* derrumbamiento. **2** *(falling in)* hundimiento. **3** MED colapso. − **4** *i (fall down)* derrumbarse. **5** *(fall in)* hundirse. **6** *(person)* desplomarse.

collapsible [kə'læpsɪbəl] *adj* plegable.

collar ['kɒlə'] *n (of shirt etc.)* cuello. **2** *(for dog)* collar *m*. − **3** *t fam* pillar, pescar.

collarbone ['kɒləbəʊn] *n* clavícula.

collateral [kɒ'lætərəl] *n* FIN garantía subsidiaria. − **2** *adj* colateral.

colleague ['kɒli:g] *n* colega *mf*.

collect [kə'lekt] *t (gather)* recoger, juntar. **2** *(stamps etc.)* coleccionar. **3** *(taxes)* recaudar. **4** *(for charity)* hacer una colecta. **5** *(pick up, meet)* ir a buscar, recoger. − **6** *i (things)* acumularse. **7** *(people)* congregarse. ◆US *to call ~*, llamar a cobro revertido; *to ~ o.s.*, serenarse.

collected [kə'lektɪd] *adj* dueño,-a de sí mismo,-a.

collection [kə'lekʃən] *n (of stamps etc.)* colección. **2** *(for charity)* colecta. **3** *(of mail)* recogida. **4** *(of taxes)* recaudación.

collective [kə'lektɪv] *adj* colectivo,-a. — **2** *n* cooperativa.

collector [kə'lektəʳ] *n (of stamps etc.)* coleccionista *mf*.

college [ˈkɒlɪdʒ] *n* colegio. **2** *(of university)* colegio mayor.

collide [kə'laɪd] *i* colisionar, chocar.

collier [ˈkɒlɪəʳ] *n* minero (de carbón).

colliery [ˈkɒljərɪ] *n* mina de carbón.

collision [kə'lɪʒən] *n* colisión, choque *m*.

colloquial [kə'ləʊkwɪəl] *adj* familiar, coloquial.

colloquialism [kə'ləʊkwɪəlɪzəm] *n* expresión coloquial.

collusion [kə'luːʒən] *n* confabulación; JUR colusión.

cologne [kə'ləʊn] *n* (agua de) colonia.

colonel [ˈkɜːnəl] *n* coronel *m*.

colonial [kə'ləʊnɪəl] *adj* colonial.

colonialism [kə'ləʊnɪəlɪzəm] *n* colonialismo.

colonist [ˈkɒlənɪst] *n (inhabitant)* colono. **2** *(colonizer)* colonizador,-ra.

colonize [ˈkɒlənaɪz] *t* colonizar.

colony [ˈkɒlənɪ] *n* colonia.

colossal [kə'lɒsəl] *adj* colosal.

colour [ˈkʌləʳ] *n* color *m*. **2** *pl* bandera *f sing*, enseña *f sing*. — **3** *t* colorear. **4** *fig* influenciar. — **5** *i* enrojecerse, ruborizarse. ●*in full ~*, a todo color; *to be off ~*, no encontrarse bien; *to lose ~*, palidecer. ■ *~ bar*, discriminación racial; *~ blindness*, daltonismo; *~ film*, película en color; *~ television*, televisión en color.

colour-blind [ˈkʌləblaɪnd] *adj* daltónico,-a.

coloured [ˈkʌləd] *adj (drawing etc.)* en color. **2** *euph (person)* de color. — **3** *n euph* persona de color.

colourful [ˈkʌləfʊl] *adj (with colour)* lleno,-a de color. **2** *fig* vivo,-a, lleno,-a de colorido. **3** *(person)* pintoresco,-a.

colouring [ˈkʌlərɪŋ] *n (substance)* colorante *m*. **2** *(colour)* colorido.

colourless [ˈkʌlələs] *adj* incoloro,-a. **2** *fig* soso,-a.

colt [kəʊlt] *n* potro.

column [ˈkɒləm] *n* columna.

columnist [ˈkɒləmnɪst] *n* columnista *mf*.

coma [ˈkəʊmə] *n* MED coma *m*.

comatose [ˈkəʊmətəʊs] *adj* MED en estado comatoso.

comb [kəʊm] *n* peine *m*. **2** *(of bird)* cresta. — **3** *t* peinar. **4** *(search)* rastrear, peinar.

combat [ˈkɒmbət] *n* combate *m*. — **2** *t-i* combatir.

combatant [ˈkɒmbətənt] *n* combatiente *mf*.

combination [kɒmbɪ'neɪʃən] *n* combinación.

combine [ˈkɒmbaɪn] *n* grupo de compañías. — **2** *t-i* combinar(se). **3** *(unite)* unir(se), fusionar(se). ▲ *En 2 y 3 (verbo)* [kəm'baɪn].

combustible [kəm'bʌstɪbəl] *adj* combustible.

combustion [kəm'bʌstʃən] *n* combustión. ■ *~ engine,* motor *m* de combustión.

come [kʌm] *i* venir: *can I ~ with you?,* ¿puedo ir contigo?; *coming!,* ¡ya voy! **2** *(arrive)* llegar. **3** *sl* correrse. ◆*to ~ about i* ocurrir, suceder. ◆*to ~ across t* encontrar por casualidad. — **2** *i to ~ across well/badly,* causar buena/mala impresión. ◆*to ~ along i* progresar, avanzar. **2** *(arrive)* presentarse. ◆*to ~ apart i* romperse, partirse. ◆*to ~ at t* atacar. ◆*to ~ back i* volver, regresar. ◆*to ~ before t* preceder. **2** *fig* ser más importante que. ◆*to ~ by t* adquirir, obtener. ◆*to ~ down i* caer. **2** *(prices)* bajar. ◆*to ~ down with t fam (illness)* coger. ◆*to ~ forward i* avanzar. **2** *(volunteer)* ofrecerse. ◆*to ~ from t* ser de. ◆*to ~ in i* entrar. **2** *(train)* llegar. ◆*to ~ in for t* ser objeto de. ◆*to ~ into t (inherit)* heredar. ◆*to ~ off i (happen)* tener lugar. **2** *(be successful)* tener éxito. **3** *(break off)* desprenderse. ◆*to ~ on i* progresar, avanzar. **2** *fam (start)* empezar. ◆*to ~ out i* salir: *when the sun comes out,* cuando salga el sol. **2** *(stain)* quitarse. **3** GB *(on strike)* declararse en huelga. **4** *(in society)* ponerse de largo. ◆*to ~ out with t* soltar. ◆*to ~ round i (regain consciousness)* volver en sí. **2** *(be persuaded)* dejarse convencer, ceder. **3** *(visit)* visitar. ◆*to ~ through i (arrive)* llegar. — **2** *t (survive)* sobrevivir. ◆*to ~ to i (regain consciousness)* volver en sí. — **2** *t (total)* subir a, ascender a. ◆*to ~ up i (arise)* surgir. **2** *(approach)* acercarse. **3** *(sun)* salir. *to ~ up against* t topar con. ◆*to ~ up to t* llegar a. ◆*to ~ up with t (idea)* tener; *(solution)* encontrar. ◆*to ~ upon t* encontrar. ●*~ what may,* pase lo que pase; *to ~ down in the world,* venir a menos; *to ~ in handy,* ser útil; *to ~ into fashion,* ponerse de moda; *to ~ into force,* entrar en vigor; *to ~ of age,* llegar a la mayoría de edad; *to ~ out in favour of/against*, declararse a favor de/en contra de; *to ~ to an end*, acabar, terminar; *to ~ together*, juntarse; *to ~ to one's senses*, volver en sí; *fig* recobrar la razón; *to ~ to pass*, acaecer; *to ~ true*, convertirse en realidad; *to ~ under attack*, ser atacado,-a; *fam ~ again?*, ¿cómo?; *fam to ~ out in spots*, salirle un sarpullido a uno. ▲ *pt came; pp come*.

comeback [ˈkʌmbæk] *n fam (of person)* reaparición. 2 *(reply)* réplica.

comedian [kəˈmiːdjən] *n* cómico.

comedienne [kəmiːˈdiˈen] *n* cómica.

comedy [ˈkɒmɪdɪ] *n* comedia.

comet [ˈkɒmɪt] *n* cometa *m*.

comfort [ˈkʌmfət] *n (well-being)* comodidad. 2 *(consolation)* consuelo. – 3 *t* consolar.

comfortable [ˈkʌmfətəbəl] *adj (chair etc.)* cómodo,-a. 2 *(patient)* tranquilo,-a. ●*to make o.s. ~*, ponerse cómodo,-a.

comforter [ˈkʌmfətəʳ] *n* consolador,-ra. 2 *(scarf)* bufanda. 3 *(dummy)* chupete *m*.

comforting [ˈkʌmfətɪŋ] *adj* reconfortante.

comfy [ˈkʌmfɪ] *adj fam* cómodo,-a.

comic [ˈkɒmɪk] *adj-n* cómico,-a. – 2 *n (magazine)* tebeo.

comical [ˈkɒmɪkəl] *adj* cómico,-a.

coming [ˈkʌmɪŋ] *adj* próximo,-a. 2 *(generation)* venidero,-a. – 3 *n* venida.

comma [ˈkɒmə] *n* coma. ■ *inverted ~*, comilla.

command [kəˈmɑːnd] *n (order)* orden *f*. 2 *(control)* mando: *under the ~ of the king*, bajo el mando del rey. 3 *(knowledge)* dominio: *he has a good ~ of Greek*, domina el griego. – 4 *t-i (order)* mandar, ordenar. 5 *MIL* mandar. – 6 *t (respect)* infundir.

commandant [ˈkɒməndænt] *n* comandante *m*.

commandeer [kɒmənˈdɪəʳ] *t* requisar.

commander [kəˈmɑːndəʳ] *n* comandante *m*.

commandment [kəˈmɑːndmənt] *n* mandamiento.

commando [kəˈmɑːndəʊ] *n* comando.

commemorate [kəˈmeməreɪt] *t* conmemorar.

commemoration [kəmeməˈreɪʃən] *n* conmemoración.

commemorative [kəˈmemərətɪv] *adj* conmemorativo,-a.

commence [kəˈmens] *t-i fml* comenzar, empezar.

commencement [kəˈmensmənt] *n fml* comienzo.

commend [kəˈmend] *t (praise)* elogiar. 2 *(entrust)* encomendar.

commendable [kəˈmendəbəl] *adj* encomiable.

commensurate [kəˈmenʃərət] *adj* en consonancia (*with*, con).

comment [ˈkɒment] *n* comentario. – 2 *i* comentar.

commentary [ˈkɒməntərɪ] *n* comentario.

commentate [ˈkɒmənteɪt] *i* comentar.

commentator [ˈkɒmənteɪtəʳ] *n* comentarista *mf*.

commerce [ˈkɒmɜːs] *n* comercio.

commercial [kəˈmɜːʃəl] *adj* comercial. – 2 *n TV* anuncio. ■ *~ traveller*, viajante *mf*.

commercialize [kəˈmɜːʃəlaɪz] *t* comercializar.

commiserate [kəˈmɪzəreɪt] *i* compadecerse (*with*, de).

commiseration [kəmɪzəˈreɪʃən] *n* conmiseración.

commission [kəˈmɪʃən] *n* comisión. 2 *MIL* despacho (de oficial). – 3 *t MIL* nombrar. 4 *(order)* encargar, comisionar.

commissionaire [kəmɪʃəˈneəʳ] *n* portero, conserje *m*.

commissioner [kəˈmɪʃənəʳ] *n* comisario.

commit [kəˈmɪt] *t (crime)* cometer. ●*to ~ o.s. (to do sth.)*, comprometerse (a hacer algo); *to ~ suicide*, suicidarse; *to ~ to memory*, memorizar; *to ~ to prison*, encarcelar.

commitment [kəˈmɪtmənt] *n* compromiso.

committee [kəˈmɪtɪ] *n* comité *m*, comisión.

commodity [kəˈmɒdɪtɪ] *n* producto, artículo.

common [ˈkɒmən] *adj (not special)* corriente, usual, ordinario,-a. 2 *(shared)* común. 3 *(vulgar)* vulgar, bajo,-a, ordinario,-a. – 4 *n* terreno común. ●*in ~*, en común; *to be ~ knowledge*, ser de dominio público. ■ *~ cold*, resfriado común; *~ denominator*, denominador *m* común; *~ factor*, factor *m* común; *Common Market*, Mercado Común; *~ sense*, sentido común; *House of Commons*, Cámara de los Comunes.

commoner [ˈkɒmənəʳ] *n* plebeyo.

commonplace [ˈkɒmənpleɪs] *adj* corriente.

commotion [kə'məʊʃən] *n* alboroto, agitación.

communal ['kɒmjʊnəl] *adj* comunal, comunitario,-a.

commune ['kɒmju:n] *n* comuna, comunidad. − 2 *i* comulgar, estar en comunión (**with**, con). ▲ *En* 2 *(verbo)* [kə'mju:n].

communicate [kə'mju:nɪkeɪt] *t-i* comunicar(se).

communication [kəmju:nɪ'keɪʃən] *n* comunicación. 2 *(message)* comunicado.

communicative [kə'mju:nɪkətɪv] *adj* comunicativo,-a.

communion [kə'mju:njən] *n* comunión.

communiqué [kə'mju:nɪkeɪ] *n* comunicado.

communism ['kɒmjʊnɪzəm] *n* comunismo.

communist ['kɒmjʊnɪst] *adj-n* comunista *(mf)*.

community [kə'mju:nɪtɪ] *n* comunidad. ■ ~ *centre*, centro social; *local* ~, vecindario.

commute [kə'mju:t] *i* viajar diariamente de casa al lugar de trabajo. − 2 *t* conmutar.

commuter [kə'mju:tə^r] *n* persona que diariamente viaja hasta su lugar de trabajo.

compact [kəm'pækt] *adj* compacto,-a. − 2 *n* polvera de bolsillo. 3 *(pact)* pacto. ■ ~ *disc*, disco compacto. ▲ *En* 2 *y* 3 *(sustantivo)* ['kɒmpækt].

companion [kəm'pænjən] *n* compañero,-a. 2 *(nurse)* acompañante *mf*.

companionable [kəm'pænjənəbəl] *adj* sociable.

companionship [kəm'pænjənʃɪp] *n* compañía.

company ['kʌmpənɪ] *n* compañía. 2 *fam (visitors)* visita. ●*to keep sb.* ~, hacer compañía a algn; *to part* ~, separarse (*with*, de).

comparable ['kɒmpərəbəl] *adj* comparable.

comparative [kəm'pærətɪv] *adj* comparativo,-a. 2 *(relative)* relativo,-a. 3 *(subject)* comparado,-a. − 4 *n* comparativo. − 5 *comparatively adv* relativamente.

compare [kəm'peə^r] *t-i* comparar(se). ●*beyond* ~, sin comparación.

comparison [kəm'pærɪsən] *n* comparación. ●*there's no* ~, no hay punto de comparación.

compartment [kəm'pɑ:tmənt] *n* compartimiento.

compass ['kʌmpəs] *n (magnetic)* brújula. 2 *(for drawing)* compás *m*.

compassion [kəm'pæʃən] *n* compasión.

compassionate [kəm'pæʃənət] *adj* compasivo,-a.

compatibility [kəmpætə'bɪlɪtɪ] *n* compatibilidad.

compatible [kəm'pætɪbəl] *adj* compatible.

compatriot [kəm'pætrɪət] *n* compatriota *mf*.

compel [kəm'pel] *t* obligar, forzar, compeler.

compendium [kəm'pendɪəm] *n* compendio.

compensate ['kɒmpənseɪt] *t* compensar. 2 *(money)* indemnizar.

compensation [kɒmpən'seɪʃən] *n* compensación. 2 *(money)* indemnización.

compere ['kɒmpeə^r] GB *n* presentador,-ra. − 2 *t* presentar.

compete [kəm'pi:t] *i* competir.

competence ['kɒmpɪtəns] *n* competencia.

competent ['kɒmpɪtənt] *adj* competente.

competition [kɒmpɪ'tɪʃən] *n (contest)* concurso, competición. 2 *(rivalry)* competencia, rivalidad.

competitive [kəm'petɪtɪv] *adj (person)* de espíritu competitivo. 2 *(price etc.)* competitivo,-a.

competitor [kəm'petɪtə^r] *n (rival)* competidor,-ra. 2 *(in race etc.)* participante *mf*. 3 *(in quiz etc.)* concursante *mf*.

compilation [kɒmpɪ'leɪʃən] *n* compilación, recopilación.

compile [kəm'paɪl] *t* compilar, recopilar.

complacency [kəm'pleɪsənsɪ] *n* complacencia.

complacent [kəm'pleɪsənt] *adj* satisfecho,-a de sí mismo,-a.

complain [kəm'pleɪn] *t* quejarse.

complaint [kəm'pleɪnt] *n* queja. 2 COM reclamación. 3 MED enfermedad. ●*to make a* ~, presentar una reclamación.

complement ['kɒmplɪmənt] *n* complemento.

complementary [kɒmplɪ'mentərɪ] *adj* complementario,-a.

complete [kəm'pli:t] *adj* completo,-a. 2 *(finished)* acabado,-a, terminado,-a. 3 *(utter)* total. − 4 *t* completar. 5 *(finish)* acabar, terminar. − 6 *completely adv* por completo, completamente.

completion [kəm'pli:ʃən] *n* finalización, terminación.

complex ['kɒmpleks] *adj-n* complejo,-a *(m).*

complexion [kəm'plekʃən] *n* cutis *m*, tez *f*. **2** *fig* aspecto.

complexity [kəm'pleksɪtɪ] *n* complejidad.

compliance [kəm'plaɪəns] *n* conformidad. ●*in ~ with*, de acuerdo con.

compliant [kəm'plaɪənt] *adj* sumiso,-a.

complicate ['kɒmplɪkeɪt] *t* complicar.

complicated ['kɒmplɪkeɪtɪd] *adj* complicado,-a.

complication [kɒmplɪ'keɪʃən] *n* complicación.

complicity [kəm'plɪsɪtɪ] *n* complicidad.

compliment ['kɒmplɪmənt] *n* cumplido. **2** *pl* saludos *mpl*: *my compliments to the chef,* felicite al cocinero de mi parte. − **3** *t* felicitar *(on, por).* ●*with the compliments of...,* obsequio de .... ▲ *En 3 (verbo)* ['kɒmplɪment].

complimentary ['kɒmplɪ'mentərɪ] *adj* elogioso,-a, lisonjero,-a. **2** *(free)* gratuito,-a.

comply [kəm'plaɪ] *i* *(order)* obedecer *(with,* a): *it complies with European standards,* cumple con la normativa europea.

component [kəm'pəʊnənt] *adj-n* componente *(m).*

compose [kəm'pəʊz] *t* componer. ●*to be composed of,* componerse de; *to ~ o.s.,* calmarse, serenarse.

composed [kəm'pəʊzd] *adj* sereno,-a, sosegado,-a.

composer [kəm'pəʊzəʳ] *n* compositor,-ra.

composite ['kɒmpəzɪt] *adj* compuesto,-a.

composition [kɒmpə'zɪʃən] *n* composición. **2** *(essay)* redacción.

compost ['kɒmpɒst] *n* abono.

composure [kəm'pəʊʒəʳ] *n* calma, serenidad.

compound ['kɒmpaʊnd] *adj-n* compuesto,-a. − **2** *n* compuesto. **3** *(enclosure)* recinto. − **4** *t* componer. **5** *(worsen)* agravar. ▲ *En 4 y 5 (verbo)* [kəm'paʊnd].

comprehend [kɒmprɪ'hend] *t* comprender.

comprehensible [kɒmprɪ'hensəbəl] *adj* comprensible.

comprehension [kɒmprɪ'henʃən] *n* comprensión.

comprehensive [kɒmprɪ'hensɪv] *adj* *(thorough)* completo,-a. **2** *(broad)* amplio,-a, extenso,-a. ■ *~ insurance,* seguro a todo riesgo; GB *~ school,* instituto de segunda enseñanza.

compress ['kɒmpres] *n* compresa. − **2** *t* comprimir. **3** *fig* condensar. ▲ *En 2 y 3 (verbo)* [kəm'pres].

compression [kəm'preʃən] *n* compresión.

compressor [kəm'presəʳ] *n* compresor *m*.

comprise [kəm'praɪz] *t (consist of)* constar de. **2** *(include)* incluir.

compromise ['kɒmprəmaɪz] *n* pacto, acuerdo. − **2** *i* pactar. − **3** *t* comprometer.

compromising ['kɒmprəmaɪzɪŋ] *adj* comprometido,-a.

compulsion [kəm'pʌlʃən] *n* obligación, coacción. **2** *(urge)* necesidad creada.

compulsive [kəm'pʌlsɪv] *adj (book etc.)* fascinante. **2** *(person)* empedernido,-a.

compulsory [kəm'pʌlsərɪ] *adj* obligatorio,-a.

compunction [kəm'pʌŋkʃən] *n* remordimiento.

compute [kəm'pju:t] *t* computar, calcular.

computer [kəm'pju:təʳ] *n* ordenador *m*, computadora. ■ *~ programmer,* programador,-ra de ordenador; *~ science,* informática.

computerize [kəm'pju:təraɪz] *t* informatizar.

computing [kəm'pju:tɪŋ] *n* informática.

comrade ['kɒmreɪd] *n* compañero,-a; POL camarada *mf*.

comradeship ['kɒmreɪdʃɪp] *n* compañerismo, camaradería.

con [kɒn] *sl n* estafa, timo. − **2** *t* estafar, timar. ■ *~ man,* estafador *m*; *pros and cons,* pros y contras.

concave ['kɒnkeɪv] *adj* cóncavo,-a.

conceal [kən'si:l] *t* ocultar.

concede [kən'si:d] *t* conceder. − **2** *i* admitir la derrota.

conceit [kən'si:t] *n* vanidad, presunción.

conceited [kən'si:tɪd] *adj* engreído,-a, presuntuoso,-a.

conceivable [kən'si:vəbəl] *adj* concebible. − **2** *conceivably adv* posiblemente.

conceive [kən'si:v] *t-i* concebir.

concentrate ['kɒnsəntreɪt] *n* concentrado. − **2** *t-i* concentrar(se).

concentrated ['kɒnsəntreɪtɪd] *adj* concentrado,-a.

concentration [kɒnsən'treɪʃən] *n* concentración. ■ *~ camp,* campo de concentración.

concentric [kən'sentrɪk] *adj* concéntrico,-a.

concept ['kɒnsept] *n* concepto.

conception [kən'sepʃən] *n* MED concepción. 2 *(idea)* concepto, idea.

concern [kən'sɜːn] *n (matter)* asunto. 2 *(worry)* preocupación, inquietud. 3 COM negocio. – 4 *t (affect)* afectar, concernir, importar a. 5 *(worry)* preocupar. 6 *(have to do with)* tener que ver con. ●*as far as I'm concerned*, por lo que a mí se refiere; *it's no ~ of mine*, no es asunto mío; *there's no cause for ~*, no hay motivo de preocupación; *to whom it may ~*, a quien corresponda.

concerned [kən'sɜːnd] *adj (affected)* afectado,-a, involucrado,-a. 2 *(worried)* preocupado,-a.

concerning [kən'sɜːnɪŋ] *prep* referente a, en cuanto a.

concert ['kɒnsət] *n* concierto.

concerted [kən'sɜːtɪd] *adj* concertado,-a.

concerto [kən'tʃeətəʊ] *n* concierto.

concession [kən'seʃən] *n* concesión.

conciliate [kən'sɪlɪeɪt] *t* conciliar.

conciliation [kənsɪlɪ'eɪʃən] *n* conciliación.

conciliatory [kən'sɪlɪətərɪ] *adj* conciliatorio,-a.

concise [kən'saɪs] *adj* conciso,-a. – 2 *concisely adv* con concisión.

concision [kən'sɪʒən] *n* concisión.

conclude [kən'kluːd] *t-i* concluir.

conclusion [kən'kluːʒən] *n* conclusión. 2 *(end)* final *m*.

conclusive [kən'kluːsɪv] *adj* concluyente.

concoct [kən'kɒkt] *t* confeccionar. 2 *fig* inventar.

concoction [kən'kɒkʃən] *n* mezcla; *(drink)* brebaje *m*.

concord ['kɒŋkɔːd] *n* concordia.

concordance [kəŋ'kɔːdəns] *n* concordancia.

concourse ['kɒŋkɔːs] *n (hall)* vestíbulo. 2 *(people)* concurrencia.

concrete ['kɒŋkriːt] *adj* concreto,-a, específico,-a. – 2 *n* hormigón *m*. – 3 *t* revestir de hormigón.

concur [kən'kɜː'] *i* coincidir.

concurrent [kən'kʌrənt] *adj* simultáneo,-a, concurrente.

concussion [kən'kʌʃən] *n* conmoción cerebral.

condemn [kən'dem] *t* condenar. 2 *(building)* declarar inhabitable.

condemnation [kɒndem'neɪʃən] *n* condenación.

condensation [kɒnden'seɪʃən] *n* condensación. 2 *(on window)* vaho.

condense [kən'dens] *t-i* condensar(se). – 2 *t (shorten)* abreviar.

condescend [kɒndɪ'send] *i* dignarse.

condescending [kɒndɪ'sendɪŋ] *adj* condescendiente.

condescension [kɒndɪ'senʃən] *n* condescendencia.

condiment ['kɒndɪmənt] *n* condimento.

condition [kən'dɪʃən] *n* condición. – 2 *t* condicionar. 3 *(treat)* acondicionar. ●*in good/bad ~*, en buen/mal estado; *on ~ that*, a condición de que; *to be out of ~*, no estar en forma.

conditional [kən'dɪʃənəl] *adj-n* condicional *(m)*.

conditioner [kən'dɪʃənə'] *n* acondicionador *m*.

condolences [kən'dəʊlənsɪz] *npl* pésame *m sing*. ●*please accept my ~*, le acompaño en el sentimiento; *to send one's ~*, dar el pésame.

condom ['kɒndəm] *n* condón *m*, preservativo.

condone [kən'dəʊn] *t* consentir.

condor ['kɒndɔː'] *n* cóndor *m*.

conducive [kən'djuːsɪv] *adj* propicio,-a *(to,* para).

conduct ['kɒndʌkt] *n* conducta. – 2 *t* conducir. 3 *(heat etc.)* ser conductor,-ra de. – 4 *t-i* MUS dirigir. ▲ *En 2, 3 y 4 (verbo)* [kən'dʌkt].

conductor [kən'dʌktə'] *n (of heat etc.)* conductor *m*. 2 MUS director,-ra. 3 *(on bus)* cobrador *m*.

conductress [kən'dʌktrəs] *n (on bus)* cobradora.

cone [kəʊn] *n* cono. 2 *(ice cream)* cucurucho. 3 *(of pine etc.)* piña.

confectioner [kən'fekʃənə'] *n* confitero,-a.

confectionery [kən'fekʃənərɪ] *n* confitería.

confederacy [kən'fedərəsɪ] *n* confederación.

confederate [kən'fedərət] *adj* confederado,-a. – 2 *n* confederado,-a. 3 JUR cómplice *m*. – 4 *t-i* confederar(se). ▲ *En 4 (verbo)* [kən'fedəreɪt].

confederation [kənfedə'reɪʃən] *n* confederación.

confer [kən'fɜː'] *t (award)* conferir, conceder. – 2 *i (consult)* consultar *(with,* con).

conference ['kɒnfərəns] *n* congreso. 2 *(meeting)* reunión.

confess [kən'fes] *t-i* confesar(se).

confession [kən'feʃən] *n* confesión.

confessional [kən'feʃənəl] *n* confesionario.

confetti [kən'feti] *n* confeti *m*.

confidant ['kɒnfɪdænt] *n* confidente *m*.

confidante ['kɒnfɪdænt] *n* confidenta.

confide [kən'faɪd] *t-i* confiar.

confidence ['kɒnfɪdəns] *n* confianza, fe *f*. 2 *(secret)* confidencia.

confident ['kɒnfɪdənt] *adj* seguro,-a. – 2 *confidently adv* con seguridad.

confidential [kɒnfɪ'denʃəl] *adj* confidencial.

confine [kən'faɪn] *t* encerrar. 2 *fig* limitar.

confinement [kən'faɪnmənt] *n* reclusión. 2 MED alumbramiento.

confines ['kɒnfaɪnz] *npl* límites *mpl*.

confirm [kən'fɜːm] *t* confirmar.

confirmation [kɒnfə'meɪʃən] *n* confirmación.

confirmed [kən'fɜːmd] *adj* confirmado,-a. 2 *fig* empedernido,-a, inveterado,-a.

confiscate ['kɒnfɪskeɪt] *t* confiscar.

confiscation [kɒnfɪs'keɪʃən] *n* confiscación.

conflagration [kɒnflə'greɪʃən] *n* conflagración.

conflict ['kɒnflɪkt] *n* conflicto. – 2 *i* chocar, estar en conflicto. ▲ *En 2 (verbo)* [kən'flɪkt].

conflicting [kən'flɪktɪŋ] *adj (evidence)* contradictorio,-a. 2 *(opinions)* contrario,-a.

confluence ['kɒnfluəns] *n* confluencia.

conform [kən'fɔːm] *i* conformarse. 2 *(to rules etc.)* ajustarse *(to/with,* a).

conformist [kən'fɔːmɪst] *adj-n* conformista *(mf)*.

conformity [kən'fɔːmɪtɪ] *n* conformidad. ●*in ~ with,* conforme a.

confound [kən'faʊnd] *t* confundir. ●*~ it!,* ¡maldito sea!

confounded [kən'faʊndɪd] *adj fam* maldito,-a, condenado,-a.

confront [kən'frʌnt] *t* confrontar.

confuse [kən'fjuːz] *t (thing)* confundir. 2 *(person)* dejar confuso,-a a, desconcertar.

confused [kən'fjuːzd] *adj (person)* confundido,-a. 2 *(mind, ideas)* confuso,-a.

confusing [kən'fjuːzɪŋ] *adj* confuso,-a.

confusion [kən'fjuːʒən] *n* confusión.

congeal [kən'dʒiːl] *t-i* coagular(se).

congenial [kən'dʒiːnjəl] *adj* agradable.

congenital [kən'dʒenɪtəl] *adj* congénito,-a.

conger ['kɒŋgəʳ] *n ~ (eel),* congrio.

congested [kən'dʒestɪd] *adj (roads etc.)* colapsado,-a, congestionado,-a. 2 MED congestionado,-a.

congestion [kən'dʒestʃən] *n* congestión.

conglomerate [kən'glɒmərət] *n* conglomerado. – 2 *t-i* conglomerar(se). ▲ *En 2 (verbo)* [kən'glɒməreɪt].

congratulate [kən'grætjʊleɪt] *t* felicitar *(on,* por).

congratulation [kəngrætjʊ'leɪʃən] *n* felicitación. 2 *pl* felicitaciones *fpl,* enhorabuena *f sing.*

congregate ['kɒŋgrɪgeɪt] *t-i* congregar(se).

congregation [kɒŋgrɪ'geɪʃən] *n* fieles *mpl.*

congress ['kɒŋgres] *n* congreso.

congruent ['kɒŋgrʊənt] *adj* congruente.

conical ['kɒnɪkəl] *adj* cónico,-a.

conifer ['kɒnɪfəʳ] *n* conífera.

coniferous [kə'nɪfərəs] *adj* conífero,-a.

conjecture [kən'dʒektʃəʳ] *n* conjetura. – 2 *t* conjeturar.

conjugal ['kɒndʒʊgəl] *adj* conyugal.

conjugate ['kɒndʒʊgeɪt] *t* conjugar.

conjugation [kɒndʒʊ'geɪʃən] *n* conjugación.

conjunction [kən'dʒʌŋkʃən] *n* conjunción. ●*in ~ with,* conjuntamente con.

conjure ['kʌndʒəʳ] *i* hacer magia, hacer juegos de manos. – 2 *t* hacer aparecer. ◆*to ~ up t* imaginar. 2 *(memories)* evocar.

conjurer, conjuror ['kʌndʒərəʳ] *n* mago,-a, prestidigitador,-ra.

connect [kə'nekt] *t (link)* unir, enlazar, conectar. 2 *(join)* juntar. 3 *(associate)* relacionar, asociar. 4 *(on telephone)* poner (en comunicación). – 5 *i* unirse. 6 *(rooms)* comunicarse.

connection, connexion [kə'nekʃən] *n* unión, enlace *m*. 2 ELEC TECH conexión. 3 *fig* relación. 4 *(railways)* correspondencia, conexión.

connivance [kə'naɪvəns] *n* connivencia.

connive [kə'naɪv] *i* conspirar, confabularse. ●*to ~ at,* hacer la vista gorda a.

connoisseur [kɒnə'sɜːʳ] *n* conocedor,-ra.

connotation [kɒnə'teɪʃən] *n* connotación.

conquer ['kɒŋkəʳ] *t (lands)* conquistar. 2 *(enemy)* vencer a.

conqueror ['kɒŋkərə^r] *n* conquistador,-ra, vencedor,-ra.

conquest ['kɒŋkwest] *n* conquista.

conscience ['kɒnʃəns] *n* conciencia.

conscientious [kɒnʃɪ'enʃəs] *adj* concienzudo,-a. ▪ ~ *objector,* objetor,-ra de conciencia.

conscientiousness [kɒnʃɪ'enʃəsnəs] *n* escrupulosidad.

conscious ['kɒnʃəs] *adj* consciente.

consciousness ['kɒnʃəsnəs] *n* conciencia. 2 MED conocimiento.

conscript ['kɒnskrɪpt] *n* recluta. – 2 *t* reclutar. ▲ *En* 2 *(verbo)* [kən'skrɪpt].

conscription [kən'skrɪpʃən] *n* reclutamiento (forzoso), servicio militar obligatorio.

consecrate ['kɒnsɪkreɪt] *t* consagrar.

consecration [kɒnsɪ'kreɪʃən] *n* consagración.

consecutive [kən'sekjʊtɪv] *adj* consecutivo,-a.

consensus [kən'sensəs] *n* consenso.

consent [kən'sent] *n* consentimiento. – 2 *i* consentir (*to,* en). ▪ *age of* ~, edad núbil.

consequence ['kɒnsɪkwəns] *n* consecuencia. ●*it is of no* ~, no tiene importancia.

consequent ['kɒnsɪkwənt] *n* consiguiente. – 2 *consequently adv* por consiguiente.

conservation [kɒnsə'veɪʃən] *n* conservación.

conservationist [kɒnsə'veɪʃənɪst] *n* ecologista *mf.*

conservatism [kən'sɜːvətɪzəm] *n* POL conservadurismo.

conservative [kən'sɜːvətɪv] *adj* cauteloso,-a. 2 POL conservador,-ra. – 3 *n* conservador,-ra.

conservatory [kən'sɜːvətrɪ] *n* MUS conservatorio. 2 *(for plants)* invernadero.

conserve [kən'sɜːv] *t* conservar. – 2 *n* conserva.

consider [kən'sɪdə^r] *t* considerar.

considerable [kən'sɪdərəbəl] *adj* importante, considerable. – 2 *considerably adv* bastante.

considerate [kən'sɪdərət] *adj* considerado,-a.

consideration [kənsɪdə'reɪʃən] *n* consideración. ●*to take into* ~, tener en cuenta.

considering [kən'sɪdərɪŋ] *prep* considerando (que).

consign [kən'saɪn] *t* consignar. 2 *(entrust)* confiar.

consignment [kən'saɪnmənt] *n* remesa, envío.

consist [kən'sɪst] *i* consistir (*of,* en). 2 *(comprise)* constar (*of,* de).

consistency [kən'sɪstənsɪ] *n* consecuencia, coherencia. 2 *(firmness)* consistencia.

consistent [kən'sɪstənt] *adj* consecuente, coherente.

consolation [kɒnsə'leɪʃən] *n* consolación, consuelo.

console ['kɒnsəʊl] *n* consola. – 2 *t* consolar. ▲ *En* 2 *(verbo)* [kən'səʊl].

consolidate [kən'sɒlɪdeɪt] *t-i* consolidar(se).

consolidation [kənsɒlɪ'deɪʃən] *n* consolidación.

consommé ['kɒnsɒmeɪ] *n* consomé *m.*

consonant ['kɒnsənənt] *n* consonante *f.*

consort ['kɒnsɔːt] *n* consorte *mf.* – 2 *i* asociarse (*with,* con). ▲ *En* 2 *(verbo)* [kən'sɔːt].

conspicuous [kɒns'pɪkjʊəs] *adj* llamativo,-a, visible. 2 *(obvious)* evidente, obvio,-a.

conspiracy [kən'spɪrəsɪ] *n* conspiración.

conspirator [kən'spɪrətə^r] *n* conspirador,-ra.

conspire [kən'spaɪə^r] *i* conspirar.

constable ['kʌnstəbəl] *n* policía *mf,* guardia *mf.*

constabulary [kən'stæbjʊlərɪ] *n* GB policía *f.*

constancy ['kɒnstənsɪ] *n* constancia.

constant ['kɒnstənt] *adj (unchanging)* constante. 2 *(continuous)* continuo,-a. 3 *(loyal)* leal. – 4 *n* constante *f.*

constellation [kɒnstə'leɪʃən] *n* constelación.

consternation [kɒnstə'neɪʃən] *n* consternación.

constipated ['kɒnstɪpeɪtɪd] *adj* estreñido,-a.

constipation [kɒnstɪ'peɪʃən] *n* estreñimiento.

constituency [kən'stɪtjʊənsɪ] *n* circunscripción/distrito electoral.

constituent [kəns'tɪtjʊənt] *adj* constitutivo,-a. 2 POL constituyente. – 3 *n* componente *m.* 4 POL elector,-ra.

constitute ['kɒnstɪtjuːt] *t* constituir.

constitution [kɒnstɪ'tjuːʃən] *n* constitución.

constitutional [kɒnstɪ'tjuːʃənəl] *adj* constitucional.

constrain [kəns'treɪn] *t* constreñir, obligar.

constraint [kən'streɪnt] *n* constreñimiento, coacción.

constrict [kən'strɪkt] *t* apretar, constringir.

constriction [kən'strɪkʃən] *n* constricción.

construct [kəns'trʌkt] *t* construir.

construction [kən'strʌkʃən] *n* construcción.

constructive [kən'strʌktɪv] *adj* constructivo,-a.

construe [kən'stru:] *t* interpretar.

consul ['kɒnsəl] *n* cónsul *mf*.

consular ['kɒnsjʊləʳ] *adj* consular.

consulate ['kɒnsjʊlət] *n* consulado.

consult [kən'sʌlt] *t-i* consultar.

consultant [kən'sʌltənt] *n* asesor,-ra. 2 MED especialista *mf*.

consultation [kɒnsəl'teɪʃən] *n* consulta.

consume [kən'sju:m] *t-i* consumir.

consumer [kən'sju:məʳ] *n* consumidor,-ra.

consummate ['kɒnsəmət] *adj* consumado,-a. – 2 *t* consumar. ▲ *En 2 (verbo)* ['kɒnsəmeɪt].

consummation [kɒnsə'meɪʃən] *n* consumación.

consumption [kən'sʌmpʃən] *n* consumo. 2 MED tisis *f*.

contact ['kɒntækt] *n* contacto. – 2 *t* ponerse en contacto con, contactar con. ■ ~ *lenses*, lentillas *fpl*, lentes *fpl* de contacto.

contagious [kən'teɪdʒəs] *adj* contagioso,-a.

contain [kən'teɪn] *t* contener. 2 *(restrain)* contener, controlar.

container [kən'teɪnəʳ] *n* recipiente *m*, envase *m*. 2 COM container *m*.

contaminate [kən'tæmɪneɪt] *t* contaminar.

contamination [kəntæmɪ'neɪʃən] *n* contaminación, polución.

contemplate ['kɒntempleɪt] *t* contemplar. 2 *(consider)* considerar.

contemplation [kɒntem'pleɪʃən] *n* contemplación.

contemplative ['kɒntempleɪtɪv] *adj* contemplativo,-a.

contemporaneous [kəntempə'reɪnjəs] *adj* contemporáneo,-a.

contemporary [kən'tempərərɪ] *adj-n* contemporáneo,-a.

contempt [kən'tempt] *n* desprecio, menosprecio. 2 JUR desacato. ●*to hold in* ~, despreciar.

contemptible [kən'temptəbəl] *adj* despreciable.

contemptuous [kən'temptjʊəs] *adj (attitude)* despreciativo,-a, despectivo,-a. 2 *(person)* desdeñoso,-a.

contend [kən'tend] *i (compete)* contender, competir. – 2 *t (claim)* sostener.

content ['kɒntent] *n* contenido. 2 *pl* contenido *m sing*. 3 *pl (table)* índice *m sing* de materias. – 4 *adj* contento,-a. – 5 *t* contentar. ●*to* ~ *o.s. with*, contentarse con. ▲ *En 4 y 5 (adjetivo y verbo)* [kən'tent].

contented [kən'tentɪd] *adj* contento,-a, satisfecho,-a.

contention [kən'tenʃən] *n (opinion)* parecer *m*. 2 *(dispute)* controversia, contienda. ■ *bone of* ~, manzana de la discordia.

contentious [kən'tenʃəs] *adj* contencioso,-a.

contentment [kən'tentmənt] *n* contento, satisfacción.

contest ['kɒntest] *n (competition)* concurso. 2 *(struggle)* contienda, lucha. – 3 *t (fight for)* luchar/competir por. 4 *(appeal against)* impugnar. ▲ *En 3 y 4 (verbo)* [kən'test].

contestant [kən'testənt] *n* concursante *mf*.

context ['kɒntekst] *n* contexto.

continent ['kɒntɪnənt] *adj-n* continente *(m)*.

continental [kɒntɪ'nentəl] *adj* continental. 2 GB europeo,-a. ■ ~ *breakfast*, desayuno con tostadas, croissants *mpl* con café o té.

contingency [kən'tɪndʒənsɪ] *n* contingencia, eventualidad.

contingent [kən'tɪndʒent] *adj-n* contingente *(m)*.

continual [kən'tɪnjʊəl] *adj* continuo,-a, incesante.

continuation [kəntɪnjʊ'eɪʃən] *n* continuación.

continue [kən'tɪnju:] *t-i* continuar, seguir.

continuity [kɒntɪ'nju:ɪtɪ] *n* continuidad.

continuous [kən'tɪnjʊəs] *adj* continuo,-a.

contort [kən'tɔ:t] *t* retorcer. 2 *(face)* contraer.

contortion [kən'tɔ:ʃən] *n* contorsión.

contour ['kɒntʊəʳ] *n* contorno. ■ ~ *line*, línea de nivel.

contraband ['kɒntrəbænd] *n* contrabando.

contraception [kɒntrə'sepʃən] *n* anticoncepción.

contraceptive [kɒntrə'septɪv] *adj-n* anticonceptivo,-a *(m)*.

contract ['kɒntrækt] *n* contrato. – 2 *i (become smaller)* contraerse. 3 *(agree)* contractar, hacer un contrato. – 4 *t (illness, marriage)* contraer. ▲ *En 2, 3 y 4 (verbo)* [kən'trækt].

contraction [kən'trækʃən] *n* contracción.

contractor [kən'træktə^r] *n* contratista *mf.*

contradict [kɒntrə'dɪkt] *t* contradecir.

contradiction [kɒntrə'dɪkʃən] *n* contradicción.

contradictory [kɒntrə'dɪktəri] *adj* contradictorio,-a.

contralto [kən'træltəʊ] *n (voice)* contralto *m.* 2 *(singer)* contralto *f.*

contraption [kən'træpʃən] *n* cacharro, artefacto.

contrariness [kɒn'treərɪnəs] *n* terquedad.

contrary ['kɒntrəri] *adj* contrario,-a. 2 *(stubborn)* terco,-a. – 3 *n* contrario. ●~ *to,* en contra de; *on the* ~, al contrario. ▲ *En 2* [kɒn'treəri].

contrast ['kɒntræst] *n* contraste *m.* – 2 *t-i* contrastar. ▲ *En 2 (verbo)* [kən'træst].

contravene [kɒntrə'viːn] *t* contravenir.

contravention [kɒntrə'venʃən] *n* contravención.

contribute [kən'trɪbjuːt] *t-i* contribuir. – 2 *i (to newspaper etc.)* colaborar *(to,* en).

contribution [kɒntrɪ'bjuːʃən] *n* contribución. 2 *(to newspaper)* colaboración.

contributor [kən'trɪbjutə^r] *n* contribuyente *mf.* 2 *(to newspaper)* colaborador,-ra.

contributory [kən'trɪbjutəri] *adj (factor)* contribuyente. 2 *(pension etc.)* contributorio,-a.

contrivance [kən'traɪvəns] *n* artefacto, cacharro.

contrive [kən'traɪv] *t* idear, inventar. ●*to* ~ *to do sth.,* conseguir hacer algo.

contrived [kən'traɪvd] *adj* artificial, forzado,-a.

control [kən'trəʊl] *n* control *m.* 2 *(device)* mando, control. 3 *(restraint)* dominio. – 4 *t* controlar. ●*out of* ~, fuera de control; *to be in* ~, estar al mando; *to bring under* ~, conseguir controlar; *to go out of* ~, descontrolarse; *to lose* ~, perder

el control, *under* ~, bajo control. ■ ~ *tower,* torre *f* de control.

controller [kən'trəʊlə^r] *n* FIN interventor,-ra. 2 RAD TV director,-ra de programación. 3 AV controlador aéreo.

controversial [kɒntrə'vɜːʃəl] *adj* controvertido,-a, polémico,-a.

controversy [kən'trɒvəsi] *n* controversia, polémica.

contusion [kən'tjuːʒən] *n* contusión.

conurbation [kɒnɜː'beɪʃən] *n* conurbación.

convalesce [kɒnvə'les] *i* convalecer.

convalescence [kɒnvə'lesəns] *n* convalecencia.

convalescent [kɒnvə'lesənt] *adj* convaleciente.

convection [kən'vekʃən] *n* convección.

convene [kən'viːn] *t* convocar. – 2 *i* reunirse.

convenience [kən'viːnjəns] *n* conveniencia, comodidad. ■ GB *public* ~, servicios *mpl* públicos.

convenient [kən'viːnjənt] *adj* conveniente, oportuno,-a. 2 *(place)* bien situado,-a.

convent ['kɒnvənt] *n* convento.

convention [kən'venʃən] *n* convención.

conventional [kən'venʃənəl] *adj* convencional.

converge [kən'vɜːdʒ] *i* converger, convergir.

convergent [kən'vɜːdʒənt] *adj* convergente.

conversant [kən'vɜːsənt] *adj* versado,-a *(with,* en).

conversation [kɒnvə'seɪʃən] *n* conversación.

conversational [kɒnvə'seɪʃənəl] *adj* coloquial.

converse ['kɒnvɜːs] *adj* opuesto,-a. – 2 *n* lo opuesto. – 3 *i* conversar. ▲ *En 3 (verbo)* [kən'vɜːs].

conversion [kən'vɜːʒən] *n* conversión.

convert ['kɒnvɜːt] *n* converso,-a. – 2 *t-i* convertir(se). ▲ *En 2 (verbo)* [kən'vɜːt].

convertible [kən'vɜːtəbəl] *adj* convertible. 2 AUTO descapotable . – 3 *n* AUTO descapotable *m.*

convex ['kɒnveks] *adj* convexo,-a.

convey [kən'veɪ] *t* llevar, transportar. 2 *(ideas etc.)* comunicar. 3 JUR transferir.

conveyor belt [kən'veɪəbelt] *n* cinta transportadora.

convict ['kɒnvɪkt] *n* presidiario,-a. – 2 *t* JUR declarar culpable. ▲ *En 2 (verbo)* [kən'vɪkt].

conviction [kən'vɪkʃən] n convicción. 2 JUR condena.

convince [kən'vɪns] t convencer.

convincing [kən'vɪnsɪŋ] adj convincente.

convivial [kən'vɪvɪəl] adj (party) alegre. 2 (person) sociable.

convoke [kən'vəʊk] t convocar.

convoy ['kɒnvɔɪ] n convoy m.

convulse [kən'vʌls] t convulsionar. ●to be convulsed with laughter, troncharse de risa.

convulsion [kən'vʌlʃən] n convulsión.

coo [ku:] i arrullar.

cook [kʊk] n cocinero,-ra. – 2 t guisar, cocinar; (meals) preparar. – 3 i cocinar, cocer.

cooker ['kʊkəʳ] n cocina.

cookery ['kʊkərɪ] n cocina. ■ ~ book, libro de cocina.

cookie ['kʊkɪ] n US galleta.

cooking ['kʊkɪŋ] n cocina. ●to do the ~, cocinar.

cool [ku:l] adj fresco,-a. 2 (unfriendly) frío,-a. 3 (calm) tranquilo,-a. – 4 n fresco, frescor m. 5 sl calma. – 6 t-i refrescar(se), enfriar(se). ◆to ~ down t-i enfriar(se); (person) calmar(se). ●to lose one's ~, perder la calma.

coolness ['ku:lnəs] n fresco, frescor m. 2 (unfriendliness) frialdad. 3 (calm) serenidad.

coop [ku:p] n gallinero. ◆to ~ up t encerrar.

cooperate [kəʊ'ɒpəreɪt] i cooperar.

cooperative [kəʊ'ɒpərətɪv] adj cooperativo,-a. 2 (helpful) cooperador,-ra. – 3 n cooperativa.

coordinate [kəʊ'ɔ:dɪneɪt] t coordinar.

coordination [kəʊɔ:dɪ'neɪʃən] n coordinación.

cop [kɒp] sl n (policeman) poli mf. – 2 t pillar, pescar. ◆to ~ out i rajarse. ●it's not much ~, no es nada del otro jueves.

cope [kəʊp] i arreglárselas: I just can't ~!, ¡es que no doy abasto! ◆to ~ with t poder con.

copious ['kəʊpjəs] adj copioso,-a.

copper ['kɒpəʳ] n (metal) cobre m. 2 GB fam (coin) pela, perra. 3 sl (policeman) poli mf.

copulation [kɒpjʊ'leɪʃən] n copulación.

copy ['kɒpɪ] n copia. 2 (of book etc.) ejemplar m. – 3 t-i copiar.

copycat ['kɒpɪkæt] n fam copión,-ona.

copyright ['kɒpɪraɪt] n copyright m.

coral ['kɒrəl] n coral m.

cord [kɔ:d] n (string, rope) cuerda. 2 ELEC cordón m. 3 pl fam pantalones mpl de pana.

cordial ['kɔ:djəl] adj cordial. – 2 n (soft drink) zumo de fruta. 3 (liqueur) licor m.

cordon ['kɔ:dən] n cordón m. – 2 t to ~ (off), acordonar.

corduroy ['kɔ:dərɔɪ] n pana.

core [kɔ:ʳ] n núcleo, centro; (of apple etc.) corazón m. ●fig to the ~, hasta la médula.

cork [kɔ:k] n (material) corcho. 2 (stopper) tapón m, corcho. – 3 t encorchar. ■ ~ oak, alcornoque.

corkscrew ['kɔ:kskru:] n sacacorchos m inv.

cormorant ['kɔ:mərənt] n cormorán m grande.

corn [kɔ:n] n cereales mpl. 2 (maize) maíz m. 3 MED callo. ■ sweet ~, maíz.

cornea ['kɔ:nɪə] n córnea.

corner ['kɔ:nəʳ] n ángulo. 2 (exterior angle) esquina. 3 (interior angle) rincón m. – 4 t arrinconar. 5 COM acaparar. ●in a tight ~, en un aprieto; just round the ~, a la vuelta de la esquina. ■ (football) ~ kick, córner m.

cornerstone ['kɔ:nəstəʊn] n piedra angular.

cornet ['kɔ:nɪt] n MUS corneta. 2 GB (icecream) cucurucho.

cornflakes ['kɔ:nfleɪks] npl copos mpl de maíz.

cornflour ['kɔ:nflaʊəʳ], US **cornstarch** ['kɔ:nstɑ:tʃ] n harina de maíz, maizena®.

corny ['kɔ:nɪ] adj fam (joke) gastado,-a, sobado,-a. 2 (film) sensiblero,-a.

corollary [kə'rɒlərɪ] n corolario.

coronary ['kɒrənərɪ] MED adj coronario,-a. – 2 n trombosis f inv coronaria.

coronation [kɒrə'neɪʃən] n coronación.

coroner ['kɒrənəʳ] n juez mf de instrucción.

corporal ['kɔ:pərəl] adj corporal. – 2 n MIL cabo. ■ ~ punishment, castigo corporal.

corporation [kɔ:pə'reɪʃən] n COM corporación. 2 GB (council) ayuntamiento.

corps [kɔ:ʳ] n cuerpo. ▲ pl corps [kɔ:z].

corpse [kɔ:ps] n cadáver m.

corpulence ['kɔ:pjʊləns] n corpulencia.

corpulent ['kɔ:pjʊlənt] adj corpulento,-a.

corpuscle ['kɔ:pʌsəl] n corpúsculo, glóbulo.

correct [kə'rekt] adj gen correcto,-a, exacto,-a. 2 (behaviour) formal. – 3 t corregir.

correction [kə'rekʃən] *n* corrección.
corrective [kə'rektɪv] *adj-n* correctivo,-a *(m)*.
correctness [kə'rektnəs] *n* exactitud. 2 *(behaviour)* corrección.
correlate ['kɒrəleɪt] *t* correlacionar. − 2 *i* tener correlación.
correlation [kɒrə'leɪʃən] *n* correlación.
correspond [kɒrɪs'pɒnd] *i* corresponder(se). 2 *(write)* escribirse.
correspondence [kɒrɪs'pɒndəns] *n* correspondencia. 2 *(mail)* correo.
correspondent [kɒrɪs'pɒndənt] *n* corresponsal *mf*.
corresponding [kɒrɪs'pɒndɪŋ] *adj* correspondiente.
corridor ['kɒrɪdɔ:ʳ] *n* corredor *m*, pasillo.
corroborate [kə'rɒbəreɪt] *t* corroborar.
corroboration [kərɒbə'reɪʃən] *n* corroboración.
corrode [kə'rəud] *t* corroer.
corrosion [kə'rəuʒən] *n* corrosión.
corrosive [kə'rəusɪv] *adj* corrosivo,-a.
corrugated ['kɒrəgeɪtɪd] *t* ondulado,-a.
corrupt [kə'rʌpt] *adj* corrompido,-a, corrupto,-a. − 2 *t-i* corromper.
corruption [kə'rʌpʃən] *n* corrupción.
corset ['kɔ:sɪt] *n* corsé *m*.
cortège [kɔ:'teɪʒ] *n* cortejo.
cortisone ['kɔ:tɪzəun] *n* cortisona.
cosh [kɒʃ] GB *n* porra. − 2 *t* dar un porrazo a.
cosmetic [kɒz'metɪk] *adj-n* cosmético,-a *(m)*. ■ ~ *surgery,* cirugía estética.
cosmic ['kɒzmɪk] *adj* cósmico,-a.
cosmonaut ['kɒzmənɔ:t] *n* cosmonauta *mf*.
cosmopolitan [kɒzmə'pɒlɪtən] *adj* cosmopolita.
cosmos ['kɒzmɒs] *n* cosmos *m inv*.
cost [kɒst] *n* coste *m*, costo, precio. 2 *pl* JUR costas *fpl*. − 3 *i* costar, valer. ◆*whatever the* ~, cueste lo que cueste. ■ ~ *of living,* coste de la vida. ▲ *pt & pp* **cost.**
co-star ['kəustɑ:ʳ] *n* coprotagonista *mf*.
costly ['kɒstlɪ] *adj* costoso,-a.
costume ['kɒstju:m] *n* traje *m*, vestido. 2 *pl* THEAT vestuario *m sing*. ■ *bathing/ swimming* ~, bañador *m*, traje *m* de baño; ~ *jewellery,* bisutería.
cosy ['kəuzɪ] *adj* acogedor,-ra.
cot [kɒt] *n* cuna.
cottage ['kɒtɪdʒ] *n* casa de campo. ■ ~ *cheese,* requesón *m*.
cotton ['kɒtən] *n* algodón *m*. 2 *(thread)* hilo. ◆*to* ~ *on i* caer en la cuenta. ■ ~

wool, algodón hidrófilo; ~ *plant,* algodonero.
couch [kautʃ] *n* canapé *m*, sofá *m*. − 2 *t* expresar.
couchette [ku:'ʃet] *n* litera.
cough [kɒf] *n* tos *f*. − 2 *i* toser. ◆*to* ~ *up fam t* soltar. − 2 *i* desembolsar, aflojar la pasta.
could [kud, kəd] *pt* → **can.**
council ['kaunsɪl] *n* consejo. 2 *(town, city)* ayuntamiento. 3 REL concilio.
councillor ['kaunsɪləʳ] *n* concejal *mf*.
counsel ['kaunsəl] *n* *(advice)* consejo. 2 JUR abogado,-a. − 3 *t* aconsejar.
counsellor ['kaunsələʳ] *n* consejero,-a. US abogado,-a.
count [kaunt] *n* cuenta. 2 *(noble)* conde *m*. − 3 *t* contar. 2 *(consider)* considerar: ~ *yourself lucky you weren't fined,* suerte tienes que no te multaron. − 5 *i* contar. ◆*to* ~ *in t fam* incluir, contar con. ◆*to* ~ *on t* contar con. ◆*to* ~ *out t* ir contando. 2 *(boxer)* declarar fuera de combate. 3 *fam* no contar con.
countable ['kauntəbəl] *adj* contable.
countdown ['kauntdaun] *n* cuenta atrás.
countenance ['kauntɪnəns] *fml n* rostro, semblante *m*. − 2 *t* aprobar.
counter ['kauntəʳ] *n* *(in shop)* mostrador *m*. 2 *(which counts)* contador *m*. 3 *(in game)* ficha. − 4 *t* contrarrestar. − 5 *adv* en contra *(to,* de).
counteract [kauntə'rækt] *t* contrarrestar.
counterattack ['kauntərətæk] *n* contraataque *m*.
counterbalance ['kauntəbæləns] *n* contrapeso. − 2 *t* contrapesar.
counterclockwise [kauntə'klɒkwaɪz] *adj & adv* US en sentido contrario al de las agujas del reloj.
counterespionage [kauntər'espɪɒnɑ:ʒ] *n* contraespionaje *m*.
counterfeit ['kauntəfɪt] *adj* falso,-a, falsificado,-a. − 2 *n* falsificación. − 3 *t* falsificar.
counterfoil ['kauntəfɔɪl] *n* matriz *f*.
countermeasure ['kauntəmeʒəʳ] *n* contramedida.
counterpane ['kauntəpeɪn] *n* colcha, cubrecama *m*.
counterpart ['kæuntəpɑ:t] *n* homólogo,-a.
counterpoint ['kauntəpɔɪnt] *n* contrapunto.
counterproductive [kauntəprə'dʌktɪv] *adj* contraproducente.
countersign ['kauntəsaɪn] *t* refrendar.

countess ['kauntəs] *n* condesa.

countless ['kauntləs] *adj* incontable, innumerable.

country ['kʌntri] *n (political)* país *m*. 2 *(homeland)* patria. 3 *(rural area)* campo. 4 *(region)* tierra, región.

countryman ['kʌntrimən] *n* campesino. 2 *(compatriot)* compatriota *m*.

countryside ['kʌntrisaid] *n* campo. 2 *(scenery)* paisaje *m*.

countrywoman ['kʌntriwumən] *n* campesina. 2 *(compatriot)* compatriota.

county ['kaunti] *n* condado.

coup [ku:] *n* golpe *m*. ■ ~ *d'état*, golpe de estado.

coupé ['ku:pei] *n* coupé *m*, cupé *m*.

couple ['kʌpəl] *n (things)* par *m*. 2 *(people)* pareja. – 3 *t (connect)* acoplar, conectar. – 4 *i (mate)* aparearse.

coupon ['ku:pɒn] *n* cupón *m*. 2 GB SP boleto.

courage ['kʌridʒ] *n* valor *m*, valentía.

courageous [kəˈreidʒəs] *adj* valeroso,-a, valiente.

courgette [kuəˈʒet] *n* calabacín *m*.

courier ['kuəriəʳ] *n (messenger)* mensajero,-a. 2 *(guide)* guía *mf* turístico,-a.

course [kɔ:s] *n (of ship, plane)* rumbo; *(on chart)* derrotero. 2 *(of river)* curso. 2 *(series)* serie *f*, ciclo. 3 *(lessons)* curso; *(short)* cursillo. 4 *(university)* curso; *(subject)* asignatura. 5 *(of meal)* plato. 6 *(for golf)* campo. 7 *(of bricks)* hilada. ●*during the ~ of,* durante; *in due ~,* a su debido tiempo; *in the ~ of time,* en el transcurso del tiempo; *of ~,* desde luego, por supuesto.

court [kɔ:t] *n* JUR tribunal *m*. 2 *(royal)* corte *f*. 3 *(tennis etc.)* pista. 4 *(courtyard)* patio. – 5 *t* cortejar. ■*to take sb. to ~,* llevar a algn. a juicio. ■ *high ~,* tribunal supremo.

courteous ['kɜːtiəs] *adj* cortés.

courtesy ['kɜːtisi] *n* cortesía.

courtier ['kɔːtjəʳ] *n* cortesano.

court-martial [kɔːtˈmɑːʃəl] *n* consejo de guerra.

courtship ['kɔːtʃip] *n* cortejo.

courtyard ['kɔːtjɑːd] *n* patio.

cousin ['kʌzən] *n* primo,-a.

cove [kəuv] *n* cala, ensenada.

covenant ['kʌvənənt] *n* convenio, pacto.

cover ['kʌvəʳ] *n* cubierta; *(lid)* tapa. 2 *(of book)* cubierta; *(of magazine)* portada. 3 *(insurance)* cobertura. 4 *fig* abrigo, protección. – 5 *t* cubrir *(with,* de); *(floor etc.)* revestir *(with,* de). 6 *(with lid)* tapar. 7 *(book)* forrar. 8 *(hide)* encubrir. 9 *(pro-*

tect) proteger, abrigar. 10 *(insurance)* asegurar. 11 *(deal with)* abarcar. 12 SP marcar. ◆*to ~ up t* cubrir. 2 *(hide)* encubrir. – 3 *i* cubrirse, taparse. ●*to take ~,* abrigarse, refugiarse; *under ~,* *(in hiding)* clandestinamente; *under separate ~,* por separado. ■ *~ charge,* precio del cubierto; GB *~ note,* seguro provisional.

coverage ['kʌvəridʒ] *n* reportaje *m*. 2 *(insurance)* cobertura.

covering ['kʌvəriŋ] *n* cubierta, envoltura.

covert ['kʌvət] *adj* secreto,-a, disimulado,-a.

cover-up ['kʌvərʌp] *n* encubrimiento.

covet ['kʌvit] *t* codiciar.

cow [kau] *n* vaca.

coward ['kauəd] *n* cobarde *mf*.

cowardice ['kauədis] *n* cobardía.

cowardly ['kauədli] *adj* cobarde.

cowboy ['kaubɔi] *n* vaquero.

cowl [kaul] *n* capucha. 2 *(of chimney)* sombrerete *m*.

coy [kɔi] *adj* tímido,-a.

crab [kræb] *n* cangrejo. 2 BOT *~ apple,* manzana silvestre.

crack [kræk] *t (split)* rajar; *(bone)* fracturar. 2 *(safe)* forzar; *(egg, nut)* cascar. 3 *(whip)* hacer restallar. 4 *fig (problem)* solucionar; *(joke)* soltar. – 5 *i* rajarse, agrietarse. 6 *(voice)* cascarse. – 7 *n (in cup)* raja; *(in ice etc.)* grieta. 8 *(of whip)* restallido. 9 *fam (blow)* golpetazo. – 10 *adj* sl de primera. ●*fam to get cracking,* poner manos a la obra.

crackbrained ['krækbreind] *adj fam* chalado,-a, chiflado,-a.

cracker ['krækəʳ] *n (biscuit)* galleta de hojaldre.

crackle ['krækəl] *n* chasquido. – 2 *i* chasquear.

cradle ['kreidəl] *n* cuna. 2 *(construction)* andamio volante. – 3 *t* acunar.

craft [krɑːft] *n (skill)* habilidad, destreza. 2 *(occupation)* oficio. 3 *(boat)* embarcación.

craftsman ['krɑːftsmən] *n* artesano.

craftsmanship ['krɑːftsmənʃip] *n* arte *m*, habilidad.

crafty ['krɑːfti] *adj* astuto,-a, taimado,-a.

crag [kræg] *n* risco, peñasco.

cram [kræm] *t* henchir, atestar *(with,* de). – 2 *i fam* empollar.

cramp [kræmp] *n* calambre *m*, rampa. – 2 *t* limitar, restringir. ●*fam to ~ sb.'s style,* cortar el vuelo a algn.

crane [krein] *n* ZOOL grulla común. 2 *(device)* grúa. – 3 *t (neck)* estirar.

cranium ['kreɪnɪəm] n cráneo.
crank [kræŋk] n cigüeñal m. 2 *(starting handle)* manivela. – 3 t to ~ *(up)*, arrancar con manivela.
cranky ['kræŋkɪ] adj fam chiflado,-a, excéntrico,-a.
crap [kræp] n fam mierda.
crash [kræʃ] i chocar *(into,* con); *(car, plane)* estrellarse *(into,* contra). 2 COM quebrar. – 3 n *(noise)* estallido, estrépito. 4 *(collision)* choque m. 5 COM quiebra.
crass [kræs] adj grosero,-a.
crater ['kreɪtə'] n cráter m.
crave [kreɪv] i ansiar *(for,* -).
craving ['kreɪvɪŋ] n ansia; *(in pregnancy)* antojo.
crawfish ['krɔ:fɪʃ] n langosta.
crawl [krɔ:l] i arrastrarse; *(baby)* gatear; *(car)* avanzar lentamente. – 2 n DEP crol m. ●*to* ~ *with,* estar apestado,-a de; *to make sb.'s flesh* ~, poner los pelos de punta a algn.
crayfish ['kreɪfɪʃ] n cangrejo de río.
crayon ['kreɪɒn] n lápiz m pastel.
craze [kreɪz] n manía, moda.
crazy ['kreɪzɪ] adj fam loco,-a, chiflado,-a. ●*to drive sb.* ~, volver loco,-a a algn.
creak [kri:k] i crujir; *(hinge)* chirriar. – 2 n crujido; *(of hinge)* chirrido.
cream [kri:m] n crema; *(of milk)* nata. 2 *(cosmetic)* crema. 3 fig *the* ~, la flor y nata. – 4 t *(milk)* desnatar. 5 *(mix)* batir. ■ ~ *cheese,* queso cremoso; *double* ~, nata para montar; *whipped* ~, nata montada.
crease [kri:s] n *(wrinkle)* arruga; *(ironed)* raya. – 2 t *(wrinkle)* arrugar; *(with iron)* hacer la raya. – 3 i arrugarse.
create [kri:'eɪt] t crear. 2 fig producir, causar.
creation [kri:'eɪʃən] n creación.
creative [kri:'eɪtɪv] adj creativo,-a.
creature ['kri:tʃə'] n *(animal)* criatura. 2 *(human being)* ser m.
credentials [krɪ'denʃəlz] npl credenciales fpl.
credibility [kredɪ'bɪlɪtɪ] n credibilidad.
credible ['kredɪbəl] adj creíble.
credit ['kredɪt] n mérito, reconocimiento. 2 *(benefit)* honor m. 3 COM crédito; *(in accountancy)* haber m: ~ *and debit,* debe y haber. 4 pl CIN TV ficha f sing técnica. – 5 t creer, dar crédito a. 6 COM abonar, acreditar. ●*on* ~, a crédito; *to do sb.* ~, honrar a algn; *to take* ~ *for sth.,* atribuirse el mérito de algo. ■ ~ *card,* tarjeta de crédito.

creditor ['kredɪtə'] n acreedor,-ra.
credulous ['kredjʊləs] adj crédulo,-a.
creed [kri:d] n credo.
creek [kri:k] n GB cala. 2 US riachuelo.
creep [kri:p] i *(insect)* arrastrarse; *(animal)* deslizarse; *(plant)* trepar. – 2 n fam *(person)* pelota mf. ●*to* ~ *in/out,* entrar/salir sigilosamente. ▲ pt & pp **crept**.
creeper ['kri:pə'] n trepadora.
cremation [krɪ'meɪʃən] n incineración.
crematorium [kremə'tɔ:rɪəm] n *(horno)* crematorio.
crept [krept] pt & pp → **creep**.
crescent ['kresənt] n medialuna.
crest [krest] n *(of cock, wave)* cresta. 2 *(of hill)* cima, cumbre f. 3 *(heraldry)* blasón m.
crestfallen ['krestfɔ:lən] adj abatido,-a.
cretin ['kretɪn] n cretino,-a.
crevice ['krevɪs] n raja, hendedura.
crew [kru:] n AV MAR tripulación. 2 *(team)* equipo. – 3 pt → **crow**.
crib [krɪb] n *(manger)* pesebre m. 2 *(baby's)* cuna. – 3 t fam plagiar. ■ fam ~ *note,* chuleta.
crick [krɪk] n tortícolis f inv.
cricket ['krɪkɪt] n *(insect)* grillo. 2 SP cricquet m.
crime [kraɪm] n crimen m. 2 *(act)* delito.
criminal ['krɪmɪnəl] adj-n criminal *(mf)*.
crimson ['krɪmzən] adj-n carmesí *(m)*.
cringe [krɪndʒ] i abatirse, encogerse.
crinkle ['krɪŋkəl] t-i arrugar(se).
cripple ['krɪpəl] n lisiado,-a. – 2 t dejar cojo,-a; fig paralizar.
crisis ['kraɪsɪs] n crisis f inv. ▲ pl **crises** ['kraɪsi:z].
crisp [krɪsp] adj *(toast etc.)* crujiente. 2 *(lettuce)* fresco,-a. 3 *(weather)* frío,-a y seco,-a. 4 *(style)* directo,-a. – 5 n GB patata frita de churrería.
crisscross ['krɪskrɒs] t-i entrecruzar(se).
criterion [kraɪ'tɪərɪən] n criterio.
critic ['krɪtɪk] n crítico,-a.
critical ['krɪtɪkəl] adj crítico,-a. ●*in* ~ *condition,* grave.
criticism ['krɪtɪsɪzəm] n crítica.
criticize ['krɪtɪsaɪz] t-i criticar.
croak [krəʊk] n *(of raven)* graznido; *(of frog)* canto. 2 *(of person)* voz f ronca. – 3 i *(raven)* graznar; *(frog)* croar. 4 *(person)* hablar con voz ronca.
crochet ['krəʊʃeɪ] n ganchillo. – 2 i hacer ganchillo.
crockery ['krɒkərɪ] n loza.
crocodile ['krɒkədaɪl] n cocodrilo.
crocus ['krəʊkəs] n azafrán m.

crony ['krəʊnɪ] *n* compinche *mf*.

crook [krʊk] *n* gancho. 2 *(shepherd's)* cayado. 3 *fam* caco.

crooked ['krʊkɪd] *adj* torcido,-a. 2 *fam* deshonesto,-a.

crop [krɒp] *n* cultivo; *(harvest)* cosecha. 2 *(hair)* pelado corto. 3 *(of bird)* buche *m*. – 4 *t (grass)* pacer. 5 *(hair)* cortar al rape. ◆*to ~ up fam* surgir.

croquet ['krəʊkeɪ] *n* croquet *m*.

cross [krɒs] *n* cruz. 2 *(breeds etc.)* cruce *m*. 3 *(sewing)* sesgo *m*. – 4 *t* cruzar. 5 REL *to ~ oneself*, santiguarse. – 6 *i* cruzar(se). – 7 *adj* transversal. 8 *(angry)* enojado,-a. ◆*to ~ off/out t* borrar, tachar. ◆*to ~ over t* pasar, atravesar. ●*it crossed my mind that ...*, se me ocurrió que ... . ■ **Red Cross**, Cruz Roja.

crossbar ['krɒsbɑːʳ] *n* travesaño.

crossbow ['krɒsbəʊ] *n* ballesta.

crossbred ['krɒsbred] *adj-n* híbrido,-a.

cross-country [krɒs'kʌntrɪ] *adj-adv* campo través. ■ DEP ~ *race*, cros *m*.

cross-examine [krɒsɪg'zæmɪn] *t* interrogar.

cross-eyed ['krɒsaɪd] *adj* bizco,-a.

crossing ['krɒsɪŋ] *n* cruce *m*. 2 MAR travesía. ■ *pedestrian ~*, paso de peatones.

cross-reference [krɒs'refərəns] *n* remisión.

crossroads ['krɒsrəʊdz] *n* encrucijada.

crosswise ['krɒswaɪz] *adv* de través.

crossword ['krɒswɜːd] *n ~ (puzzle)*, crucigrama *m*.

crotch [krɒtʃ] *n* entrepierna.

crotchet ['krɒtʃɪt] *n* negra.

crotchety ['krɒtʃɪtɪ] *adj fam* cascarrabias *inv*.

crouch [kraʊtʃ] *i* agacharse, agazaparse.

crow [krəʊ] *n* cuervo. – 2 *i (cock)* cantar. ■ *crow's-feet*, patas *fpl* de gallo. ▲ *pt* crowed o *crew*.

crowbar ['krəʊbɑːʳ] *n* palanca.

crowd [kraʊd] *n* multitud, gentío. – 2 *t* llenar, atestar. – 3 *i* apiñarse.

crown [kraʊn] *n* corona. 2 ANAT coronilla. 3 *(of hat, tree)* copa. – 4 *t* coronar.

crucial ['kruːʃəl] *adj* crucial, decisivo,-a.

crucifix ['kruːsɪfɪks] *n* crucifijo.

crucify ['kruːsɪfaɪ] *t* crucificar.

crude [kruːd] *n (manner)* tosco,-a, grosero,-a. 2 *(oil)* crudo,-a.

crudeness ['kruːdnəs] *n* crudeza, tosquedad.

cruel ['kruːəl] *adj* cruel.

cruelty ['kruːəltɪ] *n* crueldad.

cruet ['kruːɪt] *n ~ set*, vinagreras *fpl*.

cruise [kruːz] *i* hacer un crucero. – 2 *n* crucero.

cruiser ['kruːzəʳ] *n* crucero.

crumb [krʌm] *n* miga, migaja.

crumble ['krʌmbəl] *t* desmenuzar, desmigar. – 2 *i* desmoronarse.

crumple ['krʌmpəl] *t-i* arrugar(se).

crunch [krʌntʃ] *t (food)* mascar. 2 *(with feet etc.)* hacer crujir. – 3 *i* crujir.

crusade [kruː'seɪd] *n* cruzada.

crusader [kruː'seɪdəʳ] *n* cruzado.

crush [krʌʃ] *t* aplastar. – 2 *n* aplastamiento. 3 *fam* enamoramiento.

crust [krʌst] *n (of bread)* corteza. 2 *(pastry)* pasta. 3 *(of earth)* corteza.

crustacean [krʌ'steɪʃən] *adj-n* crustáceo,-a *(m)*.

crutch [krʌtʃ] *n* muleta.

crux [krʌks] *n* quid *m*, meollo.

cry [kraɪ] *t-i (shout)* gritar. – 2 *i* llorar, lamentarse. – 3 *n* grito. 4 *(weep)* llanto. ◆*to ~ out i* gritar; *fig to ~ out for sth.*, pedir algo a gritos.

crying ['kraɪɪŋ] *n* llanto. – 2 *adj fig* apremiante.

crypt [krɪpt] *n* cripta.

cryptic ['krɪptɪk)] *adj* enigmático,-a.

crystal ['krɪstəl] *n* cristal *m*.

crystallize ['krɪstəlaɪz] *t-i* cristalizar(se).

cub [kʌb] *n* cachorro,-a.

cube [kjuːb] *n* MAT cubo. 2 *(of sugar)* terrón *m*. – 3 *t* MAT elevar al cubo. ■ ~ *root*, raíz cúbica.

cubic ['kjuːbɪk] *adj* cúbico,-a.

cubicle ['kjuːbɪkəl] *n* cubículo.

cubism ['kjuːbɪzəm] *n* cubismo.

cuckoo ['kʊkuː] *n* cuco común. – 2 *adj fam* majareta, pirado,-a.

cucumber ['kjuːkʌmbəʳ] *n* pepino.

cuddle ['kʌdəl] *t* abrazar, acariciar. – 2 *i* abrazarse. – 3 *n* abrazo.

cudgel ['kʌdʒəl] *n* porra. – 2 *t* aporrear. ●*to take up the cudgels for sb.*, salir en defensa de algn.

cue [kjuː] *n* señal *f*. 2 THEAT pie *m*. 3 *(billiards)* taco.

cuff [kʌf] *n (of sleeve)* puño. – 2 *t* abofetear. ■ ~ *links*, gemelos *mpl*.

cul-de-sac ['kʌldəsæk] *n* calle *f* sin salida.

culminate ['kʌlmɪneɪt] *i* culminar.

culmination [kʌlmɪ'neɪʃən] *n* culminación, apogeo.

culpable ['kʌlpəbəl] *adj* culpable.

culprit ['kʌlprɪt] *n* culpable *mf*.

cult [kʌlt] *n* culto.

cultivate ['kʌltɪveɪt] *t* cultivar.

cultivated ['kʌltɪveɪtɪd] *adj (person)* culto,-a. **2** *(land etc.)* cultivado,-a.

cultivation [kʌltɪ'veɪʃən] *n* cultivo.

culture ['kʌltʃəʳ] *n* cultura.

cultured ['kʌltʃəd] *adj (person)* culto,-a.

cumbersome ['kʌmbəsəm] *adj (awkward)* incómodo,-a.

cum(m)in ['kʌmɪn] *n* comino.

cunning ['kʌnɪŋ] *adj* astuto,-a. – **3** *n* astucia, maña.

cup [kʌp] *n* taza. **2** SP copa.

cupboard ['kʌbəd] *n (for clothes, books)* armario; *(on wall)* alacena.

cupola ['kjuːpələ] *n* cúpula.

cur [kɜːʳ] *n pey* chucho. **2** *(person)* canalla.

curable ['kjuərəbəl] *adj* curable.

curate ['kjuərət] *n* cura *m*, coadjutor *m*.

curator ['kjuəreɪtəʳ] *n* conservador,-ra.

curb [kɜːb] *n (for horse)* barbada. **2** fig freno. – **3** *t (horse)* refrenar. **4** fig contener.

curd [kɜːd] *n* cuajada.

curdle ['kɜːdəl] *t-i (milk)* cuajar(se), cortar(se). **2** fig helar(se).

cure [kjuəʳ] *t* curar. – **2** *n* cura.

curfew ['kɜːfjuː] *n* toque *m* de queda.

curiosity [kjuərɪ'ɒsɪtɪ] *n* curiosidad.

curious ['kjuərɪəs] *adj* curioso,-a.

curl [kɜːl] *t-i* rizar(se). – **2** *n* rizo, bucle *m*; *(tight)* tirabuzón *m*. **3** *(of smoke)* espiral *f*.

curlew ['kɜːljuː] *n* zarapito real.

curling ['kɜːlɪŋ] *adj ~ tongs*, tenacillas *fpl* de rizar el pelo.

currant ['kʌrənt] *n* pasa (de Corinto). **2** *(fruit)* grosella.

currency ['kʌrənsɪ] *n* moneda. ■ *foreign ~*, divisa; *hard ~*, divisa fuerte.

current ['kʌrənt] *adj* general; *(phrase)* actual; *(month etc.)* en curso. **2** FIN corriente. – **3** *n* corriente *f*.

curry ['kʌrɪ] *n* curry *m*. – **2** *t* fig *to ~ favour (with sb.)*, congraciarse (con algn.).

curse [kɜːs] *n* maldición. **2** *(oath)* palabrota. **3** fig azote *m*. – **4** *t-i* maldecir.

cursory ['kɜːsərɪ] *adj* rápido,-a, superficial.

curt [kɜːt] *adj* seco,-a, brusco,-a.

curtail [kɜː'teɪl] *t* reducir.

curtain ['kɜːtən] *n* cortina; THEAT telón *m*. ●*to drop/raise the ~*, bajar/alzar el telón.

curts(e)y ['kɜːtsɪ] *n* reverencia.

curvature ['kɜːvətʃəʳ] *n* curvatura.

curve [kɜːv] *n* curva. – **2** *t* encorvar. – **3** *i* torcer.

cushion ['kuʃən] *n* cojín *m*; *(large)* almohadón *m*. – **2** *t* fig suavizar.

custard ['kʌstəd] *n* natillas *fpl*.

custodian [kʌs'təudɪən] *n* conserje *mf*.

custody ['kʌstədɪ] *n* custodia. ●*to take into ~*, detener.

custom ['kʌstəm] *n* costumbre *f*.

customary ['kʌstəmərɪ] *adj* acostumbrado,-a, habitual.

customer ['kʌstəməʳ] *n* cliente *mf*.

customs ['kʌstʌmz] *n sing or pl* aduana.

cut [kʌt] *t* cortar. **2** *(stone, glass)* tallar; *(record)* grabar. **3** *(divide up)* dividir. **4** *(reduce)* recortar. – **5** *n* corte *m*. **6** *(of meat)* tajada. **7** *(share)* parte *f*. **8** *(reduction)* recorte *m*; *(discount)* descuento. **9** *(insult)* desaire *m*. – **10** *adj* cortado,-a; *(price)* reducido,-a. ◆*to ~ down t* talar, cortar. **2** fig *to ~ down (on)*, reducir. ◆*to ~ in i* meter baza. ◆*to ~ off t* cortar; fig desheredar. ◆*to ~ out t* recortar; *(dress)* cortar. **2** fig suprimir. ●*to ~ one's hair*, cortarse el pelo; fig *to ~ corners*, recortar presupuestos. ■ *cold cuts*, fiambres *mpl*; *short ~*, atajo. ▲ *pt & pp cut*.

cute [kjuːt] *adj* mono,-a.

cuticle ['kjuːtɪkəl] *n* cutícula.

cutlery ['kʌtlərɪ] *n* cubiertos *mpl*, cubertería.

cutlet ['kʌtlət] *n* chuleta.

cutting ['kʌtɪŋ] *n* recorte *m*. **2** BOT esqueje *m*. – **3** *adj* cortante.

cuttlefish ['kʌtəlfɪʃ] *n* jibia, sepia.

cyanide ['saɪənaɪd] *n* cianuro.

cycle ['saɪkəl] *i* ir en bicicleta.

cycling ['saɪklɪŋ] *n* ciclismo.

cyclist ['saɪklɪst] *n* ciclista *mf*.

cyclone ['saɪkləun] *n* ciclón *m*.

cylinder ['sɪlɪndəʳ] *n* cilindro. **2** *(gas)* bombona.

cymbal ['sɪmbəl] *n* címbalo.

cynic ['sɪnɪk] *n* cínico,-a.

cynical ['sɪnɪkəl] *adj* cínico,-a.

cynicism ['sɪnɪsɪzəm] *n* cinismo.

cypress ['saɪprəs] *n* ciprés *m*.

cyst [sɪst] *n* quiste *m*.

czar [zɑːʳ] *n* zar *m*.

D

dab [dæb] *n* toque *m*. 2 *(fish)* acedía. — 3 *t* tocar ligeramente. 4 *(with paint)* dar pinceladas a.

dabble ['dæbəl] *i* aficionarse *(in,* a).

dad [dæd], **daddy** ['dædɪ] *n fam* papá *m*.

daffodil ['dæfədɪl] *n* narciso.

daft [dɑːft] *adj fam (person)* chalado,-a; *(idea)* tonto,-a.

dagger ['dægə^r] *n* daga, puñal *m*.

daily ['deɪlɪ] *adj* diario,-a, cotidiano,-a. — 2 *adv* diariamente. — 3 *n* diario.

dainty ['deɪntɪ] *adj (delicate)* delicado,-a. 2 *(refined)* refinado,-a.

dairy ['deərɪ] *n (on farm)* vaquería. 2 *(shop)* lechería. ■ ~ *farming,* industria lechera.

dais ['deɪɪs] *n* tarima, estrado.

daisy ['deɪzɪ] *n* margarita.

dam [dæm] *n (barrier)* dique *m*. 2 *(reservoir)* embalse *m*, presa. — 3 *t* represar, embalsar. 4 *fig to* ~ *(up),* reprimir.

damage ['dæmɪdʒ] *n* daño. 2 *fig* perjuicio. 3 *pl* daños *mpl* y perjuicios. — 4 *t* dañar. 5 *fig* perjudicar.

damaging ['dæmɪdʒɪŋ] *adj* perjudicial.

dame [deɪm] *n (title)* dama. 2 *us fam* mujer *f*, tía.

damn [dæm] *interj fam* ~ *(it)!*, ¡maldito,-a sea! — 2 *adj sl* maldito,-a. — 3 *t* condenar. ●*I don't give a* ~, me importa un bledo.

damned [dæmd] *adj* maldito,-a.

damp [dæmp] *adj* húmedo,-a; *(wet)* mojado,-a. — 2 *n* humedad.

dampen ['dæmpən] *t* humedecer. 2 *fig* desalentar.

dampness ['dæmpnəs] *n* humedad.

dance [dɑːns] *n* baile *m*; *(classical, tribal)* danza. — 2 *i-t* bailar.

dancer ['dɑːnsə^r] *n* bailador,-ra. 2 *(professional)* bailarín,-ina.

dandelion ['dændɪlaɪən] *n* diente *m* de león.

dandruff ['dændrəf] *n* caspa.

danger ['deɪndʒə^r] *n* peligro. 2 *(risk)* riesgo.

dangerous ['deɪndʒərəs] *adj* peligroso,-a. 2 *(illness)* grave.

dangle ['dæŋgəl] *t-i* colgar, balancear(se) en el aire.

dank [dæŋk] *adj* húmedo,-a y malsano,-a.

dappled ['dæpəld] *adj* moteado,-a; *(horse)* rodado,-a.

dare [deə^r] *i* atreverse *(to,* a), osar. — 2 *t (challenge)* desafiar. — 3 *n* reto, desafío. ●*I* ~ *say,* creo (que sí).

daredevil ['deədevəl] *adj-n* atrevido,-a.

daring ['deərɪŋ] *adj* audaz, osado,-a. — *n* osadía, atrevimiento.

dark [dɑːk] *adj* oscuro,-a. 2 *(hair, skin)* moreno,-a. 3 *fig (gloomy)* triste; *(future)* negro,-a. 4 *fig (secret)* misterioso,-a. — 5 *n* oscuridad. 6 *(nightfall)* anochecer *m*. ●*fig to be in the* ~, estar a oscuras, no saber nada.

darken ['dɑːkən] *t-i* oscurecer(se). 2 *fig* entristecer(se).

darkness ['dɑːknəs] *n* oscuridad, tinieblas *fpl*. ●*in* ~, a oscuras.

darling ['dɑːlɪŋ] *n* querido,-a, amado,-a. — 2 *adj* querido,-a. 3 *fam* precioso,-a.

darn [dɑːn] *n* zurcido. — 2 *t* zurcir. — 3 *interj fam euph* ¡mecachis!

dart [dɑːt] *n* dardo. 2 *(rush)* movimiento rápido. 3 *sew* pinza. — 4 *t* echar. — 5 *i* lanzarse, precipitarse.

dartboard ['dɑːtbɔːd] *n* blanco de tiro.

dash [dæʃ] *n (rush)* carrera. 2 *(small amount)* poco; *(of salt etc.)* pizca; *(of liquid)* chorro. 3 *(mark)* raya. 4 *(style)* elegancia. — 5 *t* lanzar, arrojar. 6 *(smash)* romper, estrellar; *fig* desvanecer. — 7 *i* *(rush)* correr. ◆*to ~ off* t escribir deprisa y corriendo. – 2 *i* salir corriendo.

dashboard ['dɑːʃbɔːd] *n* salpicadero.

data ['deɪtə] *npl* datos *mpl*. ■ COMPUT ~ *base,* base *f* de datos; ~ *processing, (science)* informática.

date [deɪt] *n* fecha. 2 *(appointment)* cita, compromiso. 3 BOT dátil *m*. – 4 *t* fechar, datar. 5 US *fam (go out with)* salir con. ◆*out of ~,* anticuado,-a; *up to ~,* actualizado,-a; *fig to be up to ~ (on sth.),* estar al corriente (de algo). ■ ~ *palm,* (palmera) datilera.

dated ['deɪtɪd] *adj* anticuado,-a.

dative ['deɪtɪv] *adj-n* dativo.

daub [dɔːb] *n* revestimiento, capa. – 2 *t* embadurnar; *(with oil)* untar. – 3 *i fam* pintarrajear.

daughter ['dɔːtəʳ] *n* hija.

daughter-in-law ['dɔːtərɪnlɔː] *n* nuera.

daunt [dɔːnt] *t* intimidar.

dawdle ['dɔːdəl] *i* ir despacio. 2 *(waste time)* perder el tiempo.

dawn [dɔːn] *n* alba, aurora, amanecer *m*. 2 *fig* albores *mpl*. – 3 *i* amanecer, alborear. ◆*it dawned on me that ...,* caí en la cuenta de que ... .

day [deɪ] *n* día *m*. 2 *(period of work)* jornada. 3 *(era)* época, tiempo. ◆*by ~,* de día; *the ~ after tomorrow,* pasado mañana; *the ~ before yesterday,* anteayer; *these days,* hoy en día. ■ ~ *off,* día libre.

daybreak ['deɪbreɪk] *n* amanecer *m*, alba.

daydream ['deɪdriːm] *n* ensueño. – 2 *i* soñar despierto,-a.

daze [deɪz] *n* aturdimiento. – 2 *t* aturdir.

dazzle ['dæzəl] *n* deslumbramiento. – 2 *t* deslumbrar.

deacon ['diːkən] *n* diácono.

dead [ded] *adj* muerto,-a. 2 *(still)* estancado,-a. 3 *(numb)* entumecido,-a. 4 *(sound)* sordo,-a. 5 *(total)* total, absoluto,-a: ~ *silence,* silencio total. – 6 *n in the ~ of night/winter,* en plena noche/ pleno invierno. – 7 *adv (totally)* totalmente. 8 *(exactly)* justo. ◆*to stop ~,* pararse en seco. ■ ~ *calm,* calma chicha; ~ *end,* callejón *m* sin salida.

deadline ['dedlaɪn] *n* fecha/hora tope, plazo.

deadlock ['dedlɒk] *n* punto muerto.

deadly ['dedlɪ] *adj* mortal; *(weapon, gas)* mortífero,-a.

deaf [def] *adj* sordo,-a. ◆*to turn a ~ ear,* hacerse el sordo/la sorda.

deaf-and-dumb [defən'dʌm] *adj* sordomudo,-a.

deafen ['defən] *t* ensordecer.

deafness ['defnəs] *n* sordera.

deal [diːl] *n* trato, pacto. 2 *(amount)* cantidad: *a great ~ of noise,* mucho ruido. 3 *(cards)* reparto. – 4 *t (give)* dar; *(blow)* asestar. 5 *(cards)* repartir. – 6 *i* comerciar *(in,* en). ◆*to ~ with t* COM tratar con. 2 *(manage)* abordar, ocuparse de. 3 *(treat)* tratar de. ▲ *pt & pp* **dealt**.

dealer ['diːləʳ] *n* comerciante *mf*. 2 *(cards)* repartidor,-ra.

dealings ['diːlɪŋz] *npl* trato *m sing*. 2 COM negocios *mpl*.

dealt [delt] *pt & pp* → deal.

dean [diːn] *n* REL deán *m*. 2 EDUC decano,-a.

dear [dɪəʳ] *adj* querido,-a. 2 *(in letter)* querido,-a; *fml* apreciado,-a, estimado,-a. 3 *(expensive)* caro,-a. – 4 *n* querido,-a, cariño. – 5 *interj oh ~!/~ me!,* ¡caramba!, ¡vaya por Dios! – 6 *adv* caro. – 7 *dearly adv* mucho. ◆*Dear Sir,* Muy señor mío.

death [deθ] *n* muerte *f*. ◆*on pain of ~,* bajo pena de muerte. ■ ~ *certificate,* certificado de defunción; ~ *penalty/ sentence,* pena de muerte.

deathly ['deθlɪ] *adj* sepulcral.

deathtrap ['deθtræp] *n fam* lugar peligroso.

debar [dɪ'bɑːʳ] *t* excluir *(from,* de).

debase [dɪ'beɪs] *t (degrade)* desvalorizar. 2 *(humiliate)* degradar.

debatable [dɪ'beɪtəbəl] *adj* discutible.

debate [dɪ'beɪt] *n* debate *m*, discusión. – 2 *t-i* debatir, discutir.

debauchery [dɪ'bɔːtʃərɪ] *n* libertinaje *m*, corrupción.

debilitate [dɪ'bɪlɪteɪt] *t* debilitar.

debit ['debɪt] *n* FIN débito. – 2 *t* cargar en cuenta. ■ ~ *balance,* saldo negativo.

debrief [diː'briːf] *t* interrogar, pedir un informe a.

debris ['deɪbriː] *n* escombros *mpl*.

debt [det] *n* deuda. ◆*to get into/run up debts,* contraer deudas.

debtor ['detəʳ] *n* deudor,-ra.

debunk [diː'bʌŋk] *t fam* desmitificar, desenmascarar; *(idea, belief)* desacreditar.

debut ['deɪbjuː] *n (show)* estreno; *(person)* debut *m*.

decade ['dekeɪd] *n* década, decenio.

decadence ['dekədəns] *n* decadencia.

decadent ['dekədənt] *adj* decadente.

decaffeinated [dɪ'kæfɪneɪtɪd] *adj* descafeinado,-a.

decant [dɪ'kænt] *t* decantar.

decanter [dɪ'kæntəʳ] *n* jarra.

decapitate [dɪ'kæpɪteɪt] *t* decapitar.
decay [dɪ'keɪ] *n* descomposición. 2 *(ruin)* deterioro. 3 *(of teeth)* caries *f inv.* 4 *fig* decadencia. – 5 *i* descomponerse. 6 *(deteriorate)* desmoronarse. 7 *(teeth)* cariarse. 8 *fig* corromperse.
deceased [dɪ'siːst] *adj-n* difunto,-a, fallecido,-a.
deceit [dɪ'siːt] *n* engaño, falsedad.
deceitful [dɪ'siːtfʊl] *adj* falso,-a, mentiroso,-a.
deceive [dɪ'siːv] *t* engañar.
decelerate [diː'seləreɪt] *i* reducir la velocidad.
December [dɪ'sembəʳ] *n* diciembre *m.*
decency ['diːsənsɪ] *n* decencia.
decent ['diːsənt] *adj* decente. 2 *(adequate)* adecuado,-a, razonable. 3 *fam (kind)* bueno,-a.
decentralize [diː'sentrəlaɪz] *t* descentralizar.
deception [dɪ'sepʃən] *n* engaño, mentira, decepción.
deceptive [dɪ'septɪv] *adj* engañoso,-a, falso,-a.
decibel ['desɪbel] *n* decibelio.
decide [dɪ'saɪd] *t-i* decidir(se). •*to ~ on,* optar por.
decided [dɪ'saɪdɪd] *adj (resolute)* decidido,-a. 2 *(clear)* marcado,-a. – 3 *decidedly adv* decididamente; *(clearly)* sin duda.
deciding [dɪ'saɪdɪŋ] *adj* decisivo,-a.
decimal ['desɪməl] *adj-n* decimal *(m).*
decimate ['desɪmeɪt] *t* diezmar.
decipher [dɪ'saɪfəʳ] *t* descifrar.
decision [dɪ'sɪʒən] *n* decisión.
decisive [dɪ'saɪsɪv] *adj* decisivo,-a. 2 *(firm)* decidido,-a.
deck [dek] *n* cubierta. 2 *(of bus, coach)* piso. 3 us *(of cards)* baraja. – 4 *t* adornar.
declaration [deklə'reɪʃən] *n* declaración.
declare [dɪ'kleəʳ] *t* declarar, manifestar. – 2 *i to ~ for/against,* pronunciarse en contra/a favor de.
decline [dɪ'klaɪn] *n (decrease)* disminución. 2 *(decay)* deterioro; *(health)* empeoramiento. – 3 *i* disminuir. 4 *(decay)* deteriorarse; *(health)* empeorarse. – 5 *t (refuse)* rehusar, rechazar. 6 GRAM declinar.
decode [diː'kəʊd] *t* descifrar.
decompose [diːkəm'pəʊz] *t-i* descomponer(se).
decor, décor ['deɪkɔːʳ] *n* decoración. 2 THEAT decorado.

decorate ['dekəreɪt] *t* decorar, adornar. 2 *(honour)* condecorar. – 3 *t-i (paint)* pintar; *(wallpaper)* empapelar.
decoration [dekə'reɪʃən] *n* decoración. 2 *(medal)* condecoración.
decorative ['dekərətɪv] *adj* decorativo,-a.
decorum [dɪ'kɔːrəm] *n fml* decoro.
decoy ['diːkɔɪ] *n (bird)* cimbel *m*; *(artificial)* señuelo. 2 *fig* señuelo. – 3 *t* atraer con señuelo.
decrease [dɪ'kriːs] *n* disminución. – 2 *t-i* disminuir, reducir.
decree [dɪ'kriː] *n* decreto. – 2 *t* decretar.
decrepit [dɪ'krepɪt] *adj* decrépito,-a.
dedicate ['dedɪkeɪt] *t* dedicar, consagrar.
dedication [dedɪ'keɪʃən] *n* dedicación, entrega. 2 *(in book etc.)* dedicatoria.
deduce [dɪ'djuːs] *t* deducir, inferir.
deduct [dɪ'dʌkt] *t* restar, descontar.
deduction [dɪ'dʌkʃən] *n* deducción.
deed [diːd] *n (act)* acto. 2 *(feat)* hazaña. 3 JUR escritura.
deem [diːm] *t* juzgar, considerar.
deep [diːp] *adj* hondo,-a, profundo,-a. 2 *(sound, voice)* grave. 3 *(colour)* oscuro,-a. 4 *(serious)* grave. – 5 *adv* profundamente. – 6 *n* profundidad. – 7 *deeply adv* profundamente. •*it's ten metres ~,* tiene diez metros de profundidad; *fig to be ~ in thought,* estar absorto,-a.
deepen ['diːpən] *t-i* ahondar(se). 2 *(colour, emotion)* intensificar(se). 3 *(sound, voice)* hacer(se) más grave.
deer [dɪəʳ] *n inv* ciervo.
deface [dɪ'feɪs] *t* desfigurar.
defamation [defə'meɪʃən] *n* difamación.
defamatory [dɪ'fæmətərɪ] *adj* difamatorio,-a.
default [dɪ'fɔːlt] *n* negligencia. 2 *(failure to pay)* incumplimiento de pago. 3 JUR rebeldía. 4 SP incomparecencia. – 5 *i* faltar a un compromiso, imcumplir. 6 JUR estar en rebeldía. 7 SP no comparecer.
defeat [dɪ'fiːt] *n* derrota. 2 *fig* fracaso. – 3 *t* derrotar, vencer. 4 *fig* frustrar.
defecate ['defəkeɪt] *i fml* defecar.
defect ['diːfekt] *n* defecto. *(flaw)* desperfecto. – 2 *i* desertar. ▲ *En* 2 *(verbo)* [dɪ'fekt].
defection [dɪ'fekʃən] *n* deserción, defección.
defective [dɪ'fektɪv] *adj* defectuoso,-a. 2 *(lacking)* deficiente. 3 GRAM defectivo,-a.
defector [dɪ'fektəʳ] *n* tránsfuga *mf.*

defence [dɪ'fens] n defensa.
defenceless [dɪ'fensləs] adj indefenso,-a.
defend [dɪ'fend] t defender.
defendant [dɪ'fendənt] n demandado,-a, acusado,-a.
defender [dɪ'fendə^r] n defensor,-ra.
defending [dɪ'fendɪŋ] adj SP ~ champion, campeón,-ona titular. 2 JUR ~ counsel, abogado,-a defensor.
defensive [dɪ'fensɪv] adj defensivo,-a. − 2 n defensiva.
defer [dɪ'fɜ:^{r}] t aplazar, retrasar. − 2 i deferir.
deference ['defərəns] n deferencia, consideración.
defiance [dɪ'faɪəns] n desafío. ●in ~ of, a despecho de.
defiant [dɪ'faɪənt] adj desafiante, provocativo,-a.
deficiency [dɪ'fɪʃənsɪ] n deficiencia.
deficient [dɪ'fɪʃənt] adj deficiente. ●to be ~ in sth., estar falto,-a de algo.
deficit ['defɪsɪt] n déficit m.
defile [dɪ'faɪl] n desfiladero. − 2 t ensuciar, contaminar. 3 (desecrate) profanar.
define [dɪ'faɪn] t definir.
definite ['defɪnət] adj definido,-a. 2 (clear) claro,-a, preciso,-a. 3 (fixed) determinado,-a. − 4 definitely adv definitivamente. ■ GRAM ~ article, artículo determinado.
definition [defɪ'nɪʃən] n definición. 2 (clarity) nitidez f.
definitive [dɪ'fɪnɪtɪv] adj definitivo,-a.
deflate [dɪ'fleɪt] t-i desinflar(se), deshinchar(se).
deflation [dɪ'fleɪʃən] n desinflamiento. 2 ECON deflación.
deflect [dɪ'flekt] t-i desviar(se).
deform [dɪ'fɔ:m] t deformar, desfigurar.
deformed [dɪ'fɔ:md] adj deforme.
defrost [di:'frost] t-i descongelar(se).
deft [deft] adj diestro,-a, hábil.
defunct [dɪ'fʌŋkt] adj difunto,-a.
defy [dɪ'faɪ] t desafiar; (law) desobedecer. 2 (challenge) retar.
degenerate [dɪ'dʒenərət] adj-n degenerado,-a. − 2 i degenerar. ▲ En 2 (verbo) [dɪ'dʒenəreɪt].
degeneration [dɪdʒenə'reɪʃən] n degeneración.
degrade [dɪ'greɪd] t degradar, rebajar.
degrading [dɪ'greɪdɪŋ] adj degradante.
degree [dɪ'gri:] n grado. 2 (stage) punto, etapa. 3 EDUC título. ●by degrees, poco a poco; to some ~, hasta cierto punto;

to take a ~ (in sth.), licenciarse (en algo). ■ first ~, licenciatura; honorary ~, doctorado "honoris causa".
dehydrate [di:haɪ'dreɪt] t deshidratar.
de-ice [di:'aɪs] t quitar el hielo a, deshelar.
deign [deɪn] i dignarse (to, a).
deity ['deɪtɪ] n divinidad, deidad.
dejected [dɪ'dʒektɪd] adj abatido,-a, desanimado,-a.
delay [dɪ'leɪ] n retraso. − 2 t (defer) aplazar, diferir. − 3 t-i retrasar(se); (person) entretener(se).
delegate ['delɪgət] adj-n delegado,-a. − 2 t delegar. ▲ En 2 (verbo) ['delɪgeɪt].
delegation [delɪ'geɪʃən] n delegación.
delete [dɪ'li:t] t borrar, suprimir.
deliberate [dɪ'lɪbərət] adj deliberado,-a, premeditado,-a. 2 (slow) pausado,-a, lento,-a. − 3 t-i deliberar. ▲ En 3 (verbo) [dɪ'lɪbəreɪt].
deliberation [dɪlɪbə'reɪʃən] n deliberación.
delicacy ['delɪkəsɪ] n delicadeza. 2 (fragility) fragilidad. 3 (food) manjar (exquisito).
delicate ['delɪkət] adj delicado,-a; (handiwork) fino,-a. 2 (fragile) frágil. 3 (subtle) suave.
delicatessen [delɪkə'tesən] n charcutería selecta.
delicious [dɪ'lɪʃəs] adj delicioso,-a. 2 (taste, smell) exquisito,-a.
delight [dɪ'laɪt] n placer m, gusto. 2 (source of pleasure) encanto, delicia. − 3 t deleitar, encantar, dar gusto. − 4 i deleitarse (in, en/con).
delighted [dɪ'laɪtɪd] adj encantado,-a.
delightful [dɪ'laɪtfʊl] adj (pleasant) encantador,-ra, ameno,-a. 2 (delicious) delicioso,-a.
delinquency [dɪ'lɪŋkwənsɪ] n delincuencia.
delinquent [dɪ'lɪŋkwənt] adj-n delincuente (mf).
delirious [dɪ'lɪrɪəs] adj delirante.
deliver [dɪ'lɪvə^r] t (goods etc.) entregar, repartir. 2 (hit, kick) dar. 3 (say) pronunciar. 4 (doctor) asistir al parto de. 5 fml (free) liberar.
deliverance [dɪ'lɪvərəns] n fml liberación, rescate m.
delivery [dɪ'lɪvərɪ] n (of goods etc.) entrega, reparto; (of mail) reparto. 2 (of speech etc.) elocuencia, dicción. 3 (of baby) parto, alumbramiento. ●cash on ~, entrega contra reembolso. ■ ~ man, repartidor m; ~ note, albarán m de entrega;

~ *room,* sala de partos; GB ~ *van,* furgoneta de reparto.

delta ['deltə] *n* delta *m.*

delude [dɪ'lu:d] *t* engañar.

deluge ['delju:dʒ] *n* diluvio. 2 *(flood)* inundación. — 3 *t* inundar *(with,* de).

delusion [dɪ'lu:ʒən] *n* engaño. 2 *(false belief)* ilusión.

de luxe [də'lʌks] *adj inv* de lujo.

delve [delv] *i* hurgar *(into,* en). 2 *fig (past)* escarbar *(into,* en).

demand [dɪ'mɑːnd] *n* solicitud; *(for pay rise etc.)* reclamación, petición. 2 *(claim)* exigencia. 3 ECON demanda: *there's a big* ~ *for computers,* hay una gran demanda de ordenadores. — 4 *t* exigir; *(rights etc.)* reclamar. ●*on* ~, a petición.

demanding [dɪ'mɑːndɪŋ] *adj* exigentte. 2 *(tiring)* agotador,-ra.

demean [dɪ'miːn] *i fml* rebajar.

demeanour [dɪ'miːnər] *n fml* comportamiento, conducta. 2 *(bearing)* porte *m.*

demented [dɪ'mentɪd] *adj* demente.

demise [dɪ'maɪz] *n* fallecimiento, defunción.

demist [di:'mɪst] *t* desempañar.

demobilize [di:'məʊbɪlaɪz] *t* desmovilizar.

democracy [dɪ'mɒkrəsɪ] *n* democracia.

democrat ['deməkræt] *n* demócrata *mf.*

democratic [demə'krætɪk] *adj* democrático,-a. ■ US *Democratic party,* partido demócrata.

demolish [dɪ'mɒlɪʃ] *t* derribar, demoler. 2 *fig* destruir.

demolition [demə'lɪʃən] *n* demolición, derribo.

demon ['diːmən] *n* demonio, diablo.

demonstrate ['demənstreɪt] *t* demostrar. 2 *(show)* mostrar. — 3 *i (protest)* manifestarse.

demonstration [demən'streɪʃən] *n* demostración. 2 *(march)* manifestación.

demonstrative [dɪ'mɒnstrətɪv] *adj (person)* abierto,-a, franco,-a. 2 GRAM demostrativo,-a.

demonstrator ['demənstreɪtər] *n* manifestante *mf.*

demoralize [dɪ'mɒrəlaɪz] *t* desmoralizar.

demote [dɪ'məʊt] *t* degradar.

demur [dɪ'mɜːr] *i fml* oponerse.

demure [dɪ'mjʊər] *adj* recatado,-a, discreto,-a.

den [den] *n* guarida.

denial [dɪ'naɪəl] *n* mentís *m inv.* 2 *(refusal)* denegación, negativa.

denomination [dɪnɒmɪ'neɪʃən] *n (belief)* confesión. 2 *(value)* valor *m.*

denominator [dɪ'nɒmɪneɪtər] *n* denominador *m.* ■ *common* ~, común denominador.

denote [dɪ'nəʊt] *t* denotar, indicar. 2 *(position, weight)* marcar.

denounce [dɪ'naʊns] *t* denunciar, censurar.

dense [dens] *adj* denso,-a, espeso,-a. 2 *fam (person)* corto,-a.

density ['densɪtɪ] *n* densidad.

dent [dent] *n* abolladura. — 2 *t* abollar.

dental ['dentəl] *adj* dental. ■ ~ *surgeon,* odontólogo,-a.

dentist ['dentɪst] *n* dentista *mf.*

dentistry ['dentɪstrɪ] *n* odontología.

dentures ['dentʃəz] *npl* dentadura *f sing* postiza.

denude [dɪ'njuːd] *t* desnudar, despojar.

denunciation [dɪnʌnsɪ'eɪʃən] *n* denuncia, condena.

deny [dɪ'naɪ] *t* negar.

deodorant [diː'əʊdərənt] *n* desodorante *m.*

depart [dɪ'pɑːt] *i fml* partir, salir. 2 *fig* desviarse, apartarse *(from,* de).

departed [dɪ'pɑːtɪd] *adj euph* difunto,-a.

department [dɪ'pɑːtmənt] *n* departamento; *(in office, store)* sección. ■ ~ *store,* grandes almacenes *mpl.*

departure [dɪ'pɑːtʃər] *n* partida, marcha; *(of plane, train, etc.)* salida. 2 *fig* desviación.

depend [dɪ'pend] *i* depender *(on,* de). ◆*to* ~ *on/upon t (trust)* confiar en, fiarse de. 2 *(vary, be supported by)* depender de. ●*that/it (all) depends,* según, (todo) depende.

dependable [dɪ'pendəbəl] *adj* fiable.

dependence [dɪ'pendəns] *n* dependencia *(on/upon,* de).

dependent [dɪ'pendənt] *adj* dependiente. ●*to be* ~ *on,* depender de.

depict [dɪ'pɪkt] *t* pintar, representar, retratar. 2 *fig* describir.

depilatory [dɪ'pɪlətərɪ] *n* depilatorio.

deplete [dɪ'pliːt] *t fml* reducir.

depletion [dɪ'pliːʃən] *n fml* reducción.

deplorable [dɪ'plɔːrəbəl] *adj* deplorable, lamentable.

deplore [dɪ'plɔːr] *t* deplorar, lamentar.

deploy [dɪ'plɔɪ] *t fig* desplegar.

deployment [dɪ'plɔɪmənt] *n* despliegue *m.*

deport [dɪ'pɔːt] *t* deportar.

deportation [dɪːpɔːˈteɪʃən] *n* deportación.

depose [dɪˈpəʊz] *t* deponer, destituir.

deposit [dɪˈpɒzɪt] *n* sedimento. 2 *(mining)* yacimiento. 3 *(wine)* poso. 4 *(bank)* depósito. 5 COM depósito; *(first payment)* entrada. – 6 *t* depositar. 7 *(into account)* ingresar. ■ ~ *account,* cuenta de ahorros/a plazo fijo.

depot [ˈdepəʊ] *n (storehouse)* almacén *m;* MIL depósito. 2 US *(railway)* estación de ferrocarriles.

deprave [dɪˈpreɪv] *t* depravar.

depravity [dɪˈprævɪtɪ] *n* depravación.

deprecate [ˈdeprɪkeɪt] *t fml* desaprobar, censurar.

depreciate [dɪˈpriːʃɪeɪt] *i* depreciarse.

depreciation [dɪpriːʃɪˈeɪʃən] *n* depreciación, desvalorización.

depress [dɪˈpres] *t* deprimir. 2 *(reduce)* reducir, disminuir.

depressing [dɪˈpresɪŋ] *adj* deprimente.

depression [dɪˈpreʃən] *n* depresión. 2 ECON crisis *f inv* (económica).

depressive [dɪˈpresɪv] *adj* depresivo,-a.

deprivation [deprɪˈveɪʃən] *n* privación.

deprive [dɪˈpraɪv] *t* privar/despojar *(of, de).*

depth [depθ] *n* profundidad; *(of cupboard etc.)* fondo. 2 *(of sound, voice)* gravedad. 3 *(of emotion, colour)* intensidad. ●*in ~,* a fondo; **in the depths of the forest,** en el corazón del bosque; **to be out of one's** ~, perder pie; *fig* meterse en camisa de once varas.

deputation [depjʊˈteɪʃən] *n* delegación.

deputy [ˈdepjʊtɪ] *n (substitute)* su(b)stituto,-a, suplente *mf.* 2 POL diputado,-a. ■ ~ *chairman,* vicepresidente,-a.

deranged [dɪˈreɪndʒd] *adj fml* trastornado,-a, loco,-a.

derelict [ˈderɪlɪkt] *adj* abandonado,-a.

deride [dɪˈraɪd] *t* burlarse de, ridiculizar.

derision [dɪˈrɪʒən] *n* mofa, irrisión.

derisive [dɪˈraɪsɪv] *adj* burlón,-ona, irónico,-a.

derisory [dɪˈraɪsərɪ] *adj* irrisorio,-a.

derivation [derɪˈveɪʃən] *n* derivación.

derivative [deˈrɪvətɪv] *adj pej* poco original. – 2 *n* derivado.

derive [dɪˈraɪv] *t* derivar, sacar *(from, de).* – 2 *i* GRAM derivar(se).

derogatory [dɪˈrɒgətərɪ] *adj* despectivo,-a, peyorativo,-a.

derrick [ˈderɪk] *n* grúa. 2 *(oil)* torre *f* de perforación.

descend [dɪˈsend] *t-i* descender, bajar. ◆*to ~ on/upon t* atacar. 2 *fig* visitar: **they descended on us at dinnertime,** se dejaron caer por casa a la hora de cenar. ◆*to ~ to t* rebajarse a.

descendant [dɪˈsendənt] *n* descendiente *mf.*

descent [dɪˈsent] *n* descenso, bajada. 2 *(slope)* pendiente *f.* 3 *(family origins)* ascendencia.

describe [dɪˈskraɪb] *t* describir. 2 *(arc etc.)* trazar.

description [dɪˈskrɪpʃən] *n* descripción. ●*of some ~,* de alguna clase.

descriptive [dɪˈskrɪptɪv] *adj* descriptivo,-a.

desecrate [ˈdesɪkreɪt] *t* profanar.

desert [ˈdezət] *n* desierto. – 2 *t* abandonar, dejar. – 3 *i* MIL desertar. ▲ *En 2 y 3 (verbo)* [dɪˈzɜːt].

deserter [dɪˈzɜːtəʳ] *n* desertor,-ra.

desertion [dɪˈzɜːʃən] *n* abandono. 2 MIL deserción.

deserve [dɪˈzɜːv] *t* merecer(se): **you ~ a rest,** te mereces un descanso.

deservedly [dɪˈzɜːvədlɪ] *adv* merecidamente, con (toda) razón.

deserving [dɪˈzɜːvɪŋ] *adj (person)* que vale, digno,-a. 2 *(action, cause)* meritorio,-a.

design [dɪˈzaɪn] *n* dibujo; *(of fashion)* diseño, creación. 2 *(plan)* plano, proyecto. 3 *(sketch)* boceto. 4 *fig* plan *m,* intención. – 5 *t* diseñar; *(fashion)* crear. 6 *(develop)* concebir, idear. – 7 *i* diseñar.

designate [ˈdezɪgneɪt] *t fml (indicate)* indicar, señalar. 2 *(appoint)* designar. – 3 *adj* designado,-a. ▲ *En 3 (adj)* [ˈdezɪgnət].

designation [dezɪgˈneɪʃən] *n fml* designación.

designer [dɪˈzaɪnəʳ] *n* diseñador,-ra.

desirable [dɪˈzaɪərəbəl] *adj* deseable, atractivo,-a. 2 *(residence)* de alto standing. 3 *(advisable)* conveniente.

desire [dɪˈzaɪəʳ] *n* deseo. – 2 *t* desear.

desist [dɪˈzɪst] *i* desistir *(from, de).*

desk [desk] *n (in school)* pupitre *m; (in office)* escritorio. ■ ~ *work,* trabajo de oficina.

desolate [ˈdesələt] *adj (place)* desolado,-a, desierto,-a. 2 *(person) (sad)* triste, desconsolado,-a; *(lonely)* solitario,-a.

desolation [desəˈleɪʃən] *n (of place)* desolación. 2 *(of person)* desconsuelo, aflicción.

despair [dɪsˈpeəʳ] n desesperación. – 2 i desesperar(se), perder la esperanza (of, de).

despatch [dɪsˈpætʃ] n-t → **dispatch**.

desperate [ˈdespərət] adj (wild) desesperado,-a. 2 (critical) grave. 3 (need) apremiante, urgente. – 4 **desperately** adv desesperadamente.

desperation [despəˈreɪʃən] n desesperación.

despicable [dɪˈspɪkəbəl] adj despreciable, vil, bajo,-a.

despise [dɪˈspaɪz] t despreciar, menospreciar.

despite [dɪˈspaɪt] prep a pesar de.

despondent [dɪˈspɒndənt] adj desalentado,-a, desanimado,-a.

despot [ˈdespɒt] n déspota mf.

despotism [ˈdespətɪzəm] n despotismo.

dessert [dɪˈzɜːt] n postre m.

dessertspoon [dɪˈzɜːtspuːn] n cuchara de postre. 2 (measure) cucharadita (de postre).

destination [destɪˈneɪʃən] n destino.

destined [ˈdestɪnd] adj destinado,-a. 2 fig condenado,-a: ~ to fail, condenado,-a al fracaso. 3 (bound) con destino (for, a).

destiny [ˈdestɪnɪ] n destino.

destitute [ˈdestɪtjuːt] adj indigente, mísero,-a. ●~ of, desprovisto,-a de.

destitution [destɪˈtjuːʃən] n indigencia, miseria.

destroy [dɪˈstrɔɪ] t destruir. 2 (animal) matar.

destroyer [dɪˈstrɔɪəʳ] n (warship) destructor. 2 (person, thing) destructor,-ra.

destruction [dɪˈstrʌkʃən] n destrucción.

destructive [dɪˈstrʌktɪv] adj destructor,-ra; (tendency, power) destructivo,-a.

detach [dɪˈtætʃ] t separar.

detached [dɪˈtætʃt] adj separado,-a, suelto,-a. 2 (impartial) desinteresado,-a, imparcial. ■ ~ house, casa independiente; ~ retina, retina desprendida.

detachment [dɪˈtætʃmənt] n separación. 2 (aloofness) desapego, indiferencia. 3 MIL destacamento.

detail [ˈdiːteɪl] n detalle m, pormenor m. 2 pl (information) información f sing. 3 MIL destacamento. – 4 t detallar, enumerar. 5 MIL destacar. ●to go into ~, entrar en detalles.

detain [dɪˈteɪn] t (hold) detener. 2 (delay) retener, entretener.

detect [dɪˈtekt] t detectar, descubrir.

detection [dɪˈtekʃən] n descubrimiento.

detective [dɪˈtektɪv] n detective mf. ■ ~ story, novela policíaca.

detector [dɪˈtektəʳ] n detector m.

detention [dɪˈtenʃən] n detención, arresto. ●to get ~rr, (in school) quedar(se) castigado,-a.

deter [dɪˈtɜːʳ] t disuadir (from, de).

detergent [dɪˈtɜːdʒənt] n detergente m.

deteriorate [dɪˈtɪərɪəreɪt] i deteriorar, empeorar.

deterioration [dɪtɪərɪəˈreɪʃən] n deterioro, empeoramiento.

determination [dɪtɜːmɪˈneɪʃən] n decisión.

determine [dɪˈtɜːmɪn] t determinar.

determined [dɪˈtɜːmɪnd] adj decidido,-a, resuelto,-a.

deterrent [dɪˈterənt] adj disuasivo,-a. – 2 n fuerza disuasoria.

detest [dɪˈtest] t detestar.

detestable [dɪˈtestəbəl] adj detestable.

detonate [ˈdetəneɪt] i estallar. – 2 t hacer estallar.

detonator [ˈdetəneɪtəʳ] n detonador m.

detour [ˈdiːtʊəʳ] n desvío.

detract [dɪˈtrækt] t quitar mérito (from, a).

detractor [dɪˈtræktəʳ] n detractor,-ra.

detriment [ˈdetrɪmənt] n fml detrimento, perjuicio.

detrimental [detrɪˈmentəl] adj fml perjudicial (to, para).

devaluation [diːvæljuːˈeɪʃən] n devaluación.

devalue [diːˈvæljuː] t devaluar.

devastate [ˈdevəsteɪt] t devastar.

devastating [ˈdevəsteɪtɪŋ] adj devastador,-ra.

develop [dɪˈveləp] t-i desarrollar(se). – 2 t (resources) explotar; (site etc.) urbanizar. 3 (film) revelar.

development [dɪˈveləpmənt] n desarrollo. 2 (advance) avance m. 3 (change) cambio, novedad. 4 (of resources) explotación; (of site etc.) urbanización. 5 (of film) revelado. ■ **housing** ~, conjunto residencial.

deviate [ˈdiːvɪeɪt] i desviarse.

deviation [diːvɪˈeɪʃən] n desviación.

device [dɪˈvaɪs] n mecanismo, dispositivo. 2 (plan) ardid m, estratagema. ■ **explosive** ~, artefacto explosivo.

devil [ˈdevəl] n diablo.

devilish [ˈdevəlɪʃ] adj diabólico,-a.

devious [ˈdiːvɪəs] adj tortuoso,-a.

devise [dɪˈvaɪz] t idear, concebir.

devoid [dɪ'vɔɪd] *adj* falto,-a, desprovisto,-a.

devolution [di:və'lu:ʃən] *n* POL transmisión de poderes.

devolve [dɪ'vɒlv] *i* recaer (*on,* sobre).

devote [dɪ'vəʊt] *t* consagrar, dedicar.

devoted [dɪ'vəʊtɪd] *adj* fiel, leal (*to,* a).

devotion [dɪ'vəʊʃən] *n* consagración, dedicación. 2 *(fondness)* afecto, cariño. 3 REL devoción.

devour [dɪ'vaʊəʳ] *t* devorar.

devout [dɪ'vaʊt] *adj* devoto,-a, piadoso,-a. 2 *(sincere)* sincero,-a.

dew [dju:] *n* rocío.

dexterity [dek'sterɪtɪ] *n* destreza, habilidad.

dext(e)rous ['dekstrəs] *adj* diestro,-a, hábil.

diabetes [daɪə'bi:ti:z] *n inv* diabetes *f inv*.

diabetic [daɪə'betɪk] *adj-n* diabético,-a.

diabolical [daɪə'bɒlɪkəl] *adj* diabólico,-a.

diagnose ['daɪəgnəʊz] *t* diagnosticar.

diagnosis [daɪəg'nəʊsɪs] *n* diagnóstico.
▲ *pl* **diagnoses** [daɪəg'nəʊsi:z].

diagnostic [daɪəg'nɒstɪk] *adj* diagnóstico,-a.

diagonal [daɪ'ægənəl] *adj-n* diagonal *(f)*. – 2 **diagonally** *adv* en diagonal.

diagram ['daɪəgræm] *n* diagrama *m,* esquema *m;* *(graph)* gráfico.

dial ['daɪəl] *n (of clock, barometer)* esfera. 2 *(on radio)* dial *m.* 3 *(telephone)* disco. – 4 *t* marcar.

dialect ['daɪəlekt] *n* dialecto.

dialogue ['daɪəlɒg] *n* diálogo.

diameter [daɪ'æmɪtəʳ] *n* diámetro.

diamond ['daɪəmənd] *n* diamante *m.* 2 *(shape)* rombo.

diaper ['daɪəpəʳ] *n* US pañal *m.*

diaphragm ['daɪəfræm] *n* diafragma *m.*

diarrhoea [daɪə'rɪə] *n* diarrea.

diary ['daɪərɪ] *n* diario. 2 *(agenda)* agenda.

dice [daɪs] *n inv* dado. – 2 *t* cortar en dados.

dichotomy [daɪ'kɒtəmɪ] *n* dicotomía.

dictate ['dɪkteɪt] *n* mandato. – 2 *t* dictar; *(impose)* imponer. – 3 *i* mandar. ▲ *En 2 y 3 (verbo)* [dɪk'teɪt].

dictation [dɪk'teɪʃən] *n* dictado.

dictator [dɪk'teɪtəʳ] *n* dictador,-ra.

dictatorial [dɪktə'tɔ:rɪəl] *adj* dictatorial.

dictatorship [dɪk'teɪtəʃɪp] *n* dictadura.

diction ['dɪkʃən] *n* dicción.

dictionary ['dɪkʃənərɪ] *n* diccionario.

did [dɪd] *pt →* **do**.

didactic [dɪ'dæktɪk] *adj* didáctico,-a.

diddle ['dɪdəl] *t fam* estafar, timar.

didn't ['dɪdənt] *contracción de* did + *not.*

die [daɪ] *i* morir(se). – 2 *n (for coins)* cuño, troquel *m.* ◆*to ~ away i* desvanecerse. ◆*to ~ down i* extinguirse. 2 *fig* disminuir. ◆*to ~ off i* morir uno por uno. ◆*to ~ out i* perderse, desaparecer. ●*fam to be dying for/to,* morirse de ganas de.

diehard ['daɪhɑ:d] *n* intransigente *mf.*

diesel ['di:zəl] *n* gasóleo. ■ *~ engine,* motor *m* diesel.

diet ['daɪət] *n* dieta. 2 *(for slimming)* régimen *m.*

differ ['dɪfəʳ] *i* diferir/diferenciarse (*from,* de). 2 *(disagree)* discrepar.

difference ['dɪfərəns] *n* diferencia. 2 *(disagreement)* desacuerdo.

different ['dɪfərənt] *adj* diferente, distinto,-a. – 2 **differently** *adv* de otra manera.

differential [dɪfə'renʃəl] *n* MATH diferencial *f.* 2 *(between rates etc.)* diferencia.

differentiate [dɪfə'renʃɪeɪt] *t-i* diferenciar, distinguir.

difficult ['dɪfɪkəlt] *adj* difícil.

difficulty ['dɪfɪkəltɪ] *n* dificultad. 2 *(problem)* apuro, aprieto.

diffident ['dɪfɪdənt] *adj* discreto,-a, reservado,-a.

diffuse [dɪ'fju:s] *adj* difuso,-a. 2 *pej* prolijo,-a. – 3 *t-i* difundir(se). ▲ *En 3 (verbo)* [dɪ'fju:z].

diffusion [dɪ'fju:ʒən] *n* difusión.

dig [dɪg] *n* codazo. 2 *fam (gibe)* pulla. 3 *pl* GB alojamiento *m sing.* – 4 *t* cavar; *(tunnel)* excavar. 5 *(thrust)* clavar, hincar. ◆*to ~ out/up t* desenterrar. ▲ *pt & pp* **dug.**

digest ['daɪdʒest] *n* resumen *m,* compendio. – 2 *t-i* digerir. ▲ *En 2 (verbo)* [dɪ'dʒest].

digestion [dɪ'dʒestʃən] *n* digestión.

digger ['dɪgəʳ] *n (machine)* excavadora. 2 *(person)* excavador,-ra.

digit ['dɪdʒɪt] *n* dígito.

dignified ['dɪgnɪfaɪd] *adj* solemne, serio,-a.

dignify ['dɪgnɪfaɪ] *t* dignificar, enaltecer.

dignitary ['dɪgnɪtərɪ] *n* dignatario.

dignity ['dɪgnɪtɪ] *n* dignidad.

digress [daɪ'gres] *i* hacer digresiones.

digression [daɪ'greʃən] *n* digresión.

dike [daɪk] *n* US *→* **dyke**.

dilapidated [dɪ'læpɪdeɪtɪd] *adj* estropeado,-a, en mal estado; *(falling apart)* desvencijado,-a.

dilate [daɪ'leɪt] *t-i* dilatar(se).

dilemma [dɪ'lemə] *n* dilema *m.*

diligence ['dılıdʒəns] n diligencia.

diligent ['dılıdʒənt] adj diligente.

dilute [daı'lu:t] t-i diluir(se). — 2 t aguar. 3 fig atenuar, suavizar.

dim [dım] adj (light) débil, difuso,-a, tenue. 2 (hazy) oscuro,-a. 3 (memory etc.) borroso,-a. 4 fam (person) tonto,-a. — 5 t (light) bajar. 6 (eyes) empañar. 7 fig (memory) borrar, difuminar.

dime [daım] n US moneda de diez centavos.

dimension [dı'menʃən] n dimensión.

diminish [dı'mınıʃ] t-i disminuir(se), reducir(se).

diminutive [dı'mınjʊtıv] adj diminuto,-a. — 2 n diminutivo.

dimness ['dımnəs] n (of light) palidez f. 2 (of area) semioscuridad, penumbra. 3 fam (of person) torpeza.

dimple ['dımpəl] n hoyuelo.

din [dın] n alboroto, estrépito.

dine [daın] i cenar.

diner ['daınəʳ] n (person) comensal mf. 2 US restaurante m barato.

dinghy ['dıŋgı] n bote m.

dingy ['dındʒı] adj (dirty) sucio,-a, sórdido,-a. 2 (faded) desteñido,-a.

dining room ['daınıŋrʊm] n comedor m.

dinner ['dınəʳ] n (midday) comida; (evening) cena. ■ ~ jacket, esmoquin m; ~ service, vajilla; ~ table, mesa de comedor.

dinosaur ['daınəsɔ:ʳ] n dinosaurio.

diocese ['daıəsıs] n diócesis f inv.

dioxide [daı'ɒksaıd] n dióxido.

dip [dıp] n (drop) declive m, pendiente f. 2 fam (bathe) chapuzón m. — 3 t sumergir, bañar, mojar. — 4 i (drop) bajar. ◆to ~ into t (glance through) hojear. 2 (savings etc.) echar mano de. ●AUTO to ~ the lights, poner las luces de cruce.

diphthong ['dıfθɒŋ] n diptongo.

diploma [dı'pləʊmə] n diploma m.

diplomacy [dı'pləʊməsı] n diplomacia.

diplomat ['dıpləmæt] n diplomático,-a.

diplomatic [dıplə'mætık] adj diplomático,-a.

dire ['daıəʳ] adj extremo,-a. 2 (terrible) terrible.

direct [dı'rekt, 'daırekt] adj directo,-a. 2 (person, manner) franco,-a, sincero,-a. — 3 adv directamente; (flight) directo; (broadcast) en directo. — 4 t (lead) dirigir. 5 fml (instruct) mandar, ordenar. — 6 directly adv directamente. 7 (speak) francamente, claro. ■ ~ object, complemento directo.

direction [dı'rekʃən, daı'rekʃən] n dirección. 2 pl (to place) señas fpl; (for use) instrucciones fpl, modo m sing de empleo.

directness [dı'rektnəs, daı'rektnəs] n franqueza, sinceridad.

director [dı'rektəʳ, daı'rektəʳ] n director,-ra. ■ board of directors, consejo de administración, (junta) directiva; managing ~, director,-ra, gerente mf.

directory [dı'rektrı, daı'rektrı] n (telephone) guía telefónica. 2 (street) ~, callejero.

dirt [dɜ:t] n suciedad. 2 (earth) tierra. ●to treat sb. like ~, tratar mal a algn.

dirty ['dɜ:tı] adj sucio,-a. 2 (indecent) indecente; (joke) verde. 3 fam (low) bajo,-a, vil. — 4 t-i ensuciar(se). ●to get ~, ensuciarse; to give sb. a ~ look, fulminar a algn. con la mirada. ■ ~ trick, cochinada; ~ word, palabrota.

disability [dısə'bılıtı] n (condition) invalidez f. 2 (handicap) impedimento, hándicap m.

disabled [dıs'eıbəld] adj minusválido,-a.

disadvantage [dısəd'vɑ:ntıdʒ] n desventaja. 2 (obstacle) inconveniente m.

disadvantageous [dısædvɑ:n'teıdʒəs] adj desventajoso,-a, desfavorable.

disagree [dısə'gri:] i (differ) discrepar (with, con). 2 (food) sentar mal (with, -).

disagreeable [dısə'grıəbəl] adj desagradable.

disagreement [dısə'gri:mənt] n desacuerdo.

disallow [dısə'laʊ] t fml denegar; (goal) anular.

disappear [dısə'pıəʳ] i desaparecer.

disappearance [dısə'pıərəns] n desaparición.

disappoint [dısə'pɔınt] t decepcionar.

disappointment [dısə'pɔıntmənt] n desilusión, decepción.

disapproval [dısə'pru:vəl] n desaprobación.

disapprove [dısə'pru:v] t desaprobar (of, -).

disarm [dıs'ɑ:m] t-i desarmar(se).

disarmament [dıs'ɑ:məmənt] n desarme m.

disarray [dısə'reı] n desorden m.

disaster [dı'zɑ:stəʳ] n desastre m.

disastrous [dı'zɑ:strəs] adj desastroso,-a.

disband [dıs'bænd] t-i dispersar(se), desbandar(se).

disbelief [dısbı'li:f] n incredulidad.

disbelieve [dɪsbɪ'liːv] *t* no creer, dudar de.

disc [dɪsk] *n* disco. ■ ~ *jockey,* disc-jockey *m.*

discard [dɪs'kɑːd] *t* desechar, deshacerse de. 2 *fig* descartar.

discern [dɪ'sɜːn] *t* percibir, discernir.

discerning [dɪ'sɜːnɪŋ] *adj* perspicaz, sagaz.

discharge ['dɪstʃɑːdʒ] *n* ELEC descarga. 2 *(of smoke)* emisión. 3 *(of gas)* escape *m.* 4 *(of prisoner)* liberación, puesta en libertad. 5 *(of patient)* alta. 6 MIL licencia. 7 *(of worker)* despido. – 8 *t-i (pour)* verter. 9 *(unload)* descargar. 10 *(let out)* emitir. – 11 *t (prisoner)* liberar, soltar. 12 *(patient)* dar de alta. 13 MIL licenciar. 14 *(dismiss)* despedir. 15 *(pay)* saldar. ▲ *De 8 a 15 (verbo)* [dɪs'tʃɑːdʒ].

disciple [dɪ'saɪpəl] *n* discípulo,-a.

discipline ['dɪsɪplɪn] *n* disciplina. 2 *(punishment)* castigo. – 3 *t* disciplinar. 4 *(punish)* castigar; *(official)* expedientar.

disclaim [dɪs'kleɪm] *t* negar, rechazar.

disclose [dɪs'kləʊz] *t* revelar.

disclosure [dɪs'kləʊʒəʳ] *n* revelación.

discolour [dɪs'kʌləʳ] *t-i* descolorar(se).

discomfort [dɪs'kʌmfət] *n* incomodidad. 2 *(pain)* malestar *m,* molestia.

disconcert [dɪskən'sɜːt] *t* desconcertar.

disconnect [dɪskə'nekt] *t* desconectar; *(gas etc.)* cortar.

disconnected [dɪskə'nektɪd] *adj* desconectado,-a. 2 *(gas etc.)* cortado,-a. 3 *fig* deshilvanado,-a.

discontent [dɪskən'tent] *n* descontento.

discontinue [dɪskən'tɪnjuː] *t* suspender.

discord ['dɪskɔːd] *n* discordia. 2 MUS disonancia.

discordant [dɪs'kɔːdənt] *n* discordante.

discotheque ['dɪskətek] *n* discoteca.

discount ['dɪskaʊnt] *n* descuento. – 2 *t* descontar, rebajar. 3 *(disregard)* descartar. ▲ *En 2 y 3 (verbo)* [dɪs'kaʊnt].

discourage [dɪs'kʌrɪdʒ] *t* desanimar, desalentar. 2 *(deter)* disuadir *(from,* de).

discouragement [dɪs'kʌrɪdʒmənt] *n* desaliento, desánimo. 2 *(dissuasion)* disuasión.

discouraging [dɪs'kʌrɪdʒɪŋ] *adj* desalentador,-ra.

discourteous [dɪs'kɜːtɪəs] *adj* descortés.

discover [dɪ'skʌvəʳ] *t* descubrir.

discoverer [dɪs'kʌvərəʳ] *n* descubridor,-ra.

discovery [dɪ'skʌvərɪ] *n* descubrimiento.

discredit [dɪs'kredɪt] *n* descrédito. – 2 *t* desacreditar, desprestigiar.

discreet [dɪ'skriːt] *adj* discreto,-a.

discrepancy [dɪ'skrepənsɪ] *n* discrepancia.

discretion [dɪ'skreʃən] *n* discreción. ●*at the ~ of,* a juicio de.

discriminate [dɪ'skrɪmɪneɪt] *i pej* discriminar *(against,* -).

discriminating [dɪ'skrɪmɪneɪtɪŋ] *adj* entendido,-a, selecto,-a. 2 *pej* parcial.

discrimination [dɪskrɪmɪ'neɪʃən] *n pej* discriminación. 2 *(taste)* buen gusto.

discus ['dɪskəs] *n* disco.

discuss [dɪ'skʌs] *t-i* discutir. – 2 *t (talk over)* hablar de.

discussion [dɪ'skʌʃən] *n* discusión, debate *m.*

disdain [dɪs'deɪn] *n* desdén *m,* menosprecio. – 2 *t* desdeñar, menospreciar.

disdainful [dɪs'deɪnfʊl] *adj* desdeñoso,-a.

disease [dɪ'ziːz] *n* enfermedad.

disembark [dɪsɪm'bɑːk] *t-i* desembarcar.

disembarkation [dɪsɪmbɑː'keɪʃən] *n (of people)* desembarco; *(of goods)* desembarque *m.*

disenchanted [dɪsɪn'tʃɑːntɪd] *adj* desencantado,-a.

disengage [dɪsɪn'geɪdʒ] *t (free)* soltar, desprender. 2 *(clutch)* desembragar. – 3 *i* MIL retirarse.

disentangle [dɪsɪn'tæŋgəl] *t* desenredar, desenmarañar.

disfigure [dɪs'fɪgəʳ] *t* desfigurar.

disgrace [dɪs'greɪs] *n* desgracia. 2 *(shame)* escándalo, vergüenza. – 3 *t* deshonrar.

disgraceful [dɪs'greɪsfʊl] *adj* vergonzoso,-a.

disguise [dɪs'gaɪz] *n* disfraz *m.* – 2 *t* disfrazar *(as,* de). 3 *fig* disimular. ●*in ~,* disfrazado,-a.

disgust [dɪs'gʌst] *n* asco, repugnancia. – 2 *t* repugnar, dar asco.

disgusting [dɪs'gʌstɪŋ] *adj* asqueroso,-a, repugnante. 2 *(intolerable)* intolerable.

dish [dɪʃ] *n* plato; *(for serving)* fuente *f.* ◆*to ~ out t fam* repartir. ◆*to ~ up t* servir.

dishcloth ['dɪʃklɒθ] *n* paño de cocina.

dishearten [dɪs'hɑːtən] *t* descorazonar.

dishevelled [dɪ'ʃevəld] *adj (hair)* despeinado,-a; *(appearance)* desaliñado,-a, desarreglado,-a.

dishonest [dɪs'ɒnɪst] *adj (person)* deshonesto,-a, poco honrado,-a. 2 *(means)* fraudulento,-a.

dishonesty [dɪs'ɒnɪstɪ] *n* deshonestidad, falta de honradez. 2 *(of means)* fraude *m*.

dishonour [dɪs'ɒnər] *n* deshonra. — 2 *t* deshonrar. 3 *(cheque)* no pagar por falta de fondos.

dishonourable [dɪs'ɒnərəbəl] *adj* deshonroso,-a.

dishwasher ['dɪʃwɒʃər] *n* lavavajillas *m* inv.

disillusion [dɪsɪ'luːʒən] *t* desilusionar.

disinfect [dɪsɪn'fekt] *t* desinfectar.

disinfectant [dɪsɪn'fektənt] *adj-n* desinfectante *(m)*.

disinherit [dɪsɪn'herɪt] *t* desheredar.

disintegrate [dɪs'ɪntɪgreɪt] *t-i* desintegrar(se), disgregar(se).

disintegration [dɪsɪntɪ'greɪʃən] *n* desintegración.

disinterested [dɪs'ɪntrəstɪd] *adj* desinteresado,-a, imparcial.

disjointed [dɪs'dʒɔɪntɪd] *adj fig* inconexo,-a.

disk [dɪsk] *n* disco. ■ COMPUT ~ *drive*, disquetera.

diskette [dɪs'ket] *n* disquete *m*.

dislike [dɪs'laɪk] *n* aversión, antipatía. — 2 *t (sth.)* no gustarle a uno; *(sb.)* tener antipatía a.

dislocate ['dɪsləkeɪt] *t* dislocar.

dislodge [dɪs'lɒdʒ] *t* desalojar, sacar.

disloyal [dɪs'lɔɪəl] *adj* desleal.

disloyalty [dɪs'lɔɪəltɪ] *n* deslealtad.

dismal ['dɪzməl] *adj* triste, sombrío,-a.

dismantle [dɪs'mæntəl] *t-i* desmontar(se).

dismay [dɪs'meɪ] *n* consternación. — 2 *t* consternar, acongojar.

dismiss [dɪs'mɪs] *t (employee)* despedir; *(official)* destituir. 2 *(send away)* dar permiso para retirarse. 3 *(put aside)* descartar. 4 JUR desestimar, denegar.

dismissal [dɪs'mɪsəl] *n (sacking)* despido; *(of official)* destitución. 2 *(rejection)* abandono. 3 JUR desestimación, denegación.

dismount [dɪs'maunt] *i* desmontar(se).

disobedience [dɪsə'biːdɪəns] *n* desobediencia.

disobedient [dɪsə'biːdɪənt] *adj* desobediente.

disobey [dɪsə'beɪ] *t-i* desobedecer. — 2 *t (law)* violar.

disorder [dɪs'ɔːdər] *n* desorden *m*.

disorderly [dɪs'ɔːdəlɪ] *adj (untidy)* desordenado,-a. 2 *(unruly)* alborotado,-a, escandaloso,-a.

disorganization [dɪsɔːgənaɪ'zeɪʃən] *n* desorganización.

disorganized [dɪs'ɔːgənaɪzd] *t* desorganizado,-a.

disorient(ate) [dɪs'ɔːrɪənt(eɪt)] *t* desorientar.

disown [dɪs'əun] *t* no reconocer.

disparage [dɪ'spærɪdʒ] *t* menospreciar.

disparaging [dɪ'spærɪdʒɪŋ] *adj* despreciativo,-a. — 2 *disparagingly adv* con desprecio.

disparity [dɪ'spærɪtɪ] *n fml* disparidad.

dispassionate [dɪs'pæʃənət] *adj* desapasionado,-a.

dispatch [dɪ'spætʃ] *n (report)* despacho, parte *m*, comunicado. 2 *(press)* reportaje *m* (de corresponsalía). 3 *(sending)* despacho, envío. 4 *fml (haste)* prontitud. — 5 *t* enviar, expedir, despachar. ■ ~ *rider*, mensajero.

dispel [dɪ'spel] *t* disipar.

dispensary [dɪ'spensərɪ] *n* dispensario.

dispensation [dɪspen'seɪʃən] *n* dispensa.

dispense [dɪ'spens] *t* distribuir, repartir. 2 *(provide)* suministrar, administrar. 3 *(medicines)* preparar y despachar. ◆*to ~ with t* prescindir de, pasar sin.

dispenser [dɪ'spensər] *n* máquina expendedora. ■ *cash ~*, cajero automático.

dispersal [dɪ'spɜːsəl] *n* dispersión.

disperse [dɪ'spɜːs] *t-i* dispersar(se).

dispirited [dɪ'spɪrɪtɪd] *t* desanimado,-a.

displace [dɪs'pleɪs] *t* desplazar; *(bone)* dislocar. 2 *(replace)* sustituir, reemplazar. ■ *displaced person*, expatriado,-a.

displacement [dɪs'pleɪsmənt] *n* desplazamiento. 2 *(replacement)* reemplazo.

display [dɪ'spleɪ] *n (of goods)* exposición. 2 *(of force, military)* exhibición, despliegue *m*. 3 COMPUT visualización. — 4 *t* exhibir, mostrar; *(goods)* exponer. 5 COMPUT visualizar.

displease [dɪs'pliːz] *t fml* disgustar.

displeasure [dɪs'pleʒər] *n* disgusto.

disposable [dɪ'spəuzəbəl] *adj* desechable.

disposal [dɪ'spəuzəl] *n (removal)* eliminación. ◆*at sb.'s ~*, a la disposición de algn.

dispose [dɪ'spəuz] *t* disponer. 2 *to ~ of, (rubbish)* tirar; *(object)* deshacerse de; *fig* echar por tierra.

disposition [dɪspə'zɪʃən] *n fml* carácter *m*.

dispossess [dɪspə'zes] *t* desposeer.

disproportionate [dɪsprə'pɔːʃənət] *adj* desproporcionado,-a.

disprove [dɪs'pruːv] *t* refutar.

dispute ['dɪspjuːt] *n* discusión, controversia; *(quarrel)* disputa. – **2** *t (doubt)* refutar. – **3** *t-i (argue)* disputar, discutir. ●*beyond* ~, indiscutiblemente. ■ *industrial* ~, conflicto laboral. ▲ *En 2 y 3 (verbo)* [dɪ'spjuːt].

disqualification [dɪskwɒlɪfɪ'keɪʃən] *n* descalificación.

disqualify [dɪs'kwɒlɪfaɪ] *t* SP descalificar. **2** *(make unfit)* incapacitar.

disquiet [dɪs'kwaɪət] *n* inquietud, desasosiego. – **2** *t* inquietar, desasosegar.

disregard [dɪsrɪ'gɑːd] *n* indiferencia, despreocupación. – **2** *t* no hacer caso de.

disrepair [dɪsrɪ'peər] *n* mal estado. ●*to fall into* ~, deteriorarse.

disreputable [dɪs'repjʊtəbəl] *adj (person, place)* de mala reputación. **2** *(behaviour)* vergonzoso,-a.

disrepute [dɪsrɪ'pjuːt] *n* mala reputación, oprobio.

disrespect [dɪsrɪ'spekt] *n* falta de respeto, desacato.

disrespectful [dɪsrɪ'spektfʊl] *adj* irrespetuoso,-a.

disrupt [dɪs'rʌpt] *t* trastornar.

disruption [dɪs'rʌpʃən] *n* trastorno.

disruptive [dɪs'rʌptɪv] *adj* perjudicial.

dissatisfaction [dɪssætɪs'fækʃən] *n* insatisfacción, descontento.

dissatisfied [dɪs'sætɪsfaɪd] *adj* descontento,-a.

dissect [dɪ'sekt, daɪ'sekt] *t* disecar.

disseminate [dɪ'semɪneɪt] *t fml* diseminar.

dissension [dɪ'senʃən] *n* disensión.

dissent [dɪ'sent] *n* disensión. – **2** *i* disentir.

dissertation [dɪsə'teɪʃən] *n* disertación. **2** EDUC tesina.

disservice [dɪs'sɜːvɪs] *n to do a* ~, perjudicar.

dissident ['dɪsɪdənt] *adj-n* disidente *(mf)*.

dissimilar [dɪ'sɪmɪlər] *adj* diferente.

dissimulation [dɪsɪmjʊ'leɪʃən] *n fml* disimulo, disimulación.

dissipate ['dɪsɪpeɪt] *t-i* disipar(se), dispersar(se). – **2** *t (waste)* derrochar.

dissociate [dɪ'səʊʃɪeɪt] *t* disociar, separar.

dissolute ['dɪsəluːt] *adj* disoluto,-a.

dissolution [dɪsə'luːʃən] *n* disolución; *(of agreement)* rescisión.

dissolve [dɪ'zɒlv] *t-i* disolver(se). – **2** *i fig* deshacerse: *to* ~ *into tears/laughter*, deshacerse en lágrimas/risa.

dissuade [dɪ'sweɪd] *t* disuadir *(from,* de).

dissuasion [dɪ'sweɪʒən] *n* disuasión.

distance ['dɪstəns] *n* distancia. – **2** *t* distanciar. ●*in the* ~, a lo lejos; *to keep one's* ~, mantenerse alejado,-a.

distant ['dɪstənt] *adj* lejano,-a. **2** *(cold)* distante, frío,-a.

distaste [dɪs'teɪst] *n* aversión.

distasteful [dɪs'teɪstfʊl] *adj* desagradable, de mal gusto.

distemper [dɪs'tempər] *n (paint)* temple *m*. **2** *(disease)* moquillo.

distend [dɪ'stend] *t-i* dilatar(se).

distil [dɪs'tɪl] *t* destilar.

distillation [dɪstɪ'leɪʃən] *n* destilación.

distillery [dɪ'stɪlərɪ] *n* destilería.

distinct [dɪ'stɪŋkt] *adj* distinto,-a. **2** *(clear)* marcado,-a, inconfundible.

distinction [dɪ'stɪŋkʃən] *n (difference)* diferencia. **2** *(worth)* distinción. **3** EDUC sobresaliente *m*.

distinctive [dɪ'stɪŋktɪv] *adj* distintivo,-a.

distinguish [dɪ'stɪŋgwɪʃ] *t-i* distinguir(se).

distort [dɪ'stɔːt] *t* deformar; *fig* distorsionar.

distortion [dɪ'stɔːʃən] *n* deformación; *fig* distorsión.

distract [dɪ'strækt] *t* distraer *(from,* de).

distracted [dɪ'stræktɪd] *adj* distraído,-a.

distraction [dɪ'strækʃən] *n* distracción. **2** *(confusion)* confusión. ●*to drive sb. to* ~, sacar a algn. de quicio.

distraught [dɪ'strɔːt] *adj* afligido,-a, turbado,-a.

distress [dɪ'stres] *n* aflicción. – **2** *t* afligir. ■ ~ *call/signal*, señal *f* de socorro.

distressing [dɪ'stresɪŋ] *adj* penoso,-a.

distribute [dɪ'strɪbjuːt] *t* distribuir, repartir.

distribution [dɪstrɪ'bjuːʃən] *n* distribución.

district ['dɪstrɪkt] *n (of town)* distrito, barrio; *(of country)* región. ■ ~ *council*, municipio; *postal* ~, distrito postal.

distrust [dɪs'trʌst] *n* desconfianza, recelo. – **2** *t* desconfiar, recelar.

disturb [dɪ'stɜːb] *t* molestar. **2** *(interrupt)* interrumpir. **3** *(worry)* perturbar, inquietar. **4** *(stir)* mover.

disturbance [dɪ'stɜːbəns] *n (public)* disturbio, alboroto. **2** *(nuisance)* molestia.

disturbed [dɪ'stɜːbd] *adj* desequilibrado,-a.

disuse [dɪs'juːs] *n* desuso.

ditch [dɪtʃ] *n* zanja, foso, cuneta; *(for water)* acequia. – **2** *t fam* dejar tirado,-a.

dither [ˈdɪðəʳ] *i* vacilar, titubear.

ditto [ˈdɪtəʊ] *n inv* ídem *m*.

divan [dɪˈvæn] *n* diván *m*. ■ ~ *(bed)*, cama turca.

dive [daɪv] *n (into water)* zambullida, inmersión; *(of diver)* buceo. 2 *(birds, planes)* picado. 3 SP salto. 4 *fam* antro. – 5 *i (into water)* zambullirse, tirarse (de cabeza); *(diver)* bucear. 6 *(birds, planes)* bajar en picado. 7 SP saltar. 8 *(dash)* moverse rápidamente: *she dived for the phone*, se precipitó hacia el teléfono. ▲ US *pt* **dove**.

diver [ˈdaɪvəʳ] *n* buceador,-ra; *(professional)* buzo.

diverge [daɪˈvɜːdʒ] *i* divergir; *(roads)* bifurcarse.

divergent [daɪˈvɜːdʒənt] *adj* divergente.

diverse [daɪˈvɜːs] *adj fml* diverso,-a.

diversify [daɪˈvɜːsɪfaɪ] *t-i* diversificar(se).

diversion [daɪˈvɜːʃən] *n (detour)* desvío, desviación. 2 *(distraction)* distracción.

diversity [daɪˈvɜːsɪtɪ] *n* diversidad.

divert [daɪˈvɜːt] *t* desviar. 2 *(distract)* distraer.

divide [dɪˈvaɪd] *t-i* dividir(se), separar(se). – 2 *t (share)* repartir (**among/between**, entre). – 3 *i (road, stream)* bifurcarse. – 4 *n* división.

dividend [ˈdɪvɪdend] *n* dividendo. 2 *fig* beneficio.

divine [dɪˈvaɪn] *adj* divino,-a. – 2 *t-i* adivinar.

diving [ˈdaɪvɪŋ] *n* buceo. ■ ~ *board*, trampolín *m*.

divinity [dɪˈvɪnɪtɪ] *n* divinidad. 2 *(subject)* teología.

division [dɪˈvɪʒən] *n* división.

divisor [dɪˈvaɪzəʳ] *n* divisor *m*.

divorce [dɪˈvɔːs] *n* divorcio. – 2 *t-i* divorciar(se): *he divorced her*, se divorció de ella.

divorcé [dɪˈvɔːseɪ] *n* divorciado.

divorcée [dɪvɔːˈsiː] *n* divorciada.

divulge [daɪˈvʌldʒ] *t* divulgar.

dizziness [ˈdɪzɪnəs] *n* mareo; *(of heights)* vértigo.

dizzy [ˈdɪzɪ] *adj* mareado,-a.

do [duː] *aux (not translated) (in interrog and negatives)* ~ *you smoke?*, ¿fumas?; *I don't want to come*, no quiero venir. 2 *(emphatic)* ~ *come with us!*, ¡ánimo, vente con nosotros! 3 *(substituting main verb)* *he likes them, and so* ~ *I*, a él le gustan, y a mí también; *who went?*, *--I did*, ¿quién asistió?, --yo. 4 *(in question tags)* *you don't drive*, ~ *you?*, no fumas, ¿verdad? – 5 *t* hacer, realizar: *what are*

you doing?, ¿qué haces? 6 *(suffice)* ser suficiente: *ten will* ~ *us*, con diez tenemos suficiente. – 7 *i (act)* hacer: ~ *as I tell you*, haz lo que te digo. 8 *(proceed)* *how are you doing?*, ¿cómo te van las cosas?; *she did badly in the exams*, le fueron mal los exámenes. 9 *(suffice)* bastar, servir: *that will* ~, (así) basta; *this cushion will* ~ *as/for a pillow*, este cojín servirá de almohada. – 10 *n fam (party)* fiesta, guateque *m*. ◆*to* ~ *away with t* abolir. 2 *fam* eliminar. ◆*to* ~ *in t fam (kill)* matar, cargarse. 2 *(tire)* agotar: *I'm done in*, estoy hecho,-a polvo. ◆*to* ~ *up t fam (fasten) (belt)* abrochar(se); *(laces)* atar. 2 *(wrap)* envolver. 3 *(dress up)* arreglar; *(decorate)* renovar. ◆*to* ~ *with t (need) I could* ~ *with a rest*, un descanso me vendría muy bien. ◆*to* ~ *without t* pasar sin. •*how* ~ *you* ~?, *(greeting)* ¿cómo está usted?; *(answer)* mucho gusto, encantado,-a; *to* ~ *one's best*, hacer lo mejor posible; *to* ~ *one's hair*, peinarse; *to* ~ *the cleaning/cooking*, cocinar/limpiar; *fam well done!*, ¡enhorabuena! ■ *do's and don'ts*, reglas *fpl* de conducta. ▲ 3ᵃ *pers sing pres* **does**; *pt* **did**; *pp* **done**.

docile [ˈdəʊsaɪl] *adj* dócil; *(animal)* manso,-a.

dock [dɒk] *n* MAR muelle *m*; *(for cargo)* dársena. 2 JUR banquillo (de los acusados). – 3 *t-i* MAR atracar (*at*, a). – 4 *t* cortar la cola a; *fig* recortar.

docker [ˈdɒkəʳ] *n* estibador *m*.

dockyard [ˈdɒkjɑːd] *n* astillero *m*.

doctor [ˈdɒktəʳ] *n* médico,-a, doctor,-ra. 2 EDUC doctor,-ra (*of*, en). – 3 *t pej* falsificar, amañar. 4 *(animal)* esterilizar. ■ *family* ~, médico,-a de cabecera.

doctorate [ˈdɒktərət] *n* doctorado.

doctrine [ˈdɒktrɪn] *n* doctrina.

document [ˈdɒkjʊmənt] *n* documento. – 2 *t* documentar.

documentary [dɒkjʊˈmentərɪ] *adj-n* documental (*m*).

doddering [ˈdɒdərɪŋ] *adj fam* tembloroso,-a.

doddle [ˈdɒdəl] *n fam* pan comido.

dodge [dɒdʒ] *n* regate *m*, evasión. 2 *fam* truco, astucia. – 3 *t-i (blow etc.)* esquivar. – 4 *t (pursuer)* despistar, dar esquinazo a. 5 *(tax)* evadir.

dodgy [ˈdɒdʒɪ] *adj* de poco fiar.

doe [dəʊ] *n (deer)* gama. 2 *(rabbit)* coneja.

does [dʌz] 3ᵃ *pers sing pres* → **do**.

dog [dɒg] *n* perro,-a. – 2 *t* acosar.

dowdy

dogged ['dɒgɪd] *adj* terco,-a, obstinado,-a.

doggy ['dɒgɪ] *n* perrito,-a.

dogma ['dɒgmə] *n* dogma *m*.

dogmatic [dɒg'mætɪk] *adj* dogmático,-a.

dogsbody ['dɒgzbɒdɪ] *n* GB *fam* burro de carga.

do-it-yourself [du:ɪtjɔ:'self] *n* bricolaje *m*.

doldrums ['dɒldrəmz] *npl* **in the ~**, abatido,-a, deprimido,-a.

dole [dəʊl] *n* GB *fam* (subsidio de) desempleo/paro. ◆**to ~ out** *t* repartir.

doll [dɒl] *n* muñeca. ◆**to ~ up** *t fam* poner guapo,-a.

dollar ['dɒlə^r] *n* dólar *m*.

dolly ['dɒlɪ] *n* muñeca.

dolphin ['dɒlfɪn] *n* delfín *m*.

domain [də'meɪn] *n* (*land*) dominio. 2 (*sphere*) campo, esfera.

dome [dəʊm] *n* ARCH cúpula.

domestic [də'mestɪk] *adj* doméstico,-a. 2 (*home-loving*) hogareño, a, casero,-a 3 POL nacional. – 4 *n* criado,-a.

domesticate [də'mestɪkeɪt] *t* domesticar.

dominant ['dɒmɪnənt] *adj* dominante.

dominate ['dɒmɪneɪt] *t-i* dominar.

domination [dɒmɪ'neɪʃən] *n* dominación.

domineering [dɒmɪ'nɪərɪŋ] *adj pej* dominante.

domino ['dɒmɪnəʊ] *n* ficha de dominó. 2 *pl* (*game*) dominó *m sing*. ▲ *pl* **dominoes**.

donate [dəʊ'neɪt] *t* donar; (*money*) hacer un donativo de.

donation [dəʊ'neɪʃən] *n* (*act*) donación. 2 (*gift*) donativo.

done [dʌn] *pp* → **do**. – 2 *adj* (*finished*) terminado,-a, acabado,-a: **the job is ~**, el trabajo está terminado. 3 *fam* (*tired*) agotado,-a. 4 (*cooked*) cocido,-a; (*meat*) hecho,-a. – 5 *interj fam* ¡trato hecho! ◆**it isn't ~ to ...**, es de mal gusto ... .

donkey ['dɒŋkɪ] *n* burro,-a.

donor ['dəʊnə^r] *n* donante *m*.

don't [dəʊnt] *contracción de* **do + not**.

doodle ['du:dəl] *i* garabatear, garrapatear. – 2 *n* garabato.

doom [du:m] *n* (*fate*) destino; (*ruin*) perdición. – 2 *t* condenar.

door [dɔ:^r] *n* puerta. 2 (*doorway*) portal *m*. ◆*(from*) **~ to ~**, de puerta en puerta; **next ~ (to)**, (en) la casa de al lado (de); **fig by the back ~**, por la puerta falsa; **fam to be on the ~**, hacer de portero,-a.

doorman ['dɔ:mən] *n* portero.

doorstep ['dɔ:step] *n* peldaño.

door-to-door [dɔ:tə'dɔ:] *adj* a domicilio.

doorway ['dɔ:weɪ] *n* entrada, portal *m*.

dopey ['dəʊpɪ] *adj sl* (*with drugs, sleep*) grogui. 2 (*silly*) estúpido,-a.

dope [dəʊp] *n sl* droga. 2 *fam* (*person*) imbécil *mf*. – 3 *t fam* (*food, drink*) adulterar con drogas. 4 SP dopar.

dormant ['dɔ:mənt] *adj* inactivo,-a. 2 *fig* latente.

dormitory ['dɔ:mɪtərɪ] *n* (*room*) dormitorio. 2 US colegio mayor.

dosage ['dəʊsɪdʒ] *n* dosificación.

dose [dəʊs] *n* dosis *f inv*.

doss [dɒs] *i* GB *sl* **to ~ (down)**, echarse a dormir, acostarse.

dossier ['dɒsɪeɪ] *n* expediente *m*, dossier *m*.

dot [dɒt] *n* punto. – 2 *t* poner el punto a. 3 (*scatter*) esparcir. ◆*fam* **on the ~**, en punto.

dote [dəʊt] *i* **to ~ on/upon**, adorar.

double ['dʌbəl] *adj-adv* doble: **~ meaning**, doble sentido. – 2 *n* (*amount*) doble *m*: **to earn ~**, ganar el doble. 3 (*person*) imagen *f* viva. 4 *pl* (*tennis*) partido *m sing* de dobles. – 5 *t-i* doblar(se), duplicar(se). ◆**to ~ up** *t* retorcer. – 2 *i* doblarse. 3 (*share*) compartir. ◆**to ~ as**, hacer las veces de; *fam* **on the ~**, en seguida. ■ **~ agent**, agente *mf* doble; **~ bass**, contrabajo; **~ bed**, cama de matrimonio; **~ chin**, papada; **~ room**, habitación doble; **~ talk**, palabras *fpl* ambiguas.

double-cross [dʌbəl'krɒs] *t fam* engañar, traicionar.

double-decker [dʌbəl'dekə^r] *n* GB **~ (bus)**, autobús *m* de dos pisos.

doubly ['dʌblɪ] *adv* doblemente.

doubt [daʊt] *n* duda, incertidumbre *f*. – 2 *t* (*distrust*) dudar/desconfiar de. 3 (*not be sure*) dudar: **I ~ if she'll come**, dudo que venga. ◆**beyond ~**, sin duda alguna; **no ~**, sin duda.

doubtful ['daʊtful] *adj* (*uncertain*) dudoso,-a; (*look etc.*) de duda. 2 (*unlikely*) improbable.

doubtless ['daʊtləs] *adv* sin duda.

dough [dəʊ] *n* CULIN masa. 2 *sl* (*money*) pasta.

doughnut ['dəʊnʌt] *n* rosquilla, dónut® *m*.

douse [daʊs] *t* (*fire*) apagar. 2 (*wet*) mojar.

dove [dʌv] *n* paloma. – 2 *pt* US → **dive**. ▲ *En* 2 (*verbo*) [dəʊv].

dowdy ['daʊdɪ] *adj pej* (*dress*) sin gracia; (*person*) mal vestido,-a.

down [daʊn] *prep* (hacia) abajo: ~ *the street,* calle abajo. **2** *(along)* por: *cut it ~ the middle,* córtalo por la mitad. — **3** *adv* (hacia) abajo; *(to the floor)* al suelo; *(to the ground)* a tierra: *to fall ~,* caerse (al suelo). **4** *(at lower level)* abajo: ~ *here/there,* aquí/allí abajo. **5** *(less) sales are ~ this year,* las ventas han bajado este año. **6** *(on paper) to write sth. ~,* apuntar algo. — **7** *interj* ~ *with ...!,* ¡abajo ...! — **8** *adj fam to feel ~,* estar deprimido,-a. — **9** *t* derribar. **10** *fam (drink)* tomarse de un trago. — **11** *n (on bird)* plumón *m;* (hair) pelusa, pelusilla. ●*face* ~, boca abajo. ■ ~ *payment,* entrada.

downcast [ˈdaʊnkɑːst] *adj* abatido,-a.

downfall [ˈdaʊnfɔːl] *n* fig perdición.

downgrade [daʊnˈɡreɪd] *t* degradar.

downhearted [daʊnˈhɑːtɪd] *adj* desanimado,-a.

downhill [daʊnˈhɪl] *adv* cuesta abajo. — **2** *adj* en pendiente; *(skiing)* de descenso. ●*to go* ~, empeorar.

downpour [ˈdaʊnpɔːʳ] *n* chaparrón *m.*

downright [ˈdaʊnraɪt] *fam adj* total.

downstairs [daʊnˈsteəz] *adv to go* ~, bajar la escalera. **2** *(on ground floor)* en la planta baja. — **3** *adj* en la planta baja.

downstream [daʊnˈstriːm] *adv* río abajo.

downtown [daʊnˈtaʊn] *adv* US al/en el centro (de la ciudad).

downward [ˈdaʊnwəd] *adj* descendente. **2** FIN a la baja.

downward(s) [ˈdaʊnwədz] *adv* hacia abajo: *face* ~, boca abajo.

dowry [ˈdaʊərɪ] *n* dote *f.*

dowse [daʊs] *t* → **douse.**

doze [dəʊz] *n* cabezada. — **2** *i* dormitar, echar una cabezada. ◆*to* ~ *off i* quedarse dormido,-a.

dozen [ˈdʌzən] *n* docena.

dozy [ˈdəʊzɪ] *adj* soñoliento,-a.

drab [dræb] *adj (colour)* pardo,-a. **2** *(dreary)* monótono,-a, gris.

draft [drɑːft] *n (rough copy)* borrador *m;* *(sketch)* esbozo. **2** *(bill)* letra de cambio, giro. **3** US MIL servicio militar obligatorio. **4** US → **draught.** — **5** *t (letter)* hacer un borrador de; *(plan)* redactar. **6** US MIL reclutar.

draftsman [ˈdrɑːftsmən] *n* US → **draughtsman.**

drafty [ˈdrɑːftɪ] *adj* US → **draughty.**

drag [dræɡ] *n (act)* arrastre *m.* **2** *(resistance)* resistencia; fig estorbo. **3** *fam (bore)* lata, rollo. **4** *fam (puff)* calada,

chupada. — **5** *t* arrastrar. **6** *(trawl)* rastrear, dragar. — **7** *i* arrastrarse. **8** *(go slowly)* rezagarse. ◆*to* ~ *on i* prolongarse. ◆*to* ~ *out t* alargar, prolongar. ◆*to* ~ *up t fam (revive)* sacar a relucir. ●*(man) in* ~, vestido de mujer.

dragon [ˈdræɡən] *n* dragón *m.*

drain [dreɪn] *n (pipe)* desagüe *m;* *(for sewage)* alcantarilla. **2** fig desgaste *m,* agotamiento: *the boys are a* ~ *on her,* los niños le dejan agotada. — **3** *t (dry out)* desecar, desaguar. **4** *(glass)* apurar. **5** fig agotar. — **6** *t-i to* ~ *(off),* escurrir(se). **7** *(empty)* vaciar(se). ●*to go down the* ~, *(money)* esfumarse.

drainage [ˈdreɪnɪdʒ] *n (of marsh)* avenamiento; *(of region, building)* desagüe *m;* *(of town)* alcantarillado.

drainpipe [ˈdreɪnpaɪp] *n* tubo de desagüe.

drama [ˈdrɑːmə] *n (play)* obra de teatro, drama *m.* **2** *(subject)* teatro. **3** fig drama.

dramatic [drəˈmætɪk] *adj* THEAT dramático,-a. **2** *(exciting)* emocionante. **3** *(sharp)* notable.

dramatics [drəˈmætɪks] *n* teatro.

dramatist [ˈdræmətɪst] *n* dramaturgo,-a.

dramatization [dræmətaɪˈzeɪʃən] *n* adaptación teatral, dramatización.

drank [dræŋk] *pt* → **drink.**

drape [dreɪp] *t* cubrir *(with/in,* con). **2** *(part of body)* dejar colgado,-a. — **3** *n* US cortina.

drapery [ˈdreɪpərɪ] *n* GB pañería.

drastic [ˈdræstɪk] *adj* drástico,-a.

draught [drɑːft] *n* corriente *f* (de aire). **2** *(drink)* trago. **3** GB *pl* damas *fpl.* ■ *on* ~, a presión, de barril.

draughtsman [ˈdrɑːftsmən] *n* delineante *mf.*

draw [drɔː] *n (raffle)* sorteo. **2** *(score)* empate *m.* **3** *(attraction)* atracción. — **4** *t (picture)* dibujar; *(line, circle)* trazar. **5** *(pull)* arrastrar, tirar de. **6** *(curtains) (open)* descorrer; *(close)* correr. **7** *(take out)* sacar; *(sword)* desenvainar. **8** *(salary)* cobrar; *(cheque)* librar, extender. **9** *(attract)* atraer. **10** *(breath)* aspirar. **11** *(conclusion)* sacar. — **12** *i (sketch)* dibujar. **13** *(move)* moverse: *the train drew into/out of the station,* el tren entró en/salió de la estación. **14** SP empatar. **15** *(chimney)* tirar. ◆*to* ~ *back i* retroceder. **2** *(pull out)* echarse para atrás. ◆*to* ~ *in i* apartarse, echarse a un lado. ◆*to* ~ *on t* recurrir a. ◆*to* ~ *out t (lengthen)* alargar(se). ◆*to* ~ *up t (contract)* preparar; *(plan)* esbozar. — **2** *i (arrive)* llegar. ●*to*

~ *apart,* separarse *(from,* de); to ~ *attention to,* llamar la atención sobre; *to* ~ *blood,* hacer sangrar; to ~ *near,* acercarse; *fig the luck of the* ~, toca a quien toca; *fig* to ~ *the line (at sth.),* decir basta (a algo). ▲ *pt* **drew;** *pp* **drawn.**

drawback ['drɔːbæk] *n* inconveniente *m,* desventaja.

drawbridge ['drɔːbrɪdʒ] *n* puente levadizo.

drawer ['drɔːəʳ] *n* cajón *m.*

drawing ['drɔːɪŋ] *n* dibujo. ■ GB ~ *pin,* chincheta; ~ *room,* sala de estar, salón *m.*

drawl [drɔːl] *n* voz cansina. — 2 *i* hablar arrastrando las palabras.

drawn [drɔːn] *pp* → **draw.** — 2 *adj (face)* ojeroso,-a.

dread [dred] *n* temor *m,* pavor *m.* — 2 *t-i* temer, tener pavor a.

dreadful ['dredful] *adj* terrible, espantoso,-a. 2 *fam* fatal, horrible. — 3 *dreadfully adv fam* muy.

dream [driːm] *n* sueño. 2 *(while awake)* ensueño. 3 *fam* maravilla. — 4 *t-i* soñar. ◆*to* ~ *up t fam pej* inventarse. ▲ *pt & pp* **dreamed** o **dreamt.**

dreamer ['driːməʳ] *n* soñador,-ra.

dreamt [dremt] *pt & pp* → **dream.**

dreary ['drɪərɪ] *adj* triste, deprimente. 2 *fam* pesado,-a.

dredge [dredʒ] *t-i* dragar, rastrear.

dredger ['dredʒəʳ] *n* draga.

dregs [dregz] *npl* heces *fpl,* sedimento *m sing.*

drench [drentʃ] *t* mojar, empapar.

dress [dres] *n (frock)* vestido. 2 *(clothing)* ropa, vestimenta. — 3 *t* vestir. 4 *(wound)* vendar. 5 CULIN aderezar; *(salad)* aliñar. — 6 *i* vestirse. ◆*to* ~ *down t (scold)* regañar. ◆*to* ~ *up i (child)* disfrazarse *(as,* de); *(formal)* ponerse de tiros largos. — 2 *t fig* disfrazar. ■ THEAT ~ *rehearsal,* ensayo general.

dresser ['dresəʳ] *n* GB aparador *m.* 2 US tocador *m.*

dressing ['dresɪŋ] *n (bandage)* vendaje *m.* 2 *(salad)* ~, aliño. ■ ~ *gown,* bata; ~ *table,* tocador *m.*

drew [druː] *pt* → **draw.**

dribble ['drɪbəl] *n (of liquid)* gotas *fpl,* hilo. 2 *(of saliva)* baba. — 3 *i (liquid)* gotear. 4 *(baby)* babear. — 5 *t* dejar caer. 6 SP driblar.

drier ['draɪəʳ] *n* → **dryer.**

drift [drɪft] *n (flow)* flujo. 2 *(of snow)* ventisquero; *(of sand)* montón *m.* 3 *fig (meaning)* significado. — 4 *t-i (snow etc.)*

amontonar(se). — 5 *i (boat)* ir a la deriva. 6 *fig (person)* vagar.

drill [drɪl] *n (tool)* taladro. 2 MIL instrucción. 3 *(exercise)* ejercicio. 4 *(material)* dril *m.* 5 *(dentist's)* fresa. — 6 *t* taladrar. 7 MIL instruir. — 8 *i* taladrar. 9 MIL entrenarse. ■ *safety* ~, instrucciones *fpl* de seguridad.

drink [drɪŋk] *n* bebida; *(alcoholic)* copa. — 2 *t-i* beber. ◆*to* ~ *in t (scene etc.)* apreciar. ◆*to* ~ *to sth./sb.,* brindar por algo/algn.; *to have sth. to* ~, tomar algo. ▲ *pt* **drank;** *pp* **drunk.**

drinking ['drɪŋkɪŋ] *n* ~ *fountain,* fuente *f* de agua potable; ~ *water,* agua potable.

drip [drɪp] *n* goteo. 2 MED gota a gota *m inv.* 3 *fam* necio,-a. — 4 *i* gotear. — 5 *t* dejar caer gota a gota.

drive [draɪv] *n* paseo en coche. 2 *(road)* calle *f; (to house)* camino de entrada. 3 SP *(golf)* golpe *m* inicial; *(tennis)* golpe fuerte. 4 *(energy)* energía, ímpetu *m.* 5 *(need)* necesidad. 6 MECH transmisión; AUTO tracción. — 7 *t (vehicle)* conducir. 8 *(take)* llevar (en coche): *I'll* ~ *you home,* te llevaré a casa. 9 *(power)* impulsar. 10 *(force) (cattle)* arrear; *(ball)* mandar. 11 *(strike in)* clavar. 12 *(force)* forzar: *to* ~ *sb. mad/crazy,* volver loco,-a a algn. ◆*to* ~ *at t fam* insinuar. ▲ *pt* **drove;** *pp* **driven.**

drivel ['drɪvəl] *n* tonterías *fpl.*

driven ['drɪvən] *pp* → **drive.**

driver ['draɪvəʳ] *n (of bus, car)* conductor,-ra. 2 *(of taxi)* taxista *mf.* 3 *(of lorry)* camionero,-a. 4 *(of racing car)* piloto *mf.*

driving ['draɪvɪŋ] *adj* ~ *licence,* carnet *m/* permiso de conducir; ~ *school,* autoescuela.

drizzle ['drɪzəl] *n* llovizna. — 2 *i* lloviznar.

droll [drəʊl] *adj* gracioso,-a, curioso,-a.

dromedary ['drɒmədərɪ] *n* dromedario.

drone [drəʊn] *n (bee)* zángano. 2 *(noise)* zumbido. — 3 *i* zumbar.

drool [druːl] *n* baba. — 2 *i* babear.

droop [druːp] *n* caída, inclinación. — 2 *i* inclinarse, caerse. 3 *(flower)* marchitarse.

drop [drɒp] *n* gota. 2 *(sweet)* pastilla. 3 *(descent)* pendiente *f,* desnivel *m.* 4 *(fall)* caída. — 5 *t* dejar caer: *he dropped the glass,* se le cayó el vaso. 6 *fam (leave)* dejar. 7 *(abandon)* abandonar. 8 *(omit) (in speaking)* comerse; *(in writing)* omitir. 9 SP *(team)* echar. 10 *(knitting)* soltar. — 11 *i (fall)* caerse. 12 *(voice, price, etc.)* bajar, caer. 13 *(wind)* amainar. ◆*to* ~ *away i* disminuir. ◆*to ~ by/in/round i* dejarse caer, pasar. ◆*to ~ off i fam* quedarse dormido,-a. **2** *(lessen)* disminuir. ◆*to ~ out i (of school)* dejar los estudios; *(match)* retirarse. ●*to ~ sb. a line*, escribir cuatro líneas a algn.

dropper ['drɒpəʳ] *n* cuentagotas *m inv.*

droppings ['drɒpɪŋz] *npl* excrementos *mpl*, cagadas *fpl.*

dross [drɒs] *n* escoria.

drought [draʊt] *n* sequía.

drove [drəʊv] *pt* → **drive**. – **2** *n (of cattle)* manada. **3** *(of people)* multitud *f.*

drown [draʊn] *t-i* ahogar(se). – **2** *t (flood)* inundar.

drowse [draʊz] *i to ~ (off)*, dormitar.

drowsiness ['draʊzɪnəs] *n* somnolencia.

drowsy ['draʊzɪ] *adj* soñoliento,-a. **2** *(scene etc.)* soporífero,-a.

drudge [drʌdʒ] *n* machaca *mf.*

drudgery ['drʌdʒərɪ] *n* trabajo duro.

drug [drʌg] *n (medicine)* medicamento, medicina. **2** *(narcotic)* droga, estupefaciente *m*, narcótico. – **3** *t* drogar. ●*to be on/take drugs*, drogarse. ■ *~ addict*, drogadicto,-a; *~ pusher*, traficante *mf* de drogas; *~ squad*, brigada de estupefacientes.

drugstore ['drʌgstɔːʳ] *n* US *establecimiento donde se compran medicamentos, periódicos, etc.*

drum [drʌm] *n* tambor *m.* **2** *(container)* bidón *m.* **3** TECH tambor. – **4** *i (noise)* tabalear.

drummer ['drʌməʳ] *n (in band)* tambor *mf*; *(in pop group)* batería *mf.*

drumstick ['drʌmstɪk] *n* MUS baqueta. **2** CULIN muslo.

drunk [drʌŋk] *pp* → **drink**. – **2** *adj-n* borracho,-a. ●*to get ~*, emborracharse.

drunkard ['drʌŋkəd] *n* borracho,-a.

drunken ['drʌŋkən] *adj* borracho,-a.

dry [draɪ] *adj* seco,-a. **2** *(dull)* aburrido,-a. – **3** *t-i to ~ (off)*, secar(se).

dry-clean [draɪ'kliːn] *t* limpiar en seco.

dryer ['draɪəʳ] *n* secadora.

dryness ['draɪnəs] *n* sequedad.

dual ['djuːəl] *adj* dual, doble. ■ *~ carriageway*, autovía de doble calzada.

dub [dʌb] *t (subtitle)* doblar *(into*, a). **2** *(nickname)* apodar.

dubious ['djuːbɪəs] *adj* dudoso,-a.

duchess ['dʌtʃəs] *n* duquesa.

duck [dʌk] *n* pato,-a. **2** CULIN pato. – **3** *t-i (lower)* agachar(se). **4** *(go under water)* zambullir(se).

duckling ['dʌklɪŋ] *n* patito.

duct [dʌkt] *n* conducto.

dud [dʌd] *n fam (object)* trasto inútil, engañifa. **2** *(person)* desastre *m.*

due [djuː] *adj fml* debido,-a. **2** *(payable)* pagadero,-a. **3** *(expected)* esperado,-a: *I'm ~ for a rise*, me toca una subida de sueldo; *she's ~ to arrive tomorrow*, está previsto que llegue mañana; *the train is ~ at five*, el tren debe llegar a las cinco. – **4** *n* merecido: *to give sb. his/her ~*, dar a algn. su merecido. **5** *pl* cuota *f sing.* – **6** *adv* derecho hacia. ●*in ~ course/time*, a su debido tiempo; *to be ~ to*, deberse a. ■ *~ date*, plazo, vencimiento.

duel ['djuːəl] *n* duelo. – **2** *i* batirse en duelo.

duet [djuː'et] *n* dúo.

duffel ['dʌfəl] *n ~ coat*, trenca.

dug [dʌg] *pt & pp* → **dig**.

duke [djuːk] *n* duque *m.*

dull [dʌl] *adj (not bright)* apagado,-a; *(weather)* gris. **2** *(sound, pain)* sordo,-a. **3** *(slow)* torpe. **4** *(uninteresting)* monótono,-a, pesado,-a. – **5** *t (pain)* aliviar; *(sound)* amortiguar.

duly ['djuːlɪ] *adv fml (properly)* debidamente. **2** *(as expected)* como era de esperar.

dumb [dʌm] *adj* mudo,-a. **2** *fam (stupid)* tonto,-a. – **3** *dumbly adv* sin decir nada.

dum(b)found [dʌm'faʊnd] *t* pasmar.

dummy ['dʌmɪ] *n (sham)* imitación. **2** *(model)* maniquí *m.* **3** GB *(for baby)* chupete *m.* **4** *fam* imbécil *mf.*

dump [dʌmp] *n (tip)* vertedero; *(for cars)* cementerio (de coches). **2** *fam pej (town)* poblacho; *(dwelling)* tugurio. – **3** *t* verter; *fam (leave)* dejar. ●*fam (down) in the dumps*, pocho,-a, depre.

dumpling ['dʌmplɪŋ] *n (in stew)* bola de masa hervida para acompañar carnes etc. **2** *(as dessert)* tipo de budín relleno.

dumpy ['dʌmpɪ] *adj fam* rechoncho,-a.

dune [djuːn] *n (sand) ~*, duna.

dung [dʌŋ] *n* estiércol *m.*

dungarees [dʌŋgə'riːz] *n* pantalones *mpl* con peto.

dungeon ['dʌndʒən] *n* mazmorra.

duo ['djuːəʊ] *n* dúo.

dupe [djuːp] *n* ingenuo,-a. – **2** *t* embaucar.

duplicate ['djuːplɪkət] *adj-n* duplicado,-a *(m).* – **2** *t* duplicar. ▲ *En 2 (verbo)* ['djuːplɪkeɪt].

durability [djʊərə'bɪlɪtɪ] *n* durabilidad.

durable ['djʊərəbəl] *adj* duradero,-a.

duration [djʊə'reɪʃən] *n* duración.

during ['djʊərɪŋ] *prep* durante.

dusk [dʌsk] *n* anochecer *m*.

dust [dʌst] *n* polvo. – **2** *t* desempolvar, quitar el polvo a. **3** *(sprinkle)* espolvorear.

dustbin ['dʌstbɪn] *n* GB cubo de la basura.

duster ['dʌstəʳ] *n* paño, trapo. **2** *(for blackboard)* borrador *m*.

dustman ['dʌstmən] *n* GB basurero.

dustpan ['dʌstpæn] *n* (re)cogedor *m*.

dusty ['dʌstɪ] *adj* polvoriento,-a, lleno,-a de polvo.

duty ['djuːtɪ] *n* deber *m*, obligación. **2** *(task)* cometido. **3** *(tax)* impuesto. **4** *(availability)* guardia. ●*to be on/off* ~, estar/no estar de servicio/guardia; *to do one's* ~, cumplir con su deber. ■ *customs duties,* derechos *mpl* de aduana, aranceles *mpl*.

duty-free ['djuːtɪfriː] *adj* libre de impuestos. – **2** *adv* sin pagar impuestos. – **3** *n* duty-free *m*.

duvet ['duːveɪ] *n* edredón *m*.

dwarf [dwɔːf] *n* enano,-a. – **2** *t* achicar.

dwell [dwel] *i fml* habitar, morar. ◆*to* ~ *on/upon* *t* insistir en. ▲ *pt & pp* **dwelt**.

dweller ['dweləʳ] *n* habitante *mf*.

dwelling ['dwelɪŋ] *n* morada.

dwelt [dwelt] *pt & pp* → **dwell**.

dwindle ['dwɪndəl] *i* menguar, disminuir.

dye [daɪ] *n* tinte *m*, colorante *m*. – **2** *t-i* teñir(se).

dyed-in-the-wool [daɪdɪnðə'wʊl] *adj pej* acérrimo,-a, inflexible, intransigente.

dyke [daɪk] *n (bank)* dique *m*, barrera. **2** *(causeway)* terraplén *m*. **3** *sl pej (lesbian)* tortillera.

dynamic [daɪ'næmɪk] *adj* dinámico,-a.

dynamics [daɪ'næmɪks] *n* dinámica.

dynamite ['daɪnəmaɪt] *n* dinamita.

dynamo ['daɪnəməʊ] *n* dinamo.

dynasty ['dɪnəstɪ] *n* dinastía.

dysentery ['dɪsəntrɪ] *n* disentería.

dyslexia [dɪs'leksɪə] *n* dislexia.

E

each [i:tʃ] *adj* cada: ~ *day,* cada día, todos los días. − **2** *pron* cada uno,-a: ~ *with his wife,* cada uno con su esposa. − **3** *adv* cada uno,-a. ●~ *other,* el/la uno,-a al/a la otro,-a: *we love* ~ *other,* nos queremos.

eager ['i:gəʳ] *adj* ávido,-a, ansioso,-a, impaciente. − **2** *eagerly adv* ávidamente, con afán.

eagerness ['i:gənəs] *n* avidez *f,* ansia, afán *m,* ardor *m.*

eagle ['i:gəl] *n* águila.

ear [ɪəʳ] *n* oreja. **2** *(sense)* oído. **3** *(of corn)* espiga.

ear-ache ['ɪəreɪk] *n* dolor *m* de oídos.

eardrum ['ɪədrʌm] *n* tímpano.

earl [ɜ:l] *n* conde *m.*

earlobe ['ɪələʊb] *n* lóbulo.

early ['ɜ:lɪ] *adj* temprano,-a: ~ *in the morning/afternoon,* a primera hora de la mañana/tarde. − **2** *adv* temprano. ●*in the* ~ *morning,* de madrugada.

earmark ['ɪəmɑ:k] *t* destinar *(for,* a).

earn [ɜ:n] *t gen* ganar. **2** *(interest)* devengar.

earnest ['ɜ:nɪst] *adj* serio,-a, formal. ●*in* ~, en serio.

earnings ['ɜ:nɪŋz] *npl* ganancias *fpl.*

earpiece ['ɪəpi:s] *n* auricular *m.*

earplug ['ɪəplʌg] *n* tapón *m* (para los oídos).

earring ['ɪərɪŋ] *n* pendiente *m.*

earth [ɜ:θ] *n* tierra. **2** *(fox's)* madriguera. ●*fam what/where on* ~ ...?, ¿qué/dónde demonios ...?

earthenware ['ɜ:θənweəʳ] *n* loza de barro.

earthly ['ɜ:θlɪ] *adj* terrenal. ●*not to have an* ~ *(chance),* no tener la más mínima posibilidad.

earthquake ['ɜ:θkweɪk] *n* terremoto.

earthworm ['ɜ:θwɜ:m] *n* lombriz *f.*

earthy ['ɜ:θɪ] *adj* terroso,-a. **2** *(coarse)* grosero,-a.

earwig ['ɪəwɪg] *n* tijereta.

ease [i:z] *n (lack of difficulty)* facilidad. **2** *(lack of worry)* tranquilidad. **3** *(comfort)* comodidad. − **4** *t (pain)* aliviar. − **5** *i (tension)* disminuir. ◆~ *off i* disminuir. ●*at* ~, relajado,-a; *to set sb.'s mind at* ~, tranquilizar a algn.

easel ['i:zəl] *n* caballete *m.*

easiness ['i:zɪnəs] *n* facilidad.

east [i:st] *n* este *m,* oriente *m.* − **2** *adj* (del) este, oriental. − **3** *adv* hacia el este.

Easter ['i:stəʳ] *n* REL Pascua (de Resurrección). **2** *(holiday)* Semana Santa.

easterly ['i:stəlɪ] *adj (to the east)* al este, hacia el este. **2** *(from the east)* del este.

eastern ['i:stən] *adj* oriental.

eastward ['i:stwəd] *adj* hacia el este.

eastwards ['i:stwədz] *adv* hacia el este.

easy ['i:zɪ] *adj* fácil, sencillo,-a. **2** *(comfortable)* cómodo,-a, holgado,-a. − **3** *easily adv* fácilmente. **4** *(by a long way)* con mucho. ●*take it* ~!, ¡tranquilo,-a!; *to take things* ~, tomar(se) las cosas con calma; *fam I'm* ~, me es igual. ■ ~ *chair,* sillón *m.*

easy-going ['i:zɪgəʊɪŋ] *adj* calmado,-a, tranquilo,-a.

eat [i:t] *t-i* comer. ◆*to* ~ *away t* desgastar; *(metal)* corroer. ◆*to* ~ *into t fig* consumir. ◆*to* ~ *out i* comer fuera. ◆*to* ~ *up t* comerse. ▲ *pt* **ate**; *pp* **eaten.**

eatable ['i:təbəl] *adj* comestible.

eaten ['i:tən] *pp* → **eat.**

eau-de-Cologne [əʊdəkə'ləʊn] *n* colonia.

eaves [i:vz] *npl* alero *m sing.*

eavesdrop ['i:vzdrɒp] *i* escuchar a escondidas.

ebb [eb] *n* reflujo. − **2** *i* bajar, menguar. ●*at a low* ~, en un punto bajo. ■ ~ *and*

flow, flujo y reflujo; ~-**tide,** marea menguante.

ebony ['ebənɪ] *n* ébano.

ebullient [ɪ'bʌljənt] *adj* eufórico,-a, exaltado,-a.

eccentric [ɪk'sentrɪk] *adj-n* excéntrico,-a.

eccentricity [eksen'trɪsɪtɪ] *n* excentricidad.

ecclesiastic [ɪkliːzi'æstɪk] *adj-n* eclesiástico,-a *(m)*.

ecclesiastical [ɪkliːzɪ'æstɪkəl] *adj* eclesiástico,-a.

echo ['ekəʊ] *n* eco. – **2** *t* repetir. – **3** *i* hacer eco, resonar.

éclair [ɪ'kleə^r] *n* palo de nata.

eclipse [ɪ'klɪps] *n* eclipse *m*. – **2** *t* eclipsar.

ecological [iːkə'lɒdʒɪkəl] *adj* ecológico,-a.

ecologist [ɪ'kɒlədʒɪst] *n* ecólogo,-a, ecologista *mf*.

ecology [ɪ'kɒlədʒɪ] *n* ecología.

economic [iːkə'nɒmɪk] *adj* económico,-a. **2** *(profitable)* rentable.

economical [iːkə'nɒmɪkəl] *adj* barato,-a, económico,-a.

economics [iːkə'nɒmɪks] *n* economía, ciencias *fpl* económicas.

economist [ɪ'kɒnəmɪst] *n* economista *mf*.

economize [iː'kɒnəmaɪz] *i* economizar, ahorrar.

economy [ɪ'kɒnəmɪ] *n* economía.

ecosystem ['iːkɒsɪstɪm] *n* ecosistema *m*.

ecstasy ['ekstəsɪ] *n* éxtasis *m inv*.

ecstatic [ek'stætɪk] *adj* extático,-a.

eczema ['eksɪmə] n eccema *m*.

edge [edʒ] *n* borde *m*. **2** *(of coin, step, etc.)* canto. **3** *(of knife)* filo. **4** *(of water)* orilla. **5** *(of town)* afueras *fpl*. – **6** *t* ribetear. ◆*to* ~ *forward i* avanzar lentamente. ●*on* ~*,* impaciente; *to have the* ~ *on/over sb.,* llevar ventaja a algn.

edgeways ['edʒweɪz] *adv* de lado.

edging ['edʒɪŋ] *n* ribete *m*, orla.

edgy ['edʒɪ] *adj* nervioso,-a.

edible ['edɪbəl] *adj* comestible.

edict ['iːdɪkt] *n* edicto.

edifice ['edɪfɪs] *n* (gran) edificio.

edify ['edɪfaɪ] *t* edificar, dar ejemplo a.

edit ['edɪt] *t (prepare for printing)* preparar para la imprenta. **2** *(correct)* corregir. **3** *(newspaper etc.)* dirigir. **4** CINEM TV montar, editar; *(cut)* cortar.

edition [ɪ'dɪʃən] *n* edición.

editor ['edɪtə^r] *n (of book)* editor,-ra; *(writer)* redactor,-ra. **2** *(of newspaper etc.)* director,-ra. **3** CINEM TV montador,-ra.

editorial [edɪ'tɔːrɪəl] *adj* editorial. – **2** *n* editorial *m*. ■ ~ *staff,* redacción.

educate ['edjʊkeɪt] *t* educar.

educated ['edjʊkeɪtɪd] *adj* culto,-a.

education [edjʊ'keɪʃən] *n gen* educación. **2** *(instruction)* enseñanza. **3** *(studies)* estudios *mpl*. **4** *(field of study)* pedagogía.

educational [edjʊ'keɪʃənəl] *adj* educativo,-a.

eel [iːl] *n* anguila.

eerie ['ɪərɪ] *adj* misterioso,-a.

efface [ɪ'feɪs] *t fml* borrar.

effect [ɪ'fekt] *n* efecto. **2** *pl (property)* efectos *mpl*. – **3** *t* efectuar. ●*in* ~, de hecho; *to come into* ~, entrar en vigor; *to take* ~, *(drug etc.)* surtir/hacer efecto; *(law)* entrar en vigor; *to the* ~ *that,* en el sentido de que.

effective [ɪ'fektɪv] *adj* eficaz. **2** *(real)* efectivo,-a. **3** *(impressive)* impresionante.

effectuate [ɪ'fektjʊeɪt] *t* efectuar, realizar.

effeminacy [ɪ'femɪnəsɪ] *n* afeminación.

effeminate [ɪ'femɪnət] *adj* afeminado,-a.

effervescence [efə'vesəns] *n* efervescencia.

effervescent [efə'vesənt] *adj* efervescente.

effete [e'fiːt] *adj* débil, agotado,-a.

efficacious [efɪ'keɪʃəs] *adj* eficaz.

efficacy ['efɪkəsɪ] *n* eficacia.

efficiency [ɪ'fɪʃənsɪ] *n (of person)* eficiencia, competencia. **2** *(of product)* eficacia. **3** *(of machine)* rendimiento.

efficient [ɪ'fɪʃənt] *adj (person)* eficiente, competente. **2** *(product)* eficaz. **3** *(machine)* de buen rendimiento.

effigy ['efɪdʒɪ] *n* efigie *f*.

effort ['efət] *n* esfuerzo. **2** *(attempt)* intento.

effortless ['efətləs] *adj* fácil, sin esfuerzo.

effrontery [e'frʌntərɪ] *n* descaro, desfachatez *f*.

effusive [ɪ'fjuːsɪv] *adj* efusivo,-a.

egalitarian [ɪgælɪ'teərɪən] *adj* igualitario,-a.

egg [eg] *n* huevo. ◆*to* ~ *on t* animar. ■ *boiled* ~, huevo pasado por agua; ~ *cup,* huevera; *fried* ~, huevo frito; *hard-boiled* ~, huevo duro.

eggplant ['egplɑːnt] *n* berenjena.

ego ['iːgəʊ] *n (in psychology)* yo. **2** *fam* amor *m* propio.

egocentric(al) [iːgəʊ'sentrɪk(əl)] *adj* egocéntrico,-a.

egoism ['iːgəʊɪzəm] *n* egoísmo.

egoist ['i:gəʊɪst] *n* egoísta *mf.*

egotism ['i:gətɪzəm] *n* egotismo.

egotist ['i:gətɪst] *n* egoísta *mf.*

egotistic(al) [i:gə'tɪstɪk(əl)] *adj* egoísta.

eiderdown ['aɪdədaʊn] *n* edredón *m.*

eight [eɪt] *adj-n* ocho.

eighteen [eɪ'ti:n] *adj-n* dieciocho.

eighteenth [eɪ'ti:nθ] *adj-n* decimoctavo,-a. – 2 *n (fraction)* decimoctavo, decimoctava parte.

eighth [eɪtθ] *adj-n* octavo,-a. – 2 *n (fraction)* octavo, octava parte.

eightieth ['eɪtɪɪθ] *adj-n* octogésimo,-a. – 2 *n (fraction)* octogésimo, octogésima parte.

eighty ['eɪtɪ] *adj-n* ochenta *(m).*

either ['aɪðəʳ, 'i:ðəʳ] *adj (affirmative)* cualquiera: ~ *of them,* cualquiera de los dos. 2 *(negative)* ni el uno/la una ni el otro/la otra, ninguno,-a: *I don't like* ~ *of them,* no me gusta ninguno de los dos. – 3 *adj* cada, los/las dos, ambos,-as: *with a gun in* ~ *hand,* con una pistola en cada mano. – 4 *conj* o: ~ *red or green,* o rojo o verde. – 5 *adv* tampoco: *Ann didn't come* ~, tampoco vino Ana.

ejaculate [ɪ'dʒækjʊleɪt] *i* eyacular. 2 *(exclaim)* exclamar.

eject [i:'dʒekt] *t* expulsar. – 2 *i* AV eyectar(se).

elaborate [ɪ'læbərət] *adj (detailed)* detallado,-a. 2 *(complex)* complicado,-a. – 3 *t (embellish)* adornar. – 4 *i (say more)* extenderse. ▲ *En 3 y 4 (verbo)* [ɪ'læbəreɪt].

elapse [ɪ'læps] *i* transcurrir.

elastic [ɪ'læstɪk] *adj-n* elástico,-a *(m).* ■ ~ *band,* goma elástica.

elated [ɪ'leɪtɪd] *adj* eufórico,-a.

elation [ɪ'leɪʃən] *n* euforia, júbilo.

elbow ['elbəʊ] *n* codo. 2 *(bend)* recodo. – 3 *t* dar un codazo a.

elder ['eldəʳ] *adj* mayor. – 2 *n* mayor *m.* 3 BOT saúco.

elderly ['eldəlɪ] *adj* mayor, anciano,-a.

eldest ['eldɪst] *adj* mayor.

elect [ɪ'lekt] *adj* electo,-a. – 2 *t* elegir.

election [ɪ'lekʃən] *n* elección.

elector [ɪ'lektəʳ] *n* elector,-ra.

electoral [ɪ'lektərəl] *adj* electoral.

electorate [ɪ'lektərət] *n* electorado.

electric [ɪ'lektrɪk] *adj* eléctrico,-a. 2 *fig* electrizante. ■ ~ *chair,* silla eléctrica; ~ *shock,* electrochoque *m,* descarga eléctrica.

electrical [ɪ'lektrɪkəl] *adj* eléctrico,-a.

electrician [ɪlek'trɪʃən] *n* electricista *mf.*

electricity [ɪlek'trɪsɪtɪ] *n* electricidad.

electrify [ɪ'lektrɪfaɪ] *t* electrificar. 2 *fig* electrizar.

electrocute [ɪ'lektrəkju:t] *t* electrocutar.

electrode [ɪ'lektrəʊd] *n* electrodo.

electron [ɪ'lektrɒn] *n* electrón *m.*

electronic [ɪlek'trɒnɪk] *adj* electrónico,-a.

electronics [ɪlek'trɒnɪks] *n* electrónica.

elegance ['elɪgəns] *n* elegancia.

elegant ['elɪgənt] *adj* elegante.

element ['elɪmənt] *n gen* elemento. 2 *(component)* componente *m.* 3 ELEC resistencia. 4 *pl* rudimentos *mpl.*

elementary [elɪ'mentərɪ] *adj* elemental. ■ ~ *education,* enseñanza primaria.

elephant ['elɪfənt] *n* elefante *m.*

elevate ['elɪveɪt] *t* elevar. 2 *(in rank)* ascender.

elevation [elɪ'veɪʃən] *n* elevación. 2 *(in rank)* ascenso. 3 *(height)* altitud.

elevator ['elɪveɪtəʳ] *n* US ascensor *m.* 2 GB escalera mecánica.

eleven [ɪ'levən] *adj-n* once *(m).* – 2 *n* SP equipo, once *m.*

eleventh [ɪ'levənθ] *adj-n* undécimo,-a. – 2 *n (fraction)* onceavo, onceava parte.

elf [elf] *n* elfo.

elicit [ɪ'lɪsɪt] *t* sonsacar, obtener.

eligible ['elɪdʒəbəl] *adj* elegible.

eliminate [ɪ'lɪmɪneɪt] *t* eliminar.

elimination [ɪlɪmɪ'neɪʃən] *n* eliminación.

elite [eɪ'li:t] *n* elite *f.*

elixir [ɪ'lɪksəʳ] *n* elixir *m.*

elk [elk] *n* alce *m.*

elliptical [ɪ'lɪptɪkəl] *adj* elíptico,-a.

elm [elm] *n* olmo.

elocution [elə'kju:ʃən] *n* elocución.

elongate [i:'lɒŋgeɪt] *t* alargar, extender.

elope [ɪ'ləʊp] *i* fugarse (para casarse).

eloquence ['eləkwəns] *n* elocuencia.

eloquent ['eləkwɒnt] *adj* elocuente.

else [els] *adv* más: *anything* ~?, ¿algo más?; *nobody* ~, nadie más; *someone* ~, otra persona más. ●*or* ~, si no: *behave yourself or* ~, pórtate bien, si no (ya verás).

elsewhere [els'weəʳ] *adv* en otro sitio.

elude [ɪ'lu:d] *t* eludir, escapar(se).

elusive [ɪ'lu:sɪv] *adj* huidizo,-a, esquivo,-a.

emaciated [ɪ'meɪʃɪeɪtɪd] *adj* enflaquecido,-a; *(face)* demacrado,-a.

emanate ['eməneɪt] *i* emanar.

emancipate [ɪ'mænsɪpeɪt] *t* emancipar.

embalm [ɪm'bɑ:m] *t* embalsamar.

embankment [ɪm'bæŋkmənt] *n* terraplén *m*. 2 *(river bank)* dique *m*.

embargo [em'bɑːgəʊ] *n* embargo. – 2 *t (prohibit)* prohibir. 3 *(seize)* embargar.

embark [ɪm'bɑːk] *t-i* embarcar(se). ●*to ~ on sth.,* enprender algo.

embarkation [ɪmbɑː'keɪʃən] *n* embarque *m*.

embarrass [ɪm'bærəs] *t* turbar, azorar, desconcertar.

embarrassing [ɪm'bærəsɪŋ] *adj* embarazoso,-a, violento,-a.

embarrassment [ɪm'bærəsmənt] *n (state)* turbación, desconcierto. 2 *(object)* embarazo, estorbo.

embassy ['embəsɪ] *n* embajada.

embed [ɪm'bed] *t* empotrar, incrustar.

embellish [ɪm'belɪʃ] *t* adornar.

embellishment [ɪm'belɪʃmənt] *n* adorno.

ember ['embəʳ] *n* ascua, rescoldo.

embezzle [ɪm'bezəl] *t* desfalcar.

embezzlement [ɪm'bezəlmənt] *n* desfalco.

emblem ['embləm] *n* emblema *m*.

embody [ɪm'bɒdɪ] *t* encarnar. 2 *(include)* incorporar, incluir.

emboss [ɪm'bɒs] *t* estampar en relieve.

embrace [ɪm'breɪs] *n* abrazo. – 2 *t-i* abrazar(se). – 3 *t (include)* abarcar. 4 *(religion etc.)* abrazar.

embroider [ɪm'brɔɪdəʳ] *t* bordar. 2 *fig* adornar.

embroidery [ɪm'brɔɪdərɪ] *n* bordado. 2 *fig* adorno.

embroil [ɪm'brɔɪl] *t* enredar.

embryo ['embrɪəʊ] *n* embrión *m*.

embryonic [embrɪ'ɒnɪk] *adj* embrionario,-a.

emend [ɪ'mend] *t* enmendar.

emendation [iːmen'deɪʃən] *n* enmienda.

emerald ['emərəld] *n (stone)* esmeralda *f*. 2 *(colour)* esmeralda *m*. – 3 *adj* (de color) esmeralda.

emerge [ɪ'mɜːdʒ] *i* emerger, aparecer: *it emerged that ...,* resulto que ... .

emergence [ɪ'mɜːdʒəns] *n* aparición.

emergency [ɪ'mɜːdʒənsɪ] *n* emergencia. 2 MED (caso de) urgencia. ■ ~ *exit,* salida de emergencia.

emergent [ɪ'mɜːdʒənt] *adj* emergente.

emery ['emərɪ] *n* esmeril *m*. ■ ~ *board,* lima de uñas.

emigrant ['emɪgrənt] *n* emigrante *mf*.

emigrate ['emɪgreɪt] *i* emigrar.

emigration [emɪ'greɪʃən] *n* emigración.

eminence ['emɪnəns] *n* eminencia.

eminent ['emɪnənt] *adj* eminente.

emir [e'mɪəʳ] *n* emir *m*.

emirate ['emɪrət] *n* emirato.

emissary ['emɪsərɪ] *n* emisario.

emission [ɪ'mɪʃən] *n* emisión.

emit [ɪ'mɪt] *t* emitir.

emotion [ɪ'məʊʃən] *n* emoción.

emotional [ɪ'məʊʃənəl] *adj* emocional. 2 *(moving)* emotivo,-a.

emotive [ɪ'məʊtɪv] *adj* emotivo,-a.

emperor ['empərəʳ] *n* emperador *m*.

emphasis ['emfəsɪs] *n* énfasis *m inv*. ●*to place ~ on,* hacer hincapié en.

emphasize ['emfəsaɪz] *t* enfatizar, hacer hincapié en, subrayar.

emphatic [em'fætɪk] *adj* enfático,-a, enérgico,-a.

empire ['empaɪəʳ] *n* imperio.

empirical [em'pɪrɪkəl] *adj* empírico,-a.

employ [ɪm'plɔɪ] *n* empleo. – 2 *t* emplear.

employee [em'plɔiː, emplɔɪ'iː] *n* empleado,-a.

employer [em'plɔɪəʳ] *n* patrón,-ona.

employment [em'plɔɪmənt] *n* empleo.

empower [ɪm'paʊəʳ] *t* autorizar, facultar.

empress ['emprəs] *n* emperatriz *f*.

emptiness ['emptɪnəs] *n* vacío.

empty ['emptɪ] *adj* vacío,-a. – 2 *t-i* vaciar(se).

emulate ['emjʊleɪt] *t* emular.

emulsion [ɪ'mʌlʃən] *n* emulsión.

enable [ɪ'neɪbəl] *t* permitir.

enact [ɪ'nækt] *t (law)* promulgar. 2 *(play)* representar.

enamel [ɪ'næməl] *n* esmalte. – 2 *t* esmaltar.

encapsulate [ɪŋ'kæpsjʊleɪt] *t* encapsular.

enchant [ɪn'tʃɑːnt] *t* encantar, hechizar.

enchanting [ɪn'tʃɑːntɪŋ] *adj* encantador,-ra.

enchantment [ɪn'tʃɑːntmənt] *n* encanto, hechizo.

encircle [ɪn'sɜːkəl] *t* rodear, cercar.

enclave ['enkleɪv] *n* enclave *m*.

enclose [ɪn'kləʊz] *t* cercar, rodear. 2 *(with letter)* adjuntar.

enclosure [ɪn'kləʊʒəʳ] *n (area)* cercado. 2 *(with letter)* anexo.

encompass [ɪn'kʌmpəs] *t* abarcar.

encore ['ɒŋkɔː'] *interj* ¡otra! – 2 *n* repetición.

encounter [ɪn'kaʊntəʳ] *n* encuentro. – 2 *t* encontrar, encontrarse con.

encourage [ɪn'kʌrɪdʒ] *t (cheer)* animar. 2 *(develop)* fomentar.

encouragement [ɪnˈkʌrɪdʒmənt] *n* aliento, ánimo. 2 *(development)* fomento.

encouraging [ɪnˈkʌrɪdʒɪŋ] *adj* alentador,-ra. 2 *(promising)* prometedor,-ra.

encroach [ɪnˈkrəʊtʃ] *i* pasar los límites de, invadir.

encrusted [ɪnˈkrʌstɪd] *adj* incrustado,-a.

encumber [ɪnˈkʌmbəʳ] *t* estorbar.

encyclop(a)edia [ensaɪkləʊˈpiːdjə] *n* enciclopedia.

encyclop(a)edic [ensaɪkləʊˈpiːdɪk] *adj* enciclopédico,-a.

end [end] *n (of rope)* cabo; *(of street)* final *m*; *(of table)* extremo; *(point)* punta. 2 *(time)* fin *m*, final, conclusión. 3 *(aim)* objeto, objetivo. – 4 *t-i* acabar(se), terminar(se). ◆*to ~ up* acabar, terminar. ●*at the ~ of*, al final de; *in the ~*, al fin; *to come/draw to an ~*, acabarse.

endanger [ɪnˈdeɪndʒəʳ] *t* poner en peligro.

endearing [ɪnˈdɪərɪŋ] *adj* simpático,-a.

endearment [ɪnˈdɪəmənt] *n* expresión cariñosa.

endeavour [ɪnˈdevəʳ] *n* esfuerzo, empeño. – 2 *i* esforzarse.

endemic [enˈdemɪk] *adj* endémico,-a.

ending [ˈendɪŋ] *n* final *m*. 2 GRAM terminación.

endive [ˈendaɪv] *n* endibia.

endless [ˈendləs] *adj* sin fin, interminable.

endocrine [ˈendəʊkrɪn] *adj* endocrino,-a.

endorse [ɪnˈdɔːs] *t* endosar. 2 *(approve)* aprobar.

endorsement [ɪnˈdɔːsmənt] *n* endoso. 2 *(approval)* aprobación. 3 AUTO nota de sanción.

endow [ɪnˈdaʊ] *t* dotar.

endurance [ɪnˈdjʊərəns] *n* resistencia, aguante *m*.

endure [ɪnˈdjʊəʳ] *t* soportar, resistir. – 2 *i* durar.

enduring [ɪnˈdjʊərɪŋ] *adj* duradero,-a.

enema [ˈenɪmə] *n* enema *m*.

enemy [ˈenəmɪ] *n* enemigo,-a.

energetic [enəˈdʒetɪk] *adj* enérgico,-a.

energy [ˈenədʒɪ] *n* energía.

enforce [ɪnˈfɔːs] *t (law)* hacer cumplir.

enforcement [ɪnˈfɔːsmənt] *n* aplicación, imposición.

engage [ɪnˈgeɪdʒ] *(hire)* contratar. 2 *(attention)* atraer. 3 TECH engranar con. ●*to ~ sb. in conversation*, trabar conversación con algn.

engaged [ɪnˈgeɪdʒd] *adj (to be married)* prometido,-a. 2 *(busy)* ocupado,-a; *(phone)* comunicando. ●*to get ~*, prometerse.

engagement [ɪnˈgeɪdʒmənt] *n (to be married)* petición de mano; *(period)* noviazgo. 2 *(appointment)* compromiso, cita. 3 MIL combate *m*.

engaging [ɪnˈgeɪdʒɪŋ] *adj* atractivo,-a, simpático,-a.

engine [ˈendʒɪn] *n* motor *m*. 2 *(of train)* máquina, locomotora. ■ ~ *driver*, maquinista *mf*; ~ *room*, sala de máquinas.

engineer [endʒɪˈnɪəʳ] *n* ingeniero,-a. 2 US maquinista *mf*. – 3 *t fig* maquinar.

engineering [endʒɪˈnɪərɪŋ] *n* ingeniería.

engrave [ɪnˈgreɪv] *t* grabar.

engraving [ɪnˈgreɪvɪŋ] *n* grabado.

engrossed [ɪnˈgrəʊst] *adj* absorto,-a.

engrossing [ɪnˈgrəʊsɪŋ] *adj* absorbente.

engulf [ɪnˈgʌlf] *t* sumergir, sumir.

enhance [ɪnˈhɑːns] *t* realzar.

enigma [ɪˈnɪgmə] *n* enigma *m*.

enigmatic [enɪgˈmætɪk] *adj* enigmático,-a.

enjoy [ɪnˈdʒɔɪ] *t* gozar de, disfrutar de: *did you ~ the show?*, ¿te gustó el espectáculo? ●*to ~ o.s.*, divertirse, pasarlo bien.

enjoyable [ɪnˈdʒɔɪəbəl] *adj* agradable.

enjoyment [ɪnˈdʒɔɪmənt] *n* placer *m*, goce *m*, disfrute *m*, gusto.

enlarge [ɪnˈlɑːdʒ] *t-i* aumentar(se), ampliar(se); *(photograph)* ampliar(se). ◆*to ~ upon* extenderse sobre.

enlargement [ɪnˈlɑːdʒmənt] *n (photograph)* ampliación.

enlighten [ɪnˈlaɪtən] *t* iluminar. ●*to ~ sb. on sth.*, aclararle algo a algn.

enlightened [ɪnˈlaɪtənd] *adj* culto,-a.

enlightenment [ɪnˈlaɪtənmənt] *n* aclaración.

enlist [ɪnˈlɪst] *t-i* MIL alistar(se).

enliven [ɪnˈlaɪvən] *t* avivar, animar.

enmity [ˈenmɪtɪ] *n* enemistad.

enormity [ɪˈnɔːmɪtɪ] *n* enormidad.

enormous [ɪˈnɔːməs] *adj* enorme.

enough [ɪˈnʌf] *adj* bastante, suficiente. – 2 *adv* bastante. – 3 *n* lo suficiente.

enquire [ɪŋˈkwaɪəʳ] *i* preguntar. 2 JUR investigar.

enquiry [ɪŋˈkwaɪərɪ] *n* pregunta. 2 JUR investigación. ●*to make an ~*, preguntar.

enrage [ɪnˈreɪdʒ] *t* enfurecer.

enrich [ɪnˈrɪtʃ] *t* enriquecer.

enrol [ɪnˈrəʊl] *t-i* matricular(se), inscribir(se).

enrolment [ɪn'rəʊlmənt] *n* matrícula, inscripción.
ensemble [ɒn'sɒmbəl] *n* conjunto.
ensign ['ensaɪn] *n* bandera.
enslave [ɪn'sleɪv] *t* esclavizar.
ensue [ɪn'sju:] *i* seguir. **2** *(result)* resultar.
ensuing [ɪn'sju:ɪŋ] *adj* consiguiente.
ensure [ɪn'ʃʊər] *t* asegurar.
entail [ɪn'teɪl] *t* suponer, implicar, acarrear. **2** JUR vincular.
entangle [ɪn'tæŋgəl] *t* enredar, enmarañar.
enter ['entər] *t gen* entrar en. **2** *(join)* ingresar en; *(competition)* inscribirse a. **3** *(write down)* anotar, apuntar. – **4** *i* entrar. ●*to ~ into t (negotiations)* iniciar. **2** *(contract)* firmar. **3** *(conversation)* entablar.
enterprise ['entəpraɪz] *n* empresa. **2** *(spirit)* energía, iniciativa, espíritu *m* emprendedor.
enterprising ['entəpraɪzɪŋ] *adj* emprendedor,-ra.
entertain [entə'teɪn] *t (amuse)* entretener, divertir. **2** *(act as host)* agasajar. **3** *(consider)* considerar.
entertainer [entə'teɪnər] *n* artista *mf*.
entertaining [entə'teɪnɪŋ] *adj* divertido,-a.
entertainment [entə'teɪnmənt] *n* entretenimiento, diversión. **2** THEAT espectáculo.
enthral [ɪn'θrɔ:l] *t* cautivar.
enthralling [ɪn'θrɔ:lɪŋ] *adj* cautivador,-ra.
enthrone [ɪn'θrəʊn] *t* entronizar.
enthronement [ɪn'θrəʊnmənt] *n* entronización.
enthuse [ɪn'θju:z] *i fam* **to ~ over**, entusiasmarse por.
enthusiasm [ɪn'θju:zɪæzəm] *n* entusiasmo.
enthusiast [ɪn'θju:zɪæst] *n* entusiasta *mf*.
enthusiastic [ɪnθju:zɪ'æstɪk] *adj* entusiástico,-a. **2** *(person)* entusiasta. – **3** *enthusiastically adv* con entusiasmo.
entice [ɪn'taɪs] *t* atraer.
enticing [ɪn'taɪsɪŋ] *adj* tentador,-ra.
entire [ɪn'taɪər] *adj* entero,-a, completo,-a, íntegro,-a. – **2** *entirely adv* enteramente, totalmente.
entirety [ɪn'taɪrətɪ] *n* totalidad.
entitle [ɪn'taɪtəl] *t* dar derecho a. ●*to be entitled, (book)* titularse; *(person)* tener derecho *(to,* a).
entity ['entɪtɪ] *n* entidad.

entomology [entə'mɒlədʒɪ] *n* entomología.
entourage [ɒntʊ'rɑ:ʒ] *n* séquito.
entrails ['entreɪlz] *npl* entrañas *fpl*, vísceras *fpl*.
entrance ['entrəns] *n* entrada. **2** THEAT entrada en escena. – **3** *t* encantar, hechizar. ●*'no ~'*, 'se prohíbe la entrada'. ■ *~ examination*, examen *m* de ingreso. ▲ *En* **3** *(verbo)* [en'trɑ:ns].
entrancing [ɪn'trɑ:nsɪŋ] *adj* fascinante, encantador,-a.
entrant ['entrənt] *n* participante *mf*.
entreat [ɪn'tri:t] *t-i* suplicar, rogar.
entrench [ɪn'trentʃ] *t* atrincherar.
entrepreneur [ɒntrəprə'nɜ:r] *n* empresario,-a *m,f*.
entrust [ɪn'trʌst] *t* confiar.
entry ['entrɪ] *n* entrada. **2** *(competition)* participante *mf*. ●AUTO *'no ~'*, 'prohibida la entrada'.
enumerate [ɪ'nju:məreɪt] *t* enumerar.
enunciate [ɪ'nʌnsɪeɪt] *t* pronunciar. **2** *(express)* expresar.
envelop [ɪn'veləp] *t* envolver.
envelope ['envələʊp] *n* sobre *m*.
enviable ['envɪəbəl] *adj* envidiable.
envious ['envɪəs] *adj* envidioso,-a.
environment [ɪn'vaɪrənmənt] *n* medio ambiente. **2** *fig* contexto.
environs [ɪn'vaɪrənz] *npl* alrededores *mpl*.
envisage [ɪn'vɪzɪdʒ] *t* prever. **2** *(imagine)* concebir.
envoy ['envɔɪ] *n* enviado,-a.
envy ['envɪ] *n* envidia. – **2** *t* envidiar.
enzyme ['enzaɪm] *n* enzima *m & f*.
epaulet(te) [epə'let] *n* charretera.
ephemeral [ɪ'femərəl] *adj* efímero,-a.
epic ['epɪk] *adj* épico,-a. – **2** *n* epopeya.
epicure ['epɪkjʊər] *n* epicúreo,-a.
epidemic [epɪ'demɪk] *n* epidemia.
epigram ['epɪgræm] *n* epigrama *m*.
epilepsy ['epɪlepsɪ] *n* epilepsia.
epileptic [epɪ'leptɪk] *adj-n* epiléptico,-a.
epilogue ['epɪlɒg] *n* epílogo.
episcopal [ɪ'pɪskəpəl] *adj* episcopal.
episode ['epɪsəʊd] *n* episodio.
epistle [ɪ'pɪsəl] *n* epístola.
epitaph ['epɪtɑ:f] *n* epitafio.
epithet ['epɪθet] *n* epíteto.
epitome [ɪ'pɪtəmɪ] *n* epítome *m*, personificación.
epitomize [ɪ'pɪtəmaɪz] *t* epitomar, personificar.
epoch ['i:pɒk] *n* época.

equable ['ekwəbəl] *adj (climate)* uniforme. 2 *(person)* ecuánime.

equal ['i:kwəl] *adj-n* igual *(mf)*. – 2 *t* MATH ser igual a, equivaler a. 3 *(match)* igualar. – 4 *equally adv* igualmente, por igual. ●*all things being* ~, en igualdad de circunstancias; *to be* ~ *to, (occasion)* estar a la altura de; *(task)* sentirse con fuerzas para. ■ ~ *rights,* igualdad de derechos.

equality [ɪ:'kwɒlɪtɪ] *n* igualdad.

equalize ['i:kwəlaɪz] *i* SP igualar el marcador.

equanimity [i:kwə'nɪmɪtɪ] *n* ecuanimidad.

equate [ɪ'kweɪt] *t* equiparar.

equation [ɪ'kweɪʒən] *n* ecuación.

equator [ɪ'kweɪtəʳ] *n* ecuador *m*.

equatorial [ekwə'tɔ:rɪəl] *adj* ecuatorial.

equestrian [ɪ'kwestrɪən] *adj* ecuestre.

equilateral [i:kwɪ'lætərəl] *adj* equilátero,-a.

equilibrium [i:kwɪ'lɪbrɪəm] *n* equilibrio.

equinox ['i:kwɪnɒks] *n* equinoccio.

equip [ɪ'kwɪp] *t* equipar.

equipment [ɪ'kwɪpmənt] *n* equipo. 2 *(act of equipping)* equipamiento.

equitable ['ekwɪtəbəl] *adj* equitativo,-a.

equivalence [ɪ'kwɪvələns] *n* equivalencia.

equivalent [ɪ'kwɪvələnt] *adj-n* equivalente *(m)*. ●*to be* ~ *to,* equivaler a.

equivocal [ɪ'kwɪvəkəl] *adj* equívoco,-a.

era ['ɪərə] *n* era.

eradicate [ɪ'rædɪkeɪt] *t* erradicar, extirpar, desarraigar.

eradication [ɪrædɪ'keɪʃən] *n* erradicación, extirpación.

erase [ɪ'reɪz] *t* borrar.

eraser [ɪ'reɪzəʳ] *n* goma de borrar.

erasure [ɪ'reɪʒə] *n* borradura.

erect [ɪ'rekt] *adj* derecho,-a, erguido,-a. 2 *(penis)* erecto,-a. – 3 *t* erigir.

erection [ɪ'rekʃən] *n (penis)* erección. 2 *(building)* construcción.

ermine ['ɜ:mɪn] *n* armiño.

erode [ɪ'rəʊd] *t (rock)* erosionar. 2 *(metal)* corroer, desgastar. 3 *fig (power)* mermar.

erosion [ɪ'rəʊʒən] *n (of rock)* erosión. 2 *(of metal)* corrosión, desgaste *m*.

erotic [ɪ'rɒtɪk] *adj* erótico,-a.

err [ɜ:ʳ] *i* errar, equivocarse.

errand ['erənd] *n* encargo, recado.

errata [ɪ'rɑ:tə] *npl* fe *f sing* de erratas.

erratic [ɪ'rætɪk] *adj* irregular, inconstante.

erratum [ɪ'rɑ:təm] *n* errata. ▲ *pl* **errata**.

erroneous [ɪ'rəʊnjəs] *adj* erróneo,-a.

error ['erəʳ] *n* error *m*.

erudite ['erʊdaɪt] *adj* erudito,-a.

erudition [erʊ'dɪʃən] *n* erudición.

erupt [ɪ'rʌpt] *i (volcano)* entrar en erupción. 2 *(violence)* estallar.

eruption [ɪ'rʌpʃən] *n (volcano)* erupción. 2 *(violence)* estallido. 3 MED erupción.

escalate ['eskəleɪt] *(war)* intensificarse. 2 *(prices)* aumentarse.

escalation [eskə'leɪʃən] *n (war)* escalada. 2 *(prices)* subida, aumento.

escalator ['eskəleɪtəʳ] *n* escalera mecánica.

escapade [eskə'peɪd] *n* aventura.

escape [ɪ'skeɪp] *n* fuga, huída. 2 *(gas)* fuga, escape *m*. – 3 *i* escaparse, fugarse, huir. 4 *(gas)* escapar. – 5 *t (avoid)* evitar, librarse de. ●*to make one's* ~, escaparse.

escort ['eskɔ:t] *n* acompañante *mf*. 2 MIL escolta. – 3 *t* acompañar. 4 MIL escoltar. ▲ *En 3 y 4 (verbo)* [ɪ'skɔ:t].

esoteric [esəʊ'terɪk] *adj* esotérico,-a.

especial [ɪ'speʃəl] *adj* especial, particular. – 2 *especially adv* especialmente, sobre todo.

espionage ['espɪɒnɑ:ʒ] *n* espionaje *m*.

esplanade [esplə'neɪd] *n* paseo marítimo.

esquire [ɪ'skwaɪəʳ] *n* GB señor *m* don.

essay ['eseɪ] *n (school)* redacción; *(university)* trabajo. 2 *(literary)* ensayo.

essence ['esəns] *n* esencia.

essential [ɪ'senʃəl] *adj (central)* esencial. 2 *(vital)* vital, indispensable. – 3 *n* elemento esencial. – 4 *essentially adv* esencialmente.

establish [ɪ'stæblɪʃ] *t* establecer, fundar, crear. 2 *(proof)* demostrar. 3 *(facts)* constatar. 4 *(precedent)* sentar. 5 *(fame)* consolidar.

establishment [ɪ'stæblɪʃmənt] *n* establecimiento. 2 GB *the Establishment,* el poder.

estate [ɪ'steɪt] *n (in country)* finca. 2 *(with houses)* urbanización. 3 *(goods)* bienes *mpl*. ■ ~ *agent,* agente *mf* inmobiliario,-a; ~ *agent's,* agencia inmobiliaria; GB ~ *car,* coche *m* familiar; *housing* ~, urbanización; *industrial* ~, polígono industrial.

esteem [ɪ'sti:m] *t* apreciar. 2 *(regard)* juzgar, considerar. – 3 *n* aprecio. ●*to hold sb. in high* ~, apreciar mucho a algn.

estimate ['estɪmət] *n (calculation)* cálculo. 2 *(for work)* presupuesto. – 3 *t* calcular. ▲ *En 3 (verbo)* ['estɪmeɪt].

estimation [estɪ'meɪʃən] *n* opinión, juicio.

estuary ['estjʊərɪ] *n* estuario.

etch [etʃ] *t* grabar al aguafuerte.

etching ['etʃɪŋ] *n* aguafuerte *m & f*.

eternal [ɪ'tɜ:nəl] *adj* eterno,-a.

eternity [ɪ'tɜ:nɪtɪ] *n* eternidad.

ether ['i:θəʳ] *n* éter *m*.

ethereal [ɪ'θɪərɪəl] *adj* etéreo,-a.

ethic ['eθɪk] *n* ética.

ethical ['eθɪkəl] *adj* ético,-a.

ethnic ['eθnɪk] *adj* étnico,-a.

ethyl ['i:θaɪl] *n* CHEM etilo. ■ ~ *alcohol*, alcohol etílico.

etiquette ['etɪket] *n* protocolo, etiqueta.

etymological [etɪmə'lɒdʒɪkəl] *adj* etimológico,-a.

etymology [etɪ'mɒlədʒɪ] *n* etimología.

eucalyptus [ju:kə'lɪptəs] *n* eucalipto.

Eucharist ['ju:kərɪst] *n* Eucaristía.

eulogize ['ju:lədʒaɪz] *t* elogiar.

eulogy ['ju:lədʒɪ] *n* elogio.

eunuch ['ju:nək] *n* eunuco.

euphemism ['ju:fɪmɪzəm] *n* eufemismo.

euphemistic [ju:fɪ'mɪstɪk] *adj* eufemístico,-a.

euphoria [ju:'fɔ:rɪə] *n* euforia.

euphoric [ju:'fɒrɪk] *adj* eufórico,-a.

euthanasia [ju:θə'neɪzɪə] *n* eutanasia.

evacuate [ɪ'vækjʊeɪt] *t (people)* evacuar. 2 *(place)* desalojar, desocupar.

evacuation [ɪvækjʊ'eɪʃən] *n* evacuación.

evade [ɪ'veɪd] *t* evadir, eludir, evitar.

evaluate [ɪ'væljʊeɪt] *t* evaluar. 2 MATH calcular.

evangelical [i:væn'dʒelɪkəl] *adj* evangélico,-a.

evangelism [ɪ'vændʒɪlɪzəm] *n* evangelismo.

evangelist [ɪ'vændʒɪlɪst] *n* evangelista *mf*.

evaporate [ɪ'væpəreɪt] *t-i* evaporar(se).

evaporation [ɪvæpə'reɪʃən] *n* evaporación.

evasion [ɪ'veɪʒən] *n* evasión.

evasive [ɪ'veɪsɪv] *adj* evasivo,-a.

eve [i:v] *n* víspera, vigilia.

even ['i:vən] *adj (level)* llano,-a. 2 *(smooth)* liso,-a. 3 *(uniform)* uniforme, regular. 4 *(evenly matched)* igual, igualado,-a. 5 *(number)* par. – 6 *adv* hasta, incluso: ~ *John was there*, hasta John estaba allí. 7 *(with negative)* siquiera: *not ~ John was there*, ni siquiera John estaba allí. – 8 *t-i* igualar(se), nivelar(se). – 9 *evenly adv (uniformly)* uniformemente. 10 *(fairly)* equitativamente. ◆*to ~ out t-i* igualar. ◆~ *as*, mientras; ~ *if*, aun si; ~ *so*, incluso/aun así; ~ *though*, aunque, aun cuando; *to break* ~, cubrir gastos; *to get* ~ *with sb.*, desquitarse con algn.

evening ['i:vnɪŋ] *n (early)* tarde *f*; *(late)* noche *f*: *yesterday/tomorrow* ~, ayer/mañana por la tarde. ●*good* ~*!*, ¡buenas tardes!; ¡buenas noches! ■ ~ *dress*, *(woman)* vestido de noche; *(man)* traje *m* de etiqueta.

event [ɪ'vent] *n* suceso, acontecimiento. 2 *(case)* caso. 3 SP prueba. ●*at all events*, en todo caso; *in any* ~, pase lo que pase; *in the* ~ *of*, en caso de.

eventful [ɪ'ventfʊl] *adj* lleno,-a de acontecimientos, memorable.

eventual [ɪ'ventʃʊəl] *adj (final)* final. 2 *(resulting)* consiguiente. – 3 *eventually adv* finalmente.

eventuality [ɪventʃʊ'ælɪtɪ] *n* eventualidad.

ever ['evəʳ] *adv (never)* nunca, jamás: *nobody* ~ *comes*, no viene nunca nadie. 2 *(at some time)* alguna vez: *have you* ~ *seen her?*, ¿la has visto alguna vez? 3 *(always)* siempre: ~ *since the war*, desde la guerra. 4 *(at any time) better than* ~, mejor que nunca; *the best* ~, el mejor que nunca se ha visto. 5 *(with questions) what* ~ *shall I do?*, ¿qué demonios hago? ●~ *so* ..., muy ...; *for* ~ *(and* ~*)*, para siempre; *hardly* ~, casi nunca.

evergreen ['evəgri:n] *adj* BOT de hoja perenne. ■ ~ *oak*, encina.

everlasting [evə'lɑ:stɪŋ] *adj* eterno,-a, sempiterno,-a.

every ['evrɪ] *adj* cada, todos,-as: ~ *day*, cada día, todos los días; ~ *other day*, un día sí un día no. ●~ *now and then*, de vez en cuando.

everybody ['evrɪbɒdɪ] *pron* todos,-as, todo el mundo.

everyday ['evrɪdeɪ] *adj* diario,-a, de todos los días.

everyone ['evrɪwʌn] *pron* → **everybody**.

everything ['evrɪθɪŋ] *pron* todo.

everywhere ['evrɪweəʳ] *adv (situation)* en/por todas partes. 2 *(movement)* a todas partes.

evict [ɪ'vɪkt] *t* desahuciar.

eviction [ɪ'vɪkʃən] *n* desahucio.

evidence ['evɪdəns] *n (proof)* pruebas *fpl*. 2 *(signs)* indicios *mpl*. 3 JUR testimonio. ●*to give* ~, prestar declaración.

evident ['evɪdənt] *adj* evidente, patente. – 2 *evidently adv* evidentemente. 3 *(apparently)* por lo visto.

evil ['i:vəl] *adj (person)* malo,-a, malvado,-a. 2 *(thing)* malo,-a, pernicioso,-a. − 3 *n* mal *m*.

evocative [ɪ'vɒkətɪv] *adj* evocador,-ra.

evoke [ɪ'vəʊk] *t* evocar.

evolution [i:və'lu:ʃən] *n* evolución.

evolve [ɪ'vɒlv] *t* desarrollar. − 2 *i* evolucionnnar, desarrollarse.

ewe [ju:] *n* oveja.

exacerbate [ɪg'zæsɜ:beɪt] *t* exacerbar.

exact [ɪg'zækt] *adj* exacto,-a. 2 *(thorough)* preciso,-a. − 3 *t* exigir, imponer. − 4 **exactly** *adv* exactamente.

exacting [ɪg'zæktɪŋ] *adj* exigente.

exactitude [ɪg'zæktɪtju:d], **exactness** [ɪg'zæktnəs] *n* exactitud.

exaggerate [ɪg'zædʒəreɪt] *t-i* exagerar.

exaggeration [ɪgzædʒə'reɪʃən] *n* exageración.

exalt [ɪg'zɔ:lt] *t* exaltar.

exam [ɪg'zæm] *n fam* examen *m*.

examination [ɪgzæmɪ'neɪʃən] *n* EDUC examen *m*. 2 MED reconocimiento. 3 JUR interrogatorio.

examine [ɪg'zæmɪn] *t (inspect)* inspeccionar. 2 EDUC examinar. 3 MED hacer un reconocimiento a. 4 JUR interrogar.

examinee [ɪgzæmɪ'ni:] *n* examinando,-a.

examiner [ɪg'zæmɪnər] *n* examinador,-ra.

example [ɪg'zɑ:mpəl] *n* ejemplo. 2 *(specimen)* ejemplar *m*. ●*for ~*, por ejemplo.

exasperate [ɪg'zɑ:spəreɪt] *t* exasperar, irritar.

excavate ['ekskəveɪt] *t* excavar.

excavation [ekskə'veɪʃən] *n* excavación.

excavator ['ekskəveɪtər] *n (person)* excavador,-ra. 2 *(machine)* excavadora.

exceed [ɪk'si:d] *t* exceder, sobrepasar.

exceedingly [ɪk'si:dɪŋlɪ] *adv* extremadamente, sumamente.

excel [ɪk'sel] *t* aventajar, superar. − 2 *i* sobresalir. ●*to ~ o.s.*, superarse.

excellence ['eksələns] *n* excelencia.

Excellency ['eksələnsɪ] *n* Excelencia.

excellent ['eksələnt] *adj* excelente.

except [ɪk'sept] *prep* excepto, salvo, a excepción de. − 2 *t* excluir, exceptuar.

exception [ɪk'sepʃən] *n* excepción. ●*to take ~ to sth.*, ofenderse por algo.

exceptional [ɪk'sepʃənəl] *adj* excepcional.

excerpt ['eksɜ:pt] *n* extracto.

excess [ɪk'ses] *n* exceso. 2 COM excedente *m*. ●*in ~ of*, superior a.

excessive [ɪk'sesɪv] *adj* excesivo,-a.

exchange [ɪks'tʃeɪndʒ] *n* gen cambio. 2 *(of ideas etc.)* intercambio. 3 *(of prisoners, documents, etc.)* canjeo. 4 FIN cambio. 5 *(building)* lonja. 6 *(telephone)* central telefónica. − 7 *t* cambiar; *(ideas)* intercambiar. 8 *(prisoners, documents, etc.)* canjear. ●*in ~ for*, a cambio de. ■ *bill of ~*, letra de cambio; *~ rate*, tipo de cambio; *foreign ~*, divisas *fpl*; *stock ||~*, bolsa.

exchequer [ɪks'tʃekər] *n* tesoro público.

excitable [ɪk'saɪtəbəl] *adj* excitable.

excite [ɪk'saɪt] *t* emocionar, entusiasmar. 2 *(give rise to)* provocar, despertar.

excited [ɪk'saɪtɪd] *adj* emocionado,-a, entusiasmado,-a.

excitement [ɪk'saɪtmənt] *n* emoción. 2 *(commotion)* agitación, alboroto.

exciting [ɪk'saɪtɪŋ] *adj* emocionante, apasionante.

exclaim [ɪks'kleɪm] *t-i* exclamar.

exclamation [eksklə'meɪʃən] *n* exclamación. ■ *~ mark*, signo de admiración.

exclude [ɪks'klu:d] *t* excluir.

excluding [ɪk'slu:dɪŋ] *prep* excepto.

exclusion [ɪks'klu:ʒən] *n* exclusión.

exclusive [ɪks'klu:sɪv] *adj* exclusivo,-a. 2 *(select)* selecto,-a. − 3 *exclusively adv* exclusivamente. ●*~ of*, con exclusión de.

excommunicate [ekskə'mju:nɪkeɪt] *t* excomulgar.

excommunication [ekskəmju:nɪ'keɪʃən] *n* excomunión.

excrement ['ekskrɪmənt] *n* excremento.

excrete [ɪk'skri:t] *t* excretar.

excretion [ɪk'skri:ʃən] *n* excreción.

excruciating [ɪk'skru:ʃɪeɪtɪŋ] *adj* insoportable.

excursion [ɪk'skɜ:ʃən] *n* excursión.

excusable [ɪk'skju:zəbəl] *adj* excusable.

excuse [ɪk'skju:s] *n* disculpa. 2 *(pretext)* excusa. − 3 *t* perdonar, disculpar. 4 *(justify)* justificar. ●*~ me, (interrupting)* perdone, por favor; *(leaving)* disculpe; *to ~ sb. from doing sth.*, dispensar/eximir a algn. de hacer algo. ▲ *En 3 y 4 (verbo)* [ɪk'skju:z].

execute ['eksɪkju:t] *t (put to death)* ejecutar, ajusticiar. 2 *(perform)* ejecutar. 3 *(order)* cumplir. 4 *(music etc.)* interpretar. 5 JUR *(will)* cumplir.

execution [eksɪ'kju:ʃən] *n* gen ejecución. 2 *(of order)* cumplimiento. 3 *(of music etc.)* interpretación.

executioner [eksɪ'kju:ʃənər] *n* verdugo.

executive [ɪg'zekjutɪv] *adj-n* ejecutivo,-a.

executor [ɪg'zekjutər] *n* JUR albacea.

exemplify [ɪgˈzemplɪfaɪ] *t* ejemplificar.
exempt [ɪgˈzempt] *adj* exento,-a, libre. –
2 *t* eximir.
exemption [ɪgˈzempʃən] *n* exención.
exercise [ˈeksəsaɪz] *n* ejercicio. – 2 *t* ejercer. 3 *(dog)* sacar de paseo. – 4 *i* hacer ejercicio. ■ ~ *book,* cuaderno.
exert [ɪgˈzɜːt] *t* ejercer. ●*to ~ o.s.,* esforzarse.
exertion [ɪgˈzeːʃən] *n* esfuerzo.
exhale [eksˈheɪl] *t-i* espirar.
exhaust [ɪgˈzɔːst] *n (pipe)* (tubo de) escape *m.* 2 *(fumes)* gases *mpl* de combustión. – 3 *t* agotar.
exhausted [ɪgˈzɔːstɪd] *adj* agotado,-a.
exhausting [ɪgˈzɔːstɪŋ] *adj* agotador,-ra.
exhaustion [ɪgˈzɔːstʃən] *n* agotamiento.
exhibit [ɪgˈzɪbɪt] *n* objeto expuesto. 2 JUR prueba instrumental. – 3 *t (art etc.)* exponer. 4 *(manifest)* mostrar, dar muestras de.
exhibition [eksɪˈbɪʃən] *n (art etc.)* exposición. 2 *(display)* demostración. ●*to make an ~ of o.s.,* ponerse en ridículo.
exhibitionist [eksɪˈbɪʃənɪst] *adj-n* exhibicionista *(mf).*
exhibitor [ɪgˈzɪbɪtəʳ] *n* expositor,-ra.
exhilarate [ɪgˈzɪləreɪt] *t* alegrar, animar.
exhilarating [ɪgˈzɪləreɪtɪŋ] *adj* estimulante.
exhilaration [ɪgzɪləˈreɪʃən] *n* alegría, regocijo.
exhort [ɪgˈzɔːt] *t* exhortar.
exhume [eksˈhjuːm] *t* exhumar, desenterrar.
exile [ˈeksaɪl] *n (action)* destierro, exilio. 2 *(person)* desterrado,-a, exiliado,-a. – 3 *t* desterrar, exiliar.
exist [ɪgˈzɪst] *i* existir. 2 *(subsist)* subsistir.
existence [ɪgˈzɪstəns] *n* existencia. ●*to come into ~,* nacer.
existential [egzɪˈstenʃəl] *adj* existencial.
existing [egzɪˈstɪŋ] *adj* existente, actual.
exit [ˈeksɪt] *n* salida. 2 THEAT mutis *m.* – 3 *i* THEAT hacer mutis, salir de escena.
exodus [ˈeksədəs] *n* éxodo.
exonerate [ɪgˈzɒnəreɪt] *t* exonerar, exculpar.
exoneration [ɪgzɒnəˈreɪʃən] *n* exoneración, exculpación.
exorbitant [ɪgˈzɔːbɪtənt] *adj* exorbitante, desorbitado,-a.
exorcise [ˈeksɔːsaɪz] *t* exorcizar.
exorcism [ˈeksɔːsɪzəm] *n* exorcismo.
exorcist [ˈeksɔːsɪst] *n* exorcista *mf.*
exotic [egˈzɒtɪk] *adj* exótico,-a.

expand [ɪkˈspænd] *t-i* ampliar(se). 2 *(gas, metal)* dilatar(se). 3 *(trade)* desarrollar(se). ◆*to ~ on* *t* ampliar.
expanse [ɪkˈspæns] *n* extensión.
expansion [ɪkˈspænʃən] *n* ampliación, expansión. 2 *(gas, metal)* dilatación. 3 *(trade)* desarrollo.
expatriate [ekˈspætrɪət] *adj-n* expatriado,-a. – 2 *t* desterrar, expatriar. ▲ *En 2 (verbo)* [eksˈpætrɪeɪt].
expect [ɪkˈspekt] *t* esperar. 2 *(suppose)* suponer, imaginar. ●*fam to be expecting,* estar embarazada.
expectancy [ɪkˈspektənsɪ] *n* expectación.
expectant [ɪkˈspektənt] *adj* ilusionado,-a. ■ ~ *mother,* futura madre.
expectation [ekspekˈteɪʃən] *n* expectativa. ●*contrary to expectations,* contrariamente a lo que se esperaba.
expedient [ɪkˈspiːdjənt] *adj* conveniente. – 2 *n* expediente *m,* recurso.
expedition [ekspɪˈdɪʃən] *n* expedición.
expel [ɪkˈspel] *t* expulsar.
expend [ɪkˈspend] *t* gastar, expender.
expendable [ɪkˈspendəbəl] *adj* prescindible.
expenditure [ɪkˈspendɪtʃəʳ] *n* gasto, desembolso.
expense [ɪkˈspens] *n* gasto, desembolso. 2 *pl* COM gastos *mpl* de representación. ●*to spare no ~,* no escatimar gastos; *fig at the ~ of,* a expensas/costa de.
expensive [ɪkˈspensɪv] *adj* caro,-a, costoso,-a.
experience [ɪkˈspɪərɪəns] *n* experiencia. – 2 *t* experimentar; *(difficulty)* tener.
experienced [ɪkˈspɪərɪənst] *adj* experimentado,-a, con experiencia.
experiment [ɪkˈsperɪmənt] *n* experimento. – 2 *i* experimentar.
experimental [ɪksperɪˈmentəl] *adj* experimental.
expert [ˈekspɜːt] *adj-n* experto,-a.
expertise [ekspɜːˈtiːz] *n* pericia.
expire [ɪkˈspaɪəʳ] *i (die)* expirar, morir. 2 *(contract)* vencer; *(passport)* caducar.
expiry [ɪkˈspaɪərɪ] *n* expiración. 2 *(of contract)* vencimiento. ■ ~ *date,* fecha de caducidad.
explain [ɪkˈspleɪn] *t-i* explicar. 2 *(clarify)* aclarar. ●*to ~ o.s.,* explicarse.
explanation [ekspləˈneɪʃən] *n* explicación. 2 *(clarification)* aclaración.
explanatory [ɪkˈsplænətərɪ] *adj* explicativo,-a.
explicit [ɪkˈsplɪsɪt] *adj* explícito,-a.

explode [ɪk'spləud] *t* hacer estallar, hacer explotar. – 2 *i* estallar, explotar, hacer explosión.

exploit ['eksplɔɪt] *n* hazaña, proeza. – 2 *t* explotar. ▲ *En 2 (verbo)* [ɪk'splɔɪt].

exploitation [eksplɔɪ'teɪʃən] *n* explotación.

exploration [eksplə'reɪʃən] *n* exploración.

exploratory [ɪk'splɒrətəɪ] *adj* exploratorio,-a.

explore [ɪk'splɔ:ʳ] *t* explorar.

explorer [ɪk'splɔ:rəʳ] *n* explorador,-ra.

explosion [ɪk'spləuʒən] *n* explosión, estallido.

explosive [ɪk'spləusɪv] *adj-n* explosivo,-a *(m)*.

exponent [ɪk'spəunənt] *n* exponente *m*. 2 *(supporter)* defensor,-ra.

export ['ekspɔ:t] *n (trade)* exportación. 2 *(article)* artículo de exportación. – 3 *t* exportar. ▲ *En 3 (verbo)* [ɪk'spɔ:t].

exportation [ekspɔ:'teɪʃən] *n* exportación.

exporter [ek'spɔ:təʳ] *n* exportador,-ra.

expose [ɪk'spəuz] *t gen* exponer. 2 *(reveal truth about)* descubrir.

exposition [ekspə'zɪʃən] *n (exhibition)* exposición. 2 *(account)* explicación.

exposure [ɪk'spəuʒəʳ] *n gen* exposición. 2 *(revelation of truth)* descubrimiento. 3 *(photo)* fotografía. ●*to die of ~,* morir de frío.

expound [ɪk'spaund] *t* exponer.

express [ɪk'spres] *adj* expreso,-a. 2 *(mail)* urgente. – 3 *n* (tren *m*) expreso. – 4 *t* expresar. 5 *(juice)* exprimir. – 6 *adv* urgente.

expressive [ɪk'spresɪv] *adj* expresivo,-a.

expression [ɪk'spreʃən] *n* expresión.

expulsion [ɪk'spʌlʃən] *n* expulsión.

expurgate ['ekspɜ:geɪt] *t* expurgar.

exquisite ['ekskwɪzɪt] *adj* exquisito,-a.

extend [ɪk'stend] *t* extender. 2 *(enlarge)* ampliar. 3 *(lengthen)* alargar. 4 *(prolong)* alargar; *(visa etc.)* prorrogar. 4 *(limb)* alargar. 5 *(give)* dar. – 6 *i (stretch)* alargarse, extenderse. 7 *(stick out)* sobresalir. ●*to ~ an invitation to sb.,* invitar a algn.

extension [ɪk'stenʃən] *n gen* extensión. 2 *(time)* prórroga.

extensive [ɪk'stensɪv] *adj* extenso,-a. – 2 *extensively adv* extensamente.

extent [ɪk'stent] *n* extensión. 2 *(limit)* límite *m*. ●*to a certain ~,* hasta cierto punto; *to a greater or lesser ~,* en mayor o menor grado; *to a large ~,* en

gran parte; *to what ~?,* ¿hasta qué punto?

extenuate [ɪk'stenjueɪt] *t* atenuar.

exterior [ɪk'stɪərɪəʳ] *adj-n* exterior *(m)*.

exterminate [ɪk'stɜ:mɪneɪt] *t* exterminar.

extermination [ɪkstɜ:mɪ'neɪʃən] *n* exterminio.

external [ek'stɜ:nəl] *adj* externo,-a, exterior.

extinct [ɪk'stɪŋkt] *adj (volcano)* extinto,-a. 2 *(animal)* extinguido,-a.

extinction [ɪk'stɪŋkʃən] *n* extinción.

extinguish [ɪk'stɪŋgwɪʃ] *t* extinguir, apagar.

extort [ɪk'stɔ:t] *t* arrancar (por fuerza).

extortion [ɪk'stɔ:ʃən] *n* extorsión.

extortionate [ɪk'stɔ:ʃənət] *adj* desorbitado,-a.

extra ['ekstrə] *adj* extra, adicional, más: *two ~ plates,* dos platos más. 2 *(spare)* de sobra: *have you got an ~ pen?,* ¿tienes un boli de sobra? – 3 *adv* extra: *we paid ~,* pagamos un suplemento. – 4 *n* extra *m*. 5 *(charge)* suplemento. 6 CINEM extra *mf*. ■ *~ charge,* suplemento.

extract ['ekstrækt] *n* extracto. – 2 *t* extraer. ▲ *En 2 (verbo)* [ɪk'strækt].

extractor [ɪk'stræktəʳ] *n* extractor *m*.

extradition [ekstrə'dɪʃən] *n* extradición.

extramarital [ekstrə'mærɪtəl] *adj* extramatrimonial.

extraneous [ek'streɪnjəs] *adj* extraño,-a, ajeno,-a.

extraordinary [ɪk'strɔ:dənrɪ] *adj* extraordinario,-a. 2 *(strange)* raro,-a.

extraterrestrial [ekstrətə'restrɪəl] *adj-n* extraterrestre *(mf)*.

extravagance [ɪk'strævəgəns] *n* despilfarro, derroche *m*.

extravagant [ɪk'strævəgənt] *adj (wasteful)* derrochador,-ra. 2 *(exaggerated)* exagerado,-a, excesivo,-a.

extreme [ɪk'stri:m] *adj* extremo,-a; *(case)* excepcional. – 2 *n* extremo. – 3 *extremely adv* sumamente, extremadamente.

extremist [ɪk'stri:mɪst] *n* extremista *mf*.

extremity [ɪk'stremɪtɪ] *n* extremidad.

extricate ['ekstrɪkeɪt] *t* librar.

extrovert ['ekstrəvɜ:t] *adj-n* extrovertido,-a.

exuberant [ɪg'zju:bərənt] *adj (person)* eufórico,-a.

exude [ɪg'zju:d] *t-i* exudar, rezumar. – 2 *t fig* rebosar de.

exult [ɪg'zʌlt] *i* exultar, regocijarse.

exultant [ɪgˈzʌltənt] *adj* exultante, triunfante.
eye [aɪ] *n gen* ojo. – **2** *t* mirar. •*to turn a blind ~ to,* hacer la vista gorda a.
eyeball [ˈaɪbɔːl] *n* globo del ojo.
eyebrow [ˈaɪbraʊ] *n* ceja.
eyelash [ˈaɪlæʃ] *n* pestaña.

eyelid [ˈaɪlɪd] *n* párpado.
eyeshadow [ˈaɪʃædəʊ] *n* sombra de ojos.
eyesight [ˈaɪsaɪt] *n* vista.
eyesore [ˈaɪsɔːʳ] *n* monstruosidad.
eyewitness [ˈaɪˈwɪtnəs] *n* testigo *mf* presencial.

F

fable ['feɪbəl] n fábula.

fabric ['fæbrɪk] n tela, tejido. 2 fig estructura.

fabricate ['fæbrɪkeɪt] t (story) fraguar.

fabrication [fæbrɪ'keɪʃən] n invención.

fabulous ['fæbjʊləs] adj fabuloso,-a.

façade, facade [fə'sɑːd] n fachada.

face [feɪs] n cara, rostro, semblante m. 2 (surface) superficie f. 3 (of card, coin) cara. 4 (of dial) cuadrante m. 5 (of watch) esfera. 6 fig (of earth) faz f. 7 (look) apariencia. – 8 t (look onto) dar a, mirar hacia. 9 (confront) hallarse frente a, encontrarse ante. 10 (deal with) afrontar, enfrentarse con. 11 (tolerate) soportar. 12 (cover) revestir (with, de). – 13 i mirar hacia. ◆to ~ up to t hacer cara a, afrontar. ●in the ~ of, ante; to lose ~, desprestigiarse; to pull faces, hacer muecas; to save ~, salvar las apariencias. ■ ~ cream, crema de belleza; ~ value, valor m nominal.

faceless ['feɪsləs] adj anónimo,-a.

facelift ['feɪslɪft] n operación de cirugía estética. 2 fig renovación.

facet ['fæsɪt] n faceta.

facial ['feɪʃəl] adj facial.

facile ['fæsaɪl] adj pej superficial.

facilitate [fə'sɪlɪteɪt] t facilitar.

facility [fə'sɪlɪtɪ] n facilidad. 2 pl instalaciones fpl, servicios mpl.

facsimile [fæk'sɪmɪlɪ] n facsímil(e) m.

fact [fækt] n hecho. 2 (truth) realidad: in ~, de hecho, en realidad. ●as a matter of ~, en realidad. ■ euph the facts of life, los misterios de la vida.

faction ['fækʃən] n (group) facción.

factor ['fæktəʳ] n factor m.

factory ['fæktərɪ] n fábrica.

factual ['fækʃʊəl] adj factual.

faculty ['fækəltɪ] n facultad. 2 us univ profesorado.

fad [fæd] n capricho. 2 (fashion) moda.

fade [feɪd] t-i descolorar(se), desteñir(se). – 2 i (light) apagarse. ◆to ~ away i desvanecerse.

faeces ['fiːsiːz] npl heces fpl.

fag [fæg] n sl (drag) lata, rollo. 2 GB (cig) pitillo. 3 us (gay) marica m.

fail [feɪl] n EDUC suspenso. – 2 t-i fallar. 3 EDUC suspender. – 4 i fracasar. 5 COM quebrar. ◆to ~ to, (be unable to) no lograr; (neglect) dejar de; without ~, sin falta.

failing ['feɪlɪŋ] n defecto, fallo. – 2 prep a falta de.

failure ['feɪljəʳ] n fracaso, malogro. 2 COM quiebra. 3 EDUC suspenso. 4 (breakdown) fallo, avería. 5 (inability) negativa: her ~ to answer, el hecho de que no contestara.

faint [feɪnt] adj débil. 2 (colour) pálido,-a. 3 (slight) vago,-a. – 4 i desmayarse.

fair [feəʳ] adj (just) justo,-a, equitativo,-a. 2 (considerable) considerable. 3 (weather) bueno,-a. 4 (hair) rubio,-a; (skin) blanco,-a. 5 fml bello,-a. – 6 n (market) mercado. 7 (show) feria. – 8 fairly adv justamente. 9 (quite) bastante. ●~ and square, (honestly) merecidamente; ~ enough, de acuerdo. ■ ~ play, juego limpio.

fairground ['feəɡraʊnd] n recinto ferial.

fairness ['feənəs] n justicia. 2 (of hair) color rubio; (of skin) palidez f, blancura.

fairy ['feərɪ] n hada. 2 fam marica m. ■ ~ tale, cuento de hadas.

faith [feɪθ] n fe f. ●in good/bad ~, de buena/mala fe.

faithful ['feɪθfʊl] adj fiel (to, a/con). – 2 faithfully adv fielmente. 3 (in letter) yours faithfully, le saluda atentamente.

faithfulness ['feɪθfʊlnəs] n fidelidad.

fake [feɪk] *n* falsificación. 2 *(person)* impostor,-ra, farsante. – 3 *adj* falso,-a, falsificado,-a. – 4 *t* falsificar. 5 *(pretend)* fingir.

falcon ['fɔ:lkən] *n* halcón *m*.

fall [fɔ:l] *n* caída. 2 *(of rock)* desprendimiento: ~ *of snow,* nevada. 3 *(decrease)* baja, descenso. 4 US otoño. 5 *pl* cascada *f sing.* – 6 *i* caer(se). 7 *fml (be killed)* caer, perecer. 8 *(decrease)* bajar. ◆*to* ~ *back i* retroceder. ◆*to* ~ *back on t* recurrir a, echar mano de. ◆*to* ~ *behind i* retrasarse. ◆*to* ~ *for t (be tricked)* dejarse engañar por. 2 *fam (in love)* enamorarse de. ◆*to* ~ *off i* bajar, flojear. ◆*to* ~ *out i* reñir *(with,* con). ◆*to* ~ *through i* fracasar. ◆*to* ~ *asleep,* dormirse; *to* ~ *in love,* enamorarse; *to* ~ *short,* no alcanzar *(of,* -); *fig to* ~ *flat,* salir mal. ▲ *pt fell; pp fallen.*

fallacy ['fæləsɪ] *n* falacia.

fallen ['fɔ:lən] *pp* → **fall**.

fallible ['fælɪbəl] *adj* falible.

fall-out ['fɔ:laʊt] *n (radioactive)* ~, lluvia radioactiva. ■ ~ *shelter,* refugio atómico.

fallow ['fæləʊ] *adj* en barbecho.

false [fɔ:ls] *adj* falso,-a. – 2 *falsely adv* falsamente. ■ ~ *alarm,* falsa alarma; ~ *bottom,* doble fondo; ~ *start,* salida nula; ~ *teeth,* dentadura postiza.

falsehood ['fɔ:lshʊd] *n* falsedad.

falsify ['fɔ:lsɪfaɪ] *t* falsificar. 2 *(misrepresent)* falsear.

falter ['fɔ:ltəʳ] *i* vacilar, titubear; *(voice)* fallar.

fame [feɪm] *n* fama.

familiar [fə'mɪlɪəʳ] *adj* familiar. 2 *(aware)* al corriente *(with,* de). 3 *(intimate)* íntimo,-a.

familiarity [fəmɪlɪ'ærɪtɪ] *n* familiaridad.

familiarize [fə'mɪljəraɪz] *t* familiarizar. 2 *(divulge)* popularizar.

family ['fæmɪlɪ] *n* familia. ●*to run in the* ~, venir de familia. ■ ~ *film,* película apta para todos los públicos; US ~ *name,* apellido; ~ *planning,* planificación familiar; ~ *tree,* árbol genealógico.

famine ['fæmɪn] *n* hambre *f*.

famished ['fæmɪʃt] *adj* muerto,-a de hambre.

famous ['feɪməs] *adj* famoso,-a, célebre. – 2 *famously adv fam* estupendamente.

fan [fæn] *n* abanico. 2 ELEC ventilador *m*. 3 *(follower)* aficionado,-a; *(of pop star etc.)* admirador,-ra, fan *mf*. 4 *(of football)* hincha *mf*. – 5 *t* abanicar; ELEC ventilar.

6 *fig* avivar. ◆*to* ~ *out i* desplegarse en abanico.

fanatic [fə'nætɪk] *adj-n* fanático,-a.

fanciful ['fænsɪful] *adj (idea)* imaginario,-a. 2 *(extravagant)* caprichoso,-a, rebuscado,-a.

fancy ['fænsɪ] *n* fantasía, imaginación. 2 *(whim)* capricho, antojo. – 3 *adj* de fantasía. – 4 *t* imaginarse, figurarse. 5 *(like)* apetecer. ●~ *that!,* ¡figúratelo!; *to take a* ~ *to sth.,* encapricharse con algo. ■ ~ *dress,* disfraz *m*.

fancy-free [fænsɪ'fri:] *adj* sin compromiso.

fanfare ['fænfeəʳ] *n* fanfarria.

fang [fæŋ] *n* colmillo.

fantastic [fæn'tæstɪk] *adj* fantástico,-a.

fantasy ['fæntəsɪ] *n* fantasía.

far [fɑːʳ] *adj* lejano,-a. 2 *(more distant)* opuesto,-a, extremo,-a. – 3 *adv* lejos *(from,* de): *how* ~ *is it?,* ¿a qué distancia está? 4 *(with comp)* mucho: ~ *better,* mucho mejor. ●*as/so* ~ *as I know,* que yo sepa; *by* ~, con mucho; ~ *and wide,* por todas partes; ~ *away,* lejos; *in so* ~ *as ...,* en la medida en que ...; *so* ~, *(until now)* hasta ahora; *(to a point)* hasta cierto punto. ▲ *comp farther o further; superl farthest o furthest.*

faraway ['fɑːrəweɪ] *adj* lejano,-a, remoto,-a; *(look)* distraído,-a.

farce [fɑːs] *n* farsa.

farcical ['fɑːsɪkəl] *adj* absurdo,-a.

fare [feəʳ] *n (price)* tarifa, precio del billete/viaje; *(boat)* pasaje *m*. 2 *(passenger)* viajero,-a, pasajero,-a. 3 *(food)* comida. – 4 *i* desenvolverse: *he fared well in the exam,* le fue bien el examen.

farewell [feə'wel] *interj* ¡adiós! – 2 *n* despedida.

far-fetched [fɑː'fetʃt] *adj* rebuscado,-a, inverosímil.

farm [fɑːm] *n* granja, AM hacienda. – 2 *t* cultivar, labrar. – 3 *i* cultivar la tierra.

farmer ['fɑːməʳ] *n* granjero,-a, agricultor,-ra, AM hacendado,-a.

farmhouse ['fɑːmhaʊs] *n* granja, AM hacienda.

farming ['fɑːmɪŋ] *n* agricultura. ■ ~ *industry,* industria agropecuaria.

farmyard ['fɑːmjɑːd] *n* corral *m*.

far-reaching [fɑː'riːtʃɪŋ] *adj* de gran alcance.

far-sighted [fɑː'saɪtɪd] *adj* previsor,-ra.

fart * [fɑːt] *n* pedo*. – 2 *i* tirarse un pedo*.

farther ['fɑːðəʳ] *adj-adv comp* → **far**.

farthest ['fɑːðɪst] *adj-adv superl* → **far**.

fascinate ['fæsɪneɪt] *t* fascinar.

fascinating ['fæsɪneɪtɪŋ] *adj* fascinante.

fascination [fæsɪ'neɪʃən] *n* fascinación.

fascism ['fæʃɪzəm] *n* fascismo.

fascist ['fæʃɪst] *adj-n* fascista *(mf)*.

fashion ['fæʃən] *n (style)* moda. 2 *(way)* modo. – 3 *t (clay)* formar; *(metal)* labrar. •*in/out of ~,* de/pasado,-a de moda.

fashionable ['fæʃənəbəl] *adj* de moda. – 2 *fashionably adv* a la moda.

fast [fɑːst] *adj (quick)* rápido,-a. 2 *(tight etc.)* firme, seguro,-a. 3 *(colour)* sólido,-a. 4 *(clock)* adelantado,-a. – 5 *adv* rápidamente, deprisa: *how ~?,* ¿a qué velocidad?; *to drive ~,* correr. 6 *(securely)* firmemente: *~ asleep,* profundamente dormido,-a. – 7 *i* ayunar. – 8 *n* ayuno. •*to stand ~,* mantenerse firme; *fam not so ~!,* ¡un momento!

fasten ['fɑːsən] *t (attach)* fijar, sujetar. 2 *(tie)* atar. – 3 *t-i (door)* cerrar(se); *(belt, dress)* abrochar(se).

fastener ['fɑːsənəˀ] *n* cierre *m*.

fastidious · [fæ'stɪdɪəs] *adj* quisquilloso,-a.

fat [fæt] *adj* gordo,-a. 2 *(thick)* grueso,-a. – 3 *n* grasa. •*to get ~,* engordar.

fatal ['feɪtəl] *adj* fatal.

fatality [fə'tælɪtɪ] *n* víctima *f* mortal.

fate [feɪt] *n* destino. 2 *(end)* suerte *f*.

fated ['feɪtɪd] *adj* predestinado,-a.

fateful ['feɪtful] *adj* fatídico,-a.

father ['fɑːðəˀ] *n* padre *m*. – 2 *t* engendrar. ■ REL *Our Father,* Padre Nuestro; *Father Christmas,* Papá *m* Noel.

father-in-law ['fɑːðərɪnlɔː] *n* suegro.

fatherland ['fɑːðəlænd] *n* patria.

fatherly ['fɑːðəlɪ] *adj* paternal.

fathom ['fæðəm] *n* brazo. – 2 *t* penetrar en, comprender.

fatigue [fə'tiːg] *n* fatiga, cansancio. 2 TECH fatiga. 3 MIL faena. – 4 *t fml* fatigar, cansar.

fatten ['fætən] *t (animal)* cebar. 2 *(person)* engordar.

fatty ['fætɪ] *adj* graso,-a.

fatuous ['fætjʊəs] *adj* fatuo,-a.

faucet ['fɔːsɪt] *n* US grifo.

fault [fɔːlt] *n (defect)* defecto; *(in merchandise)* defecto, desperfecto. 2 *(blame)* culpa: *it's his ~,* es culpa suya. 3 *(mistake)* error *m*, falta. 4 *(in earth)* falla. 5 *(tennis)* falta. – 6 *t* criticar. •*to be at ~,* tener la culpa; *to find ~ with sb./sth.,* poner reparos a algn./algo.

fault-finding ['fɔːltfaɪndɪŋ] *adj* critícón,-ona.

faultless ['fɔːltləs] *adj* perfecto,-a.

faulty ['fɔːltɪ] *adj* defectuoso,-a.

fauna ['fɔːnə] *n* fauna.

faux pas [fəʊ'pɑː] *n inv* metedura de pata.

favour ['feɪvəˀ] *n* favor *m*. – 2 *t* favorecer. 3 *(approve)* estar a favor de. •*in ~ of,* partidario,-a de.

favourable ['feɪvərəbəl] *adj* favorable.

favourite ['feɪvərɪt] *adj-n* preferido,-a.

favouritism ['feɪvərɪtɪzəm] *n* favoritismo.

fawn [fɔːn] *n* ZOOL cervato. – 2 *adj-n (colour)* (de) color *(m)* café con leche. ◆*to ~ on/upon t* adular, lisonjear.

fear [fɪəˀ] *n* miedo, temor *m*. – 2 *t-i* temer, tener miedo (a). •*I ~ (that) ...,* me temo que ... .

fearful ['fɪəful] *adj (frightened)* temeroso,-a. 2 *(terrible)* terrible, espantoso,-a, tremendo,-a.

fearless ['fɪələs] *adj* intrépido,-a.

fearsome ['fɪəsəm] *adj* temible.

feasible ['fiːzəbəl] *adj* factible, viable.

feast [fiːst] *n* festín *m*, banquete *m*. 2 *fam* comilona. 3 REL fiesta de guardar. – 4 *i* banquetear. ◆*fig to ~ on sth.,* regalarse con algo.

feat [fiːt] *n* proeza, hazaña.

feather ['feðəˀ] *n* pluma.

feature ['fiːtʃəˀ] *n (of face)* rasgo, facción. 2 *(characteristic)* rasgo, característica. 3 *(press)* crónica especial. – 4 *t* poner de relieve. 5 *(in film etc.)* tener como protagonista. – 6 *i* figurar, constar. ■ *~ (film),* largometraje *m*.

February ['februərɪ] *n* febrero.

fed [fed] *pt & pp* → **feed**. – 2 *adj fam ~ up,* harto,-a *(with,* de).

federal ['fedərəl] *adj* federal.

federation [fedə'reɪʃən] *n* federación.

fee [fiː] *n (doctor's etc.)* honorarios *mpl*; *(membership)* cuota.

feeble ['fiːbəl] *adj* débil.

feed [fiːd] *n* comida. 2 *(for cattle)* pienso. – 3 *t* alimentar, dar de comer a; *fig* cebar. 4 *(insert)* introducir. – 5 *i* alimentarse *(on,* de). ▲ *pt & pp* **fed**.

feedback ['fiːdbæk] *n* realimentación. 2 *fig* reacción.

feel [fiːl] *n* tacto. – 2 *t* tocar, palpar. 3 *(search)* tantear. 4 *(sense)* sentir; *(notice)* notar, apreciar. 5 *(believe)* creer. – 6 *i* sentir(se), encontrarse. 7 *(seem)* parecer: *it feels like leather,* parece piel. 8 *(opinion)* opinar. ◆*to ~ for t (have sympathy for)* compadecer a, compadecerse de. •*to ~ like,* apetecer: *I ~ like an ice cream,* me apetece un helado; *to ~ like* *doing sth.,* tener ganas de hacer algo. ▲ *pt & pp* felt.

feeler ['fi:lə'] *n* antena.

feeling ['fi:lɪŋ] *n (emotion)* sentimiento, emoción. 2 *(concern)* compasión. 3 *(impression)* impresión. 4 *(artistic)* sensibilidad, talento. 5 *(opinion)* sentir *m*, opinión. – 6 *adj* sensible, compasivo,-a. •*fam* **no hard feelings,** no nos guardemos rencor.

feet [fi:t] *npl* → foot.

feign [feɪn] *t* fingir, aparentar.

feint [feɪnt] *n fml (fencing)* finta.

feline ['fi:laɪn] *adj-n* felino,-a.

fell [fel] *pt* → fall. – 2 *adj* feroz. – 3 *t (tree)* talar. 4 *(enemy)* derribar.

fellow ['feləʊ] *n fam* tipo, tío. 2 *(member)* socio,-a. *con-:* ~ *citizen,* conciudadano,-a; ~ *student/worker,* compañero,-a de estudios/trabajo.

fellowship ['feləʊʃɪp] *n (group)* asociación, sociedad. 2 *(companionship)* compañerismo. 3 EDUC beca.

felony ['felənɪ] *n* crimen *m*, delito mayor.

felt [felt] *pt & pp* → feel. – 2 *n* fieltro.

felt-tip ['felttɪp] *adj* ~ *pen,* rotulador *m*.

female ['fi:meɪl] *n* hembra. 2 *(woman)* mujer *f*; *(girl)* chica. – 3 *adj* femenino,-a. 4 ZOOL hembra.

feminine ['femɪnɪn] *adj-n* femenino,-a *(m)*.

feminism ['femɪnɪzəm] *n* feminismo.

fence [fens] *n* valla, cerca. 2 *fam* perista *mf*. – 3 *i* practicar la esgrima. 4 *to* ~ *(in),* cercar. 5 *fig* hablar con evasivas. ◆*to* ~ *off t* separar mediante cercas. •*to sit on the* ~, ver los toros desde la barrera.

fencing ['fensɪŋ] *n* SP esgrima. 2 *(fences)* cercado. 3 *(material)* material *m* para cercas.

fend [fend] *i to* ~ *for o.s.,* valerse por sí mismo,-a. ◆*to* ~ *off t* parar, desviar; *fig* esquivar.

fender ['fendə'] *n* pantalla. 2 US parachoques *m inv.*

fennel ['fenəl] *n* hinojo.

ferment ['fɜ:mənt] *n* fermento. – 2 *t-i* fermentar. ▲ *En 2 (verbo)* [fə'ment].

fermentation [fɜ:men'teɪʃən] *n* fermentación.

fern [fɜ:n] *n* helecho.

ferocious [fə'rəʊʃəs] *adj* feroz.

ferocity [fə'rɒsɪtɪ] *n* ferocidad.

ferret ['ferɪt] *n* hurón *m*. – 2 *i* huronear. ◆*to* ~ *out t* descubrir.

ferrous ['ferəs] *adj* ferroso,-a.

ferry ['ferɪ] *n* barca de pasaje; *(large)* transbordador *m*, ferry *m*. – 2 *t-i* transportar.

fertile ['fɜ:taɪl] *adj* fértil, fecundo,-a.

fertility [fə'tɪlɪtɪ] *n* fertilidad.

fertilize ['fɜ:tɪlaɪz] *t* fertilizar, abonar. 2 *(egg)* fecundar.

fertilizer ['fɜ:tɪlaɪzə'] *n* fertilizante *m*, abono.

fervent ['fɜ:vənt] *adj* fervoroso,-a.

fervour ['fɜ:və'] *n* fervor *m*.

fester ['festə'] *i* supurar.

festival ['festɪvəl] *n* festival *m*. 2 *(feast)* fiesta.

fetch [fetʃ] *t (go and get)* ir por, ir a buscar, buscar. 2 *fam (sell for)* venderse por, alcanzar.

fête [feɪt] *n* fiesta. – 2 *t* festejar.

fetid ['fetɪd] *adj* fétido,-a.

fetish ['fetɪʃ] *n* fetiche *m*.

fetishist ['fetɪʃɪst] *n* fetichista *mf*.

fetter ['fetə'] *t* encadenar. – 2 *npl* grillo *m sing*, grilletes *mpl*, cadenas *fpl*.

feud [fju:d] *n* enemistad (duradera).

feudal ['fju:dəl] *adj* feudal.

feudalism ['fju:dəlɪzəm] *n* feudalismo.

fever ['fi:və'] *n* fiebre *f*.

feverish ['fi:vərɪʃ] *adj* febril.

few [fju:] *adj-pron (not many)* pocos,-as. 2 *a* ~, unos,-as cuantos,-as, algunos,-as: *a* ~ *of them,* algunos de ellos. •*as* ~ *as,* solamente; *no fewer than,* no menos de; *quite a* ~, un buen número (de).

fiancé [fɪ'ænseɪ] *n* prometido.

fiancée [fɪ'ænseɪ] *n* prometida.

fiasco [fɪ'æskəʊ] *n* fiasco, fracaso.

fib [fɪb] *fam n* bola. – 2 *i* contar bolas.

fibre ['faɪbə'] *n* fibra.

fibreglass ['faɪbəglɑːs] *n* fibra de vidrio.

fibrous ['faɪbrəs] *adj* fibroso,-a.

fickle ['fɪkəl] *adj* inconstante, voluble.

fiction ['fɪkʃən] *n (novels)* novela, narrativa. 2 *(invention)* ficción.

fictional ['fɪkʃənəl], **fictitious** [fɪk'tɪʃəs] *adj* ficticio,-a.

fiddle ['fɪdəl] *fam n* violín *m*. 2 *(shady deal)* estafa, trampa. – 3 *i* juguetear *(with,* con). – 4 *t* falsificar. ◆*to* ~ *about/ around i* perder el tiempo.

fiddler ['fɪdlə'] *n fam* violinista *mf*.

fidelity [fɪ'delɪtɪ] *n* fidelidad.

fidget ['fɪdʒɪt] *n* persona inquieta. – 2 *i* moverse, no poder estar(se) quieto,-a. •*to* ~ *with,* jugar con.

fidgety ['fɪdʒɪtɪ] *adj* inquieto,-a.

field [fi:ld] *n* campo. 2 *(for mining)* yacimiento. 3 *(subject, area)* campo, terreno.

fiend [fi:nd] *n* demonio, diablo. 2 *fam* fanático,-a.

fiendish ['fi:ndiʃ] *adj* diabólico,-a.

fierce [fɪəs] *adj* feroz. 2 *fig* fuerte, intenso,-a.

fiery ['faɪərɪ] *adj (colour)* encendido,-a. 2 *fig* fogoso,-a.

fifteen [fɪf'ti:n] *adj-n* quince *(m).*

fifteenth [fɪf'ti:nθ] *adj-n* decimoquinto,-a. — 2 *n (fraction)* decimoquinto, decimoquinta parte.

fifth [fɪfθ] *adj-n* quinto,-a. — 2 *n (fraction)* quinto, quinta parte.

fiftieth ['fɪftɪəθ] *adj-n* quincuagésimo,-a. — 2 *n (fraction)* quincuagésimo, quincuagésima parte.

fifty ['fɪftɪ] *adj-n* cincuenta *(m).*

fig [fɪg] *n* higo. ■ ~ *tree,* higuera.

fight [faɪt] *n* lucha. 2 *(physical violence)* pelea. 3 *(boxing)* combate *m.* — 4 *i (quarrel)* pelearse, discutir. — 5 *t (bull)* lidiar. 6 *(battle)* librar. — 7 *t-i (with physical violence)* pelearse, luchar. 8 *fig* luchar *(against/for,* contra/por), combatir. ◆*to* ~ *back i* resistir. ◆*to* ~ *off t* rechazar. 2 *fig (illness)* librarse de, cortar. ▲ *pt & pp* **fought.**

fighter ['faɪtər] *n* combatiente *mf.* 2 *(boxing)* boxeador,-ra, púgil *m.* 3 *fig* luchador,-ra. ■ AV ~ *(plane),* (avión *m* de) caza *m.*

figurative ['fɪgərətɪv] *adj* figurado,-a.

figure ['fɪgər, US 'fɪgjər] *n (shape)* forma. 2 *(of body)* figura, tipo. 3 *(personality)* figura, personaje *m.* 4 MATH cifra, número. — 5 *i (appear)* figurar, constar. — 6 *t* US suponer. ◆*to* ~ *out t fam* comprender, explicarse. ●*that figures!,* ¡ya me parecía a mí! ■ ~ *of speech,* figura retórica; ~ *skating,* patinaje artístico.

figurehead ['fɪgəhed] *n* MAR mascarón *m* de proa. 2 *fig* figura decorativa.

filament ['fɪləmənt] *n* filamento.

file [faɪl] *n (tool)* lima. 2 *(folder)* carpeta. 3 *(archive)* archivo, expediente *m.* 4 COMPUT archivo. 5 *(line)* fila. — 6 *t (smooth)* limar. 7 *(put away)* archivar; *(in card-index)* fichar. 8 JUR presentar. — 9 *i* desfilar. ◆*to be on* ~, estar archivado,-a. ■ *single* ~, fila india.

filigree ['fɪlɪgri:] *n* filigrana.

filing ['faɪlɪŋ] *n* clasificación. 2 *pl* limaduras *fpl.* ■ ~ *cabinet,* archivador *m.*

fill [fɪl] *n* saciedad. — 2 *t-i* llenar(se) *(with,* de). — 3 *t (cover)* cubrir. 4 CULIN rellenar. 5 *(tooth)* empastar. ◆*to* ~ *in t (space, form)* rellenar. 2 *(inform)* poner al corriente *(on,* de). ◆*to* ~ *in for t*

su(b)stituir a. ◆*to* ~ *out i* engordar. ◆*to* ~ *up t-i* llenar(se). ●*fam* **to have had one's** ~ *of sth./sb.,* estar harto,-a de algo/algn.

fillet ['fɪlɪt] *n* filete *m.* — 2 *t* cortar a filetes.

filling ['fɪlɪŋ] *n (in tooth)* empaste *m.* 2 CULIN relleno. ■ ~ *station,* gasolinera.

filly ['fɪlɪ] *n* potra.

film [fɪlm] *n* película, film(e) *m.* 2 *(of dust etc.)* capa. 3 *(roll)* película. — 4 *t* rodar, filmar.

filter ['fɪltər] *n* filtro. — 2 *t-i* filtrar(se).

filth [fɪlθ] *n* suciedad, porquería. 2 *fig (obscenity)* obscenidades *fpl.*

filthy ['fɪlθɪ] *adj* sucio,-a, asqueroso,-a.

fin [fɪn] *n* aleta.

final ['faɪnəl] *adj* final, último,-a. 2 *(definitive)* definitivo,-a. — 3 *n* SP final *f.* 4 *pl* UNIV exámenes *mpl* finales. — 5 *finally adv (at last)* por fin. 6 *(definitively)* definitivamente.

finalist ['faɪnəlɪst] *n* finalista *mf.*

finalize ['faɪnəlaɪz] *t* ultimar.

finance ['faɪnæns] *n* finanzas *fpl.* 2 *pl* fondos *mpl.* — 3 *t* financiar.

financial [faɪ'nænʃəl] *adj* financiero,-a.

financier [faɪ'nænsɪər] *n* financiero,-a.

find [faɪnd] *n* hallazgo. — 2 *t* encontrar, hallar. 3 *(end up)* venir a parar. 4 *(discover)* descubrir. 5 JUR declarar. ◆*to* ~ *out t-i* averiguar. — 2 *i (discover)* enterarse *(about,* de). ●*to* ~ *one's way,* encontrar el camino. ▲ *pt & pp* **found.**

findings ['faɪndɪŋz] *npl* conclusiones *fpl,* resultados *mpl.*

fine [faɪn] *n* multa. — 2 *t* multar, poner una multa. — 3 *adj (thin)* fino,-a. 4 *(subtle)* sutil. 5 *(excellent)* excelente. 6 *(weather)* bueno,-a. 7 *iron* menudo,-a. — 8 *adv (finely)* fino, finamente. 9 *fam (very well)* muy bien.

finger ['fɪŋgər] *n* dedo. — 2 *t* tocar; *pej* manosear.

fingernail ['fɪŋgəneɪl] *n* uña.

fingerprint ['fɪŋgəprɪnt] *n* huella digital/dactilar.

fingertip ['fɪŋgətɪp] *n* punta/yema del dedo. ●*fig* **to have sth. at one's fingertips,** saberse algo al dedillo.

finicky ['fɪnɪkɪ] *adj* remilgado,-a.

finish ['fɪnɪʃ] *n* fin *m,* final *m.* 2 SP llegada. 3 *(surface)* acabado. — 4 *t-i (end)* acabar, terminar. — 5 *t (consume)* acabar, agotar: ~ *(up) your potatoes,* termínate las patatas. 6 *fam to* ~ *(off),* agotar. ◆*to* ~ *with t* acabar con. 2 *(person)* romper con. ●SP *a close* ~, un final muy reñido; *to the* ~, hasta el final.

finishing ['fɪnɪʃɪŋ] *adj* final. ■ ~ *line*, (línea de) meta.

finite ['faɪnaɪt] *adj* finito,-a.

fir [fɜːʳ] *n* abeto.

fire ['faɪəʳ] *n* fuego. **2** *(blaze)* incendio, fuego. **3** *(heater)* estufa. **4** MIL fuego. — **5** *t (weapon)* disparar; *(rocket)* lanzar. **6** *(pottery)* cocer. **7** *fig* inflamar, enardecer. **8** *fam (dismiss)* despedir. — **9** *i (shoot)* disparar (*at,* sobre). — **10** *interj* ¡fuego! ●*to be on* ~, estar ardiendo/en llamas; *to catch* ~, incendiarse; *to set* ~ *to sth.,* prender fuego a algo, incendiar algo. ■ ~ *engine,* camión *m* de bomberos; ~ *escape,* escalera de incendios; ~ *extinguisher,* extintor *m*; ~ *station,* parque *m* de bomberos.

firearm ['faɪərɑːm] *n* arma de fuego.

fireman ['faɪəmən] *n* bombero.

fireplace ['faɪəpleɪs] *n* chimenea. **2** *(hearth)* hogar *m*.

fireproof ['faɪəpruːf] *adj* incombustible.

firewood ['faɪəwʊd] *n* leña.

fireworks ['faɪəwɜːks] *npl* fuegos *mpl* artificiales.

firing ['faɪərɪŋ] *n* tiroteo. ■ ~ *squad,* pelotón *m* de fusilamiento.

firm [fɜːm] *adj* firme. — **2** *n* empresa, firma. — **3** *firmly adv* firmemente.

firmness ['fɜːmnəs] *n* firmeza.

first [fɜːst] *adj* primero,-a. — **2** *adv* primero. — **3** *n* primero,-a. **4** *(beginning)* principio. **5** UNIV sobresaliente *m*. — **6** *firstly adv* en primer lugar, ante todo. ●*at* ~, al principio; *at* ~ *sight,* a primera vista; ~ *of all,* en primer lugar. ■ ~ *aid,* primeros auxilios *mpl*; ~ *floor,* GB primer piso, US planta baja; ~ *name,* nombre *m* de pila.

first-class ['fɜːstklɑːs] *adj* de primera clase. **2** *fig* excelente. — **3** *adv* en primera.

first-rate ['fɜːstreɪt] *adj* excelente.

fiscal ['fɪskəl] *adj* fiscal.

fish [fɪʃ] *n* pez *m*. **2** CULIN pescado. — **3** *i* pescar (*for,* -). ■ ~ *shop,* pescadería.

fisherman ['fɪʃəmən] *n* pescador *m*.

fishing ['fɪʃɪŋ] *n* pesca. ●*to go* ~, ir de pesca. ■ ~ *rod,* caña de pescar.

fishmonger ['fɪʃmʌŋgəʳ] *n* GB pescadero,-a. ■ *fishmonger's (shop),* pescadería.

fishy ['fɪʃɪ] *adj (taste, smell)* a pescado. **2** *(suspicious)* sospechoso,-a.

fission ['fɪʃən] *n* fisión.

fissure ['fɪʃəʳ] *n* fisura, grieta.

fist [fɪst] *n* puño.

fistful ['fɪstfʊl] *n* puñado.

fit [fɪt] *n* MED ataque *m*, acceso. **2** *fig* arranque *m*, arrebato. **3** SEW corte *m*. — **4** *t* ir bien a. **5** *(slot)* encajar en. **6** *(install)* poner, colocar. **7** *(correspond)* encajar con. — **8** *i* caber. **9** *(match)* cuadrar. — **10** *adj (suitable)* apto,-a, adecuado,-a: *he isn't* ~ *to drive,* no está en condiciones de conducir. **11** *(healthy)* en (plena) forma. ◆*to* ~ *in i (adapt)* encajar. **2** *(match)* cuadrar. — **3** *t* encontrar un hueco para. ◆*to* ~ *out t* equipar. ●*by fits and starts,* a trompicones; *to see/think sth.* ~, estimar algo oportuno.

fitness ['fɪtnəs] *n (health)* buena forma (física).

fitted ['fɪtɪd] *adj* empotrado,-a.

fitting ['fɪtɪŋ] *adj fml* apropiado,-a. — **2** *n* SEW prueba. **3** *pl* accesorios *mpl*.

five [faɪv] *adj-n* cinco (*m*).

fix [fɪks] *n fam* apuro, aprieto. **2** *sl (drugs)* pico. — **3** *t* fijar. **4** *(arrange)* arreglar. **5** *(dishonestly)* amañar. **6** *(repair)* arreglar. **7** US *(prepare)* preparar. ◆*to* ~ *on t* decidir, optar por. ◆*to* ~ *up t* proveer (*with,* de). ●*to* ~ *one's eyes on sth.,* fijar los ojos en algo.

fixation [fɪk'seɪʃən] *n* obsesión.

fixed [fɪkst] *adj* fijo,-a.

fixture ['fɪkstʃəʳ] *n* SP encuentro. **2** *pl* muebles *mpl* empotrados.

fizz [fɪz] *n* burbujeo. — **2** *i* burbujear.

fizzle ['fɪzəl] *i to* ~ *out,* desvanecer(se).

fizzy ['fɪzɪ] *adj* gaseoso,-a, con gas; *(wine)* espumoso,-a.

flabbergasted ['flæbəgɑːstɪd] *adj* pasmado,-a, atónito,-a.

flabby ['flæbɪ] *adj* fofo,-a.

flaccid ['flæksɪd] *adj* fláccido,-a.

flag [flæg] *n* bandera. **2** MAR pabellón *m*. **3** *(for charity)* banderita. — **4** *i* decaer.

flagship ['flægʃɪp] *n* buque *m* insignia.

flagstone ['flægstəʊn] *n* losa.

flair [fleəʳ] *n* talento, don *m*.

flake [fleɪk] *n (of snow, oats)* copo. **2** *(of skin, soap)* escama. **3** *(of paint)* desconchón *m*. — **4** *i gen* descamarse. **5** *(paint)* desconcharse.

flamboyant [flæm'bɔɪənt] *adj* llamativo,-a, extravagante.

flame [fleɪm] *n* llama.

flamingo [fləˈmɪŋgəʊ] *n* flamenco.

flan [flæn] *n* CULIN tarta rellena.

flange [flændʒ] *n* brida, reborde *m*.

flank [flæŋk] *n* ijada, ijar *m*. **2** MIL flanco. — **3** *t* flanquear, bordear.

flannel ['flænəl] *n* franela.

flap [flæp] *n (of envelope, pocket)* solapa. **2** *(of tent)* faldón *m.* – **3** *t* batir. – **4** *i (wings)* aletear. **5** *(flag)* ondear.

flare [fleə^r] *n (flame)* llamarada. **2** *(signal)* bengala. – **3** *i* llamear. ◆*to ~ up* *i* estallar.

flared [fleəd] *adj* acampanado,-a.

flash [flæʃ] *n* destello: *like a ~,* como un rayo. **2** *(burst)* ráfaga. **3** *(photography)* flash *m.* – **4** *i* destellar. **5** *(dash)* pasar como un rayo. – **6** *t (light)* hacer señales con; *(torch)* encender. **7** *(send)* enviar. ■ *~ of lightning,* relámpago; *(news) ~,* flash *m,* noticia de última hora.

flashback [ˈflæʃbæk] *n* escena retrospectiva.

flashlight [ˈflæʃlaɪt] *n* linterna.

flashy [ˈflæʃɪ] *adj* llamativo,-a.

flask [flæsk] *n* frasco. **2** CHEM matraz *m.* ■ *(thermos) ~,* termo.

flat [flæt] *adj (surface)* llano,-a, plano,-a. **2** *(tyre)* desinflado,-a. **3** *(battery)* descargado,-a. **4** *(drink)* sin gas. **5** *fig (dull)* monótono,-a, soso,-a. **6** *(firm)* rotundo,-a. **7** MUS bemol. – **8** *n (plain)* superficie *f* plana, llanura. **9** *(of hand)* palma. **10** GB *(apartment)* piso. – **11** *adv (exactly)* **in ten seconds ~,** en diez segundos justos. **12** *flatly adv* rotundamente. ■ *~ rate,* precio fijo.

flatten [ˈflætən] *t-i* allanar(se), aplanar(se). – **2** *t (crush)* aplastar.

flatter [ˈflætə^r] *t* adular, halagar. **2** *(suit)* favorecer.

flattering [ˈflætərɪŋ] *adj* lisonjero,-a, halagüeño,-a. **2** *(attractive)* favorecedor,-ra.

flattery [ˈflætərɪ] *n* adulación, halago.

flatulence [ˈflætjʊlens] *n fml* flatulencia.

flaunt [flɔːnt] *t* hacer alarde de.

flautist [ˈflɔːtɪst] *n* flautista *mf.*

flavour [ˈfleɪvə^r] *n* sabor *m.* **2** *fig* atmósfera. – **3** *t* sazonar, condimentar.

flavouring [ˈfleɪvərɪŋ] *n* condimento. ■ *artificial ~,* aroma *m* artificial.

flaw [flɔː] *n (failing)* defecto. **2** *(fault)* desperfecto.

flawless [ˈflɔːləs] *adj* sin defecto/tacha.

flea [fliː] *n* pulga.

fleck [flek] *n* mota, punto.

flee [fliː] *t-i* huir (de). ▲ *pt & pp* **fled** [fled].

fleece [fliːs] *n (coat)* lana. **2** *(sheared)* vellón *m.* – **3** *t fam* desplumar, robar.

fleet [fliːt] *n* MAR armada. **2** *(of cars)* escuadra.

fleeting [ˈfliːtɪŋ] *adj* fugaz, efímero,-a.

flesh [fleʃ] *n* carne *f.*

fleshy [ˈfleʃɪ] *adj* gordo,-a.

flew [fluː] *pt →* **fly**.

flex [fleks] *n* GB cable *m.* – **2** *t (body, joints)* doblar; *(muscles)* flexionar.

flexible [ˈfleksɪbəl] *adj* flexible.

flick [flɪk] *n (jerk)* movimiento rápido/ brusco. – **2** *t (switch)* dar. **3** *(whip)* chasquear.

flicker [ˈflɪkə^r] *n* parpadeo; *(of light)* titileo. **2** *fig (trace)* indicio. – **3** *i (eyes)* parpadear; *(flame)* vacilar.

flight [flaɪt] *n* vuelo. **2** *(flock of birds)* bandada. **3** *(of stairs)* tramo. **4** *(escape)* huida, fuga. ◆*to take ~,* darse a la fuga.

flighty [ˈflaɪtɪ] *adj fig* frívolo,-a.

flimsy [ˈflɪmzɪ] *adj (thin)* fino,-a. **2** *(structure)* poco sólido,-a. **3** *fig (excuse)* flojo,-a.

flinch [flɪntʃ] *i (wince)* estremecerse. **2** *(shun)* retroceder.

fling [flɪŋ] *n (throw)* lanzamiento. **2** *(wild time)* juerga. **3** *(affair)* lío (amoroso). – **4** *t* arrojar, tirar, lanzar. ◆*to have a ~,* echar una cana al aire. ▲ *pt & pp* **flung**.

flint [flɪnt] *n* pedernal *m.* **2** *(of lighter)* piedra (de mechero).

flip [flɪp] *n* capirotazo. – **2** *interj fam* ¡ostras! – **3** *t (toss)* echar (al aire). **4** *(turn over)* dar la vuelta a. – **5** *i fam (freak out)* perder los estribos.

flippant [ˈflɪpənt] *adj* frívolo,-a.

flipper [ˈflɪpə^r] *n* aleta.

flirt [flɜːt] *n* coqueto,-a. – **2** *i* flirtear, coquetear.

flirtation [flɜːˈteɪʃən] *n* coqueteo.

float [fləʊt] *n (fishing)* flotador *m.* **2** *(swimming)* flotador *m.* **3** *(vehicle)* carroza. – **4** *i* flotar. – **5** *t* hacer flotar. **6** FIN *(shares)* emitir.

flock [flɒk] *n (of sheep, goats)* rebaño; *(of birds)* bandada. **2** *fam (crowd)* tropel *m.* **3** REL grey *f.* – **4** *i* acudir en masa. ◆*to ~ together,* congregarse.

flog [flɒg] *t (beat)* azotar. **2** GB *fam* vender.

flood [flʌd] *n* inundación. **2** *(of river)* riada. **3** *fig* torrente *m,* avalancha. – **4** *t* inundar. – **5** *i* desbordarse.

floodlight [ˈflʌdlaɪt] *n* foco.

floor [flɔː^r] *n* suelo, piso. **2** GEOG fondo. **3** *(storey)* piso. – **4** *t (knock down)* derribar. **5** *fig* apabullar.

flop [flɒp] *n fam* fracaso. – **2** *i (fall heavily)* dejarse caer. **3** *fam* fracasar.

floppy [ˈflɒpɪ] *adj* blando,-a, flexible. ■ COMPUT *~ disk,* disco flexible, disquete *m.*

flora [ˈflɔːrə] *n* flora.

floral [ˈflɔːrəl] *adj* floral.

florid ['flɒrɪd] *adj* pey *(style)* florido,-a, recargado,-a.

florist ['flɒrɪst] *n* florista *mf*. ■ *florist's (shop),* floristería.

flounce [flaʊns] *n* SEW volante *m*. ◆*to ~ in/out i* entrar/salir airadamente.

flounder ['flaʊndə'] *n (fish)* platija. - 2 *i (energetically)* forcejear. 3 *fig (dither)* vacilar.

flour ['flaʊə'] *n* harina.

flourish ['flʌrɪʃ] *n (gesture)* ademán *m*, gesto. - 2 *t (wave)* ondear, agitar. - 3 *i* florecer.

flourishing ['flʌrɪʃɪŋ] *adj* floreciente.

flow [fləʊ] *n gen* flujo. 2 *(of river)* corriente *f*. 3 *(of traffic)* circulación. - 4 *i* fluir, manar. 5 *(traffic)* circular. 6 *fig (ideas etc.)* correr. ●*to ~ into,* desembocar en. ■ *~ chart,* organigrama *m*.

flower ['flaʊə'] *n* flor *f*. - 2 *i* florecer. ■ *~ bed,* parterre *m*.

flowerpot ['flaʊəpɒt] *n* maceta, tiesto.

flowery ['flaʊərɪ] *adj (pattern)* de flores. 2 *(style)* florido,-a.

flowing ['fləʊɪŋ] *adj (liquid)* que fluye. 2 *(style)* fluido,-a, suelto,-a.

flown [fləʊn] *pp* → fly.

flu [flu:] *n* gripe *f*.

fluctuate ['flʌktjʊeɪt] *i* fluctuar.

fluency ['flu:ənsɪ] *n* fluidez. 2 *(of language)* dominio *(in,* de).

fluent ['flu:ənt] *adj* fluido,-a. - 2 *fluently adv* con soltura.

fluff [flʌf] *n* pelusa, lanilla. - 2 *t fam* hacer mal/a destiempo. ◆*to ~ out/up t-i (hair etc.)* encrespar(se), erizar(se).

fluffy ['flʌfɪ] *adj* mullido,-a.

fluid ['flu:ɪd] *adj-n* fluido,-a *(m)*.

fluke [flu:k] *n fam* chiripa.

flung [flʌŋ] *pt & pp* → fling.

fluorescent [flʊə'resənt] *adj* fluorescente. ■ *~ light,* fluorescente *m*.

flurry ['flʌrɪ] *n (of wind)* ráfaga. 2 *fig (burst)* oleada. - 3 *t* poner nervioso,-a. ■ *~ of snow,* nevisca.

flush [flʌʃ] *adj (level) ~ with,* a ras de. - 2 *n (blush)* rubor *m*. - 3 *t (clean)* limpiar con agua. 4 *fig (enemy)* hacer salir. - 5 *i (blush)* ruborizarse. ●*to ~ the lavatory/ toilet,* tirar de la cadena (del wáter); *fam to be/feel ~,* andar bien de dinero.

fluster ['flʌstə'] *t* poner nervioso,-a. ●*to get in a ~,* ponerse nervioso,-a.

flute [flu:t] *n* flauta.

flutter ['flʌtə'] *n* agitación. 2 *(of wings)* aleteo. 3 *fam (bet)* apuesta. - 4 *t-i (wave)* ondear. 5 *(birds)* aletear. - 6 *i* revolo-

tear. ●*fig to be in a ~,* estar nervioso,-a; *to ~ one's eyelashes,* parpadear.

fly [flaɪ] *n (insect)* mosca. 2 *pl (zip)* bragueta *f sing*. - 3 *i* volar. 4 *(go by plane)* ir en avión. 5 *(flag)* estar izado,-a. 6 *(sparks)* saltar. 7 *(leave quickly)* irse volando. - 8 *t* AV pilotar. 9 *(send by plane)* enviar por avión. 10 *(travel over)* sobrevolar. 11 *(kite)* hacer volar. 12 *(flag)* enarbolar. ▲ *pt flew; pp flown*.

flying ['flaɪɪŋ] *n* AV aviación. 2 *(action)* vuelo. - 3 *adj (soaring)* volante. 4 *(quick)* rápido,-a. ●*to pass (an exam) with ~ colours,* salir airoso,-a (de un examen). ■ *~ saucer,* platillo volante; *~ visit,* visita relámpago.

flyover ['flaɪəʊvə'] *n* GB paso elevado.

foal [fəʊl] *n* potro,-a.

foam [fəʊm] *n* espuma. - 2 *i (bubble)* hacer espuma. ■ *~ rubber,* gomaespuma.

foamy ['fəʊmɪ] *adj* espumoso,-a.

fob [fɒb] *t to ~ off,* embaucar. ●*to ~ sb. off with excuses,* darle largas a algn.

focus ['fəʊkəs] *n* foco. - 2 *t* enfocar. - 3 *i* centrarse *(on,* en). ●*in/out of ~,* enfocado,-a/desenfocado,-a. ▲ *pt & pp focus(s)ed*.

foetus ['fi:təs] *n* feto.

fog [fɒg] *n* niebla. - 2 *t-i to ~ (up),* empañar(se).

foggy ['fɒgɪ] *adj* de niebla: *it's ~,* hay niebla.

foglamp ['fɒglæmp] *n* faro antiniebla.

foible ['fɔɪbəl] *n (habit)* manía.

foil [fɔɪl] *n (metal paper)* papel *m* de aluminio. 2 *(contrast)* contraste *m*. - 3 *t fml* frustrar.

fold [fəʊld] *n (crease)* pliegue *m*, doblez *m*. 2 *(for sheep)* redil *m*, aprisco. - 3 *t-i* doblar(se), plegar(se). ●*to ~ one's arms,* cruzar los brazos.

folder ['fəʊldə'] *n* carpeta.

folding ['fəʊldɪŋ] *adj* plegable.

foliage ['fəʊlɪdʒ] *n fml* follaje *m*.

folk [fəʊk] *npl* gente *f sing*. 2 *folks, fam (family)* familia *f sing*. - 3 *adj* popular. ■ *~ music,* música folk; *~ song,* canción tradicional/folk.

folklore ['fəʊklɔː'] *n* folclor(e) *m*.

follow ['fɒləʊ] *t-i* seguir. 2 *(understand)* entender, seguir: *I don't ~ (you),* no (le) entiendo. - 3 *t (pursue)* perseguir. - 4 *i (be logical)* resultar, derivarse. ◆*to ~ out t* ejecutar. ◆*to ~ through t* llevar a cabo. ◆*to ~ up t* seguir de cerca, profundizar en.

follower ['fɒləʊə'] *n* seguidor,-ra.

following ['fɒləʊɪŋ] *adj* siguiente. – 2 *n* seguidores *mpl*.

follow-up ['fɒləʊʌp] *n* continuación.

folly ['fɒlɪ] *n fml* locura, desatino.

fond [fɒnd] *adj (loving)* cariñoso,-a. 2 *(partial)* ser aficionado,-a *(of, a).* – 3 *fondly adv (lovingly)* cariñosamente. 4 *(naively)* ingenuamente. ●*to be ~ of sb.,* tenerle cariño a algn.

fondle ['fɒndəl] *t* acariciar.

fondness ['fɒndnəs] *n* cariño. 2 *(liking)* afición *(for, a/por).*

font [fɒnt] *n* pila (bautismal).

food [fuːd] *n* comida, alimento. ■ *~ poisoning,* intoxicación alimenticia.

foodstuffs ['fuːdstʌfs] *npl* alimentos *mpl,* productos *mpl* alimenticios.

fool [fuːl] *n* tonto,-a, imbécil *mf: don't be a ~,* no seas tonto,-a. 2 *(jester)* bufón,-ona. – 3 *t* engañar. – 4 *i* bromear. ●*to ~ about/around i* hacer el tonto. ●*to make a ~ of,* poner en ridículo a; *to play the ~,* hacer el tonto.

foolhardy ['fuːlhɑːdɪ] *adj (risky)* temerario,-a. 2 *(person)* intrépido,-a.

foolish ['fuːlɪʃ] *adj* estúpido,-a.

foolishness ['fuːlɪʃnəs] *n* estupidez *f.*

foolproof ['fuːlpruːf] *adj* infalible.

foot [fʊt] *n gen* pie *m.* 2 *(of animal)* pata. – 3 *t fam (pay)* pagar. ●*on ~,* a pie; *to set ~ in,* entrar en; *fam to get off on the wrong ~,* empezar con mal pie; *fam to put one's ~ down,* imponerse. ▲ *pl* feet.

football ['fʊtbɔːl] *n* fútbol *m.* 2 *(ball)* balón *m.* ■ *~ pools,* quinielas *fpl.*

footballer ['fʊtbɔːləʳ] *n* futbolista *mf.*

footlights ['fʊtlaɪts] *npl* candilejas *fpl.*

footnote ['fʊtnəʊt] *n* nota a pie de página.

footpath ['fʊtpɑːθ] *n* sendero, camino.

footprint ['fʊtprɪnt] *n* huella, pisada.

footstep ['fʊtstep] *n* paso, pisada.

footwear ['fʊtweəʳ] *n* calzado.

for [fɔːʳ] *prep (intended)* para: *it's ~ you,* es para ti. 2 *(purpose)* para: *what's this ~?,* ¿para qué sirve esto? 3 *(in lieu of)* por: *do it ~ me,* hazlo por mí. 4 *(because of)* por. 5 *(during)* por, durante: *~ two weeks,* durante dos semanas. 6 *(distance) I walked ~ five miles,* caminé cinco millas. 7 *(destination)* para, hacia. 8 *(price)* por: *I got it ~ £500,* lo conseguí por quinientas libras. 9 *(in favour of)* a favor de. 10 *(despite)* a pesar de. 11 *(as)* como: *what do they use ~ fuel?,* ¿qué utilizan como combustible? 12 *(+ object + inf) it's time ~ you to go,* es hora de que te marches. – 13 *conj* ya que. ●*as*

~ me, por mi parte, en cuanto a mí; *~ all I know,* que yo sepa; *~ good,* para siempre; *~ one thing,* para empezar; *what ~?,* ¿para qué?

forage ['fɒrɪdʒ] *n* forraje *m.* – 2 *t* hurgar, fisgar.

forbade [fɔːˈbeɪd] *pt* → **forbid**.

forbear [fɔːˈbeəʳ] *i fml* abstenerse *(from, de).* ▲ *pt* **forbore**; *pp* **forborne**.

forbid [fəˈbɪd] *t* prohibir. ▲ *pt* **forbade**; *pp* **forbidden** [fəˈbɪdən].

forbidding [fəˈbɪdɪŋ] *adj* severo,-a.

forbore [fɔːˈbɔːʳ] *pt* → **forbear**.

forborne [fɔːˈbɔːn] *pp* → **forbear**.

force [fɔːs] *n* fuerza. 2 MIL cuerpo. – 3 *t* forzar. ●*by ~,* a/por la fuerza; *to come into ~,* entrar en vigor.

forceful ['fɔːsfʊl] *adj* enérgico,-a.

forceps ['fɔːseps] *npl* fórceps *m inv.*

ford [fɔːd] *n* vado. – 2 *t* vadear.

forearm ['fɔːrɑːm] *n* antebrazo.

foreboding [fɔːˈbəʊdɪŋ] *n* presentimiento.

forecast ['fɔːkɑːst] *n* pronóstico, previsión. – 2 *t* pronosticar. ▲ *pt & pp* **forecast** o **forecasted** ['fɔːkɑːstɪd].

forefathers ['fɔːfɑːðəz] *npl* antepasados *mpl.*

forefinger ['fɔːfɪŋgəʳ] *n* (dedo) índice *m.*

forefront ['fɔːfrʌnt] *n* vanguardia.

forego [fɔːˈgəʊ] *t* renunciar a, sacrificar. ▲ *pt* **forewent**; *pp* **foregone**.

foregoing [fɔːˈgəʊɪŋ] *adj* precedente.

foregone [fɔːˈgɒn] *pp* → **forego**.

foreground ['fɔːgraʊnd] *n* primer plano.

forehead ['fɒrɪd, 'fɔːhed] *n* frente *f.*

foreign ['fɒrɪn] *adj* extranjero,-a. 2 *(policy etc.)* exterior. 3 *(strange)* ajeno,-a. ■ FIN *~ exchange,* divisas *fpl;* GB *Foreign Office,* Ministerio de Asuntos Exteriores.

foreigner ['fɒrɪnəʳ] *n* extranjero,-a.

foreman ['fɔːmən] *n* capataz *m.*

foremost ['fɔːməʊst] *adj* principal.

forensic [fəˈrensɪk] *adj* forense.

forerunner ['fɔːrʌnəʳ] *n* precursor,-ra.

foresee [fɔːˈsiː] *t* prever. ▲ *pt* **foresaw** [fɔːˈsɔː]; *pp* **foreseen** [fɔːˈsiːn].

foresight ['fɔːsaɪt] *n* previsión.

foreskin ['fɔːskɪn] *n* prepucio.

forest ['fɒrɪst] *n (small)* bosque *m; (large)* selva. ■ *~ fire,* incendio forestal.

forestall [fɔːˈstɔːl] *t* anticiparse a.

forestry ['fɒrɪstrɪ] *n* silvicultura.

foretell [fɔːˈtel] *t* presagiar, pronosticar. ▲ *pt & pp* **foretold**.

forethought ['fɔːθɔːt] *n* previsión. 2 JUR premeditación.

fountain

foretold [fɔːˈtəʊld] *pt & pp* → **foretell**.
forever [fəˈrevəʳ] *adv* siempre. 2 *(for good)* para siempre.
forewarn [fɔːˈwɔːn] *t* prevenir.
forewent [fɔːˈwent] *pp* → **forego**.
foreword [ˈfɔːwɜːd] *n* prólogo.
forfeit [ˈfɔːfɪt] *n* pena, multa. 2 *(in games)* prenda. – 3 *t* perder, renunciar a.
forgave [fəˈgeɪv] *pt* → **forgive**.
forge [fɔːdʒ] *n (apparatus)* fragua. 2 *(blacksmith's)* herrería. – 3 *t (counterfeit)* falsificar. 4 *(metal)* forjar, fraguar. 5 *fig* forjar.
forgery [ˈfɔːdʒərɪ] *n* falsificación.
forget [fəˈget] *t* olvidar, olvidarse de. ●~ *it!,* ¡olvídalo!, ¡déjalo!; *fig to* ~ *o.s.,* perder los estribos. ▲ *pt* **forgot**; *pp* **forgotten**.
forgetful [fəˈgetfʊl] *adj* despistado,-a.
forgive [fəˈgɪv] *t* perdonar. ▲ *pt* **forgave**; *pp* **forgiven** [fəˈgɪvən].
forgiveness [fəˈgɪvnəs] *n* perdón *m*.
forgo [fɔːˈgəʊ] *t* → **forego**.
forgone [fɔːˈgɒn] *pp* → **forego**.
forgot [fəˈgɒt] *pt* → **forget**.
forgotten [fəˈgɒtən] *pp* → **forget**.
fork [fɔːk] *n* tenedor *m*. 2 AGR horca, horquilla. 3 *(in road)* bifurcación. – 4 *i* bifurcarse. ●*to* ~ *out t fam (money)* soltar, aflojar.
forlorn [fəˈlɔːn] *adj* abandonado,-a. 2 *(desolate)* triste. 3 *(hopeless)* desesperado,-a.
form [fɔːm] *n gen* forma. 2 *(kind)* clase *f*, tipo. 3 *(formality)* formas *fpl*. 4 *(document)* formulario. 5 EDUC curso. – 6 *t-i* formar(se). ●*on/off* ~, en forma/en baja forma.
formal [ˈfɔːməl] *adj* formal. 2 *(dress)* de etiqueta. 3 *(person, language)* ceremonioso,-a.
formality [fɔːˈmælɪtɪ] *n* formalidad.
format [ˈfɔːmæt] *n* formato.
formation [fɔːˈmeɪʃən] *n* formación.
former [ˈfɔːməʳ] *adj* anterior. 2 *(one-time)* antiguo,-a. 3 *(person)* ex-: *the* ~ *champion,* el excampeón. – 4 *pron the* ~, aquél, aquélla. – 5 *formerly adv* antiguamente.
formidable [ˈfɔːmɪdəbəl] *adj* formidable. 2 *(daunting)* temible.
formula [ˈfɔːmjʊlə] *n* fórmula. ▲ *pl* **formulas** *o* **formulae** [ˈfɔːmjʊliː].
formulate [ˈfɔːmjʊleɪt] *t* formular.
fornicate [ˈfɔːnɪkeɪt] *i fml* fornicar.
forsake [fəˈseɪk] *t fml* abandonar. 2 *(give up)* renunciar a. ▲ *pt* **forsook** [fəˈsʊk]; *pp* **forsaken** [fəˈseɪkən].

fort [fɔːt] *n* fuerte *m*, fortaleza.
forte [ˈfɔːteɪ] *n* fuerte *m*.
forth [fɔːθ] *adv* **and so** ~, y así sucesivamente.
forthcoming [fɔːθˈkʌmɪŋ] *adj fml* próximo,-a. 2 *(available)* disponible.
fortieth [ˈfɔːtɪəθ] *adj-n* cuadragésimo,-a. – 2 *n* cuadragésimo, cuadragésima parte.
fortification [fɔːtɪfɪˈkeɪʃən] *n* fortificación.
fortify [ˈfɔːtɪfaɪ] *t* MIL fortificar. 2 *fig* fortalecer.
fortnight [ˈfɔːtnaɪt] *n* GB quincena.
fortnightly [ˈfɔːtnaɪtlɪ] *adj* quincenal. – 2 *adv* cada quince días.
fortress [ˈfɔːtrəs] *n* fortaleza.
fortunate [ˈfɔːtʃənət] *adj* afortunado,-a. – 2 **fortunately** *adv* afortunadamente.
fortune [ˈfɔːtʃən] *n gen* fortuna. 2 *(luck)* suerte *f*.
fortune-teller [ˈfɔːtʃənteləʳ] *n* adivino,-a.
forty [ˈfɔːtɪ] *adj-n* cuarenta *(m)*.
forward [ˈfɔːwəd] *adv gen* hacia adelante: *to go* ~, ir hacia adelante. 2 *(time)* en adelante: *from this day* ~, de ahora/aquí en adelante. – 3 *adj* hacia adelante. 4 *(position)* delantero,-a, frontal. 5 *(advanced)* adelantado,-a. – 6 *(person)* atrevido,-a, descarado,-a. – 7 *n* SP delantero,-a. – 8 *t (send on)* remitir. 9 *fml (further)* adelantar. ●*to bring sth.* ~, adelantar algo; *to put the clock* ~, adelantar el reloj. ▲ *En 1 también puede ser* **forwards**.
forwent [fɔːˈwent] *pt* → **forego**.
fossil [ˈfɒsəl] *n* fósil *m*.
foster [ˈfɒstəʳ] *t (child)* criar. – 2 *adj* adoptivo,-a. ■ ~ *child,* hijo,-a adoptivo,-a; ~ *mother,* madre adoptiva.
fought [fɔːt] *pt & pp* → **fight**.
foul [faʊl] *adj* asqueroso,-a. 2 *(smell)* fétido,-a. 3 *fml (evil)* vil, atroz. – 4 *n* SP falta. – 5 *t-i (dirty)* ensuciar(se). – 6 *t* SP cometer una falta contra. ●*to* ~ *up t fam* estropear.
foul-mouthed [faʊlˈmaʊðd] *adj* malhablado,-a.
found [faʊnd] *pt & pp* → **find**. – 2 *t (establish)* fundar. 3 TECH fundir.
foundation [faʊnˈdeɪʃən] *n (act, organization)* fundación. 2 *(basis)* fundamento, base *f*. 3 *pl* cimientos *mpl*.
founder [ˈfaʊndəʳ] *n (person)* fundador,-ra. – 2 *i* irse a pique.
foundry [ˈfaʊndrɪ] *n* fundición.
fountain [ˈfaʊntən] *n* fuente *f*. 2 *(jet)* surtidor *m*. ■ ~ *pen,* pluma estilográfica.

four [fɔ:ʳ] *adj-n* cuatro. ●*on all fours,* a gatas.

fourteen [fɔ:'ti:n] *adj-n* catorce *(m).*

fourteenth [fɔ:'ti:nθ] *adj-n* decimocuarto,-a. – **2** *n (fraction)* decimocuarto, decimocuarta parte.

fourth [fɔ:θ] *adj-n* cuarto,-a. – **2** *n* cuarto, cuarta parte.

fowl [faʊl] *n inv* ave(s) *m(pl)* de corral.

fox [fɒks] *n* zorro,-a. – **2** *t fam (trick)* engañar.

foxy ['fɒksɪ] *adj fam* astuto,-a.

foyer ['fɔɪeɪ, 'fɔɪəʳ] *n* vestíbulo.

fraction ['frækʃən] *n* fracción.

fracture ['fræktʃəʳ] *n* fractura. – **2** *t-i* fracturar(se), romper(se).

fragile ['frædʒaɪl] *adj* frágil. **2** *fig (health)* delicado,-a.

fragility [frə'dʒɪlɪtɪ] *n* fragilidad.

fragment ['frægmənt] *n* fragmento. – **2** *i* fragmentarse. ▲ *En* **2** *(verbo)* [fræg'ment].

fragrance ['freɪgrəns] *n* fragancia.

frail [freɪl] *adj* frágil, delicado,-a.

frame [freɪm] *n (of building, machine)* armazón *f.* **2** *(of bed)* armadura. **3** *(of bicycle)* cuadro. **4** *(of spectacles)* montura. **5** *(of human, animal)* cuerpo. **6** *(of window, door, etc.)* marco. – **7** *t (picture)* enmarcar. **8** *(door)* encuadrar. **9** *fam (set up)* tender una trampa a *para que parezca culpable.* **10** *fml (question)* formular. ■ ~ *of mind,* estado de ánimo.

framework ['freɪmwɜ:k] *n* armazón *f.* **2** *fig* estructura.

franc [fræŋk] *n* franco.

franchise ['fræntʃaɪz] *n* COM concesión, licencia. **2** *(vote)* derecho de voto.

frank [fræŋk] *adj* franco,-a.

frankness ['fræŋknəs] *n* franqueza.

frantic ['fræntɪk] *adj (hectic)* frenético,-a. **2** *(anxious)* desesperado,-a.

fraternal [frə'tɜ:nəl] *adj* fraternal.

fraternity [frə'tɜ:nɪtɪ] *n (society)* asociación; REL hermandad, cofradía. **2** US *(university)* club *m* de estudiantes.

fraternize ['frætənaɪz] *i* fraternizar.

fraud [frɔ:d] *n (act)* fraude *m.* **2** *(person)* impostor,-ra.

fraught [frɔ:t] *adj (full)* lleno,-a/cargado,-a *(with,* de). **2** *fam (anxious)* nervioso,-a, alterado,-a.

fray [freɪ] *n (fight)* combate *m.* – **2** *i (cloth)* deshilacharse; *(become worn)* raerse. **3** *fig (nerves)* crisparse.

freak [fri:k] *n (monster)* monstruo. **2** *sl (fan)* fanático,-a. – **3** *adj (unusual)* insólito,-a. ◆*to ~ out t-i sl* flipar, alucinar.

freakish ['fri:kɪʃ] *adj* insólito,-a.

freckle ['frekəl] *n* peca.

freckled ['frekəld] *adj* pecoso,-a.

free [fri:] *adj gen* libre. **2** *(without cost)* gratuito,-a. **3** *(generous)* generoso,-a. – **4** *adv (gratis)* gratis. **5** *(loose)* suelto,-a. – **6** *t (liberate)* poner en libertad. **7** *(release)* liberar. **8** *(let loose, disengage)* soltar. – **9** *freely adv* libremente. **10** *(without cost)* gratis. ●*feel ~!,* ¡tú mismo,-a!; ~ *and easy,* despreocupado,-a; *to run ~,* andar suelto,-a; *to set sb. ~,* liberar a/poner en libertad a algn. ■ ~ *speech,* libertad de expresión; ~ *trade,* librecambio; ~ *will,* libre albedrío.

freedom ['fri:dəm] *n* libertad.

free-for-all ['fri:fərɔ:l] *n fam* pelea.

freelance ['fri:lɑ:ns] *adj* independiente. – **2** *n* persona que trabaja por cuenta propia.

freemason ['fri:meɪsən] *n* (franc)masón,-ona.

free-style ['fri:staɪl] *n* estilo libre.

freeway ['fri:weɪ] *n* US autopista.

freeze [fri:z] *n* helada. **2** COM congelación. – **3** *t* congelar. – **4** *i (liquid)* helarse; *(food)* congelarse. **5** *fig (become still)* quedarse inmóvil. ▲ *pt* **froze;** *pp* **frozen.**

freezer ['fri:zəʳ] *n* congelador *m.*

freezing ['fri:zɪŋ] *adj* glacial. – **2** *n* congelación. ■ ~ *point,* punto de congelación.

freight [freɪt] *n (transport)* transporte *m.* **2** *(goods)* carga, flete *m.* ■ ~ *train,* tren *m* de mercancías.

frenzy ['frenzɪ] *n* frenesí *m.*

frequency ['fri:kwənsɪ] *n* frecuencia.

frequent ['fri:kwənt] *adj* frecuente. – **2** *t* frecuentar. – **3** *frequently adv* frecuentemente. ▲ *En* **2** *(verbo)* [frɪ'kwent].

fresco ['freskəʊ] *n* fresco.

fresh [freʃ] *adj gen* fresco,-a. **2** *(water)* dulce. **3** *(air)* puro,-a. **4** *(complexion)* sano,-a. **5** *fig (new)* nuevo,-a. – **6** *freshly adv* recién. ●*in the ~ air,* al aire libre. ■ ~ *water,* agua dulce.

freshen ['freʃən] *t-i* refrescar(se). ◆*to ~ up t-i* asear(se).

fresher ['freʃəʳ], **freshman** ['freʃmən] *n* estudiante *mf* de primer año/curso (de universidad).

freshness ['freʃnəs] *n (brightness)* frescura. **2** *(cool)* frescor *m.* **3** *(newness)* novedad. **4** *fam (cheek)* descaro.

fret [fret] *n (on guitar)* traste *m.* – **2** *i* preocuparse. ◆*to ~ for t* añorar.

fretful ['fretfʊl] *adj* preocupado,-a.

friar ['fraɪəʳ] *n* fraile *m.*

friction ['frɪkʃən] n fricción.
Friday ['fraɪdɪ] n viernes m inv.
fridge [frɪdʒ] n nevera, frigorífico.
fried [fraɪd] adj frito,-a.
friend [frend] n amigo,-a. ●*to make friends (with sb.),* trabar amistad (con algn.).
friendly ['frendlɪ] adj *(person)* simpático,-a. 2 *(atmosphere)* acogedor,-ra. ●*to become* ~, hacerse amigos,-as. ■ SP ~ *game/match,* partido amistoso.
friendship ['frendʃɪp] n amistad.
frieze [fri:z] n friso.
frigate ['frɪgət] n fragata.
fright [fraɪt] n *(shock)* susto. 2 *(fear)* miedo. ●*to get a* ~, pegarse un susto; *to take* ~, asustarse; *fam to look a* ~, estar hecho,-a un adefesio.
frighten ['fraɪtən] t asustar, espantar. ●*to* ~ *away/off* t ahuyentar.
frightening ['fraɪtənɪŋ] adj espantoso,-a.
frightful ['fraɪtfʊl] adj espantoso,-a, horroroso,-a. – 2 *frightfully* adv fam muchísimo.
frigid ['frɪdʒɪd] adj MED frígido,-a. 2 *(icy)* glacial.
frill [frɪl] n *(on dress)* volante m. 2 *(decoration)* adorno. ●*with no frills,* sencillo,-a.
fringe [frɪndʒ] n *(decorative)* fleco. 2 *(of hair)* flequillo. 3 *(edge)* borde m.
frisk [frɪsk] t registrar, cachear.
frisky ['frɪskɪ] adj *(child, animal)* retozón,-ona, juguetón,-ona. 2 *(adult)* vivo,-a.
fritter ['frɪtəˀ] n CULIN buñuelo. ●*to* ~ *away i pej* malgastar.
frivolous ['frɪvələs] adj frívolo,-a.
frizzy ['frɪzɪ] adj crespo,-a, rizado,-a.
fro [frəʊ] adv *to and* ~, de un lado para otro.
frog [frɒg] n rana.
frogman ['frɒgmən] n hombre m rana.
frolic ['frɒlɪk] i juguetear, retozar.
from [frɒm] prep gen de. 2 *(number, position)* de, desde. 3 *(time)* desde. 4 *(train, plane)* procedente de. 5 *(according to)* según, por: ~ *experience,* por experiencia. ●~ *now on,* de ahora en adelante, a partir de ahora.
front [frʌnt] n *(forward part)* parte delantera, frente m & f. 2 METEOR frente m & f. 3 *(facade)* fachada. 4 MIL frente m. 5 fig *(business etc.)* tapadera. – 6 adj delantero,-a, de delante. – 7 i dar *(on/onto,* a). ●*in* ~ *(of),* delante (de); *from the* ~, por delante, de frente. ■ ~ *door,* puerta principal/de entrada.

frontal ['frʌntəl] adj frontal.
frontier ['frʌntɪəˀ] n frontera.
frost [frɒst] n *(covering)* escarcha. 2 *(freezing)* helada. – 3 i to ~ *(over),* helarse.
frostbite ['frɒstbaɪt] n congelación.
frosted ['frɒstɪd] adj *(glass)* esmerilado,-a.
frosty ['frɒstɪ] adj helado,-a.
froth [frɒθ] n gen espuma. 2 *(from mouth)* espumarajos mpl. – 3 i espumar.
frothy ['frɒθɪ] adj espumoso,-a.
frown [fraʊn] n ceño. – 2 i fruncir el ceño. ●*to* ~ *upon t fig* desaprobar, censurar.
froze [frəʊz] pt → **freeze**.
frozen ['frəʊzən] pp → **freeze**.
frugal ['fru:gəl] adj frugal.
fruit [fru:t] n fruta. 2 BOT fruto. – 3 i dar fruto. ■ ~ *dish,* frutero; ~ *machine,* máquina tragaperras; ~ *salad,* macedonia (de frutas).
fruitful ['fru:tfʊl] adj fructuoso,-a.
fruitless ['fru:tləs] adj infructuoso,-a.
frustrate [frʌ'streɪt] t frustrar.
frustration [frʌ'streɪʃən] n frustración.
fry [fraɪ] npl *(fish)* alevines mpl. – 2 t-i freír(se). ■ *small* ~, gente f sing de poca monta.
frying ['fraɪɪŋ] n ~ *pan,* sartén f.
fuchsia ['fju:ʃə] n fucsia.
fuck* [fʌk] t-i joder*, follar*. ●~ *(it)!*,* ¡joder!*; ~ *off!*,* ¡vete al carajo!*
fucking* ['fʌkɪŋ] adj jodido,-a*: *you're a* ~ *idiot!*,* ¡eres un gilipollas!*
fudge [fʌdʒ] n dulce *hecho con azúcar, leche y mantequilla.*
fuel [fjʊəl] n combustible m. 2 *(for motors)* carburante m. – 3 t-i *(plane)* abastecer(se) de combustible. – 4 t fig empeorar.
fugitive ['fju:dʒɪtɪv] adj-n fugitivo,-a.
fulfil [fʊl'fɪl] t *(promise)* cumplir. 2 *(task)* realizar, efectuar. 3 *(need)* satisfacer.
fulfilment [fʊl'fɪlmənt] n realización. 2 *(of duty)* cumplimiento.
full [fʊl] adj gen lleno,-a. 2 *(entire, complete)* completo,-a. 3 *(clothing)* holgado,-a. – 4 adv *(directly)* justo, de lleno. – 5 *fully* adv completamente, enteramente. ●*at* ~ *speed,* a toda velocidad; ~ *well,* perfectamente; *in* ~, en su totalidad; *to be* ~ *of o.s.,* ser un/una engreído,-a; *fam in* ~ *swing,* en pleno auge. ■ ~ *board,* pensión completa; ~ *moon,* luna llena; ~ *stop,* punto (y seguido/aparte).

full-grown [fʊl'grəʊn] *adj (plant)* creci-do,-a. 2 *(person, animal)* adulto,-a.

full-length [fʊl'leŋθ] *adj (image, portrait)* de cuerpo entero. 2 *(garment)* largo,-a. 3 *(film)* de largo metraje.

full-scale [fʌl'skeɪl] *adj (model)* de tama-ño natural. 2 *(total)* completo,-a, total.

full-time [fʊl'taɪm] *adj* a tiempo comple-to.

fumble ['fʌmbəl] *i* revolver torpemente.

fume [fjuːm] *i* echar humo. 2 *fig (person)* subirse por las paredes. – 3 *npl* humos *mpl*, vapores *mpl*.

fumigate ['fjuːmɪgeɪt] *t* fumigar.

fun [fʌn] *n* diversión. – 2 *adj* divertido,-a. ●*in/for* ~, en broma; *to be (great)* ~, ser (muy) divertido,-a; *to have* ~, di-vertirse, pasarlo bien; *to make* ~ *of*, reírse de.

function ['fʌŋkʃən] *n (purpose)* función. 2 *(ceremony)* acto, ceremonia. – 3 *i* fun-cionar.

functional ['fʌŋkʃənəl] *adj* funcional.

fund [fʌnd] *n* fondo. – 2 *t* patrocinar.

fundamental [fʌndə'mentəl] *adj* funda-mental. – 2 *npl* fundamentos *mpl*.

funeral ['fjuːnərəl] *n* entierro, funerales *mpl*. ■ ~ *procession*, cortejo fúnebre; US ~ *parlor*, funeraria.

funfair ['fʌnfeəʳ] *n* GB feria, parque *m* de atracciones.

fungus ['fʌŋgəs] *n* hongo. ▲ *pl funguses* o *fungi* ['fʌndʒaɪ].

funnel ['fʌnəl] *n (for liquid)* embudo. 2 *(chimney)* chimenea. – 3 *t-i* verter(se) por un embudo. – 4 *t fig* encauzar.

funny ['fʌnɪ] *adj (amusing)* gracioso,-a, di-vertido,-a. 2 *(strange)* raro,-a, extra-ño,-a, curioso,-a.

fur [fɜːʳ] *n (of living animal)* pelo, pelaje *m*. 2 *(of dead animal)* piel *f*. 3 *(on appliance, tongue)* sarro. ■ ~ *coat*, abrigo de pieles.

furious ['fjʊərɪəs] *adj* furioso,-a.

furnace ['fɜːnəs] *n* horno.

furnish ['fɜːnɪʃ] *t (house etc.)* amueblar. 2 *fml (supply)* suministrar.

furnishings ['fɜːnɪʃɪŋz] *npl* muebles *mpl*, mobiliario *m sing*. 2 *(fittings)* accesorios *mpl*.

furniture ['fɜːnɪtʃəʳ] *n* mobiliario, mue-bles *mpl*. ●*a piece of* ~, un mueble. ■ ~ *van*, camión *m* de mudanzas.

furrow ['fʌrəʊ] *n* surco. 2 *(wrinkle)* arru-ga. – 3 *t* surcar. 4 *(forehead)* arrugar.

furry ['fɜːrɪ] *adj* peludo,-a.

further ['fɜːðəʳ] *adj-adv comp* → **far**. – 2 *adj (new)* nuevo,-a. 3 *(additional)* adicio-nal. 4 *(later)* ulterior, posterior. – 5 *adv* más: ~ *along*, más adelante. 6 *fml (be-sides)* además. – 7 *t* fomentar, promo-ver.

furthermore [fɜːðə'mɔːʳ] *adv fml* ade-más.

furthest ['fɜːðɪst] *adj-adv superl* → **far**.

furtive ['fɜːtɪv] *adj* furtivo,-a.

fury ['fjʊərɪ] *n* furia, furor *m*.

fuse [fjuːz] *n* ELEC fusible *m*, plomo. 2 *(of bomb)* mecha; *(detonator)* espoleta. – 3 *t-i gen* fundir(se). 4 *fig (merge)* fusio-nar(se). ■ ~ *box*, caja de fusibles.

fusion ['fjuːʒən] *n* fusión.

fuss [fʌs] *n* alboroto, jaleo. – 2 *i* preo-cuparse *(over,* de). ●*to kick up a* ~, ar-mar un escándalo; *to make a* ~, que-jarse.

fussy ['fʌsɪ] *adj* quisquilloso,-a.

fusty ['fʌstɪ] *adj (musty)* mohoso,-a. 2 *(old-fashioned)* chapado,-a a la antigua.

futile ['fjuːtaɪl] *adj* vano,-a, inútil.

future ['fjuːtʃəʳ] *adj* futuro,-a. – 2 *n* fu-turo, porvenir *m*. 3 GRAM futuro. ●*in the* ~, en el futuro; *in the near* ~, en un futuro próximo.

fuzz [fʌz] *n* pelusa. – 2 *t* rizar. ●*sl the* ~, la bofia.

fuzzy ['fʌzɪ] *adj (hair)* rizado,-a, crespo,-a. 2 *(blurred)* borroso,-a.

G

gab [gæb] *n* labia. — **2** *i* charlar.
gabardine ['gæbədi:n] *n* gabardina.
gabble ['gæbəl] *n* farfulla. — **2** *t* farfullar.
gad [gæd] *i to ~ about/around,* callejear.
gadget ['gædʒɪt] *n* aparato, chisme *m*.
gaffe [gæf] *n* metedura de pata.
gag [gæg] *n* mordaza. **2** *(joke)* chiste *m*. — **3** *t* amordazar:
gaga ['gɑ:gɑ:] *adj fam* choco,-a.
gage [geɪdʒ] *n* US → **gauge**.
gaiety ['geɪətɪ] *n* alegría, diversión.
gaily ['geɪlɪ] *adv* alegremente.
gain [geɪn] *n (achievement)* logro. **2** *(profit)* ganancia, beneficio. **3** *(increase)* aumento. — **4** *t (achieve)* lograr, conseguir. **5** *(obtain)* ganar. **6** *(increase)* aumentar. — **7** *t-i (clock)* adelantarse (en). — **8** *i (shares)* subir. ●*to ~ ground,* ganar terreno.
gait [geɪt] *n* andares *mpl*.
gala ['gɑ:lə] *n* gala.
galactic [gə'læktɪk] *adj* galáctico,-a.
galaxy ['gæləksɪ] *n* galaxia.
gale [geɪl] *n* vendaval *m*.
gall [gɔ:l] *n* fig descaro. — **2** *t* irritar.
gallant ['gælənt] *adj (brave)* valiente. **2** *(chivalrous)* galante.
gallantry ['gæləntrɪ] *n (bravery)* valentía. **2** *(chivalry)* galantería.
galleon ['gælɪən] *n* galeón.
gallery ['gælərɪ] *n* galería. **2** THEAT gallinero.
galley ['gælɪ] *n (ship)* galera. **2** *(kitchen)* cocina.
gallivant [gælɪ'vænt] *i* callejear.
gallon ['gælən] *n* galón *m*.
gallop ['gæləp] *n* galope *m*. — **2** *i* galopar.
gallows ['gæləʊz] *n* horca, patíbulo.
galore [gə'lɔ:ʳ] *adv* en abundancia.
galvanize ['gælvənaɪz] *t* galvanizar.
gambit ['gæmbɪt] *n* gambito; fig táctica.

gamble ['gæmbəl] *n* jugada, empresa arriesgada. **2** *(risk)* riesgo. — **3** *i* jugar(se). — **4** *t (bet)* apostar, jugar.
gambler ['gæmbləʳ] *n* jugador,-ra.
gambling ['gæmblɪŋ] *n* juego. ■ *~ house/den,* casa de juego.
gambol ['gæmbəl] *i* brincar, retozar.
game [geɪm] *n* juego. **2** *(match)* partido. **3** *(of cards, chess, etc.)* partida. **4** *(hunting)* caza; fig presa. **5** *pl* EDUC educación *f sing* física. — **6** *adj* dispuesto,-a, listo,-a. ■ *big ~,* caza mayor; *~ reserve,* coto de caza.
gamekeeper ['geɪmki:pəʳ] *n* guardabosque *mf*.
gammon ['gæmən] *n* jamón *m*.
gamut ['gæmət] *n* gama.
gander ['gændəʳ] *n* ganso.
gang [gæŋ] *n (criminals)* banda. **2** *(youths)* pandilla. **3** *(workers)* cuadrilla, brigada. **4** *(friends)* pandilla. ◆*to ~ up on t* unirse contra.
gangplank ['gæŋplæŋk] *n* plancha.
gangrene ['gæŋgri:n] *n* gangrena.
gangster ['gæŋstəʳ] *n* gángster *m*.
gangway ['gæŋweɪ] *n (passage)* pasillo. **2** MAR pasarela.
gaol [dʒeɪl] *n* cárcel *f*.
gap [gæp] *n (hole)* abertura, hueco. **2** *(empty space)* espacio. **3** *(blank)* blanco. **4** *(time)* intervalo. **5** *(deficiency)* laguna.
gape [geɪp] *i* abrirse. **2** *(stare)* mirar boquiabierto,-a.
garage ['gærɑ:ʒ, 'gærɪdʒ] *n* garaje *m*. **2** *(for repairs)* taller mecánico. **3** *(for petrol etc.)* gasolinera.
garbage ['gɑ:bɪdʒ] *n* basura.
garbled ['gɑ:bəld] *adj* confuso,-a, incomprensible.
garden ['gɑ:dən] *n* jardín *m*. — **2** *i* cuidar el jardín.
gardener ['gɑ:dnəʳ] *n* jardinero,-a.

gardening ['gɑːdnɪŋ] *n* jardinería.
gargle ['gɑːgəl] *i* hacer gárgaras.
garish ['geərɪʃ] *adj* chillón,-ona.
garlic ['gɑːlɪk] *n* ajo.
garment ['gɑːmənt] *n* prenda.
garnish ['gɑːnɪʃ] *n* guarnición. – 2 *t* guarnecer.
garrison ['gærɪsən] *n* guarnición. – 2 *t* MIL guarnecer.
garrulous ['gærələs] *adj* locuaz.
garter ['gɑːtəʳ] *n* liga.
gas [gæs] *n* gas *m*. 2 US gasolina. – 3 *t* asfixiar con gas. – 4 *i fam* charlotear. ■ ~ *mask,* careta/máscara antigás.
gaseous ['gæsɪəs] *adj* gaseoso,-a.
gash [gæʃ] *n* raja. – 2 *t* rajar.
gasoline ['gæsəliːn] *n* US gasolina.
gasp [gɑːsp] *i* abrir la boca con asombro/miedo. ●*to* ~ *for air,* hacer esfuerzos por respirar.
gassy ['gæsɪ] *adj* gaseoso,-a.
gastric ['gæstrɪk] *adj* gástrico,-a.
gastronomy [gæs'trɒnəmɪ] *n* gastronomía.
gate [geɪt] *n* puerta, verja. 2 *(at airport)* puerta.
gateau ['gætəʊ] *n* pastel *m*. ▲ *pl gateaux* ['gætəʊz].
gatecrash ['geɪtkræʃ] *t-i fam* colarse.
gateway ['geɪtweɪ] *n* puerta.
gather ['gæðəʳ] *t (collect)* juntar. 2 *(call together)* reunir. 3 *(pick up)* recoger. 4 *(fruit, flowers)* coger. 5 *(taxes)* recaudar. 6 *(speed)* ganar, cobrar. 7 SEW fruncir. 8 *(deduce)* deducir, inferir. – 9 *i (come together)* reunirse. 10 *(build up)* acumularse.
gathering ['gæðərɪŋ] *n* reunión.
gauche [gəʊʃ] *adj* torpe.
gaudy ['gɔːdɪ] *adj* chillón,-ona.
gauge [geɪdʒ] *n (device)* indicador *m*. 2 *(measure)* medida estándar. 3 *(railways)* ancho de vía. – 4 *t* medir. 5 *fig* juzgar.
gaunt [gɔːnt] *adj* demacrado,-a.
gauze [gɔːz] *n* gasa.
gave [geɪv] *pt* → *give*.
gawky ['gɔːkɪ] *adj* desgarbado,-a.
gawp [gɔːp] *i to* ~ *at,* mirar boquiabierto,-a.
gay [geɪ] *adj fam* gai, homosexual. 2 *(happy, lively)* alegre. 3 *(bright)* vistoso,-a. – 4 *fam n (man)* gai *m*, homosexual *m*. 5 *(woman)* lesbiana.
gaze [geɪz] *n* mirada fija. – 2 *i* mirar fijamente.
gazelle [gə'zel] *n* gacela.
gazette [gə'zet] *n* gaceta.

gear [gɪəʳ] *n* TECH engranaje *m*. 2 AUTO marcha, velocidad. 3 *(equipment)* equipo. 4 *fam* cosas *fpl,* efectos *mpl* personales; *(clothes)* ropa. ■ ~ *lever,* palanca de cambio.
gearbox ['gɪəbɒks] *n* caja de cambios.
gee [dʒiː] *interj* US ¡caramba!
geese [giːs] *npl* → *goose*.
gelatine [dʒelə'tiːn] *n* gelatina.
gem [dʒem] *n* gema, piedra preciosa. 2 *fig* joya.
Gemini ['dʒemɪnaɪ] *n* Géminis *m*.
gen [dʒen] *n fam* información.
gender ['dʒendəʳ] *n* género.
gene [dʒiːn] *n* gen *m*.
genealogy [dʒiːnɪ'ælədʒɪ] *n* genealogía.
general ['dʒenərəl] *adj* general. – 2 *n* MIL general *m*. – 3 *generally adv* generalmente, por lo general. ●*in* ~, por lo general. ■ ~ *practitioner,* médico,-a de cabecera.
generality [dʒenə'rælɪtɪ] *n* generalidad.
generalization [dʒenərəlaɪ'zeɪʃən] *n* generalización.
generalize ['dʒenərəlaɪz] *t-i* generalizar.
generate ['dʒenəreɪt] *t* generar; *fig* producir.
generation [dʒenə'reɪʃən] *n* generación.
generator ['dʒenəreɪtəʳ] *n* generador *m*.
generic [dʒɪ'nerɪk] *adj* genérico,-a.
generosity [dʒenə'rɒsɪtɪ] *n* generosidad.
generous ['dʒenərəs] *adj* generoso,-a. 2 *(abundant)* abundante, copioso,-a.
genetic [dʒə'netɪk] *adj* genético,-a.
genetics [dʒə'netɪks] *n* genética.
genial ['dʒiːnɪəl] *adj* simpático,-a.
genital ['dʒenɪtəl] *adj* genital.
genitals ['dʒenɪtəlz] *npl* (órganos) genitales *mpl*.
genitive ['dʒenɪtɪv] *adj-n* genitivo,-a *(m)*.
genius ['dʒiːnɪəs] *n (person)* genio. 2 *(gift)* don *m*.
genocide ['dʒenəsaɪd] *n* genocidio.
gent [dʒent] *n fam* caballero.
genteel [dʒen'tiːl] *adj* fino,-a. 2 *pej* cursi.
gentile ['dʒentaɪl] *adj-n* no judío,-a.
gentle ['dʒentəl] *adj (person)* tierno,-a. 2 *(breeze, movement, touch, etc.)* suave. 3 *(hint)* discreto,-a.
gentleman ['dʒentəlmən] *n* caballero.
gently ['dʒentlɪ] *adv* suavemente. 2 *(slowly)* despacio.
gents [dʒents] *n fam* servicio de caballeros.
genuine ['dʒenjʊɪn] *adj* genuino,-a, auténtico,-a. 2 *(sincere)* sincero,-a. – 3

giddy

genuinely adv verdaderamente, realmente.

genus ['dʒiːnəs] *n* género. ▲ *pl* **genera** ['dʒenərə].

geographic(al) [dʒɪə'græfɪk(əl)] *adj* geográfico,-a.

geography [dʒɪ'ɒgrəfɪ] *n* geografía.

geologic(al) [dʒɪə'lɒdʒɪk(əl)] *adj* geológico,-a.

geology [dʒɪ'ɒlədʒɪ] *n* geología.

geometric(al) [dʒɪə'metrɪk(əl)] *adj* geométrico,-a.

geometry [dʒɪ'ɒmɪtrɪ] *n* geometría.

geranium [dʒɪ'reɪnɪəm] *n* geranio.

geriatric [dʒerɪ'ætrɪk] *adj* geriátrico,-a.

germ [dʒɜːm] *n* germen *m*.

germinate ['dʒɜːmɪneɪt] *t-i* germinar.

gerund ['dʒerənd] *n* gerundio.

gesticulate [dʒes'tɪkjʊleɪt] *i* gesticular.

gesticulation [dʒestɪkjʊ'leɪʃən] *n* gesticulación.

gesture ['dʒestʃəʳ] *n* ademán *m*, gesto. 2 *(token)* muestra. – 3 *i* hacer un ademán. ●*as a ~ of*, en señal de.

get [get] *t (obtain)* obtener, conseguir: *I want to ~ a job*, quiero conseguir un trabajo; *she got £1,000 for her car*, le dieron mil libras por su coche. 2 *(receive)* recibir: *I got a bike for my birthday*, me regalaron una bici para mi cumpleaños. 3 *(fetch)* traer. 4 *(catch)* coger. 5 *(persuade)* persuadir, convencer: *can you ~ him to help us?*, ¿puedes convencerlo para que nos ayude? 6 *(meals, drinks)* preparar. 7 *fam (jokes)* entender: *I don't ~ it*, no lo entiendo. 8 *(annoy)* poner nervioso,-a. – 9 *i (become)* ponerse, volverse: *to ~ better/dirty/tired/wet*, mejorar/ensuciarse/cansarse/mojarse. 10 *(go)* ir: *how do you ~ there?*, ¿cómo se va hasta allí? 11 *(arrive)* llegar. 12 *(come to)* llegar a: *you'll ~ to like it in the end*, acabará gustándote. ◆*to ~ about i* moverse; *(travel)* viajar. ◆*to ~ across t (cross)* cruzar. 2 *(communicate)* comunicar. ◆*to ~ ahead i* adelantar, progresar. ◆*to ~ along i (manage)* arreglárselas. 2 *(leave)* marcharse. ◆*to ~ along with t* llevarse (bien) con. ◆*to ~ around i* moverse; *(travel)* viajar. ◆*to ~ around to t* encontrar el tiempo para. ◆*to ~ at t (reach)* alcanzar, llegar a. 2 *(insinuate)* insinuar. 3 *(criticize)* meterse con. ◆*to ~ away i* escaparse. ◆*to ~ away with t* salir impune de. ◆*to ~ back i (return)* volver, regresar. – 2 *t (recover)* recuperar. ◆*to ~ behind i* atrasarse. ◆*to ~ by i (manage)* arreglárselas.

2 *(pass)* pasar. ◆*to ~ down t (depress)* deprimir. – 2 *i (descend)* bajarse. ◆*to ~ down to t* ponerse a. ◆*to ~ in i (arrive)* llegar. 2 *(enter)* entrar; *(car)* subir. ◆*to ~ into t (arrive)* llegar a. 2 *(enter)* entrar en; *(car)* subir a. ◆*to ~ off t (remove)* quitar. 2 *(vehicle, horse, etc.)* bajarse de. – 3 *i* bajarse. 4 *(leave)* salir. 5 *(begin)* comenzar. 6 *(escape)* escaparse. ◆*to ~ off with t* ligar. ◆*to ~ on t (vehicle)* subir(se) a; *(bicycle, horse, etc.)* montar. – 2 *i (make progress)* progresar, avanzar. 3 *(succeed)* tener éxito. 4 *(be friendly)* llevarse bien, avenirse. 5 *(continue)* seguir. 6 *(grow old)* envejecerse. ◆*to ~ on for t* ser casi: *it's getting on for 5 o'clock*, son casi las cinco. ◆*to ~ onto t (person)* ponerse en contacto con. 2 *(subject)* empezar a hablar de. ◆*to ~ out t (thing)* sacar; *(stain)* quitar. – 2 *i (leave)* salir. 3 *(escape)* escapar. ◆*to ~ out of t (avoid)* librarse de. ◆*to ~ over t (illness)* recuperarse de. 2 *(loss)* sobreponerse a. 3 *(obstacle)* salvar; *(difficulty)* vencer. 4 *(idea)* comunicar. ◆*to ~ over with t* acabar con. ◆*to ~ round t (obstacle)* salvar. 2 *(law)* soslayar. 3 *(person)* convencer. ◆*to ~ round to t* encontrar el tiempo para. ◆*to ~ through i (on 'phone)* conseguir hablar *(to, con)*. 2 *(arrive)* llegar. – 3 *t (finish)* acabar. 4 *(consume)* consumir; *(money)* gastar; *(drink)* beber. 5 *(exam)* aprobar. 6 *(make understand)* hacer comprender. ◆*to ~ together t-i* reunir(se), juntar(se). ◆*to ~ up t-i* levantar(se). ◆*to ~ up to t* hacer. ●*to ~ on one's nerves*, irritar, poner nervioso,-a; *to ~ ready*, prepararse; *to ~ rid of*, deshacerse de; *to ~ to know sb.*, llegar a conocer a algn. ▲ *pt* **got**; *pp* **got**, US **gotten**.

getaway ['getəweɪ] *n fam* fuga.

get-together ['gettəgeðəʳ] *n fam* reunión.

getup ['getʌp] *n fam* atavío.

ghastly ['gɑːstlɪ] *adj* horrible, horroroso,-a. 2 *(pale)* lívido,-a.

gherkin ['gɜːkɪn] *n* pepinillo.

ghetto ['getəʊ] *n* gueto, gueto.

ghost [gəʊst] *n* fantasma *m*.

ghoul [guːl] *n* persona de gustos macabros.

giant ['dʒaɪənt] *n* gigante,-a. – 2 *adj* gigante, gigantesco,-a.

gibberish ['dʒɪbərɪʃ] *n* galimatías *m inv*.

gibbet ['dʒɪbɪt] *n* horca, patíbulo.

gibe [dʒaɪb] *n* mofa. – 2 *i* mofarse *(at, de)*.

giddy ['gɪdɪ] *adj* mareado,-a.

gift [gɪft] n (present) regalo. 2 (talent) don m.

gifted ['gɪftɪd] adj dotado,-a.

gigantic [dʒaɪ'gæntɪk] adj gigantesco,-a.

giggle ['gɪgəl] n risita tonta. – 2 i reírse tontamente.

gild [gɪld] t dorar.

gill [gɪl] n (of fish) agalla.

gilt [gɪlt] adj-n dorado,-a (m).

gimmick ['gɪmɪk] n reclamo.

gin [dʒɪn] n ginebra.

ginger ['dʒɪndʒəʳ] n (spice) jengibre m. – 2 adj (hair) rojo,-a; (person) pelirrojo,-a.

gingerly ['dʒɪndʒəlɪ] adv cautelosamente.

gipsy ['dʒɪpsɪ] n gitano,-a.

giraffe [dʒɪ'rɑ:f] n jirafa.

girdle ['gɜ:dəl] n faja.

girl [gɜ:l] n chica, muchacha, joven f; (small) niña.

girlfriend ['gɜ:lfrend] n novia. 2 US amiga, compañera.

girlish ['gɜ:lɪʃ] adj de niña.

giro ['dʒaɪrəʊ] n giro.

gist [dʒɪst] n lo esencial.

give [gɪv] n elasticidad. – 2 t dar. 3 (as a gift) dar, regalar, donar. 4 (pay) pagar. 5 (yield) ceder. – 6 i dar de sí, ceder. ◆to ~ away t regalar. 2 (betray) delatar, traicionar. ◆to ~ back t devolver. ◆to ~ in i ceder, rendirse. – 2 t entregar. ◆to ~ off t desprender. ◆to ~ out t repartir. 2 (announce) anunciar. – 3 i acabarse, agotarse. ◆to ~ over i parar. ◆to ~ up t dejar: to ~ up smoking, dejar de fumar. – 2 i (surrender) rendirse; (to police etc.) entregarse. ●to ~ sb. to understand that, dar a entender a algn. que; to ~ sb. up for dead, dar por muerto,-a algn.; to ~ the game away, descubrir el pastel; to ~ way, ceder; AUTO ceder el paso. ▲ pt gave; pp given ['gɪvən].

glacial ['gleɪsɪəl] adj glacial.

glacier ['glæsɪəʳ] n glaciar m.

glad [glæd] adj contento,-a. – 2 gladly adv de buena gana, con mucho gusto. ●to be ~ of, agradecer.

gladden ['glædən] t alegrar.

glamorize ['glæməraɪz] t hacer más atractivo,-a.

glamorous ['glæmərəs] adj atractivo,-a. 2 (charming) encantador,-ra.

glamour ['glæməʳ] n atractivo. 2 (charm) encanto.

glance [glɑ:ns] n mirada, vistazo. – 2 i dar una mirada, echar un vistazo (at, a). ●at first ~, a primera vista.

gland [glænd] n glándula.

glare [gleəʳ] n luz f deslumbrante. 2 AUTO deslumbramiento. 3 (look) mirada feroz. – 4 i deslumbrar. 5 (look) mirar ferozmente (at, -).

glaring ['gleərɪŋ] adj deslumbrador,-ra. 2 (blatant) patente, evidente.

glass [glɑ:s] n (material) vidrio, cristal m. 2 (for drinking) vaso; (with stem) copa. 3 pl gafas fpl.

glassware ['glɑ:sweəʳ] n cristalería.

glassy ['glɑ:sɪ] adj (eyes) vidrioso,-a.

glaze [gleɪz] n vidriado. – 2 t (pottery) vidriar. 3 (windows) poner cristales a. 4 CULIN glasear.

gleam [gli:m] n destello. – 2 i relucir, brillar. ●a ~ of hope, un rayo de esperanza.

glean [gli:n] t espigar. 2 fig recoger.

glee [gli:] n regocijo.

glen [glen] n cañada.

glib [glɪb] adj charlatán,-ana.

glide [glaɪd] n deslizamiento. 2 AV planeo. – 3 i deslizarse. 4 AV planear.

glider ['glaɪdəʳ] n planeador m.

glimmer ['glɪməʳ] n luz f tenue. – 2 i brillar con luz tenue. ●a ~ of hope, un rayo de esperanza.

glimpse [glɪmps] n visión f fugaz. – 2 t vislumbrar. ●to catch a ~ of, vislumbrar.

glint [glɪnt] n destello, centelleo. – 2 i destellar, centellear.

glisten ['glɪsən] i brillar, relucir.

glitter ['glɪtəʳ] n brillo. – 2 i brillar, relucir.

gloat [gləʊt] i regocijarse/recrearse (over, con).

global ['gləʊbəl] adj mundial. 2 (total) global.

globe [gləʊb] n globo. 2 (map) globo terrestre.

globule ['glɒbju:l] n glóbulo.

gloom [glu:m] n penumbra. 2 (sadness) tristeza. 3 (of place) desolación.

gloomy ['glu:mɪ] adj lóbrego,-a. 2 (sad) triste. 3 (pessimistic) pesimista.

glorify ['glɔ:rɪfaɪ] t glorificar.

glorious ['glɔ:rɪəs] adj glorioso,-a. 2 (wonderful) espléndido,-a, magnífico,-a.

glory ['glɔ:rɪ] n gloria. 2 fig esplendor m. – 3 i gloriarse (in, de).

gloss [glɒs] n lustre m, brillo. 2 (explanation) glosa. – 3 t glosar. ■ ~ paint, esmalte m brillante.

glossary ['glɒsərɪ] n glosario.

glossy ['glɒsɪ] adj brillante, lustroso,-a.

glove [glʌv] *n* guante *m*.

glow [gləʊ] *n* luz *f*, brillo. **2** *fig* sensación de bienestar/satisfacción. − **3** *i* brillar.

glower ['glaʊə'] *i* mirar con ceño.

glowing ['gləʊɪŋ] *adj fig* entusiasta.

glucose ['glu:kəʊz] *n* glucosa.

glue [glu:] *n* cola. − **2** *t* encolar, pegar.

glum [glʌm] *adj* desanimado,-a.

glut [glʌt] *n* superabundancia. − **2** *t (market)* inundar, saturar. ●*to* ~ *o.s.*, hartarse.

glutton ['glʌtn] *n* glotón,-ona.

gluttony ['glʌtəni] *n* glotonería.

glycerine [glɪsə'ri:n] *n* glicerina.

gnarled [nɑːld] *adj* nudoso,-a.

gnash [næʃ] *i* hacer rechinar.

gnat [næt] *n* mosquito.

gnaw [nɔ:] *t* roer.

go [gəʊ] *n (energy)* energía, empuje *m*. **2** *(turn)* turno: *it's my* ~, me toca a mí. **3** *(try)* intento. − **4** *i* ir. **5** *(leave)* marcharse, irse; *(bus, train, etc.)* salir. **6** *(vanish)* desaparecer. **7** *(function)* funcionar. **8** *(become)* volverse, ponerse, quedarse. **9** *(fit)* entrar, caber. **10** *(break)* romperse, estropearse. **11** *(be kept)* guardarse. − **12** *t (make a noise)* hacer: *it goes ticktock*, hace tic-tac. ◆*to* ~ *after t* perseguir. ◆*to* ~ *along with t* estar de acuerdo con. **2** *(accompany)* acompañar. ◆*to* ~ *around i (be enough)* bastar, ser suficiente. ◆*to* ~ *away i* marcharse. ◆*to* ~ *back i* volver. ◆*to* ~ *back on t* romper. ◆*to* ~ *by i* pasar. ◆*to* ~ *down i* bajar; *(tyre)* deshincharse. **2** *(be received)* ser acogido,-a. ◆*to* ~ *down with t* coger. ◆*to* ~ *for t (attack)* atacar. **2** *(fetch)* ir a buscar. **3** *fam (like)* gustar. **4** *fam (be valid)* valer para. ◆*to* ~ *in for t* dedicarse a: *I don't* ~ *in for that*, eso no me va. **2** *(exam)* presentarse para. ◆*to* ~ *into t (investigate)* investigar. **2** *(crash)* chocar contra. ◆*to* ~ *off i (bomb)* estallar; *(alarm)* sonar; *(gun)* dispararse. **2** *(food)* estropearse. − **3** *t* perder el gusto/interés por. ◆*to* ~ *on i (continue)* seguir. **2** *(happen)* pasar. **3** *(complain)* quejarse *(about, de)*. ◆*to* ~ *out i* salir. **2** *(fire, light)* apagarse. ◆*to* ~ *over t (check, revise)* revisar. ◆*to* ~ *over to t* pasarse a. ◆*to* ~ *round i* dar vueltas, girar. ◆*to* ~ *through t (undergo)* sufrir, padecer. **2** *(examine)* examinar; *(search)* registrar. − **3** *i* ser aprobado,-a. ◆*to* ~ *through with t* llevar a cabo. ◆*to* ~ *under i* hundirse; *fig* fracasar. ◆*to* ~ *up i* subir. **2** *(explode)* estallar. ◆*to* ~ *without t* pasar sin, prescindir de. ●*to be all the* ~, estar muy de

moda; *to* ~ *about one's business*, ocuparse de sus asuntos; *to* ~ *to sleep*, dormirse; *to have a* ~ *at sb.*, criticar a algn.; *to make a* ~ *of sth.*, tener éxito en algo. ▲ *pt* **went**; *pp* **gone**.

goal [gəʊl] *n* SP meta, portería. **2** SP *(point)* gol *m*, tanto. **3** *(aim)* fin *m*, objeto. ●*to score a* ~, marcar un tanto.

goalkeeper ['gəʊlki:pə'] *n* portero, guardameta *m*.

goat [gəʊt] *n (female)* cabra; *(male)* macho cabrío.

gobble ['gɒbəl] *t* engullir.

go-between ['gəʊbɪtwi:n] *n* intermediario,-a. **2** *(between lovers)* alcahueta.

goblet ['gɒblət] *n* copa.

god [gɒd] *n* dios *m*.

godchild ['gɒdtʃaɪld] *n* ahijado,-a.

goddaughter ['gɒddɔ:tə'] *n* ahijada.

goddess ['gɒdəs] *n* diosa.

godfather ['gɒdfɑ:ðə'] *n* padrino.

godforsaken ['gɒdfəseɪkən] *adj* dejado,-a de la mano de Dios.

godmother ['gɒdmʌðə'] *n* madrina.

godparents ['gɒdpeərənts] *npl* padrinos *mpl*.

godsend ['gɒdsend] *n* regalo caído del cielo.

godson ['gɒdsʌn] *n* ahijado.

goggle ['gɒgəl] *i* quedarse atónito,-a. − **2** *npl* gafas *fpl* protectoras.

going ['gəʊɪŋ] *n (leaving)* ida. **2** *(pace)* paso, ritmo. **3** *(conditions)* estado del camino. − **4** *adj (current)* actual. **5** *(business)* que marcha bien.

going-over [gəʊɪŋ'əʊvə'] *n fam* inspección. **2** *(beating)* paliza.

goings-on [gəʊɪŋz'ɒn] *npl fam* tejemanejes *mpl*.

gold [gəʊld] *n (metal)* oro. **2** *(colour)* dorado. ■ ~ *leaf*, pan *m* de oro.

golden ['gəʊldən] *adj* de oro. **2** *(colour)* dorado,-a.

goldfish ['gəʊldfɪʃ] *n inv* pez *m* de colores.

goldsmith ['gəʊldsmɪθ] *n* orfebre *m*.

golf [gɒlf] *n* golf *m*. ■ ~ *club*, *(stick)* palo de golf; *(place)* club *m* de golf; ~ *course*, campo de golf.

golfer ['gɒlfə'] *n* jugador,-a de golf.

gone [gɒn] *pp* → **go**.

gong [gɒŋ] *n* gong *m*, batintín *m*.

good [gʊd] *adj* bueno,-a; *(before m sing noun)* buen. **2** *(healthy)* sano,-a. − **3** *n* bien *m*. **4** *pl* bienes *mpl*. **5** *pl* COM género *m sing*, artículos *mpl*. − **6** *interj* ¡bien! ●*as* ~ *as*, prácticamente; *a* ~ *deal (of)*, bastante; *for* ~, para siempre; ~ *afternoon/evening*, buenas tardes; *Good Friday*, Viernes Santo; ~ *morning*, buenos días; ~ *night*, buenas noches; *to do* ~, hacer bien. ▲ *comp* **better**; *superl* **best**.

goodbye [gʊd'baɪ] *n* adiós *m.* − 2 *interj* ¡adiós! ●*to say* ~ *to*, despedirse de.

good-for-nothing ['gʊdfənʌθɪŋ] *adj-n* inútil *(mf)*.

good-humoured [gʊd'hju:məd] *adj* de buen humor.

good-looking [gʊd'lʊkɪŋ] *adj* guapo,-a.

good-natured [gʊd'neɪtʃɪd] *adj* bondadoso,-a.

goodness ['gʊdnəs] *n (virtue)* bondad. 2 *(in food)* lo nutritivo. ●*for* ~ *sake!*, ¡por Dios!; *my* ~*!*, ¡Dios mío!

goodwill [gʊd'wɪl] *n* buena voluntad.

goody ['gʊdɪ] *n fam* el bueno. 2 *pl* golosinas *fpl*.

goody-goody ['gʊdɪgʊdɪ] *adj-n fam* santurrón,-ona.

goose [gu:s] *n* ganso, oca. ■ ~ *pimples*, piel *f sing* de gallina. ▲ *pl* **geese**.

gooseflesh ['gu:sfleʃ] *n* piel *f* de gallina.

gore [gɔːʳ] *n* sangre *f* derramada. − 2 *t* cornear.

gorge [gɔːdʒ] *n* desfiladero. ●*to* ~ *o.s. on*, atiborrarse/hartarse de.

gorgeous ['gɔːdʒəs] *adj* magnífico,-a, espléndido,-a. 2 *(person)* guapo,-a.

gorilla [gə'rɪlə] *n* gorila *m.*

gory ['gɔːrɪ] *adj* sangriento,-a.

gosh [gɒʃ] *interj fam* ¡cielos!

go-slow [gəʊ'sləʊ] *n* huelga de celo.

gospel ['gɒspəl] *n* evangelio.

gossip ['gɒsɪp] *n (talk)* cotilleo, chismorreo. 2 *(person)* cotilla *mf.* − 3 *i* cotillear, chismorrear. ■ ~ *column*, crónica de sociedad.

gossipy ['gɒsɪpɪ] *adj fam (style)* informal.

got [gɒt] *pt & pp* → **get**.

gourmet ['gʊəmeɪ] *n* gastrónomo,-a.

gout [gaʊt] *n* MED gota.

govern ['gʌvən] *t* gobernar. 2 GRAM regir. 3 *(determine)* dictar.

governess ['gʌvənəs] *n* institutriz *f.*

government ['gʌvənmənt] *n* gobierno.

governmental [gʌvən'mentəl] *adj* gubernamental.

governor ['gʌvənəʳ] *n* gobernador,-ra. 2 *(prison)* director,-ra. 3 *(school)* administrador,-ra.

gown [gaʊn] *n* vestido largo. 2 *(judge's etc.)* toga.

grab [græb] *t* asir, coger. 2 *fam* entusiasmar: *how does that* ~ *you?*, ¿qué te parece eso?

grace [greɪs] *n* gracia. 2 *(blessing)* bendición. 3 *(courtesy)* delicadeza, cortesía. 4 *(delay)* plazo. − 5 *t (adorn)* adornar. 6 *(honour)* honrar.

graceful ['greɪsfʊl] *adj* elegante.

gracious ['greɪʃəs] *adj* gracioso. 2 *(polite)* cortés. 3 *(kind)* amable. 4 *(monarch)* gracioso,-a. − 5 *interj* ¡Dios mío!

grade [greɪd] *n* grado. 2 *(of quality)* clase *f*, calidad. 3 US *(gradient)* pendiente *f.* 4 US *(mark)* nota. 5 US *(form)* clase *f.* − 6 *t* clasificar. ●*to make the* ~, tener éxito.

gradient ['greɪdɪənt] *n* pendiente *f.*

gradual ['grædjʊəl] *adj* gradual. − 2 *gradually adv* poco a poco, gradualmente.

graduate ['grædjʊət] *n* graduado,-a, licenciado,-a. − 2 *t* graduar. ▲ *En 2 (verbo)* ['grædjʊeɪt].

graduation [grædjʊ'eɪʃən] *n* graduación.

graffiti [grə'fi:tɪ] *npl* grafiti *mpl.*

graft [grɑːft] *n* AGR MED injerto. 2 GB *fam* trabajo duro. 3 US corrupción. − 4 *t* AGR MED injertar. 5 GB *fam* currar. 6 US hacer trampas.

grain [greɪn] *n gen* grano. 2 *(cereals)* cereales *mpl.* 3 *(in wood)* fibra.

gram [græm] *n* gramo.

grammar ['græməʳ] *n* gramática. ■ GB ~ *school*, instituto de segunda enseñanza.

grammatical [grə'mætɪkəl] *adj* gramatical. 2 *(correct)* correcto,-a.

gramme [græm] *n* gramo.

granary ['grænərɪ] *n* granero.

grand [grænd] *adj (splendid)* grandioso,-a, espléndido,-a. 2 *(impressive)* impresionante. 3 *(person)* distinguido,-a. 4 *fam (great)* fenomenal. ■ ~ *piano*, piano de cola; ~ *total*, total *m.*

grandchild ['græntʃaɪld] *n* nieto,-a.

granddad ['grændæd] *n fam* abuelo.

granddaughter ['grændɔːtəʳ] *n* nieta.

grandeur ['grændʒəʳ] *n* grandeza.

grandfather ['grænfɑːðəʳ] *n* abuelo. ■ ~ *clock*, reloj *m* de caja.

grandiose ['grændɪəʊs] *adj* grandioso,-a.

grandma ['grænmɑː] *n fam* abuela.

grandmother ['grænmʌðəʳ] *n* abuela.

grandpa ['grænpɑː] *n fam* abuelo.

grandparents ['grænpeərənts] *npl* abuelos *mpl.*

grandson ['grænsʌn] *n* nieto.

grandstand ['grændstænd] *n* tribuna.

granite ['grænɪt] *n* granito.

granny ['grænɪ] *n fam* abuela.

grant [grɑ:nt] *n* EDUC beca. 2 *(subsidy)* subvención. – 3 *t* conceder. 4 *(admit)* reconocer. ●*to take sth. for granted,* dar algo por sentado.

granulated ['grænjʊleɪtɪd] *adj* granulado,-a.

grape [greɪp] *n* uva.

grapefruit ['greɪpfru:t] *n* pomelo.

grapevine ['greɪpvaɪn] *n* vid *f; (climbing)* parra. ●*to hear sth. on the ~,* enterarse de algo por ahí.

graph [grɑ:f] *n* gráfica. ■ ~ *paper,* papel cuadriculado.

graphic ['græfɪk] *adj* gráfico,-a.

graphite ['græfaɪt] *n* grafito.

grapple ['græpəl] *i* forcejear. ●*to ~ with,* luchar con; *(problem)* esforzarse por resolver.

grasp [grɑ:sp] *n* asimiento. 2 *(of hands)* apretón *m.* 3 *(understanding)* comprensión. – 4 *t* asir, agarrar. 5 *(understand)* comprender. ●*to have a good ~ of,* dominar.

grass [grɑ:s] *n* hierba. 2 *(lawn)* césped *m.* 3 *(pasture)* pasto. 4 *sl (drug)* hierba. – 5 *i* chivar *(on,* a). ■ POL ~ *roots,* base *f.*

grasshopper ['grɑ:shɒpə'] *n* saltamontes *m inv.*

grassland ['grɑ:slænd] *n* prado, tierra de pasto.

grassy ['grɑ:sɪ] *adj* cubierto,-a de hierba.

grate [greɪt] *n (in fireplace)* rejilla. 2 *(fireplace)* chimenea. – 3 *t* CULIN rallar. – 4 *t-i* (hacer) rechinar.

grateful ['greɪtfʊl] *adj* agradecido,-a. ●*to be ~ for,* agradecer.

gratification [grætɪfɪ'keɪʃən] *n (pleasure)* placer *m,* satisfacción. 2 *(reward)* gratificación.

gratify ['grætɪfaɪ] *t* complacer, satisfacer.

gratifying ['grætɪfaɪɪŋ] *adj* grato,-a, gratificante.

grating ['greɪtɪŋ] *n* rejilla, reja. – 2 *adj (noise)* chirriante. 3 *(voice)* irritante.

gratis ['grætɪs] *adv* gratis, de balde.

gratitude ['grætɪtju:d] *n* gratitud, agradecimiento.

gratuitous [grə'tju:ɪtəs] *adj* gratuito,-a.

gratuity [grə'tju:ɪtɪ] *n* gratificación. 2 *(tip)* propina.

grave [greɪv] *n* tumba. – 2 *adj (serious)* grave, serio,-a. 3 GRAM *(accent)* grave. ▲ *En 3* [grɑ:v].

gravedigger ['greɪvdɪgə'] *n* sepulturero,-a, enterrador,-ra.

gravel ['grævəl] *n* grava, gravilla.

gravestone ['greɪvstəʊn] *n* lápida.

graveyard ['greɪvjɑ:d] *n* cementerio.

gravitate ['græviteɪt] *i* gravitar. ◆*to ~ towards t* sentirse atraido,-a por.

gravity ['grævɪtɪ] *n* gravedad.

gravy ['greɪvɪ] *n* CULIN salsa, jugo.

gray [greɪ] *adj* US → **grey**.

graze [greɪz] *n* roce *m,* rasguño. – 2 *t (scrape)* rozar, rascar. – 3 *i* pacer, pastar.

grease [gri:s] *n* grasa. – 2 *t* engrasar.

greasy ['gri:sɪ] *adj* grasiento,-a; *(hair, food)* graso,-a. 2 *(slippery)* resbaladizo,-a.

great [greɪt] *adj* grande; *(before sing noun)* gran. 2 *fam (excellent)* estupendo,-a, fantástico,-a. – 3 *greatly adv* muy, mucho.

great-aunt [greɪt'ɑ:nt] *n* tía abuela.

great-grandchild [greɪt'grænt∫aɪld] *n* bisnieto,-a.

great-granddaughter [greɪt'grændɔ:tə'] *n* bisnieta.

great-grandfather [greɪt'grænfɑ:ðə'] *n* bisabuelo.

great-grandmother [greɪt'grænmʌðə'] *n* bisabuela.

great-grandson [greɪt'grænsʌn] *n* bisnieto.

great-great-grandfather [greɪtgreɪt-'grænfɑ:ðə'] *n* tatarabuelo.

great-great-grandmother [greɪtgreɪt-'grænmʌðə'] *n* tatarabuela.

greatness ['greɪtnəs] *n* grandeza.

greed [gri:d], **greediness** ['gri:dɪnəs] *n* codicia, avaricia. 2 *(food)* gula.

greedy ['gri:dɪ] *adj* codicioso,-a, avaro,-a. 2 *(food)* glotón,-ona.

green [gri:n] *adj* verde. 2 *(inexperienced)* novato,-a; *(gullible)* ingenuo,-a. 3 *(pale)* pálido,-a. – 4 *n (colour)* verde *m.* 5 *(in golf)* green *m.* 6 *pl* verduras *fpl.*

greenery ['gri:nərɪ] *n* follaje *m.*

greengrocer ['gri:ngrəʊsə'] *n* verdulero,-a.

greenhouse ['gri:nhaʊs] *n* invernadero.

greet [gri:t] *t* saludar. 2 *(welcome)* dar la bienvenida a. 3 *(receive)* recibir.

greeting ['gri:tɪŋ] *n* saludo. 2 *(welcome)* bienvenida. ■ *greetings card,* tarjeta de felicitación.

gregarious [gre'geərɪəs] *adj* gregario,-a.

gremlin ['gremlɪn] *n* duende *m.*

grenade [grɪ'neɪd] *n* granada.

grew [gru:] *pt* → **grow**.

grey [greɪ] *adj gen* gris. 2 *(hair)* cano,-a. 3 *(gloomy)* triste. – 4 *n* gris *m.*

greyhound ['greɪhaʊnd] *n* galgo.

grid [grɪd] *n* reja, parrilla. **2** ELEC red *f* nacional. **3** *(on map)* cuadrícula.

griddle ['grɪdəl] *n* CULIN plancha.

grief [griːf] *n* dolor *m*, pena. ●*to come to* ~, sufrir un percance; *(fail)* fracasar; *fam good* ~*!*, ¡Dios mío!

grievance [griːvəns] *n* agravio.

grieve [griːv] *t-i* afligir(se).

grievous ['griːvəs] *adj* doloroso,-a, penoso,-a. **2** *(serious)* muy grave.

grill [grɪl] *n* CULIN parrilla. **2** CULIN *(dish)* parrillada. – **3** CULIN *t* asar a la parrilla. **4** *fam* interrogar.

grille [grɪl] *n* rejilla.

grim [grɪm] *adj* terrible. **2** *(place)* lúgubre, deprimente. **3** *(person)* severo,-a, muy serio,-a; *(expression)* ceñudo,-a. **4** *fam* malísimo,-a.

grimace ['grɪməs] *n* mueca. – **2** *i* hacer una mueca.

grime [graɪm] *n* mugre *f*, suciedad.

grimy ['graɪmɪ] *adj* mugriento,-a, sucio,-a.

grin [grɪn] *n* sonrisa. – **2** sonreír.

grind [graɪnd] *t (coffee, corn, etc.)* moler; *(stone)* pulverizar. **2** *(sharpen)* afilar. **3** *(teeth)* hacer rechinar. – **4** *n fam* rutina. ▲ *pt & pp* **ground**.

grinder ['graɪndəʳ] *n (for coffee etc.)* molinillo.

grindstone ['graɪnstəʊn] *n* muela, piedra de afilar.

grip [grɪp] *n* asimiento; *(handshake)* apretón *m*; *(of tyre)* adherencia. **2** *(control)* dominio. – **3** *t* asir, agarrar; *(hand)* apretar. ●*to lose one's* ~, perder el control.

gripe [graɪp] *fam i* quejarse. – **2** *n* queja.

gripping ['grɪpɪŋ] *adj* apasionante.

grisly ['grɪzlɪ] *adj* espeluznante.

grit [grɪt] *n (fine)* arena; *(coarse)* gravilla. **2** *fam* valor *m*. ●*to* ~ *one's teeth,* apretar los dientes.

grizzly bear [grɪzlɪ'beəʳ] *n* oso pardo.

groan [grəʊn] *n* gemido, quejido. **2** *fam (of disapproval)* gruñido. – **3** *i* gemir. **4** *(creak)* crujir. **5** *fam (complain)* quejarse.

grocer ['grəʊsəʳ] *n* tendero,-a. ■ *grocer's (shop),* tienda de comestibles.

groceries ['grəʊsərɪz] *npl* comestibles *mpl*.

groggy ['grɒgɪ] *adj fam* grogui, atontado,-a. **2** *(weak)* débil.

groin [grɔɪn] *n* ingle *f*.

groom [gruːm] *n (bridegroom)* novio. **2** *(for horses)* mozo de cuadra. – **3** *t (take care of) (horse)* almohazar; *(person)* cuidar, arreglar, asear. **4** *(prepare)* preparar.

groove [gruːv] *n* ranura. **2** *(on record)* surco.

grope [grəʊp] *i* andar a tientas. – **2** *t sl* sobar. ●*to* ~ *for,* buscar a tientas.

gross [grəʊs] *adj (fat)* obeso,-a. **2** *(coarse)* grosero,-a, tosco,-a, basto,-a. **3** *(injustice)* flagrante. **4** *(error)* craso,-a. **5** COM ECON bruto,-a. – **6** *n* COM gruesa. – **7** *t* ganar en bruto. – **8** *grossly adv* enormemente.

grotesque [grəʊ'tesk] *adj* grotesco,-a.

grotty ['grɒtɪ] *adj* GB *sl* asqueroso,-a, malísimo,-a.

grouch [graʊtʃ] *fam n* gruñón,-ona. – **2** *i* refunfuñar, quejarse.

grouchy ['graʊtʃɪ] *adj* refunfuñón,-ona.

ground [graʊnd] *pt & pp* → **grind**. – **2** *adj* molido,-a. – **3** *n (floor)* tierra, suelo. **4** *(terrain)* terreno. **5** *(for football, battle, etc.)* campo. **6** *pl (reasons)* razón *f sing*, motivo *m sing*. **7** *pl (of coffee)* poso *m sing*. **8** *pl (gardens)* jardines *mpl*. – **9** *t* AV obligar a quedarse en tierra. **10** *(base)* fundamentar. – **11** *i* MAR encallar. ■ ~ *floor,* planta baja.

grounding ['graʊndɪŋ] *n* base *f*.

groundnut ['graʊndnʌt] *n* GB cacahuete *m*.

group [gruːp] *n* grupo, conjunto. – **2** *t-i* agrupar(se), juntar(se).

grouse [graʊs] *n (bird)* urogallo. – **2** *i fam (complain)* quejarse.

grove [grəʊv] *n* arboleda.

grovel ['grɒvəl] *i* arrastrarse.

grow [grəʊ] *i* crecer. **2** *(increase)* aumentarse. **3** *(become)* hacerse, volverse. – **4** *t (crops)* cultivar. **5** *(beard)* dejarse (crecer). ●*to* ~ *into t* convertirse en. ●*to* ~ *on t* llegar a gustar. ●*to* ~ *up i* hacerse mayor. ▲ *pt* **grew**; *pp* **grown**.

grower ['grəʊəʳ] *n* cultivador,-ra.

growl [graʊl] *n* gruñido. – **2** *i* gruñir.

grown [grəʊn] *pp* → **grow**.

grown-up ['grəʊnʌp] *adj-n* adulto,-a.

growth [grəʊθ] *n (process)* crecimiento; *(increase)* aumento. **2** *(tumour)* bulto, tumor *m*.

grub [grʌb] *n* larva, gusano. **2** *fam* manduca.

grubby ['grʌbɪ] *adj* sucio,-a.

grudge [grʌdʒ] *n* resentimiento, rencor *m*. – **2** *t* dar/hacer a regañadientes. **3** *(envy)* envidiar.

grudgingly ['grʌdʒɪŋlɪ] *adv* de mala gana.

gruelling ['gruːəlɪŋ] *adj* agotador,-ra.

gruesome ['gruːsəm] *adj* horrible, horripilante.

gruff [grʌf] *adj (manner)* rudo,-a, malhumorado,-a. **2** *(voice)* bronco,-a.

gruffness [ˈgrʌfnəs] *n (of manner)* malhumor *m*. 2 *(of voice)* bronquedad.
grumble [ˈgrʌmbəl] *n* queja. — 2 *i* refunfuñar.
grumbler [ˈgrʌmbləʳ] *n* refunfuñón,-ona.
grumpy [ˈgrʌmpi] *adj* gruñón,-ona. — 2 *grumpily adv* de mal humor.
grunt [grʌnt] *n* gruñido. — 2 *i* gruñir.
guarantee [gærənˈtiː] *n* garantía. — 2 *t* garantizar. 3 *(assure)* asegurar.
guarantor [gærənˈtɔːʳ] *n* garante *mf*.
guard [gɑːd] *n* MIL *(duty)* guardia *f*; *(sentry)* guardia *mf*; *(group of sentries)* guardia *f*. 2 *(on train)* jefe *m* de tren. 3 *(on machine)* dispositivo de seguridad. — 4 *t* guardar, proteger, defender. — 5 *i* guardarse. ●*off one's ~*, desprevenido,-a; *on ~*, de guardia; *on one's ~*, en guardia. ■ *~ dog*, perro guardián.
guarded [ˈgɑːdɪd] *adj* cauteloso,-a .
guardian [ˈgɑːdɪən] *n* guardián,-ana. 2 JUR tutor,-ra. ■ *~ angel*, ángel *m* de la guarda.
guer(r)illa [gəˈrɪlə] *n* guerrillero,-a. ■ *~ warfare*, guerra de guerrillas.
guess [ges] *n* conjetura, suposición. 2 *(estimate)* cálculo. — 3 *t-i* adivinar, imaginarse. 4 *fam (suppose)* suponer.
guesswork [ˈgeswɜːk] *n* conjetura.
guest [gest] *n* huésped,-a, invitado,-a. 2 *(in hotel)* cliente,-a, huésped,-a.
guesthouse [ˈgesthaʊs] *n* casa de huéspedes.
guidance [ˈgaɪdəns] *n* orientación.
guide [gaɪd] *n (person)* guía *mf*. 2 *(book, device)* guía *f*. — 3 *t* guiar, orientar.
guidebook [ˈgaɪdbʊk] *n* guía *f*.
guideline [ˈgaɪdlaɪn] *n* pauta, directriz *f*.
guild [gɪld] *n* gremio, cofradía.
guile [gaɪl] *n* astucia.
guileless [ˈgaɪlləs] *adj* ingenuo,-a.
guillotine [ˈgɪlətiːn] *n* guillotina. — 2 *t* guillotinar.
guilt [gɪlt] *n* culpa. 2 JUR culpabilidad.
guilty [ˈgɪlti] *adj* culpable.
guinea [ˈgɪni] *n* guinea. ■ *~ pig*, conejillo de Indias.
guise [gaɪz] *n* apariencia.
guitar [gɪˈtɑːʳ] *n* guitarra.
guitarist [gɪˈtɑːrɪst] *n* guitarrista *mf*.
gulf [gʌlf] *n* golfo. 2 *fig* abismo.
gull [gʌl] *n* gaviota.
gullible [ˈgʌlɪbəl] *adj* crédulo,-a.
gully [ˈgʌli] *n* torrentera.

gulp [gʌlp] *n* trago. — 2 *t* tragar. — 3 *i* tragar aire; *(with fear)* tragar saliva.
gum [gʌm] *n* ANAT encía. 2 *(substance)* goma; *(glue)* goma, pegamento. — 3 *t* engomar, pegar con goma.
gumption [ˈgʌmpʃən] *n* sentido común.
gun [gʌn] *n gen* arma de fuego. 2 *(handgun)* pistola, revólver *m*. 3 *(rifle)* rifle *m*, fusil *m*. 4 *(shotgun)* escopeta. 5 *(cannon)* cañón *m*. ◆*to ~ down t* matar a tiros. ■ *~ dog*, perro de caza.
gunfire [ˈgʌnfaɪəʳ] *n* fuego, disparos *mpl*. 2 *(shooting)* tiroteo.
gunman [ˈgʌnmən] *n* pistolero.
gunner [ˈgʌnəʳ] *n* artillero.
gunpowder [ˈgʌnpaʊdəʳ] *n* pólvora.
gunrunner [ˈgʌnrʌnəʳ] *n* traficante *mf* de armas.
gunrunning [ˈgʌnrʌnɪŋ] *n* tráfico de armas.
gunshot [ˈgʌnʃɒt] *n* disparo.
gurgle [ˈgɜːgəl] *n (water)* gorgoteo. 2 *(baby)* gorjeo. — 3 *i (water)* gorgotear. 4 *(baby)* gorjear.
guru [ˈgʊruː] *n* gurú *m*.
gush [gʌʃ] *n* chorro. — 2 *i* brotar/manar a borbotones. 3 *(person)* ser efusivo,-a.
gushing [ˈgʌʃɪŋ] *adj (water)* que sale a borbotones. 2 *(person)* efusivo,-a.
gust [gʌst] *n* ráfaga, racha.
gusto [ˈgʌstəʊ] *n* entusiasmo.
gusty [ˈgʌsti] *adj (wind)* racheado,-a.
gut [gʌt] *n* ANAT intestino, tripa. 2 *(catgut)* cuerda de tripa. 3 *pl (entrails)* entrañas *fpl*, vísceras *fpl*. 4 *pl sl* agallas *fpl*. — 5 *t (fish)* destripar. 6 *(building)* destruir el interior de.
gutter [ˈgʌtəʳ] *n (in street)* arroyo, canalón *m*. 2 *(on roof)* canal *m*. ■ *~ press*, prensa amarilla.
guy [gaɪ] *n fam* tipo, tío, individuo.
guzzle [ˈgʌzəl] *t* zamparse, engullirse.
gym [dʒɪm] *n fam (place)* gimnasio. 2 *(sport)* gimnasia. ■ *~ shoes*, zapatillas *fpl* de deporte.
gymkhana [dʒɪmˈkɑːnə] *n* gymkhana.
gymnasium [dʒɪmˈneɪzɪəm] *n* gimnasio.
gymnast [ˈdʒɪmnæst] *n* gimnasta *mf*.
gymnastics [dʒɪmˈnæstɪks] *n* gimnasia.
gynaecological [gaɪnɪkəˈlɒdʒɪkəl] *adj* ginecológico,-a.
gynaecologist [gaɪnɪˈkɒlədʒɪst] *n* ginecólogo,-a.
gynaecology [gaɪnɪˈkɒlədʒɪ] *n* ginecología.
gypsum [ˈdʒɪpsəm] *n* yeso.
gypsy [ˈdʒɪpsi] *adj-n* gitano,-a.
gyrate [dʒaɪˈreɪt] *i* girar, dar vueltas.

H

habit ['hæbɪt] *n* hábito, costumbre *f*. 2 *(garment)* hábito.

habitable ['hæbɪtəbəl] *adj* habitable.

habitat ['hæbɪtæt] *n* hábitat *m*.

habitual [hə'bɪtjʊəl] *adj (usual)* habitual, acostumbrado,-a. 2 *(liar etc.)* empedernido,-a, inveterado,-a.

hack [hæk] *n* machaca *mf*. — 2 *t* tajar, cortar.

hackneyed ['hæknɪd] *adj* gastado,-a.

hacksaw ['hæksɔ:] *n* sierra para metales.

had [hæd] *pt & pp* → **have**.

haddock ['hædək] *n* eglefino.

haemorrhage ['hemərɪdʒ] *n* hemorragia.

haemorrhoids ['hemərɔɪdz] *npl* hemorroides *fpl*.

hag [hæg] *n* bruja.

haggard ['hægəd] *adj* ojeroso,-a.

haggle ['hægəl] *i* regatear.

hail [heɪl] *n* METEOR granizo, pedrisco. — 2 *i* METEOR granizar. 3 *(call)* llamar. — 4 *(acclaim)* aclamar. •*to* ~ *from,* ser de.

hailstone ['heɪlstəʊn] *n* granizo.

hailstorm ['heɪlstɔ:m] *n* granizada.

hair [heəʳ] *n (on head)* cabello, pelo. 2 *(on body)* vello.

hairbrush ['heəbrʌʃ] *n* cepillo para el pelo.

haircut ['heəkʌt] *n* corte *m* de pelo.

hairdo ['heədu:] *n fam* peinado.

hairdresser ['heədresəʳ] *n* peluquero,-a. ■ *hairdresser's (shop),* peluquería.

hairdryer ['heədraɪəʳ] *n* secador *m* (de pelo).

hairpiece ['heəpi:s] *n* peluquín *m*.

hairpin ['heəpɪn] *n* horquilla.

hair-raising ['heəreɪzɪŋ] *adj* espeluznante.

hairspray ['heəspreɪ] *n* laca para el pelo.

hairstyle ['heəstaɪl] *n* peinado.

hairy ['heərɪ] *adj* peludo,-a. 2 *fig* espeluznante.

hake [heɪk] *n* merluza.

half [hɑ:f] *n* mitad *f*: *a kilo and a* ~, un kilo y medio. — 2 *adv* medio,-a: ~ *a dozen,* media docena. — 3 *adv* medio, a medias: ~ *dead,* medio muerto,-a. •*to go halves on,* pagar a medias. ■ *better* ~, media naranja. ▲ *pl* **halves**.

half-brother ['hɑ:fbrʌðəʳ] *n* hermanastro.

half-caste ['hɑ:fkɑ:st] *adj-n* mestizo,-a.

half-hearted [hɑ:f'hɑ:tɪd] *adj* poco entusiasta.

halfpenny ['heɪpnɪ] *n* medio penique.

half-sister ['hɑ:fsɪstəʳ] *n* hermanastra.

half-time [hɑ:f'taɪm] *n* SP descanso *m*.

half-way ['hɑ:fweɪ] *adj* intermedio,-a. — 2 *adv* a medio camino.

half-wit ['hɑ:fwɪt] *n* imbécil *mf*.

hall [hɔ:l] *n (entrance)* vestíbulo. 2 *(for concerts)* sala. 3 *(mansion)* casa solariega. ■ ~ *of residence,* colegio mayor.

hallmark ['hɔ:lmɑ:k] *n (on gold etc.)* contraste *m*. 2 *fig* sello.

hallo! [hə'ləʊ] *interj* → **hello**.

Halloween [hæləʊ'i:n] *n* víspera de Todos los Santos.

hallucination [həlu:sɪ'neɪʃən] *n* alucinación.

halo ['heɪləʊ] *n* halo.

halt [hɔ:lt] *n* alto, parada. — 2 *t-i* parar(se), detener(se).

halter ['hɔ:ltəʳ] *n* cabestro.

halting ['hɔ:ltɪŋ] *adj* vacilante.

halve [hɑ:v] *t* partir en dos. 2 *(reduce)* reducir a la mitad.

ham [hæm] *n* jamón *m*. •*to* ~ *it up,* exagerar.

hamburger ['hæmbɜ:gəʳ] *n* hamburguesa.

hammer ['hæməʳ] *n* martillo. – 2 *t-i* martillar. – 3 *t fam* dar una paliza a.

hammock ['hæmək] *n* hamaca.

hamper ['hæmpəʳ] *n* cesta. – 2 *t* estorbar.

hamster ['hæmstəʳ] *n* hámster *m*.

hand [hænd] *n* mano *f*. 2 *(worker)* trabajador,-ra, operario,-a; MAR tripulante *mf*. 3 *(of clock)* manecilla. 4 *(handwriting)* letra. 5 *(of cards)* mano. 6 *(applause)* aplauso. – 7 *t* dar, entregar. ◆*to* ~ *back t* devolver. ◆*to* ~ *in t* entregar, presentar. ◆*to* ~ *out t* repartir. ◆*to* ~ *over t* entregar. ◆*to* ~ *round t* ofrecer. ●*at first* ~, de primera mano; *at* ~, a mano; *by* ~, a mano; *hands up!*, ¡manos arriba!; *on* ~, disponible; *on the one/other* ~, por una/otra parte; *to have the upper* ~, llevar ventaja; *to hold hands*, estar cogidos,-as de la mano; *to lend a* ~, echar una mano.

handbag ['hændbæg] *n* bolso.

handball ['hændbɔ:l] *n* balonmano.

handbrake ['hændbreɪk] *n* freno de mano.

handcuff ['hændkʌf] *t* esposar. – 2 *npl* esposas *fpl*.

handful ['hændfʊl] *n* puñado.

handicap ['hændɪkæp] *n* MED incapacitación, invalidez *f*. 2 SP hándicap *m*. – 3 *t* obstaculizar.

handicapped ['hændɪkæpt] *adj (physically)* minusválido,-a; *(mentally)* retrasado,-a. 2 *fig* desfavorecido,-a.

handicraft ['hændɪkrɑ:ft] *n* artesanía.

handkerchief ['hæŋkətʃi:f] *n* pañuelo.

handle ['hændəl] *n (of door)* manilla. 2 *(of drawer)* tirador *m*. 3 *(of cup)* asa. 4 *(of knife)* mango. – 5 *t* manejar. 6 *(people)* tratar. 7 *(tolerate)* aguantar. – 8 *i (car)* comportarse.

handlebar ['hændəlbɑ:ʳ] *n* manillar *m*.

handmade [hænd'meɪd] *adj* hecho,-a a mano.

handout ['hændaʊt] *n (leaflet)* folleto. 2 EDUC material *m*. 3 *(press)* nota de prensa. 4 *(charity)* limosna.

handshake ['hændʃeɪk] *n* apretón *m* de manos.

handsome ['hænsəm] *adj (man)* guapo,-a, de buen ver. 2 *(generous)* generoso,-a.

handwriting ['hændraɪtɪŋ] *n* letra.

handwritten [hænd'rɪtən] *adj* escrito,-a a mano.

handy ['hændɪ] *adj (person)* hábil. 2 *(useful)* práctico,-a, útil. 3 *(near)* a mano.

hang [hæŋ] *t gen* colgar. 2 *(wallpaper)* colocar. 3 JUR ahorcar. – 4 *i* colgar, pen-

der; *(float)* flotar. 5 JUR ser ahorcado,-a. 6 *(dress etc.)* caer. – 7 *n (of dress etc.)* caída. ◆*to* ~ *about/around i* esperar. 2 *(waste time)* perder el tiempo. ◆*to* ~ *back i* quedarse atrás. ◆*to* ~ *out i* tender. – 2 *i fam* frecuentar. ◆*to* ~ *up t-i* colgar. ●*to get the* ~ *of*, cogerle el truquillo a. ▲ *pt & pp* **hung**, *excepto en* 3 *y* 5 *que son regulares*.

hangar ['hæŋəʳ] *n* hangar *m*.

hanger ['hæŋəʳ] *n* percha.

hang-glider ['hæŋglaɪdəʳ] *n* ala delta.

hang-gliding ['hæŋglaɪdɪŋ] *n* vuelo libre.

hanging ['hæŋɪŋ] *adj* colgante. – 2 *n* ejecución en la horca. 3 *(on wall)* colgadura.

hangman ['hæŋmæn] *n* verdugo. 2 *(game)* el ahorcado.

hangout ['hæŋaʊt] *n fam* guarida.

hangover ['hæŋəʊvəʳ] *n* resaca.

hang-up ['hæŋʌp] *n fam* problema *m*. 2 *(complex)* complejo.

hanker ['hæŋkəʳ] *i to* ~ *after, for,* ansiar, anhelar.

hanky-panky [hæŋkɪ'pæŋkɪ] *n fam* tejemaneje *m*.

haphazard [hæp'hæzəd] *adj* desordenado,-a. 2 *(plans etc.)* improvisado,-a.

happen ['hæpən] *i* ocurrir, pasar, suceder: *if you* ~ *to ...,* si por casualidad ... .

happening ['hæpənɪŋ] *n* acontecimiento.

happily ['hæpɪlɪ] *adv* felizmente. 2 *(luckily)* afortunadamente.

happiness ['hæpɪnəs] *n* felicidad.

happy ['hæpɪ] *adj (cheerful)* feliz, alegre. 2 *(glad)* contento,-a.

harass ['hærəs] *t* acosar, hostigar.

harassment ['hærəsmənt] *n* acoso.

harbour ['hɑ:bəʳ] *n* puerto. – 2 *t (criminal)* encubrir. 3 *(doubts)* abrigar.

hard [hɑ:d] *adj gen* duro,-a. 2 *(difficult)* difícil. 3 *(harsh)* severo,-a. – 4 *adv* fuerte. ●~ *of hearing*, duro,-a de oído; *to work* ~, trabajar mucho; *fam to be* ~ *up*, estar sin blanca. ■ ~ *labour*, trabajos *mpl* forzados; ~ *shoulder*, arcén *m*.

harden ['hɑ:dən] *t-i* endurecer(se).

hard-headed ['hɑ:dhedɪd] *adj* frío,-a, cerebral.

hard-hearted ['hɑ:dhɑ:tɪd] *adj* cruel, duro,-a.

hardly ['hɑ:dlɪ] *adv* apenas.

hardness ['hɑ:dnəs] *n* dureza. 2 *(difficulty)* dificultad.

hardship ['hɑ:dʃɪp] *n* privación.

hardware ['hɑːdweə'] *n* ferretería. – 2 COMPUT hardware *m*.

hardworking ['hɑːdwɜːkɪŋ] *adj* trabajador,-ra.

hardy ['hɑːdɪ] *adj* fuerte, robusto. 2 *(plant)* resistente.

hare [heə'] *n* liebre *f*.

harebrained ['heəbreɪnd] *adj* irreflexivo,-a.

harem [hɑː'riːm] *n* harén *m*.

haricot bean [hærɪkəʊ'biːn] *n* alubia.

harlequin ['hɑːlɪkwɪn] *n* arlequín *m*.

harlot ['hɑːlət] *n* ramera.

harm [hɑːm] *n* mal, daño, perjuicio. – 2 *t* dañar, perjudicar.

harmful ['hɑːmfʊl] *adj* dañino,-a, nocivo,-a, perjudicial.

harmless ['hɑːmləs] *adj* inofensivo,-a.

harmonic [hɑː'mɒnɪk] *adj-n* armónico,-a *(m)*.

harmonica [hɑː'mɒnɪkæ] *n* armónica.

harmonious [hɑː'məʊnɪəs] *adj* armonioso,-a.

harmonize ['hɑːmənaɪz] *t-i* armonizar.

harmony ['hɑːmənɪ] *n* armonía.

harness ['hɑːnəs] *n* arreos *mpl*. – 2 *t (horse)* poner los arreos a. 3 *(resources)* aprovechar.

harp [hɑːp] *n* arpa. ◆*to ~ on about* *t* insistir en.

harpoon [hɑː'puːn] *n* arpón *m*. – 2 *t* arponear.

harpsichord ['hɑːpsɪkɔːd] *n* clavicordio.

harrowing ['hærəʊɪŋ] *adj* angustioso,-a.

harry ['hærɪ] *t* acosar.

harsh [hɑːʃ] *adj (cruel)* cruel, severo,-a. 2 *(dazzling)* deslumbrante. 3 *(rough)* áspero,-a.

harvest ['hɑːvɪst] *n* cosecha. 2 *(grapes)* vendimia. – 3 *t* cosechar. 4 *(grapes)* vendimiar.

harvester ['hɑːvɪstə'] *n* segador,-ra. 2 *(machine)* segadora.

has [hæz] *3rd pers sing pres* → **have**.

hash [hæʃ] *n* CULIN picadillo. 2 *fam* hachís *m*. ◆*to make a ~ of sth.*, estropear algo.

hashish ['hæʃiːʃ] *n* hachís *m*.

hassle ['hæsəl] *fam* rollo, problema *m*, lío. 2 *(argument)* discusión. – 3 *t* molestar, fastidiar.

haste [heɪst] *n* prisa, precipitación.

hasten ['heɪsən] *t-i* apresurar(se).

hasty ['heɪstɪ] *adj* apresurado,-a. 2 *(rash)* precipitado,-a.

hat [hæt] *n* sombrero.

hatch [hætʃ] *n* escotilla. – 2 *t* empollar, incubar. 3 *fig* idear, tramar. – 4 *i* salir del cascarón.

hatchet ['hætʃɪt] *n* hacha.

hate [heɪt] *n* odio. – 2 *t* odiar, detestar. 3 *(regret)* lamentar.

hateful ['heɪtfʊl] *adj* odioso,-a.

hatred ['heɪtrɪd] *n* odio.

haughty ['hɔːtɪ] *adj* arrogante.

haul [hɔːl] *n (pull)* tirón *m*. 2 *(fish)* redada. 3 *(loot)* botín *m*. – 4 *t* tirar de, arrastrar. ●*a long ~*, un largo camino.

haulage ['hɔːlɪdʒ] *n* transporte *m*.

haulier ['hɔːljə'] *n* transportista *mf*.

haunch [hɔːntʃ] *n* cadera y muslo. 2 CULIN pierna.

haunt [hɔːnt] *n* sitio preferido. – 2 *t* frecuentar. 3 *(thought)* obsesionar. 4 *(ghost) (place)* rondar por; *(person)* atormentar.

haunted ['hɔːntɪd] *adj* encantado,-a.

have [hæv] *t (possess)* tener, poseer. 2 *(food)* comer; *(drink)* beber: *to ~ break-fast/lunch/tea/dinner*, desayunar/comer/merendar/cenar. 3 *(cigarette)* fumar. 4 *(shower, bath)* tomar: *to ~ a bath/shower*, bañarse/ducharse. 5 *(illness)* tener. 6 *(party)* hacer. 7 *(meeting)* hacer, celebrar. 8 *(baby)* tener, dar a luz. 9 *(cause to happen)* hacer, mandar: *he had the house painted*, hizo pintar la casa. 10 *(allow)* permitir, consentir. 11 *fam (cheat)* timar. – 12 *aux* haber: *I ~ seen*, he visto; *I had seen*, había visto. ◆*to ~ on* *t* llevar puesto,-a. ◆*to ~ out* *t (tooth)* sacarse; *(appendix)* operarse de. ●*had better*, más vale que: *you'd better come alone*, más vale que vengas solo,-a; GB *~ got*, tener; *to ~ done with*, acabar con; *to ~ had it, (broken)* estar hecho,-a polvo; *(in trouble)* cargarlo; *to ~ just*, acabar de; *to ~ sb. on*, tomarle el pelo a algn.; *to ~ sth. on*, tener algo planeado, tener algo que hacer; *to ~ it in for sb.*, tenerla tomada con algn.; *to ~ it out with sb.*, ajustar las cuentas con algn.; *to ~ to*, tener que, haber de; *to ~ to do with*, tener que ver con; *to ~ it away/off*, echar un polvo*. ▲*3rd pers sing* *has*; *pt & pp* *had*. GB *en 1 y 5 también ~ got*.

haven ['heɪvən] *n fig* refugio.

haversack ['hævəsæk] *n* mochila.

havoc ['hævək] *n* estragos *mpl*.

hawk [hɔːk] *n* halcón *m*.

hay [heɪ] *n* heno.

hay-fever ['heɪfiːvə'] *n* fiebre *f* del heno.

haywire ['heɪwaɪə'] *adj to go ~*, descontrolarse.

hazard ['hæzəd] *n* riesgo. – 2 *t* arriesgar, poner en peligro.

hazardous ['hæzədəs] *adj* arriesgado,-a, peligroso,-a.

haze [heɪz] *n* neblina.

hazel ['heɪzəl] *n* avellano. – 2 *adj* (de color de) avellana.

hazelnut ['heɪzəlnʌt] *n* avellana.

hazy ['heɪzɪ] *adj* brumoso,-a. 2 *fig* vago,-a.

he [hi:] *pers pron* él: ~ *came yesterday*, (él) vino ayer. – 2 *adj* macho.

head [hed] *n gen* cabeza. 2 *(on tape recorder)* cabezal *m*. 3 *(of bed, table)* cabecera. 4 *(of page)* principio. 5 *(on beer)* espuma. 6 *(cape)* cabo. 7 *(of school, company)* director,-ra. 8 *(cattle)* res *f*. – 9 *t* encabezar. 10 *(ball)* rematar de cabeza. ◆*to ~ for t* dirigirse hacia. ◆*heads or tails?*, ¿cara o cruz?

headache ['hedeɪk] *n* dolor *m* de cabeza.

heading ['hedɪŋ] *n* encabezamiento. 2 *(letterhead)* membrete *m*.

header ['hedəʳ] *n* cabezazo.

headlamp ['hedlæmp] *n* faro.

headland ['hedlənd] *n* cabo.

headlight ['hedlaɪt] *n* faro.

headline ['hedlaɪn] *n* titular *m*.

headlong ['hedlɒŋ] *adj* de cabeza.

headmaster ['hedmɑːstəʳ] *n* director *m*.

headmistress [hed'mɪstrəs] *n* directora.

headphones ['hedfəʊnz] *npl* auriculares *mpl*.

headquarters ['hedkwɔːtəz] *npl* sede *f sing*. 2 MIL cuartel *m sing* general.

headstrong ['hedstrɒŋ] *adj* obstinado,-a, testarudo,-a.

headway ['hedweɪ] *n* **to make** ~, avanzar.

headword ['hedwɜːd] *n* entrada.

heal [hi:l] *t-i* curar(se).

health [helθ] *n* salud *f*. 2 *(service)* sanidad. ■ ~ *centre*, ambulatorio.

healthy ['helθɪ] *adj* sano,-a. 2 *(good for health)* saludable.

heap [hi:p] *n* montón *m*. – 2 *t* amontonar.

hear [hɪəʳ] *t-i* oír. ◆*to ~ from*, tener noticias de; *to ~ of*, oír hablar de. ▲ *pt & pp* **heard** [hɜːd].

hearer ['hɪərəʳ] *n* oyente *mf*.

hearing ['hɪərɪŋ] *n* oído. 2 JUR audiencia.

hearsay ['hɪəseɪ] *n* rumores *mpl*.

hearse [hɜːs] *n* coche *m* fúnebre.

heart [hɑːt] *n* corazón *m*. 2 *(courage)* valor *m*. 3 *(of lettuce etc.)* cogollo. 3 *pl (cards)* copas *fpl*. ◆*by* ~, de memoria. ■ ~ *attack*, infarto de miocardio.

heartbeat ['hɑːtbiːt] *n* latido (del corazón).

heartbreaking ['hɑːtbreɪkɪŋ] *n* desgarrador,-ora.

heartbroken ['hɑːtbrəʊkən] *adj* que tiene el corazón destrozado,-a.

hearten ['hɑːtən] *t* animar.

hearth [hɑːθ] *n* hogar *m*, chimenea.

heartless ['hɑːtləs] *adj* cruel.

heartthrob ['hɑːtθrɒb] *n* ídolo.

hearty ['hɑːtɪ] *adj (person)* campechano,-a. 2 *(welcome)* cordial. 3 *(meal)* abundante.

heat [hi:t] *n* calor *m*. 2 *(heating)* calefacción. 3 SP eliminatoria. – 4 *t-i* calentar(se). ◆*on* ~, en celo.

heated ['hi:tɪd] *adj fig (argument)* acalorado,-a.

heater ['hi:təʳ] *n* calentador *m*.

heath [hi:θ] *n (land)* brezal *m*. 2 *(plant)* brezo.

heathen ['hi:ðən] *adj-n* pagano,-a.

heather ['heðəʳ] *n* brezo.

heating ['hi:tɪŋ] *n* calefacción.

heatwave ['hi:tweɪv] *n* ola de calor.

heave [hi:v] *n (pull)* tirón *m*. – 2 *t (pull)* tirar. 3 *fam (throw)* lanzar. – 4 *i* subir y bajar; *(chest)* jadear.

heaven ['hevən] *n* cielo. 2 *fam* gloria.

heavenly ['hevənlɪ] *adj* celestial. 2 *fig* divino,-a. 3 ASTRON celeste.

heavy ['hevɪ] *adj gen* pesado,-a. 2 *(rain, blow)* fuerte. 3 *(traffic)* denso,-a. 4 *(sleep)* profundo,-a. 5 *(crop)* abundante.

heavyweight ['hevɪweɪt] *n* peso pesado.

heckle ['hekəl] *t* interrumpir.

hectare ['hektɑːʳ] *n* hectárea.

hectic ['hektɪk] *adj* agitado,-a, ajetreado,-a.

hedge [hedʒ] *n* seto vivo. 2 *fig* protección. – 3 *i* contestar con evasivas.

hedgehog ['hedʒhɒg] *n* erizo.

heed [hi:d] *n* atención. – 2 *t* prestar atención a.

heel [hi:l] *n* talón *m*. 2 *(on shoe)* tacón *m*.

hefty ['heftɪ] *n* fuerte.

heifer ['hefəʳ] *n* vaquilla.

height [haɪt] *n* altura. 2 *(altitude)* altitud. 3 *(of person)* estatura.

heighten ['haɪtən] *t fig* intensificar.

heinous ['heɪnəs] *adj* atroz.

heir [eəʳ] *n* heredero.

heiress ['eərəs] *n* heredera.

heirloom ['eəluːm] *n* reliquia de familia.

held [held] *pt & pp* → **hold**.

helicopter ['helıkɒptə'] *n* helicóptero.

helium ['hi:lıəm] *n* helio.

hell [hel] *n* infierno. ●*fam a ~ of a, (good)* estupendo,-a, fantástico,-a; *(bad)* fatal, horrible.

hellish ['helıʃ] *adj fam* infernal.

hello! [he'ləʊ] *interj* ¡hola! 2 *(on 'phone)* ¡diga!

helm [helm] *n* timón *m*.

helmet ['helmət] *n* casco.

help [help] *n* ayuda. – 2 *interj* ¡socorro! – 3 *t* ayudar. 4 *(avoid)* evitar. ●~ *yourself,* sírvete tú mismo,-a; *I can't ~ it,* no es culpa mía; *it can't be helped,* no hay nada que hacer.

helpful ['helpfʊl] *adj (thing)* útil. 2 *(person)* amable.

helping ['helpıŋ] *n* ración.

helpless ['helpləs] *adj* indefenso,-a. 2 *(powerless)* impotente.

helter-skelter [heltə'skeltə'] *adv* atropelladamente. – 2 *n (at fair)* tobogán *m*.

hem [hem] *n* dobladillo. – 2 *t* hacer un dobladillo en. ●*to ~ in t* cercar, rodear.

he-man ['hi:mæn] *n* machote *m*.

hemisphere ['hemısfıə'] *n* hemisferio.

hemp [hemp] *n* cáñamo.

hen [hen] *f* gallina.

hence [hens] *adv (so)* por eso. 2 *(from now)* de aquí a.

henceforth [hens'fɔ:θ] *adv* de ahora en adelante.

henchman ['hentʃmən] *n* secuaz *m*.

hepatitis [hepə'taıtıs] *n* hepatitis *f inv*.

her [hɜ:'] *pron (direct object)* la: *I love ~,* la quiero. 2 *(indirect object)* le; *(with other pronouns)* se: *give ~ the money,* dale el dinero; *give it to ~,* dáselo. 3 *(after preposition)* ella: *go with ~,* vete con ella. – 4 *poss adj* su, sus; *(emphatic)* de ella.

herald ['herəld] *n* heraldo. – 2 *t* anunciar.

heraldry ['herəldrı] *n* heráldica.

herb [hɜ:b] *n* hierba.

herbal ['hɜ:bəl] *adj* herbario,-a.

herbalist ['hɜ:bəlıst] *n* herbolario,-a.

herbivorous ['hɜ:bıvərəs] *adj* herbívoro,-a.

herd [hɜ:d] *n (cattle)* manada; *(goats)* rebaño; *(pigs)* piara. – 2 *t-i* juntar(se) en manada/rebaño.

here [hıə'] *adv* aquí.

hereafter [hıər'ɑ:ftə'] *adv* de ahora en adelante.

hereby [hıə'baı] *adv* por el/la presente.

hereditary [hı'redıtərı] *adj* hereditario,-a.

heredity [hı'redıtı] *n* herencia.

heresy ['herəsı] *n* herejía.

heretic ['herətık] *n* hereje *mf*.

heritage ['herıtıdʒ] *n* herencia, patrimonio.

hermaphrodite [hɜ:'mæfrədaıt] *adj-n* hermafrodita *(mf)*.

hermetic [hɜ:'metık] *adj* hermético,-a.

hermit ['hɜ:mıt] *n* ermitaño.

hernia ['hɜ:nıə] *n* hernia.

hero ['hıərəʊ] *n* héroe.

heroic [hı'rəʊkık] *adj* heroico,-a.

heroin ['herəʊın] *n (drug)* heroína.

heroine ['herəʊın] *n* heroína.

heroism ['herəʊızəm] *n* heroísmo.

herring ['herıŋ] *n* arenque *m*.

hers [hɜ:z] *poss pron* (el) suyo, (la) suya; (los) suyos, (las) suyas.

herself [hɜ:'self] *pers pron* se. 2 *(emphatic)* ella/sí misma.

hesitate ['hezıteıt] *i* vacilar, dudar.

hesitant ['hezıtənt] *adj* indeciso,-a.

hesitation [hezı'teıʃən] *n* duda.

heterogeneous [hetərəʊ'dʒi:nıəs] *adj* heterogéneo,-a.

heterosexual [hetərəʊ'seksju:əl] *adj-n* heterosexual *(mf)*.

hexagon ['heksəgən] *n* hexágono.

hey! [heı] *interj* ¡oye!, ¡oiga!

heyday ['heıdeı] *n* auge *m*, apogeo.

hi! [haı] *interj* ¡hola!

hibernate ['haıbəneıt] *i* hibernar.

hibernation [haıbə'neıʃən] *n* hibernación.

hiccough, hiccup ['hıkʌp] *n* hipo. – 2 *i* tener hipo.

hid [hıd] *pt & pp* → hide.

hidden ['hıdən] *pp* → hide. – 2 *adj* escondido,-a, oculto,-a.

hide [haıd] *n* piel *f*, cuero. – 2 *t-i* esconder(se). ▲ *pt hid; pp hid o hidden*.

hide-and-seek [haıdən'si:k] *n* escondite *m*.

hideous ['hıdıəs] *adj* horroroso,-a. 2 *(ugly)* horrendo,-a.

hiding ['haıdıŋ] *n* paliza. ●*to go into ~ ,* esconderse.

hierarchy ['haıərɑ:kı] *n* jerarquía.

hieroglyph ['haıərəglıf] *n* jeroglífico.

high [haı] *adj* alto,-a. 2 *(food)* pasado,-a. 3 *(game)* manido,-a. 4 *sl (on drugs)* flipado,-a. – 5 *n* punto máximo. – 6 *highly adv* muy; *(favourably)* muy bien. ●~ *and low,* por todas partes. ■ ~ *chair,* trona; ~ *fidelity,* alta fidelidad.

highbrow ['haıbraʊ] *adj* intelectual.

higher ['haıə'] *adj* superior.

high-heeled ['haıhi:ld] *adj* de tacón alto.

highlands ['haıləndz] *npl* tierras *fpl* altas.

highlight ['haɪlaɪt] *t* hacer resaltar.
Highness ['haɪnəs] *n* Alteza *mf.*
high-pitched ['haɪpɪtʃt] *adj* agudo,-a.
high-speed ['haɪspiːd] *adj* de gran velocidad.
highway ['haɪweɪ] *n* US autovía. ■ GB *Highway Code*, código de la circulación.
highwayman ['haɪweɪmən] *n* salteador *m* de caminos.
hijack ['haɪdʒæk] *n* secuestro. – 2 *t* secuestrar.
hijacker ['haɪdʒækə^r] *n* secuestrador,-ra.
hike [haɪk] *n (walk)* excursión. – 2 *i* ir de excursión.
hiker ['haɪkə^r] *n* excursionista *mf.*
hilarious [hɪ'leərɪəs] *adj* graciosísimo,-a.
hill [hɪl] *n* colina. 2 *(slope)* cuesta.
hillside ['hɪlsaɪd] *n* ladera.
hilly ['hɪlɪ] *adj* montañoso,-a.
hilt [hɪlt] *n* empuñadura. ●*up to the ~*, al máximo.
him [hɪm] *pers pron (direct object)* lo: *I love ~,* lo quiero. 2 *(indirect object)* le; *(with other pronouns)* se: *give ~ the money,* dale el dinero; *give it to ~,* dáselo. 3 *(after preposition)* él: *we went with ~,* fuimos con él.
himself [hɪm'self] *pers pron* se. 2 *(emphatic)* él/sí mismo.
hind [haɪnd] *adj* trasero,-a.
hinder ['hɪndə^r] *t-i* entorpecer, estorbar.
hindrance ['hɪndrəns] *n* estorbo, obstáculo.
hindsight ['haɪndsaɪt] *n* retrospectiva.
hinge [hɪndʒ] *n* gozne *m*, bisagra. ●*to ~ on,* depender de.
hint [hɪnt] *n* insinuación, indirecta. 2 *(advice)* consejo. 3 *(clue)* pista. – 4 *t* insinuar. – 5 *i* lanzar indirectas.
hinterland ['hɪntəlænd] *n* interior *m.*
hip [hɪp] *n* cadera. ●*~ ~ hooray!,* ¡hurra!
hippopotamus [hɪpə'pɒtəməs] *n* hipopótamo.
hippie, hippy ['hɪpɪ] *adj-n fam* hippie *(mf).*
hire ['haɪə^r] *n* alquiler *m.* – 2 *t* alquilar. ■ *on ~ purchase,* a plazos.
his [hɪz] *poss adj* su, sus: *~ dog,* su perro. 2 *(emphatic)* de él. – 3 *poss pron* (el) suyo, (la) suya; (los) suyos, (las) suyas.
hiss [hɪs] *n* siseo, silbido. 2 *(protest)* silbido. – 3 *i* sisear, silbar. 4 *(in protest)* silbar.
historian [hɪs'tɔːrɪən] *n* historiador,-ra.
historic(al) [hɪs'tɒrɪk(əl)] *adj* histórico,-a.
history ['hɪstərɪ] *n* historia.

hit [hɪt] *n* golpe *m.* 2 *(success)* éxito. – 3 *t* golpear, pegar: *he ~ his head on the door,* dio con la cabeza contra la puerta. 4 *(crash into)* chocar contra. 5 *(affect)* afectar. 6 *(reach)* alcanzar. ●*to ~ it off with,* llevarse bien con; *to score a direct ~,* dar en el blanco. ▲ *pt & pp hit.*
hit-and-miss ['hɪtənmɪs] *adj* a la buena de Dios.
hitch [hɪtʃ] *n* tropiezo, dificultad. – 2 *t* enganchar, atar. – 3 *i fam* hacer autoestop.
hitch-hike ['hɪtʃhaɪk] *i* hacer autoestop.
hitch-hiker ['hɪtʃhaɪkə^r] *n* autoestopista *mf.*
hitherto [hɪðə'tuː] *adv* hasta ahora.
hive [haɪv] *n* colmena.
hoard [hɔːd] *n* provisión. 2 *(money)* tesoro. – 3 *t* acumular. 4 *(money)* atesorar.
hoarding ['hɔːdɪŋ] *n* valla.
hoarse [hɔːs] *adj* ronco,-a, áspero,-a.
hoax [həʊks] *n* trampa, engaño. – 2 *t* engañar.
hobble ['hɒbəl] *i* cojear.
hobby ['hɒbɪ] *n* afición, hobby *m.*
hockey ['hɒkɪ] *n* hockey *m.*
hog [hɒg] *n* cerdo. – 2 *t* acaparar.
hoist [hɔɪst] *n* grúa. 2 *(lift)* montacargas *m inv.* – 3 *t* levantar. 4 *(flag)* izar.
hold [həʊld] *n (grip)* agarro, asimiento. 2 *(place to grip)* asidero. 3 AV MAR bodega. – 4 *t* aguantar, sostener; *(tightly)* agarrar. 5 *(contain)* dar cabida a, tener capacidad para. 6 *(meeting)* celebrar; *(conversation)* mantener. 7 *(think)* creer, considerar. 8 *(keep)* guardar. – 9 *i* resistir; *fig* seguir siendo válido,-a. ◆*to ~ back t* retener. 2 *(information)* ocultar. ◆*to ~ forth i* hablar largamente. ◆*to ~ on i* agarrar(se) fuerte. 2 *(wait)* esperar; *(on 'phone)* no colgar. ◆*to ~ out t (hand)* tender. – 2 *i* durar; *(person)* resistir. ◆*to ~ over t* aplazar. ◆*to ~ up t (rob)* atracar, asaltar. 2 *(delay)* retrasar. 3 *(raise)* levantar. 4 *(support)* aguantar, sostener. ◆*to ~ with t* estar de acuerdo con. ●*to get ~ of,* asir; *(obtain)* hacerse con. ▲ *pt & pp held.*
holder ['həʊldə^r] *n* poseedor,-ra; *(of passport)* titular *mf.* 2 *(container)* recipiente *m*, receptáculo.
holding ['həʊldɪŋ] *n* posesión. 2 COM holding *m.*
hold-up ['həʊldʌp] *n* atraco. 2 *(delay)* retraso. 3 AUTO atasco.
hole [həʊl] *n* agujero; *(in ground)* hoyo. 2 *(golf)* hoyo. 3 *(in road)* bache *m.*

holiday ['hɒlɪdeɪ] *n (one day)* fiesta. 2 *(period)* vacaciones *fpl*.

holiday-maker ['hɒlɪdeɪmeɪkə^r] *n* turista *mf*.

holiness ['həʊlɪnəs] *n* santidad.

hollow ['hɒləʊ] *adj* hueco,-a. 2 *fig* falso,-a. – 3 *n* hueco. 4 GEOG hondonada.

holly ['hɒlɪ] *n* acebo.

holocaust ['hɒləkɔ:st] *n* holocausto.

holster ['həʊlstə^r] *n* pistolera.

holy ['həʊlɪ] *adj* santo,-a, sagrado,-a. 2 *(blessed)* bendito,-a.

homage ['hɒmɪdʒ] *n* homenaje *m*.

home [həʊm] *n* hogar *m*, casa. 2 *(institution)* asilo. – 3 *adj* casero,-a. 4 POL (del) interior. ●*at ~*, en casa; *make yourself at ~*, póngase cómodo,-a. ■ *Home Office,* Ministerio del Interior.

homeland ['həʊmlænd] *n* patria.

homeless ['həʊmləs] *adj* sin hogar.

homely ['həʊmlɪ] *adj* sencillo,-a, casero,-a. 2 US feo,-a.

homemade [həʊm'meɪd] *adj* de fabricación casera.

homesick ['həʊmsɪk] *adj* nostálgico,-a. ●*to be ~*, tener morriña.

homesickness ['həʊmsɪknəs] *n* añoranza, morriña.

homework ['həʊmwɜ:k] *n* deberes *mpl*.

homicidal [hɒmɪ'saɪdəl] *adj* homicida.

homicide ['hɒmɪsaɪd] *n (crime)* homicidio. 2 *(criminal)* homicida *mf*.

homogeneous [hɒmə'dʒi:nɪəs] *adj* homogéneo,-a.

homosexual [həʊməʊ'seksjʊəl] *adj-n* homosexual *(mf)*.

honest ['ɒnɪst] *adj* sincero,-a, honesto,-a. 2 *(frank)* sincero,-a, franco,-a. – 3 *honestly adv* honradamente. 4 *(frankly)* con franqueza.

honesty ['ɒnɪstɪ] *n* honradez *f*, rectitud.

honey ['hʌnɪ] *n* miel *f*. 2 US *(dear)* cariño.

honeymoon ['hʌnɪmu:n] *n* luna de miel.

honk [hɒŋk] *n (goose)* graznido. 2 *(car horn)* bocinazo *m*. – 3 *i (goose)* graznar. 4 *(car)* tocar la bocina.

honour ['ɒnə^r] *n* honor *m*, honra. – 2 *t* honrar. 3 *(cheque)* pagar; *(promise)* cumplir. ■ *Your Honour,* Su Señoría.

honourable ['ɒnərəbəl] *adj (person)* honrado,-a; *(title)* honorable. 2 *(actions)* honroso,-a.

hood [hʊd] *n* capucha. 2 *(on pram etc.)* capota. 3 US AUTO *(bonnet)* capó *m*.

hoof [hu:f] *n* pezuña. 2 *(of horse)* casco.

hook [hʊk] *n* gancho. 2 *(for fishing)* anzuelo. 3 *(boxing)* gancho. – 4 *t* enganchar.

hooked [hʊkt] *adj (nose)* aquilino,-a. 2 *(on drug etc.)* enganchado,-a.

hooligan ['hu:lɪgən] *n* gamberro,-a.

hooliganism ['hu:lɪgənɪzəm] *n* gamberrismo.

hoop [hu:p] *n* aro.

hoorah! [hu:'rɑ:], **hooray!** [hu:'reɪ] *interj* ¡hurra!

hoot [hu:t] *n (of owl)* ululato, grito. 2 *(of car)* bocinazo. – 3 *i (owl)* ulular, gritar. 4 *(car)* dar un bocinazo; *(driver)* tocar la bocina.

hooter ['hu:tə^r] *n* sirena. 2 *(on car)* bocina. 3 *fam* napias *fpl*.

hop [hɒp] *n* salto. 2 BOT lúpulo. – 3 *i* saltar (con un solo pie).

hope [həʊp] *n* esperanza. – 2 *t-i* esperar.

hopeful ['həʊpfʊl] *adj* esperanzado,-a. 2 *(promising)* prometedor,-ra. – 3 *hopefully adv* con esperanza/ilusión. 4 *fam (all being well)* se espera que.

hopeless ['həʊpləs] *adj* desesperado,-a. 2 *fam (useless)* inútil.

horizon [hə'raɪzən] *n* horizonte *m*.

horizontal [hɒrɪ'zɒntəl] *adj* horizontal.

hormone ['hɔ:məʊn] *n* hormona.

horn [hɔ:n] *n* ZOOL asta, cuerno. 2 AUTO bocina. 3 MUS trompa.

horny ['hɔ:nɪ] *adj* calloso,-a. 2 *fam (sexually)* cachondo,-a.

horoscope ['hɒrəskəʊp] *n* horóscopo.

horrible ['hɒrɪbəl] *adj* horrible.

horrid ['hɒrɪd] *adj* horroroso,-a.

horrific [hə'rɪfɪk] *adj* horrendo,-a.

horrify ['hɒrɪfaɪ] *t* horrorizar.

horror ['hɒrə^r] *n* horror *m*. ■ *~ film,* película de terror.

hors d'oeuvre [ɔ:'dɜ:vrə] *n* entremés *m*.

horse [hɔ:s] *n* caballo. 2 *(in gym)* potro.

horseman ['hɔ:smən] *n* jinete *m*.

horsemanship ['hɔ:smənʃɪp] *n* equitación.

horsepower ['hɔ:spaʊə^r] *n* caballo (de vapor).

horseshoe ['hɔ:sʃu:] *n* herradura.

horsewoman ['hɔ:swʊmən] *n* amazona.

horticultural [hɔ:tɪ'kʌltʃərəl] *adj* hortícola.

horticulture ['hɔ:tɪkʌltʃə^r] *n* horticultura.

hose [həʊz] *n (pipe)* manguera. 2 *pl (socks)* calcetines *mpl*; *(stockings)* medias *fpl*.

hospitable [hɒ'spɪtəbəl] *adj* hospitalario,-a.

hospital ['hɒspɪtəl] *n* hospital *m*.

hospitality [hɒspɪ'tælɪti] *n* hospitalidad.

host [həʊst] *n* anfitrión *m*. 2 TV presentador *m*. 3 *(large number)* multitud *f*. 4 REL hostia. – 5 *t* TV presentar.

hostage ['hɒstɪdʒ] *n* rehén *mf*.

hostel ['hɒstəl] *n* residencia, hostal *m*.

hostess ['həʊstəs] *n* anfitriona. 2 *(on plane etc.)* azafata. 3 *(in club)* camarera. 4 TV presentadora.

hostile ['hɒstaɪl] *adj* hostil.

hostility [hɒ'stɪlɪti] *n* hostilidad.

hot [hɒt] *adj* caliente. 2 METEOR caluroso,-a, cálido,-a. 3 CULIN picante. 4 *(news)* de última hora. ●*to be ~, (person)* tener calor; *(weather)* hacer calor. ■ *~ dog*, perrito caliente.

hotch-potch ['hɒtʃpɒtʃ] *n fam* revoltijo.

hotel [həʊ'tel] *n* hotel *m*.

hotelier [həʊ'telɪə] *n* hotelero,-a.

hot-headed ['hɒthedɪd] *adj* impetuoso,-a.

hothouse ['hɒthaʊs] *n* invernadero.

hotplate ['hɒtpleɪt] *n* placa de cocina.

hound [haʊnd] *n* perro de caza. – 2 *t* acosar.

hour ['aʊəʳ] *n* hora. ■ *~ hand*, aguja horaria.

hourly ['aʊəli] *adj* cada hora. – 2 *adv* a cada hora.

house [haʊs] *n* casa. 2 POL cámara. 3 THEAT sala. – 4 *t* alojar. ■ *House of Commons*, Cámara de los Comunes. ▲ *En* 4 *(verbo)* [haʊz].

housebreaking ['haʊsbreɪkɪŋ] *n* JUR allanamiento de morada.

household ['haʊshəʊld] *n* casa, família.

householder ['haʊshəʊldəʳ] *n* dueño,-a de la casa.

housekeeper ['hæuski:pəʳ] *n* ama de llaves.

housekeeping ['haʊski:pɪŋ] *n* administración de la casa. 2 *~ (money)*, dinero para los gastos de la casa.

house-trained ['haʊstreɪnd] *adj (pet)* adiestrado,-a.

housewife ['haʊswaɪf] *n* ama de casa.

housework ['haʊswɜ:k] *n* quehaceres *mpl* domésticos.

housing ['haʊzɪŋ] *n* vivienda. 2 TECH caja. ■ *~ estate*, urbanización.

hovel ['hɒvəl] *n* cuchitril *m*.

hover ['hɒvəʳ] *i* permanecer inmóvil (en el aire). 2 *(bird)* cernerse.

hovercraft ['hɒvəkrɑ:ft] *n* hovercraft *m*.

how [haʊ] *adv* cómo. 2 *(in exclamations)* qué. ●*~ do you do?*, ¿cómo está usted?; *~ much*, cuánto,-a; *~ many*, cuántos,-as.

however [haʊ'evəʳ] *conj* sin embargo, no obstante. – 2 *adv ~ much*, por más que, por mucho que.

howl [haʊl] *n* aullido. – 2 *i* aullar.

hub [hʌb] *n* AUTO cubo. 2 *fig* centro, eje *m*.

hubbub ['hʌbʌb] *n* bullicio.

hubby ['hʌbɪ] *n fam* marido.

huddle ['hʌdəl] *n* montón *m*. – 2 *i (crouch)* acurrucarse. 3 *(cluster)* apiñarse.

hue [hju:] *n* matiz *m*, tinte *m*. ●*~ and cry*, protesta.

huff [hʌf] *n* enfado, enojo.

hug [hʌg] *n* abrazo. – 2 *t* abrazar.

huge [hju:dʒ] *adj* enorme, inmenso,-a.

hulk [hʌlk] *n (ship)* buque viejo. 2 *(mass)* mole *f*.

hull [hʌl] *n (of ship)* casco. – 2 *t* desvainar.

hullabaloo [hʌləbə'lu:] *n* griterío.

hullo [hʌ'ləʊ] *interj* → hello.

hum [hʌm] *n* zumbido. – 2 *i* zumbar. – 3 *t-i (sing)* tararear, canturrear.

human ['hju:mən] *adj* humano,-a. – 2 *n ~ (being)*, (ser) humano.

humane [hju:'meɪn] *adj* humano,-a.

humanism ['hju:mənɪzəm] *n* humanismo.

humanitarian [hju:mænɪ'teərɪən] *adj* humanitario,-a.

humanity [hju:'mænɪti] *n* humanidad. 2 *(mankind)* género humano.

humble ['hʌmbəl] *adj* humilde. – 2 *t* humillar.

humbleness ['hʌmbəlnəs] *n* humildad.

humdrum ['hʌmdrʌm] *adj* monótono,-a, aburrido,-a.

humid ['hju:mɪd] *adj* húmedo,-a.

humidity [hju:'mɪdɪti] *n* humedad.

humiliate [hju:'mɪlɪeɪt] *t* humillar.

humiliation [hju:mɪlɪ'eɪʃən] *n* humillación.

humility [hju:'mɪlɪti] *n* humildad.

humming-bird ['hʌmɪŋbɜ:d] *n* colibrí *m*.

humorist ['hju:mərɪst] *n* humorista *mf*.

humour ['hju:məʳ] *n* humor *m*. – 2 *t* complacer.

humorous ['hju:mərəs] *adj (funny)* gracioso,-a.

hump [hʌmp] *n* jiba, joroba. – 2 *t (carry)* cargar.

hunch [hʌntʃ] *n* presentimiento. – 2 *t* encorvar.

hundred ['hʌndrəd] *adj* cien, ciento. – **2** *n* cien *m*, ciento.

hundredth ['hʌndrədθ] *adj-n* centésimo,-a. – **2** *n (fraction)* centésimo, centésima parte.

hundredweight ['hʌndrədweɪt] *n* quintal *m*. ▲ GB = *50,8 kg;* US = *45,4 kg.*

hung [hʌŋ] *pt & pp →* **hang.**

hunger ['hʌŋgəʳ] *n* hambre *f.* – **2** *i* tener hambre. ●*to ~ for,* ansiar.

hungry ['hʌŋgrɪ] *adj* hambriento,-a. ●*to be ~,* tener hambre.

hunk [hʌŋk] *n fam* pedazo (grande). **2** *fam* machote *m.*

hunt [hʌnt] *n* caza. **2** *(search)* búsqueda. – **3** *t-i* cazar. ●*to ~ for,* buscar.

hunter ['hʌntəʳ] *n* cazador *m.*

hunting ['hʌntɪŋ] *n* caza, montería. ●*to go ~,* ir de caza.

huntress ['hʌntrəs] *n* cazadora.

hurdle ['hɜːdəl] *n* SP valla. **2** *fig* obstáculo.

hurl [hɜːl] *t* lanzar, arrojar.

hurly-burly ['hɜːlɪbɜːlɪ] *n* bullicio.

hurrah [huˈrɑː], **hurray** [huˈreɪ] *interj* ¡hurra!

hurricane ['hʌrɪkən] *n* huracán *m.*

hurried ['hʌrɪd] *adj* apresurado,-a, hecho,-a de prisa.

hurry ['hʌrɪ] *n* prisa. – **2** *t* dar prisa a, apresurar. – **3** *i* apresurarse, darse prisa. ●*to be in a ~,* tener prisa.

hurt [hɜːt] *n* daño, dolor *m,* mal *m.* – **2** *adj (physically)* herido,-a. **3** *(offended)* dolido,-a. – **4** *t (physically)* lastimar, hacer daño. **5** *(offend)* herir, ofender. – **6** *i* doler. ▲ *pt & pp* **hurt.**

hurtful ['hɜːtful] *adj* hiriente.

hurtle ['hɜːtəl] *i* precipitarse.

husband ['hʌzbənd] *n* marido, esposo.

hush [hʌʃ] *n* quietud, silencio. – **2** *t* callar, silenciar.

hush-hush ['hʌʃhʌʃ] *adj fam* confidencial.

husk [hʌsk] *n* cáscara.

huskiness ['hʌskɪnəs] *n* ronquera.

husky ['hʌskɪ] *adj* ronco,-a. – **2** *n* perro esquimal.

hustle ['hʌsəl] *n* bullicio. – **2** *t* dar prisa a. – **3** *i* apresurarse.

hustler ['hʌsləʳ] *n (cheat)* estafador,-ra. **2** US *sl* puta*.

hut [hʌt] *n* cabaña. **2** *(in garden)* cobertizo.

hutch [hʌtʃ] *n* conejera.

hyaena [haɪˈiːnə] *n* hiena.

hybrid ['haɪbrɪd] *adj-n* híbrido,-a *(m).*

hydrant ['haɪdrənt] *n* boca de riego. ■ *fire ~,* boca de incendio.

hydraulic [haɪˈdrɔːlɪk] *adj* hidráulico,-a.

hydrochloric [haɪdrəʊˈklɒrɪk] *adj* clorhídrico,-a.

hydroelectric [haɪdrəʊɪˈlektrɪk] *adj* hidroeléctrico,-a.

hydrofoil ['haɪdrəfɔɪl] *n* hidroala.

hydrogen ['haɪdrɪdʒən] *n* hidrógeno.

hydroplane ['haɪdrəʊpleɪn] *n* hidroavión *m.*

hyena [haɪˈiːnə] *n* hiena.

hygiene ['haɪdʒiːn] *n* higiene.

hygienic [haɪˈdʒiːnɪk] *adj* higiénico,-a.

hymen ['haɪmen] *n* himen *m.*

hymn [hɪm] *n* himno. ■ *~ book,* cantoral *m.*

hyperbola [haɪˈpɜːbələ] *n* hipérbola.

hyperbole [haɪˈpɜːbəlɪ] *n* hipérbole *f.*

hypermarket ['haɪpəmɑːkɪt] *n* hipermercado.

hyphen ['haɪfən] *n* guión *m.*

hyphenate ['haɪfəneɪt] *t* escribir con guión.

hypnosis [hɪpˈnəʊsɪs] *n* hipnosis *f inv.*

hypnotic [hɪpˈnɒtɪk] *adj* hipnótico,-a.

hypnotism ['hɪpnətɪzəm] *n* hipnotismo.

hypnotist ['hɪpnətɪst] *n* hipnotizador,-a.

hypnotize ['hɪpnətaɪz] *t* hipnotizar.

hypochondriac [haɪpəʊˈkɒndrɪæk] *n* hipocondríaco,-a.

hypocrisy [hɪˈpɒkrɪsɪ] *n* hipocresía.

hypocrite ['hɪpəkrɪt] *n* hipócrita *mf.*

hypocritical [hɪpəˈkrɪtɪkəl] *adj* hipócrita.

hypodermic [haɪpəʊˈdɜːmɪk] *adj* hipodérmico,-a.

hypotenuse [haɪˈpɒtɪnjuːz] *n* hipotenusa.

hypothesis [haɪˈpɒθɪsɪs] *n* hipótesis *f inv.*

hypothetic(al) [haɪpəˈθetɪk(əl)] *adj* hipotético,-a.

hysterectomy [hɪstəˈrektəmɪ] *n* histerectomía.

hysteria [hɪˈstɪərɪə] *n* histeria.

hysterical [hɪˈsterɪkəl] *adj* histérico,-a.

hysterics [hɪˈsterɪks] *n* ataque *m* de histeria.

I

I [aɪ] *pers pron* yo.

ice [aɪs] *n* hielo. **2** (*ice-cream*) helado. **– 3** *t* (*cake*) glasear. ◆*to ~ over/up i* helarse. ■ *~ cube,* cubito (de hielo).

iceberg ['aɪsbɜːg] *n* iceberg *m*.

icebox ['aɪsbɒks] *n* nevera.

icebreaker ['aɪsbreɪkəʳ] *n* rompehielos *m inv*.

icecap ['aɪskæp] *n* casquete *m* glaciar.

ice-cream [aɪs'kriːm] *n* helado.

ice-skate [aɪsskeɪt] *i* patinar sobre hielo.

ice-skating ['aɪskeɪtɪŋ] *n* patinaje *m* sobre hielo.

icicle ['aɪsɪkəl] *n* carámbano.

icing ['aɪsɪŋ] *n* alcorza. ■ *~ sugar,* azúcar *m & f* glas/lustre.

icon ['aɪkɒn] *n* icono.

icy ['aɪsɪ] *adj* helado,-a. **2** (*wind*) glacial.

idea [aɪ'dɪə] *n gen* idea. **2** (*opinion*) opinión. **3** (*concept*) concepto.

ideal [aɪ'diːl] *adj-n* ideal (*m*). **– 2 ideally** *adv* idealmente.

idealism [aɪ'dɪəlɪzəm] *n* idealismo.

idealist [aɪ'dɪəlɪst] *n* idealista *mf*.

idealistic [aɪdɪə'lɪstɪk] *adj* idealista.

idealize [aɪ'dɪəlaɪz] *t* idealizar.

identical [aɪ'dəntɪkəl] *adj* idéntico,-a.

identification [aɪdentɪfɪ'keɪʃən] *n* identificación. **2** (*papers*) documentación. ■ *~ parade,* rueda de identificación.

identify [aɪ'dentɪfaɪ] *t* identificar.

identity [aɪ'dentɪtɪ] *n* identidad. ■ *~ card,* carnet *m* de identidad.

ideological [aɪdɪə'lɒdʒɪkəl] *adj* ideológico,-a.

ideology [aɪdɪ'ɒlədʒɪ] *n* ideología.

idiom ['ɪdɪəm] *n* (*phrase*) locución, modismo. **2** (*language*) lenguaje *m*.

idiomatic [ɪdɪə'mætɪk] *adj* idiomático,-a.

idiosyncrasy [ɪdɪə'sɪŋkrəsɪ] *n* idiosincrasia.

idiot ['ɪdɪət] *n* idiota *mf*.

idiotic [ɪdɪ'ɒtɪk] *adj* idiota.

idle ['aɪdəl] *adj* (*lazy*) perezoso,-a. **2** (*not working*) parado,-a. **3** (*gossip etc.*) frívolo,-a; (*threat*) fútil. ◆*to ~ away t* desperdiciar.

idleness ['aɪdəlnəs] *n* (*laziness*) pereza. **2** (*inactivity*) inactividad. **3** (*gossip*) frivolidad; (*threat*) futilidad.

idol ['aɪdəl] *n* ídolo.

idolize ['aɪdəlaɪz] *t* idolatrar.

idyll ['ɪdɪl] *n* idilio.

idyllic [ɪ'dɪlɪk] *adj* idílico,-a.

if [ɪf] *conj gen* si: ~ *I were you,* yo de ti; ~ *you want,* si quieres. **2** (*although*) aunque: *a clever ~ rather talkative child,* un niño inteligente aunque demasiado hablador. ●*as ~,* como si; ~ *so,* de ser así.

igloo ['ɪgluː] *n* iglú *m*.

ignite [ɪg'naɪt] *t-i* encender(se).

ignition [ɪg'nɪʃən] *n* ignición. **2** AUTO encendido. ■ *~ key,* llave *f* de contacto.

ignominious [ɪgnə'mɪnɪəs] *n* ignominioso,-a.

ignoramus [ɪgnə'reɪməs] *n* ignorante *mf*.

ignorance ['ɪgnərəns] *n* ignorancia.

ignorant ['ɪgnərənt] *adj* ignorante. ●*to be ~ of,* desconocer, ignorar.

ignore [ɪg'nɔːʳ] *t gen* ignorar. **2** (*order, warning*) no hacer caso de. **3** (*behaviour*) pasar lor alto. **4** (*person*) hacer como si no existiese.

ill [ɪl] *adj* (*sick*) enfermo,-a. **2** (*bad*) malo,-a; (*before masc sing noun*) mal. **– 3** *n* mal *m*. **– 4** *adv* mal: *I can ~ afford it,* mal me lo puedo permitir. ■ *~ health,* mala salud; ~ *will,* rencor *m*.

ill-advised [ɪlæd'vaɪzd] *adj* imprudente.

illegal [ɪ'liːgəl] *adj* ilegal.

illegality [ɪlɪ'gælɪtɪ] *n* ilegalidad.

illegible [ɪ'ledʒɪbəl] *adj* ilegible.

illegitimate [ɪlɪˈdʒɪtɪmət] *adj* ilegítimo,-a.

ill-equipped [ɪlɪˈkwɪpt] *adj* mal equipado,-a; *fig* mal preparado,-a.

illicit [ɪˈlɪsɪt] *adj* ilícito,-a.

illiteracy [ɪˈlɪtərəsɪ] *n* analfabetismo.

illiterate [ɪˈlɪtərət] *adj-n* analfabeto,-a. **2** *(uneducated)* inculto,-a.

illness [ˈɪlnəs] *n* enfermedad.

illogical [ɪˈlɒdʒɪkəl] *adj* ilógico,-a.

ill-timed [ɪlˈtaɪmd] *adj* inoportuno,-a.

ill-treat [ɪlˈtriːt] *t* maltratar.

ill-treatment [ɪlˈtriːtmənt] *n* malos tratos *mpl.*

illuminate [ɪˈluːmɪneɪt] *t* iluminar.

illumination [ɪluːmɪˈneɪʃən] *n* iluminación. **2** *(clarification)* aclaración.

illusion [ɪˈluːʒən] *n* ilusión. ●*to be under the ~ that ...,* engañarse pensando que ... .

illustrate [ˈɪləstreɪt] *t* ilustrar.

illustration [ɪləsˈtreɪʃən] *n* ilustración. **2** *(example)* ejemplo.

illustrative [ˈɪləstrətɪv] *adj gen* ilustrativo,-a. **2** *(example)* aclaratorio,-a.

illustrious [ɪˈlʌstrɪəs] *adj* ilustre.

image [ˈɪmɪdʒ] *n gen* imagen *f.*

imaginable [ɪˈmædʒɪnəbəl] *adj* imaginable.

imaginary [ɪˈmædʒɪnərɪ] *adj* imaginario,-a.

imagination [ɪmædʒɪˈneɪʃən] *n* imaginación.

imaginative [ɪˈmædʒɪnətɪv] *adj* imaginativo,-a.

imagine [ɪˈmædʒɪn] *t* imaginar. **2** *(suppose)* suponer, imaginar(se).

imbalance [ɪmˈbæləns] *n* desequilibrio.

imbecile [ˈɪmbɪsiːl] *n* imbécil *mf.*

imbue [ɪmˈbjuː] *t* imbuir (*with,* de).

imitate [ˈɪmɪteɪt] *t* imitar.

imitation [ɪmɪˈteɪʃən] *n* imitación.

immaculate [ɪˈmækjʊlət] *adj* inmaculado,-a; *(clothes)* impecable.

immaterial [ɪməˈtɪərɪəl] *adj* irrelevante.

immature [ɪməˈtjʊəʳ] *adj* inmaduro,-a.

immeasurable [ɪˈmeʒərəbəl] *adj* inconmensurable.

immediacy [ɪˈmiːdɪəsɪ] *n (urgency)* urgencia. **2** *(nearness)* proximidad.

immediate [ɪˈmiːdɪət] *adj* inmediato,-a. **2** *(near)* próximo,-a, cercano,-a. **– 3** *immediately adv* inmediatamente, de inmediato, en seguida. **4** *(directly)* directamente. **– 5** *immediately conj* en cuanto.

immense [ɪˈmens] *adj* inmenso,-a.

immemorial [ɪməˈmɔːrɪəl] *adj* inmemorial.

immerse [ɪˈmɜːs] *t* sumergir.

immersion [ɪˈmɜːʃən] *n* inmersión.

immigrant [ˈɪmɪgrənt] *adj-n* inmigrante *(mf).*

immigration [ɪmɪˈgreɪʃən] *n* inmigración.

imminent [ˈɪmɪnənt] *adj* inminente.

immobile [ɪˈməʊbaɪl] *adj* inmóvil.

immobilize [ɪˈməʊbɪlaɪz] *t* inmovilizar.

immoderate [ɪˈmɒdərət] *adj* desmedido,-a.

immodest [ɪˈmɒdɪst] *adj (not modest)* presumido,-a, engreído,-a. **2** *(indecent)* indecente.

immoral [ɪˈmɒrəl] *adj* inmoral.

immortal [ɪˈmɔːtəl] *adj* inmortal. **2** *fig* imperecedero,-a.

immortality [ɪmɔːˈtælɪtɪ] *n* inmortalidad.

immovable [ɪˈmuːvəbəl] *adj* inamovible. **2** *(person)* inconmovible.

immune [ɪˈmjuːn] *adj* inmune.

immunity [ɪˈmjuːnɪtɪ] *n* inmunidad.

immunize [ˈɪmjʊnaɪz] *t* inmunizar.

imp [ɪmp] *n* diablillo. **2** *fig (child)* pillo.

impact [ˈɪmpækt] *n* impacto. **2** *(crash)* choque *m.*

impair [ɪmˈpeəʳ] *t* perjudicar. **2** *(weaken)* debilitar.

impale [ɪmˈpeɪl] *t* empalar.

impart [ɪmˈpɑːt] *t* impartir.

impartial [ɪmˈpɑːʃəl] *adj* imparcial.

impassable [ɪmˈpɑːsəbəl] *adj* intransitable.

impasse [æmˈpæːs] *n* punto muerto.

impassioned [ɪmˈpæʃənd] *adj* apasionado,-a.

impassive [ɪmˈpæsɪv] *adj* impasible, imperturbable.

impatience [ɪmˈpeɪʃəns] *n* impaciencia.

impatient [ɪmˈpeɪʃənt] *adj* impaciente.

impeach [ɪmˈpiːtʃ] *t JUR* acusar. **2** *(try)* procesar.

impeccable [ɪmˈpəkəbəl] *adj* impecable.

impede [ɪmˈpiːd] *t* estorbar, dificultar.

impediment [ɪmˈpedɪmənt] *n* impedimento, estorbo.

impel [ɪmˈpel] *t* impeler, impulsar.

impending [ɪmˈpendɪŋ] *adj* inminente.

impenetrable [ɪmˈpenɪtrəbəl] *adj* impenetrable.

imperative [ɪmˈperætɪv] *adj (vital)* esencial. **2** *LING* imperativo,-a. **– 3** *n LING* imperativo.

imperceptible [ɪmpəˈseptəbəl] *adj* imperceptible.

imperfect [ɪm'pɜːfekt] *adj* LING imperfecto,-a. 2 *(faulty)* defectuoso,-a. – 3 *n* LING imperfecto.

imperfection [ɪmpə'fekʃən] *n* imperfección.

imperial [ɪm'pɪərɪəl] *adj* imperial.

imperialism [ɪm'pɪərɪəlɪzəm] *n* imperialismo.

imperious [ɪm'pɪərɪəs] *adj* imperioso,-a.

impermeable [ɪm'pɜːmɪəbəl] *adj* impermeable.

impersonal [ɪm'pɜːsənəl] *adj* impersonal.

impersonate [ɪm'pɜːsəneɪt] *t* hacerse pasar por. 2 *(actor)* imitar.

impersonation [ɪmpɜːsə'neɪʃən] *n* imitación.

impersonator [ɪm'pɜːsəneɪtər] *n* imitador,-ra.

impertinence [ɪm'pɜːtɪnəns] *n* impertinencia.

impertinent [ɪm'pɜːtɪnənt] *adj* impertinente.

impervious [ɪm'pɜːvɪəs] *adj* insensible.

impetuous [ɪm'petjʊəs] *adj* impetuoso,-a.

impetus ['ɪmpɪtəs] *n* ímpetu *m*, impulso.

impinge [ɪm'pɪndʒ] *i* to ~ on, afectar a.

implacable [ɪm'plækəbəl] *adj* implacable.

implant ['ɪmplɑːnt] *t* implantar.

implausible [ɪm'plɔːzəbəl] *adj* poco probable.

implement ['ɪmplɪmənt] *n* instrumento, utensilio; *(tool)* herramienta. – 2 *t* llevar a cabo, poner en práctica. 3 *(law)* aplicar. ▲ *En 2 y 3 (verbo)* ['ɪmplɪment].

implicate ['ɪmplɪkeɪt] *t* implicar.

implication [ɪmplɪ'keɪʃən] *n* implicación.

implicit [ɪm'plɪsɪt] *adj* implícito,-a. 2 *(complete)* absoluto,-a, incondicional.

implied [ɪm'plaɪd] *adj* implícito,-a.

implore [ɪm'plɔːʳ] *t* implorar.

imply [ɪm'plaɪ] *t (involve)* implicar. 2 *(mean)* significar. 3 *(hint)* insinuar.

impolite [ɪmpə'laɪt] *adj* maleducado,-a.

import ['ɪmpɔːt] *n* COM *(article)* artículo de importación. 2 COM *(activity)* importación. 3 *fml (meaning)* significado. 4 *fml (importance)* importancia. – 5 *t* COM importar.

importance [ɪm'pɔːtəns] *n* importancia.

important [ɪm'pɔːtənt] *adj* importante.

importer [ɪm'pɔːtəʳ] *n* importador,-ra.

impose [ɪm'pəʊz] *t* imponer. ●*to ~ on*, abusar de.

imposing [ɪm'pəʊzɪŋ] *adj* imponente, impresionante.

imposition [ɪmpə'zɪʃən] *n* imposición.

impossibility [ɪmpɒsə'bɪlɪtɪ] *n* imposibilidad.

impossible [ɪm'pɒsəbəl] *adj* imposible.

impostor [ɪm'pɒstəʳ] *n* impostor,-ra.

impotence ['ɪmpətəns] *n* impotencia.

impotent ['ɪmpətənt] *adj* impotente.

impound [ɪm'paʊnd] *t* confiscar, incautarse.

impoverish [ɪm'pɒvərɪʃ] *t* empobrecer.

impracticable [ɪm'præktɪkəbəl] *adj* irrealizable, impracticable.

impractical [ɪm'præktɪkəl] *adj* poco práctico,-a.

imprecise [ɪmprɪ'saɪs] *adj* impreciso,-a.

imprecision [ɪmprɪ'sɪʒən] *n* imprecisión.

impregnable [ɪm'pregnəbəl] *adj* inexpugnable.

impregnate ['ɪmpregneɪt] *t* impregnar.

impresario [ɪmprə'sɑːrɪəʊ] *n* empresario,-a.

impress [ɪm'pres] *t* impresionar; *I was favourably/unfavourably impressed*, me causó una buena/mala impresión. 2 *(stress)* subrayar.

impression [ɪm'preʃən] *n gen* impresión. 2 *(imitation)* imitación.

impressionist [ɪm'preʃənɪst] *adj-n* impresionista *(mf)*.

impressive [ɪm'presɪv] *adj* impresionante.

imprinted [ɪm'prɪntɪd] *adj fig* grabado,-a.

imprisonment [ɪm'prɪzənmənt] *n* encarcelamiento. ■ *life ~*, cadena perpetua.

improbability [ɪmprɒbə'bɪlɪtɪ] *n* improbabilidad. 2 *(of story)* inverosimilitud.

improbable [ɪm'prɒbəbəl] *adj* improbable. 2 *(story)* inverosímil.

impromptu [ɪm'prɒmptjuː] *adj* improvisado,-a. – 2 *adv* improvisadamente.

improper [ɪm'prɒpəʳ] *adj* impropio,-a. 2 *(indecent)* indecoroso,-a.

improve [ɪm'pruːv] *t gen* mejorar. 2 *(knowledge)* perfeccionar. – 3 *i* mejorar(se). ◆*to ~ on*, mejorar respecto a.

improvement [ɪm'pruːvmənt] *n* mejora. 2 *(in knowledge)* perfeccionamiento. ●*to be an ~ on*, ser mejor que.

improvisation [ɪmprəvaɪ'zeɪʃən] *n* improvisación.

improvise ['ɪmprəvaɪz] *t-i* improvisar.

imprudent [ɪm'pruːdənt] *adj* imprudente.

impudence ['ɪmpjʊdəns] *n* descaro.

impudent ['ɪmpjʊdənt] *adj* descarado,-a.

impulse ['ımpʌls] *n* impulso.
impulsive [ım'pʌlsıv] *adj* impulsivo,-a.
impunity [ım'pju:nıtı] *n* impunidad.
impure [ım'pjʊəʳ] *adj (contaminated)* contaminado,-a; *(adulterated)* adulterado,-a. 2 *(morally)* deshonesto,-a, impuro,-a.
impurity [ım'pjʊərıtı] *n* impureza.
impute [ım'pju:t] *t* imputar, atribuir.
in [ın] *prep (within, inside)* en, dentro de: ~ *May*, en mayo; ~ *the box*, en la caja; ~ *the morning*, por la mañana; *we'll be back* ~ *twenty minutes*, estaremos de vuelta dentro de veinte minutos. 2 *(motion)* en: *put it* ~ *your pocket*, métetelo en el bolsillo; *we arrived* ~ *Bonn*, llegamos a Bonn. 3 *(wearing)* en, vestido,-a de: *the man* ~ *black*, el hombre vestido de negro. 4 *(manner)* en: ~ *public*, en público; ~ *written* ~ *Greek/pencil*, escrito en griego/lápiz. – 5 *adv* dentro. 6 *(at home)* en casa. 7 *(fashionable)* de moda. 8 *(in power)* en el poder. 9 *(with pres p)* al: ~ *doing that*, al hacer eso. 10 *(with superlative)* de: *the biggest* ~ *the world*, el más grande del mundo. ●~ *so far as*, en lo que, hasta donde; ~ *the sun/shade*, al sol/a la sombra; *to be* ~ *for sth.*, estar a punto de recibir/tener algo; *to be* ~ *on sth.*, estar enterado,-a de algo; *to be (well)* ~ *with sb.*, llevarse (muy) bien con algn. ■ *ins and outs*, detalles *mpl*, pormenores *mpl*.
inability [ınə'bılıtı] *n* incapacidad.
inaccessible [ınæk'sesəbəl] *adj* inaccesible.
inaccurate [ın'ækjʊrət] *adj* inexacto,-a, incorrecto,-a.
inactive [ın'æktıv] *adj* inactivo,-a.
inadequacy [ın'ædıkwəsı] *n* insuficiencia. 2 *(personal)* incapacidad.
inadequate [ın'ædıkwət] *adj* insuficiente. 2 *(person)* incapaz.
inadmissible [ınəd'mısıbəl] *adj* inadmisible.
inadvertent [ınəd'vɜ:tənt] *adj* inadvertido,-a. – 2 *inadvertently adv* inadvertidamente.
inadvisable [ınəd'vaızəbəl] *adj* poco aconsejable.
inane [ı'neın] *adj* fatuo,-a, necio,-a.
inanimate [ın'ænımıt] *adj* inanimado,-a.
inapplicable [ın'æplıkəbəl] *adj* inaplicable.
inappropriate [ınə'prəʊprıət] *adj* poco apropiado,-a. 2 *(inopportune)* inoportuno,-a.

inarticulate [ınɑ:'tıkjʊlət] *adj (person)* incapaz de expresarse. 2 *(sound)* inarticulado,-a.
inasmuch as [ınəz'mʌtʃəz] *conj fml* puesto que, ya que.
inattentive [ınə'tentıv] *adj* desatento,-a.
inaudible [ın'ɔ:dıbəl] *adj* inaudible.
inaugural [ı'nɔ:gjʊrəl] *adj* inaugural.
inaugurate [ı'nɔ:gjʊreıt] *t* inaugurar. 2 *(as president)* investir.
inauguration [ınɔ:gjʊ'reıʃən] *n* inauguración. 2 *(president)* investidura.
inauspicious [ınɔ:'spıʃəs] *adj* poco propicio, desfavorable.
inborn ['ınbɔ:n], **inbred** ['ınbred] *adj* innato,-a.
incalculable [ın'kælkjʊləbəl] *adj* incalculable.
incandescent [ınkæn'desənt] *adj* incandescente.
incantation [ınkæn'teıʃən] *n* conjuro.
incapable [ın'keıpəbəl] *adj* incapaz.
incapacitate [ınkə'pæsıteıt] *t* incapacitar.
incapacity [ınkə'pæsıtı] *n* incapacidad.
incarcerate [ın'kɑ:səreıt] *t* encarcelar.
incarnate [ın'kɑ:nət] *adj* encarnado,-a.
incarnation [ınkɑ:'neıʃən] *n* encarnación.
incendiary [ın'sendıərı] *adj* incendiario,-a.
incense ['ınsens] *n* incienso. – 2 *t* enfurecer. ▲ *En 2 (verbo)* [ın'sens].
incentive [ın'sentıv] *n* incentivo.
inception [ın'sepʃən] *n fml* principio.
incessant [ın'sesənt] *adj* incesante. – *incessantly adv* sin cesar.
incest ['ınsest] *n* incesto.
incestuous [ın'sestjʊəs] *adj* incestuoso,-a.
inch [ıntʃ] *n* pulgada.
incidence ['ınsıdəns] *n* frecuencia.
incident ['ınsıdənt] *n* incidente.
incidental [ınsı'dentəl] *adj* incidental, incidente. – 2 *incidentally adv* a propósito.
incinerate [ın'sınəreıt] *t* incinerar.
incinerator [ın'sınəreıtəʳ] *n* incinerador *m*.
incision [ın'sıʒən] *n* incisión.
incisive [ın'saısıv] *adj* incisivo,-a. 2 *(mind)* penetrante.
incisor [ın'saızəʳ] *n (diente)* incisivo.
incite [ın'saıt] *t* incitar.
incitement [ın'saıtmənt] *n* incitación.
inclement [ın'klemənt] *adj fml* inclemente.

inclination [ɪnklɪ'neɪʃən] *n* inclinación.
incline ['ɪnklaɪn] *n* pendiente *f*, cuesta. —
2 *t* inclinar. — 3 *i (tend)* tender (*to*, a). 4
(slope) inclinarse. ▲ *En 2, 3 y 4 (verbo)*
[ɪn'klaɪn].
include [ɪn'klu:d] *t* incluir.
including [ɪn'klu:dɪŋ] *prep* incluso, inclusive.
inclusion [ɪn'klu:ʒən] *n* inclusión.
inclusive [ɪn'klu:sɪv] *adj* inclusivo,-a. ●*to
be ~ of,* incluir.
incognito [ɪnkɒg'ni:təʊ] *adv* de incógnito.
incoherence [ɪnkəʊ'hɪərəns] *n* incoherencia.
incoherent [ɪnkəʊ'hɪərənt] *adj* incoherente.
income ['ɪnkʌm] *n* ingresos *mpl*, renta.
■ ~ *tax,* impuesto sobre la renta.
incoming ['ɪnkʌmɪŋ] *adj* entrante, nuevo,-a.
incommunicado   [ɪnkəmju:nɪ'kɑ:dəʊ]
adj incomunicado,-a.
incomparable [ɪn'kɒmpərəbəl] *adj* incomparable, inigualable.
incompatibility [ɪnkəmpætɪ'bɪlɪtɪ] *n* incompatibilidad.
incompatible [ɪnkəm'pætɪbəl] *adj* incompatible.
incompetence [ɪn'kɒmpɪtəns] *n* incompetencia, ineptitud.
incompetent [ɪn'kɒmpɪtənt] *adj* incompetente, inepto,-a.
incomplete [ɪnkəm'pli:t] *adj* incompleto,-a. 2 *(unfinished)* inacabado,-a.
incomprehensible [ɪnkɒmprɪ'hensɪbəl]
adj incomprensible.
inconceivable [ɪnkən'si:vəbəl] *adj* inconcebible.
inconclusive [ɪnkən'klu:sɪv] *adj (discussion etc.)* no decisivo,-a. 2 *(proof)* no
concluyente.
incongruous [ɪn'kɒŋgrʊəs] *adj* incongruente, incongruo,-a.
inconsequential [ɪnkɒnsɪ'kwenʃəl] *adj*
de poca importancia.
inconsiderate [ɪnkən'sɪdərət] *adj* desconsiderado,-a.
inconsistent [ɪnkən'sɪstənt] *adj* incon-
secuente, incongruo,-a: *it's ~ with the
facts,* no concuerda con los hechos.
inconspicuous [ɪnkən'spɪkjʊəs] *adj* que
pasa desapercibido,-a, que no llama la
atención.
incontinent [ɪn'kɒntɪnənt] *adj* inconti-
nente.

inconvenience [ɪnkən'vi:nɪəns] *n* inconveniente *f*, molestia. — 2 *t* causar molestia a, molestar.
inconvenient [ɪnkən'vi:nɪənt] *adj gen*
molesto,-a; *(place)* mal situado,-a; *(time)*
inoportuno,-a.
incorporate [ɪn'kɔ:pəreɪt] *t* incorporar.
incorrect [ɪnkə'rekt] *adj* incorrecto,-a.
increase ['ɪnkri:s] *n* aumento, incremento. — 2 *t-i* aumentar; *(price)* subir. ●*to be
on the ~,* ir en aumento. ▲*En 2 (verbo)*
[ɪn'kri:s].
increasing [ɪn'kri:sɪŋ] *adj* creciente. — 2
increasingly adv cada vez más.
incredible [ɪn'kredɪbəl] *adj* increíble.
incredulous [ɪn'kredjʊləs] *adj* incrédulo,-a.
increment ['ɪnkrɪmənt] *n* incremento.
incriminate [ɪn'krɪmɪneɪt] *t* incriminar.
incriminating [ɪn'krɪmɪneɪtɪŋ] *adj* icri-
minatorio,-a.
incubate ['ɪnkjʊbeɪt] *t-i* incubar.
incubator ['ɪnkjʊbeɪtə'] *n* incubadora.
inculcate ['ɪnkʌlkeɪt] *t* inculcar.
incumbent [ɪn'kʌmbənt] *n* titular *mf*. ●*to
be ~ on,* incumbir a.
incur [ɪn'kɜ:'] *t* incurrir en. 2 *(debt)* contraer.
incurable [ɪn'kjʊərəbəl] *adj* incurable.
indebted [ɪn'detɪd] *adj* endeudado,-a. 2
fig agradecido,-a.
indecent [ɪn'di:sənt] *adj* indecente.
indecisive [ɪndɪ'saɪsɪv] *adj* indeciso,-a.
indeed [ɪn'di:d] *adv* en efecto, efectivamente. 2 *(intensifier)* realmente, de veras: *thank you very much ~,* muchísi-
mas gracias.
indefinable [ɪndɪ'faɪnəbəl] *adj* indefini-
ble.
indefinite [ɪn'defɪnət] *adj* indefinido,-a.
— 2 *indefinitely adv* indefinidamente.
indelible [ɪn'delɪbəl] *adj* indeleble.
indelicate [ɪn'delɪkət] *adj* poco delicado,-a.
indemnity [ɪn'demnɪtɪ] *n* indemnidad. 2
(compensation) indemnización.
indent [ɪn'dent] *t* sangrar.
independence [ɪndɪ'pendəns] *n* independencia.
independent [ɪndɪ'pendənt] *adj* independiente. ●*to become ~,* independi-
zarse.
in-depth [ɪn'depθ] *adj* exhaustivo,-a, a
fondo.
indescribable [ɪndɪ'skraɪbəbəl] *adj* indescriptible.

indestructible [ˌɪndɪ'strʌktəbəl] *adj* indestructible.

index ['ɪndeks] *n* índice *m*. – 2 *t (book)* poner un índice a; *(collection)* catalogar.

indicate ['ɪndɪkeɪt] *t* indicar. – 2 *i* AUTO poner el intermitente.

indication [ˌɪndɪ'keɪʃən] *n* indicio, señal *f*.

indicative [ɪn'dɪkətɪv] *adj-n* indicativo,-a *(m)*.

indict [ɪn'daɪt] *t* encausar *(for,* de).

indictment [ɪn'daɪtmənt] *n* (acta de) acusación. 2 *fig* crítica feroz.

indifference [ɪn'dɪfərəns] *n* indiferencia.

indifferent [ɪn'dɪfərənt] *adj* indiferente. 2 *(mediocre)* mediocre, regular.

indigenous [ɪn'dɪdʒɪnəs] *adj* indígena.

indigestible [ˌɪndɪ'dʒestəbəl] *adj* indigesto,-a.

indigestion [ˌɪndɪ'dʒestʃən] *n* indigestión.

indignant [ɪn'dɪgnənt] *adj (person)* indignado,-a; *(look etc.)* de indignación.

indignation [ˌɪndɪg'neɪʃən] *n* indignación.

indigo ['ɪndɪgəʊ] *n* añil *m*. – 2 *adj* de color añil.

indirect [ˌɪndɪ'rekt] *adj* indirecto,-a.

indiscreet [ˌɪndɪ'skriːt] *adj* indiscreto,-a.

indiscretion [ˌɪndɪ'skreʃən] *n* indiscreción.

indiscriminate [ˌɪndɪ'skrɪmɪnət] *adj* indiscriminado,-a.

indispensable [ˌɪndɪ'spensəbəl] *adj* indispensable, imprescindible.

indisposed [ˌɪndɪ'spəʊzd] *adj* indispuesto,-a.

indisputable [ˌɪndɪ'spjuːtəbəl] *adj* indiscutible.

indistinct [ˌɪndɪ'stɪŋkt] *adj (memory)* vago,-a; *(shape)* borroso,-a.

indistinguishable [ˌɪndɪ'stɪŋgwɪʃəbəl] *adj* indistinguible.

individual [ˌɪndɪ'vɪdjʊəl] *adj (separate)* individual. 2 *(different)* particular, personal. – 3 *n* individuo.

indoctrination [ˌɪndɒktrɪ'neɪʃən] *n* adoctrinamiento.

indoor ['ɪndɔːʳ] *adj* interior; *(clothes etc.)* de estar por casa. ■ ~ *football*, fútbol *m* sala; ~ *pool*, piscina cubierta.

indoors [ɪn'dɔːz] *adv* dentro (de casa). ●*to stay* ~, quedarse en casa.

induce [ɪn'djuːs] *t gen* inducir. 2 *(cause)* causar, producir.

inducement [ɪn'djuːsmənt] *n* incentivo.

indulge [ɪn'dʌldʒ] *t* satisfacer. 2 *(person)* complacer; *(child)* mimar. ●*to* ~ *in*, permitirse, darse el lujo de.

indulgence [ɪn'dʌldʒəns] *n* indulgencia. 2 *(luxury)* (pequeño) lujo.

indulgent [ɪn'dʌldʒənt] *adj* indulgente.

industrial [ɪn'dʌstrɪəl] *adj* industrial. ■ ~ *accident*, accidente *m* laboral; ~ *action*, huelga; ~ *estate*, polígono industrial.

industrialist [ɪn'dʌstrɪəlɪst] *n* industrial *mf*, empresario,-a.

industrialize [ɪn'dʌstrɪəlaɪz] *t-i* industrializar(se).

industrious [ɪn'dʌstrɪəs] *adj* trabajador,-ra.

industry ['ɪndəstrɪ] *n* industria. 2 *(hard work)* diligencia.

inebriated [ɪn'iːbrɪeɪtɪd] *adj* ebrio,-a.

inedible [ɪn'edɪbəl] *adj* incom(est)ible.

ineffective [ˌɪnɪ'fektɪv], **ineffectual** [ˌɪnɪ'fektʃʊəl] *adj* ineficaz, inútil. 2 *(person)* incompetente, inepto,-a.

inefficiency [ˌɪnɪ'fɪʃənsɪ] *n* ineficacia. 2 *(of person)* incompetencia, ineptitud.

inefficient [ˌɪnɪ'fɪʃənt] *adj* ineficaz, ineficiente. 2 *(person)* incompetente, inepto,-a.

inept [ɪ'nept] *adj* inepto,-a.

inequality [ˌɪnɪ'kwɒlɪtɪ] *n* desigualdad.

inert [ɪ'nɜːt] *adj* inerte.

inertia [ɪ'nɜːʃə] *n* inercia.

inescapable [ˌɪnɪ'skeɪpəbəl] *adj* ineludible.

inestimable [ɪn'estɪməbəl] *adj* inestimable.

inevitable [ɪn'evɪtəbəl] *adj* inevitable.

inexact [ˌɪnɪg'zækt] *adj* inexacto,-a.

inexcusable [ˌɪnɪk'skjuːzəbəl] *adj* inexcusable, imperdonable.

inexhaustible [ˌɪnɪg'zɔːstəbəl] *adj* inagotable.

inexorable [ɪn'eksərəbəl] *adj* inexorable.

inexpensive [ˌɪnɪk'spensɪv] *adj* barato,-a.

inexperience [ˌɪnɪk'spɪərɪəns] *n* inexperiencia.

inexperienced [ˌɪnɪk'spɪərɪənst], **inexpert** [ɪn'eksapɜːt] *adj* inexperto,-a.

inexplicable [ˌɪnɪk'splɪkəbəl] *adj* inexplicable.

inexpressive [ˌɪnɪk'spresɪv] *adj* inexpresivo,-a.

inextricable [ɪn'ekstrɪkəbəl] *adj* inseparable.

infallible [ɪn'fæləbəl] *adj* infalible.

infamous ['ɪnfəməs] *adj* infame.

infancy ['ɪnfənsɪ] *n* infancia.

infant ['ɪnfənt] *n* niño,-a.

injured

infantile ['ɪnfəntaɪl] *adj* infantil.

infantry ['ɪnfəntrɪ] *n* infantería.

infatuated [ɪn'fætjʊeɪtɪd] *adj* encaprichado,-a.

infect [ɪn'fekt] *t* infectar. **2** *(person)* contagiar.

infection [ɪn'fekʃən] *n* infección.

infectious [ɪn'fekʃəs] *adj* infeccioso,-a, contagioso,-a.

infer [ɪn'fɜːʳ] *t* inferir.

inference ['ɪnfərəns] *n* inferencia.

inferior [ɪn'fɪərɪəʳ] *adj-n* inferior *(mf)*.

inferiority [ɪnfɪərɪ'ɒrɪtɪ] *n* inferioridad.

infernal [ɪn'fɜːnəl] *adj* infernal.

inferno [ɪn'fɜːnəʊ] *n* infierno.

infertile [ɪn'fɜːtaɪl] *adl* estéril.

infest [ɪn'fest] *t* infestar.

infidelity [ɪnfɪ'delɪtɪ] *n* infidelidad.

infiltrate ['ɪnfɪltreɪt] *t* infiltrarse en.

infiltrator [ɪnfɪl'treɪtəʳ] *n* infiltrado,-a.

infinite ['ɪnfɪnət] *adj* infinito,-a.

infinitive [ɪn'fɪnɪtɪv] *n* infinitivo.

infinity [ɪn'fɪnɪtɪ] *n* MATH infinito. **2** *fig* infinidad.

infirm [ɪn'fɜːm] *adj* débil, enfermizo,-a.

infirmary [ɪn'fɜːmərɪ] *n* hospital *m*. **2** *(in school etc.)* enfermería.

infirmity [ɪn'fɜːmɪtɪ] *n* debilidad. **2** *(illness)* enfermedad.

inflame [ɪn'fleɪm] *t* inflamar.

inflammable [ɪn'flæməbəl] *adj* inflamable; *fig* explosivo,-a.

inflammation [ɪnflə'meɪʃən] *n* inflamación.

inflammatory [ɪn'flæmətərɪ] *adj* incendiario,-a.

inflate [ɪn'fleɪt] *t-i* inflar(se), hinchar(se).

inflation [ɪn'fleɪʃən] *n* inflación.

inflationary [ɪn'fleɪʃənərɪ] *adj* inflacionista, inflacionario,-a.

inflect [ɪn'flekt] *t-i* *(verb)* conjugar(se); *(noun)* declinar(se).

inflection [ɪn'flekʃən] *n* inflexión.

inflexible [ɪn'fleksɪbəl] *adj* inflexible.

inflict [ɪn'flɪkt] *t* infligir. **2** *fig* *(views etc.)* imponer.

influence ['ɪnflʊəns] *n* influencia. – **2** *t* influir en.

influential [ɪnflʊ'enʃəl] *adj* influyente.

influenza [ɪnflʊ'enzə] *n* gripe *f*.

influx ['ɪnflʌks] *n* afluencia.

info ['ɪnfəʊ] *n* *fam* información.

inform [ɪn'fɔːm] *t* informar. ●*to* ~ *on sb.,* delatar/denunciar a algn.

informal [ɪn'fɔːməl] *adj* *gen* informal; *(language)* coloquial.

informality [ɪnfɔː'mælɪtɪ] *n* sencillez *f*.

informant [ɪn'fɔːmənt] *n* informante *mf*.

information [ɪnfə'meɪʃən] *n* información. **2** *(knowledge)* conocimientos *mpl*.

informative [ɪn'fɔːmətɪv] *adj* informativo,-a.

informer [ɪn'fɔːməʳ] *n* delator,-ra. **2** *(to police)* informador,-ra, chivato,-a.

infrared [ɪnfrə'red] *adj* infrarrojo,-a.

infrastructure ['ɪnfrəstrʌktʃəʳ] *n* infraestructura.

infrequent [ɪn'friːkwənt] *adj* infrecuente.

infringe [ɪn'frɪndʒ] *t* infringir, transgredir. ●*to* ~ *on/upon,* usurpar, invadir.

infuriate [ɪn'fjʊərɪeɪt] *t* enfurecer.

infuriating [ɪn'fjʊərɪeɪtɪŋ] *adj* exasperante.

infusion [ɪn'fjuːʒən] *n* infusión.

ingenious [ɪn'dʒiːnɪəs] *adj* ingenioso,-a.

ingenuity [ɪndʒɪ'njuːɪtɪ] *n* ingenio, inventiva.

ingenuous [ɪn'dʒenjʊəs] *adj* ingenuo,-a.

ingot ['ɪŋgət] *n* lingote *m*.

ingrained [ɪn'greɪnd] *adj* *(dirt)* incrustado,-a. **2** *(habit)* arraigado,-a.

ingratiate [ɪn'greɪʃɪeɪt] *t to* ~ *o.s. with sb.,* congraciarse con algn.

ingratitude [ɪn'grætɪtjuːd] *n* ingratitud.

ingredient [ɪn'griːdɪənt] *n* ingrediente *m*. **2** *fig* componente *m*.

inhabit [ɪn'hæbɪt] *t* habitar, vivir en.

inhabitant [ɪn'hæbɪtənt] *n* habitante *mf*.

inhale [ɪn'heɪl] *t* aspirar; MED inhalar. – **2** *i* *(smoker)* tragar(se) el humo.

inherent [ɪn'hɪərənt] *adj* inherente.

inherit [ɪn'herɪt] *t* heredar.

inheritance [ɪn'herɪtəns] *n* herencia.

inhibit [ɪn'hɪbɪt] *t* inhibir.

inhibition [ɪnhɪ'bɪʃən] *n* inhibición.

inhospitable [ɪn'hɒspɪtəbəl] *adj* inhospitalario,-a. **2** *(place)* inhóspito,-a.

inhuman [ɪn'hjuːmən], **inhumane** [ɪnhjuː'meɪn] *adj* inhumano,-a.

inimitable [ɪ'nɪmɪtəbəl] *adj* inimitable.

initial [ɪ'nɪʃəl] *adj-n* inicial *(f)*. – **2** *t* firmar con las iniciales.

initiate ['ɪnɪʃɪeɪt] *t* iniciar.

initiation [ɪnɪʃɪ'eɪʃən] *n* iniciación.

initiative [ɪ'nɪʃɪətɪv] *n* iniciativa.

inject [ɪn'dʒekt] *t* inyectar.

injection [ɪn'dʒekʃən] *n* inyección.

injunction [ɪn'dʒʌŋkʃən] *n* entredicho.

injure ['ɪndʒəʳ] *t* herir.

injured ['ɪndʒəd] *adj* herido,-a; *(look etc.)* ofendido,-a.

injurious [ɪn'dʒʊərɪəs] *adj* perjudicial.

injury ['ɪndʒərɪ] *n* herida. ■ SP ~ *time*, tiempo de descuento.

injustice [ɪn'dʒʌstɪs] *n* injusticia.

ink [ɪŋk] *n* tinta.

inkling ['ɪŋklɪŋ] *n* noción, (vaga) idea. **2** *(suspicion)* sospecha. **3** *(hint)* indicio.

inlaid [ɪn'leɪd] *adj gen* taraceado,-a; *(gems)* incrustado,-a.

inland ['ɪnlənd] *adj* de tierra adentro. – **2** *adv (travel)* tierra adentro; *(live)* en el interior. ▲ *En 2 (adv)* [ɪn'lænd].

inlay ['ɪnleɪ] *n gen* taracea; *(gems)* incrustación. – **2** *t gen* taracear; *(gems)* incrustar. ▲ *En 2 (verbo)* [ɪn'leɪ].

inlet ['ɪnlet] *n (in coast)* cala, ensenada. **2** TECH entrada.

inmate ['ɪnmeɪt] *n gen* residente *mf*. **2** *(of prison)* preso,-a. **3** *(of hospital)* enfermo,-a. **4** *(of asylum)* interno,-a.

inmost ['ɪnməʊst] *adj* → **innermost**.

inn [ɪn] *n* posada, fonda, mesón *m*. **2** *(pub)* taberna.

innate [ɪ'neɪt] *adj* innato,-a.

inner ['ɪnər] *adj* interior. ■ ~ *tube*, cámara.

innermost ['ɪnəməʊst] *adj* más interior. **2** *(thoughts)* más íntimo,-a.

innocence ['ɪnəsəns] *n* inocencia.

innocent ['ɪnəsənt] *adj-n* inocente *(mf)*.

innocuous [ɪ'nɒkjʊəs] *adj* inocuo,-a.

innovation [ɪnə'veɪʃən] *n* innovación.

innovative ['ɪnəvtɪv] *adj* innovador,-ra.

innuendo [ɪnjʊ'endəʊ] *n* insinuación.

innumerable [ɪ'njuːmərəbəl] *adj* innumerable.

inoculate [ɪ'nɒkjʊleɪt] *t* inocular.

inoffensive [ɪnə'fensɪv] *adj* inofensivo,-a.

inoperative [ɪn'ɒpərətɪv] *adj* inoperante.

inopportune [ɪn'ɒpətjuːn] *adj* inoportuno,-a.

inorganic [ɪnɔː'gænɪk] *adj* inorgánico,-a.

in-patient ['ɪnpeɪʃənt] *n* (paciente) interno,-a.

input ['ɪnpʊt] *n* entrada; *(of money)* inversión; *(of data)* input *m*. – **2** *t* COMPUT entrar, introducir. ▲ *pt & pp* **input**.

inquest ['ɪnkwest] *n* investigación judicial. **2** *fam fig* investigación.

inquire [ɪn'kwaɪər] *t* preguntar. ●*"~ within"*, "razón aquí"; *to* ~ *about sth.*, preguntar por algo: *to* ~ *into sth.*, investigar algo.

inquiring [ɪn'kwaɪərɪŋ] *adj (mind)* curioso,-a.

inquiry [ɪn'kwaɪərɪ] *n* pregunta. **2** *(investigation)* investigación. ●*"inquiries"*, "información".

inquisition [ɪnkwɪ'zɪʃən] *n* inquisición.

inquisitive [ɪn'kwɪzɪtɪv] *adj* curioso,-a.

inroads ['ɪnrəʊds] *npl* incursión *f sing*. ●*to make* ~ *into*, reducir, hacer bajar.

insane [ɪn'seɪn] *adj* demente.

insanitary [ɪn'sænɪtərɪ] *adj* insalubre.

insanity [ɪn'sænɪtɪ] *n* locura, demencia.

insatiable [ɪn'seɪʃəbəl] *adj* insaciable.

inscribe [ɪn'skraɪb] *t* inscribir.

inscription [ɪn'skrɪpʃən] *n* inscripción.

insect ['ɪnsekt] *n* insecto.

insecticide [ɪn'sektɪsaɪd] *n* insecticida *m*.

insecure [ɪnsɪ'kjʊər] *adj* inseguro,-a.

insecurity [ɪnsɪ'kjʊərɪtɪ] *n* inseguridad.

inseminate [ɪn'semɪneɪt] *t* inseminar.

insensitive [ɪn'sensɪtɪv] *adj* insensible.

inseparable [ɪn'sepərəbəl] *adj* inseparable.

insert [ɪn'sɜːt] *t* insertar, introducir.

insertion [ɪn'sɜːʃən] *n* inserción.

inside [ɪn'saɪd] *n* interior *m*. **2** *pl* tripas *fpl*, entrañas *fpl*. – **3** *adj* interior, interno,-a. – **4** *adv (position)* dentro; *(movement)* adentro. – **5** *prep* dentro de. ●~ *out*, de dentro afuera, al revés.

insider [ɪn'saɪdər] *n* persona enterada.

insight ['ɪnsaɪt] *n (faculty)* perspicacia, penetración. **2** *(idea)* idea.

insignificance [ɪnsɪg'nɪfɪkəns] *n* insignificancia.

insignificant [ɪnsɪg'nɪfɪkənt] *adj* insignificante.

insincere [ɪnsɪn'sɪər] *adj* falso,-a.

insincerity [ɪnsɪn'serɪtɪ] *n* falsedad.

insinuate [ɪn'sɪnjʊeɪt] *t* insinuar.

insinuation [ɪnsɪnjʊ'eɪʃən] *n* indirecta.

insipid [ɪn'sɪpɪd] *adj* insípido,-a, soso,-a.

insist [ɪn'sɪst] *i* insistir *(on*, en).

insistence [ɪn'sɪstəns] *n* insistencia.

insistent [ɪn'sɪstənt] *adj* insistente.

insofar as [ɪnsəʊ'fɑːrəz] *adv* en la medida en que.

insolence ['ɪnsələns] *n* insolencia.

insolent ['ɪnsələnt] *adj* insolente.

insoluble [ɪn'sɒljʊbəl] *adj* insoluble.

insolvent [ɪn'sɒlvənt] *adj* insolvente.

insomnia [ɪn'sɒmnɪə] *n* insomnio.

insomniac [ɪn'sɒmnɪæk] *n* insomne *mf*.

inspect [ɪn'spekt] *t gen* inspeccionar. **2** *(luggage)* registrar. **3** *(troops)* pasar revista a.

intercom

inspection [ɪnˈspekʃən] *n gen* inspección. **2** *(of luggage)* registro. **3** *(of troops)* revista.

inspector [ɪnˈspektəʳ] *n gen* inspector,-ra. **2** *(on train)* revisor,-ra.

inspiration [ɪnspɪˈreɪʃən] *n* inspiración.

inspire [ɪnˈspaɪəʳ] *t gen* inspirar. **2** *(encourage)* animar.

instability [ɪnstəˈbɪlɪtɪ] *n* inestabilidad.

install [ɪnˈstɔːl] *t* instalar.

installation [ɪnstəˈleɪʃən] *n* instalación.

instalment [ɪnˈstɔːlmənt] *n (of payment)* plazo. **2** *(of book etc.)* entrega.

instance [ˈɪnstəns] *n* ejemplo, caso. ●*for* ~, por ejemplo; *in the first* ~, en primer lugar.

instant [ˈɪnstənt] *n* instante *m*, momento. – **2** *adj* inmediato,-a. **3** *(coffee etc.)* instantáneo,-a. – **4** *instantly adv* al instante, inmediatamente.

instantaneous [ɪnstənˈteɪnɪəs] *adj* instantáneo,-a.

instead [ɪnˈsted] *adv* en cambio. ●~ *of*, en lugar de, en vez de.

instep [ˈɪnstep] *n* empeine *m*.

instigate [ˈɪnstɪgeɪt] *t* instigar.

instigation [ɪnstɪˈgeɪʃən] *n* instigación.

instigator [ˈɪnstɪgeɪtəʳ] *n* instigador,-ra.

instil [ɪnˈstɪl] *t* inculcar.

instinct [ˈɪnstɪŋkt] *n* instinto.

instinctive [ɪnˈstɪŋktɪv] *adj* instintivo,-a.

institute [ˈɪnstɪtjuːt] *n* instituto. **2** *(of professionals)* colegio, asociación. – **3** *t* instituir.

institution [ɪnstɪˈtjuːʃən] *n* institución. **2** *(home)* asilo.

institutional [ɪnstɪˈtjuːʃənəl] *adj* institucional.

instruct [ɪnˈstrʌkt] *t* instruir. **2** *(order)* ordenar, mandar.

instruction [ɪnˈstrʌkʃən] *n* instrucción. **2** *pl* instrucciones *fpl*, indicaciones *fpl*.

instructor [ɪnˈstrʌktəʳ] *n gen* instructor,-ra. **2** *(of driving)* profesor,-ra. **3** SP monitor,-ra.

instrument [ˈɪnstrʊmənt] *n* instrumento.

instrumental [ɪnstrəˈmentəl] *adj* instrumental. ●*to be* ~ *in,* contribuir decisivamente a.

insubordinate [ɪnsəˈbɔːdɪnət] *adj* insubordinado,-a.

insubordination [ɪnsəbɔːdɪˈneɪʃən] *n* insubordinación.

insufficient [ɪnsəˈfɪʃənt] *adj* insuficiente.

insular [ˈɪnsjʊləʳ] *adj* insular.

insulate [ˈɪnsjʊleɪt] *t* aislar.

insulation [ɪnsjʊˈleɪʃən] *n* aislamiento.

insulin [ˈɪnsjʊlɪn] *n* insulina.

insult [ˈɪnsʌlt] *n (words)* insulto. **2** *(action)* afrenta. – **3** *t* insultar. ▲ *En* **3** *(verbo)* [ɪnˈsʌlt].

insurance [ɪnˈʃʊərəns] *n* seguro.

insure [ɪnˈʃʊəʳ] *t* asegurar.

insurgent [ɪnˈsɜːdʒənt] *adj-n* insurgente *(mf)*, insurrecto,-a.

insurmountable [ɪnsəˈmaʊntəbəl] *adj* insuperable.

insurrection [ɪnsəˈrekʃən] *n* insurrección.

intact [ɪnˈtækt] *adj* intacto,-a.

intake [ˈɪnteɪk] *n (of food etc.)* consumo. **2** *(of students etc.)* número de admitidos.

intangible [ɪnˈtændʒɪbəl] *adj* intangible.

integral [ˈɪntɪgrəl] *adj* integrante. **2** *(whole)* íntegro,-a, entero,-a. – **3** *adj-n* MATH integral *(f)*.

integrate [ˈɪntɪgreɪt] *t-i* integrar(se).

integration [ɪntɪˈgreɪʃən] *n* integración.

integrity [ɪnˈtegrɪtɪ] *n* integridad.

intellect [ˈɪntɪlekt] *n* intelecto, inteligencia.

intellectual [ɪntɪˈlektjʊəl] *adj-n* intelectual *(mf)*.

intelligence [ɪnˈtelɪdʒəns] *n* inteligencia. **2** *(information)* información.

intelligent [ɪnˈtelɪdʒənt] *adj* inteligente.

intend [ɪnˈtend] *t* tener la intención de, proponerse.

intended [ɪnˈtendɪd] *adj (desired)* deseado,-a. **2** *(intentional)* intencionado,-a. ●~ *for,* para, dirigido,-a a.

intense [ɪnˈtens] *adj* intenso,-a. **2** *(person)* muy serio,-a.

intensify [ɪnˈtensɪfaɪ] *t-i* intensificar(se).

intensity [ɪnˈtensɪtɪ] *n* intensidad.

intensive [ɪnˈtensɪv] *adj* intensivo,-a.

intent [ɪnˈtent] *adj (look etc.)* fijo,-a. – **2** *n* intención. ●*to be* ~ *on,* estar decidido,-a a/empeñado,-a en; *with* ~ *to,* con la intención de.

intention [ɪnˈtenʃən] *n* intención.

intentional [ɪnˈtenʃənəl] *adj* intencional. – **2** *intentionally adv* adrede.

inter [ɪnˈtɜːʳ] *t fml* enterrar, sepultar.

interact [ɪntərˈækt] *i* actuar recíprocamente.

interactive [ɪntərˈæktɪv] *adj* interactivo,-a.

intercede [ɪntəˈsiːd] *i* interceder.

intercept [ɪntəˈsept] *t* interceptar.

interchange [ˈɪntətʃeɪndʒ] *n* intercambio. **2** AUTO enlace *m*.

intercom [ˈɪntəkɒm] *n* interfono.

intercontinental [ɪntəkɒntɪ'nentəl] *adj* intercontinental.
intercourse ['ɪntəkɔːs] *n* trato. 2 *(sexual)* coito, relaciones *fpl* sexuales.
interest ['ɪntrɪst] *n gen* interés *m*. 2 *(in business)* participación. − 3 *t* interesar. ●*in the interests of ...,* en pro de ...; *to be of ~,* interesar; *to take an ~ in,* interesarse por. ■ *~ rate,* tipo de interés.
interested ['ɪntrɪstɪd] *adj* interesado,-a.
interesting ['ɪntrɪstɪŋ] *adj* interesante.
interface ['ɪntəfeɪs] *n* COMPUT interface *f*.
interfere [ɪntə'fɪəʳ] *i (meddle)* entrometerse. 2 PHYS interferir. ●*to ~ with, (hinder)* dificultar, estorbar; *(block)* obstaculizar.
interference [ɪntə'fɪərəns] *n (meddling)* intromisión. 2 *(hindrance)* dificultad, estorbo. 3 PHYS interferencia.
interfering [ɪntə'fɪərɪŋ] *adj* entrometido,-a.
interim ['ɪntərɪm] *adj* interino,-a. − 2 *n* ínterin *m*.
interior [ɪn'tɪərɪəʳ] *adj-n* interior *(m)*.
interjection [ɪntə'dʒekʃən] *n* GRAM interjección. 2 *(comment)* interposición.
interlock [ɪntə'lɒk] *t-i* entrelazar(se).
interloper ['ɪntələʊpəʳ] *n* intruso,-a.
interlude ['ɪntəluːd] *n* intermedio. 2 *(in music)* interludio.
intermediary [ɪntə'miːdɪərɪ] *n* intermediario,-a.
intermediate [ɪntə'miːdɪət] *adj* intermedio,-a.
interminable [ɪn'tɜːmɪnəbəl] *adj* interminable.
intermingle [ɪntə'mɪŋgəl] *i* entremezclarse.
intermission [ɪntə'mɪʃən] *n* intermedio.
intermittent [ɪntə'mɪtənt] *adj* intermitente.
intern ['ɪntɜːn] *n* US MED interno,-a. − 2 *t* internar. ▲*En 2 (verbo)* [ɪn'tɜːn].
internal [ɪn'tɜːnəl] *adj* interior; *(in group, body, organization)* interno,-a.
international [ɪntə'næʃənəl] *adj-n* internacional *(mf)*.
internee [ɪntɜː'niː] *n* interno,-a.
internment [ɪn'tɜːnmənt] *n* internamiento.
interplay ['ɪntəpleɪ] *n* interacción.
interpret [ɪn'tɜːprət] *t* interpretar. − 2 *i* actuar de intérprete.
interpretation [ɪntɜːprɪ'teɪʃən] *n* interpretación.
interpreter [ɪn'tɜːprɪtəʳ] *n* intérprete *mf*.
interrogate [ɪn'terəgeɪt] *t* interrogar.

interrogation [ɪnterə'geɪʃən] *n* interrogatorio.
interrogative [ɪntə'rɒgəætɪv] *adj* interrogativo,-a. − 2 *n (word)* palabra interrogativa; *(phrase)* oración interrogativa.
interrupt [ɪntə'rʌpt] *t-i* interrumpir.
interruption [ɪntə'rʌpʃən] *n* interrupción.
intersect [ɪntə'sekt] *t-i* cruzar(se). 2 *(in geometry)* intersecar(se).
intersection [ɪntə'sekʃən] *n (of roads)* cruce *m*. 2 *(in geometry)* intersección.
intersperse [ɪntə'spɜːs] *t* entremezclar.
interstate [ɪntə'steɪt] *adj* interestatal.
interval ['ɪntəvəl] *n* intervalo. 2 *(in play etc.)* descanso.
intervene [ɪntə'viːn] *i* intervenir. 2 *(event)* sobrevenir, ocurrir. 3 *(time)* transcurrir.
intervention [ɪntə'venʃən] *n* intervención.
interview ['ɪntəvjuː] *n* entrevista, interviú *m*. − 2 *t* entrevistar.
interviewee [ɪntəvjuː'iː] *n* entrevistado,-a.
interviewer ['ɪntəvjuːəʳ] *n* entrevistador,-ra.
intestine [ɪn'testɪn] *n* intestino.
intimacy ['ɪntɪməsɪ] *n* intimidad.
intimate ['ɪntɪmət] *adj* íntimo,-a. − 2 *t* dar a entender, insinuar. ▲ *En 2 (verbo)* ['ɪntɪmeɪt].
intimation [ɪntɪ'meɪʃən] *n (sign)* indicio. 2 *(feeling)* presentimiento.
intimidate [ɪn'tɪmɪdeɪt] *t* intimidar.
intimidating [ɪn'tɪmɪdeɪtɪŋ] *adj* amenazador,-ra.
intimidation [ɪntɪmɪ'deɪʃən] *n* intimidación.
into ['ɪntʊ] *prep* en, dentro de. ●*fam to be ~ sth.,* apetecerle algo a algn.; *(hobby)* ser aficionado,-a a.
intolerable [ɪn'tɒlərəbəl] *adj* intolerable.
intolerance [ɪn'tɒlərəns] *n* intolerancia.
intolerant [ɪn'tɒlərənt] *adj* intolerante.
intonation [ɪntə'neɪʃən] *n* entonación.
intoxicated [ɪn'tɒksɪkeɪt] *adj* ebrio,-a.
intoxication [ɪntɒksɪ'keɪʃən] *n* embriaguez *f*.
intransigence [ɪn'trænsɪdʒəns] *n* intransigencia.
intransigent [ɪn'trænsɪdʒent] *adj* intransigente.
intransitive [ɪn'trænsɪtɪv] *adj* intransitivo,-a.
intrepid [ɪn'trepɪd] *adj* intrépido,-a.
intricacy ['ɪntrɪkəsɪ] *n* complejidad.

irresolute

intricate ['ɪntrɪkət] *adj* complejo,-a.
intrigue [ɪn'triːg] *n* intriga. – 2 *t-i* intrigar.
intriguing [ɪn'triːgɪŋ] *adj* intrigante.
intrinsic [ɪn'trɪnsɪk] *adj* intrínseco,-a.
introduce [ɪntrə'djuːs] *t* introducir. 2 *(person)* presentar. 3 *(law)* promulgar.
introduction [ɪntrə'dʌkʃən] *n* introducción. 2 *(of person)* presentación. 3 *(of law)* promulgación.
introductory [ɪntrə'dʌktəri] *adj* introductorio,-a; *(words)* preliminar.
introvert ['ɪntrəvɜːt] *n* introvertido,-a.
introverted ['ɪntrəvɜːtɪd] *adj* introvertido,-a.
intrude [ɪn'truːd] *i* entrometerse. 2 *(disturb)* molestar, estorbar.
intruder [ɪn'truːdə'] *n* intruso,-a.
intrusion [ɪn'truːʒən] *n* intrusion. 2 *(on privacy)* invasión.
intuition [ɪntjuː'ɪʃən] *n* intuición.
intuitive [ɪn'tjuːɪtɪv] *adj* intuitivo,-a.
inundate ['ɪnʌndeɪt] *t* inundar.
invade [ɪn'veɪd] *t* invadir.
invader [ɪn'veɪdə'] *n* invasor,-ra.
invalid [ɪn'vælɪd] *adj* inválido,-a, nulo,-a. – 2 *n (person) (disabled)* inválido,-a; *(ill)* enfermo,-a.
invalidate [ɪn'vælɪdeɪt] *t* invalidar, anular.
invaluable [ɪn'væljʊəbəl] *adj* inestimable.
invariable [ɪn'veərɪəbəl] *adj* invariable.
invasion [ɪn'veɪʒən] *n* invasión.
invective [ɪn'vektɪv] *n* invectiva.
invent [ɪn'vent] *t* inventar.
invention [ɪn'venʃən] *n (thing)* invento. 2 *(action)* invención.
inventiveness [ɪn'ventɪvnəs] *n* inventiva.
inventor [ɪn'ventə'] *n* inventor,-ra.
inventory ['ɪnventrɪ] *n* inventario.
inversion [ɪn'vɜːʃən] *n* inversión.
invert [ɪn'vɜːt] *t* invertir.
invertebrate [ɪn'vɜːtɪbrət] *adj-n* invertebrado,-a.
inverted [ɪn'vɜːtɪd] *adj* invertido,-a. ■ ~ *commas,* comillas.
invest [ɪn'vest] *t (money)* invertir. – 2 *i* invertir dinero en; *(buy)* comprar.
investigate [ɪn'vestɪgeɪt] *t* investigar.
investigation [ɪnvestɪ'geɪʃən] *n* investigación.
investigator [ɪn'vestɪgeɪtə'] *n* investigador,-ra.
investment [ɪn'vestmənt] *n (money)* inversión.

investor [ɪn'vestə'] *n* inversor,-ra.
inveterate [ɪn'vetərət] *adj* empedernido,-a.
invigilate [ɪn'vɪdʒɪleɪt] *t-i* vigilar.
invigilator [ɪn'vɪdʒɪleɪtə'] *n* vigilante *mf.*
invigorate [ɪn'vɪgəreɪt] *t* vigorizar.
invigorating [ɪn'vɪgəreɪtɪŋ] *adj* vigorizante.
invincible [ɪn'vɪnsɪbəl] *adj* invencible.
inviolable [ɪn'vaɪələbəl] *adj* inviolable.
invisible [ɪn'vɪzəbəl] *adj* invisible. ■ ~ *ink,* tinta simpática.
invitation [ɪnvɪ'teɪʃən] *n* invitación.
invite [ɪn'vaɪt] *t* invitar. 2 *(comments etc.)* solicitar; *(problems etc.)* provocar.
inviting [ɪn'vaɪtɪŋ] *adj* tentador,-ra.
invoice ['ɪnvɔɪs] *n* factura. – 2 *t* facturar.
invoke [ɪn'vəʊk] *t* invocar.
involuntary [ɪn'vɒləntəri] *adj* involuntario,-a.
involve [ɪn'vɒlv] *t* involucrar, comprometer. 2 *(affect)* tener que ver con, afectar a. 3 *(entail)* suponer, implicar.
involved [ɪn'vɒlvd] *adj* complicado,-a. ●*to get ~ in,* meterse/enredarse en.
involvement [ɪn'vɒlvmənt] *n* participación. 2 *(in crime)* complicidad.
inward ['ɪnwəd] *adj* interior.
inward(s) ['ɪnwəd(z)] *adv* hacia adentro.
iodine ['aɪədiːn] *n* yodo.
irascible [ɪ'ræsɪbəl] *adj* irascible.
irate [aɪ'reɪt] *adj* airado,-a.
iris ['aɪərɪs] *n (of eye)* iris *m inv.* 2 BOT lirio.
irk [ɜːk] *t* fastidiar.
iron ['aɪən] *n* hierro. 2 *(appliance)* plancha. – 3 *t (clothes)* planchar. ■ *Iron Age,* Edad de Hierro.
ironic [aɪ'rɒnɪk] *adj* irónico,-a.
ironing ['aɪənɪŋ] *n (not ironed)* ropa por planchar; *(ironed)* ropa planchada. ●*to do the ~,* planchar. ■ ~ *board,* tabla de planchar.
ironmonger ['aɪənmʌŋgə'] *n* ferretero,-a. ■ *ironmonger's (shop),* ferretería.
irony ['aɪərənɪ] *n* ironía.
irrational [ɪ'ræʃənəl] *adj* irracional.
irregular [ɪ'regjʊlə'] *adj* irregular.
irregularity [ɪregjʊ'lærɪtɪ] *n* irregularidad.
irrelevant [ɪ'relɪvənt] *adj* irrelevante.
irreligious [ɪrɪ'lɪdʒəs] *adj* irreligioso,-a.
irreparable [ɪ'repərəbəl] *adj* irreparable.
irreplaceable [ɪrɪ'pleɪsəbəl] *adj* insustituible.
irresistible [ɪrɪ'zɪstəbəl] *adj* irresistible.
irresolute [ɪ'rezəluːt] *adj* indeciso,-a.

irrespective of [ɪn'spektɪvəv] *prep* sin tener en cuenta.
irresponsible [ɪn'spɒnsəbəl] *adj* irresponsable.
irreverent [ɪ'revərənt] *adj* irreverente.
irreversible [ɪn'vɜːsəbəl] *adj* irreversible.
irrevocable [ɪ'revəkəbəl] *adj* irrevocable.
irrigate ['ɪrɪgeɪt] *t* regar.
irrigation [ɪn'geɪʃən] *n* riego.
irritable ['ɪrɪtəbəl] *adj* irritable.
irritate ['ɪrɪteɪt] *t* irritar.
irritating ['ɪrɪteɪtɪŋ] *adj* irritante.
irritation [ɪn'teɪʃən] *n* irritación.
is [ɪz] *3rd pers sing pres* → **be**.
Islam ['ɪzlɑːm] *n* islam *m*.
Islamic [ɪz'læmɪk] *adj* islámico,-a.
island ['aɪlənd] *n* isla.
islander ['aɪləndəʳ] *n* isleño,-a.
isle [aɪl] *n* isla.
isolate ['aɪsəleɪt] *t* aislar.
isolation [aɪsə'leɪʃən] *n* aislamiento.
issue ['ɪʃuː] *n (topic)* asunto, tema *m*. **2** *(of book)* edición; *(of newspaper)* número. **3** *(of stamps, shares, etc.)* emisión. **4** *(of passport)* expedición. **5** *fml (children)* descendencia. – **6** *t (book)* publicar. **7** *(stamps, shares, etc.)* emitir. **8** *(passport)* expedir. **9** *(order)* dar; *(decree)* promulgar.
isthmus ['ɪsməs] *n* istmo.
it [ɪt] *pers pron (subject)* él, ella, ello. **2** *(object) (direct)* lo, la; *(indirect)* le. **3** *(after prep)* él, ella, ello.
italics [ɪ'tælɪks] *n* cursiva.
itch [ɪtʃ] *n* picazón *f*, picor *m*. – **2** *i* picar. ●*to be itching to do sth.*, estar impaciente por hacer algo.
itchy [ɪtʃ] *adj* que pica.
item ['aɪtəm] *n* artículo, cosa. **2** *(on agenda)* asunto. **3** *(on bill)* partida. **4** *(piece of news)* noticia.
itemize ['aɪtəmaɪz] *t* hacer una lista de. **2** *(specify)* detallar.
itinerant [ɪ'tɪnərənt] *adj* itinerante.
itinerary [aɪ'tɪnərərɪ] *n* itinerario.
its [ɪts] *poss adj* su, sus.
itself [ɪt'self] *pers pron (reflexive)* se. **2** *(emphatic)* él/ello mismo, ella misma. **3** *(after prep)* sí (mismo,-a).
ivory ['aɪvərɪ] *n* marfil *m*.
ivy ['aɪvɪ] *n* hiedra.

J

jab [dʒæb] *n* pinchazo; *(with elbow)* codazo. **2** *fam* inyección. – **3** *t* pinchar; dar un codazo a.
jabber [ˈdʒæbəʳ] *n* farfulla. – **2** *i-t* farfullar.
jack [dʒæk] *n* AUTO gato. **2** *(in cards)* jota; *(Spanish pack)* sota.
jackal [ˈdʒækɔːl] *n* chacal *m*.
jackass [ˈdʒækæs] *n* burro.
jackdaw [ˈdʒækdɔː] *n* grajilla.
jacket [ˈdʒækɪt] *n* chaqueta; *(of suit)* americana. **2** *(leather etc.)* cazadora. **3** *(of book)* sobrecubierta.
jack-knife [ˈdʒæknaɪf] *n* navaja. – **2** *i (lorry)* colear.
jack-of-all-trades [ˈdʒækəvɔːltreɪdz] *n* persona de muchos oficios.
jackpot [ˈdʒækpɒt] *n (premio)* gordo.
jade [dʒeɪd] *n* jade *m*.
jaded [ˈdʒeɪdɪd] *adj* agotado,-a, cansado,-a.
jagged [ˈdʒægɪd] *adj* dentado,-a.
jaguar [ˈdʒægjʊəʳ] *n* jaguar *m*.
jail [dʒeɪl] *n* cárcel *f*, prisión. – **2** *t* encarcelar.
jailer [ˈdʒeɪləʳ] *n* carcelero,-a.
jam [dʒæm] *n* confitura, mermelada. **2** *(tight spot)* aprieto. **3** *fam (luck)* churra. – **4** *t (block)* atascar. **5** *(crowd)* atestar, apiñar. **6** *(cram)* embutir, meter. **7** RAD interferir con. – **8** *i (door)* atrancarse. **9** *(machine parts)* agarrotarse. ▪ **traffic ~**, atasco, embotellamiento.
jamboree [dʒæmbəˈriː] *n* juerga. **2** *(scout meeting)* reunión de muchachos exploradores.
jammy [ˈdʒæmɪ] *adj fam* suertudo,-a.
jam-packed [dʒæmˈpækt] *adj fam* atestado,-a.
jangle [ˈdʒæŋgəl] *t-i* (hacer) sonar de un modo discordante.
janitor [ˈdʒænɪtəʳ] *n* portero.

January [ˈdʒænjʊərɪ] *n* enero.
jar [dʒɑːʳ] *n (glass)* tarro, pote *m*. – **2** *t* hacer mover, sacudir. – **3** *i (sounds)* chirriar. **4** *(colours)* chocar.
jargon [ˈdʒɑːgən] *n* jerga, jerigonza.
jasmin [ˈdʒæzmɪn] *n* jazmín *m*.
jaundice [ˈdʒɔːndɪs] *n* ictericia.
jaundiced [ˈdʒɔːndɪst] *adj fig* amargado,-a.
jaunt [dʒɔːnt] *n* excursión, viaje *m*. – **2** *i* ir de excursión/viaje.
jaunty [ˈdʒɔːntɪ] *adj* garboso,-a.
javelin [ˈdʒævəlɪn] *n* jabalina.
jaw [dʒɔː] *n* mandíbula.
jay [dʒeɪ] *n* arrendajo (común).
jaywalker [ˈdʒeɪwɔːlkəʳ] *n* peatón *m* imprudente.
jazz [dʒæz] *n* jazz *m*. ◆**to ~ up** *t* animar, alegrar.
jazzy [ˈdʒæzɪ] *adj fam fig* llamativo,-a.
jealous [ˈdʒeləs] *adj* celoso,-a. **2** *(envious)* envidioso,-a.
jealousy [ˈdʒeləsɪ] *n* celos *mpl*. **2** *(envy)* envidia.
jeans [dʒiːnz] *npl* tejanos *mpl*, vaqueros *mpl*.
jeep [dʒiːp] *n* jeep *m*.
jeer [dʒɪəʳ] *n* burla. **2** *(boo)* abucheo. **3** *pl* insultos *mpl*. – **4** *i* burlarse (*at*, de). **5** *(boo)* abuchear.
Jehovah [dʒɪˈhəʊvə] *n* REL Jehová *m*. ▪ **Jehova's Witness,** testigo de Jehová.
jelly [ˈdʒelɪ] *n* jalea. **2** *(fruit)* gelatina.
jellyfish [ˈdʒelɪfɪʃ] *n* medusa.
jeopardize [ˈdʒepədaɪz] *t* poner en peligro.
jeopardy [ˈdʒepədɪ] *n* peligro.
jerk [dʒɜːk] *n* tirón *m*, sacudida. **2** *fam* imbécil *mf*. – **3** *t* sacudir, tirar de. – **4** *i* dar una sacudida. ◆**to ~ off*** *i* hacer una paja*.
jerkin [ˈdʒɜːkɪn] *n* chaleco.

jerry-built ['dʒerɪbɪlt] *adj* mal construido,-a.

jersey ['dʒɜːzɪ] *n* jersey *m*, suéter *m*.

jest [dʒest] *n* broma. − **2** *i* bromear.

Jesuit ['dʒezjʊɪt] *n* jesuita *m*.

jet [dʒet] *n* AV reactor *m*. **2** *(mineral)* azabache *m*. **3** *(stream)* chorro. **4** *(outlet)* mechero. − **5** *i* salir a chorro. **6** *fam* viajar en avión.

jetsam ['dʒetsəm] *n* MAR echazón *m*.

jet-set ['dʒetset] *n the ~,* la jetset.

jettison ['dʒetɪsən] *t fig* deshacerse de. **2** *(idea)* olvidarse de.

jetty ['dʒetɪ] *n* malecón *m*.

jewel ['dʒuːəl] *n* joya, alhaja. **2** *(stone)* piedra preciosa.

jeweller ['dʒuːələr] *n* joyero,-a. ■ *jeweller's (shop),* joyería.

jewellery ['dʒuːəlrɪ] *n* joyas *fpl*.

jibe [dʒaɪb] *n-i →* **gibe**.

jiffy ['dʒɪfɪ] *n fam* instante *m*. ●*in a ~,* en un santiamén.

jig [dʒɪg] *n* giga.

jiggle ['dʒɪgəl] *t* zangolotear.

jigsaw ['dʒɪgsɔː] *n (saw)* sierra de vaivén. **2** *(puzzle)* rompecabezas *m inv*.

jilt [dʒɪlt] *i* dejar plantado,-a a.

jingle ['dʒɪŋgəl] *n* tintineo. **2** TV canción publicitaria. − **3** *i* tintinear. − **4** *t* hacer sonar.

jingoism ['dʒɪŋgəʊɪzəm] *n* patriotería.

jinx [dʒɪŋks] *n (person)* gafe *mf*. **2** *(bad luck)* mala suerte.

jitters ['dʒɪtəz] *npl fam* nervios *mpl*. ●*to get the ~,* ponerse nervioso,-a.

jittery ['dʒɪtərɪ] *adj* nervioso,-a.

job [dʒɒb] *n (piece of work)* trabajo. **2** *(task)* tarea. **3** *(employment)* empleo, (puesto de) trabajo. **4** *(duty)* deber *m*. ●*it's a good ~ that ...,* menos mal que ...; *out of a ~,* parado,-a.

jobless ['dʒɒbləs] *adj* parado,-a.

jockey ['dʒɒkɪ] *n* jockey *m*.

jockstrap ['dʒɒkstræp] *n* suspensorio.

jocular ['dʒɒkjʊlər] *adj* jocoso,-a.

jodhpurs ['dʒɒdpəz] *npl* pantalones *mpl* de montar.

jog [dʒɒg] *n (push)* empujoncito, sacudida. **2** *(pace)* trote *m*. − **3** *t* empujar, sacudir. **4** *(memory)* refrescar. − **5** *i* hacer footing.

jogging ['dʒɒgɪŋ] *n* footing *m*.

join [dʒɔɪn] *t (bring together)* juntar, unir. **2** *(company etc.)* unirse a, incorporarse a. **3** *(army)* alistarse en. **4** *(club)* hacerse socio,-a de. **5** *(party)* afiliarse a. − **6** *i* juntarse. **7** *(roads, rivers)* confluir. ◆*to ~ in* *i* participar.

joiner ['dʒɔɪnər] *n* carpintero.

joinery ['dʒɔɪnərɪ] *n* carpintería.

joint [dʒɔɪnt] *n* junta, juntura, unión; *(wood)* ensambladura. **2** ANAT articulación. **3** CULIN corte *m* de carne. **4** *sl (drugs)* porro. **5** *sl (place)* antro. − **6** *adj* colectivo,-a, mutuo,-a. − **7** *t* CULIN descuartizar. − **8** *jointly adv* conjuntamente.

joke [dʒəʊk] *n* chiste *m*. **2** *(practical)* broma. − **3** *i* bromear. ●*to play a ~ on,* gastar una broma a.

joker ['dʒəʊkər] *n* bromista *mf*. **2** *(card)* comodín *m*.

jolly ['dʒɒlɪ] *adj* alegre. − **2** *adv* muy.

jolt [dʒəʊlt] *n* sacudida. **2** *(fright)* susto. − **3** *t* sacudir. − **4** *i* dar tumbos.

jostle ['dʒɒsəl] *t* empujar. − **2** *i* dar empujones.

jot [dʒɒt] *n* pizca. − **2** *t* apuntar, anotar.

jotter ['dʒɒtər] *n* GB bloc *m*.

joule [dʒuːl] *n* julio.

journal ['dʒɜːnəl] *n (magazine)* revista. **2** *(diary)* diario.

journalism ['dʒɜːnəlɪzəm] *n* periodismo.

journalist ['dʒɜːnəlɪst] *n* periodista *mf*.

journey ['dʒɜːnɪ] *n* viaje *m*. **2** *(distance)* trayecto.

jovial ['dʒəʊvɪəl] *adj* jovial, alegre.

jowl [dʒaʊl] *n (cheek)* carrillo.

joy [dʒɔɪ] *n* gozo, júbilo, alegría.

joyful ['dʒɔɪfʊl] *adj* jubiloso,-a, alegre.

joyous ['dʒɔɪəs] *adj lit* alegre.

joyride ['dʒɔɪraɪd] *n fam* paseo en un coche robado.

joystick ['dʒɔɪstɪk] *n* AV palanca de mando. **2** COMPUT joystick *m*.

jubilant ['dʒuːbɪlənt] *adj* jubiloso,-a.

jubilation [dʒuːbɪˈleɪʃən] *n* júbilo.

jubilee ['dʒuːbɪliː] *n* festejos *mpl*. **2** *(anniversary)* aniversario. ■ *golden/silver ~,* quincuagésimo/veinticinco aniversario.

judder ['dʒʌdər] *i* dar sacudidas/botes.

judge [dʒʌdʒ] *n* juez *mf*, jueza *f*. − **2** *t-i* juzgar. − **3** *t (calculate)* calcular.

judgement ['dʒʌdʒment] *n (ability)* (buen) juicio/criterio. **2** *(opinion)* juicio, opinión. **3** *(decision)* fallo. ■ *~ day,* día *m* del juicio.

judicial [dʒuːˈdɪʃəl] *adj* judicial.

judicious [dʒuːˈdɪʃəs] *adj* juicioso,-a.

judo ['dʒuːdəʊ] *n* judo.

jug [dʒʌg] *n* jarro.

juggernaut ['dʒʌgənɔːt] n GB camión pesado.
juggle ['dʒʌgəl] i hacer juegos malabares.
juggler ['dʒʌglər] n malabarista mf.
juice [dʒuːs] n gen jugo. 2 (of fruit) zumo.
juicy ['dʒuːsɪ] adj jugoso,-a. 2 fam picante.
July [dʒuːˈlaɪ] n julio.
jukebox ['dʒuːkbɒks] n máquina de discos.
jumble ['dʒʌmbəl] n revoltijo, confusión. – 2 t mezclar.
jumbo ['dʒʌmbəʊ] adj gigante. – 2 n AV jumbo m.
jump [dʒʌmp] n salto. – 2 t-i saltar. – 3 i (rise sharply) dar un salto. ◆to ~ at t aceptar sin pensarlo.
jumper ['dʒʌmpər] n GB jersey m. 2 US (skirt) pichi m.
jump-suit ['dʒʌmpsuːt] n mono.
jumpy ['dʒʌmpɪ] adj nervioso,-a.
junction ['dʒʌŋkʃən] n (railways) empalme m. 2 (roads) cruce m.
juncture ['dʒʌŋktʃər] n coyuntura.
June [dʒuːn] n junio.
jungle ['dʒʌŋgəl] n jungla, selva.
junior ['dʒuːnɪər] adj (in age) menor, más joven. 2 (in rank) subalterno,-a. – 3 n (in age) menor mf. 4 (in rank) subalterno,-a. 5 GB alumno,-a de EGB. 6 US hijo,-a.
juniper ['dʒuːnɪpər] n enebro.

junk [dʒʌnk] n trastos mpl. 2 (boat) junco.
junkie ['dʒʌnkɪ] n sl yonqui mf.
junta ['dʒʌntə] n POL junta (militar).
Jupiter ['dʒuːpɪtər] n Júpiter m.
jurisdiction [dʒʊərɪsˈdɪkʃən] n jurisdicción.
juror ['dʒʊərər] n jurado.
jury ['dʒʊərɪ] n jurado.
just [dʒʌst] adj (fair) justo,-a. 2 (deserved) merecido,-a. – 3 adv (exactly) exactamente, precisamente, justo. 4 (only) solamente. 5 (right now) en este momento. ◆~ about, prácticamente; ~ in case, por si acaso; ~ now, ahora mismo; to have ~, acabar de.
justice ['dʒʌstɪs] n justicia. 2 (judge) juez mf, jueza.
justifiable [dʒʌstɪˈfaɪəbəl] adj justificable.
justification [dʒʌstɪfɪˈkeɪʃən] n justificación.
justified ['dʒʌstɪfaɪd] adj justificado,-a.
justify ['dʒʌstɪfaɪ] t justificar.
justness ['dʒʌstnəs] n justicia.
jut [dʒʌt] i sobresalir.
jute [dʒuːt] n yute m.
juvenile ['dʒuːvɪnaɪl] adj juvenil. 2 (childish) infantil. – 3 n menor mf.
juxtapose ['dʒʌkstəpəʊz] t yuxtaponer.
juxtaposition [dʒʌkstəpəˈzɪʃən] n yuxtaposición.

K

kaftan ['kæftæn] *n* caftán *m*.

kaleidoscope [kə'laɪdəskəʊp] *n* calidoscopio.

kamikaze [kæmɪ'kɑːzɪ] *adj-n* kamikaze *(mf)*.

kangaroo [kæŋgə'ruː] *n* canguro.

kaput [kə'pʊt] *adj fam* roto,-a, estropeado,-a.

karate [kə'rɑːtɪ] *n* kárate *m*.

kayak ['kaɪæk] *n* kayac *m*.

kebab [kɪ'bæb] *n* pincho moruno, broqueta.

keel [kiːl] *n* quilla. ◆*to* ~ *over i (ship)* zozobrar; *(person)* desplomarse.

keen [kiːn] *adj (eager)* entusiasta, muy aficionado,-a. 2 *(sharp) (mind etc.)* agudo,-a; *(look)* penetrante; *(wind)* cortante. 3 *(competition)* fuerte. 4 *(price)* competitivo,-a. ●~ *on*, aficionado,-a a; *I'm not very* ~ *on it*, no me gusta demasiado; *to take a* ~ *interest in*, mostrar un gran interés por.

keenness ['kiːnnəs] *n (eagerness)* entusiasmo, interés *m*, afición. 2 *(sharpness)* agudeza.

keep [kiːp] *n (board)* sustento, mantenimiento. 2 *(of castle)* torreón *m*, torre *f* del homenaje. – 3 *t (not give back)* guardar. 4 *(put away, save)* guardar, tener guardado,-a. 5 *(detain)* retener, detener; *(hold up)* entretener: *sorry to* ~ *you waiting*, discúlpeme por hacerlo esperar. 6 *(shop etc.)* dirigir, tener. 7 *(things for sale)* tener, vender. 8 *(accounts)* llevar. 9 *(diary)* escribir. 10 *(order)* mantener. 11 *(promise)* cumplir. 12 *(secret)* guardar. 13 *(appointment)* acudir a, no faltar a. 14 *(person)* mantener. 15 *(chickens, pigs, etc.)* criar. – 16 *i (do continually)* no dejar de. 17 *(food)* conservarse (bien). ◆*to* ~ *away t-i* mantener(se) a distancia. ◆*to* ~ *back t* reservar, retener; *(information)* ocultar. 2 *(enemy)* tener a raya. ◆*to* ~ *down t (oppress)* oprimir. ◆*to* ~ *in t* no dejar salir. ◆*to* ~ *on i* seguir, continuar. – 2 *t (clothes)* no quitarse. ◆*to* ~ *out t* no dejar entrar. – 2 *i* no entrar. ◆*to* ~ *up t* mantener. 2 *(from sleeping)* mantener despierto,-a, tener en vela. ●~ *the change*, quédese con la vuelta; *to* ~ *going*, seguir (adelante); *to* ~ *one's head*, no perder la cabeza; *to* ~ *quiet*, callarse, no hacer ruido; *to* ~ *sb. company*, hacerle compañía a algn.; *to* ~ *sth. clean*, conservar algo limpio,-a; *to* ~ *sth. to o.s.*, guardar algo para sí. ▲ *pt & pp* **kept**.

keeper ['kiːpəʳ] *n (in zoo)* guardián,-ana. 2 *(in park)* guarda *mf*.

keeping ['kiːpɪŋ] *n* cuidado, custodia. ●*in* ~ *with*, en consonancia con.

keg [keg] *n* barril *m*.

kennel ['kenəl] *n* perrera, caseta para perros. 2 *pl (boarding)* residencia *f sing* canina.

kept [kept] *pt & pp* → **keep**.

kerb [kɜːb] *n* bordillo.

kerfuffle [kə'fʌfəl] *n fam* jaleo.

kernel ['kɜːnəl] *n (of fruit, nut)* semilla, almendra. 2 *fig* núcleo.

ketchup ['ketʃəp] *n* ketchup *m*, catsup *m*.

kettle ['ketəl] *n* hervidor *m*.

key [kiː] *n (of lock)* llave *f*. 2 *(to mystery)* clave *f*. 3 *(on keyboard)* tecla. 4 MUS tono. 5 GEOG cayo, isleta. – 6 *adj* clave. ■ ~ *ring*, llavero.

keyboard ['kiːbɔːd] *n* teclado.

keyed up [kiːd'ʌp] *adj* nervioso,-a, excitado,-a.

keyhole ['kiːhəʊl] *n* ojo de la cerradura.

khaki ['kɑːkɪ] *adj-n* caqui *(m)*.

kick [kɪk] *n (by person)* puntapié *m*, patada. 2 *(by animal)* coz *f*. 3 *(thrill)* emoción. – 4 *t (person)* dar un puntapié/una patada a. 5 *(animal)* dar coces a. ◆*to* ~

out t echar. ●*fam to* ~ *the bucket,* estirar la pata; *fam to* ~ *up a fuss,* armar un jaleo.

kick-off ['kɪkɒf] *n* SP saque *m* inicial.

kid [kɪd] *n (animal)* cabrito. 2 *(leather)* cabritilla. 3 *fam* niño,-a; chico,-a. – 4 *t* tomar el pelo a. – 5 *i* estar de broma.

kidnap ['kɪdnæp] *t* secuestrar.

kidnapper ['kɪdnæpəʳ] *n* secuestrador,-ra.

kidnapping ['kɪdnæpɪŋ] *n* secuestro.

kidney ['kɪdnɪ] *n* riñón *m*.

kill [kɪl] *t* matar. ◆*to* ~ *off t* exterminar. ●*to* ~ *two birds with one stone,* matar dos pájaros de un tiro.

killer ['kɪləʳ] *n* asesino,-a.

killing ['kɪlɪŋ] *n* matanza; *(of person)* asesinato. ●*to make a* ~, hacer su agosto.

killjoy ['kɪldʒɔɪ] *n* aguafiestas *mf inv*.

kiln [kɪln] *n* horno.

kilogram(me) ['kɪləgræm] *n* kilogramo.

kilometre [kɪ'lɒmɪtəʳ] *n* kilómetro.

kilowatt ['kɪləwɒt] *n* kilowatt, kilovatio.

kilt [kɪlt] *n* falda escocesa.

kin [kɪn] *n* parientes *mpl*, familia. ■ *next of* ~, pariente(s) más cercano(s).

kind [kaɪnd] *adj* simpático,-a, amable. – 2 *n (sort)* tipo, género, clase *f*. ●*in* ~, *(payment)* en especie; *(treatment)* con la misma moneda; *to be so* ~ *as to,* tener la bondad de.

kindergarten ['kɪndəgæːtən] *n* parvulario, guardería.

kind-hearted [kaɪnd'hɑːtɪd] *adj* bondadoso,-a.

kindle ['kɪndəl] *t* encender.

kindliness ['kaɪndlɪnəs] *n* bondad, amabilidad.

kindly ['kaɪndlɪ] *adj* bondadoso,-a, amable. – 2 *adv* bondadosamente. 3 *(please)* por favor.

kindness ['kaɪndnəs] *n* bondad, amabilidad. 2 *(favour)* favor.

kinetic [kɪ'netɪk] *adj* cinético,-a.

kinetics [kɪ'netɪks] *n* cinética.

king [kɪŋ] *n* rey *m*.

kingdom ['kɪŋdəm] *n* reino.

kink [kɪŋk] *n* coca; *(in hair)* rizo; *fig* manía.

kinky ['kɪŋkɪ] *adj fam* peculiar; *(sexually)* pervertido, -a.

kinship ['kɪnʃɪp] *n* parentesco.

kiosk ['kiːɒsk] *n* quiosco. 2 *(telephone)* cabina telefónica.

kip [kɪp] *i fam* dormir. ●*to have a* ~, dormir.

kipper ['kɪpəʳ] *n* arenque ahumado.

kiss [kɪs] *n* beso. – 2 *t-i* besar(se).

kit [kɪt] *n (equipment)* equipo. 2 MIL avíos *mpl*. 3 *(model)* maqueta, kit *m*.

kitchen ['kɪtʃɪn] *n* cocina.

kite [kaɪt] *n* cometa.

kitten ['kɪtən] *n* gatito,-a.

kitty ['kɪtɪ] *n fam* minino,-a. 2 *(money)* bote *m*.

kiwi ['kiːwiː] *n* kiwi *m*.

kleptomania [kleptə'meɪnɪə] *n* cleptomanía.

kleptomaniac [kleptə'meɪnɪæk] *n* cleptómano,-a.

knack [næk] *n* maña, truquillo.

knacker ['nækəʳ] *n* matarife *m*. 2* *pl* cojones* *mpl*.

knackered ['nækəd] *adj fam* reventado,-a, agotado,-a.

knapsack ['næpsæk] *n* mochila.

knave [neɪv] *n (cards)* jota; *(Spanish pack)* sota.

knead [niːd] *t* amasar.

knee [niː] *n* ANAT rodilla. 2 *(of trousers)* rodillera. ●*on one's knees,* de rodillas.

kneecap ['niːkæp] *n* rótula.

kneel [niːl] *i* arrodillarse. ▲ *pt & pp* **knelt**.

knell [nel] *n* toque *m* de difuntos.

knelt [nelt] *pt & pp* → **kneel**.

knew [njuː] *pt* → **know**.

knickers ['nɪkəz] *npl* bragas *fpl*.

knick-knack ['nɪknæk] *n* chuchería.

knife [naɪf] *n* cuchillo. – 2 *t* apuñalar.

knight [naɪt] *n* caballero. 2 *(chess)* caballo. – 3 *t* armar caballero.

knit [nɪt] *t* tejer. – 2 *i* hacer punto/calceta, tricotar. 3 MED soldarse. ▲ *pt & pp* **knit** o **knitted**.

knitting ['nɪtɪŋ] *n* punto, calceta. ■ ~ *needle,* aguja de tejer.

knob [nɒb] *n (on door) (large)* pomo; *(small)* tirador *m*. 2 *(on stick)* puño. 3 *(natural)* bulto, protuberancia. 4 *(on radio etc.)* botón *m*.

knobbly ['nɒblɪ] *adj* nudoso, -a.

knock [nɒk] *n* golpe *m*. 2 *fig (bad luck)* revés *m*. – 3 *t* golpear. 4 *(criticize)* criticar. – 5 *i (at door)* llamar. ◆*to* ~ *back t* beber (de un trago). ◆*to* ~ *down t (building)* derribar. 2 *(with a car)* atropellar. ◆*to* ~ *off t* tirar. 2 *fam (steal)* birlar, mangar. 3 *sl (kill)* liquidar. 4 *(price)* rebajar. – 5 *i (stop work)* acabar, salir del trabajo. ◆*to* ~ *out t* dejar sin conocimiento; *(boxing)* poner fuera de combate. ◆*to* ~ *over t* volcar; *(with a car)* atropellar. ◆*to* ~ *up t* GB *fam* despertar. 2 *US sl* dejar preñada. – 3 *i (tennis etc.)* pelotear.

knocker ['nɒkəʳ] *n* aldaba. 2* *pl* tetas *fpl*.

knock-kneed [nɒk'niːd] *adj* estevado,-a.

knockout ['nɒkaʊt] *n* knock-out *m*, fuera *m* de combate. **2** SP eliminatoria. **3** *fam* maravilla.

knot [nɒt] *n* nudo. – **2** *t* anudar.

knotty ['nɒtɪ] *adj* nudoso,-a. **2** *(problem)* difícil, espinoso,-a.

know [nəʊ] *t-i (be acquainted with)* conocer: *do you ~ Colin?*, ¿conoces a Colin? **2** *(have knowledge of)* saber: *I don't ~ the answer*, no sé la respuesta. ●*as far as I ~*, que yo sepa; *to ~ by sight*, conocer de vista; *to ~ how to do sth.*, saber hacer algo. ▲ *pt* **knew**; *pp* **known**.

know-all ['nəʊɔːl] *n* sabelotodo *mf*.

know-how ['nəʊhaʊ] *n* conocimiento práctico.

knowing ['nəʊɪŋ] *adj (smile, look)* de complicidad. – **2** *knowingly adv (intentionally)* intencionadamente, a sabiendas, adrede.

knowledge ['nɒlɪdʒ] *n* conocimiento. **2** *(learning)* conocimientos *mpl*. ●*to have a good ~ of*, conocer bien.

knowledgeable ['nɒlɪdʒəbəl] *adj* erudito, -a, entendido,-a.

known [nəʊn] *pp* → **know**.

knuckle ['nʌkəl] *n* nudillo. ◆*to ~ down i fam* ponerse a trabajar en serio. ◆*to ~ under i* pasar por el aro.

koala [kəʊ'ɑːlə] *n* koala *m*.

Koran [kɔ:'rɑːn] *n* Corán *m*.

L

label ['leɪbəl] *n* etiqueta. — **2** *t* etiquetar.
laboratory [ləˈbrɒtərɪ] *n* laboratorio.
laborious [leˈbɔːrɪəs] *adj* laborioso,-a.
labour ['leɪbə'] *n* trabajo. **2** *(task)* tarea, faena. **3** *(workforce)* mano *f* de obra. — **4** *t* insistir en. ●*Labour Party,* partido laborista.
labourer ['leɪbərə'] *n* peón *m*. ■ *farm ~,* peón agrícola.
labyrinth ['læbərɪnθ] *n* laberinto.
lace [leɪs] *n* *(of shoe)* cordón *m*. **2** *(material)* encaje *m*. — **3** *t* *(shoes)* atar.
lacerate ['læsəreɪt] *t* *fml* lacerar.
lack [læk] *n* falta, carencia. — **2** *t* carecer de.
lacking ['lækɪŋ] *adj* carente de.
laconic [ləˈkɒnɪk] *adj* lacónico,-a.
lacquer ['lækə'] *n* laca. — **2** *t* *(paint)* lacar; *(hair)* poner laca a.
lad [læd] *n* muchacho, chaval *m*.
ladder ['lædə'] *n* escalera. **2** *(in stocking)* carrera.
laden ['leɪdən] *adj* cargado,-a.
lading ['leɪdɪŋ] *n* embarque *m*. ■ *bill of ~,* conocimiento de embarque.
ladle ['leɪdəl] *n* cucharón *m*.
lady ['leɪdɪ] *n* señora, dama.
ladybird ['leɪdɪbɜːd] *n* mariquita.
lady-killer ['leɪdɪkɪlə'] *n* donjuán *m*.
ladylike ['leɪdɪlaɪk] *adj* delicado,-a, elegante.
lag [læg] *n* retraso. — **2** *t* TECH revestir. ●*to ~ behind,* rezagarse.
lager ['lɑːgə'] *n* cerveza rubia.
lagoon [ləˈguːn] *n* laguna.
laid [leɪd] *pt & pp* → **lay**.
lain [leɪn] *pp* → **lie**.
lair [leə'] *n* guarida.
lake [leɪk] *n* lago.
lamb [læm] *n* cordero. **2** *(meat)* carne *f* de cordero.

lame [leɪm] *adj* cojo,-a.
lameness ['leɪmnəs] *n* cojera.
lament [ləˈment] *n* lamento. — **2** *t-i* lamentar(se).
lamentable ['læməntəbəl] *adj* lamentable.
laminate ['læmɪnət] *n* laminado. — **2** *t* laminar. ▲ *En 2 (verbo)* ['læmɪneɪt].
lamp [læmp] *n* lámpara. **2** AUTO faro. ■ *street ~,* farol *m*.
lampooon [læmˈpuːn] *n* pasquín *m*. — **2** *t* satirizar.
lamp-post ['læmppəʊst] *n* poste *m* de farol.
lampshade ['læmpʃeɪd] *n* pantalla (de lámpara).
lance [lɑːns] *n* *(spear)* lanza. **2** MED lanceta. — **3** *t* MED abrir con lanceta.
land [lænd] *n* *gen* tierra. **2** *(soil)* suelo, tierra. **3** *(property)* terreno, finca. — **4** *i* *(plane)* aterrizar, tomar tierra. — **5** *t* *(fish)* sacar del agua. **6** *fig* conseguir. — **7** *t-i* *(from ship)* desembarcar.
landing ['lændɪŋ] *n* *(plane)* aterrizaje *m*. **2** *(on stairs)* descansillo, rellano. **3** *(of people)* desembarco.
landlady ['lændleɪdɪ] *n* *(of flat)* propietaria, casera. **2** *(of boarding house)* patrona.
landlocked ['lændlɒkt] *adj* *(country)* sin salida al mar.
landlord ['lænlɔːd] *n* *(of flat)* propietario, casero. **2** *(of boarding house)* patrón *m*.
landmark ['lændmɑːk] *n* lugar/edificio muy conocido. **2** *fig* hito.
landowner ['lændəʊnə'] *n* propietario,-a, terrateniente *mf*.
landscape ['lændskeɪp] *n* paisaje *m*.
landslide ['lændslaɪd] *n* desprendimiento de tierras.
lane [leɪn] *n* camino. **2** AUTO carril *m*. **3** SP calle *f*. **3** AV MAR ruta.

language [ˈlæŋgwɪdʒ] *n (faculty, way of speaking)* lenguaje *m*. 2 *(tongue)* lengua, idioma *m*.

languid [ˈlæŋgwɪd] *adj* lánguido,-a.

languish [ˈlæŋgwɪʃ] *i* languidecer.

lank [læŋk] *adj* lacio,-a.

lanky [ˈlæŋkɪ] *adj* larguirucho,-a.

lanolin(e) [ˈlænəlɪn] *n* lanolina.

lantern [ˈlæntən] *n* linterna, farol *m*.

lap [læp] *n* regazo; *(knees)* rodillas *fpl*. 2 SP vuelta; *fig* etapa. – 3 *t* SP doblar. 4 *(drink)* lamer, beber lamiendo. – 5 *i (waves)* chapalear.

lapel [ləˈpel] *n* solapa.

lapse [læps] *n (in time)* transcurso, lapso. 2 *(slip)* desliz *m*; *(speaking)* lapsus *m inv*. – 3 *i (err)* cometer un desliz. 4 *(contract)* caducar. 5 *(custom)* desaparecer.

larceny [ˈlɑːsənɪ] *n* latrocinio.

lard [lɑːd] *n* manteca de cerdo.

larder [ˈlɑːdəʳ] *n* despensa.

large [lɑːdʒ] *adj* grande; *(before sing noun)* gran. 2 *(sum)* importante. – 3 *largely adv* en gran parte. ●*at* ~, suelto,-a, en libertad.

large-scale [ˈlɑːdʒskeɪl] *adj* de gran escala. 2 *(map)* a gran escala.

lark [lɑːk] *n (bird)* alondra. 2 *(joke)* broma. ◆*to* ~ *about/around i* hacer tonterías/el indio.

laryngitis [lærɪnˈdʒaɪtɪs] *n* laringitis *f inv*.

larynx [ˈlærɪŋks] *n* laringe *f*.

lascivious [ləˈsɪvɪəs] *adj* lascivo,-a.

laser [ˈleɪzəʳ] *n* láser *m*.

lash [læʃ] *n* latigazo, azote *m*. 2 *(thong)* tralla. 3 *(eyelash)* pestaña. – 4 *t gen* azotar. 5 *(tie)* atar. ◆*to* ~ *out i* repartir golpes a diestro y siniestro. 2 *(spend)* despilfarrar. ◆*to* ~ *out at t* criticar. ◆*to* ~ *out on t* gastar mucho dinero en.

lass [læs] *n* chica, chavala, muchacha.

lasso [læˈsuː] *n* lazo.

last [lɑːst] *adj (final)* último,-a, final. 2 *(latest)* último,-a. 3 *(days)* pasado,-a; ~ *Monday,* el lunes pasado; ~ *night,* anoche. – 4 *adv* por última vez. 5 *(at the end)* en último lugar; *(in race)* en última posición. – 6 *(person)* el/la último,-a. 7 *(for shoes)* horma. – 8 *t-i* durar. – 9 *lastly adv* finalmente. ●*at* ~, al/por fin; ~ *but one,* penúltimo,-a; *to the* ~, hasta el final.

lasting [ˈlɑːstɪŋ] *adj* duradero,-a, perdurable.

latch [lætʃ] *n* picaporte *m*, pestillo.

late [leɪt] *adj* tardío,-a. 2 *(in period)* tarde: *in* ~ *May,* a finales de Mayo. 3 *euf* difunto,-a. – 4 *adv* tarde. – 5 *lately adv* últimamente. ●*to arrive/be* ~, llegar tarde.

latent [ˈleɪtənt] *adj* latente.

later [ˈleɪtəʳ] *adj* más tardío,-a. 2 *(more recent)* más reciente. 3 *(in series)* posterior. – 4 *adv* más tarde. 5 *(afterwards)* después, luego.

latest [ˈleɪtɪst] *adj* último,-a. ●*at the* ~, a más tardar.

lateral [ˈlætərəl] *adj* lateral.

latex [ˈleɪteks] *n* látex *m*.

lathe [leɪð] *n* torno.

lather [ˈlɑːðəʳ] *n (of soap)* espuma. – 2 *t* enjabonar(se). – 3 *i* hacer espuma.

Latin [ˈlætɪn] *adj-n* latino,-a. – 2 *n (language)* latín *m*.

latitude [ˈlætɪtjuːd] *n* latitud.

latter [ˈlætəʳ] *adj* último,-a. – 2 *pron the* ~, éste,-a, este,-a último,-a.

lattice [ˈlætɪs] *n* celosía, enrejado.

laudable [ˈlɔːdəbəl] *adj* laudable.

laugh [lɑːf] *n* risa. – 2 *i* reír(se). ●*to* ~ *at,* reírse de.

laughable [ˈlɑːfəbəl] *adj* ridículo,-a.

laughing [ˈlɑːfɪŋ] *adj* risueño,-a. – 2 *n* risas *fpl*. ■ ~ *gas,* gas *m* hilarante.

laughing-stock [ˈlɑːfɪŋstɒk] *n* hazmerreír *m inv*.

laughter [ˈlɑːftəʳ] *n* risas *fpl*.

launch [lɔːntʃ] *n (action) gen* lanzamiento; *(of boat)* botadura; *(of film)* estreno. 2 *(boat)* lancha. – 3 *t gen* lanzar; *(boat)* botar; *(film)* estrenar.

launder [ˈlɔːndəʳ] *t (clothes)* lavar y planchar. 2 *(money)* blanquear.

launderette [lɔːndəˈret] *n* lavandería automática.

laundry [ˈlɔːndrɪ] *n (place)* lavandería. 2 *(clothes)* colada; *(clean)* ropa lavada.

laurel [ˈlɒrəl] *n* laurel *m*.

lava [ˈlɑːvə] *n* lava.

lavatory [ˈlævətərɪ] *n* wáter *m*. 2 *(room)* lavabo, baño. 3 *(public)* servicios *mpl*.

lavender [ˈlævɪndəʳ] *n* espliego, lavanda.

lavish [ˈlævɪʃ] *adj (generous)* pródigo,-a, generoso,-a. 2 *(abundant)* abundante. 3 *(luxurious)* lujoso,-a. – 4 *t* prodigar.

law [lɔː] *n* ley *f*. 2 *(subject)* derecho. 3 *fam the* ~, la pasma.

law-abiding [ˈlɔːəbaɪdɪŋ] *adj* observante de la ley.

law-breaker [ˈlɔːbreɪkəʳ] *n* infractor,-ra de la ley.

lawful [ˈlɔːful] *adj* legal, legítimo,-a, lícito,-a.

lawless [ˈlɔːləs] *adj* sin ley. 2 *(person)* rebelde.

lawn [lɔ:n] *n* césped *m*.
lawnmower ['lɔ:nməʊəʳ] *n* cortacésped *m & f*.
lawsuit ['lɔ:sju:t] *n* pleito.
lawyer ['lɔ:jəʳ] *n* abogado,-a.
lax [læks] *adj* laxo,-a. **2** *(careless)* descuidado,-a.
laxative ['læksətɪv] *adj-n* laxante *(m)*.
lay [leɪ] *pt* → **lie**. − **2** *t gen* poner. **3** *(cable, pipe)* tender. **4** *(foundations)* echar. **5** *(eggs)* poner. **6*** follar*. − **7** *adj* REL laico,-a, seglar. **8** *(not professional)* lego,-a, no profesional. − **9** *n (ballad)* balada. ◆*to ~ down t (tools)* dejar; *(arms)* deponer. ◆*to ~ in t* proveerse de. ◆*to ~ into t* atacar. ◆*to ~ off t (worker)* despedir. **2** *fam* dejar en paz. ◆*to ~ on t* proveer. ◆*to ~ out t* tender, extender. **2** *(town etc.)* hacer el trazado de; *(garden)* diseñar. **3** *fam (knock down)* dejar fuera de combate. ◆*to ~ up t* almacenar. ●*to be laid up,* tener que guardar cama; *to ~ one's hands on sb.,* pillar a algn. ▲ *pt & pp* **laid**.
layabout ['leɪəbaʊt] *n fam* holgazán,-ana.
lay-by ['leɪbaɪ] *n* área de descanso.
layer ['leɪəʳ] *n* capa; *(of rock)* estrato.
layman ['leɪmən] *n* REL laico. **2** *(not expert)* profano.
layout ['leɪaʊt] *n* disposición. **2** *(of town)* trazado.
laziness ['leɪzɪnəs] *n* pereza.
lazy ['leɪzɪ] *adj* perezoso,-a.
lead [led] *n (metal)* plomo. **2** *(in pencil)* mina. **3** *(front position)* delantera; SP liderato; *(difference)* ventaja. **4** *(for dog)* correa. **5** THEAT primer papel *m*. **6** ELEC cable *m*. **7** *(clue)* pista. − **8** *t (guide)* llevar, conducir. **9** *(be leader of)* liderar, dirigir. **10** *(be first in)* ocupar el primer puesto en. − **11** *i (go first)* ir primero,-a; *(in race)* llevar la delantera. **12** *(command)* tener el mando. **13** *(road)* conducir *(to,* a). ●*to be in the ~,* ir en cabeza; *to ~ sb. on,* engañar a algn.; *to ~ sb. to believe sth.,* llevar a algn. a creer algo; *to ~ the way,* enseñar el camino; *to take the ~,* tomar la delantera. ▲ *De 3 a 13* [li:d]; *pt & pp* **lead** [led].
leader ['li:dəʳ] *n* POL líder *mf,* dirigente *mf*. **2** *(in race)* líder *mf.* **3** *(in newspaper)* editorial *m*.
leadership ['li:dəʃɪp] *n (position)* liderato, liderazgo. **2** *(qualities)* dotes *mpl* de mando. **3** *(leaders)* dirección.
lead-free ['ledfri:] *adj* sin plomo.

leading ['li:dɪŋ] *adj* destacado,-a, principal.
leaf [li:f] *n* hoja.
leaflet ['li:flət] *n* folleto.
leafy ['li:fɪ] *adj* frondoso,-a.
league [li:g] *n* liga.
leak [li:k] *n (of gas, fluid)* escape *m;* fig filtración. **2** *(hole)* agujero. **3** *(in roof)* gotera. **4** *fam euph* meada. − **5** *i (gas, fluid)* escaparse; *(information)* filtrarse. **6** *(container)* tener un agujero. **7** *(pipe)* tener un escape. **8** *(shoes)* dejar entrar agua. **9** *(roof)* gotear.
leaky ['li:kɪ] *adj (pipe)* que tiene escapes. **2** *(container)* que tiene agujeros. **3** *(shoe)* que deja entrar agua. **4** *(roof)* que tiene goteras.
lean [li:n] *adj (person)* delgado,-a, flaco,-a. **2** *(meat)* magro,-a. − **3** *t-i (against sth.)* apoyar(se). − **4** *i* inclinarse. ▲ *pt & pp* **leaned** o **leant**.
leaning ['li:nɪŋ] *adj* inclinado,-a. − **2** *n* inclinación, tendencia.
leant [lent] *pt & pp* → **lean**.
leap [li:p] *n* salto, brinco. − **2** *i* saltar, brincar. ■ *~ year,* año bisiesto. ▲ *pt & pp* **leapt** o **leaped**.
leapfrog ['li:pfrɒg] *n* pídola.
leapt [lept] *pt & pp* → **leap**.
learn [lɜ:n] *t-i* aprender. − **2** *t (find out about)* enterarse de. ▲ *pt & pp* **learnt** o **learned**.
learned ['lɜ:nɪd] *adj* erudito,-a.
learner ['lɜ:nəʳ] *n* estudiante *mf.* ■ *~ driver,* aprendiz,-za de conductor.
learning ['lɜ:nɪŋ] *n* conocimientos *mpl,* saber *m*.
learnt [lɜ:nt] *pt & pp* → **learn**.
lease [li:s] *n* contrato de arrendamiento. − **2** *t* arrendar.
leash [li:ʃ] *n* correa.
least [li:st] *adj* mínimo,-a, menor. − **2** *adv* menos. − **3** *n* lo menos. ●*at ~,* por lo menos; *not in the ~,* en lo más mínimo.
leather ['leðəʳ] *n* piel *f,* cuero.
leave [li:v] *n* permiso; *(holidays)* vacaciones *fpl.* − **2** *t* dejar, abandonar; *(go out of)* salir de. **3** *(forget)* olvidarse. − **4** *i* marcharse, irse, partir. ◆*to ~ out t (omit)* omitir. ●*to take one's ~ of,* despedirse de. ▲ *pt & pp* **left**.
lecherous ['letʃərəs] *adj* lujurioso,-a, lascivo,-a.
lectern ['lektən] *n* atril *m*. **2** *(in church)* facistol *m*.
lecture ['lektʃəʳ] *n* conferencia. **2** *(in university)* clase *f.* **3** *(reproof)* represión, sermón *m*. − **4** *i* dar una conferencia. **5** *(in*

university) dar clase. **6** *(scold)* sermonear. — **7** *t* echar una reprimenda a.

lecturer ['lektʃərə^r] *n* conferenciante *mf*. **2** *(in university)* profesor,-ra.

led [led] *pt & pp →* **lead**.

ledge [ledʒ] *n* repisa. **2** *(of rock)* saliente *m*.

ledger ['ledʒə^r] *n* COM libro mayor.

leech [liːtʃ] *n* sanguijuela.

leek [liːk] *n* puerro.

leer [lɪə^r] *i* mirar con lascivia. — **2** *n* mirada lasciva.

lees [liːz] *npl* poso *m* sing.

left [left] *pt & pp →* **leave**. — **2** *adj-n* izquierdo,-a *(f)*. — **3** *adj* POL de izquierdas. — **4** *adv* a/hacia la izquierda. ●*on the ~*, a mano izquierda; *to be ~ over*, quedar, sobrar.

left-hand ['lefthænd] *adj* izquierdo,-a.

left-handed [left'hændɪd] *adj* zurdo,-a.

leftist ['leftɪst] *adj-n* izquierdista *(mf)*.

left-luggage [left'lʌgɪdʒ] *n ~ office*, consigna.

left-wing ['leftwɪŋ] *adj* de izquierdas.

leg [leg] *n* ANAT pierna. **2** *(of animal, furniture)* pata. **3** CULIN *(lamb etc.)* pierna; *(chicken etc.)* muslo. **4** *(of trousers)* pernera. ●*to pull sb.'s ~*, tomar el pelo a algn.

legacy ['legəsɪ] *n* legado, herencia.

legal ['liːgəl] *adj* legal, legítimo,-a, lícito,-a. **2** *(relating to the law)* legal, jurídico,-a.

legalize ['liːgəlaɪz] *t* legalizar.

legend ['ledʒənd] *n* leyenda.

legendary ['ledʒəndərɪ] *adj* legendario,-a.

legible ['ledʒəbəl] *adj* legible.

legion ['liːdʒən] *n* legión.

legislate ['ledʒɪsleɪt] *i* legislar.

legislation [ledʒɪs'leɪʃən] *n* legislación.

legislature ['ledʒɪsleɪtʃə^r] *n* cuerpo legislativo.

legitimate [lɪ'dʒɪtɪmət] *adj* legítimo,-a.

legitimize [lɪ'dʒɪtɪmaɪz] *t* legitimar.

leisure ['leʒə^r] *n* ocio, tiempo libre.

leisurely ['leʒəlɪ] *adj* sin prisa.

lemon ['lemən] *n* limón *m*. ■ *~ tree*, limonero.

lemonade [lemə'neɪd] *n* limonada.

lend [lend] *t* dejar, prestar. ●*to ~ a hand*, echar una mano. ▲ *pt & pp* **lent**.

length [leŋθ] *n* longitud: *it's 5 metres in ~*, mide 5 metros de largo. **2** *(time)* duración. **3** *(piece)* trozo. **4** *(of road)* tramo; *(of swimming pool)* largo.

lengthen ['leŋθən] *t-i* alargar(se).

lengthy ['leŋθɪ] *adj* largo,-a.

lenient ['liːnɪənt] *adj* indulgente.

lens [lenz] *n* lente *f*. **2** *(of camera)* objetivo. **3** ANAT cristalino.

lent [lent] *pt & pp →* **lend**. — **2** *Lent n* REL Cuaresma.

lentil ['lentɪl] *n* lenteja.

Leo [liːəʊ] *n* Leo.

leopard ['lepəd] *n* leopardo.

leotard ['liːətɑːd] *n* malla.

leper ['lepə^r] *n* leproso,-a.

leprosy ['leprəsɪ] *n* lepra.

lesbian ['lezbɪən] *adj-n* lesbiano,-a *(f)*.

less [les] *adj-adv-prep* menos.

lessen ['lesən] *t-i* disminuir(se).

lesser ['lesə^r] *adj* menor.

lesson ['lesən] *n* lección, clase *f*.

lest [lest] *conj fml* para que no.

let [let] *t (allow)* dejar, permitir. **2** *(rent)* arrendar, alquilar. — **3** *aux ~ this be a warning*, que esto sirva de advertencia; *~ us pray*, oremos. ◆*to ~ down t (deflate)* deshinchar. **2** *(lengthen)* alargar. **3** *(disappoint)* defraudar. ◆*to ~ in t* dejar entrar/pasar. ◆*to ~ off t (bomb)* hacer explotar; *(firework)* hacer estallar. **2** *(forgive)* perdonar. ◆*to ~ on i fam* descubrir el pastel: *you won't ~ on, will you?*, no dirás nada, ¿verdad? ◆*to ~ out t* dejar salir; *(release)* soltar. **2** *(rent)* alquilar. **3** *(utter)* soltar. ◆*to ~ through t* dejar pasar. ◆*to ~ up i* cesar. ●*~ alone ...*, y mucho menos ...; *to ~ alone*, dejar en paz, no tocar; *to ~ go of*, soltar; *to ~ loose*, soltar, desatar; *to ~ off steam*, desfogarse; *to ~ sb. in on sth.*, revelar algo a algn.; *to ~ sb. know*, hacer saber a algn. ▲ *pt & pp* **let**.

letdown ['letdaʊn] *n* decepción.

lethal ['liːθəl] *adj* letal, mortal.

lethargic [lɪ'θɑːdʒɪk] *adj* aletargado,-a.

lethargy ['leθədʒɪ] *n* letargo.

letter ['letə^r] *n (of alphabet)* letra. **2** *(message)* carta. ■ *~ box*, buzón *m*.

lettuce ['letɪs] *n* lechuga.

leukaemia [luː'kiːmɪə] *n* leucemia.

level ['levəl] *adj* llano,-a, plano,-a. **2** *(equal)* a nivel, nivelado,-a. — **3** *n* nivel *m*. — **4** *t* nivelar. **5** *(raze)* arrasar. ●*fam on the ~*, de fiar, honrado,-a, legal. ■ *~ crossing*, paso a nivel.

lever ['liːvə^r] *n* palanca.

levitate ['levɪteɪt] *t-i* (hacer) levitar.

levy ['levɪ] *n* recaudación. — **2** *t* recaudar.

lewd [luːd] *adj* lascivo,-a. **2** *(obscene)* obsceno,-a.

lexicographer [leksɪ'kɒɡrəfəʳ] *n* lexicógrafo,-a.

lexicography [leksɪ'kɒɡrəfi] *n* lexicografía.

liability [laɪə'bɪlɪti] *n* JUR responsabilidad. 2 *pl* COM pasivo *m sing.*

liable ['laɪəbəl] *adj* JUR responsable. 2 *(to colds etc.)* propenso,-a. ●*to be ~ to do sth.,* tener tendencia a hacer algo.

liaise [lɪ'eɪz] *i* comunicarse.

liaison [lɪ'eɪzən] *n* enlace *m.* 2 *(love affair)* amorío.

liar ['laɪəʳ] *n* mentiroso,-a.

libel ['laɪbəl] *n* libelo, difamación. − 2 *t* difamar.

liberal ['lɪbərəl] *adj* liberal. 2 *(abundant)* abundante. − 3 *n* POL liberal *mf.*

liberalize ['lɪbərəlaɪz] *t* liberalizar.

liberate ['lɪbəreɪt] *t* liberar.

liberation [lɪbə'reɪʃən] *n* liberación.

liberator ['lɪbəreɪtəʳ] *n* libertador,-ra.

liberty ['lɪbəti] *n* libertad.

Libra ['liːbrə] *n* Libra.

librarian [laɪ'breərɪən] *n* bibliotecario,-a.

library ['laɪbrəri] *n* biblioteca.

lice [laɪs] *npl* → **louse.**

licence ['laɪsəns] *n* licencia, permiso.

license ['laɪsəns] *t* autorizar.

licensee [laɪsən'siː] *n* concesionario,-a. 2 *(of pub)* dueño,-a.

licentious [laɪ'senʃəs] *adj* licencioso,-a.

lichen ['laɪkən] *n* liquen *m.*

lick [lɪk] *n* lamedura. − 2 *t* lamer.

licking ['lɪkɪŋ] *n fam* paliza.

licorice ['lɪkərɪs] *n* regaliz *m.*

lid [lɪd] *n* tapa, tapadera.

lie [laɪ] *n (untruth)* mentira. − 2 *i (tell lies)* mentir. 3 *(in a flat position) (act)* acostarse, tumbarse; *(state)* estar acostado,-a/tumbado,-a. 4 *(be buried)* yacer. 5 *(be situated)* estar *(situado,-a),* encontrarse. 6 *(remain)* quedarse, permanecer. ◆*to ~ back i* recostarse. ◆*to ~ down i* acostarse, tumbarse. ◆*to ~ low,* estar escondido,-a. ▲ *En 2 es regular; en 3, 4, 5 y 6 pt* lay; *pp* lain.

lie-down ['laɪdaʊn] *n* siesta *f.*

lieu [luː] *n in ~ of,* en lugar de.

lieutenant [lef'tenənt] *n* MIL teniente *m.*

life [laɪf] *n* vida. ■ *~ belt,* salvavidas *m inv; ~ sentence,* cadena perpetua.

life-boat ['laɪfbəʊt] *n (on ship)* bote *m* salvavidas. 2 *(on shore)* lancha de socorro.

lifeguard ['laɪfgɑːd] *n* socorrista *mf.*

lifelong ['laɪflɒŋ] *adj* de toda la vida.

lifelike ['laɪflaɪk] *adj* natural. 2 *(portrait)* fiel.

life-size(d) ['laɪfsaɪz(d)] *adj* (de) tamaño natural.

lifetime ['laɪftaɪm] *n* vida.

lift [lɪft] *n* GB ascensor *m.* 2 *fig (boost)* estímulo. − 3 *t-i* levantar. − 4 *t fam (steal)* afanar, birlar. ●*to give sb. a ~,* llevar a algn. en coche.

lift-off ['lɪftɒf] *n* despegue *m.*

ligament ['lɪɡəmənt] *n* ligamento.

light [laɪt] *n gen* luz *f.* 2 *(lamp)* luz, lámpara. 3 *(for cigarette etc.)* fuego. − 4 *t-i* encender(se). − 5 *t (illuminate)* iluminar, alumbrar. − 6 *adj (not heavy)* ligero,-a. 7 *(colour)* claro,-a. 8 *(room)* con mucha claridad. − 9 *lightly adv* ligeramente. 10 *(not seriously)* a la ligera. ●*in the ~ of,* en vista de; *to come to ~,* salir a luz; *to travel ~,* viajar con poco equipaje. ■ *~ bulb,* bombilla; *~ year,* año luz. ▲ *pt & pp* **lighted** *o* **lit.**

lighten ['laɪtən] *t-i (colour)* aclarar(se). − 2 *t (illuminate)* iluminar. 3 *(make less heavy)* aligerar. − 4 *i* relampaguear.

lighter ['laɪtəʳ] *n (for cigarettes)* encendedor *m,* mechero. 2 *(boat)* gabarra.

light-fingered ['laɪtfɪŋɡəd] *adj* de uñas largas.

light-headed [laɪt'hedɪd] *adj (foolish)* ligero,-a de cascos. 2 *(dizzy)* mareado,-a.

lighthouse ['laɪthaʊs] *n* faro.

lighting ['laɪtɪŋ] *n (act)* iluminación. 2 *(system)* alumbrado.

lightning ['laɪtnɪŋ] *n* rayo; *(flash only)* relámpago.

like [laɪk] *adj (similar)* semejante, parecido,-a. 2 *(equal)* igual. − 3 *prep* como. − 4 *t* gustar: *I ~ wine,* me gusta el vino; *do you ~ him?,* ¿te gusta?; *would you like me to leave?,* ¿quieres que me vaya? − 5 *n* cosa parecida. 6 *pl* gustos *mpl.* ●*~ father, ~ son,* de tal palo tal astilla; *~ this,* así; *to be/look ~,* parecerse a; *to feel ~,* tener ganas de.

likeable ['laɪkəbəl] *adj* simpático,-a.

likelihood ['laɪklɪhʊd] *n* probabilidad.

likely ['laɪklɪ] *adj* probable. − 2 *adv* probablemente.

liken ['laɪkən] *t* comparar.

likeness ['laɪknəs] *n* semejanza, parecido. 2 *(portrait)* retrato.

likewise ['laɪkwaɪz] *adv* también. 2 *(the same)* lo mismo.

liking ['laɪkɪŋ] *n* gusto, preferencia. ●*to be to sb.'s ~,* gustarle a algn.

Lilo® ['laɪləʊ] *n* colchoneta.

lilt [lɪlt] *n* melodía.

lily ['lɪlɪ] *n* lirio, azucena. ■ *water ~,* nenúfar *m.*

limb [lɪmb] *n* miembro.
limber up [lɪmbərˈʌp] *i* precalentarse.
lime [laɪm] *n* CHEM cal *f.* 2 *(citrus fruit)* lima. 3 *(tree)* tilo.
limelight ['laɪmlaɪt] *n to be in the ~,* ser el centro de atención.
limestone ['laɪmstəʊn] *n* piedra caliza.
limit ['lɪmɪt] *n* límite *m.* – 2 *t* limitar.
limitation [lɪmɪ'teɪʃən] *n* limitación.
limited ['lɪmɪtɪd] *adj* limitado,-a. ■ ~ *company,* sociedad anónima.
limousine [lɪmə'ziːn] *n* limusina.
limp [lɪmp] *n* cojera. – 2 *i* cojear. – 3 *adj* flojo,-a, fláccido,-a. 4 *(weak)* débil.
limpet ['lɪmpɪt] *n* lapa.
limpid ['lɪmpɪd] *adj* límpido,-a.
linchpin ['lɪntʃpɪn] *n fig* pieza clave.
linden ['lɪndən] *n* tilo.
line [laɪn] *n gen* línea. 2 *(drawn on paper)* raya. 3 *(of text)* línea. 4 *(cord)* cuerda, cordel *m; (fishing)* sedal *m.* 5 US *(queue)* cola. 6 *(wrinkle)* arruga. – 7 *t (clothes)* forrar. 8 TECH revestir. ◆*to ~ up t-i* poner(se) en fila. – 2 *t fam* preparar, organizar.
linear ['lɪnɪəʳ] *adj* lineal.
lined [laɪnd] *adj (paper)* rayado,-a. 2 *(face)* arrugado,-a. 3 *(garment)* forrado,-a.
linen ['lɪnɪn] *n* lino. 2 *(sheets etc.)* ropa blanca.
liner ['laɪnəʳ] *n* transatlántico.
linesman ['laɪnzmən] *n* juez *mf* de línea.
linger ['lɪŋgəʳ] *i (stay)* quedarse. 2 *(persist)* persistir.
lingerie ['lɑːnʒəriː] *n fml* lencería.
lingering ['lɪŋgərɪŋ] *adj (slow)* lento,-a. 2 *(persistent)* persistente.
linguist ['lɪŋgwɪst] *n* lingüista *mf.* 2 *(polyglot)* políglota *mf.*
linguistic [lɪŋ'gwɪstɪk] *adj* lingüístico,-a.
linguistics [lɪŋ'gwɪstɪks] *n* lingüística.
liniment ['lɪnɪmənt] *n* linimento.
lining ['laɪnɪŋ] *n* forro. 2 TECH revestimiento.
link [lɪŋk] *n (in chain)* eslabón *m.* 2 *(connection)* enlace *m.* 3 *fig* vínculo. 4 *pl* campo *m sing* de golf. – 5 *t* unir, conectar. 6 *fig* vincular, relacionar.
linkage ['lɪŋkɪdʒ] *n* conexión.
linoleum [lɪ'nəʊliəm] *n* linóleo.
lint [lɪnt] *n* hilas *fpl.*
lintel ['lɪntəl] *n* dintel *m.*
lion ['laɪən] *n* león *m.*
lioness ['laɪənəs] *n* leona.
lip [lɪp] *n* labio. 2 *(of cup etc.)* borde *m.* 3 *fam (cheek)* impertinencia.
lip-read ['lɪpriːd] *t-i* leer en los labios.

lipstick ['lɪpstɪk] *n* pintalabios *m inv.*
liquefy ['lɪkwɪfaɪ] *t-i* licuar(se).
liqueur [lɪ'kjʊəʳ] *n* licor *m.*
liquid ['lɪkwɪd] *adj-n* líquido,-a *(m).*
liquidate ['lɪkwɪdeɪt] *t* liquidar.
liquidize ['lɪkwɪdaɪz] *t* licuar.
liquor ['lɪkəʳ] *n* bebidas *fpl* alcohólicas.
liquorice ['lɪkərɪs] *n* regaliz *m.*
lisp [lɪsp] *n* ceceo. – 2 *i* cecear.
list [lɪst] *n* lista. 2 MAR escora. – 3 *t* hacer una lista de. – 4 *i* MAR escorar.
listen ['lɪsən] *i* escuchar. 2 *(pay attention)* prestar atención.
listener ['lɪsənəʳ] *n* oyente *mf.* 2 RAD radioyente *mf.*
listless ['lɪstləs] *adj* decaído,-a.
lit [lɪt] *pt & pp →* **light.**
literacy ['lɪtərəsɪ] *n* alfabetización.
literal ['lɪtərəl] *adj* literal. – 2 *literally adv (really)* materialmente.
literary ['lɪtərərɪ] *adj* literario,-a.
literate ['lɪtərət] *adj* alfabetizado,-a.
literature ['lɪtərɪtʃəʳ] *n* literatura. 2 *(booklets etc.)* información.
lithe [laɪð] *adj* ágil.
lithography [lɪ'θɒgrəfɪ] *n* litografía.
litigate ['lɪtɪgeɪt] *i* litigar.
litigation [lɪtɪ'geɪʃən] *n* litigio.
litmus ['lɪtməs] *n* tornasol *m.*
litre ['liːtəʳ] *n* litro.
litter ['lɪtəʳ] *n* basura; *(paper)* papeles *mpl.* 2 *(of young)* camada. – 3 *t* ensuciar, dejar en desorden: *littered with books,* lleno,-a/cubierto,-a de libros.
little ['lɪtəl] *adj (small)* pequeño,-a. 2 *(not much)* poco,-a. – 3 *pron* poco. – 4 *adv* poco. ●*~ by ~,* poco a poco.
liturgy ['lɪtədʒɪ] *n* liturgia.
live [laɪv] *adj (not dead)* vivo,-a. 2 TV RAD en directo. 3 ELEC con corriente. 4 *(ammunition)* real. – 5 *t-i* vivir. ◆*to ~ down t* lograr que se olvide. ●*to ~ it up,* pasárselo bomba. ▲ *En 5 (verbo)* [lɪv].
livelihood ['laɪvlɪhʊd] *n* sustento.
liveliness ['laɪvlɪnəs] *n* vivacidad, animación.
lively ['laɪvlɪ] *adj (person)* vivo,-a. 2 *(event, place)* animado,-a.
liven up [laɪvən'ʌp] *t-i* animar(se).
liver ['lɪvəʳ] *n* hígado.
livestock ['laɪvstɒk] *n* ganado.
livid ['lɪvɪd] *adj* lívido,-a. 2 *fam* furioso,-a.
living ['lɪvɪŋ] *adj* vivo,-a, viviente. – 2 *n* vida. ■ ~ *room,* sala de estar.
lizard ['lɪzəd] *n* lagarto; *(small)* lagartija.
llama ['lɑːmə] *n* ZOOL llama.

load [ləʊd] *n* carga. **2** *(weight)* peso. — **3** *t-i* cargar. ◆**loads of ...**, montones de ... .

loaded ['ləʊdɪd] *adj* cargado,-a. **2** *(question)* tendencioso,-a. **3** *fam (rich)* forrado,-a.

loaf [ləʊf] *n* pan *m*; *(French)* barra. **2** *fam (head)* mollera. — **3** *i* holgazanear.

loafer ['ləʊfə^r] *n* holgazán,-ana.

loan [ləʊn] *n* préstamo. — **2** *t* prestar.

loath [ləʊθ] *adj* reacio,-a.

loathe [ləʊð] *t* detestar, odiar.

loathing ['ləʊðɪŋ] *n* odio.

loathsome ['ləʊðsəm] *adj* odioso,-a.

lob [lɒb] *n (tennis)* lob *m*, globo. — **2** *i* hacer un lob. **3** *fam* tirar.

lobby ['lɒbɪ] *n* vestíbulo. **2** POL grupo de presión. — **3** *t* POL presionar, ejercer presión sobre.

lobe [ləʊb] *n* lóbulo.

lobster ['lɒbstə^r] *n* bogavante *m*. ■ *spiny ~*, langosta.

local ['ləʊkəl] *adj gen* local. **2** *(person)* del barrio/pueblo, de la ciudad. **3** *(government)* municipal, regional. — **4** *n* vecino,-a. **5** GB *fam* bar *m* del barrio.

locale [ləʊ'kɑːl] *n* lugar *m*.

locality [ləʊ'kælɪtɪ] *n* localidad.

locate [ləʊ'keɪt] *t (find)* localizar. **2** *(situate)* situar, ubicar.

location [ləʊ'keɪʃən] *n (place)* lugar *m*. **2** *(act of placing)* ubicación. **3** *(finding)* localización.

loch [lɒk] *n (in Scotland)* lago.

lock [lɒk] *n (on door etc.)* cerradura. **2** *(in canal)* esclusa. **3** *(of hair)* mecha, mechón *m*. — **4** *t* cerrar con llave.

locker ['lɒkə^r] *n* taquilla, armario.

locket ['lɒkɪt] *n* guardapelo, medallón *m*.

lockout ['lɒkaʊt] *n* locaut *m*, cierre *m* patronal.

locksmith ['lɒksmɪθ] *n* cerrajero.

locomotive [ləʊkə'məʊtɪv] *adj-n* locomotor,-ra *(f)*.

locum ['ləʊkəm] *n* suplente *mf*.

locust ['ləʊkəst] *n* langosta.

locution [lə'kjuːʃən] *n* locución.

lodge [lɒdʒ] *n* casita. **2** *(porter's)* portería. **3** *(masonic)* logia. — **4** *i (as guest)* alojarse, hospedarse. **5** *(fix)* quedarse, fijarse. — **6** *t (complaint)* presentar.

lodger ['lɒdʒə^r] *n* huésped,-da.

lodging ['lɒdʒɪŋ] *n* alojamiento.

loft [lɒft] *n* desván *m*.

log [lɒg] *n* tronco; *(for fire)* leño. **2** MAR cuaderno de bitácora. **3** AV diario de vuelo. — **4** *t* registrar. ◆**to ~ in** *i* COMPUT

entrar (en el sistema). ◆**to ~ out** *i* COMPUT salir (del sistema).

logarithm ['lɒgərɪðəm] *n* logaritmo.

loggerheads ['lɒgəhedz] *npl* **to be at ~**, tener malas relaciones.

logic ['lɒdʒɪk] *n* lógica.

logical ['lɒdʒɪkəl] *adj* lógico,-a.

logistic [lə'dʒɪstɪk] *adj* logístico,-a.

loin [lɔɪn] *n* ijada. **2** CULIN *(pork)* lomo; *(beef)* solomillo.

loincloth ['lɔɪnklɒθ] *n* taparrabo(s).

loiter ['lɔɪtə^r] *i* holgazanear. **2** *(lag behind)* rezagarse. **3** *(suspiciously)* merodear.

loll [lɒl] *i (sit)* repantigarse.

lollipop ['lɒlɪpɒp] *n* pirulí *m*, chupachup® *m*. **2** *(iced)* polo.

lolly ['lɒlɪ] *fam n* pirulí *m*, chupachup® *m*. **2** *(iced)* polo. **3** *(money)* pasta.

lone [ləʊn] *adj* solo,-a. **2** *(solitary)* solitario,-a.

loneliness ['ləʊnlɪnəs] *n* soledad.

lonely ['ləʊnlɪ] *adj* solo,-a, solitario,-a. **2** *(place)* aislado,-a.

long [lɒŋ] *adj* largo,-a: **how ~ is the film?**, ¿cuánto dura la película?; **the garden is 30 metres ~**, el jardín hace 30 metros de largo. — **2** *adv* mucho tiempo: **how ~ have you had this problem?**, ¿desde cuándo tienes este problema? — **3** *i* **to ~ for**, anhelar. **4** **to ~ to**, tener muchas ganas de. ◆**as ~ as**, mientras, con tal que; **in the ~ run**, a la larga; **~ ago**, hace mucho tiempo; **so ~**, hasta la vista. ■ **~ jump**, salto de longitud.

longbow ['lɒŋbəʊ] *n* arco.

long-distance [lɒŋ'dɪstəns] *adj* de larga distancia. **2** *(phone call)* interurbano,-a. **3** *(runner)* de fondo.

longhand ['lɒŋhænd] *n* escritura a mano.

longing ['lɒŋɪŋ] *n* ansia, anhelo. **2** *(nostalgia)* nostalgia.

longitude ['lɒndʒɪtjuːd] *n* longitud.

long-playing [lɒŋ'pleɪɪŋ] *adj* de larga duración.

long-range [lɒŋ'reɪndʒ] *adj (distance)* de largo alcance. **2** *(time)* de largo plazo.

long-sighted [lɒŋ'saɪtɪd] *adj* MED présbita.

long-standing [lɒŋ'stændɪŋ] *adj* antiguo,-a.

long-suffering [lɒŋ'sʌfərɪŋ] *adj* sufrido,-a.

long-term [lɒŋ'tɜːm] *adj* a largo plazo.

longways ['lɒŋweɪz] *adv* a lo largo.

loo [luː] *n fam* wáter *m*.

look [lʊk] *n* mirada. **2** *(appearance)* aspecto, apariencia. **3** *(expression)* expresión.

4 *pl* belleza *f sing.* — 5 mirar. 6 *(seem)* parecer. ◆*to* ~ *after t (deal with)* ocuparse de. 2 *(take care of)* cuidar. ◆*to* ~ *ahead i* mirar al futuro. ◆*to* ~ *at t* mirar. ◆*to* ~ *down on t* despreciar. ◆*to* ~ *for t* buscar. ◆*to* ~ *forward to t* esperar (con ansia). ◆*to* ~ *into t* investigar. ◆*to* ~ *on t* considerar. — 2 *i* mirar. ◆*to* ~ *onto t* dar a. ◆*to* ~ *out i* vigilar, ir con cuidado. ◆*to* ~ *round i* volver la cabeza. 2 *(in shop)* mirar. — 3 *t (town)* visitar. ◆*to* ~ *through t* examinar, revisar; *(book, quickly)* hojear. ◆*to* ~ *up i* mejorar. — 2 *t* buscar. 3 *(visit)* ir a visitar.

lookalike ['lʊkəlaɪk] *n* doble *mf*, sosia *m*.

lookout ['lʊkaʊt] *n (person)* vigía *mf*. 2 *(place)* atalaya. ●*to be on the* ~ *for,* estar al acecho de.

loom [lu:m] *n* telar *m*. — 2 *i* vislumbrarse.

loony ['lu:nɪ] *adj fam* chalado,-a.

loop [lu:p] *n (in string)* lazo.

loophole ['lu:phəʊl] *n fig* escapatoria.

loose [lu:s] *adj gen* suelto,-a. 2 *(not tight)* flojo,-a; *(clothes)* holgado,-a. 3 *(not tied)* desatado,-a. — 4 *t* soltar. ●*on the* ~, suelto,-a.

loosen ['lu:sən] *t-i* soltar(se), aflojar(se).

loot [lu:t] *n* botín *m*. 2 *fam (money)* pasta.- 3 *t-i* saquear.

lop [lɒp] *t* podar.

lope [ləʊp] *i* andar con paso largo.

lopsided [lɒp'saɪdɪd] *adj* desequilibrado,-a.

loquacious [lə'kweɪʃəs] *adj* locuaz.

lord [lɔ:d] *n* señor *m*. 2 *(title)* lord *m*. ■ *the Lord,* el Señor; *the Lord's Prayer,* el padrenuestro.

lordship ['lɔ:dʃɪp] *n (title)* señoría.

lore [lɔ:ʳ] *n* saber *m* popular.

lorry ['lɒrɪ] *n* camión *m*.

lose [lu:z] *t-i gen* perder. 2 *(clock)* atrasarse. ●*to* ~ *one's way,* perderse. ▲ *pt & pp* **lost**.

loser ['lu:zəʳ] *n* perdedor,-a. ●*to be a good/bad* ~, saber/no saber perder.

loss [lɒs] *n* pérdida.

lost [lɒst] *pt & pp* → **lose**. — 2 *adj* perdido,-a. ●*to get* ~, perderse.

lot [lɒt] *n (fate)* suerte *f*. 2 US *(land)* solar *m*. 3 *(in auction)* lote *m*. 4 *(large number)* cantidad: *a* ~, mucho, muchísimo; *a* ~ *of ...,* muchísimo,-a, muchísimos,-as; *lots of ...,* cantidad de ... . ●*to cast lots,* echar suertes.

lotion ['ləʊʃən] *n* loción.

lottery ['lɒtərɪ] *n* lotería.

loud [laʊd] *adj (sound)* fuerte. 2 *(voice)* alto,-a. 3 *(colour)* chillón,-ona. 4 *(behav-iour)* vulgar, ordinario,-a. — 5 *adv* fuerte, alto.

loudmouth ['laʊdmaʊθ] *n pej* voceras *mf inv*, bocazas *mf inv*.

loudspeaker [laʊd'spi:kəʳ] *n* altavoz *m*.

lounge [laʊndʒ] *n* salón *m*. — 2 *i* holgazanear. 3 *(on sofa etc.)* repantigarse.

louse [laʊs] *n* piojo. 2 *fam* canalla *mf*. ▲ *En 1 pl* **lice**.

lousy ['laʊzɪ] *adj* piojoso,-a. 2 *fam* fatal, malísimo,-a; *(vile)* asqueroso,-a.

lout [laʊt] *n* patán *m*.

loutish ['laʊtɪʃ] *adj* bruto,-a.

lovable ['lʌvəbəl] *adj* adorable.

love [lʌv] *n* amor *m*. 2 *(tennis)* cero. — 3 *t* amar a, querer a. 4 *(like a lot)* tener afición a: *I* ~ *fish,* me encanta el pescado. ●*not for* ~ *or money,* por nada del mundo; *to be in* ~ *with,* estar enamorado,-a de. ■ ~ *affair,* aventura amorosa; ~ *at first sight,* amor a primera vista.

lovely ['lʌvlɪ] *adj* maravilloso,-a; *(beauti-ful)* hermoso,-a, precioso,-a; *(charming)* encantador,-ra.

lover ['lʌvəʳ] *n* amante *mf*.

loving ['lʌvɪŋ] *adj* afectuoso,-a.

low [ləʊ] *adj gen* bajo,-a. 2 *(depressed)* abatido,-a. — 3 *adv* bajo. — 4 *i* mugir.

lowdown ['ləʊdaʊn] *n fam* detalles *mpl*.

lower ['ləʊəʳ] *adj* inferior. — 2 *t gen* bajar. 3 *(flag)* arriar.

lower-class [ləʊə'klɑ:s] *adj* de clase baja.

low-necked [ləʊ'nekt] *adj* escotado,-a.

lowly ['ləʊlɪ] *adj* humilde, modesto,-a.

loyal ['lɔɪəl] *adj* leal, fiel.

loyalty ['lɔɪəltɪ] *n* lealtad, fidelidad.

lozenge ['lɒzɪndʒ] *n* pastilla.

lubricant ['lu:brɪkənt] *n* lubricante *m*.

lubricate ['lu:brɪkeɪt] *t* lubricar.

lubrication [lu:brɪ'keɪʃən] *n* lubricación.

lucid ['lu:sɪd] *adj* lúcido,-a.

luck [lʌk] *n* suerte *f*.

luckily ['lʌkɪlɪ] *adv* afortunadamente.

luckless ['lʌkləs] *adj* desafortunado,-a.

lucky ['lʌkɪ] *adj* afortunado,-a.

lucrative ['lu:krətɪv] *adj* lucrativo,-a.

ludicrous ['lu:dɪkrəs] *adj* ridículo,-a.

lug [lʌg] *t fam* arrastrar.

luggage ['lʌgɪdʒ] *n* equipaje *m*.

lugubrious [lə'gju:brɪəs] *adj* lúgubre.

lukewarm ['lu:kwɔ:m] *adj* templado,-a.

lull [lʌl] *n* momento de calma, recalmón *m*. — 2 *t* adormecer.

lullaby ['lʌləbaɪ] *n* canción de cuna, nana.

lumbago [lʌm'beɪgəʊ] *n* lumbago.

lumber ['lʌmbəʳ] *n (wood)* madera. **2** *(junk)* trastos *mpl* viejos. – **3** *i* moverse pesadamente.

lumberjack ['lʌmbədʒæk] *n* leñador *m*.

luminous ['luːmɪnəs] *adj* luminoso,-a.

lump [lʌmp] *n* pedazo, trozo. **2** *(sugar)* terrón *m*. **3** *(swelling)* bulto. **4** *(in sauce)* grumo. ◆**to ~ together** *t* juntar. ●*fam* **to ~ it,** apechugar. ■ ~ **sum,** suma global.

lumpy ['lʌmpɪ] *adj* lleno,-a de bultos. **2** *(sauce)* grumoso,-a.

lunacy ['luːnəsɪ] *n* locura.

lunar ['luːnəʳ] *adj* lunar.

lunatic ['luːnətɪk] *adj-n* loco,-a.

lunch [lʌntʃ] *n* comida, almuerzo. – **2** *i* comer, almorzar.

luncheon ['lʌntʃən] *n fml* almuerzo.

lunchtime ['lʌntʃtaɪm] *n* hora de comer/almorzar.

lung [lʌŋ] *n* pulmón *m*.

lunge [lʌndʒ] *n* arremetida, embestida. – **2** *i* arremeter, embestir.

lurch [lɜːtʃ] *n* sacudida, tumbo, bandazo. – **2** *i* dar sacudidas/bandazos. **3** *(person)* tambalear(se). ●*to* **leave in the ~,** dejar en la estacada.

lure [ljʊəʳ] *n* señuelo. **2** *fig* atractivo. – **3** *t* atraer.

lurid ['ljuərɪd] *adj (colours etc.)* chillón,-ona. **2** *(details)* horripilante, espeluznante.

lurk [lɜːk] *i* estar al acecho.

luscious ['lʌʃəs] *adj* delicioso,-a, exquisito,-a.

lush [lʌʃ] *adj* exuberante.

lust [lʌst] *n* codicia. **2** *(sexual)* lujuria. ◆*to* **~ after** *t* codiciar.

lustful ['lʌstfʊl] *adj* lujurioso,-a.

lustre ['lʌstəʳ] *n* lustre *m*, brillo.

lusty ['lʌstɪ] *adj* fuerte, robusto,-a.

lute [luːt] *n* laúd *m*.

luxurious [lʌgˈzjuərɪəs] *adj* lujoso,-a.

luxury ['lʌkʃərɪ] *n* lujo.

lying ['laɪɪŋ] *adj* mentiroso,-a. – **2** *n* mentiras *fpl*.

lymphatic [lɪmˈfætɪk] *adj* linfático,-a.

lynch [lɪntʃ] *t* linchar.

lynching ['lɪntʃɪŋ] *n* linchamiento.

lynx [lɪŋks] *n* lince *m*.

lyre ['laɪəʳ] *n* MUS lira.

lyric ['lɪrɪk] *adj* lírico,-a. – **2** *npl (of song)* letra *f sing*.

lyrical ['lɪrɪkəl] *adj* lírico,-a.

lyricist ['lɪrɪsɪst] *n* letrista *mf*.

M

ma'am [mæm, mɑːm] *n fml* señora.
macabre [məˈkɑːbrə] *adj* macabro,-a.
mac(c)aroni [mækəˈrəʊnɪ] *n* macarrones *mpl*.
mace [meɪs] *n* maza.
machine [məˈʃiːn] *n* máquina, aparato. ■ ~ *gun*, ametralladora.
machinery [məˈʃiːnərɪ] *n* maquinaria. 2 *(workings)* mecanismo.
mackerel [ˈmækrəl] *n* caballa.
mac(k)intosh [ˈmækɪntɒʃ] *n* impermeable *m*.
mad [mæd] *adj* loco,-a. 2 *(idea, plan)* disparatado,-a, insensato,-a. 3 *(uncontrolled)* desenfrenado,-a. – 4 *madly adv* locamente. 5 *(hurriedly)* precipitadamente. 6 *fam (very)* terriblemente. ●*to be ~ about,* estar loco,-a por; *to be ~ at/with sb.,* estar enfadado,-a con algn.; *to go ~,* volverse loco,-a.
madam [ˈmædəm] *n fml* señora.
madden [ˈmædən] *t* enfurecer.
made [meɪd] *pt & pp* → **make**.
made-up [ˈmeɪdʌp] *adj (face)* maquillado,-a; *(eyes)* pintado,-a. 2 *(invented)* inventado,-a.
madhouse [ˈmædhaʊs] *n fam* casa de locos, manicomio.
madman [ˈmædmən] *n* loco.
madness [ˈmædnəs] *n* locura.
magazine [mægəˈziːn] *n* revista. 2 *(in gun)* recámara.
magic [ˈmædʒɪk] *n* magia. – 2 *adj* mágico,-a. ●*as if by ~,* como por arte de magia.
magical [ˈmædʒɪkəl] *adj* mágico,-a.
magician [məˈdʒɪʃən] *n* prestidigitador,-ra, mago,-a.
magistrate [ˈmædʒɪstreɪt] *n* magistrado,-a, juez *mf*.
magnanimous [mægˈnænɪməs] *adj* magnánimo,-a.

magnate [ˈmægneɪt] *n* magnate *m*.
magnet [ˈmægnət] *n* imán *m*.
magnetic [mægˈnetɪk] *adj* magnético,-a. ■ ~ *field,* campo magnético; ~ *tape,* cinta magnetofónica.
magnificent [mægˈnɪfɪsənt] *adj* magnífico,-a, espléndido,-a.
magnify [ˈmægnɪfaɪ] *t* aumentar, ampliar. 2 *fig* exagerar.
magnifying glass [ˈmægnɪfaɪɪŋɡlɑːs] *n* lupa.
magnitude [ˈmægnɪtjuːd] *n* magnitud.
mahogany [məˈhɒgənɪ] *n* caoba.
maid [meɪd] *n* criada, sirvienta. 2 *(in hotel)* camarera. ■ ~ *of honour,* dama de honor.
maiden [ˈmeɪdən] *n* doncella. – 2 *adj (unmarried)* soltera. 3 *(voyage)* inaugural. ■ ~ *name,* apellido de soltera.
mail [meɪl] *n* correo. – 2 *t US (post)* echar al buzón. 3 *(send)* enviar por correo. ■ ~ *order,* venta por correo; ~ *train,* tren *m* correo.
mailbox [ˈmeɪlbɒks] *n US* buzón *m*.
maim [meɪm] *t* mutilar, lisiar.
main [meɪn] *adj* principal. 2 *(essential)* esencial. – 3 *n (pipe, wire)* conducto principal. 4 ELEC corriente eléctrica. – 5 *mainly adv (chiefly)* principalmente. 6 *(mostly)* en su mayoría. ■ ARCH ~ *beam,* viga maestra; ~ *course,* plato principal; ~ *office,* oficina central; ~ *street,* calle *f* mayor. ▲ 3 y 4 *gen pl*.
mainland [ˈmeɪnlənd] *n* continente *m*.
mainstream [ˈmeɪnstriːm] *n* corriente *f* principal.
maintain [meɪnˈteɪn] *t* mantener.
maintenance [ˈmeɪntənəns] *n* mantenimiento. 2 JUR pensión.
maisonette [meɪzəˈnet] *n* dúplex *m*.
maize [meɪz] *n* maíz *m*.
majestic [məˈdʒestɪk] *adj* majestuoso,-a.

manhole

majesty ['mædʒəstɪ] n majestad.

major ['meɪdʒəʳ] adj mayor, principal. 2 (important) importante, considerable. 3 MUS mayor. − 4 n MIL comandante m.

majority [mə'dʒɒrɪtɪ] n mayoría. ■ ~ rule, gobierno mayoritario.

make [meɪk] n marca. − 2 t gen hacer. 3 (speech) pronunciar. 4 (decision) tomar. 5 (compel) obligar: to ~ sb. do sth., obligar a algn. a hacer algo. 6 (earn) ganar. 7 (achieve) conseguir: I made it!, ¡lo conseguí! ◆to ~ for t (move towards) dirigirse hacia. 2 (result in) contribuir a. ◆to ~ out t (write) hacer; (cheque) extender. 2 (see) distinguir; (writing) descifrar. 3 (understand) entender. 4 fam (pretend) pretender. − 5 i (manage) arreglárselas. ◆to ~ up t (invent) inventar. 2 (put together) hacer; (package) empaquetar. 3 (complete) completar. 4 (constitute) componer, formar. − 5 t-i (cosmetics) maquillar(se). ◆to ~ up for t compensar. ●to be made of, ser/estar hecho,-a de; to ~ a fresh start, volver a empezar; to ~ a living, ganarse la vida; to ~ a mistake, equivocarse; to ~ believe, hacer ver; to ~ do (with sth.), arreglárselas (con algo); to ~ fun of, burlarse de; to ~ it up with sb., hacer las paces; to ~ sense, tener sentido; to ~ sb. angry, (hacer) enfadar a algn.; to ~ sth. clear, aclarar algo; to ~ sth. known, dar a conocer algo; to ~ sure (of sth.), asegurarse (de algo); to ~ the best/most of sth., sacar partido de algo; to ~ up one's mind, decidirse. ▲ pt & pp made.

make-believe ['meɪkbɪliːv] n fantasía, invención.

maker ['meɪkəʳ] n (manufacturer) fabricante mf.

makeshift ['meɪkʃɪft] adj provisional.

make-up ['meɪkʌp] n (cosmetics) maquillaje m. 2 (composition) composición. 3 (of person) carácter m. 4 (of book, page) compaginación. ■ ~ remover, desmaquillador m.

making ['meɪkɪŋ] n (manufacture) fabricación. 2 (construction) construcción. 3 (creation) creación. ●to have the makings of sth., tener madera de algo.

maladjusted [mælə'dʒʌstɪd] adj inadaptado,-a.

malaria [mə'leərɪə] n malaria, paludismo.

male [meɪl] adj-n (animal, plant) macho. 2 (person) varón (m). − 3 adj (sex) masculino,-a. ■ ~ chauvinism, machismo.

malevolent [mə'levələnt] adj malévolo,-a.

malformation [mælfɔː'meɪʃən] n malformación.

malfunction [mæl'fʌŋkʃən] n funcionamiento defectuoso.

malice ['mælɪs] n malicia, maldad. ●to bear sb. ~, guardar rencor a algn.

malicious [mə'lɪʃəs] adj malévolo,-a. 2 (bitter) rencoroso,-a.

malignant [mə'lɪgnənt] adj (person) malvado,-a. 2 MED maligno,-a.

mallet ['mælət] n mazo.

malnutrition [mælnjuː'trɪʃən] n desnutrición.

malpractice [mæl'præktɪs] n MED negligencia. 2 JUR procedimiento ilegal.

malt [mɔːlt] n malta.

mammal ['mæməl] n mamífero.

mammoth ['mæməθ] n mamut m. − 2 adj gigantesco,-a, descomunal.

man [mæn] n hombre m. 2 (humanity) Man, el hombre. 3 (chess) pieza; (draughts) ficha. − 4 t (boat, plane) tripular. 5 (post) servir. ●~ and wife, marido y mujer; the ~ in the street, el hombre de la calle. ▲ pl men.

manacle ['mænəkəl] n esposa. − 2 t esposar. ▲ 1 gen pl.

manage ['mænɪdʒ] t (business) dirigir, llevar. 2 (household) llevar. 3 (affairs, child) manejar. 4 (succeed) conseguir: can you ~ (to do) it?, ¿puedes con eso? − 5 i poder. 6 (financially) arreglárselas, apañarse.

manageable ['mænɪdʒəbəl] adj manejable.

management ['mænɪdʒmənt] n (of business etc.) dirección, administración. 2 (board of directors) junta directiva, consejo de administración.

manager ['mænɪdʒəʳ] n (of company) director,-ra, gerente mf. 2 (of restaurant etc.) encargado. 3 THEAT empresario,-a. 4 (of actor) representante mf, mánager mf. 5 (sports) entrenador m, mánager mf.

manageress [mænɪdʒə'res] n (of company) directora, gerente f. 2 (of shop etc.) encargada, jefa.

mandate ['mændeɪt] n mandato.

mane [meɪn] n (of horse) crin f; (of lion) melena.

manger ['meɪndʒəʳ] n pesebre m.

mangle ['mæŋgəl] n escurridor m, rodillo. − 2 t (cut to pieces) destrozar. 3 (crush) aplastar.

mango ['mæŋgəʊ] n mango.

manhandle ['mænhændəl] t (person) maltratar.

manhole ['mænhəʊl] n boca de acceso.

manhood ['mænhʊd] *n* madurez *f*. ●*to reach ~*, llegar a la edad viril.

mania ['meɪnɪə] *n* manía.

maniac ['meɪnɪæk] *n* maníaco,-a. 2 *fam* loco,-a.

manic ['mænɪk] *adj* maníaco,-a.

manicure ['mænɪkjʊəʳ] *n* manicura.

manifest ['mænɪfest] *fml adj* manifiesto,-a, patente. – 2 *t* manifestar.

manifesto [mænɪ'festəʊ] *n* manifiesto.

manifold ['mænɪfəʊld] *adj fml* múltiples, varios,-as. – 2 *n* colector *m* de escape.

manipulate [mə'nɪpjʊleɪt] *t* manipular.

mankind [mæn'kaɪnd] *n* la humanidad, el género humano.

manly ['mænlɪ] *adj* varonil, viril, macho.

man-made [mæn'meɪd] *adj (lake)* artificial. 2 *(fabric etc.)* sintético,-a.

manner ['mænəʳ] *n* manera, modo. 2 *(way of behaving)* forma de ser, comportamiento. 3 *pl* maneras *fpl*, modales *mpl*. ●*in a ~ (of speaking)*, por decirlo así; *in this ~*, de esta manera, así.

mannerism ['mænərɪzəm] *n* peculiaridad.

manoeuvre [mə'nu:vəʳ] *n* maniobra. – 2 *t-i* maniobrar. – 3 *t (person)* manipular.

manor ['mænəʳ] *n* señorío. ■ *~ house*, casa solariega.

manpower ['mænpaʊəʳ] *n* mano *f* de obra.

mansion ['mænʃən] *n* casa grande; *(country)* casa solariega.

manslaughter ['mænslɔ:təʳ] *n* homicidio involuntario.

mantelpiece ['mæntəlpi:s] *n* repisa de chimenea.

manual ['mænjʊəl] *adj-n* manual *(m)*. – 2 *manually adv* a mano.

manufacture [mænjʊ'fæktʃəʳ] *n* gen fabricación. 2 *(of clothing)* confección. 3 *(of foodstuffs)* elaboración. – 4 *t gen* fabricar. 5 *(clothing)* confeccionar. 6 *(foodstuffs)* elaborar.

manufacturer [mænjʊ'fæktʃərəʳ] *n* fabricante *mf*.

manure [mə'njʊəʳ] *n* abono, estiércol *m*. – 2 *t* abonar, estercolar.

manuscript ['mænjʊskrɪpt] *n* manuscrito.

many ['menɪ] *adj-pron* muchos,-as. ●*as ~ ... as*, tantos,-as ... como; *how ~?*, ¿cuántos,-as?; *~ people*, mucha gente; *not ~*, pocos,-as; *too ~*, demasiados,-as. ▲ *comp more; superl most.*

map [mæp] *n (of country, region)* mapa *m*. 2 *(of town, transport)* plano. ◆*to ~ out t*

(plan) proyectar, planear. ■ *~ of the world*, mapamundi *m*.

maple ['meɪpəl] *n* arce *m*.

mar [mɑ:ʳ] *t* estropear, echar a perder.

marathon ['mærəθən] *n* maratón . – 2 *adj* maratoniano,-a.

marble ['mɑ:bəl] *n* mármol *m*. 2 *(glass ball)* canica. – 3 *adj* de mármol.

March [mɑ:tʃ] *n* marzo.

march [mɑ:tʃ] *n* MIL marcha; *(walk)* caminata. 2 *(demonstration)* manifestación. 3 *fig (of time)* marcha, paso. – 4 *i* MIL marchar, hacer una marcha; *(walk)* caminar. ◆*to ~ in/out i* entrar/salir enfadado,-a. ◆*to ~ past i* desfilar. ●*to ~ sb. off*, llevarse a algn. (a la fuerza).

mare [meəʳ] *n* yegua.

margarine [mɑ:dʒə'ri:n] *n* margarina.

margin ['mɑ:dʒɪn] *n* margen *m*.

marginal ['mɑ:dʒɪnəl] *adj* marginal. 2 *(small)* insignificante.

marigold ['mærɪgəʊld] *n* maravilla, caléndula.

marinate ['mærɪneɪt] *t* adobar.

marine [mə'ri:n] *n* marino,-a, marítimo,-a. – 2 *n* soldado de infantería de marina.

marionette [mærɪə'net] *n* marioneta, títere *m*.

marital ['mærɪtəl] *adj* matrimonial. ■ *~ status*, estado civil.

maritime ['mærɪtaɪm] *adj* marítimo,-a.

mark [mɑ:k] *n (imprint)* huella; *(from blow)* señal *f*. 2 *(stain)* mancha. 3 *(sign)* señal, marca. 4 EDUC nota, calificación. 5 SP tanto. 6 *(target)* blanco. 7 TECH *(type)* serie *f*. 8 FIN marco (alemán). – 9 *t* marcar. 10 *(stain)* manchar. 11 *(indicate)* señalar. 12 EDUC *(correct)* corregir; *(give mark to)* puntuar, calificar. ◆*to ~ down t (lower)* rebajar. ◆*to ~ out t (area)* delimitar. 2 *(person)* destinar *(for, a)*. ●*~ my words!*, ¡verás cómo tengo razón!; *on your marks!*, ¡preparados!; *to hit the ~*, dar en el blanco; *to make one's ~*, distinguirse; *fig to ~ time*, hacer (el) tiempo.

marked [mɑ:kt] *adj* marcado,-a, apreciable.

marker ['mɑ:kəʳ] *n (stake)* jalón *m*. 2 *(pen)* rotulador *m*.

market ['mɑ:kɪt] *n* mercado. – 2 *t* vender, poner en venta. ●*to be on the ~*, estar a la/en venta.

marketing ['mɑ:kɪtɪŋ] *n* márketing *m*.

marksman ['mɑ:ksmən] *n* tirador *m*.

marmalade ['mɑ:məleɪd] *n* mermelada (de cítricos).

maroon [mə'ruːn] *adj-n* granate *(m)*. – 2 *t* aislar, abandonar.

marquee [mɑː'kiː] *n* carpa, entoldado.

marquis ['mɑːkwɪs] *n* marqués *m*.

marriage ['mærɪdʒ] *n* matrimonio. 2 *(wedding)* boda.

married ['mærɪd] *adj* casado,-a *(to,* con). ●*to get* ~, casarse. ■ ~ *name*, apellido de casada.

marrow ['mærəʊ] *n (of bone)* tuétano, médula. 2 BOT calabacín *m*.

marry ['mærɪ] *t (take in marriage)* casarse con. 2 *(unite in marriage)* casar. ●*to* ~ *into money*, emparentar con una familia adinerada.

marsh [mɑːʃ] *n* pantano. 2 *(area)* pantanal *m*.

marshal ['mɑːʃəl] *n* MIL mariscal. 2 *(at event)* maestro de ceremonias.

martial ['mɑːʃəl] *adj* marcial. ■ ~ *law*, ley *f* marcial.

martyr ['mɑːtəʳ] *n* mártir *mf*. – 2 *t* martirizar.

martyrdom ['mɑːtədəm] *n* martirio.

marvel ['mɑːvəl] *n* maravilla. – 2 *i* maravillarse.

marvellous ['mɑːvələs] *adj* maravilloso,-a, estupendo,-a.

Marxism ['mɑːksɪzəm] *n* marxismo.

marzipan ['mɑːzɪpæn] *n* mazapán *m*.

mascara [mæ'skɑːrə] *n* rímel *m*.

mascot ['mæskɒt] *n* mascota.

masculine ['mɑːskjʊlɪn] *adj-n* masculino,-a *(m)*.

mash [mæʃ] *n fam* puré *m* de patatas. – 2 *t* triturar. 3 CULIN hacer un puré de.

mask [mɑːsk] *n* máscara. 2 MED mascarilla. – 3 *t* enmascarar. ■ *masked ball*, baile *m* de disfraces.

masochism ['mæsəkɪzəm] *n* masoquismo.

mason ['meɪsən] *n* albañil *m*.

masonry ['meɪsənrɪ] *n* albañilería.

masquerade [mæskə'reɪd] *n* farsa, mascarada. – 2 *i* disfrazarse *(as,* de).

mass [mæs] *n* masa. 2 *(large quantity)* montón *m*. 3 REL misa. – 4 *i* congregarse. ■ ~ *media*, medios *mpl* de comunicación (de masas); ~ *production*, fabricación en serie; *the masses*, la masa.

massacre ['mæsəkəʳ] *n* masacre *f*, carnicería, matanza. – 2 *t* masacrar.

massage ['mæsɑːʒ] *n* masaje *m*. – 2 *t* dar masajes a.

massive ['mæsɪv] *adj (solid)* macizo,-a. 2 *(huge)* enorme, descomunal.

mast [mɑːst] *n* mástil *m*, palo.

master ['mɑːstəʳ] *n* amo. 2 *(owner)* dueño. 3 *(teacher)* maestro, profesor *m* de instituto. 4 *(expert)* maestro. 5 EDUC *master's*, tesina, máster *m*. – 6 *t (control)* dominar. 7 *(learn)* llegar a dominar. ■ ~ *builder*, maestro de obras, contratista *mf*; ~ *key*, llave maestra; ~ *of ceremonies*, maestro de ceremonias.

masterpiece ['mɑːstəpiːs] *n* obra maestra.

mastery ['mɑːstərɪ] *n (control)* dominio. 2 *(skill)* maestría.

masturbate ['mæstəbeɪt] *t-i* masturbar(se).

mat [mæt] *n (rug)* alfombrilla. 2 *(doormat)* felpudo. 3 *(tablemat)* salvamanteles *m inv*. 4 SP colchoneta. – 5 *adj* mate.

match [mætʃ] *n* fósforo, cerilla. 2 *(equal)* igual *mf*. 3 SP partido, encuentro. – 4 *t* igualar. 5 *(compare)* equiparar. – 6 *t-i (clothes, colours)* hacer juego (con), combinar (con). ●*to be a good* ~, *(clothes etc.)* hacer juego; *(people)* hacer buena pareja; *to meet one's* ~, encontrar uno la horma de su zapato.

matchbox ['mætʃbɒks] *n* caja de cerillas.

matching ['mætʃɪŋ] *adj* que hace juego.

mate [meɪt] *n (companion)* compañero,-a, colega *mf*. 2 ZOOL *(male)* macho; *(female)* hembra. 3 MAR piloto. 4 *(chess)* mate *m*. – 5 *t-i* aparear(se), acoplar(se).

material [mə'tɪərɪəl] *n (substance)* materia. 2 *(cloth)* tela, tejido. 3 *(information, ideas, etc.)* material *m*. 4 *pl* material *m sing*, materiales *mpl*. – 5 *adj* material. 6 *(important)* importante, substancial.

materialism [mə'tɪərɪəlɪzəm] *n* materialismo.

materialize [mə'tɪərɪəlaɪz] *i* realizarse.

maternity [mə'tɜːnɪtɪ] *n* maternidad. ■ ~ *hospital*, maternidad; ~ *leave*, baja por maternidad.

mathematics [mæθə'mætɪks] *n* matemáticas *fpl*.

maths [mæθs] *n fam* mates *fpl*.

matriarch ['meɪtrɪɑːk] *n* matriarca.

matriculate [mə'trɪkjʊleɪt] *t-i* matricular(se).

matron ['meɪtrən] *n (in hospital)* enfermera jefe/jefa. 2 *(in school)* ama de llaves.

matronly ['meɪtrənlɪ] *adj* madura y recia.

matter ['mætəʳ] *n (substance)* materia. 2 *(affair, subject)* asunto, cuestión. – 3 *i* importar: *it doesn't* ~, no importa, da igual. ●*as a* ~ *of fact*, en realidad; *it's a* ~ *of ten minutes*, es cuestión/cosa de diez minutos; *no* ~ *how*, como sea; *no*

~ *where you go,* dondequiera que vayas; *there's nothing the ~ with him,* no le pasa nada; *to make matters worse,* para colmo de desgracias; *what's the ~?,* ¿qué pasa/ocurre?; *what's the ~ with you?,* ¿qué te pasa?

matter-of-fact [mætərəv'fækt] *adj* práctico,-a, realista.

mattress ['mætrəs] *n* colchón *m.*

mature [mə'tʃʊəʳ] *adj* maduro,-a. 2 FIN vencido,-a. – 3 *t-i* madurar. – 4 *i* FIN vencer.

maturity [mə'tʃʊərɪti] *n* madurez *f.*

maul [mɔːl] *t* herir, agredir.

mauve [məʊv] *adj-n* malva (*m*).

maximum ['mæksɪməm] *adj-n* máximo,-a (*m*). *as a ~,* como máximo; *to the ~,* al máximo.

May [meɪ] *n* mayo.

may [meɪ] *aux* poder, ser posible: *he ~ come,* es posible que venga, puede que venga. 2 *(permission)* poder: ~ *I go?,* ¿puedo irme? 3 *(wish)* ojalá: ~ *it be so,* ojalá sea así. ●*come what ~,* pase lo que pase; *I ~/might as well stay,* más vale que me quede. ▲ *pt* **might**.

maybe ['meɪbi:] *adv* quizá(s), tal vez: ~ *it'll rain,* tal vez llueva.

mayonnaise [meɪə'neɪz] *n* mayonesa, mahonesa.

mayor [meəʳ] *n* alcalde *m.*

maze [meɪz] *n* laberinto.

me [mi:] *pers pron me;* *(with prep)* mí: *follow ~,* sígueme; *it's for ~,* es para mí. 2 *(emphatic)* yo: *it's ~!,* ¡soy yo! ●*with ~,* conmigo.

meadow ['medəʊ] *n* prado, pradera.

meagre ['mi:gəʳ] *adj* escaso,-a.

meal [mi:l] *n* comida. 2 *(flour)* harina. ●*to have a ~,* comer.

mean [mi:n] *adj* *(miserly)* tacaño,-a. 2 *(unkind)* malo,-a. 3 US *(nasty)* antipático,-a. 4 *(humble)* humilde. 5 *(average)* medio,-a: ~ *temperature,* temperatura media. – 6 *n* media. – 7 *t* *(signify)* querer decir. 8 *(be important)* significar: *this means a lot to me,* esto significa mucho para mí. 9 *(intend)* tener intención de: *I didn't ~ to do it,* lo hice sin querer. 10 *(entail)* suponer, implicar. 11 *(destine)* destinar *(for,* para). ●*to ~ it,* decirlo en serio; *to ~ well,* tener buenas intenciones; *what do you ~ (by that)?,* ¿qué quiere(s) decir (con eso)? ▲ *pt & pp* **meant.**

meander [mɪ'ændəʳ] *i* *(river)* serpentear. 2 *(person)* vagar.

meaning ['mi:nɪŋ] *n* sentido, significado.

meaningful ['mi:nɪŋfʊl] *adj* significativo,-a.

means [mi:nz] *n inv* *(way)* medio, manera. 2 *pl* *(resources)* medios *mpl,* recursos *mpl* (económicos). ●*a man of ~,* un hombre acaudalado; *by all ~!,* ¡naturalmente!; *by ~ of,* por medio de, mediante; *by no ~,* de ninguna manera, de ningún modo.

meant [ment] *pt & pp* → **mean.**

meantime ['mi:ntaɪm] *n in the ~,* mientras tanto, entretanto.

meanwhile ['mi:nwaɪl] *adv* mientras tanto, entretanto.

measles ['mi:zəlz] *n* sarampión *m.* ■ *German ~,* rubeola.

measure ['meʒəʳ] *n gen* medida. 2 MUS compás *m.* – 3 *t* *(area etc.)* medir. 4 *(person)* tomar las medidas de. ◆*to ~ up i* estar a la altura *(to,* de). ●*in some ~,* hasta cierto punto; *to take measures,* tomar medidas.

measurement ['meʒəmənt] *n* *(act)* medición. 2 *(length)* medida.

meat [mi:t] *n* carne *f.* 2 *fig* esencia. ■ ~ *pie,* empanada de carne.

meatball ['mi:tbɔ:l] *n* albóndiga.

mechanic [mɪ'kænɪk] *n* mecánico,-a.

mechanical [mɪ'kænɪkəl] *adj* mecánico,-a.

mechanics [mɪ'kænɪks] *n* mecánica. 2 *(ways)* mecanismos *mpl.*

mechanism ['mekənɪzəm] *n* mecanismo.

mechanize ['mekənaɪz] *t* mecanizar.

medal ['medəl] *n* medalla.

medallion [mɪ'dælɪən] *n* medallón *m.*

meddle ['medəl] *i* entrometerse *(in,* en).

meddlesome ['medəlsəm] *adj* entrometido,-a.

media ['mi:dɪə] *npl* medios *mpl* de comunicación. ▲ → **medium.**

mediate ['mi:dɪeɪt] *i* mediar *(between,* entre).

mediator ['mi:dɪeɪtəʳ] *n* mediador,-ra.

medi(a)eval [medɪ'i:vəl] *adj* medieval.

medical ['medɪkəl] *adj* médico,-a. – 2 *n fam* chequeo, reconocimiento médico.

medication [medɪ'keɪʃən] *n* medicación.

medicine ['medsɪn] *n* medicina.

mediocre [mi:dɪ'əʊkəʳ] *adj* mediocre.

meditate ['medɪteɪt] *i* meditar, reflexionar.

meditation [medɪ'teɪʃən] *n* meditación.

medium ['mi:dɪəm] *n* medio. 2 *(TV, radio, etc.)* medio de comunicación. 3 *(environment)* medio ambiente. 4 *(person)*

merry

médium *mf.* – 5 *adj* mediano,-a. ▲ *En 1 y 2 pl media.*

medley ['medlɪ] *n* MUS popurrí *m.* 2 *(mixture)* mezcla.

meek [mi:k] *adj* manso,-a, dócil.

meet [mi:t] *t (by chance)* encontrar, encontrarse con. 2 *(by arrangement)* reunirse con. 3 *(get to know)* conocer. 4 *(collect)* ir/venir a buscar: *he'll ~ me at the station,* me vendrá a buscar a la estación. 5 *(danger, death)* encontrar. 6 *(requirements)* satisfacer. 7 *(expenses)* cubrir. – 8 *i (by chance)* encontrarse. 9 *(by arrangement)* reunirse, verse. 10 *(get acquainted)* conocerse. 11 SP enfrentarse. 12 *(join)* unirse; *(rivers)* confluir; *(roads)* empalmar. – 13 *n* SP encuentro. 14 *(hunting)* partida de caza. ◆*to ~ up i fam (by arrangement)* quedar. ◆*to ~ with t (difficulty)* tropezar con; *(success)* tener. ●*pleased to ~ you!,* ¡encantado,-a de conocerle)!; *to ~ with,* encontrarse con; *fam to make ends ~,* llegar a fin de mes. ▲ *pt & pp met.*

meeting ['mi:tɪŋ] *n gen* reunión. 2 FIN junta. 3 POL mítin *m.* 4 *(chance encounter)* encuentro. 5 *(by arrangement)* cita. 6 SP encuentro.

megaphone ['megəfəʊn] *n* megáfono, altavoz *m.*

melancholy ['melənkəlɪ] *n* melancolía. – 2 *adj* melancólico,-a.

mellow ['meləʊ] *adj (fruit)* maduro,-a; *(wine)* añejo,-a. 2 *(colour, voice)* suave. 3 *(person)* sereno,-a. – 4 *t-i* madurar. 5 *(colour, voice)* suavizar(se). 6 *(person)* serenar(se).

melodrama ['melədrɑːmə] *n* melodrama *m.*

melody ['melədɪ] *n* melodía.

melon ['melən] *n* melón *m.*

melt [melt] *t-i (ice, snow)* derretir(se). 2 *(metal)* fundir(se). 3 *fig (anger etc.)* atenuar(se), disipar(se). ◆*to ~ away i (ice, snow)* derretirse. 2 *fig* desvanecerse. ●*to ~ into tears,* deshacerse en lágrimas.

member ['membə'] *n gen* miembro. 2 *(of club)* socio,-a. 3 POL afiliado,-a. 4 ANAT miembro. ■ POL *Member of Parliament,* diputado,-a; *~ of staff,* empleado,-a.

membership ['membəʃɪp] *n* calidad de miembro,-a/socio,-a. 2 *(members)* número de miembros/socios. ■ *~ (fee),* cuota de socio.

memento [mə'mentəʊ] *n* recuerdo, recordatorio. ▲ *pl mementos o mementoes.*

memo ['meməʊ] *n* → **memorandum.**

memoir ['memwɑː'] *n* memoria.

memorable ['memərəbəl] *adj* memorable.

memorandum [memə'rændəm] *n* memorándum *m.* 2 *(personal note)* nota, apunte *m.* ▲ *pl memorandums o memoranda* [memə'rændə].

memorial [mə'mɔːrɪəl] *adj* conmemorativo,-a. – 2 *n* monumento conmemorativo.

memorize ['meməraɪz] *t* memorizar, aprender de memoria.

memory ['memərɪ] *n (ability)* memoria. 2 *(recollection)* recuerdo. ●*from ~,* de memoria.

men [men] *npl* → **man.**

menace ['menəs] *n* amenaza. 2 *fam (person)* pesado,-a. – 3 *t* amenazar.

menacing ['menəsɪŋ] *adj* amenazador,-ra.

mend [mend] *n* remiendo. – 2 *t (repair)* reparar, arreglar. 3 *(clothes)* remendar. – 4 *i (health)* mejorar(se). ●*to ~ one's ways,* reformarse.

menopause ['menəʊpɔːz] *n* menopausia.

menstruation [menstrʊ'eɪʃən] *n* menstruación, regla.

mental ['mentəl] *adj* mental. 2 *fam* chalado,-a, tocado,-a. ■ *~ home/hospital,* hospital *m* psiquiátrico.

mention ['menʃən] *n* mención. – 2 *t* mencionar, hacer mención de. ●*don't ~ it!,* ¡de nada!, ¡no hay de qué!

menu ['menjuː] *n (list)* carta. 2 *(fixed meal)* menú *m.* 3 COMPUT menú.

mercenary ['mɜːsənərɪ] *adj-n* mercenario,-a.

merchandise ['mɜːtʃəndaɪz] *n* mercancías *fpl,* géneros *mpl.*

merchant ['mɜːtʃənt] *n* comerciante *mf.* ■ *~ navy,* marina mercante.

merciless ['mɜːsɪləs] *adj* despiadado,-a.

mercury ['mɜːkjʊrɪ] *n* mercurio.

mercy ['mɜːsɪ] *n* misericordia, clemencia, compasión. ●*at the ~ of,* a la merced de.

mere [mɪə'] *adj* mero,-a, simple. – 2 *merely adv* solamente, simplemente.

merge [mɜːdʒ] *t-i* unir(se), combinar(se); *(roads)* empalmar(se). 2 COM fusionar(se).

merger ['mɜːdʒə'] *n* fusión.

merit ['merɪt] *n* mérito. – 2 *t* merecer.

mermaid ['mɜːmeɪd] *n* sirena.

merry ['merɪ] *adj* alegre. ●*~ Christmas!,* ¡felices Navidades!

merry-go-round ['merɪgəʊraʊnd] *n* tiovivo, caballitos *mpl*.

mesh [meʃ] *n* malla. 2 TECH engranaje *m*. – 3 *i* engranar.

mesmerize ['mezməraɪz] *t* hipnotizar.

mess [mes] *n* (*disorder*) desorden *m*. 2 (*confusion*) lío, follón *m*. 3 MIL. comedor *m*. ◆*to* ~ *about/around* *i* (*idle*) gandulear. 2 (*act the fool*) hacer el primo. – 3 *t* fastidiar. ◆*to* ~ *up* *t* *fam* (*untidy*) desordenar. 2 (*spoil*) estropear. ●*fam to look a* ~, estar horrible, tener mal aspecto; *fam to make a* ~ *of*, estropear.

message ['mesɪdʒ] *n* mensaje *m*. ●*fam to get the* ~, darse por enterado,-a.

messenger ['mesɪndʒəʳ] *n* mensajero,-a.

messy ['mesɪ] *adj* (*untidy*) desordenado,-a. 2 (*dirty*) sucio,-a.

met [met] *pt & pp* → **meet**.

metabolism [me'tæbəlɪzəm] *n* metabolismo.

metal ['metəl] *n* metal *m*. – 2 *adj* metálico,-a, de metal.

metallic [mə'tælɪk] *adj* metálico,-a.

metaphor ['metəfɔːʳ] *n* metáfora.

meteor ['miːtɪəʳ] *n* meteorito, aerolito.

meteorite ['miːtɪəraɪt] *n* bólido.

meter ['miːtəʳ] *n* contador *m*. 2 US → **metre**.

method ['meθəd] *n* método. 2 (*technique*) técnica.

methodical [mə'θɒdɪkəl] *adj* metódico,-a.

meticulous [mə'tɪkjʊləs] *adj* meticuloso,-a.

metre ['miːtəʳ] *n* metro.

metric ['metrɪk] *adj* métrico,-a.

metropolitan [metrə'pɒlɪtən] *adj* metropolitano,-a.

mew [mjuː] *i* maullar.

mezzanine ['mezəniːn] *n* entresuelo.

mice [maɪs] *npl* → **mouse**.

microbe ['maɪkrəʊb] *n* microbio.

microphone ['maɪkrəfəʊn] *n* micrófono.

microscope ['maɪkrəskəʊp] *n* microscopio.

microwave ['maɪkrəʊweɪv] *n* microonda. ■ ~ *oven*, (horno de) microondas *m inv*.

midday [mɪd'deɪ] *n* mediodía *m*. ●*at* ~, al mediodía.

middle ['mɪdəl] *adj* (*central*) de en medio, central. 2 (*medium*) mediano,-a. – 3 *n* medio, centro. 4 (*halfway point*) mitad *f*. 5 *fam* cintura. ●*in the* ~ *of*, en medio de; (*activity*) metido,-a en. ■ ~ *age*, me-

diana edad; ~ *class*, clase media; *the Middle Ages*, la Edad Media.

middleman ['mɪdəlmən] *n* intermediario.

middle-of-the-road [mɪdələvðə'rəʊd] *adj fig* moderado,-a.

midget ['mɪdʒɪt] *n* enano,-a. – 2 *adj* diminuto,-a. 3 (*miniature*) en miniatura.

midnight ['mɪdnaɪt] *n* medianoche *f*.

midway ['mɪdweɪ] *adv* a medio camino. – 2 *adj* intermedio,-a.

midweek ['mɪdwiːk] *adj* de entre semana.

midwife ['mɪdwaɪf] *n* comadrona.

might [maɪt] *aux* → **may**. – 2 *n* poder *m*, fuerza. ●*with all one's* ~, con todas sus fuerzas.

mighty ['maɪtɪ] *adj* fuerte, poderoso,-a.

migraine ['maɪgreɪn] *n* jaqueca, migraña.

migrant ['maɪgrənt] *adj* (*animal*) migratorio,-a. 2 (*person*) emigrante.

migrate [maɪ'greɪt] *i* emigrar.

mike [maɪk] *n fam* micro *m*.

mild [maɪld] *adj* (*gentle*) suave. 2 (*person*) apacible. – 3 *mildly adv* (*softly*) suavemente. 4 (*slightly*) ligeramente.

mildew ['mɪldjuː] *n* (*on leather etc.*) moho. 2 (*on plants*) añublo.

mile [maɪl] *n* milla. ●*fam it's miles away*, está lejísimos.

milestone ['maɪlstəʊn] *n* hito.

militant ['mɪlɪtənt] *adj* combativo,-a.

military ['mɪlɪtərɪ] *adj* militar. – 2 *n the* ~, los militares, las fuerzas armadas.

milk [mɪlk] *n* leche *f*. – 2 *t* ordeñar. ●*fam to* ~ *sb. of sth.*, quitarle algo a algn. ■ ~ *chocolate*, chocolate *m* con leche; ~ *products*, productos *mpl* lácteos; ~ *shake*, batido (de leche).

milkman ['mɪlkmən] *n* lechero, repartidor *m* de la leche.

milky ['mɪlkɪ] *adj* lechoso,-a; (*coffee*) con mucha leche. 2 (*colour*) pálido,-a. ■ *Milky Way*, Vía Láctea.

mill [mɪl] *n* molino. 2 (*for coffee etc.*) molinillo. 3 (*factory*) fábrica. – 4 *t* moler. ◆*to* ~ *about/around* *i* arremolinarse.

millimetre ['mɪlɪmiːtəʳ] *n* milímetro.

million ['mɪljən] *n* millón *m*: *one* ~ *dollars*, un millón de dólares.

millionaire [mɪljə'neəʳ] *n* millonario,-a.

millionth ['mɪljənθ] *adj-n* millonésimo,-a.

mime [maɪm] *n* (*art*) mímica. 2 (*person*) mimo. – 3 *t* imitar.

mimic ['mɪmɪk] *n* mimo. – 2 *adj* mímico,-a. – 3 *t* imitar. ▲ *pt & pp* **mimicked**.

mince [mɪns] n GB carne picada. – 2 t picar. ●**not to ~ one's words**, no tener pelos en la lengua.

mincemeat ['mɪnsmiːt] n conserva de picadillo de fruta.

mind [maɪnd] n *(intellect)* mente f. 2 *(mentality)* mentalidad. – 3 t *(heed)* hacer caso de. 4 *(look after)* cuidar. – 5 t-i *(object)* importar: *do you ~ if I close the window?*, ¿le importa que cierre la ventana?; *I don't ~ staying*, no tengo inconveniente en quedarme. ●~ *(out)!*, ¡ojo!; ~ *you ...*, ten en cuenta que ...; ~ *your own business*, no te metas en lo que no te importa; *never ~*, no importa, da igual; *to bear sth. in ~*, tener algo en cuenta; *to change one's ~*, cambiar de opinión/parecer; *to have sth. in ~*, estar pensando en algo; *to lose one's ~*, perder el juicio; *to make up one's ~*, decidirse; *to speak one's ~*, hablar sin rodeos.

mindless ['maɪndləs] adj absurdo,-a, estúpido,-a.

mine [maɪn] *pos pron* (el) mío, (la) mía, (los) míos, (las) mías: *a friend of ~*, un/ una amigo,-a mío,-a; *these keys are ~*, estas llaves son mías. – 2 n mina. – 3 t extraer. 4 *(road)* sembrar minas en; *(ship)* volar con minas.

miner ['maɪnə'] n minero,-a.

mineral ['mɪnərəl] adj-n mineral (m). ■ ~ *water*, agua mineral.

mingle ['mɪŋgəl] t-i mezclar(se).

miniature ['mɪnɪtʃə'] n miniatura. – 2 adj en miniatura. 3 *(tiny)* diminuto,-a.

minimal ['mɪnɪməl] adj mínimo,-a.

minimum ['mɪnɪməm] adj-n mínimo,-a (m).

mining ['maɪnɪŋ] n minería, explotación de minas.

minister ['mɪnɪstə'] n ministro,-a. 2 REL pastor,-ra.

ministry ['mɪnɪstrɪ] n ministerio. 2 REL sacerdocio.

mink [mɪŋk] n visón m.

minor ['maɪnə'] adj-n menor (mf).

minority [maɪ'nɒrɪtɪ] n minoría. – 2 adj minoritario,-a.

minstrel ['mɪnstrəl] n trovador m, juglar m.

mint [mɪnt] n BOT menta. 2 *(sweet)* pastilla de menta. – 3 t acuñar. ●*in ~ condition*, en perfecto estado. ■ FIN *the Mint*, la Casa de la Moneda.

minus ['maɪnəs] *prep* menos: *four ~ three*, cuatro menos tres; ~ *five de-*

grees, cinco grados bajo cero. – 2 adj negativo,-a. ■ ~ *(sign)*, signo menos.

minute ['mɪnɪt] n minuto. 2 *pl (notes)* actas fpl. – 3 adj *(tiny)* diminuto,-a. 4 *(exact)* minucioso,-a. ●*at the last ~*, al último momento; *the ~ (that)*, en el momento que, en seguida que. ▲ ~ *hand*, minutero. ▲ *En 3 y 4 (adj)* [maɪ'njuːt].

miracle ['mɪrəkəl] n milagro.

miraculous [mɪ'rækjuləs] adj milagroso,-a. – 2 *miraculously* adv de milagro.

mirage [mɪ'rɑːʒ] n espejismo.

mirror ['mɪrə'] n espejo. – 2 t reflejar.

misappropriate [mɪsə'prəuprɪeɪt] t malversar.

misbehave [mɪsbɪ'heɪv] i (com)portarse mal.

miscalculate [mɪs'kælkjuleɪt] t-i calcular mal.

miscarriage [mɪs'kærɪdʒ] n aborto (espontáneo).

miscellaneous [mɪsɪ'leɪnɪəs] adj misceláneo,-a, diverso,-a.

mischance [mɪs'tʃɑːns] n desgracia.

mischief ['mɪstʃɪf] n travesura. ●*to get into/up to ~*, hacer travesuras.

mischievous ['mɪstʃɪvəs] adj travieso,-a.

misconception [mɪskən'sepʃən] n idea equivocada.

misconduct [mɪs'kɒndʌkt] n mala conducta.

misdemeanour [mɪsdɪ'miːnə'] n fechoría. 2 JUR delito menor.

miser ['maɪzə'] n avaro,-a.

miserable ['mɪzərəbəl] adj *(unhappy)* desgraciado,-a. 2 *(bad)* desagradable. 3 *(paltry)* miserable.

misery ['mɪzərɪ] n *(wretchedness)* desgracia, desdicha. 2 *(suffering)* sufrimiento. 3 *(poverty)* miseria.

misfire [mɪs'faɪə'] i fallar.

misfortune [mɪs'fɔːtʃən] n infortunio, desgracia.

misgiving [mɪs'gɪvɪŋ] n recelo.

misguided [mɪs'gaɪdɪd] adj desacertado,-a, desencaminado,-a.

mishandle [mɪs'hændəl] t llevar mal.

mishap ['mɪshæp] n percance m, contratiempo.

misinterpret [mɪsɪn'tɜːprət] t interpretar mal.

misjudge [mɪs'dʒʌdʒ] t juzgar mal.

mislay [mɪs'leɪ] t extraviar, perder.

mislead [mɪs'liːd] t despistar, desorientar. ▲ *pt & pp misled* [mɪs'led].

mismanagement [mɪs'mænɪdʒmənt] n mala administración.

misplace [mɪs'pleɪs] *t (trust etc.)* encauzar mal. 2 *(lose)* perder, extraviar.

misprint ['mɪsprɪnt] *n* errata, error *m* de imprenta.

misread [mɪs'riːd] *t* leer mal; *fig* interpretar mal. ▲ *pt & pp* **misread** [mɪs'red].

misrepresent [mɪsreprɪ'zent] *t* desvirtuar.

miss [mɪs] *n* señorita: *Miss Brown,* la señorita Brown. 2 *(wrong throw etc.)* fallo; *(shot)* tiro errado. – 3 *t-i (throw etc.)* fallar; *(shot)* errar. – 4 *t (fail to catch)* perder: *he missed the train,* perdió el tren. 5 *(fail to see, hear, etc.)* no entender. 6 *(long for) (person)* echar de menos; *(place)* añorar. 7 *(not find)* echar en falta. – 8 *i (be lacking)* faltar: *nobody is missing,* no falta nadie. ◆*to ~ out (omit)* saltarse. – 2 *i to ~ out on,* dejar pasar, perderse. ◆*to ~ class,* faltar a clase; *fig to ~ the boat,* perder el tren; *fam to give sth. a ~,* pasar de.

misshapen [mɪs'ʃeɪpən] *adj* deforme.

missile ['mɪsaɪl] *n* misil *m,* mísil *m.* ■ *~ launcher,* lanzamisiles *m inv.*

missing ['mɪsɪŋ] *adj (object)* perdido,-a, extraviado,-a; *(person)* desaparecido,-a.

mission ['mɪʃən] *n* misión.

missionary ['mɪʃənərɪ] *n* misionero,-a.

misspell [mɪs'spel] *t (write)* escribir mal; *(say)* deletrear mal. ▲ *pt & pp* **misspelled** o **misspelt** [mɪs'spelt].

misspend [mɪs'spend] *t* malgastar.

mist [mɪst] *n (fog)* niebla. 2 *(on window)* vaho. ◆*to ~ over/up i* empañarse.

mistake [mɪs'teɪk] *n* equivocación, error *m; (in test)* falta. – 2 *t (misunderstand)* entender mal. 3 *(confuse)* confundir *(for,* con). ◆*by ~,* por error/descuido; *to make a ~,* equivocarse. ▲ *pt* **mistook;** *pp* **mistaken** [mɪs'teɪkən].

mister ['mɪstə'] *n* señor *m.*

mistook [mɪs'tʊk] *pt →* **mistake.**

mistress ['mɪstrəs] *n (of house)* ama, señora. 2 *(lover)* amante *f.*

mistrust [mɪs'trʌst] *n* desconfianza, recelo. – 2 *t* desconfiar de.

misunderstanding [mɪsʌndə'stændɪŋ] *n* malentendido.

misuse [mɪs'juːs] *n* mal uso. 2 *(of power)* abuso. – 3 *t* emplear mal. 4 *(of power)* abusar de. ▲ *En* 3 *y* 4 *(verbo)* [mɪs'juːz].

mitten ['mɪtən] *n* manopla.

mix [mɪks] *n* mezcla. – 2 *t-i gen* mezclar(se). – 3 *i (person)* llevarse bien *(with,* con). ◆*to ~ up t* mezclar. 2 *(confuse)* confundir. 3 *(mess up)* revolver.

mixed [mɪkst] *adj* variado,-a. 2 *(feelings)* contradictorio,-a. 3 *(sexes)* mixto,-a.

mixer ['mɪksə'] *n* batidora.

mixture ['mɪkstʃə'] *n* mezcla.

mix-up ['mɪksʌp] *n fam* lío, confusión.

moan [məʊn] *n* gemido, quejido. – 2 *i* gemir. 3 *pej (complain)* quejarse.

moat [məʊt] *n* foso.

mob [mɒb] *n* muchedumbre *f,* gentío; *pej* chusma. – 2 *t* acosar, rodear.

mobile ['məʊbaɪl] *adj-n* móvil *(m).* ■ *~ home,* caravana, remolque *m.*

mobilize ['məʊbɪlaɪz] *t* movilizar.

moccasin ['mɒkəsɪn] *n* mocasín *m.*

mock [mɒk] *adj (object)* de imitación. 2 *(event)* de prueba, simulado,-a. – 3 *t-i* burlarse (de).

mockery ['mɒkərɪ] *n (ridicule)* burla, mofa. 2 *(farce)* farsa.

model ['mɒdəl] *n gen* modelo. 2 *(of fashion)* modelo *mf.* – 3 *adj (plane etc.)* en miniatura. 4 *(exemplary)* ejemplar. – 5 *t* modelar. 6 *(clothes)* presentar. ■ *~ home,* casa piloto.

moderate ['mɒdərət] *adj* moderado,-a; *(price)* módico,-a. 2 *(average)* mediano,-a, regular. – 3 *adj-n* POL centrista *(mf).* – 4 *t-i* moderar(se). – 5 *moderately adv* medianamente.

moderation [mɒdə'reɪʃən] *n* moderación. ◆*in ~,* con moderación.

modern ['mɒdən] *adj* moderno,-a. 2 *(literature etc.)* contemporáneo,-a.

modernism ['mɒdənɪzəm] *n* modernismo.

modernize ['mɒdənaɪz] *t* modernizar, actualizar.

modest ['mɒdɪst] *adj* modesto,-a. 2 *(rise, success)* discreto,-a.

modesty ['mɒdɪstɪ] *n* modestia.

modify ['mɒdɪfaɪ] *t* modificar.

modulate ['mɒdjʊleɪt] *t* modular.

module ['mɒdjuːl] *n* módulo.

moist [mɔɪst] *adj (damp)* húmedo,-a. 2 *(slightly wet)* ligeramente mojado,-a.

moisten ['mɔɪsən] *t* humedecer. 2 *(wet)* mojar ligeramente.

moisture ['mɔɪstʃə'] *n* humedad.

moisturizer ['mɔɪstʃəraɪzə'] *n* hidratante *m.*

molar ['məʊlə'] *n* muela.

mold [məʊld] *n* US → **mould.**

moldy ['məʊldɪ] *adj* US → **mouldy.**

mole [məʊl] *n* ZOOL topo. 2 *(spot)* lunar *m.*

molecule ['mɒləkjuːl] *n* molécula.

molest [mə'lest] *t* acosar.

mollify ['mɒlɪfaɪ] *t* aplacar, apaciguar.

molt [məʊlt] *i* US → **moult**.

molten ['məʊltən] *adj* fundido,-a.

mom [mɒm] *n* US *fam* mamá *f*.

moment ['məʊmənt] *n* momento. ●*at any* ~, de un momento a otro; *at the* ~, en este momento; *at the last* ~, a última hora; *for the* ~, de momento.

momentarily [məʊmən'terɪlɪ] *adv* momentáneamente.

momentum [məʊ'mentəm] *n* PHYS momento. 2 *fig* ímpetu *m*, velocidad.

monarch ['mɒnək] *n* monarca *m*.

monarchy ['mɒnəkɪ] *n* monarquía.

monastery ['mɒnəstərɪ] *n* monasterio.

Monday ['mʌndɪ] *n* lunes *m inv*.

monetary ['mʌnɪtərɪ] *adj* monetario,-a.

money ['mʌnɪ] *n* dinero. 2 *(currency)* moneda. ●*to get one's money's worth*, sacar partido del dinero; *to make* ~, *(person)* ganar dinero; *(business)* rendir; *fam to be in the* ~, andar bien de dinero. ■ ~ *order*, giro postal.

moneyed ['mʌnɪd] *adj* adinerado,-a.

mongrel ['mʌŋgrəl] *n (dog)* perro mestizo.

monitor ['mɒnɪtə'] *n (screen)* monitor *m*. 2 *(pupil)* responsable *mf*. – 3 *(listen to)* escuchar. 4 *(follow)* seguir de cerca.

monk [mʌŋk] *n* monje *m*.

monkey ['mʌŋkɪ] *n* mono. 2 *fam (child)* diablillo. ■ ~ *wrench*, llave inglesa.

monogram ['mɒnəgræm] *n* monograma *m*.

monolith ['mɒnəlɪθ] *n* monolito.

monologue ['mɒnəlɒg] *n* monólogo.

monopolize [mə'nɒpəlaɪz] *t* monopolizar. 2 *fig* acaparar.

monopoly [mə'nɒpəlɪ] *n* monopolio.

monotonous [mə'nɒtənəs] *adj* monótono,-a.

monotony [mə'nɒtənɪ] *n* monotonía.

monster ['mɒnstə'] *n* monstruo. – 2 *adj* enorme.

monstrosity [mɒn'strɒsɪtɪ] *n* monstruosidad.

monstrous ['mɒnstrəs] *adj* enorme, monstruoso,-a. 2 *(shocking)* escandaloso,-a.

month [mʌnθ] *n* mes *m*.

monthly ['mʌnθlɪ] *adj* mensual. – 2 *adv* mensualmente, cada mes. ■ ~ *instalment/payment*, mensualidad.

monument ['mɒnjʊmənt] *n* monumento.

monumental [mɒnjʊ'mentəl] *adj* monumental.

moo [mu:] *n* mugido. – 2 *i* mugir.

mood [mu:d] *n* humor *m*. 2 GRAM modo. ●*to be in a good/bad* ~, estar de buen/mal humor; *to be in the* ~ *for*, tener ganas de.

moody ['mu:dɪ] *adj* malhumorado,-a.

moon [mu:n] *n* luna. ●*to be over the* ~, estar en el séptimo cielo. ■ ~ *landing*, alunizaje *m*.

moonlight ['mu:nlaɪt] *n* claro/luz *f* de la luna. – 2 *i fam* estar pluriempleado,-a.

moor [mʊə'] *n* páramo, brezal *m*. – 2 *t* amarrar; *(with anchor)* anclar.

mop [mɒp] *n* fregona. 2 *fam (of hair)* mata de pelo. – 3 *t* fregar. ●*to* ~ *up t* enjugar.

mope [məʊp] *i* estar deprimido,-a/abatido,-a.

moped ['məʊped] *n* ciclomotor *m*, vespa®.

moral ['mɒrəl] *adj* moral. – 2 *n* moraleja. 3 *pl* moral *f sing*.

morale [mə'rɑ:l] *n* moral *f*.

moralize ['mɒrəlaɪz] *i* moralizar.

moratorium [mɒrə'tɔ:rɪəm] *n* moratoria. ▲ *pl* **moratoria** [mɒrə'tɔ:rɪə].

morbid ['mɔ:bɪd] *adj* morboso,-a.

more [mɔ:'] *adj-adv-pron* más: ~ *than twenty people*, más de veinte personas. ●*... any* ~, ya no ...: *I don't live here any* ~, ya no vivo aquí; ~ *and* ~ *expensive*, cada vez más caro,-a; ~ *or less*, más o menos; *once* ~, una vez más; *the* ~ *he has, the* ~ *he wants*, cuanto más tiene más quiere; *would you like some* ~?, ¿quieres más? ▲ → **many** *y* **much**.

moreover [mɔ:'rəʊvə'] *adv fml* además, por otra parte.

morgue [mɔ:g] *n* depósito de cadáveres.

morning ['mɔ:nɪŋ] *n* mañana. – 2 *adj* matutino,-a, de la mañana. ●*good* ~!, ¡buenos días!; *in the* ~, por la mañana; *tomorrow* ~, mañana por la mañana.

moron ['mɔ:rɒn] *n pej* imbécil *mf*, idiota *mf*.

morphine ['mɔ:fi:n] *n* morfina.

morsel ['mɔ:səl] *n* bocado. 2 *fig* pizca.

mortal ['mɔ:təl] *adj-n* mortal *(mf)*. – 2 *mortally adv* mortalmente, de muerte.

mortality [mɔ:'tælɪtɪ] *n* mortalidad.

mortar ['mɔ:tə'] *n* mortero.

mortgage ['mɔ:gɪdʒ] *n* hipoteca. – 2 *t* hipotecar.

mortify ['mɔ:tɪfaɪ] *t* mortificar.

mortuary ['mɔ:tʃʊərɪ] *n* depósito de cadáveres.

mosaic [məˈzeɪɪk] *adj* mosaico.

mosque [mɒsk] *n* mezquita.

mosquito [məsˈkiːtəʊ] *n* mosquito. ■ ~ *net*, mosquitero.

moss [mɒs] *n* musgo.

most [məʊst] *adj* más: *he's got (the) ~ points*, él tiene más puntos. **2** *(majority)* la mayoría: *~ people live in flats*, la mayoría de la gente vive en pisos. **– 3** *adv* más: *the ~ difficult question*, la pregunta más difícil. **– 4** *pron* la mayor parte. **5** *(people)* la mayoría. **– 6** *mostly adv* principalmente. ●*at the (very) ~*, como máximo; *for the ~ part*, por lo general; *~ likely*, muy probablemente; *to make the ~ of sth.*, aprovechar algo al máximo. ▲ → *many i much*.

motel [məʊˈtel] *n* motel *m*.

moth [mɒθ] *n* mariposa nocturna. **2** *(of clothes)* polilla.

mother [ˈmʌðəʳ] *n* madre *f*. **– 2** *t* cuidar como una madre; *pej* mimar. ■ ~ *country*, (madre) patria; ~ *tongue*, lengua materna.

motherhood [ˈmʌðəhʊd] *n* maternidad.

mother-in-law [ˈmʌðərɪnlɔ:] *n* suegra. ▲ *pl mothers-in-law.*

motherly [ˈmʌðəlɪ] *adj* maternal.

motif [məʊˈtiːf] *n* ART motivo. **2** *(subject)* tema.

motion [ˈməʊʃən] *n* movimiento. **2** *(gesture)* gesto, ademán *m*. **3** POL moción. **– 4** *i-t* hacer señas. ●*in ~*, en marcha; CINEM *in slow ~*, a cámara lenta. ■ ~ *pictures*, el cine.

motionless [ˈməʊʃənləs] *adj* inmóvil.

motivation [məʊtɪˈveɪʃən] *n* motivación.

motive [ˈməʊtɪv] *n* motivo. **2** JUR móvil *m*.

motor [ˈməʊtəʳ] *n* motor *m*. **2** *fam (car)* coche *m*. ■ ~ *racing*, carreras *fpl* de coches; ~ *show*, salón *m* del automóvil.

motorbike [ˈməʊtəbaɪk] *n fam* moto *f*.

motorcycle [ˈməʊtəsaɪkəl] *n* motocicleta, moto *f*.

motorist [ˈməʊtərɪst] *n* automovilista *mf*.

motorway [ˈməʊtəweɪ] *n* GB autopista.

motto [ˈmɒtəʊ] *n* lema *m*. ▲ *pl mottos* o *mottoes.*

mould [məʊld] *n (growth)* moho. **2** *(cast)* molde *m*. **– 3** *t* moldear; *(clay)* modelar.

mouldy [ˈməʊldɪ] *adj* mohoso,-a, enmohecido,-a.

moult [məʊlt] *i* mudar.

mound [maʊnd] *n* montón *m*.

mount [maʊnt] *n (mountain)* monte *m*. **2** *(horse)* montura. **3** *(base)* montura, marco. **– 4** *t (horse)* subirse a; *(bicycle)* montar en. **5** *fml* subir. **6** *(photo)* enmarcar. **7** *(jewel)* montar. ◆*to ~ up i* subir, aumentar.

mountain [ˈmaʊntən] *n* montaña. **– 2** *adj* de montaña, montañés,-esa. ■ ~ *range*, cordillera, sierra.

mountaineer [maʊntəˈnɪəʳ] *n* montañero,-a.

mountainous [ˈmaʊntənəs] *adj* montañoso,-a.

mourn [mɔːn] *t-i to ~ (for/over) sb.*, llorar la muerte de algn.

mourning [ˈmɔːnɪŋ] *n* luto, duelo. ●*to be in ~*, estar de luto.

mouse [maʊs] *n* ratón *m*. ▲ *pl mice.*

mousetrap [ˈmaʊstræp] *n* ratonera.

moustache [məsˈtɑː∫] *n* bigote *m*.

mouth [maʊθ] *n* boca. **2** *(of river)* desembocadura. **– 3** *t (words)* articular. **4** *(insults)* proferir. ●*by word of ~*, de palabra; *down in the ~*, deprimido,-a; *to keep one's ~ shut*, no decir esta boca es mía. ■ ~ *organ*, armónica. ▲ *En 3 y 4 (verbo)* [maʊð].

mouthful [ˈmaʊθfʊl] *n (of food)* bocado; *(of drink)* sorbo.

mouth-organ [ˈmaʊθɔːgən] *n* armónica.

mouthpiece [ˈmaʊθpiːs] *n* MUS boquilla. **2** *(of phone)* micrófono.

movable [ˈmuːvəbəl] *adj* movible, móvil.

move [muːv] *n* movimiento. **2** *(in game)* turno, jugada. **3** *(to new home)* mudanza. **– 4** *t gen* mover. **5** *(emotionally)* conmover. **6** *(propose)* proponer. **– 7** *i* moverse. **8** *(travel, go)* ir. **9** *(game)* jugar. ◆*to ~ along i* avanzar. ◆*to ~ away i* apartarse. **2** *(change house)* mudarse (de casa). ◆*to ~ forward t-i* avanzar. **– 2** *t (clock)* adelantar. ◆*to ~ in i* instalarse. ◆*to ~ on i (people, cars)* circular. ◆*to ~ over t-i* correr(se), mover(se). ●*to make a ~*, dar un paso; *to ~ house*, mudarse (de casa); *fam to get a ~ on*, darse prisa.

movement [ˈmuːvmənt] *n* movimiento. **2** *(of goods)* traslado; *(of troops)* desplazamiento. **3** *(mechanism)* mecanismo.

movie [ˈmuːvɪ] *n* US película. ●*to go to the movies*, ir al cine.

moving [ˈmuːvɪŋ] *adj (that moves)* móvil. **2** *(causing motion)* motor,-ra, motriz. **3** *(emotional)* conmovedor,-ra. ■ ~ *staircase*, escalera mecánica.

mow [məʊ] *t* segar. ▲ *pp mowed* o *mown* [məʊn].

much [mʌt∫] *adj* mucho,-a. **– 2** *adv-pron* mucho. ●*as ~ ... as*, tanto,-a ... como;

how ~*?,* ¿cuánto?; *so* ~, tanto; *very* ~, muchísimo; *to make* ~ *of sth.,* dar mucha importancia a algo. ▲ *comp more; superl most.*

muck [mʌk] *n (dirt)* suciedad. 2 *(manure)* estiércol *m.* ◆*to* ~ *about/around i* perder el tiempo. ◆*to* ~ *in i fam* echar una mano. ◆*to* ~ *up t* ensuciar. 2 *fig* echar a perder.

mucus ['mju:kəs] *n* mocosidad.

mud [mʌd] *n* barro, lodo.

muddle ['mʌdəl] *n (mess)* desorden *m.* 2 *(mix-up)* embrollo, lío. − 3 *t to* ~ *(up),* confundir. ◆*to* ~ *through i* ingeniárselas. ●*to be in a* ~, *(person)* estar hecho,-a un lío.

muddy ['mʌdɪ] *adj (path etc.)* fangoso,-a, lodoso,-a. 2 *(person)* cubierto,-a/lleno,-a de barro. 3 *(water)* turbio,-a.

mudguard ['mʌdgɑːd] *n* guardabarros *m inv.*

muffle ['mʌfəl] *t* amortiguar.

muffler ['mʌflər] *n (scarf)* bufanda. 2 US AUTO silenciador *m.*

mug [mʌg] *n (cup)* tazón *m.* 2 *(tankard)* jarra. 3 GB *fam* ingenuo,-a. − 4 *t* asaltar, atacar.

muggy ['mʌgɪ] *adj* bochornoso,-a.

mule [mju:l] *n* mulo,-a.

multinational [mʌltɪ'næʃənəl] *adj-n* multinacional *(f).*

multiple ['mʌltɪpəl] *adj* múltiple. − 2 *n* múltiplo.

multiplication [mʌltɪplɪ'keɪʃən] *n* multiplicación.

multiply ['mʌltɪplaɪ] *t-i* multiplicar(se).

multitude ['mʌltɪtju:d] *n* multitud *f,* muchedumbre *f.*

mum [mʌm] *n* GB *fam* mamá *f.*

mumble ['mʌmbəl] *t-i* murmurar, musitar.

mummy ['mʌmɪ] *n* momia. 2 GB *fam* mamá *f.*

mumps [mʌmps] *n* paperas *fpl.*

munch [mʌntʃ] *t-i* mascar.

mundane [mʌn'deɪn] *adj* mundano,-a.

municipal [mju:'nɪsɪpəl] *adj* municipal.

municipality [mju:nɪsɪ'pælɪtɪ] *n* municipio.

munitions [mju:'nɪʃənz] *npl* municiones *fpl.*

murder ['mɜːdər] *n* asesinato, homicidio. − 2 *t* asesinar, matar.

murderer ['mɜːdərər] *n* asesino,-a, homicida *mf.*

murky ['mɜːkɪ] *adj* o(b)scuro,-a, tenebroso,-a. 2 *fig* turbio,-a.

murmur ['mɜːmər] *n* murmullo; *(of traffic)* rumor *m.* − 2 *t-i* murmurar. ●*without a* ~, sin rechistar.

muscle ['mʌsəl] *n* músculo. ●*she didn't move a* ~, ni se inmutó.

muscular ['mʌskjʊlər] *adj* muscular. 2 *(person)* musculoso,-a.

muse [mju:z] *i* meditar, reflexionar (*on/ over,* sobre). − 2 *n* musa.

museum [mju:'zɪəm] *n* museo.

mushroom ['mʌʃrʊm] *n* BOT seta, hongo. 2 CULIN champiñón *m.* − 3 *i* crecer rápidamente.

music ['mju:zɪk] *n* música. ●*to face the* ~, dar la cara. ■ ~ *hall,* teatro de variedades; ~ *score,* partitura; ~ *stand,* atril *m.*

musical ['mju:zɪkəl] *adj* musical. 2 *(person) (gifted)* dotado,-a para la música; *(fond of music)* aficionado,-a a la música. − 2 *n* comedia musical.

musician [mju:'zɪʃən] *n* músico,-a.

musk [mʌsk] *n* almizcle *m.*

musketeer [mʌskə'tɪər] *n* mosquetero.

Muslim ['mʌzlɪm] *adj-n* musulmán,-ana.

mussel ['mʌsəl] *n* mejillón *m.*

must [mʌst] *aux (obligation)* deber, tener que: *I* ~ *leave,* debo marcharme. 2 *(probability)* deber de: *she* ~ *be ill,* debe de estar enferma. − 3 *n (mould)* moho. − 4 *fam (need)* necesidad. ●*you mustn't do that again,* no lo vuelvas a hacer.

mustard ['mʌstəd] *n* mostaza.

musty ['mʌstɪ] *adj* que huele a cerrado/a humedad.

mute [mju:t] *adj-n* mudo,-a.

muted ['mju:tɪd] *adj* apagado,-a, sordo,-a.

mutilate ['mju:tɪleɪt] *t* mutilar.

mutineer [mju:tɪ'nɪər] *n* amotinado,-a.

mutiny ['mju:tɪnɪ] *n* motín *m.* − 2 *i* amotinarse.

mutter ['mʌtər] *t* refunfuño. − 2 *t* decir entre dientes. − 3 *i* refunfuñar.

mutton ['mʌtən] *n (carne f de)* cordero.

mutual ['mju:tʃʊəl] *adj* mutuo,-a, recíproco,-a. − 2 *mutually adv* mutuamente. ●*by* ~ *consent,* de común acuerdo.

muzzle ['mʌzəl] *n (snout)* hocico. 2 *(device)* bozal *m.* 3 *(of gun)* boca. − 4 *t (dog)* poner bozal a. 5 *fig* amordazar.

my [maɪ] *pos adj* mi, mis: ~ *book,* mi libro; ~ *friends,* mis amigos. − 2 *interj* ¡caramba!

myopia [maɪ'əʊpɪə] *n* miopía.

myself [maɪˈself] *pron (reflexive)* me: *I cut ~*, me corté. **2** *(after preposition)* mí: *I kept it for ~*, lo guardé para mí. ●*by ~*, yo mismo,-a: *I did it by ~*, lo hice yo mismo,-a.

mysterious [mɪˈstɪərɪəs] *adj* misterioso,-a.

mystery [ˈmɪstərɪ] *n* misterio.

mystic [ˈmɪstɪk] *adj-n* místico,-a.

mystify [ˈmɪstɪfaɪ] *t* dejar perplejo,-a, desconcertar.

mystique [mɪsˈtiːk] *n* misterio.

myth [mɪθ] *n* mito.

mythology [mɪˈθɒlədʒɪ] *n* mitología.

N

nab [næb] *t fam* pescar, pillar.
nag [næg] *t (worry)* molestar. 2 *(complain)* dar la tabarra a. – 3 *i* quejarse.
nail [neɪl] *n* ANAT uña. 2 *(metal)* clavo. – 3 *t* clavar. ■ ~ *file,* lima de uñas; ~ *varnish,* esmalte *m* de uñas.
naive [naɪˈiːv] *adj* ingenuo,-a.
naked [ˈneɪkɪd] *adj* desnudo,-a. ●*with the* ~ *eye,* a simple vista.
name [neɪm] *n* nombre *m.* 2 *(surname)* apellido. 3 *(fame)* fama, reputación. – 4 *t* llamar. 5 *(appoint)* nombrar. ●*what's your* ~?, ¿cómo te llamas?
nameless [ˈneɪmləs] *adj* anónimo,-a.
namely [ˈneɪmlɪ] *adv* a saber.
namesake [ˈneɪmseɪk] *n* tocayo,-a.
nanny [ˈnænɪ] *n* niñera.
nap [næp] *n* siesta. – 2 *i* dormir la siesta. ●*to catch napping,* coger desprevenido,-a.
nape [neɪp] *n* nuca, cogote *m.*
napkin [ˈnæpkɪn] *n* servilleta.
nappy [ˈnæpɪ] *n* pañal *m.*
narcissist [ˈnɑːsɪsɪst] *n* narcisista *mf.*
narcissus [nɑːˈsɪsəs] *n* narciso.
narcotic [nɑːˈkɒtɪk] *adj-n* narcótico,-a *(m).*
narrate [nəˈreɪt] *t* narrar.
narration [nəˈreɪʃən] *n* narración.
narrative [ˈnærətɪv] *adj* narrativo,-a. – 2 *n* narración. 3 *(genre)* narrativa.
narrow [ˈnærəʊ] *adj* estrecho,-a. 2 *(restricted)* reducido,-a, restringido,-a. – 3 *t-i* estrechar(se). – 4 *narrowly adv* por poco. ◆*to* ~ *down t* reducir.
narrow-minded [nærəʊˈmaɪndɪd] *adj* de miras estrechas.
narrowness [ˈnærəʊnəs] *n* estrechez *f.*
nasal [ˈneɪzəl] *adj* nasal.
nasty [ˈnɑːstɪ] *adj* desagradable, repugnante. 2 *(dirty)* sucio,-a, asqueroso,-a, 3 *(obscene)* obsceno,-a. 4 *(unfriendly)* anti-

pático,-a. 5 *(dangerous)* peligroso,-a. 6 *(serious)* grave.
nation [ˈneɪʃən] *n* nación.
national [ˈnæʃnəl] *adj* nacional. – 2 *n* súbdito,-a.
nationalism [ˈnæʃnəlɪzəm] *n* nacionalismo.
nationalist [ˈnæʃnəlɪst] *adj-n* nacionalista *(mf).*
nationality [næʃəˈnælɪtɪ] *n* nacionalidad.
nationalize [næʃnəˈlaɪz] *t* nacionalizar.
native [ˈneɪtɪv] *adj* natal. 2 *(plant animal)* originario,-a. – 3 *n* natural *mf,* nativo,-a. 4 *(original inhabitant)* indígena *mf.*
Nativity [nəˈtɪvɪtɪ] *n* Natividad.
natter [ˈnætəʳ] *i fam* charlar.
natty [ˈnætɪ] *adj (smart)* elegante.
natural [ˈnætʃərəl] *adj* natural. 2 *(born)* nato,-a. – 3 *naturally adv* naturalmente.
naturalist [ˈnætʃərəlɪst] *n* naturalista *mf.*
nature [ˈneɪtʃəʳ] *n* naturaleza. 2 *(type)* índole *f.*
naturist [ˈneɪtʃərɪst] *n* naturista *mf.*
naught [nɔːt] *n* nada.
naughty [ˈnɔːtɪ] *adj* travieso,-a. 2 *(risqué)* atrevido,-a.
nausea [ˈnɔːzɪə] *n* náusea.
nauseating [ˈnɔːzɪeɪtɪŋ] *adj* nauseabundo,-a.
nautical [ˈnɔːtɪkəl] *adj* náutico,-a.
naval [ˈneɪvəl] *adj* naval.
nave [neɪv] *n* nave *f.*
navel [ˈneɪvəl] *n* ombligo.
navigate [ˈnævɪgeɪt] *t (river)* navegar por. 2 *(ship)* gobernar. – 3 *i* navegar.
navigation [nævɪˈgeɪʃən] *n* navegación.
navigator [ˈnævɪgeɪtəʳ] *n* MAR navegante *mf.*
navy [ˈneɪvɪ] *n* marina de guerra, armada. ■ ~ *blue,* azul marino.

Nazi ['nɑ:tsɪ] *adj-n* nazi *(mf)*.
near [nɪəʳ] *adj* cercano,-a. **2** *(time)* próximo,-a. — **3** *adv* cerca. — **4** *prep* cerca de. — **5** *t* acercarse a. — **6** *nearly adv* casi.
nearby ['nɪəbaɪ] *adj* cercano,-a. — **2** *adv* cerca.
neat [ni:t] *adj (room)* ordenado,-a; *(garden)* bien arreglado,-a. **2** *(person)* pulcro,-a; *(in habits)* ordenado,-a. **3** *(writing)* claro,-a. **4** *(clever)* ingenioso,-a. **5** *(drinks)* solo,-a.
neatness ['ni:tnəs] *n* esmero.
nebulous ['nebjʊləs] *adj* nebuloso,-a.
necessarily [nesə'serɪlɪ] *adv* necesariamente.
necessary ['nesɪsərɪ] *adj* necesario,-a.
necessitate [nɪ'sesɪteɪt] *t* necesitar.
necessity [nɪ'sesɪtɪ] *n* necesidad. **2** *(item)* requisito indispensable.
neck [nek] *n* cuello. — **2** *i fam* besuquearse.
necklace ['nekləs] *n* collar *m*.
neckline ['neklaɪn] *n* escote *m*.
nectar ['nektəʳ] *n* néctar *m*.
née [neɪ] *adj* de soltera.
need [ni:d] *n* necesidad. — **2** *t* necesitar. — **3** *aux* tener que, deber.
needful ['ni:dfʊl] *adj* necesario,-a.
needle ['ni:dəl] *n* aguja. — **2** *t fam* pinchar.
needless ['ni:dləs] *adj* innecesario,-a.
needy ['ni:dɪ] *adj* necesitado,-a.
negation [nɪ'geɪʃən] *n* negación.
negative ['negətɪv] *adj* negativo,-a. — **2** *n* LING negación. **3** *(answer)* negativa. **4** *(photograph)* negativo.
neglect [nɪ'glekt] *n* descuido, negligencia. — **2** *t* descuidar.
neglectful [nɪ'glektfʊl] *adj* negligente.
negligée ['neglɪʒeɪ] *n* salto de cama.
negligence ['neglɪdʒəns] *n* negligencia.
negligent ['neglɪdʒənt] *adj* negligente.
negligible ['neglɪdʒɪbəl] *adj* insignificante.
negotiate [nɪ'gəʊʃɪeɪt] *t-i* negociar. — **2** *t (obstacle)* salvar.
negotiation [nɪgəʊʃɪ'eɪʃən] *n* negociación.
negro ['ni:grəʊ] *adj-n* negro,-a.
neigh [neɪ] *n* relincho. — **2** *i* relinchar.
neighbour ['neɪbəʳ] *n* vecino,-a. **2** REL prójimo,-a.
neighbourhood ['neɪbəhʊd] *n* vecindad. **2** *(people)* vecindario.
neighbouring ['neɪbərɪŋ] *adj* vecino,-a.
neighbourly ['neɪbəlɪ] *adj* amable.

neither ['naɪðəʳ, 'ni:ðəʳ] *adj-pron* ninguno,-a de los dos/las dos. — **2** *adv-conj* ni. **3** tampoco. ●**~ ... nor...**, ni ... ni ... .
neolithic [ni:əʊ'lɪθɪk] *adj* neolítico,-a.
neon ['ni:ən] *n* neón *m*.
nephew ['nevju:] *n* sobrino.
nerve [nɜ:v] *n* nervio. **2** *(daring)* valor *m*. **3** *(cheek)* descaro.
nervous ['nɜ:vəs] *adj* nervioso,-a. **2** *(afraid)* miedoso,-a, tímido,-a.
nervousness ['nɜ:vəsnəs] *n* nerviosismo, nerviosidad. **2** *(fear)* miedo.
nest [nest] *n* nido; *(hen's)* nidal *m*. — **2** *i* anidar.
nestle ['nesəl] *t* recostar. — **2** *i* acomodarse.
net [net] *n* red *f*. — **2** *adj* neto,-a. — **3** *t* coger con red. **4** *(earn)* ganar neto,-a.
netball ['netbɔ:l] *n* baloncesto (femenino).
netting ['netɪŋ] *n* malla.
nettle ['netəl] *n* ortiga. — **2** *t* irritar.
network ['netwɜ:k] *n* red *f*.
neurotic [njʊ'rɒtɪk] *adj-n* neurótico,-a.
neuter ['nju:təʳ] *adj* neutro,-a. — **2** *n* LING neutro. — **3** *t* castrar.
neutral ['nju:trəl] *adj* neutro,-a. **2** POL neutral. — **3** *n* AUTO punto muerto.
neutralize ['nju:trəlaɪz] *t* neutralizar.
never ['nevəʳ] *adv* nunca, jamás.
never-ending [nevə'rendɪŋ] *adj* interminable.
nevertheless [nevəðə'les] *adv* sin embargo.
new [nju:] *adj* nuevo,-a. — **2** *newly adv* recién, recientemente.
newborn ['nju:bɔ:n] *adj* recién nacido,-a.
newcomer ['nju:kʌməʳ] *n* recién llegado,-a.
newlywed ['nju:lɪwed] *n* recién casado,-a.
news [nju:z] *n* noticias *fpl*. ■ *a piece of* ~, una noticia.
newsagent ['nju:zeɪdʒənt] *n* vendedor,-ra de periódicos. ■ *newsagent's (shop)*, tienda/puesto de periódicos.
newsflash ['nju:zflæʃ] *n* noticia de última hora.
newsletter ['nju:zletəʳ] *n* hoja informativa.
newspaper ['nju:speɪpəʳ] *n* diario, periódico.
newsreader ['nju:zri:dəʳ] *n* TV RAD presentador,-ra del informativo.
newsworthy ['nju:zwɜ:ðɪ] *adj* de interés periodístico.
newt [nju:t] *n* tritón *m*.

next [nekst] *adj (following)* próximo,-a, siguiente. **2** *(time)* próximo,-a. **3** *(room, house, etc.)* de al lado. **– 4** *adv* luego, después, a continuación. ●**~ to**, al lado de.

nib [nɪb] *n* plumilla.

nibble ['nɪbəl] *n* mordisco. **2** *(piece)* bocadito. **– 3** *t-i* mordisquear.

nice [naɪs] *n (person)* amable, simpático,-a, majo,-a. **2** *(thing)* bueno,-a, agradable. **3** *(food)* delicioso,-a, exquisito,-a. **4** *(pretty)* bonito,-a, mono,-a, guapo,-a. **5** *(subtle)* sutil. **– 6** *nicely adv* muy bien.

niche [niːʃ] *n* nicho, hornacina.

nick [nɪk] *n* mella, muesca. **2** GB *sl (gaol)* chirona. **– 3** *t* mellar. **4** *fam (steal)* birlar, mangar. **5** *fam (arrest)* pillar. ●*in the ~ of time*, en el momento crítico; *sl in good ~*, en buenas condiciones.

nickel ['nɪkəl] *n* níquel *m*. **2** US moneda de cinco centavos.

nickname ['nɪkneɪm] *n* apodo. **– 2** *t* apodar.

niece [niːs] *n* sobrina.

niggle ['nɪgəl] *n (doubt)* duda. **2** *(worry)* preocupación. **– 3** *i (worry)* preocupar. **4** *(fuss)* reparar en nimiedades.

night [naɪt] *n* noche *f*. ●*at/by ~*, de noche; *last ~*, anoche.

nightclub ['naɪtklʌb] *n* club *m* nocturno.

nightgown ['naɪtgaʊn] *n* camisón *m*.

nightingale ['naɪtɪŋgeɪl] *n* ruiseñor *m*.

nightlife ['naɪtlaɪf] *n* ambiente nocturno.

nightly ['naɪtlɪ] *adv* cada noche.

nightmare ['naɪtmeəʳ] *n* pesadilla.

nil [nɪl] *n* nada. **2** SP cero.

nimble ['nɪmbəl] *adj* ágil.

nine [naɪn] *adj-n* nueve *(m)*.

ninepins ['naɪnpɪnz] *n* juego de bolos.

nineteen [naɪn'tiːn] *adj-n* diecinueve *m*.

nineteenth [naɪn'tiːnθ] *adj-n* decimonono,-a. **– 2** *n (fraction)* decimonono, decimonona parte.

ninetieth ['naɪntɪəθ] *adj-n* nonagésimo,-a. **– 2** *n (fraction)* nonagésimo, nonagésima parte.

ninety ['naɪntɪ] *adj-n* noventa *(m)*.

ninth [naɪnθ] *adj-n* nono,-a, noveno,-a. **– 2** *n (fraction)* noveno, novena parte.

nip [nɪp] *n* pellizco. **2** *(bite)* mordisco. **3** *(drink)* trago. **– 4** *t-i* pellizcar. **5** *(bite)* mordiscar. **– 6** *i (go quickly)* ir (en un momento). ●*to ~ in the bud*, cortar de raíz.

nipper ['nɪpəʳ] *n fam* chaval,-la.

nipple ['nɪpəl] *n (female)* pezón *m*. **2** *(male)* tetilla. **3** *(teat)* boquilla.

nippy ['nɪpɪ] *adj fam (quick)* rápido,-a. **2** *(cold)* fresquito,-a.

nit [nɪt] *n* liendre *f*. **2** *fam* imbécil *mf*.

nitrogen ['naɪtrɪdʒən] *n* nitrógeno.

no [nəʊ] *adv* no. **– 2** *adj* ninguno,-a; *(before masc sing)* ningún: *I have ~ time*, no tengo tiempo.

nobility [nəʊ'bɪlɪtɪ] *n* nobleza.

noble ['nəʊbəl] *adj-n* noble *(mf)*.

nobleman ['nəʊbəlmən] *n* noble *m*.

noblewoman ['nəʊbəlwʊmən] *n* noble *f*.

nobody ['nəʊbədɪ] *pron* nadie. **– 2** *n* nadie *m*.

nocturnal [nɒk'tɜːnəl] *adj* nocturno,-a.

nod [nɒd] *n* saludo (con la cabeza). **2** *(in agreement)* señal *f* de asentimiento. **– 3** *i* saludar (con la cabeza). **4** *(agree)* asentir (con la cabeza). ◆*to ~ off* dormirse.

nohow ['nəʊhaʊ] *adv* de ninguna manera.

noise [nɔɪz] *n* ruido, sonido.

noiseless ['nɔɪzləs] *adj* silencioso,-a.

noisy ['nɔɪzɪ] *adj* ruidoso,-a.

nomad ['nəʊmæd] *adj-n* nómada *(mf)*.

nominal ['nɒmɪnəl] *adj* nominal. **2** *(price)* simbólico,-a.

nominate ['nɒmɪneɪt] *t* nombrar. **2** *(propose)* proponer.

nomination [nɒmɪ'neɪʃən] *n* nombramiento. **2** *(proposal)* propuesta.

nonchalant ['nɒnʃələnt] *adj* impasible.

noncommittal [nɒnkə'mɪtəl] *adj* no comprometedor,-ra.

nonconformist [nɒnkən'fɔːmɪst] *adj-n* disidente *(mf)*.

nondescript ['nɒndɪskrɪpt] *adj* aburrido,-a.

none [nʌn] *pron* ninguno,-a: *~ of this is mine*, nada de esto es mío. **– 2** *adv* de ningún modo.

nonentity [nɒ'nentɪtɪ] *n* nulidad.

nonetheless [nʌnðə'les] *adv* no obstante.

nonexistent [nɒnɪg'zɪstənt] *adj* inexistente.

nonplussed [nɒn'plʌst] *adj* perplejo,-a.

nonsense ['nɒnsəns] *n* tonterías *fpl*.

nonsmoker [nɒn'sməʊkəʳ] *n* no fumador,-ra.

nonstick [nɒn'stɪk] *adj* antiadherente.

nonstop [nɒn'stɒp] *adj* directo,-a. **– 2** *adv* sin parar.

noodle ['nuːdəl] *n* fideo.

nook [nʊk] *n* rincón *m*.

noon [nuːn] *n* mediodía *m*.

no-one ['nəʊwʌn] *pron* nadie.

noose [nu:s] *n* lazo. **2** *(hangman's)* dogal *m*.

nor [nɔːʳ] *conj* ni: *neither you ~ I*, ni tú ni yo. **2** tampoco: *~ do I*, yo tampoco.

norm [nɔːm] *n* norma.

normal [ˈnɔːməl] *adj* normal. — **2** *normally adv* normalmente.

normality [nɔːˈmælɪtɪ] *n* normalidad.

north [nɔːθ] *n* norte *m*. — **2** *adj* del norte. — **3** *adv* al norte.

northeast [nɔːθˈiːst] *n* nor(d)este *m*.

northerly [ˈnɔːðəlɪ], **northern** [ˈnɔːðən] *adj* del norte, septentrional.

northerner [ˈnɔːðənəʳ] *n* norteño,-a.

northwest [nɔːθˈwest] *n* noroeste *m*.

nose [nəʊz] *n* nariz *f*. **2** *(sense)* olfato. **3** *(of car)* morro.

nosebleed [ˈnəʊzbliːd] *n* hemorragia nasal.

nosey [ˈnəʊzɪ] *adj fam* curioso,-a, entrometido,-a.

nosey-parker [nəʊzɪˈpɑːkəʳ] *n fam* entrometido,-a, metomentodo *mf*.

nosh [nɒʃ] *n sl* papeo.

nostalgia [nɒˈstældʒɪə] *n* nostalgia.

nostril [ˈnɒstrɪl] *n* fosa nasal.

not [nɒt] *adv* no. •*thanks, — ~ at all*, gracias, — de nada.

notable [ˈnəʊtəbəl] *adj* notable.

notation [nəʊˈteɪʃən] *n* notación.

notch [nɒtʃ] *n* muesca. — **2** *t* hacer muescas en.

note [nəʊt] *n* MUS nota; *(key)* tecla. **2** *(message)* nota. **3** *(money)* billete *m*. **4** *pl* apuntes *mpl*. — **5** *t (notice)* notar, observar. **6** *(write down)* apuntar, anotar.

notebook [ˈnəʊtbʊk] *n* libreta, cuaderno.

noted [ˈnəʊtɪd] *adj* conocido,-a, célebre.

notepaper [ˈnəʊtpeɪpəʳ] *n* papel *m* de cartas.

noteworthy [ˈnəʊtwɜːðɪ] *adj* digno,-a de mención.

nothing [ˈnʌθɪŋ] *n* nada. — **2** *adv* de ningún modo.

notice [ˈnəʊtɪs] *n (sign)* letrero. **2** *(announcement)* anuncio. **3** *(attention)* atención. **4** *(warning)* aviso. — **5** *t* notar, fijarse en, darse cuenta de. •*to take no ~ of*, no hacer caso de; *until further ~*, hasta nuevo aviso.

noticeable [ˈnəʊtɪsəbəl] *adj* que se nota, evidente.

noticeboard [ˈnəʊtɪsbɔːd] *n* tablón *m* de anuncios.

notify [ˈnəʊtɪfaɪ] *t* notificar, avisar.

notion [ˈnəʊʃən] *n* noción, idea, concepto. **2** *pl* US mercería *f sing*.

notorious [nəʊˈtɔːrɪəs] *adj pej* célebre.

notwithstanding [nɒtwɪθˈstændɪŋ] *adv* no obstante. — **2** *prep* a pesar de.

nougat [ˈnuːgɑː] *n* turrón blando.

nought [nɔːt] *n* cero: *~ point six six*, cero coma sesenta y seis.

noun [naʊn] *n* nombre *m*, sustantivo.

nourish [ˈnʌrɪʃ] *t* nutrir, alimentar.

nourishing [ˈnʌrɪʃɪŋ] *adj* nutritivo,-a.

nourishment [ˈnʌrɪʃmənt] *n* nutrición.

novel [ˈnɒvəl] *adj* original. — **2** *n* novela.

novelist [ˈnɒvəlɪst] *n* novelista *mf*.

novelty [ˈnɒvəltɪ] *n* novedad.

November [nəʊˈvembəʳ] *n* noviembre *m*.

novice [ˈnɒvɪs] *n* novato,-a. **2** REL novicio,-a.

now [naʊ] *adv* ahora. **2** *(these days)* hoy en día, actualmente. **3** *(in past)* ya. •*from ~ on*, de ahora en adelante; *~ and then*, de vez en cuando; *~ that*, ahora que, ya que.

nowadays [ˈnaʊədeɪz] *adv* hoy (en) día.

nowhere [ˈnəʊweəʳ] *adv* en ninguna parte.

noxious [ˈnɒkʃəs] *adj* nocivo,-a.

nozzle [ˈnɒzəl] *n* boca, boquilla.

nuance [njuːˈɑːns] *n* matiz *m*.

nuclear [ˈnjuːklɪəʳ] *adj* nuclear.

nucleus [ˈnjuːklɪəs] *n* núcleo.

nude [njuːd] *adj-n* desnudo,-a *(m)*.

nudge [nʌdʒ] *n* codazo. — **2** *t* dar un codazo a.

nudist [ˈnjuːdɪst] *adj-n* nudista *(mf)*.

nudity [ˈnjuːdɪtɪ] *n* desnudez *f*.

nugget [ˈnʌgɪt] *n* pepita.

nuisance [ˈnjuːsəns] *n* molestia, fastidio, lata. **2** *(person)* pesado,-a.

null [nʌl] *adj* nulo,-a.

numb [nʌm] *adj* entumecido,-a. — **2** *t* entumecer.

number [ˈnʌmbəʳ] *n* número. — **2** *t* numerar. **3** *(count)* contar.

numberplate [ˈnʌmbəpleɪt] *n* GB placa de la matrícula.

numbness [ˈnʌmnəs] *n* entumecimiento.

numeral [ˈnjuːmərəl] *n* número, cifra.

numerate [ˈnjuːmərət] *adj* que tiene conocimientos de matemáticas.

numerical [njuːˈmerɪkəl] *adj* numérico,-a.

numerous [ˈnjuːmərəs] *adj* numeroso,-a.

numismatics [njuːmɪzˈmætɪks] *n* numismática.

nun [nʌn] *n* monja, religiosa.

nuncio [ˈnʌnʃɪəʊ] *n* nuncio apostólico.

nunnery ['nʌnərɪ] *n* convento (de monjas).

nuptial ['nʌpʃəl] *adj* nupcial.

nurse [nɜːs] *n* enfermero,-a. 2 *(children's)* niñera. – 3 *t (look after)* cuidar. 4 *(suckle)* amamantar. 5 *(feeling)* guardar.

nursery ['nɜːsrɪ] *n (in house)* cuarto de los niños. 2 *(kindergarten)* guardería, parvulario. 3 *(for plants)* vivero.

nursing ['nɜːsɪŋ] *n* profesión de enfermera. ■ ~ *home,* clínica.

nurture ['nɜːtʃəʳ] *t* nutrir.

nut [nʌt] *n* BOT fruto seco. 2 TECH tuerca. 3 *fam (head)* coco. 4 *fam (nutcase)* chalado,-a.

nutcase ['nʌtkeɪs] *n fam* chalado,-a.

nutcracker ['nʌtkrækəʳ] *n* cascanueces *m inv*.

nutmeg ['nʌtmeg] *n* nuez moscada.

nutrient ['njuːtrɪənt] *n* sustancia nutritiva.

nutrition [njuːˈtrɪʃən] *n* nutrición.

nutritious [njuːˈtrɪʃəs] *adj* nutritivo,-a.

nutshell ['nʌtʃel] *n* cáscara. ●*in a* ~, en pocas palabras.

nutter ['nʌtəʳ] *n fam* chalado,-a.

nutty ['nʌtɪ] *adj* CULIN que sabe a nuez.

nuzzle ['nʌzəl] *i to* ~ *up to,* arrimarse a.

nylon ['naɪlɒn] *n* nilón *m*. 2 *pl* medias *fpl* de nilón.

nymph [nɪmf] *n* ninfa.

nymphomaniac [nɪmfəˈmeɪnɪæk] *n* ninfómana.

O

O [əʊ] *n (as number)* cero.
oaf [əʊf] *n* palurdo,-a, zoquete *mf*.
oak [əʊk] *n* roble *m*.
oar [ɔːʳ] *n* remo.
oarsman [ˈɔːzmən] *n* remero.
oasis [əʊˈeɪsɪs] *n* oasis *m inv*.
oath [əʊθ] *n* juramento. **2** *(swearword)* palabrota.
oats [əʊts] *npl* avena *f sing*.
obdurate [ˈɒbdjʊrət] *n* obstinado,-a.
obedience [əˈbiːdɪəns] *n* obediencia.
obedient [əˈbiːdɪənt] *adj* obediente.
obelisk [ˈɒbɪlɪsk] *n* obelisco.
obese [əʊˈbiːs] *adj* obeso,-a.
obesity [əʊˈbiːsɪti] *n* obesidad.
obey [əˈbeɪ] *t* obedecer. **2** *(law)* cumplir.
obituary [əˈbɪtjʊəri] *n* necrología, obituario.
object [ˈɒbdʒɪkt] *n* objeto. **2** *(aim)* objetivo *m*. **3** GRAM complemento. **– 4** *t* objetar. **– 5** *i* oponerse. ●*money is no* ~, el dinero no importa. ▲ *En 4 y 5 (verbo)* [əbˈdʒekt].
objection [əbˈdʒekʃən] *n* objeción, reparo.
objectionable [əbˈdʒekʃənəbəl] *adj* desagradable.
objective [əbˈdʒektɪv] *adj-n* objetivo,-a *(m)*.
objector [əbˈdʒektəʳ] *n* objetor,-ra.
obligation [ɒblɪˈgeɪʃən] *n* obligación.
obligatory [ɒˈblɪgətəri] *adj* obligatorio,-a.
oblige [əˈblaɪdʒ] *t (compel)* obligar. **2** *(do a favour)* hacer un favor a. ●*much obliged*, muy agradecido,-a.
obliging [əˈblaɪdʒɪŋ] *adj* complaciente.
oblique [əˈbliːk] *adj* oblicuo,-a. **2** *fig* indirecto,-a.
obliterate [əˈblɪtəreɪt] *t* borrar, destruir.
oblivion [əˈblɪvɪən] *n* olvido.
oblivious [əˈblɪvɪəs] *adj* inconsciente.
oblong [ˈɒblɒŋ] *adj* oblongo,-a. **– 2** *n* rectángulo.
obnoxious [əbˈnɒkʃəs] *adj* repugnante.
oboe [ˈəʊbəʊ] *n* oboe *m*.
obscene [ɒbˈsiːn] *adj* obsceno,-a.
obscenity [əbˈsenɪti] *n* obscenidad.
obscure [ɒbsˈkjʊəʳ] *adj* o(b)scuro,-a, recóndito,-a. **2** *(unknown)* desconocido,-a. **– 3** *t* obscurecer.
obscurity [əbˈskjʊərɪti] *n* obscuridad.
obsequious [əbˈsiːkwɪəs] *adj* servil.
observance [əbˈzɜːvəns] *n* observancia.
observant [əbˈzɜːvənt] *adj* observador,-ra.
observation [ɒbzəˈveɪʃən] *n* observación.
observatory [əbˈzɜːvətri] *n* observatorio.
observe [əbˈzɜːv] *t gen* observar. **2** *(law)* cumplir.
observer [əbˈzɜːvəʳ] *n* observador,-ra.
obsess [əbˈses] *t* obsesionar.
obsession [əbˈseʃən] *n* obsesión.
obsessive [əbˈsesɪv] *adj* obsesivo,-a.
obsolete [ˈɒbsəliːt] *adj* obsoleto,-a.
obstacle [ˈɒbstəkəl] *n* obstáculo.
obstetrics [ɒbˈstetrɪks] *n* obstetricia.
obstinacy [ˈɒbstɪnəsi] *n* obstinación.
obstinate [ˈɒbstɪnət] *adj* obstinado,-a.
obstruct [əbˈstrʌkt] *t* obstruir. **2** *(hinder)* obstaculizar.
obstruction [əbˈstrʌkʃən] *n* obstrucción. **2** *(hindrance)* obstáculo.
obtain [əbˈteɪn] *t* obtener, conseguir.
obtrusive [əbˈtruːsɪv] *adj* molesto,-a.
obtuse [əbˈtjuːs] *adj* obtuso,-a.
obverse [ˈɒbvɜːs] *n* anverso.
obviate [ˈɒbvɪeɪt] *t* obviar, evitar.
obvious [ˈɒbvɪəs] *adj* obvio,-a, evidente.

occasion [ə'keɪʒən] n ocasión. − 2 t ocasionar. •*on the ~ of*, con motivo de.

occasional [ə'keɪʒənəl] adj esporádico,-a. − 2 **occasionally** adv de vez en cuando, ocasionalmente.

occult ['ɒkʌlt] adj oculto,-a. •*the ~*, las ciencias ocultas.

occupant ['ɒkjupənt] n ocupante mf. 2 *(of flat)* inquilino,-a.

occupation [ɒkju'peɪʃən] n ocupación. 2 *(job)* profesión.

occupier ['ɒkjupaɪəʳ] n → **occupant**.

occupy ['ɒkjupaɪ] t ocupar.

occur [ə'kɜ:ʳ] i ocurrir, suceder. 2 *(come to mind)* ocurrir(se).

occurrence [ə'kʌrəns] n suceso: *a common ~*, un caso frecuente.

ocean ['əuʃən] n océano.

oceanic [əuʃɪ'ænɪk] adj oceánico,-a.

ochre ['əukəʳ] adj-n ocre (m).

o'clock [ə'klɒk] adv *(it's) one ~*, (es) la una; *(it's) two ~*, (son) las dos.

octave ['ɒktɪv] n octava.

October [ɒk'təubəʳ] n octubre m.

octopus ['ɒktəpəs] n pulpo.

oculist ['ɒkjulɪst] n oculista mf.

odd [ɒd] adj *(strange)* extraño,-a, raro,-a. 2 *(number)* impar. 3 *(after numbers)* y pico: *thirty ~*, treinta y pico. 4 *(sock etc.)* suelto,-a, desparejado,-a. 5 *(occasional)* ocasional, esporádico,-a.

oddity ['ɒdɪtɪ] n rareza.

odds [ɒdz] npl probabilidades fpl: *the ~ are that ...*, lo más probable es que ... . •*it makes no ~*, lo mismo da; *to be at ~*, estar reñidos,-as; *to fight against the ~*, luchar contra fuerzas superiores. ■ *~ and ends*, cositas fpl, cosas fpl sueltas.

ode [əud] n oda.

odious ['əudɪəs] adj odioso,-a.

odontology [ɒdɒn'tɒlədʒɪ] n odontología.

odour ['əudəʳ] n olor m.

odourless ['əudələs] adj inodoro,-a.

oesophagus [i:'sɒfəgəs] n esófago.

of [ɒv, *unstressed* əv] prep de.

off [ɒf] prep *(from)* de; *it fell ~ the wall*, se cayó de la pared. 2 *(not wanting)* I'm *~ coffee*, he perdido el gusto por el café. − 3 adv *(away)* *he ran ~*, se fue corriendo. 4 *(on holiday)* *two days ~*, dos días libres. 5 *(ill)* *~ (sick)*, *(from school)* ausente; *(from work)* de baja (por enfermedad). 6 *(machinery)* conectado,-a. 7 *(gas, electricity)* apagado,-a. 8 *(water, tap)* cerrado,-a. 9 *(event)* suspen-

dido,-a. 10 *(bad)* malo,-a, pasado,-a; *(milk)* agrio,-a.

offal ['ɒfəl] n asaduras fpl; *(chicken)* menudillos mpl.

off-colour ['ɒfkʌləʳ] adj *(ill)* indispuesto,-a.

offence [ə'fens] n ofensa. 2 JUR infracción, delito.

offend [ə'fend] t ofender.

offender [ə'fendəʳ] n delincuente mf.

offensive [ə'fensɪv] adj-n ofensivo,-a (f).

offer ['ɒfəʳ] n oferta. − 2 t ofrecer. •*to ~ to ...*, ofrecerse para ... .

offering ['ɒfərɪŋ] n ofrecimiento. 2 REL ofrenda.

offhand [ɒf'hænd] adv de improviso. − 2 adj descortés, brusco,-a.

office ['ɒfɪs] n *(room)* despacho, oficina. 2 *(post)* cargo. 3 POL ministerio. •*in ~*, en el poder. ■ *~ hours*, horas fpl de oficina; *~ worker*, oficinista mf.

officer ['ɒfɪsəʳ] n oficial m.

official [ə'fɪʃəl] adj oficial. − 2 n funcionario,-a, oficial mf. − 3 **officially** adv oficialmente.

officiate [ə'fɪʃɪeɪt] i REL oficiar.

officious [ə'fɪʃəs] adj oficioso,-a, entrometido,-a.

offing ['ɒfɪŋ] n *in the ~*, en perspectiva.

off-key [ɒf'ki:] adj MUS desafinado,-a.

off-licence ['ɒflaɪsəns] n GB ≈ bodega.

off-peak ['ɒfpi:k] adj *(period)* de consumo reducido.

offset [ɒf'set] t compensar. ▲ pt & pp off-set.

offshoot ['ɒfʃu:t] n BOT renuevo, vástago. 2 fig retoño.

offside [ɒf'saɪd] adj-adv SP fuera de juego.

offspring ['ɒfsprɪŋ] n inv descendiente mf.

often ['ɒf(t)ən] adv a menudo, frecuentemente. •*every so ~*, de vez en cuando.

ogle ['əugəl] t-i comerse con los ojos.

ogre ['əugəʳ] n ogro.

oh [əu] interj ¡oh!

ohm [əum] n ohmio, ohm m.

oil [ɔɪl] n aceite m. 2 *(petroleum)* petróleo. 3 *(paint)* (pintura al) óleo. − 4 t engrasar, lubri(fi)car. ■ *~ industry*, industria petrolera; *~ slick*, marea negra; *~ tanker*, petrolero.

oilcan ['ɔɪlkæn] n aceitera.

oilcloth ['ɔɪlklɒθ] n hule m.

oilfield ['ɔɪlfi:ld] n yacimiento petrolífero.

oily ['ɔɪlɪ] *adj* aceitoso,-a, grasiento,-a. **2** *(skin)* graso,-a.

ointment ['ɔɪntmənt] *n* ungüento.

okay [əʊ'keɪ] *interj* ¡vale!, ¡de acuerdo! – **2** *adj-adv* bien. – **3** *n* visto bueno. – **4** *t* dar el visto bueno a.

old [əʊld] *adj gen* viejo,-a. **2** *(person)* mayor, viejo,-a. **3** *(wine)* añejo,-a. **4** *(clothes)* usado,-a. **5** *(former)* antiguo,-a. ●*how ~ are you?*, ¿cuántos años tienes? ■ *~ boy/girl*, antiguo,-a alumno,-a; *Old Testament*, Antiguo Testamento.

olden ['əʊldən] *adj* antiguo,-a.

old-fashioned [əʊld'fæʃənd] *adj* anticuado,-a.

oligarchy ['ɒlɪgɑːkɪ] *adj* oligarquía.

olive ['ɒlɪv] *n (tree)* olivo. **2** *(fruit)* aceituna, oliva. ■ *~ oil*, aceite *m* de oliva: *~ tree*, olivo.

Olympiad [ə'lɪmpɪæd] *n* Olimpíada, Olimpiada.

Olympic [ə'lɪmpɪk] *adj* olímpico,-a. ■ *~ Games*, Juegos *mpl* Olímpicos.

omelet(te) ['ɒmlət] *n* tortilla.

omen ['əʊmən] *n* agüero, presagio.

ominous ['ɒmɪnəs] *adj* de mal agüero, amenazador,-ra.

omission [əʊ'mɪʃən] *n* omisión. **2** *fig* olvido.

omit [əʊ'mɪt] *t* omitir. **2** *(not do)* pasar por alto. **3** *(forget)* olvidar.

omnibus ['ɒmnɪbəs] *n (bus)* ómnibus *m*. **2** *(collection)* antología.

omnipotent [ɒm'nɪpətənt] *adj* omnipotente.

omniscient [ɒm'nɪsɪənt] *adj* omnisciente.

omnivorous [ɒm'nɪvərəs] *adj* omnívoro,-a.

on [ɒn] *prep gen* en. **2** *(on top of)* sobre, encima de, en: *~ the floor*, en el suelo; *~ the table*, sobre la mesa. **3** *(about)* sobre: *a talk ~ birds*, una charla sobre las aves. **4** *(time expressions)* *~ my birthday*, el día de mi cumpleaños; *~ Sunday*, el domingo; *~ Sundays*, los domingos. – **5** *adv (machinery)* conectado,-a, puesto,-a. **6** *(gas, electricity)* encendido,-a. **7** *(water, tap)* abierto,-a. **8** *(clothes)* puesto,-a. **9** *(event)* *the match is ~ after all*, el partido se celebra según lo previsto. ●*and so ~*, y así sucesivamente.

once [wʌns] *adv* una vez: *~ a week*, una vez por semana. **2** *(before)* antes, anteriormente. – **3** *conj* una vez que. ●*all at ~*, repentinamente; *at ~*, a la vez, de una vez; *(immediately)* en seguida; *~*

and for all, de una vez para siempre; *~ upon a time*, érase una vez.

once-over [wʌns'əʊvəʳ] *n fam* vistazo.

oncoming ['ɒnkʌmɪŋ] *adj* que viene de frente.

one [wʌn] *adj* un, una. **2** *(only)* único,-a. – **3** *pron* uno,-a: *a red ~*, uno,-a rojo,-a; *~ has to be careful*, hay que ir con cuidado; *the ~ who*, el/la que; *this ~*, éste,-a. ●*~ another*, el uno al otro, mutuamente.

one-armed ['wʌnɑːmd] *adj* manco,-a. ■ *~ bandit*, máquina tragaperras.

one-eyed ['wʌnaɪd] *adj* tuerto,-a.

one-off ['wʌnɒf] *adj fam* único,-a.

onerous ['ɒnərəs] *adj* oneroso,-a.

oneself [wʌn'self] *pron* uno,-a mismo,-a, sí mismo,-a. **2** *(alone)* uno,-a mismo,-a.

one-sided ['wʌnsaɪdɪd] *adj* desigual. **2** *(view)* parcial.

one-time ['wʌntaɪm] *adj* antiguo,-a.

one-way ['wʌnweɪ] *adj (street)* de sentido único. **2** *(ticket)* sólo de ida.

ongoing ['ɒngəʊɪŋ] *adj* que sigue, continuo,-a.

onion ['ʌnɪən] *n* cebolla.

onlooker ['ɒnlʊkəʳ] *n* espectador,-ra.

only ['əʊnlɪ] *adj* único,-a. – **2** *adv* sólo, solamente, únicamente. – **3** *conj* pero. ●*if ~*, ojalá.

onrush ['ɒnrʌʃ] *n* arremetida, avalancha.

onset ['ɒnset] *n* asalto. **2** *(start)* principio.

onslaught ['ɒnslɔːt] *n* ataque violento.

onto ['ɒntʊ] *prep* sobre.

onus ['əʊnəs] *n* responsabilidad.

onwards ['ɒnwədz] *adj* hacia adelante. – **2** *onward(s) adv* en adelante.

onyx ['ɒnɪks] *n* ónice *m*.

oops [uːps] *interj* ¡ay!

ooze [uːz] *n* fango, cieno. – **2** *i* rezumar. – **3** *t (charm etc.)* desprender.

opal ['əʊpəl] *n* ópalo.

opaque [əʊ'peɪk] *adj* opaco,-a.

open ['əʊpən] *adj* abierto,-a. **2** *(sincere)* sincero,-a. – **3** *t-i* abrir(se). – **4** *openly adv* abiertamente. ●*in the ~ air*, al aire libre.

open-air ['əʊpəneəʳ] *adj* al aire libre.

opener ['əʊpənəʳ] *n* abridor *m*.

opening ['əʊpənɪŋ] *n (act)* apertura. **2** *(hole)* abertura, brecha. **3** *(chance)* oportunidad. **4** *(vacancy)* vacante *f*. ■ *~ night*, noche *f* de esreno.

open-minded [əʊpən'maɪndɪd] *adj* tolerante.

opera ['ɒpərə] *n* ópera. ■ *~ house*, ópera.

operate ['ɒpəreɪt] *t* hacer funcionar. 2 *(switch)* accionar. 3 *(business)* dirigir. — 4 *i* funcionar. 5 MED operar *(on, a)*.

operation [ɒpə'reɪʃən] *n* operación. 2 *(of machine)* funcionamiento; *(by person)* manejo.

operational [ɒpə'reɪʃənəl] *adj (ready for use)* operativo,-a. 2 *(in use)* en funcionamiento.

operative ['ɒpərətɪv] *adj* JUR vigente. — 2 *n* operario,-a. ●*the ~ word,* la palabra clave.

operator ['ɒpəreɪtəʳ] *n* operario,-a. ■ *telephone ~,* operador,-ra, telefonista *mf.*

opinion [ə'pɪnɪən] *n* opinión. ●*in my ~,* a mi juicio/parecer; *to have a high/low ~ of sb.,* tener buen/mal concepto de algn.

opinionated [ə'pɪnɪəneɪtɪd] *adj* dogmático,-a.

opium ['əʊpɪəm] *n* opio.

opossum [ə'pɒsəm] *n* zarigüeya.

opponent [ə'pəʊnənt] *n* adversario,-a.

opportune ['ɒpətjuːn] *adj* oportuno,-a.

opportunity [ɒpə'tjuːnɪtɪ] *n* oportunidad.

oppose [ə'pəʊz] *t* oponerse a.

opposed [ə'pəʊzd] *adj* opuesto,-a, contrario,-a.

opposing [ə'pəʊzɪŋ] *adj* contrario,-a, adversario,-a.

opposite ['ɒpəzɪt] *adj (facing)* de enfrente. 2 *(contrary)* opuesto,-a, contrario,-a. — 3 *prep* enfrente de, frente a. — 4 *adv* enfrente. — 5 *n* antítesis *f inv.*

opposition [ɒpə'zɪʃən] *n* oposición.

oppress [ə'pres] *t* oprimir.

oppression [ə'preʃən] *n* opresión.

oppressor [ə'presəʳ] *n* opresor,-ra.

opt [ɒpt] *i* optar.

optative ['ɒptətɪv] *adj* optativo,-a.

optic(al) ['ɒptɪk(əl)] *adj* óptico,-a.

optician [ɒp'tɪʃən] *n* óptico,-a. ■ *optician's,* óptica.

optimism ['ɒptɪmɪzəm] *n* optimismo.

optimist ['ɒptɪmɪst] *n* optimista *mf.*

optimistic [ɒptɪ'mɪstɪk] *adj* optimista.

optimize ['ɒptɪmaɪz] *t* optimizar.

optimum ['ɒptɪməm] *adj* óptimo,-a. — 2 *n* grado óptimo.

option ['ɒpʃən] *n* opción.

optional ['ɒpʃənəl] *adj* opcional, optativo,-a.

opulence ['ɒpjʊləns] *n* opulencia.

opulent ['ɒpjʊlənt] *adj* opulento,-a.

or [ɔːʳ] *conj* o. 2 *(with negative)* ni.

oracle ['ɒrəkəl] *n* oráculo.

oral ['ɔːrəl] *adj* oral. — 2 *n* examen *m* oral.

orange ['ɒrɪndʒ] *n* BOT naranja. 2 *(colour)* naranja *m.* — 3 *adj* (de color) naranja. ■ *~ blossom,* azahar *m*; *~ tree,* naranjo.

orang-utan [ɔːræŋuː'tæn] *n* orangután *m.*

oration [ɔː'reɪʃən] *n* oración.

orator ['ɒrətəʳ] *n* orador,-ra.

oratory ['ɒrətərɪ] *n* oratoria. 2 *(chapel)* oratorio, capilla.

orb [ɔːb] *n* orbe *m.*

orbit ['ɔːbɪt] *n* órbita. — 2 *t* girar alrededor de. — 3 *i* orbitar.

orchard ['ɔːtʃəd] *n* huerto.

orchestra ['ɔːkɪstrə] *n* orquesta.

orchestral [ɔː'kestrəl] *adj* orquestal.

orchid ['ɔːkɪd] *n* orquídea.

ordain [ɔː'deɪn] *t* ordenar.

ordeal [ɔː'diːl] *n fig* mala experiencia, sufrimiento.

order ['ɔːdəʳ] *n (command)* orden *f.* 2 COM pedido. 3 *(series)* orden *m,* serie *f.* 4 *(condition)* condiciones *fpl.* 5 *(tidiness, peace)* orden *m.* 6 *(class, type)* orden *m.* 7 REL orden *f.* 8 *(medal)* orden *f.* — 9 *t (command)* ordenar, mandar. 10 *(organize)* ordenar. 11 *(ask for)* pedir. ●*in ~,* en orden; *(acceptable)* bien; *in ~ to,* para, a fin de; *law and ~,* orden público; *"out of ~",* "no funciona". ■ *~ form,* hoja de pedido.

orderly ['ɔːdəlɪ] *adj* ordenado,-a, metódico,-a. 2 *(not rowdy)* disciplinado,-a. — 3 *n* MIL ordenanza *m.* 4 MED auxiliar *mf,* ayudante *mf.*

ordinal ['ɔːdɪnəl] *adj-n* ordinal *(m).*

ordinance ['ɔːdɪnəns] *n fml* ordenanza.

ordinary ['ɔːdɪnərɪ] *adj* normal, corriente. ●*out of the ~,* fuera de lo común.

ordination [ɔːdɪ'neɪʃən] *n* ordenación.

ore [ɔːʳ] *n* mineral *m,* mena.

oregano [ɒrɪ'gɑːnəʊ] *n* orégano.

organ ['ɔːgən] *n* órgano.

organic [ɔː'gænɪk] *adj* orgánico,-a.

organism ['ɔːgənɪzəm] *n* organismo.

organist ['ɔːgənɪst] *n* organista *mf.*

organization [ɔːgənaɪ'zeɪʃən] *n* organización.

organize ['ɔːgənaɪz] *t-i* organizar(se).

orgasm ['ɔːgæzəm] *n* orgasmo.

orgy ['ɔːdʒɪ] *n* orgía.

Orient ['ɔːrɪənt] *n* oriente *m.*

Oriental [ɔːrɪ'entəl] *adj-n* oriental *(mf).*

orientate ['ɔːrɪənteɪt] *t* orientar.

orientation [ɔːrɪen'teɪʃən] *n* orientación.

orifice ['ɒrɪfɪs] *n* orificio.

origin ['ɒrɪdʒɪn] *n* origen *m.*

original [ə'rɪdʒɪnəl] *adj-n* original *(m)*.
•*in the* ~, en versión original.

originality [ərɪdʒɪ'nælɪtɪ] *n* originalidad.

originate [ə'rɪdʒɪneɪt] *t* originar, crear. −
2 *i* tener su origen (*in/from*, en).

ornament ['ɔ:nəmənt] *n* ornamento,
adorno. − 2 *t* adornar, decorar.

ornamental [ɔ:nə'mentəl] *adj* ornamental, decorativo,-a.

ornate [ɔ:'neɪt] *adj* recargado,-a.

ornithology [ɔ:nɪ'θɒlədʒɪ] *n* ornitología.

orphan ['ɔ:fən] *n* huérfano,-a. •*to be orphaned*, quedar huérfano,-a.

orphanage ['ɔ:fənɪdʒ] *n* orfanato.

orthodox ['ɔ:θədɒks] *adj* ortodoxo,-a.

orthodoxy ['ɔ:θədɒksɪ] *n* ortodoxia.

orthography [ɔ:'θɒgrəfɪ] *n* ortografía.

orthopaedic [ɔ:θəʊ'pi:dɪk] *adj* ortopédico,-a.

oscillate ['ɒsɪleɪt] *i* oscilar.

ostensible [ɒ'stensɪbəl] *adj* aparente. − 2
ostensibly *adv* aparentemente.

ostentation [ɒsten'teɪʃən] *n* ostentación.

ostentatious [ɒsten'teɪʃəs] *adj* ostentoso,-a.

ostracize ['ɒstrəsaɪz] *t* condenar al ostracismo.

ostrich ['ɒstrɪtʃ] *n* avestruz *m*.

other ['ʌðəʳ] *adj-pron* otro,-a. •*every* ~
day, días alternos; ~ *than, (except)* aparte de, salvo; *(not)* sino.

otherwise ['ʌðəwaɪz] *adv* de otra manera, de manera distinta. 2 *(apart from
that)* por lo demás. − 3 *conj* si no, de lo
contrario. − 4 *adj* distinto,-a.

otter ['ɒtəʳ] *n* nutria.

ought [ɔ:t] *aux* ~ *to*, deber: *I* ~ *to write*,
debería escribir. 2 *(expectation) you* ~ *to
get the job*, seguramente conseguirás el
trabajo.

ounce [aʊns] *n* onza. ▲ = 28.35 g.

our ['aʊəʳ] *adj* nuestro,-a.

ours ['aʊəz] *poss pron* (el) nuestro, (la)
nuestra, (los) nuestros, (las) nuestras.

ourselves [aʊə'selvz] *pers pron* nos. 2
(emphatic) nosotros,-as mismos,-as.

oust [aʊst] *t* echar.

out [aʊt] *adv* fuera, afuera: *he ran* ~, salió
corriendo. 2 *(absent)* fuera: *he's* ~ *at the
moment*, ha salido un momento. 3
(wrong) equivocado,-a: *my calculation
was* ~ *by £50*, mi cálculo tenía un error
de 50 libras. 4 *(not fashionable) white
socks are* ~, los calcetines blancos ya
no se llevan. 5 *(unconscious)* inconsciente. 6 *(on strike)* en huelga. 7 *(light, fire,*

etc.) apagado,-a. 8 SP *(ball)* fuera; *(player)*
eliminado,-a. 9 *(published)* publicado,-a.
10 *(completely)* totalmente. 11 *(finished)*
acabado,-a. − 12 *out of prep* fuera de.
13 *(using)* de: *made* ~ *of wood*, hecho,-a
de madera. 14 *(from)* de: ~ *of a tin*, de
una lata. 15 *(showing motive)* por: ~ *of
spite*, por despecho. 16 *(lacking)* sin:
we're ~ *of tea*, se nos ha acabado el te.
17 *(mark)* sobre: *five* ~ *of ten in French*,
(un) cinco sobre diez en francés. 18
(proportion) (de) entre (cada): *eight
(smokers)* ~ *of ten*, ocho de cada diez
(fumadores). •~ *of favour*, en desgracia; ~ *of print*, fuera de catálogo; ~ *of
sorts*, indispuesto,-a; ~ *of this world*,
extraordinario,-a; ~ *of work*, parado,-a;
~ *to win*, decidido,-a a vencer.

outboard ['aʊtbɔ:d] *adj* fueraborda.

outbreak ['aʊtbreɪk] *n* (*of violence*) estallido. 2 *(of war)* comienzo. 3 *(of disease)*
brote *m*.

outbuilding ['aʊtbɪldɪŋ] *n* dependencia.

outburst ['aʊtbɜ:st] *n* explosión, arranque *m*.

outcast ['aʊtkɑ:st] *n* marginado,-a.

outcome ['aʊtkʌm] *n* resultado.

outcry ['aʊtkraɪ] *n* protesta.

outdated [aʊt'deɪtɪd] *adj* anticuado,-a.

outdo [aʊt'du:] *t* exceder. •*not to be outdone*, para no ser menos. ▲ *pt* **outdid**
[aʊt'dɪd]; *pp* **outdone** [aʊt'dʌn].

outdoor [aʊt'dɔ:ʳ] *adj* al aire libre. − 2
outdoors *adv* fuera, al aire libre.

outer ['aʊtəʳ] *adj* exterior, externo,-a.
■ ~ *space*, espacio exterior.

outfit ['aʊtfɪt] *n* equipo. 2 *(clothes)* conjunto. 3 *(of tools)* juego. 4 *fam* grupo.

outflow ['aʊtfləʊ] *n* efusión, flujo, salida.

outgoing [aʊt'gəʊɪŋ] *adj* (*departing*) saliente. 2 *(sociable)* sociable. − 3 *npl* gastos *mpl*.

outing ['aʊtɪŋ] *n* salida, excursión.

outgrow [aʊt'grəʊ] *t* *he's* **outgrown** *his
shoes*, se le han quedado pequeños los
zapatos. ▲ *pt* **outgrew** [aʊt'gru:]; *pp* **outgrown** [aʊt'grəʊn].

outlandish [aʊt'lændɪʃ] *adj* extravagante.

outlaw ['aʊtlɔ:] *n* forajido,-a, proscrito,-a. − 2 *t* prohibir.

outlay ['aʊtleɪ] *n* desembolso.

outlet ['aʊtlet] *n* salida. 2 *(for water)* desagüe *m*.

outline ['aʊtlaɪn] *n* contorno, perfil *m*. 2
(general idea) idea general. 3 *(summary)*
resumen *m*. − 4 *t* perfilar. 5 *(describe)* dar

una idea general de. 6 *(summarize)* resumir.

outlive [aʊt'lɪv] *t* sobrevivir a.

outlook ['aʊtlʊk] *n (view)* vista. 2 *(point of view)* punto de vista. 3 *(prospect)* perspectiva.

outlying ['aʊtlaɪɪŋ] *adj* alejado,-a. 2 *(suburb)* periférico,-a.

outnumber [aʊt'nʌmbəʳ] *t* exceder en número, ser más que.

out-of-date [aʊtəv'deɪt] *adj* anticuado,-a.

outpatient ['aʊtpeɪʃənt] *n* paciente externo,-a.

outpost ['aʊtpəʊst] *n* MIL avanzada.

output ['aʊtpʊt] *n* producción.

outrage ['aʊtreɪdʒ] *n* atropello, ultraje *m.* – 2 *t* ultrajar.

outrageous [aʊt'reɪdʒəs] *adj* escandaloso,-a, indignante.

outright [aʊt'raɪt] *adv (openly)* directamente. 2 *(instantly)* instantáneamente. 3 *(clearly)* claramente. – 4 *adj (absolute)* absoluto,-a, total. ▲ *En 4 (adjetivo)* ['aʊtraɪt].

outset ['aʊtset] *n* principio.

outside [aʊt'saɪd] *n* exterior *m,* parte *f* exterior. – 2 *prep* fuera de. – 3 *adv* (a)fuera. – 4 *adj* exterior. •*at the* ~, como máximo. ▲ *En 4 (adjetivo)* ['aʊtsaɪd].

outsider [aʊt'saɪdəʳ] *n* forastero,-a.

outskirts ['aʊtskɜːts] *npl* afueras *fpl.*

outspoken [aʊt'spəʊkən] *adj* sincero,-a: *to be* ~, no tener pelos en la lengua.

outstanding [aʊt'stændɪŋ] *adj* destacado,-a, sobresaliente. 2 *(payment, question)* pendiente.

outstretched [aʊt'stretʃt] *adj* extendido,-a.

outstrip [aʊt'strɪp] *t* dejar atrás.

outward ['aʊtwəd] *adj* exterior, externo,-a. 2 *(journey)* de ida. – 3 *outwards adv* hacia (a)fuera.

outweigh [aʊt'weɪ] *t* pesar más que.

outwit [aʊt'wɪt] *t* ser más listo,-a que.

oval ['aʊvəl] *adj* oval, ovalado,-a. – 2 *n* óvalo.

ovary ['aʊvərɪ] *n* ovario.

ovation [əʊ'veɪʃən] *n* ovación.

oven ['ʌvən] *n* horno.

over ['aʊvəʳ] *adv (down) to fall* ~, caerse. 2 *(across) come* ~ *to see me,* ven a verme. 3 *(too much)* de más. 4 *(more)* más. 5 *(left)* sin usar/gastar. 6 *(finished)* acabado,-a. – 7 *prep* (por) encima de. 8 *(covering)* cubriendo; *he put his hand* ~

his mouth, se tapó la boca con la mano. 9 *(more than)* más de. 10 *(across)* al otro lado de. 11 *(during)* durante. 12 *(because of)* a causa de, por. 13 *(recovered from)* recuperado,-a de. 14 *(by means of)* por: ~ *the phone,* por teléfono. •*all* ~, en todas partes, *all* ~ *the world,* en todo el mundo; ~ *again,* otra vez.

overall ['əʊvərɔːl] *adj* global, total. 2 *(general)* general. – 3 *adv* en total. 4 *(in general)* en conjunto. – 5 *npl* mono *m* sing. ▲ *En 3 y 4 (adverbio)* [əʊvər'ɔːl].

overbearing [əʊvə'beərɪŋ] *adj* dominante, despótico,-a.

overboard ['əʊvəbɔːd] *adv* por la borda. •*fam to go* ~, pasarse.

overcame [əʊvə'keɪm] *pt →* **overcome**.

overcast ['əʊvəkɑːst] *adj* cubierto,-a.

overcharge [əʊvə'tʃɑːdʒ] *t* sobrecargar. 2 *(charge too much)* cobrar demasiado.

overcoat ['əʊvəkəʊt] *n* abrigo.

overcome [əʊvə'kʌm] *t* vencer, superar. 2 *(overwhelm)* abrumar. ▲ *pt* **overcame**; *pp* **overcome**.

overcrowded [əʊvə'kraʊdɪd] *adj* atestado,-a.

overdo [əʊvə'duː] *t* exagerar. 2 CULIN cocer demasiado. ▲ *pt* **overdid** [əʊvə'dɪd]; *pp* **overdone** [əʊvə'dʌn].

overdose ['əʊvədəʊs] *n* sobredosis *f inv.*

overdraft ['əʊvədrɑːft] *n* saldo deudor.

overdue [əʊvə'djuː] *adj (train etc.)* atrasado,-a. 2 COM vencido,-a y sin pagar.

overexposed [əʊvərɪk'spəʊʒd] *adj* sobreexpuesto,-a.

overflow ['əʊvəfləʊ] *n* desbordamiento. 2 *(in bath etc.)* desagüe *m.* – 3 *i* desbordarse. ▲ *En 3 (verbo)* [əʊvə'fləʊ].

overgrown [əʊvə'grəʊn] *adj* cubierto,-a de plantas/hierbas. 2 *(too big)* demasiado,-a grande.

overhaul ['əʊvəhɔːl] *n* revisión general. – 2 *t* repasar, revisar. ▲ *En 2 (verbo)* [əʊvə'hɔːl].

overheads ['əʊvəhedz] *npl* gastos *mpl* generales/fijos.

overhear [əʊvə'hɪəʳ] *t* oír por casualidad. ▲ *pt & pp* **overheard** [əʊvə'hɜːd].

overheat [əʊvə'hiːt] *i* recalentarse.

overjoyed [əʊvə'dʒɔɪd] *adj* encantadísimo,-a.

overland ['əʊvəlænd] *adj-adv* por tierra.

overlap [əʊvə'læp] *i* superponerse.

overleaf [əʊvə'liːf] *adv* al dorso.

overlook [əʊvə'lʊk] *t (not see)* pasar por alto. 2 *(ignore)* hacer la vista gorda a. 3 *(have a view)* dar a, tener vistas a.

overnight [əʊvə'naɪt] *adv* **to stay ~,** pasar la noche.

overpower [əʊvə'paʊəʳ] *t* dominar. **2** *fig* abrumar.

overran [əʊvə'ræn] *pt* → **overrun.**

overrate [əʊvə'reɪt] *t* sobrevalorar.

override [əʊvə'raɪd] *t* no tener en cuenta. ▲ *pt* **overrode** [əʊvə'rəʊd]; *pp* **overridden** [əʊvə'rɪdən].

overrule [əʊvə'ruːl] *t* denegar, invalidar. **2** *(person)* desautorizar.

overrun [əʊvə'rʌn] *t* invadir. – **2** *i* durar más de lo previsto. ▲ *pt* **overran;** *pp* **overrun.**

overseas [əʊvə'siːz] *adj* de ultramar. – **2** *adv* en ultramar.

oversee [əʊvə'siː] *t* supervisar. ▲ *pt* **oversaw** [əʊvə'sɔː]; *pp* **overseen** [əʊvə'siːn].

overseer ['əʊvəsɪəʳ] *n* supervisor,-ra.

overshadow [əʊvə'ʃædəʊ] *t fig* eclipsar.

oversight ['əʊvəsaɪt] *n* descuido.

oversleep [əʊvə'sliːp] *i* dormirse. ▲ *pt & pp* **overslept** [əʊvə'slept]

overstep [əʊvə'step] *t* **to ~ the mark,** pasarse de la raya.

overt ['əʊvɜːt, əʊ'vɜːt] *adj* público,-a.

overtake [əʊvə'teɪk] *t* AUTO adelantar a. ▲ *pt* **overtook** [əʊvə'tʊk]; *pp* **overtaken** [əʊvə'teɪkən].

overthrow [əʊvə'θrəʊ] *t* derribar, derrocar. ▲ *pt* **overthrew** [əʊvə'θruː]; *pp* **overthrown** [əʊvə'θrəʊn].

overtime ['əʊvətaɪm] *n* horas *fpl* extra(ordinaria)s.

overture ['əʊvətjʊəʳ] *n* MUS obertura.

overturn [əʊvə'tɜːn] *t-i* volcar.

overwhelm [əʊvə'welm] *t* arrollar. **2** *fig (overcome)* abrumar.

overwhelming [əʊvə'welmɪŋ] *adj* aplastante, arrollador,-ra.

overwork [əʊvə'wɜːk] *t-i* (hacer) trabajar demasiado.

overwrought [əʊvə'rɔːt] *adj* muy nervioso,-a.

ovulation [ɒvjʊ'leɪʃən] *n* ovulación.

ovum ['əʊvəm] *n* óvulo. ▲ *pl* **ova** ['əʊvə].

owe [əʊ] *t* deber.

owing to ['əʊɪŋtʊ] *prep* debido a.

owl [aʊl] *n* búho, mochuelo, lechuza.

own [əʊn] *adj* propio,-a. – **2** *pron* **my/your/his ~,** lo mío/tuyo/suyo. – **3** *t* poseer, ser dueño,-a de, tener. ◆**to ~ up** *i* confesar.

owner ['əʊnəʳ] *n* dueño,-a, propietario,-a, poseedor,-ra.

ownership ['əʊnəʃɪp] *n* propiedad, posesión.

ox [ɒks] *n* buey *m.* ▲ *pl* **oxen** ['ɒksən].

oxide ['ɒksaɪd] *n* óxido.

oxidize ['ɒksɪdaɪz] *t-i* oxidar(se).

oxygen ['ɒksɪdʒən] *n* oxígeno.

oyster ['ɔɪstəʳ] *n* ostra.

ozone ['əʊzəʊn] *n* ozono. ■ **~ layer,** capa del ozono.

P

pace [peɪs] *n* paso. **2** *(rhythm)* marcha, ritmo. – **3** *t-i* ir de un lado a otro (de).
pacemaker [ˈpeɪsmeɪkəʳ] *n* SP liebre *f*. **2** MED marcapasos *m inv*.
pacific [pəˈsɪfɪk] *adj* pacífico,-a.
pacifist [ˈpæsɪfɪst] *adj-n* pacifista *(mf)*.
pacify [ˈpæsɪfaɪ] *t* pacificar, apaciguar.
pack [pæk] *n* paquete *m*. **2** *(of cards)* baraja. **3** *(of thieves)* banda. **4** *(of wolves)* manada. **5** *(of hounds)* jauría. **6** *(of lies)* sarta. – **7** *t* empaquetar. **8** *(suitcase)* hacer. **9** *(fill)* atestar, abarrotar. **10** *(compress)* apretar. – **11** *i* hacer las maletas. ◆*to ~ up i* terminar. **2** *(machine)* estropearse.
package [ˈpækɪdʒ] *n* paquete *m*. ■ *~ tour,* viaje organizado.
packaging [ˈpækɪdʒɪŋ] *n* embalaje *m*.
packet [ˈpækɪt] *n* paquete *m*. **2** *(envelope)* sobre *m*. **3** *(of cigarettes)* cajetilla, paquete. ◆*to cost a ~,* costar un ojo de la cara.
packing [ˈpækɪŋ] *n* embalaje *m*.
pact [pækt] *n* pacto.
pad [pæd] *n* almohadilla. **2** *(of brake)* zapata. **3** *(inkpad)* tampón *m*. **4** *(of paper)* taco, bloc *m*. **5** *fam* casa, piso. – **6** *t* acolchar.
padded [ˈpædɪd] *adj* acolchado,-a.
padding [ˈpædɪŋ] *n* relleno, acolchado. **2** *(in writing etc.)* paja.
paddle [ˈpædəl] *n* pala. – **2** *t-i* remar con pala. – **3** *i* chapotear.
paddock [ˈpædək] *n* *(field)* cercado.
paddy [ˈpædɪ] *n* arrozal *m*.
padlock [ˈpædlɒk] *n* candado. – **2** *t* cerrar con candado.
pagan [ˈpeɪgən] *adj-n* pagano,-a.
page [peɪdʒ] *n* página. **2** → **pageboy.** – **3** *t* llamar por altavoz.
pageant [ˈpædʒənt] *n* espectáculo; *(with horses)* cabalgata.

pageboy [ˈpeɪdʒbɔɪ] *n* *(at wedding)* paje *m*. **2** *(in hotel)* botones *m inv*.
pagoda [pəˈgəʊdə] *n* pagoda.
paid [peɪd] *pt & pp* → **pay.**
pail [peɪl] *n* cubo.
pain [peɪn] *n* dolor *m*. – **2** *t* doler. ◆*on ~ of,* so pena de; *to take pains to,* esforzarse en.
painful [ˈpeɪnfʊl] *adj* doloroso,-a.
painkiller [ˈpeɪnkɪləʳ] *n* calmante *m*.
painless [ˈpeɪnləs] *adj* indoloro,-a.
painstaking [ˈpeɪnzteɪkɪŋ] *adj* meticuloso,-a, minucioso,-a.
paint [peɪnt] *n* pintura. – **2** *t-i* pintar.
paintbrush [ˈpeɪntbrʌʃ] *n* brocha. **2** *(artist's)* pincel *m*.
painter [ˈpeɪntəʳ] *n* pintor,-ra.
painting [ˈpeɪntɪŋ] *n* pintura.
paint-stripper [ˈpeɪntstrɪpəʳ] *n* quitapinturas *f inv*.
pair [peəʳ] *n* *(of shoes, socks, etc.)* par *m*. **2** *(of people)* pareja. – **3** *t-i* *(people)* emparejar(se). **4** *(animals)* aparear(se). ■ *a ~ of scissors,* unas tijeras; *a ~ of trousers,* unos pantalones.
pal [pæl] *n fam* camarada *mf*, colega *mf*.
palace [ˈpæləs] *n* palacio.
palatable [ˈpælətəbəl] *adj* sabroso,-a. **2** *(acceptable)* aceptable.
palate [ˈpælət] *n* paladar *m*.
pale [peɪl] *adj* pálido,-a. **2** *(colour)* claro,-a. – **3** *i* palidecer.
paleness [ˈpeɪlnəs] *n* palidez *f*.
palette [ˈpælət] *n* paleta.
pall [pɔːl] *n* paño mortuorio. **2** *(of smoke)* cortina. – **3** *i* aburrir, cansar.
pallet [ˈpælət] *n* pallet *m*. **2** *(bed)* jergón de paja.
pallid [ˈpælɪd] *adj* pálido,-a.
palm [pɑːm] *n* ANAT palma. **2** *(tree)* palmera. ◆*to ~ sth. off on sb.,* endosar

algo a algn. ■ *Palm Sunday,* Domingo de Ramos.

palmist ['pɑːmɪst] *n* quiromántico,-a.

palmistry ['pɑːmɪstrɪ] *n* quiromancia.

palpable ['pælpəbəl] *adj* palpable.

palpitate ['pælpɪteɪt] *i* palpitar.

palpitation [pælpɪ'teɪʃən] *n* palpitación.

paltry ['pɔːltrɪ] *adj* insignificante.

pampas ['pæmpəs] *npl* pampa *f sing.*

pamper ['pæmpəʳ] *t* mimar.

pamphlet ['pæmflət] *n* folleto.

pan [pæn] *n* cazo, olla. ■ *frying ~,* sartén *f.*

panacea [pænə'sɪə] *n* panacea.

panache [pə'næʃ] *n* garbo, gracia.

pancake ['pænkeɪk] *n* crepe *f.*

pancreas ['pæŋkrɪəs] *n* páncreas *m inv.*

panda ['pændə] *n* (oso) panda *m.* ■ *~ car,* coche *m* patrulla.

pandemonium [pændə'məʊnɪəm] *n* jaleo *m.*

pander ['pændəʳ] *t to ~ to,* satisfacer.

pane [peɪn] *n* cristal *m,* vidrio.

panel ['pænəl] *n gen* panel *m.* 2 *(on ceiling)* artesón *m.* 3 *(of instruments)* tablero, cuadro. 4 *(jury)* jurado.

panelling ['pænəlɪŋ] *n* paneles *mpl.* 2 *(on ceiling)* artesonado.

panellist ['pænəlɪst] *n* miembro del jurado.

pang [pæŋ] *n* punzada, dolor *m* agudo.

panic ['pænɪk] *n* pánico. – 2 *i* entrar el pánico, tener miedo.

panic-striken ['pænɪkstrɪkən] *adj* preso,-a de pánico.

pannier ['pænɪəʳ] *n* serón *m.* 2 *(on horse)* alforja. 3 *(on cycle)* bolsa.

panorama [pænə'rɑːmə] *n* panorama *m.*

panoramic [pænə'ræmɪk] *adj* panorámico,-a.

pansy ['pænzɪ] *n* BOT pensamiento. 2 *fam* mariquita *m.*

pant [pænt] *n* jadeo, resuello. 2 *pl (men's)* calzoncillos *mpl; (women's)* bragas *fpl.* 3 US pantalones *mpl.* – 4 *i* jadear, resollar.

pantechnicon [pæn'teknɪkən] *n* camión *m* de mudanzas.

panther ['pænθəʳ] *n* pantera.

panties ['pæntɪz] *npl* bragas *fpl.*

pantomime ['pæntəmaɪm] *n* pantomima. 2 GB representación teatral navideña *basada en cuentos infantiles.*

pantry ['pæntrɪ] *n* despensa.

papa [pə'pɑː] *n fam* papá *m.*

papacy ['peɪpəsɪ] *n* papado, pontificado.

papal ['peɪpəl] *adj* papal, pontificio.

paper ['peɪpəʳ] *n* papel *m.* 2 *(newspaper)* diario, periódico. 3 *(examination)* examen *m.* – 4 *t* empapelar.

paperback ['peɪpəbæk] *n* libro en rústica.

paperclip ['peɪpəklɪp] *n* clip *m.*

paperweight ['peɪpəweɪt] *n* pisapapeles *m inv.*

paperwork ['peɪpəwɜːk] *n* papeleo.

papier-mâché [pæpɪeɪ'mæʃeɪ] *n* cartón *m* piedra.

paprika ['pæprɪkə] *n* paprika.

par [pɑːʳ] *n* igualdad. 2 *(in golf)* par *m.*

parable ['pærəbəl] *n* parábola.

parabolic [pærə'bɒlɪk] *adj* parabólico,-a.

parachute ['pærəʃuːt] *n* paracaídas *m inv.* – 2 *t-i* lanzar(se) en paracaídas.

parachutist ['pærəʃuːtɪst] *n* paracaidista *mf.*

parade [pə'reɪd] *n* desfile *m.* 2 MIL revista. – 3 *i* desfilar. 4 MIL pasar revista. – 5 *t (show off)* hacer alarde de.

paradise ['pærədaɪs] *n* paraíso.

paradox ['pærədɒks] *n* paradoja.

paradoxical [pærə'dɒksɪkəl] *adj* paradójico,-a.

paraffin ['pærəfɪn] *n* parafina.

paragon ['pærəgɒn] *n* dechado.

paragraph ['pærəgrɑːf] *n* párrafo.

parakeet ['pærəkiːt] *n* periquito.

parallel ['pærəlel] *adj* paralelo,-a. – 2 *n* GEOG paralelo. 3 *(similarity)* paralelismo. 4 *(equal)* par, igual. – 5 *t* ser análogo,-a a.

parallelogram [pærə'leləgræm] *n* paralelogramo.

paralysis [pə'rælɪsɪs] *n* parálisis *f inv.*

paralytic [pærə'lɪtɪk] *adj-n* paralítico,-a.

paralyse ['pærəlaɪz] *t* paralizar.

parameter [pə'ræmɪtəʳ] *n* parámetro.

paramilitary [pærə'mɪlɪtərɪ] *adj* paramilitar.

paramount ['pærəmaʊnt] *adj* supremo,-a.

paranoia [pærə'nɔɪə] *n* paranoia.

paranoic [pærə'nɔɪk], **paranoid** ['pærənɔɪd] *adj-n* paranoico,-a.

parapet ['pærəpɪt] *n* parapeto.

paraphrase ['pærəfreɪz] *n* paráfrasis *f inv.* – 2 *t* parafrasear.

parasite ['pærəsaɪt] *n* parásito,-a.

parasitic [pærə'sɪtɪk] *adj* parasitario,-a.

parasol [pærə'sɒl] *n* sombrilla.

paratrooper ['pærətruːpəʳ] *n* paracaidista *mf.*

parcel ['pɑːsəl] *n* paquete *m.* ◆*to ~ out t* repartir. ◆*to ~ up t* empaquetar.

parched [pɑːtʃt] *adj* abrasado,-a, reseco,-a. **2** *(thirsty)* muerto,-a de sed.

parchment ['pɑːtʃmənt] *n* pergamino.

pardon ['pɑːdən] *n* perdón *m.* **2** JUR indulto, amnistía. – **3** *t* perdonar. **4** JUR indultar. ●~ *me!,* ¡perdone!

pare [peəʳ] *t (fruit)* pelar. **2** *(nails)* cortar.

parent ['peərənt] *n (father)* padre *m; (mother)* madre *f.* **2** *pl* padres *mpl.*

parentage ['peərəntɪdʒ] *n* origen *m,* linaje *m.*

parenthesis [pə'renθəsɪs] *n* paréntesis *m inv.*

pariah [pə'raɪə] *n* paria *m.*

parish ['pærɪʃ] *n* parroquia.

parishioner [pə'rɪʃənəʳ] *n* feligrés,-esa.

parity ['pærɪtɪ] *n* igualdad.

park [pɑːk] *n* parque *m.* – **2** *t-i* aparcar. ■ *car* ~, aparcamiento.

parking ['pɑːkɪŋ] *n* aparcamiento. ■ ~ *meter,* parquímetro; ~ *place,* sitio para aparcar.

parlance ['pɑːləns] *n* lenguaje *m.*

parliament ['pɑːləmənt] *n* parlamento.

parliamentary [pɑːlə'mentərɪ] *adj* parlamentario,-a.

parlour ['pɑːləʳ] *n* salón *m.* ■ *beauty* ~, salón de belleza.

parochial [pə'rəukɪəl] *adj* parroquial. **2** *fig* pueblerino,-a.

parody ['pærədɪ] *n* parodia. – **2** *t* parodiar.

parole [pə'rəul] *n* libertad condicional.

paroxysm ['pærəksɪzəm] *n* paroxismo.

parquet ['pɑːkeɪ] *n* parqué *m.*

parrot ['pærət] *n* loro.

parry ['pærɪ] *t* parar, desviar. **2** *(question)* evitar, esquivar.

parsimonious [pɑːsɪ'məuɪəs] *adj* tacaño,-a.

parsley ['pɑːslɪ] *n* perejil *m.*

parsnip ['pɑːsnɪp] *n* chirivía.

parson ['pɑːsən] *n* párroco, cura *m.*

parsonage ['pɑːsənɪdʒ] *n* casa del párroco.

part [pɑːt] *n gen* parte *f.* **2** TECH pieza. **3** THEAT papel *m.* – **4** *t-i* separar(se). – **5** *partly adv* parcialmente. ◆*to* ~ *with t* separarse de. ●*for my* ~, por mi parte; *to take* ~ *in,* participar en.

partial ['pɑːʃəl] *adj* parcial. – **2** *partially adv* parcialmente. ●*to be* ~ *to,* ser aficionado,-a a.

partiality [pɑːʃɪ'ælɪtɪ] *n* parcialidad. **2** *(liking)* afición.

participate [pɑː'tɪsɪpeɪt] *i* participar.

participation [pɑːtɪsɪ'peɪʃən] *n* participación.

participle ['pɑːtɪsɪpəl] *n* participio.

particle ['pɑːtɪkəl] *n* partícula.

particular [pə'tɪkjuləʳ] *adj* particular. **2** *(fussy)* exigente. – **3** *npl* detalles *mpl.* – **4** *particularly adv* especialmente. ●*in* ~, en particular.

parting ['pɑːtɪŋ] *n (in hair)* raya. **2** *(separation)* separación, división. **3** *(goodbye)* despedida.

partisan [pɑːtɪ'zæn] *n* partidiario,-a. **2** MIL partidista *mf.*

partition [pɑː'tɪʃən] *n* partición. **2** *(wall)* tabique *m.* – **3** *t* partir, dividir.

partner ['pɑːtnəʳ] *n* compañero,-a. **2** COM socio,-a. **3** SP pareja *f.* **4** *(spouse)* cónyuge *mf.*

partridge ['pɑːtrɪdʒ] *n* perdiz *f (pardilla).*

part-time [pɑːt'taɪm] *adj* de media jornada. – **2** *adv* a tiempo parcial.

party ['pɑːtɪ] *n* fiesta. **2** POL partido. **3** *(group)* grupo. **4** *(in contract)* parte *f.*

pass [pɑːs] *n* GEOG puerto. **2** *(document)* pase *m.* **3** *(in exam)* aprobado. **4** SP pase *m.* – **5** *t-i gen* pasar. **6** *(overtake)* adelantar. **7** *(exam)* aprobar. **8** *(approve)* aprobar. ◆*to* ~ *away i* pasar a mejor vida. ◆*to* ~ *by i* pasar (cerca). – **2** *t* hacer caso omiso de. ◆*to* ~ *off i* transcurrir. **2** *(stop)* parar. – **3** *t* hacer pasar por. ◆*to* ~ *on t* pasar. – **2** *i* pasar a mejor vida. ◆*to* ~ *out i* desmayarse. ◆*to* ~ *over t* hacer caso omiso de. ◆*to* ~ *through i* estar de paso. ◆*to* ~ *up t* dejar pasar. ●*to* ~ *judgment on,* juzgar; *to* ~ *water,* orinar.

passable ['pɑːsəbəl] *adj* pasable. **2** *(road)* transitable.

passage ['pæsɪdʒ] *n (street)* pasaje *m.* **2** *(in building)* pasillo. **3** *(of traffic)* tránsito, paso. **4** MAR pasaje. **5** *(extract)* pasaje.

passageway ['pæsɪdʒweɪ] *n* pasillo.

passé [pæ'seɪ] *adj* pasado,-a de moda.

passenger ['pæsɪndʒəʳ] *n* viajero,-a, pasajero,-a.

passer-by [pɑːsə'baɪ] *n* transeúnte *mf.*

passing ['pɑːsɪŋ] *adj* pasajero,-a. ●*to say sth. in* ~, decir algo de pasada.

passion ['pæʃən] *n* pasión.

passionate ['pæʃənət] *adj* apasionado,-a.

passive ['pæsɪv] *adj* pasivo,-a. – **2** *n* GRAM voz pasiva.

passover ['pɑːsəuvəʳ] *n* Pascua judía.

passport ['pɑːspɔːt] *n* pasaporte *m.*

password ['pɑːswɜːd] *n* contraseña.

past [pɑːst] *adj* pasado,-a. **2** *(last)* último,-a: *the ~ few days,* los últimos días. **3** *(over)* acabado,-a, terminado,-a. **4** *(former)* antiguo,-a. − **5** *n* pasado. − **6** *prep* más allá de: *it's just ~ the cinema,* es un poco más allá del cine; *she ran ~ me,* pasó cerca de mí/cerca de mí/por mi lado corriendo. **7** *(time)* y: *five ~ six,* las seis y cinco. ●*I'm/he's ~ caring,* me/le trae sin cuidado.

pasta ['pæstə] *n* pasta.

paste [peɪst] *n gen* pasta. **2** *(glue)* engrudo. − **3** *t* pegar (con engrudo).

pasteboard ['peɪstbɔːd] *n* cartón *m*.

pastel ['pæstəl] *n* pastel *m*.

pasteurized ['pɑːstʃəraɪzd] *adj* pasteurizado,-a.

pastille ['pæstɪl] *n* pastilla.

pastime ['pɑːstaɪm] *n* pasatiempo.

pastor ['pɑːstəʳ] *n* pastor *m*.

pastoral ['pɑːstərəl] *adj (rustic)* pastoril. **2** REL pastoral.

pastry ['peɪstrɪ] *n* pasta. **2** *(cake)* pastel *m*.

pasture ['pɑːstʃəʳ] *n* pasto.

pasty ['pæstɪ] *n* CULIN empanada. − **2** *adj (pale)* pálido,-a.

pat [pæt] *n* golpecito, palmadita. **2** *(of butter)* porción. − **3** *t* dar golpecitos/palmaditas a. ●*to know sth. off ~,* saberse algo al dedillo.

patch [pætʃ] *n (mend)* remiendo. **2** *(over eye)* parche *m*. **3** *(of ground)* trozo. **4** *(of colour, damp, etc.)* mancha. − **5** *t* remendar. ●*not to be a ~ on,* no tener ni punto de comparación con. ■ *a bad ~,* una mala racha.

pâté ['pæteɪ] *n* paté *m*.

patent ['peɪtənt] *adj (obvious)* patente, evidente. **2** COM patentado. − **3** *n* patente *f*. − **4** *t* patentar.

paternal [pə'tɜːnəl] *adj (fatherly)* paternal. **2** *(side of family)* paterno,-a.

paternalistic [pətɜːnə'lɪstɪk] *adj* paternalista.

paternity [pə'tɜːnɪtɪ] *n* paternidad.

path [pɑːθ] *n* camino, sendero. **2** *(of bullet)* trayectoria. ●*on the right ~,* bien encaminado,-a.

pathetic [pə'θetɪk] *adj* patético,-a. **2** *(awful)* malísimo,-a.

pathologist [pə'θɒlədʒɪst] *n* patólogo,-a.

pathology [pə'θɒlədʒɪ] *n* patología.

pathos ['peɪθɒs] *n* patetismo.

pathway ['pɑːθweɪ] *n* camino, sendero.

patience ['peɪʃəns] *n* paciencia. **2** *(card game)* solitario.

patient ['peɪʃənt] *adj* paciente. − **2** *n* paciente *mf*, enfermo,-a.

patio ['pætɪəʊ] *n* patio.

patriarch ['peɪtrɪɑːk] *n* patriarca *m*.

patrimony ['pætrɪmənɪ] *n* patrimonio.

patriot ['peɪtrɪət] *n* patriota *mf*.

patriotic [pætrɪ'ɒtɪk] *adj* patriótico,-a.

patriotism ['pætrɪətɪzəm] *n* patriotismo.

patrol [pə'trəʊl] *n* patrulla. − **2** *i-t* patrullar (por).

patron ['peɪtrən] *adj (customer)* cliente,-a habitual. **2** *(sponsor)* patrocinador,-ra. **3** *(of arts)* mecenas *m inv.* ■ *~ saint,* (santo,-a) patrón,-ona.

patronage ['pætrənɪdʒ] *n* patrocinio. **2** *(protection)* protección.

patronize ['pætrənaɪz] *t (shop etc.)* ser cliente,-a habitual de. **2** *(sponsor)* patrocinar. **3** *(arts)* proteger. **4** *pej* tratar con condescendencia.

patter ['pætəʳ] *n (of rain)* tamborileo. **2** *(of feet)* ruido. **3** *fam (talk)* labia. − **4** *t (rain)* golpear. **5** *(feet)* corretear.

pattern ['pætən] *n* modelo. **2** *(for clothes)* patrón *m*. **3** *(design)* dibujo, diseño. **4** *fig* pauta.

paunch [pɔːntʃ] *n* panza, barriga.

pauper ['pɔːpəʳ] *n* pobre *mf*.

pause [pɔːz] *n* pausa. − **2** *i* hacer una pausa. **3** *(speaker)* detenerse.

pave [peɪv] *t* pavimentar, adoquinar. ●*fig to ~ the way,* preparar el terreno.

pavement ['peɪvmənt] *n* acera.

pavillion [pə'vɪlɪən] *n* pabellón *m*.

paw [pɔː] *n* pata. − **2** *t* manosear, sobar.

pawn [pɔːn] *n (in chess)* peón *m*. − **2** *t* empeñar.

pawnbroker ['pɔːnbrəʊkəʳ] *n* prestamista *mf*.

pawnshop ['pɔːnʃɒp] *n* casa de empeños.

pay [peɪ] *n* paga, sueldo. − **2** *t-i* pagar. − **3** *i (be profitable)* ser rentable. ◆*to ~ back* t devolver. ◆*to ~ in* t ingresar. ◆*to ~ off* t *(debt)* saldar. **2** *(mortgage)* acabar de pagar. **3** *(worker)* dar el finiquito a. − **4** *i (be successful)* dar resultado. ●*to ~ attention,* prestar atención; *to ~ a visit,* hacer una visita. ■ *~ packet,* sobre *m* del sueldo. ▲ *pt & pp* paid.

payable ['peɪəbəl] *adj* pagadero,-a.

payday ['peɪdeɪ] *n* día *m* de pago.

payee [peɪ'iː] *n* beneficiario,-a.

payment ['peɪmənt] *n* pago.

payroll ['peɪrəʊl] *n* nómina.

payslip ['peɪslɪp] *n* hoja de nómina.

pea [piː] *n* guisante *m*.

peace [pi:s] *n* paz *f.* 2 *(calm)* tranquilidad. ●*at/in* ~, en paz.

peaceable ['pi:səbəl] *adj* pacífico,-a.

peaceful ['pi:sful] *adj* pacífico,-a. 2 *(calm)* tranquilo,-a.

peace-keeping ['pi:ski:pɪŋ] *adj* de pacificación.

peach [pi:tʃ] *n* melocotón *m.* ■ ~ *tree*, melocotonero.

peacock ['pi:kɒk] *n* pavo real.

peahen ['pi:hen] *n* pava real.

peak [pi:k] *n (mountain)* pico. 2 *fig* cumbre *f.* 3 *(of cap)* visera. – 4 *i* culminar.

peal [pi:l] *n* repique *m.* 2 *(of thunder)* estrépito, estruendo. – 3 *t-i (bells)* repicar.

peanut ['pi:nʌt] *n* cacahuete *m.*

pear [peəʳ] *n* pera. ■ ~ *tree*, peral *m.*

pearl [pɜ:l] *n* perla.

pearly ['pɜ:lɪ] *adj* perlino,-a, nacarado,-a.

peasant ['pezənt] *n* campesino,-a. 2 *pej* inculto,-a.

peat [pi:t] *n* turba.

pebble ['pebəl] *n* guija, guijarro, china.

pebbly ['peblɪ] *adj* guijarroso,-a.

peck [pek] *n* picotazo. – 2 *t* picotear.

peckish ['pekɪʃ] *adj* algo hambriento,-a.

pectoral ['pektərəl] *adj-n* pectoral *(m).*

peculiar [pɪ'kju:lɪəʳ] *adj (strange)* extraño,-a, raro,-a. 2 *(particular)* peculiar, propio,-a.

peculiarity [pɪkju:lɪ'ærɪtɪ] *n* cosa rara. 2 *(feature)* característica, peculiaridad.

pecuniary [pɪ'kju:nɪərɪ] *adj* pecuniario,-a.

pedagogical [pedə'gɒdzɪkəl] *adj* pedagógico,-a.

pedagogy ['pedəgɒdʒɪ] *n* pedagogía.

pedal ['pedəl] *n* pedal *m.* – 2 *i* pedalear.

pedant ['pedənt] *n* pedante *mf.*

pedantic [pe'dæntɪk] *adj* pedante.

peddle ['pedəl] *t-i* vender (de puerta en puerta). 2 *(drugs)* traficar con.

peddler ['pedləʳ] *n* traficante *mf* de drogas.

pederast ['pedəræst] *n* pederasta *m.*

pedestal ['pedɪstəl] *n* pedestal *m.*

pedestrian [pɪ'destrɪən] *n* peatón *m.* – 2 *adj* pedestre. ■ ~ *crossing*, paso de peatones; ~ *precinct*, zona peatonal.

pediatrician [pi:dɪə'trɪʃən] *n* pediatra *mf.*

pediatrics [pi:dɪ'ætrɪks] *n* pediatría.

pedigree ['pedɪgri:] *n (of animals)* pedigrí *m.* – 2 *adj* de raza.

pedlar ['pedləʳ] *n* buhonero,-a.

pee [pi:] *fam n* pis *m.* – 2 *i* hacer pis.

peek [pi:k] *n* ojeada. – 2 *i* mirar, espiar. ●*to (have a)* ~ *at*, echar una ojeada a.

peel [pi:l] *n* piel *f.* 2 *(of orange etc.)* corteza. – 3 *t-i* pelar(se).

peep [pi:p] *n* ojeada. 2 *(noise)* pío. ●*to (have a)* ~ *at*, echar una ojeada a.

peep-hole ['pi:phəʊl] *n* mirilla.

peeping Tom [pi:pɪŋ'tɒm] *n* mirón *m.*

peer [pɪəʳ] *n* par *m.* 2 *(noble)* par *m.* – 3 *i* mirar (atentamente).

peerage ['pɪərɪdʒ] *n* título de par.

peerless ['pɪələs] *adj* sin par.

peeved ['pi:vd] *adj fam* fastidiado,-a.

peevish ['pi:vɪʃ] *adj* malhumorado,-a.

peg [peg] *n* clavija. 2 *(for clothes)* percha, colgador *m.* – 3 *t (prices)* fijar. ■ *clothes* ~, pinza.

pejorative [pə'dʒɒrətɪv] *adj* peyorativo,-a, despectivo,-a.

pelican ['pelɪkən] *n* pelícano.

pellet ['pelɪt] *n* pelotilla, bolita. 2 *(shot)* perdigón *m.*

pelt [pelt] *n* pellejo. – 2 *t* atacar: *they pelted him with eggs*, le tiraron huevos. – 3 *i (rain)* llover a cántaros. 4 *(run)* correr.

pelvis ['pelvɪs] *n* pelvis *f inv.*

pen [pen] *n* pluma. 2 *(ballpoint)* bolígrafo. 3 *(for animals)* corral *m*; *(for sheep)* aprisco. – 4 *t (write)* escribir. 5 *(shut up)* acorralar.

penal ['pi:nəl] *adj* penal.

penalize ['pi:nəlaɪz] *t* castigar. 2 *sp* penalizar.

penalty ['penəltɪ] *n* pena, castigo. 2 *sp* castigo; *(football)* penalti *m.*

penance ['penəns] *n* penitencia.

pence [pens] *npl →* **penny**.

penchant ['pɒnʃɒn] *n* predilección.

pencil ['pensəl] *n* lápiz *m.* ■ ~ *case*, plumier *m*; ~ *sharpener*, sacapuntas *m inv.*

pendant ['pendənt] *n* colgante *m.*

pending ['pendɪŋ] *adj* pendiente. – 2 *prep* hasta.

pendulum ['pendjʊləm] *n* péndulo.

penetrate ['penɪtreɪt] *t* penetrar (por).

penetrating ['penɪtreɪtɪŋ] *adj* penetrante. 2 *(mind)* perspicaz.

penetration [penɪ'treɪʃən] *n* penetración.

penfriend ['penfrend] *n* amigo,-a por correspondencia.

penguin ['peŋgwɪn] *n* pingüino.

penicillin [penɪ'sɪlɪn] *n* penicilina.

peninsula [pə'nɪnsjʊlə] *n* península.

peninsular [pə'nɪnsjʊləʳ] *adj* peninsular.

penis ['pi:nɪs] *n* pene *m.*

penitence ['penɪtəns] *n* REL penitencia. 2 *(sorrow)* arrepentimiento.

penitent ['penɪtent] *adj-n* REL penitente *(mf)*. − **2** *adj (sorry)* arrepentido,-a.

penitentiary [penɪ'tenʃərɪ] *n* US penitenciaría.

penknife ['pennaɪf] *n* cortaplumas *m inv*.

pennant ['penənt] *n* flámula, gallardete *m*. **2** MAR insignia.

penniless ['penɪləs] *adj* sin dinero.

penny ['penɪ] *n* penique *m*. ●*fam* **to spend a** ~, ir al servicio. ▲ *pl* **pence**.

pension ['penʃən] *n* pensión. ●**to** ~ **sb. off**, jubilar a algn.

pensioner ['penʃənəʳ] *n* jubilado,-a, pensionista *mf*.

pensive ['pensɪv] *adj* pensativo,-a.

pentagon ['pentəgən] *n* pentágono.

pentathlon [pen'tæθlən] *n* pentatlón *m*.

Pentecost ['pentɪkɒst] *n* Pentecostés *m*.

penthouse ['penthaʊs] *n* (sobre)ático.

penultimate [pɪ'nʌltɪmət] *adj* penúltimo,-a.

penury ['penjʊrɪ] *n* penuria, miseria.

people ['pi:pəl] *npl gen* gente *f sing*, personas *fpl*. ●*over 100* ~, más de cien personas. **2** *sing* pueblo. − **3** *t* poblar. ▲ *En 1 funciona como si fuese el plural de person; concuerda con el verbo en plural.*

pep [pep] *n fam* energía, brío, empuje *m*.

pepper ['pepəʳ] *n (spice)* pimienta. **2** *(vegetable)* pimiento. − **3** *t* CULIN sazonar con pimienta.

peppermint ['pepəmɪnt] *n* menta.

peppery ['pepərɪ] *adj* picante.

per [pɜ:ʳ] *prep* por. ●*as* ~, según; ~ *cent*, por ciento.

perceive [pə'si:v] *t* percibir, ver, distinguir.

percentage [pə'sentɪdʒ] *n* porcentaje *m*.

perceptible [pə'septɪbəl] *adj* perceptible.

perception [pə'sepʃən] *n* percepción.

perch [pɜ:tʃ] *n (fish)* perca. **2** *(for bird)* percha. − **3** *t-i* encaramar(se). − **4** *i (bird)* posarse.

percolate ['pɜ:kəleɪt] *t-i* filtrar(se).

percolator ['pɜ:kəleɪtəʳ] *n* cafetera de filtro.

percussion [pɜ:'kʌʃən] *n* percusión.

peregrination [perɪgrɪ'neɪʃən] *n* peregrinación, viaje *m*.

peremptory [pə'remptərɪ] *adj* perentorio,-a.

perennial [pə'renɪəl] *adj* perenne.

perfect ['pɜ:fɪkt] *adj* perfecto,-a. **2** *(total)* total, absoluto,-a, completo,-a. − **3** *t* perfeccionar. − **4** *perfectly adv* perfectamente, a la perfección. ▲ *En 3 (verbo)* [pə'fekt].

perfection [pə'fekʃən] *n* perfección.

perfectionist [pə'fekʃənɪst] *n* perfeccionista *mf*.

perforate ['pɜ:fəreɪt] *t* perforar.

perform [pə'fɔ:m] *t* hacer, ejecutar, realizar. **2** *(piece of music)* interpretar. **3** *(play)* representar. − **4** *i (actor)* actuar. **5** *(machine)* funcionar.

performance [pə'fɔ:məns] *n* ejecución, cumplimiento. **2** MUS interpretación. **3** THEAT representación. **4** *(of machine)* funcionamiento. **5** *(of car)* prestaciones *fpl*. **6** *(fuss)* lío.

performer [pə'fɔ:məʳ] *n* artista *mf*. **2** MUS intérprete *mf*.

perfume ['pɜ:fju:m] *n* perfume *m*. − **2** *t* perfumar.

perfunctory [pə'fʌŋktərɪ] *adj* hecho,-a sin interés.

perhaps [pə'hæps] *adv* quizá(s), tal vez.

peril ['perɪl] *n* peligro.

perilous ['perɪləs] *adj* peligroso,-a.

perimeter [pə'rɪmɪtəʳ] *n* perímetro.

period ['pɪərɪəd] *n* período, periodo. **2** *(class)* clase *f*. **3** *(menstruation)* regla. **4** *(full stop)* punto final. − **5** *adj* de época.

periodic [pɪərɪ'ɒdɪk] *adj* periódico,-a.

periodical [pɪərɪ'ɒdɪkəl] *adj* periódico,-a. − **2** *n* revista.

peripheral [pə'rɪfərəl] *adj* periférico,-a.

periphery [pə'rɪfərɪ] *n* periferia.

periscope ['perɪskəʊp] *n* periscopio.

perish ['perɪʃ] *i (die)* perecer, fenecer. − **2** *t-i (decay)* estropear(se).

perishable ['perɪʃəbəl] *adj* perecedero,-a.

perjure ['pɜ:dʒəʳ] *i* jurar en falso.

perjury ['pɜ:dʒərɪ] *n* perjurio.

perk [pɜ:k] *n fam* beneficio. − **2** *t-i* **to** ~ **up**, reanimar(se).

perky ['pɜ:kɪ] *adj* animado,-a.

perm [pɜ:m] *fam n* permanente *f*. − **2** *t* hacer la permanente a algn.

permanence ['pɜ:mənəns] *n* permanencia.

permanent ['pɜ:mənənt] *adj* permanente. **2** *(job, address)* fijo,-a.

permeate ['pɜ:mɪeɪt] *t-i* penetrar.

permission [pə'mɪʃən] *n* permiso.

permissive [pə'mɪsɪv] *adj* permisivo,-a.

permit ['pɜ:mɪt] *n* permiso. **2** *(pass)* pase *m*. − **3** *t* permitir. ▲ *En 3 (verbo)* [pə'mɪt].

pernicious [pɜ:'nɪsəs] *adj* pernicioso,-a.

pernickety [pɜ:'nɪkətɪ] *adj fam* quisquilloso,-a.

perpendicular [pɜ:pən'dɪkjʊləʳ] *adj-n* perpendicular *(f)*.

perpetrate ['pɜːpɪtreɪt] *t* perpetrar.
perpetual [pə'petjʊəl] *adj* perpetuo,-a. 2 *(continual)* continuo,-a, incesante.
perpetuate [pə'petjʊeɪt] *t* perpetuar.
perplex [pə'pleks] *t* dejar perplejo,-a.
perplexity [pə'pleksɪtɪ] *n* perplejidad.
persecute ['pɜːsɪkjuːt] *t* perseguir.
persecution [pɜːsɪ'kjuːʃən] *n* persecución.
perseverance [pɜːsɪ'vɪərəns] *n* perseverancia.
persevere [pɜːsɪ'vɪəʳ] *i* perseverar.
persist [pə'sɪst] *i* persistir. ●*to ~ in doing sth.*, empeñarse en hacer algo.
persistence [pə'sɪstəns] *n* persistencia. 2 *(insistence)* empeño.
persistent [pə'sɪstənt] *adj* persistente.
person ['pɜːsən] *n* persona. ▲ *El plural suele ser people.*
personable ['pɜːsənəbəl] *adj* bien parecido,-a. 2 *(in character)* amable.
personage ['pɜːsənɪdʒ] *n* personaje *m*.
personal ['pɜːsənəl] *adj gen* personal. 2 *(private)* particular, privado,-a. 3 *(in person)* en persona.
personality [pɜːsə'nælɪtɪ] *n* personalidad.
personify [pɜː'sɒnɪfaɪ] *t* personificar.
personnel [pɜːsə'nel] *n* personal *m*.
perspective [pə'spektɪv] *n* perspectiva.
perspicacious [pɜːspɪ'keɪʃəs] *adj* perspicaz.
perspicacity [pɜːspɪ'kæsɪtɪ] *n* perspicacia.
perspiration [pɜːspɪ'reɪʃən] *n* transpiración, sudor *m*.
perspire [pə'spaɪəʳ] *t-i* transpirar, sudar.
persuade [pə'sweɪd] *t* persuadir, convencer. ●*to ~ sb. to do sth.*, convencer a algn. para que haga algo.
persuasion [pə'sweɪʒən] *n (act)* persuasión. 2 *(ability)* persuasiva. 3 *(belief)* credo.
persuasive [pə'sweɪsɪəv] *adj* persuasivo,-a, convincente.
pert [pɜːt] *adj* coqueto,-a. 2 *(cheeky)* fresco,-a.
pertain [pɜː'teɪn] *i* tener que ver con.
pertinacious [pɜːtɪ'neɪʃəs] *adj* pertinaz.
pertinent ['pɜːtɪnənt] *adj* pertinente, oportuno,-a.
perturb [pə'tɜːb] *t* perturbar, inquietar.
perusal [pə'ruːzəl] *n* lectura (atenta).
peruse [pə'ruːz] *t* leer (con cuidado).
pervade [pɜː'veɪd] *t* extenderse/difundirse por.

perverse [pəvɜːs] *adj* perverso,-a. 2 *(stubborn)* terco,-a.
perversion [pə'vɜːʃən] *n* perversión. 2 *(of truth etc.)* tergiversación.
perverseness [pə'vɜːsnəs], **perversity** [pə'vɜːsɪtɪ] *n* perversidad. 2 *(stubbornness)* terquedad.
pervert ['pɜːvɜːt] *n* pervertido,-a. – 2 *t* pervertir. 3 *(truth etc.)* tergiversar. ▲ *En 2 y 3 (verbo)* [pə'vɜːt].
pessimism ['pesɪmɪzəm] *n* pesimismo.
pessimist ['pesɪmɪst] *n* pesimista *mf*.
pessimistic [pesɪ'mɪstɪk] *adj* pesimista.
pest [pest] *n* insecto/animal nocivo. 2 *(person) fam* pelma *mf*.
pester ['pestəʳ] *t* molestar.
pesticide ['pestɪsaɪd] *n* pesticida.
pestilence ['pestɪləns] *n* pestilencia.
pestle ['pesəl] *n* mano *f* de mortero.
pet [pet] *n* animal doméstico. 2 *(person)* favorito,-a. – 3 *adj (tame)* domesticado,-a. 4 *(favourite)* favorito,-a. – 5 *t* acariciar. – 6 *i fam (sexually)* besuquearse.
petal ['petəl] *n* pétalo.
peter out [piːtər'aʊt] *i* acabarse, agotarse.
petition [pə'tɪʃən] *n* petición, solicitud. – 2 *t* presentar una solicitud a.
petrify ['petrɪfaɪ] *t-i* petrificar(se). – 2 *i fig* horrorizar.
petrol ['petrəl] *n* gasolina. ■ *~ station*, gasolinera; *~ tank*, depósito de gasolina.
petroleum [pə'trəʊlɪəm] *n* petróleo.
petticoat ['petɪkəʊt] *n* enaguas *fpl*. 2 *(slip)* combinación.
petty ['petɪ] *adj* insignificante. 2 *(mean)* mezquino,-a. ■ *~ cash*, gastos *mpl* menores; *~ officer*, suboficial *m* de marina.
petulance ['petjʊləns] *n* malhumor *m*.
petulant ['petjʊlənt] *adj* malhumorado,-a.
pew [pjuː] *n* banco (de iglesia).
pewter ['pjuːtəʳ] *n* peltre *m*.
phallic ['fælɪk] *adj* fálico,-a.
phallus ['fæləs] *n* falo.
phantom ['fæntəm] *n* fantasma *m*.
pharaoh ['feərəʊ] *n* faraón *m*.
pharmaceutical [fɑːmə'sjuːtɪkəl] *adj* farmacéutico,-a.
pharmacist ['fɑːməsɪst] *n* farmacéutico,-a.
pharmacy ['fɑːməsɪ] *n* farmacia.
pharyngitis [færɪn'dʒaɪtɪs] *n* faringitis *f inv*.
phase [feɪz] *n* fase *f*.

pheasant ['fezənt] *n* faisán *m*. ◆*to ~ in/ out t* introducir/retirar progresivamente.

phenomenon [fɪ'nɒmɪnən] *n* fenómeno.

philanthropic [fɪlən'θrɒpɪk] *adj* filantrópico,-a.

philanthropist [fɪ'lænθrəpɪst] *n* filántropo,-a.

philanthropy [fɪ'lænθrəpɪ] *n* filantropía.

philharmonic [fɪlɑː'mɒnɪk] *adj* filarmónico,-a.

philately [fɪ'lætəlɪ] *n* filatelia.

philologist [fɪ'lɒlədʒɪst] *n* filólogo,-a.

philology [fɪ'lɒlədʒɪ] *n* filología.

philosopher [fɪ'lɒsəfəʳ] *n* filósofo,-a.

philosophy [fɪ'lɒsəfɪ] *n* filosofía.

phlegm [flem] *n* flema.

phlegmatic [fleg'mætɪk] *adj* flemático,-a.

phone [fəʊn] *n-t-i fam* → **telephone**.

phonetic [fə'netɪk] *adj* fonético,-a.

phonetics [fə'netɪks] *n* fonética.

phon(e)y ['fəʊnɪ] *adj fam* falso,-a.

phosphate ['fɒsfeɪt] *n* fosfato.

phosphorus ['fɒsfərəs] *n* fósforo.

photo ['fəʊtəʊ] *n fam* foto *f*.

photocopier ['fəʊtəʊkɒpɪəʳ] *n* fotocopiadora.

photocopy ['fəʊtəʊkɒpɪ] *n* fotocopia *f*. – 2 *t* fotocopiar.

photograph ['fəʊtəgrɑːf] *n* fotografía. – 2 *t-i* fotografiar.

photographer [fə'tɒgrəfəʳ] *n* fotógrafo,-a.

photographic [fəʊtə'græfɪk] *adj* fotográfico,-a.

photography [fə'tɒgrəfɪ] *n* fotografía.

phrasal verb [freɪzəl'vɜːb] *n* verbo compuesto.

phrase [freɪz] *n* frase *f*. – 2 *t* expresar.

phrasebook ['freɪzbʊk] *n* libro de frases.

phraseology [freɪzɪ'ɒlədʒɪ] *n* fraseología.

physical ['fɪzɪkəl] *adj* físico,-a.

physician [fɪ'zɪʃən] *n* médico,-a.

physicist ['fɪzɪsɪst] *n* físico,-a.

physics ['fɪzɪks] *n* física.

physiological [fɪzɪə'lɒdʒɪkəl] *adj* fisiológico,-a.

physiology [fɪzɪ'ɒlədʒɪ] *n* fisiología.

physiotherapy [fɪzɪəʊ'θerəpɪ] *n* fisioterapia.

physique [fɪ'ziːk] *n* físico.

pianist ['pɪənɪst] *n* pianista *mf*.

piano [pɪ'ænəʊ] *n* piano.

pick [pɪk] *n* (*tool*) pico. – 2 *t* escoger. 3 (*flowers, fruit*) coger. 4 (*pocket*) robar. 5

(*lock*) forzar. 6 (*teeth*) mondarse. ◆*to ~ off t* matar uno a uno. ◆*to ~ on t* meterse con. ◆*to ~ out t* escoger. 2 (*see*) distinguir. ◆*to ~ up t* coger; (*from floor*) recoger. 2 (*acquire*) conseguir. 3 (*go and get*) ir a buscar. 4 *fam* (*sexual object*) ligar con. 5 (*on radio*) captar. ●*take your ~*, escoge el/la que quieras; *the ~ of*, la flor y nata de; *to ~ a fight with*, buscar camorra con; *to ~ holes in*, encontrar defectos en; *to ~ one's nose*, hurgarse la nariz.

pickaxe ['pɪkæks] *n* pico.

picket ['pɪkɪt] *n* piquete *m*. – 2 *t* piquetear. – 3 *i* hacer de piquete.

pickle ['pɪkəl] *n* CULIN escabeche *m*. 2 (*mess*) aprieto. – 3 *t* escabechar.

pick-me-up ['pɪkmiˌʌp] *n* tónico.

pickpocket ['pɪkpɒkɪt] *n* carterista *mf*.

pick-up ['pɪkʌp] *n* ELEC fonocaptor *m*. 2 (*vehicle*) furgoneta.

picnic ['pɪknɪk] *n* merienda, picnic *m*. – 2 *i* hacer un picnic.

pictorial [pɪk'tɔːrɪəl] *adj* ilustrado,-a.

picture ['pɪktʃəʳ] *n* (*painting*) pintura, cuadro. 2 (*portrait*) retrato. 3 (*drawing*) dibujo. 4 (*photo*) fotografía. 5 (*illustration*) lámina. 6 (*film*) película. 7 TV imagen *f*. – 8 *t* pintar, retratar. 9 (*imagine*) imaginar(se).

picturesque [pɪktʃə'resk] *adj* pintoresco,-a.

piddling ['pɪdəlɪŋ] *adj fam* insignificante.

pidgin ['pɪdʒɪn] *n* lengua franca.

pie [paɪ] *n* (*sweeet*) pastel *m*, tarta. 2 (*savoury*) pastel, empanada.

piece [piːs] *n* (*bit*) trozo. 2 (*part*) pieza. 3 (*coin*) moneda. 4 MUS pieza. ◆*to ~ together t* reconstruir. ●*to take to pieces*, desmontar; *fam it's a ~ of cake*, es pan comido. ▲ *Sirve para individualizar los nombres incontables: news*, noticias; *a ~ of news*, una noticia.

piecemeal ['piːsmiːl] *adv* poco a poco.

piecework ['piːswɜːk] *n* trabajo a destajo.

pier [pɪəʳ] *n* muelle *m*, embarcadero. 2 (*pillar*) pilar.

pierce [pɪəs] *t* perforar, agujerear.

piercing ['pɪəsɪŋ] *adj* penetrante.

piety ['paɪətɪ] *n* piedad.

pig [pɪg] *n* cerdo,-a. 2 (*glutton*) glotón,-ona. 3 *sl* (*copper*) madero. ■ *~ farm*, granja porcina.

pigeon ['pɪdʒɪn] *n* paloma.

pigeonhole ['pɪdʒɪnhəʊl] *n* casilla.

pig-headed [pɪg'hedɪd] *adj* testarudo,-a.

piglet ['pɪglət] *n* cochinillo, lechón *m*.

pigment ['pɪgmənt] *n* pigmento.

pigsty ['pɪgstaɪ] *n* pocilga.

pigtail ['pɪgteɪl] *n* trenza.

pike [paɪk] *n* MIL pica. 2 *(fish)* lucio.

pile [paɪl] *n (heap)* montón *m*. 2 ARCH pilote *m*. 3 *fam (fortune)* fortuna. 4 *pl* MED almorranas *fpl*. − 5 *t* amontonar, apilar. ◆*to ∼ up t-i* amontonarse.

pile-up ['paɪlʌp] *n* choque *m* en cadena.

pilfer ['pɪlfə'] *t-i* hurtar.

pilgrim ['pɪlgrɪm] *n* peregrino,-a.

pilgrimage ['pɪlgrɪmɪdʒ] *n* peregrinación.

pill [pɪl] *n* píldora, pastilla.

pillage ['pɪlɪdʒ] *n* pillaje *m*, saqueo. − 2 *t-i* pillar, saquear.

pillar ['pɪlə'] *n* pilar *m*, columna.

pillion ['pɪlɪən] *n* asiento trasero.

pillory ['pɪlərɪ] *n* picota.

pillow ['pɪləʊ] *n* almohada.

pilot ['paɪlət] *n* piloto. − 2 *adj* piloto. − 3 *t* pilotar.

pimento [pɪ'mentəʊ] *n* pimiento morrón.

pimp [pɪmp] *n* chulo, macarra *m*.

pimple ['pɪmpəl] *n* grano.

pin [pɪn] *n* alfiler *m*. 2 TECH clavija. 3 *(wooden)* espiga. − 4 *t* prender (con alfileres). 5 *(notice)* clavar.

pinafore ['pɪnəfɔː'] *n* delantal *m*.

pincers ['pɪnsəz] *npl (tool)* tenazas *fpl*. 2 *(crab's etc.)* pinzas *fpl*.

pinch [pɪntʃ] *n (nip)* pellizco. 2 *(bit)* pizca. − 3 *t (nip)* pellizcar. 4 *(shoes)* apretar. 5 *fam* birlar, afanar.

pine [paɪn] *n* pino. − 2 *i to ∼ (away)*, consumirse. ■ *∼ cone*, piña; *∼ nut*, piñón *m*.

pineapple ['paɪnæpəl] *n* piña (tropical).

ping [pɪŋ] *n* sonido metálico. − 2 *i* hacer un sonido metálico.

ping-pong ['pɪŋpɒŋ] *n* tenis *m* de mesa, pimpón *m*.

pinion ['pɪnɪən] *n* TECH piñón *m*. − 2 *t* maniatar.

pink [pɪŋk] *adj* (de color) rosa, rosado,-a. − 2 *n (colour)* rosa *m*. 3 BOT clavel *m*, clavellina.

pinnacle ['pɪnəkəl] *n* pináculo. 2 *(of mountain)* cima, cumbre *f*. 3 *fig* cumbre.

pinpoint ['pɪnpɔɪnt] *t* señalar.

pint [paɪnt] *n* pinta. ▲ GB = 0,57 litros; US = 0,47 litros.

pioneer [paɪə'nɪə'] *n* pionero,-a. − 2 *t* iniciar.

pious ['paɪəs] *adj* piadoso,-a.

pip [pɪp] *n* pepita. 2 *(sound)* bip *m*. ◆*to be pipped at the post*, perder por los pelos.

pipe [paɪp] *n* tubería, cañería. 2 MUS caramillo. 3 *(for smoking)* pipa. − 4 *t* llevar/conducir por tubería. − 5 *t-i* MUS tocar (el caramillo). ◆*to ∼ down i* callarse.

pipeline ['paɪplaɪn] *n* tubería. 2 *(gas)* gasoducto. 3 *(oil)* oleoducto. ●*in the ∼*, en trámite.

piper ['paɪpə'] *n* gaitero,-a.

piping ['paɪpɪŋ] *n* tubería(s). − 2 *adv ∼ hot*, muy caliente.

piquant ['piːkənt] *adj* picante. 2 *fig* estimulante.

pique [piːk] *n* resentimiento. − 2 *t* picar(se).

piracy ['paɪərəsɪ] *n* piratería.

piranha [pɪ'rɑːnə] *n (fish)* piraña.

pirate ['paɪərət] *n* pirata *m*. − 2 *t* piratear.

pirouette [pɪru'et] *n* pirueta. − 2 *i* hacer piruetas.

Pisces ['paɪsiːz] *n* Piscis *m inv*.

piss* [pɪs] *n* meada*. − 2 *i* mear*. 3 *(rain)* llover a cántaros. ◆*to ∼ off sl i* largarse. − 2 *t* cabrear*, poner de mala leche*. ●*to take the ∼ out of*, cachondearse de.

pissed* [pɪst] *adj (drunk)* trompa.

pistachio [pɪs'tɑːʃɪəʊ] *n* pistacho.

pistol ['pɪstəl] *n* pistola.

piston ['pɪstən] *n* TECH pistón *m*, émbolo.

pit [pɪt] *n (hole)* hoyo, foso. 2 *(mine)* mina. 3 *(mark)* hoyo. 4 US *(stone)* hueso. − 5 *t (mark)* picar. ●*to ∼ one's strength/wits against*, medirse con. ■ *orchestra ∼*, foso de la orquesta.

pitch [pɪtʃ] *n (tar)* pez *f*, brea. 2 MUS tono. 3 SP campo, terreno. 4 *(degree)* grado, nivel *m*. 5 *(slope)* pendiente *f*. 6 *(throw)* lanzamiento. − 7 *t (throw)* tirar, arrojar, lanzar. 8 *(set)* fijar. 9 *(tent)* plantar, armar. − 10 *i (fall)* caerse. ◆*to ∼ into t* atacar. ■ *pitched battle*, batalla campal.

pitcher ['pɪtʃə'] *n* cántaro. 2 US jarro. 3 SP lanzador,-ra; *(baseball)* pícher *m*.

pitchfork ['pɪtʃfɔːk] *n* AGR horca.

piteous ['pɪtɪəs] *adj* lastimoso,-a.

pitfall ['pɪtfɔːl] *n* escollo.

pith [pɪθ] *n* médula. 2 *(of orange etc.)* piel blanca.

pitiable ['pɪtɪəbəl] *adj* lastimoso,-a.

pitiful ['pɪtɪfʊl] *adj* lastimoso,-a. 2 *(bad)* miserable.

pitiless ['pɪtɪləs] *adj* despiadado,-a.

pittance ['pɪtəns] *n* miseria.

pity ['pɪtɪ] *n* piedad. − 2 *t* compadecerse de. ●*what a ∼!*, ¡qué lástima!

pivot ['pɪvət] *n* pivote *m*. − 2 *i* girar.

pixie, pixy ['pɪksɪ] *n* duendecillo.

pizza ['piːtsə] *n* pizza. ■ ~ *parlour*, pizzería.

placard ['plækɑːd] *n* pancarta.

placate [pləˈkeɪt] *t* aplacar, apaciguar.

place [pleɪs] *n* lugar *m*, sitio. 2 *(seat)* asiento, sitio. 3 *(in school etc.)* plaza. 4 *(in race etc.)* posición. 5 *fam* casa, piso. – 6 *t* colocar, poner, situar. 7 *(remember)* recordar. ●*in the first* ~, en primer lugar; *out of* ~, fuera de lugar; *to* ~ *an order*, hacer un pedido; *to take* ~, tener lugar; *to take the* ~ *of*, su(b)stituir. ■ *decimal* ~, punto decimal; ~ *name*, topónimo.

placenta [pləˈsentə] *n* placenta.

placid ['plæsɪd] *adj* plácido,-a, apacible.

plagiarize ['pleɪdʒəraɪz] *t* plagiar.

plague [pleɪg] *n* plaga. 2 MED peste *f*. – 3 *t* plagar. 4 *fig* acosar, importunar.

plaice [pleɪs] *n inv (fish)* solla.

plaid [plæd] *n* tejido escocés.

plain [pleɪn] *adj (clear)* claro,-a, evidente. 2 *(simple)* sencillo,-a. 3 *(unattractive)* sin atractivo. 4 *(frank)* franco,-a, directo,-a. 5 *(without pattern)* liso,-a. 6 *(chocolate)* sin leche. – 8 *n* llanura. ●*in* ~ *clothes*, vestido,-a de paisano.

plain-spoken [pleɪnˈspəʊkən] *adj* franco,-a.

plaintiff ['pleɪntɪf] *n* demandante *mf*.

plaintive ['pleɪntɪv] *adj* lastimero,-a, triste.

plait [plæt] *n* trenza. – 2 *t* trenzar.

plan [plæn] *n (project)* plan *m*. 2 *(map, drawing)* plano. – 3 *t* planear, planificar. – 4 *i* hacer planes.

plane [pleɪn] *n (surface)* plano. 2 AV aeroplano, avión *m*. 3 *(for wood)* cepillo, garlopa. – 4 *t* cepillar. ■ ~ *tree*, plátano.

planet ['plænət] *n* planeta *m*.

planetary ['plænɪtərɪ] *adj* planetario,-a.

plank [plæŋk] *n* tablón *m*, tabla.

plankton ['plæŋktən] *n* plancton *m*.

planning ['plænɪŋ] *n* planificación. ■ *town* ~, urbanismo.

plant [plɑːnt] *n* BOT planta. 2 *(equipment)* equipo. 3 *(factory)* fábrica, planta. – 4 *t* plantar. 5 *(seed)* sembrar. 6 *(bomb)* colocar. ■ ~ *pot*, maceta, tiesto.

plantation [plænˈteɪʃən] *n* plantación.

plaque [plæk] *n* placa.

plasma ['plæzmə] *n* plasma *m*.

plaster ['plɑːstəʳ] *n* yeso. 2 MED escayola. 3 *(dressing)* tirita®. – 4 *t* enyesar. 5 *fig* cubrir.

plastic ['plæstɪk] *adj-n* plástico,-a *(m)*.

plasticine® ['plæstɪsiːn] *n* plastilina.

plate [pleɪt] *n* plato. 2 *(sheet)* placa. 3 *(illustration)* grabado, lámina. – 4 *t* chapar.

plateau ['plætəʊ] *n* meseta.

platform ['plætfɔːm] *n* plataforma. 2 *(stage)* tarima, tribuna, estrado. 3 *(railway)* andén *m*. 4 POL programa *m*.

platinum ['plætɪnəm] *n* platino.

platitude ['plætɪtjuːd] *n* tópico, lugar *m* común.

platonic [pləˈtɒnɪk] *adj* platónico,-a.

platoon [pləˈtuːn] *n* pelotón *m*.

plausible ['plɔːzɪbəl] *adj* plausible.

play [pleɪ] *n gen* juego. 2 THEAT obra (de teatro). 3 TECH *(movement)* juego. – 4 *t-i gen* jugar. 5 MUS tocar. – 6 *t* THEAT *(part)* hacer el papel de. 7 SP *(sport)* jugar a. 8 SP *(opponent)* jugar contra. 9 *(record, song)* poner. ◆*to* ~ *down* *t* quitar importancia a. ◆*to* ~ *on* *t* aprovecharse de. ◆*to* ~ *up* *t* causar problemas a. – 2 *i (machine)* no funcionar bien. 3 *(child)* portarse mal. ●*to* ~ *a trick on*, hacer una mala jugada a; *to* ~ *for time*, tratar de ganar tiempo; *to* ~ *hard to get*, hacerse (de) rogar; *to* ~ *the fool*, hacer el indio; *to* ~ *truant*, hacer novillos/campana; *fam to* ~ *it by ear*, decidir sobre la marcha.

playboy ['pleɪbɔɪ] *n* play-boy *m*.

player ['pleɪəʳ] *n* jugador,-ra. 2 THEAT actor *m*, actriz *f*. ■ *tennis* ~, tenista *mf*; *trumpet* ~, trompetista *mf*.

playful ['pleɪfʊl] *adj* juguetón,-ona.

playground ['pleɪgraʊnd] *n* patio de recreo.

playhouse ['pleɪhaʊs] *n* teatro.

playmate ['pleɪmeɪt] *n* compañero,-a de juego.

play-off ['pleɪɒf] *n* partido de desempate.

plaything ['pleɪθɪŋ] *n* juguete *m*.

playtime ['pleɪtaɪm] *n* recreo.

playwright ['pleɪraɪt] *n* dramaturgo,-a.

plea [pliː] *n* súplica. 2 *(excuse)* excusa. 3 JUR alegato, declaración.

plead [pliːd] *i* suplicar *(with, -)*. – 2 *t (give as excuse)* alegar. ●*to* ~ *guilty/not guilty*, declararse culpable/inocente.

pleasant ['plezənt] *adj* agradable. 2 *(person)* simpático,-a, amable.

please [pliːz] *t-i* agradar, gustar, placer, complacer. – 2 *interj* por favor. ●~ *yourself*, haz lo que tú quieras.

pleased [pliːzd] *adj* contento,-a. 2 *(satisfied)* satisfecho,-a. ●~ *to meet you!*, ¡encantado,-a!, ¡mucho gusto!

pleasing ['pliːzɪŋ] *adj* agradable.

pleasurable ['pleʒərəbəl] *adj* agradable.

pleasure ['pleʒəʳ] *n* placer *m*. ●*it gives me great ~ to ...*, me complace ... .

pleat [pliːt] *n* pliegue. – 2 *t* plisar.

pledge [pledʒ] *n (promise)* promesa. 2 *(guarantee)* prenda. – 3 *t-i* prometer.

plentiful ['plentɪfʊl] *adj* abundante.

plenty ['plentɪ] *n* abundancia. ●*~ of*, de sobra, en abundancia.

pliable ['plaɪəbəl] *adj* flexible.

pliers ['plaɪəz] *npl* alicates *mpl*.

plight [plaɪt] *n* situación (grave).

plimsolls ['plɪmsəlz] *npl* GB playeras *fpl*.

plod [plɒd] *i* andar pesadamente. 2 *fig* hacer laboriosamente.

plonk [plɒŋk] *t* dejar caer. – 2 *n* golpe/ ruido seco. 3 *fam* vinazo.

plot [plɒt] *n* conspiración, complot *m*. 2 *(of land)* parcela, terreno. 3 *(of book, film, etc.)* trama, argumento. – 4 *t* trazar. – 5 *i* conspirar.

plough [plaʊ] *n* arado. – 2 *t-i* arar, labrar.

ploughman ['plaʊmən] *n* arador, labrador.

plow [plaʊ] *n-t-i* US → **plough**.

pluck [plʌk] *n* valor *m*. – 2 *t* arrancar. 3 *(bird)* desplumar. ●*to ~ up courage*, cobrar ánimo.

plug [plʌg] *n (for sink etc.)* tapón *m*. 2 ELEC *(on cable)* enchufe *m*, clavija; *(socket)* enchufe *m*, toma. 3 AUTO bujía. – 4 *t* tapar. ◆*to ~ in t-i* enchufar(se).

plughole ['plʌghəʊl] *n* desagüe *m*.

plum [plʌm] *n* ciruela. ■ *~ tree*, ciruelo.

plumage ['pluːmɪdʒ] *n* plumaje *m*.

plumb [plʌm] *n* plomada. – 2 *adj-adv* a plomo. – 3 *adv* US completamente. 4 US *(exactly)* justo. – 5 *t* sond(e)ar.

plumber ['plʌməʳ] *n* fontanero,-a.

plumbing ['plʌmɪŋ] *n* fontanería.

plume [pluːm] *n* penacho.

plummet ['plʌmət] *i* caer en picado.

plump [plʌmp] *adj* rechoncho,-a, rollizo,-a. ◆*to ~ for t* optar por.

plunder ['plʌndəʳ] *n* pillaje *m*, saqueo. 2 *(loot)* botín *m*. – 3 *t* saquear.

plunge [plʌndʒ] *n* zambullida. – 2 *i (dive)* zambullirse, tirarse de cabeza. 3 *(fall)* caer(se). – 4 *t (immerse)* sumergir. 5 *(thrust)* hundir. ●*to take the ~*, dar el paso decisivo.

plunger ['plʌndʒəʳ] *n (for sink etc.)* desatascador *m*.

pluperfect [pluːˈpɜːfekt] *n* pluscuamperfecto.

plural ['plʊərəl] *adj-n* plural *(m)*.

plus [plʌs] *prep* más. – 2 *adj* MATH positivo,-a. – 3 *n* MATH *~ (sign)*, signo de más.

plush [plʌʃ] *adj fam* lujoso,-a.

ply [plaɪ] *i (ship) to ~ between*, hacer el servicio entre, cubrir la línea entre. 2 *(trade)* ejercer. ◆*to ~ with t* no parar de ofrecer.

plywood ['plaɪwʊd] *n* contrachapado.

pneumatic [njuːˈmætɪk] *adj* neumático,-a.

pneumonia [njuːˈməʊnɪə] *n* pulmonía.

poach [pəʊtʃ] *i* cazar/pescar en vedado. – 2 *t* CULIN hervir; *(eggs)* escalfar.

poacher ['pəʊtʃəʳ] *n* cazador,-ora/pescador,-ra furtivo,-a.

pocket ['pɒkɪt] *n* bolsillo. – 2 *t* embolsar.

pocketbook ['pɒkɪtbʊk] *n* US bolso.

pod [pɒd] *n* vaina.

podgy ['pɒdʒɪ] *adj* regordete,-a.

podium ['pəʊdɪəm] *n* podio.

poem ['pəʊəm] *n* poema *m*, poesía.

poet ['pəʊət] *n* poeta *mf*.

poetic [pəʊˈetɪk] *adj* poético,-a.

poetry ['pəʊətrɪ] *n* poesía.

poignant ['pɔɪnjənt] *adj* conmovedor,-ra.

point [pɔɪnt] *n gen* punto. 2 *(sharp end)* punta. 3 *(in time)* punto, momento. 4 *(in space, on scale)* punto. 5 *(in score)* punto, tanto. 6 GEOG punta. 7 *(railway)* aguja. 8 *(in decimals)* coma: *5 ~ 66*, cinco coma sesenta y seis. 9 ELEC *(power) ~*, toma de corriente. – 10 *t* señalar; *fig* indicar. – 11 *t-i (with weapon)* apuntar: *to ~ a gun at sb.*, apuntar a algn. con una pistola. ●*beside the ~*, fuera de propósito; *on the ~ of*, a punto de; *there's no ~ in ...*, no vale la pena ...; *to come to the ~*, ir al grano. ■ *~ of view*, punto de vista.

point-blank [pɔɪntˈblæŋk] *adj (refusal)* categórico,-a. 2 *(shot)* a quemarropa. – 3 *adv* categóricamente. 4 *(shoot)* a quemarropa.

pointed ['pɔɪntɪd] *adj* puntiagudo,-a. 2 *(comment)* intencionado,-a.

pointer ['pɔɪntəʳ] *n* indicador *m*. 2 *(dog)* perro de muestra.

pointless ['pɔɪntləs] *adj* sin sentido.

poise [pɔɪz] *n* equilibrio. 2 *(of body)* porte *m*, elegancia. – 3 *t* equilibrar, balancear.

poison ['pɔɪzən] *n* veneno. – 2 *t* envenenar.

poisonous ['pɔɪzənəs] *adj* venenoso,-a.

poke [pəʊk] *n* empujón *m*, golpe *m*. – 2 *t* empujar. 3 *(fire)* atizar.

poker ['pəʊkə'] *n* atizador *m*. 2 *(game)* póquer *m*.

polar ['pəʊlə'] *adj* polar. ■ ~ **bear,** oso polar.

polarize ['pəʊləraɪz] *t-i* polarizar(se).

pole [pəʊl] *n* polo. 2 *(stick)* pértiga. ■ ~ **star,** estrella polar; ~ **vault,** salto con pértiga.

polemic [pə'lemɪk] *adj-n* polémico,-a *(f)*.

police [pə'li:s] *npl* policía *f sing.* – 2 *t* vigilar.

policeman [pə'li:smən] *n* policía *m*, guardia *m*.

policewoman [pə'li:swʊmən] *n* mujer *f* policía.

policy ['pɒlɪsɪ] *n* política. 2 *(insurance)* póliza.

polish ['pɒlɪʃ] *n* pulimento; *(wax)* cera; *(for shoes)* betún *m*. 2 *(shine)* lustre *m*, brillo. – 3 *t* abrillantar, sacar brillo a. 4 *fig* pulir. ◆*to* ~ *off t* despachar. 2 *(food)* zamparse.

polite [pə'laɪt] *adj* cortés, (bien) educado,-a.

politeness [pə'laɪtnəs] *n* cortesía, educación.

politic ['pɒlɪtɪk] *adj* prudente.

political [pə'lɪtɪkəl] *adj* político,-a.

politician [pɒlɪ'tɪʃən] *n* político,-a.

politics ['pɒlɪtɪks] *n* política. 2 *pl* opiniones *fpl* políticas.

poll [pəʊl] *n* votación. 2 *(opinion)* ~, encuesta, sondeo. – 3 *t (votes)* obtener.

pollen ['pɒlən] *n* polen *m*.

pollutant [pə'lu:tənt] *n* contaminante *m*.

pollute [pɒ'lu:t] *t* contaminar.

pollution [pɒ'lu:ʃən] *n* contaminación.

polo ['pəʊləʊ] *n* polo. ■ ~ **neck,** cuello cisne; **water** ~, water-polo.

poltergeist ['pɒltəgaɪst] *n* duende *m* travieso.

polyester [pɒlɪ'estə'] *n* poliéster *m*.

polygamy [pɒ'lɪgəmɪ] *n* poligamia.

polyglot ['pɒlɪglɒt] *adj-n* polígloto,-a.

polystyrene [pɒlɪ'staɪri:n] *n* poliestireno *m*.

polytechinic [pɒlɪ'teknɪk] *n* escuela politécnica.

polyurethane [pɒlɪ'jʊərəθeɪn] *n* poliuretano.

pomegranate ['pɒmɪgrænət] *n* BOT granada.

pomp [pɒmp] *n* pompa.

pompom ['pɒmpɒm] *n* pompón *m*.

pompous ['pɒmpəs] *adj* pomposo,-a.

poncho ['pɒntʃəʊ] *n* poncho.

pond [pɒnd] *n* estanque *m*.

ponder ['pɒndə'] *t* ponderar, considerar.

pong [pɒŋ] *fam n* tufo. – 2 *t* apestar.

pontiff ['pɒntɪf] *n* pontífice *m*.

pontificate [pɒn'tɪfɪkeɪt] *i* pontificar.

pontoon [pɒn'tu:n] *n* pontón *m*. 2 *(game)* veintiuna.

pony ['pəʊnɪ] *n* poni *m*.

ponytail ['pəʊnɪteɪl] *n* cola de caballo.

poodle ['pu:dəl] *n* caniche *m*.

poof [pʊf] *n sl* marica *m*.

pooh-pooh [pu:'pu:] *t* despreciar.

pool [pu:l] *n* charco. 2 *(pond)* estanque *m*. 3 *(money)* fondo común. 4 *(game)* billar *m* americano. – 5 *t* reunir. ■ *football pools,* quinielas *fpl*.

poor [pʊə'] *adj* pobre. 2 *(bad quality)* malo,-a, de mala calidad.

poorly ['pʊəlɪ] *adj (ill)* mal, malo,-a. – 2 *adv* mal.

pop [pɒp] *n* estallido. 2 *(of cork)* taponazo. 3 *fam (drink)* gaseosa. 4 *fam (music)* música pop. 5 *fam (dad)* papá. – 6 *t-i* (hacer) saltar. 7 *(burst)* (hacer) reventar/estallar. – 8 *t (put)* poner. ◆*to* ~ *in/out i* entrar/salir un momento.

popcorn ['pɒpkɔ:n] *n* palomitas *fpl*, rosetas *fpl* de maíz.

pope [pəʊp] *n* papa *m*, pontífice *m*.

poplar ['pɒplə'] *n* álamo, chopo.

poppy ['pɒpɪ] *n* amapola.

popular ['pɒpjʊlə'] *adj* popular.

popularity [pɒpjʊ'lærɪtɪ] *n* popularidad.

popularize ['pɒpjʊləraɪz] *t* popularizar.

populate ['pɒpjʊleɪt] *t* poblar.

population [pɒpjʊ'leɪʃən] *n* población, habitantes *mpl*.

porcelain ['pɔ:səlɪn] *n* porcelana.

porch [pɔ:tʃ] *n* pórtico, entrada.

porcupine ['pɔ:kjʊpaɪn] *n* puerco espín.

pore [pɔ:'] *n* poro. ◆*to* ~ *over t* leer detenidamente.

pork [pɔ:k] *n* carne *f* de cerdo.

pornographic [pɔ:nə'græfɪk] *adj* pornográfico,-a.

pornography [pɔ:'nɒgrəfɪ] *n* pornografía.

porous ['pɔ:rəs] *adj* poroso,-a.

porpoise ['pɔ:pəs] *n* marsopa.

porridge ['pɒrɪdʒ] *n* gachas *fpl* de avena.

port [pɔ:t] *n (place)* puerto. 2 MAR babor *m*. 3 *(wine)* vino de Oporto.

portable ['pɔ:təbəl] *adj* portátil.

portend [pɔ:'tend] *t* presagiar.

portent ['pɔ:tent] *n* presagio.

portentous [pɔ:'tentəs] *adj* trascendente.

powerful

porter ['pɔːtə^r] *n* portero,-a. 2 *(at station)* mozo de estación.

portfolio [pɔːt'fəuliəu] *n* carpeta. 2 POL cartera.

portion ['pɔːʃən] *n* porción, parte *f*. 2 *(helping)* ración. – 3 *t to ~ (out)*, repartir.

porthole ['pɔːthəul] *n* portilla.

portly ['pɔːtli] *adj* corpulento,-a.

portrait ['pɔːtreit] *n* retrato.

portray [pɔː'trei] *t* retratar. 2 *fig* describir.

pose [pəuz] *n* actitud, postura. 2 *pej* afectación. – 3 *t (problem etc.)* plantear. 4 *(threat)* representar. – 5 *i* presumir. 6 *(as model)* posar. •*to ~ as*, hacerse pasar por.

posh [pɒʃ] GB *fam adj* elegante. 2 *pej (person)* presumido,-a.

position [pə'zɪʃən] *n gen* posición. 2 *(posture)* postura, actitud. 3 *(job)* puesto, empleo. 4 *(state)* situación. – 5 *t* colocar.

positive ['pɒzɪtɪv] *adj* positivo,-a. 2 *(definite)* seguro,-a. 3 *fam (total)* auténtico,-a.

possess [pə'zes] *t* poseer, tener.

possession [pə'zeʃən] *n* posesión.

possessive [pə'zesɪv] *adj* posesivo,-a.

possibility [pɒsɪ'bɪltɪ] *n* posibilidad.

possible ['pɒsɪbəl] *adj* posible. – 2 *possibly adv* posiblemente. •*as soon as ~*, cuanto antes.

post [pəust] *n (wooden)* poste *m*. 2 *(job)* puesto, cargo. 3 MIL puesto. 4 *(mail)* correo. – 5 *t (letter)* echar al correo. 6 *(notice)* poner. 7 *(send)* enviar, destinar. ■ *~ office*, oficina de correos; *~ office box*, apartado de correos.

postage ['pəustɪdʒ] *n* franqueo, porte *m*. ■ *~ stamp*, sello de correos.

postal ['pəustəl] *adj* postal. ■ *~ order*, giro postal.

postbox ['pəustbɒks] *n* buzón *m*.

postcard ['pəustkɑːd] *n (tarjeta) postal*.

postcode ['pəustkəud] *n* código postal.

poster ['pəustə^r] *n* póster *m*, cartel *m*.

posterior [pɒ'stɪərɪə^r] *adj* posterior. – 2 *n fam* trasero.

posterity [pɒs'terɪtɪ] *n* posteridad.

postgraduate [pəust'grædjuət] *n* postgraduado,-a.

posthumous ['pɒstjuməs] *adj* póstumo,-a.

postman ['pəustmən] *n* cartero.

postmark ['pəustmɑːk] *n* matasellos *m inv*.

postmortem [pəust'mɔːtəm] *n* autopsia.

postpone [pəs'pəun] *t* aplazar, posponer.

postponement [pəs'pəunmənt] *n* aplazamiento.

postscript ['pəustskrɪpt] *n* posdata *f*.

posture ['pɒstʃə^r] *n* postura.

posy ['pəuzɪ] *n* ramillete *m*.

pot [pɒt] *n* pote *m*, tarro. 2 *(teapot)* tetera. 3 *(coffee ~)* cafetera. 4 *(of paint)* bote *m*. 5 *(flower ~)* maceta, tiesto. 6 *(chamber ~)* orinal *m*. 7 *sl* hachís *m*. •*fam to go to ~*, irse al traste.

potassium [pə'tæsɪəm] *n* potasio.

potato [pə'teɪtəu] *n* patata. ■ *sweet ~*, boniato.

potent ['pəutənt] *adj* potente.

potential [pə'tenʃəl] *adj-n* potencial *(m)*.

pothole ['pɒthəul] *n (cave)* cueva. 2 *(in road)* bache *m*.

potluck [pɒt'lʌk] *n to take ~*, comer de lo que haya.

potted ['pɒtɪd] *adj (food)* en conserva. 2 *(plant)* en maceta/tiesto.

potter ['pɒtə^r] *n* alfarero,-a. – 2 *i to ~ about/around*, entretenerse.

pottery ['pɒtərɪ] *n (craft, place)* alfarería. 2 *(objects)* cerámica.

potty ['pɒtɪ] *fam adj* chiflado,-a. – 2 *n* orinal *m*.

pouch [pautʃ] *n* bolsa. 2 *(for tobacco)* petaca.

pouf(fe) [puːf] *n* puf *m*.

poultice ['pəultɪs] *n* cataplasma *m*.

poultry ['pəultrɪ] *n* aves *fpl* de corral.

pounce [pauns] *n* salto súbito. – 2 *i* abalanzarse *(on*, sobre).

pound [paund] *n* libra. 2 *(for dogs)* perrera. 3 *(for cars)* depósito de coches. – 4 *t* machacar. 5 *(beat)* golpear. – 6 *i (heart)* palpitar.

pour [pɔː^r] *t* verter, echar. – 2 *i* fluir, correr. 3 *to ~ (down)*, llover a cántaros.

pout [paut] *n* puchero. – 2 *i* hacer pucheros.

poverty ['pɒvətɪ] *n* pobreza.

powder ['paudə^r] *n* polvo. – 2 *t* poner polvos a.

power ['pauə^r] *n (strength)* fuerza. 2 *(ability)* poder *m*, capacidad. 3 *(faculty)* facultad. 4 ELEC fuerza, corriente *f*. 5 *(authority)* poder *m*. 6 *(nation)* potencia. 7 MATH TECH potencia. – 8 *t* mover, propulsar. •*in ~*, en el poder. ■ *~ station*, central eléctrica.

powerful ['pauəful] *adj (influential)* poderoso,-a. 2 *(strong)* fuerte. 3 *(medicine etc.)* potente, eficaz.

powerless ['paʊələs] *adj* impotente.
practicable ['præktɪkəbəl] *adj* factible.
practical ['præktɪkəl] *adj* práctico,-a. − 2 *practically adv* casi, prácticamente.
practice ['præktɪs] *n* práctica. 2 *(training)* entrenamiento. 3 *(habit)* costumbre *f.* 4 *(of profession)* ejercicio. 5 *(doctor's, lawyer's, etc.)* clientela. ●*in* ~, en la práctica; *to put into* ~, poner en práctica.
practise, US **practice** ['præktɪs] *t-i* practicar. 2 *(profession)* ejercer. − 3 *i* SP entrenar. 4 THEAT ensayar.
practitioner [præk'tɪʃənəʳ] *n* médico,-a.
pragmatic [præg'mætɪk] *adj* pragmático,-a.
prairie ['preərɪ] *n* pradera, llanura.
praise [preɪz] *n* alabanza, elogio. − 2 *t* alabar.
praiseworthy ['preɪzwɜːðɪ] *adj* loable.
pram [præm] *n* GB cochecito de niño.
prance [prɑːns] *i (horse)* hacer cabriolas. 2 *(person)* saltar, brincar.
prank [præŋk] *n* travesura, broma.
prattle ['prætəl] *n* charla, parloteo. − 2 *i* charlar, parlotear.
prawn [prɔːn] *n* gamba.
pray [preɪ] *i* orar, rezar.
prayer [preəʳ] *n* REL oración. 2 *(entreaty)* ruego, súplica.
preach [priːtʃ] *t-i* predicar.
preacher ['priːtʃəʳ] *n* predicador,-ra.
preamble [priː'æmbəl] *n* preámbulo.
precarious [prɪ'keərɪəs] *adj* precario,-a, inseguro,-a.
precaution [prɪ'kɔːʃən] *n* precaución.
precede [prɪ'siːd] *t-i* preceder.
precedence ['presɪdəns] *n* precedencia.
precedent ['presɪdənt] *adj* precedente.
precept ['priːsept] *n* precepto.
precinct ['priːsɪŋkt] *n* recinto. 2 *(area)* distrito, zona.
precious ['preʃəs] *adj* precioso,-a. − 2 *adv* muy.
precipice ['presɪpɪs] *n* precipicio.
precipitate [prɪ'sɪpɪtət] *adj-n* precipitado,-a *(m).* − 2 *t* precipitar. ▲ *En 2 (verbo)* [prɪ'sɪpɪteɪt].
precipitation [prɪsɪpɪ'teɪʃən] *n* precipitación.
precipitous [prɪ'sɪpɪtəs] *adj* escarpado,-a.
precise [prɪ'saɪs] *adj* preciso,-a, exacto,-a. 2 *(meticulous)* meticuloso,-a. − 3 *precisely adv* precisamente.
precision [prɪ'sɪʒən] *n* precisión, exactitud.
preclude [prɪ'kluːd] *t* excluir.

precocious [prɪ'kəʊʃəs] *adj* precoz.
preconceived [priːkən'siːvd] *adj* preconcebido,-a.
precooked [priː'kʊkt] *t* precocinado,-a.
precursor [prɪ'kɜːsəʳ] *n* precursor,-ra.
predator ['predətəʳ] *n* (de)predador *m.*
predecessor ['priːdɪsesəʳ] *n* predecesor,-ra.
predestination [priːdestɪ'neɪʃən] *n* predestinación.
predestine [priː'destɪn] *t* predestinar.
predetermine [priːdɪ'tɜːmɪn] *t* predeterminar.
predicament [prɪ'dɪkəmənt] *n* apuro, aprieto.
predicate ['predɪkət] *n* predicado.
predict [prɪ'dɪkt] *t* predecir, vaticinar.
predictable [prɪ'dɪktəbəl] *adj* previsible.
prediction [prɪ'dɪkʃən] *n* predicción, vaticinio.
predilection [priːdɪ'lekʃən] *n* predilección.
predispose [priːdɪs'pəʊz] *t* predisponer.
predominance [prɪ'dɒmɪnəns] *n* predominio.
predominant [prɪ'dɒmɪnənt] *adj* predominante.
predominate [prɪ'dɒmɪneɪt] *i* predominar.
pre-eminent [priː'emɪnənt] *adj* preeminente.
pre-empt [priː'empt] *t* adelantarse a.
preen [priːn] *t* arreglar.
prefabricated [priː'fæbrɪkeɪtɪd] *adj* prefabricado,-a.
preface ['prefəs] *n* prefacio, prólogo.
prefect ['priːfekt] *n* prefecto. 2 GB *(school)* monitor,-ra.
prefer [prɪ'fɜːʳ] *t* preferir. 2 JUR *(charge)* presentar.
preferable ['prefərəbəl] *adj* preferible.
preference ['prefərəns] *n* preferencia.
preferential [prefə'renʃəl] *adj* preferente.
prefix ['priːfɪks] *n* prefijo.
pregnancy ['pregnənsɪ] *n* embarazo.
pregnant ['pregnənt] *adj n (animal)* preñado,-a. 2 *(woman)* embarazado,-a.
prehistoric [priːhɪ'stɒrɪk] *n* prehistórico,-a.
prejudge [priː'dʒʌdʒ] *t* prejuzgar.
prejudice ['predʒədɪs] *n* prejuicio. − 2 *t* predisponer. 3 *(harm)* perjudicar, dañar.
prejudicial [predʒə'dɪʃəl] *adj* perjudicial.
prelate ['prelət] *n* prelado.
preliminary [prɪ'lɪmɪnərɪ] *adj-n* preliminar *(m).*

prelude ['prelju:d] *n* preludio.

premature [premə'tjʊəʳ] *adj* prematuro,-a.

premeditated [pri:'medɪteɪtɪd] *adj* premeditado,-a.

premier ['premɪəʳ] *adj* primero,-a, principal. − 2 *n* primer,-ra ministro,-a.

première ['premɪeəʳ] *n* estreno.

premise ['premɪs] *n* premisa. 2 *pl* local *m sing*.

premium ['pri:mɪəm] *n* prima.

premonition [pri:mə'nɪʃən] *n* premonición.

preoccupation [pri:ɒkjʊ'peɪʃən] *n* preocupación.

preoccupy [pri:'ɒkjʊpaɪ] *t* preocupar.

prepaid [pri:'peɪd] *adj* pagado,-a por adelantado.

preparation [prepə'reɪʃən] *n (action)* preparación. 2 CHEM preparado. 3 *pl* preparativos *mpl*.

preparatory [prɪ'pærətərɪ] *adj* preparatorio,-a, preliminar.

prepare [prɪ'peəʳ] *t-i* preparar(se).

prepared [prɪ'peəd] *adj* listo,-a, preparado,-a. 2 *(willing)* dispuesto,-a.

preponderance [prɪ'pɒndərəns] *n* preponderancia.

preposition [prepə'zɪʃən] *n* preposición.

prepossessing [pri:pə'zesɪŋ] *adj* atractivo,-a.

preposterous [prɪ'pɒstərəs] *adj* absurdo,-a, descabellado,-a.

prerequisite [pri:'rekwɪzɪt] *n* requisito previo.

prerogative [prɪ'rɒgətɪv] *n* prerrogativa.

Presbyterian [prezbɪ'tɪərɪən] *adj-n* presbiteriano,-a.

preschool [pri:'sku:l] *adj* preescolar.

prescribe [prɪs'kraɪb] *t* prescribir. 2 *(medicine)* recetar.

prescription [prɪs'krɪpʃən] *n* receta (médica).

presence ['prezəns] *n* presencia. 2 *(attendance)* asistencia.

present ['prezənt] *adj (attending)* presente. 2 *(current)* actual. 3 GRAM presente. − 4 *n (now)* presente *m*, actualidad. 5 GRAM presente *m*. 6 *(gift)* regalo. − 7 *t (introduce)* presentar. 8 *(give)* entregar, presentar, dar. 9 *(play)* representar. 10 TV RAD presentar. − 11 *presently adv* GB pronto. 12 US ahora. ●*for the* ~, por ahora; *to be* ~, estar presente, asistir; *to* ~ *a problem,* plantear un problema. ▲ *De 7 a 10 (verbo)* [prɪ'zent].

presentable [prɪ'zentəbəl] *adj* presentable. ●*to make o.s.* ~, arreglarse.

presentation [prezən'teɪʃən] *n* presentación.

presenter [prɪ'zentəʳ] *n* RAD locutor,-ra. 2 TV presentador,-ra.

presentiment [prɪ'zentɪmənt] *n* presentimiento.

preservation [prezə'veɪʃən] *n* conservación, preservación.

preservative [prɪ'zɜ:vətɪv] *n* conservante *m*.

preserve [prɪ'zɜ:v] *n* CULIN conserva, confitura. 2 *(hunting)* coto, vedado. − 3 *t* conservar.

preside [prɪ'zaɪd] *i* presidir.

president ['prezɪdənt] *n* presidente,-a.

press [pres] *n (newspapers)* prensa. 2 *(machine)* prensa. 3 *(printing business)* imprenta. − 4 *t (button)* pulsar, apretar. 5 *(grapes, olives, etc.)* prensar. 6 *(clothes)* planchar. 7 *(urge)* presionar. − 8 *i* apretar. ◆*to* ~ *ahead/on i* seguir adelante.

pressing ['presɪŋ] *adj* urgente, apremiante.

pressure ['preʃəʳ] *n* presión. 2 *(tension)* tensión. ●*to put* ~ *on,* presionar a. ■ ~ *cooker,* olla a presión; ~ *group,* grupo de presión.

pressurize ['preʃəraɪz] *t* presurizar. 2 *fig* presionar.

prestige [pres'ti:ʒ] *n* prestigio.

prestigious [pres'tɪdʒəs] *adj* prestigioso,-a.

presumably [prɪ'zju:məblɪ] *adv* se supone que.

presume [prɪ'zju:m] *t-i* suponer. − 2 *i (dare)* atreverse a.

presumption [prɪ'zʌmpʃən] *n* suposición. 2 *(arrogance)* presunción.

presumptuous [prɪ'zʌmptjʊəs] *adj* presuntuoso,-a.

presuppose [pri:sə'pəʊz] *t* presuponer.

pretence [prɪ'tens] *n (make-believe)* fingimiento, apariencia. 2 *(pretext)* pretexto. ●*under false pretences,* con engaño, fraudulentemente.

pretend [prɪ'tend] *t-i* aparentar, fingir. − 2 *i (claim)* pretender.

pretentious [prɪ'tenʃəs] *adj* pretencioso,-a, presumido,-a.

pretext ['pri:tekst] *n* pretexto.

pretty ['prɪtɪ] *adj* bonito,-a, guapo,-a, mono,-a. − 2 *adv* bastante.

prevail [prɪ'veɪl] *i (be usual)* predominar. 2 *(win)* prevalecer. ●*to* ~ *upon,* convencer, persuadir.

prevailing [prɪ'veɪlɪŋ], **prevalent** ['prevələnt] adj predominante.

prevaricate [prɪ'værɪkeɪt] i buscar evasivas.

prevent [prɪ'vent] t (stop) impedir. 2 (avoid) evitar.

prevention [prɪ'venʃən] n prevención.

preventive [prɪ'ventɪv] adj preventivo,-a.

preview ['pri:vju:] n preestreno.

previous ['pri:vɪəs] adj previo,-a, anterior. – 2 **previously** adv previamente, con anterioridad. ●~ to, antes de. ■ ~ convictions, antecedentes mpl penales.

prey [preɪ] n presa. 2 fig víctima. – 3 i to ~ on, alimentarse de.

price [praɪs] n precio, importe m. – 2 t poner un precio a. 3 (ask ~ of) preguntar el precio de. ●at any ~, a toda costa. ■ set ~, precio fijo.

priceless ['praɪsləs] adj que no tiene precio.

pric(e)y ['praɪsɪ] adj fam caro,-a.

prick [prɪk] n pinchazo. 2* (penis) polla*. 3* (person) gilipollas* mf inv. – 4 t pinchar. ●to ~ up one's ears, aguzar el oído.

prickle ['prɪkəl] n pincho, púa, espina. – 2 t-i pinchar, picar.

prickly ['prɪklɪ] adj espinoso,-a. 2 (which prickles) que pica.

pride [praɪd] n orgullo. 2 (self respect) amor propio. – 3 t to ~ o.s. on, enorgullecerse de. ●to take ~ in, enorgullecerse de.

priest [pri:st] n sacerdote m.

priestess ['pri:stes] n sacerdotisa.

prig [prɪg] n presuntuoso,-a.

prim [prɪm] adj remilgado,-a.

prim(a)eval [praɪ'mi:vəl] adj primitivo,-a.

primarily [praɪ'merɪlɪ] adv ante todo.

primary ['praɪmərɪ] adj (main) principal. 2 (school) primario,-a.

primate ['praɪmət] n REL primado. 2 ZOOL primate m. ▲ En 2 ['praɪmeɪt].

prime [praɪm] adj primero,-a, principal. 2 MATH primo. 3 (best quality) selecto,-a, de primera. – 4 t (pump) cebar. 5 (wood) imprimar. ■ **Prime Minister**, primer ministro; **the ~ of life**, la flor de la vida.

primer ['praɪmər] n (paint) imprimación.

primitive ['prɪmɪtɪv] adj primitivo,-a.

primrose ['prɪmrəʊz] n primavera.

prince [prɪns] n príncipe m.

princess ['prɪnses] n princesa.

principal ['prɪnsɪpəl] adj principal. – 2 n (of school) director,-ra. 3 FIN capital m.

principality [prɪnsɪ'pælɪtɪ] n principado.

principle ['prɪnsɪpəl] n principio. ●on ~, por principio.

print [prɪnt] n (mark) impresión, huella. 2 (type size) letra. 3 (photo) copia. 4 (picture) grabado. – 5 t imprimir. 6 (publish) publicar. 7 (photo) sacar una copia de. 8 (write) escribir con letra de imprenta. ●in ~, impreso,-a; out of ~, agotado,-a.

printer ['prɪntər] n (person) impresor,-ra. 2 (machine) impresora.

printing ['prɪntɪŋ] n (action) impresión. 2 (art) imprenta.

prior ['praɪər] adj anterior, previo,-a. – 2 n REL prior m. ●~ to, antes de.

priority [praɪ'ɒrɪtɪ] n prioridad.

prise [praɪz] t abrir/levantar/quitar etc. con palanca.

prism ['prɪzəm] n prisma.

prison ['prɪzən] n prisión, cárcel f.

prisoner ['prɪzənər] n preso,-a. 2 MIL prisionero,-a.

privacy ['praɪvəsɪ] n intimidad.

private ['praɪvət] adj privado,-a. 2 (personal) personal. 3 (confidential) confidencial. 4 (class) particular. 5 (school) de pago. – 6 n MIL soldado raso. – 7 **privately** adv en privado.

privation [praɪ'veɪʃən] n privación.

privilege ['prɪvɪlɪdʒ] n privilegio.

privileged ['prɪvɪlɪdʒd] adj privilegiado,-a.

privy ['prɪvɪ] adj ~ to, enterado,-a, de.

prize [praɪz] n premio. – 2 adj selecto,-a. – 3 t apreciar. 4 → **prise**.

probability [prɒbə'bɪlɪtɪ] n probabilidad.

probable ['prɒbəbəl] adj probable. – 2 **probably** adv probablemente.

probation [prə'beɪʃən] n JUR libertad condicional.

probe [prəʊb] n sonda. 2 (investigation) investigación. – 3 t sond(e)ar. 4 (investigate) investigar.

problem ['prɒbləm] n problema m.

problematic(al) [prɒblə'mætɪk(əl)] adj problemático,-a.

procedure [prə'si:dʒər] n procedimiento.

proceed [prə'si:d] i (pro)seguir.

proceedings [prə'si:dɪŋz] npl actas fpl. ●JUR to take ~ against sb., proceder contra algn.

proceeds ['prəʊsi:dz] npl beneficios mpl.

process ['prəʊses] n proceso. – 2 t procesar. 3 (photo) revelar.

procession [prə'seʃən] n desfile m, procesión.

proclaim [prə'kleɪm] t proclamar.

proclamation [prɒklə'meɪʃən] *n* proclamación.

procrastinate [prə'kræstɪneɪt] *i* aplazar una decisión.

procreation [prəʊkrɪ'eɪʃən] *n* procreación.

procure [prə'kjʊər] *t* conseguir, obtener. − 2 *i* alcahuetear.

prod [prɒd] *n* golpe *m*. − 2 *t* golpear.

prodigal ['prɒdɪɡəl] *adj* pródigo,-a.

prodigious [prə'dɪdʒəs] *adj* prodigioso,-a.

prodigy ['prɒdɪdʒɪ] *n* prodigio.

produce [prə'djuːs] *n* productos *mpl* (agrícolas). − 2 *t gen* producir. 3 *(show)* enseñar. 4 *(cause)* causar. 5 RAD TV realizar. 6 CINEM producir. 7 THEAT dirigir. ▲ *De 2 a 7 (verbo)* [prə'djuːs].

producer [prə'djuːsər] *n* productor,-ra. 2 RAD TV realizador,-ra. 3 CINEM director,-ra.

product ['prɒdəkt] *n gen* producto. 2 *(result)* resultado, fruto.

production [prə'dʌkʃən] *n gen* producción. 2 *(showing)* presentación. 3 RAD TV realización. 4 CINEM producción. 5 THEAT representación.

productive [prə'dʌktɪv] *adj* productivo,-a. 2 *(fertile)* fértil.

productivity [prɒdʌk'tɪvɪtɪ] *n* productividad.

profane [prə'feɪn] *adj* sacrílego,-a. − 2 *t* profanar.

profess [prə'fes] *t* profesar, declarar. 2 *(claim)* pretender.

profession [prə'feʃən] *n* profesión.

professional [prə'feʃənəl] *adj-n* profesional *(mf)*.

professor [prə'fesər] *n* catedrático,-a.

proffer ['prɒfər] *t* ofrecer.

proficiency [prə'fɪʃənsɪ] *n* pericia, habilidad.

proficient [prə'fɪʃənt] *adj* hábil, perito,-a: *he/she's ~ in French,* tiene un buen nivel de/en francés.

profile ['prəʊfaɪl] *n* perfil *m*. ●*in ~,* de perfil.

profit ['prɒfɪt] *n* FIN ganancia, beneficio. 2 *fig* provecho. − 3 *i* ganar. 4 *fig* sacar provecho de. ■ ~ *and loss,* ganancias y pérdidas.

profitable ['prɒfɪtəbəl] *adj* FIN rentable. 2 *fig* provechoso,-a.

profound [prə'faʊnd] *adj* profundo,-a.

profuse [prə'fjuːs] *adj* profuso,-a. − 2 *profusely adv* con profusión.

profusion [prə'fjuːʒən] *n* profusión.

progeny ['prɒdʒənɪ] *n* prole *f*.

prognosticate [prɒg'nɒstɪkeɪt] *t* pronosticar.

programme ['prəʊɡræm] *n* programa *m*. − 2 *t* programar. ▲ US *y* COMPUT *se escribe **program*.**

programmer, US **programer** ['prəʊɡræmər] *n* programador,-ra.

progress ['prəʊɡres] *n* progreso, avance *m*. − 2 *i* progresar, avanzar. ●*to make ~,* avanzar; *(improve)* mejorar. ▲ *En 2 (verbo)* [prəʊ'ɡres].

progressive [prə'ɡresɪv] *adj* progresivo,-a. − 2 *adj-n* POL progresista *(mf)*.

prohibit [prə'hɪbɪt] *t* prohibir.

prohibition [prəʊɪ'bɪʃən] *n* prohibición.

project ['prɒdʒekt] *n* proyecto. − 2 *t* proyectar. − 3 *i* sobresalir. ▲ *En 2 y 3 (verbo)* [prə'dʒekt].

projectile [prə'dʒektaɪl] *n* proyectil *m*.

projector [prə'dʒektər] *n* proyector *m*.

proletarian [prəʊlə'teərɪən] *adj* proletario,-a.

proletariat [prəʊlə'teərɪət] *n* proletariado.

proliferate [prə'lɪfəreɪt] *i* proliferar.

proliferation [prəlɪfə'reɪʃən] *n* proliferación.

prolific [prə'lɪfɪk] *adj* prolífico,-a.

prologue ['prəʊlɒɡ] *n* prólogo.

prolong [prə'lɒŋ] *t* prolongar, alargar.

promenade [prɒmə'nɑːd] *n* paseo (marítimo).

prominence ['prɒmɪnəns] *n* prominencia. 2 *fig* importancia.

prominent ['prɒmɪnənt] *adj* prominente. 2 *fig* importante.

promiscuous [prə'mɪskjʊəs] *adj* promiscuo,-a.

promise ['prɒmɪs] *n* promesa. − 2 *t-i* prometer.

promising ['prɒmɪsɪŋ] *adj* prometedor,-ra.

promontory ['prɒməntərɪ] *n* promontorio.

promote [prə'məʊt] *t (in rank)* promover, ascender. 2 *(encourage)* promover, fomentar. 3 COM promocionar. ●*SP to be promoted,* subir de categoría.

promotion [prə'məʊʃən] *n* promoción. 2 *(encouragement)* fomento.

prompt [prɒmpt] *adj* pronto,-a, rápido,-a. 2 *(punctual)* puntual. − 3 *adv* en punto. − 4 *t (move)* motivar. 5 THEAT apuntar.

prompter ['prɒmptər] *n* apuntador,-ra.

prone [prəʊn] *adj* boca abajo. ●~ *to*, propenso,-a a.

prong [prɒŋ] *n* púa.

pronoun ['prəʊnaʊn] *n* pronombre *m*.

pronounce [prə'naʊns] *t* pronunciar. **2** *(declare)* declarar. ●*to* ~ *sentence*, dictar sentencia.

pronounced [prə'naʊnst] *adj* pronunciado,-a, marcado,-a.

pronunciation [prənʌnsɪ'eɪʃən] *n* pronunciación.

proof [pru:f] *n gen* prueba. **2** *(alcohol)* graduación. ●~ *against*, a prueba de.

prop [prɒp] *n* puntual. **2** *fig* apoyo. **3** THEAT accesorio. − **4** *t to* ~ *(up)*, apuntalar. **5** *fig* apoyar, sostener.

propaganda [prɒpə'gændə] *n* propaganda.

propagate ['prɒpəgeɪt] *t-i* propagar(se).

propagation [prɒpə'geɪʃən] *n* propagación.

propel [prə'pel] *t* propulsar, impulsar.

propeller [prə'pelə'] *n* hélice *f*.

propensity [prə'pensɪtɪ] *n* propensión.

proper ['prɒpə'] *adj (suitable)* adecuado,-a. **2** *(right)* correcto,-a. **3** *(decent)* decente. **4** *(after noun)* propiamente dicho,-a. **5** *fam (real)* auténtico,-a; *(as it should be)* como Dios manda, en condiciones. − **7** *properly adv* bien, correctamente. ■ ~ *noun*, nombre propio.

property ['prɒpətɪ] *n gen* propiedad. **2** THEAT accesorios *mpl*. ■ *personal* ~, bienes *mpl* personales.

prophecy ['prɒfəsɪ] *n* profecía.

prophesy ['prɒfəsaɪ] *t-i* predecir. **2** REL profetizar.

prophet ['prɒfɪt] *n* profeta *m*.

prophetic [prə'fetɪk] *adj* profético,-a.

propitiate [prə'pɪʃɪeɪt] *i* propiciar.

propitious [prə'pɪʃəs] *adj* propicio,-a.

proportion [prə'pɔ:ʃən] *n* proporción.

proportional [prə'pɔ:ʃənəl] proporcional.

proportionate [prə'pɔ:ʃənət] *adj* proporcionado,-a.

proposal [prə'pəʊzəl] *n* propuesta.

propose [prə'pəʊz] *t* proponer(se). − **2** *i* declararse *(to*, a).

proposition [prɒpə'zɪʃən] *n* proposición. **2** *(business)* negocio.

propound [prə'paʊnd] *t* exponer.

proprietor [prə'praɪətə'] *n* propietario,-a, dueño,-a.

propriety [prə'praɪətɪ] *n* corrección, decencia. **2** *(suitability)* conveniencia.

propulsion [prə'pʌlʃən] *n* propulsión.

prose [prəʊz] *n* prosa.

prosecute ['prɒsɪkju:t] *t* procesar, enjuiciar.

prosecution [prɒsɪ'kju:ʃən] *n (action)* proceso, juicio. **2** *(person)* parte acusadora.

prosecutor ['prɒsɪkju:tə'] *n* acusador,-ra. ■ *public* ~, fiscal *(mf)*.

prospect ['prɒspekt] *n* perspectiva. **2** *(probability)* probabilidad. − **3** *t* explorar. − **4** *i to* ~ *for*, buscar. ▲ *En* 3 *y* 4 *(verbo)* [prə'spekt].

prospective [prə'spektɪv] *adj* futuro,-a. **2** *(possible)* posible.

prospectus [prə'spektəs] *n* prospecto.

prosper ['prɒspə'] *i* prosperar.

prosperity [prɒ'sperɪtɪ] *n* prosperidad.

prosperous ['prɒspərəs] *adj* próspero,-a.

prostate ['prɒsteɪt] *n* próstata.

prostitute ['prɒstɪtju:t] *n* prostituta.

prostitution [prɒstɪ'tju:ʃən] *n* prostitución.

prostrate ['prɒstreɪt] *adj* postrado,-a. − **2** *t* postrar. ▲ *En* 2 *(verbo)* [prɒ'streɪt].

protagonist [prəʊ'tægənɪst] *n* protagonista *mf*.

protect [prə'tekt] *t* proteger.

protection [prə'tekʃən] *n* protección.

protective [prə'tektɪv] *adj* protector,-ra.

protector [prə'tektə'] *n (person)* protector,-ra. **2** *(thing)* protector *m*.

protégé(e) ['prəʊtəʒeɪ] *n* protegido,-a.

protein ['prəʊti:n] *n* proteína.

protest ['prəʊtest] *n* protesta. − **2** *t-i* protestar. ▲ *En* 2 *(verbo)* [prə'test].

Protestant ['prɒtɪstənt] *adj-n* protestante *(mf)*.

protocol ['prəʊtəkɒl] *n* protocolo.

prototype ['prəʊtətaɪp] *n* prototipo.

protracted [prə'træktɪd] *t* prolongado,-a.

protractor [prə'træktə'] *n* transportador *m*.

protrude [prə'tru:d] *i* sobresalir.

protruding [prə'tru:dɪŋ] *adj* saliente, prominente.

protuberance [prə'tju:bərəns] *n* protuberancia.

proud [praʊd] *adj* orgulloso,-a. ●*to be* ~ *of*, enorgullecerse de; *to be* ~ *to*, tener el honor de.

prove [pru:v] *t* probar, demostrar. − **2** *i (turn out to be)* resultar. ▲ *pp* **proved** o **proven** ['pru:vən].

proverb ['prɒvɜ:b] *n* proverbio, refrán *m*.

proverbial [prə'vɜ:bɪəl] *adj* proverbial.

provide [prə'vaɪd] *t* proporcionar, facilitar, suministrar. **2** *(law)* estipular.

punch

provided [prə'vaɪdɪd] *conj* ~ *(that)*, siempre que, con tal que.

providence ['prɒvɪdəns] *n* providencia.

provident ['prɒvɪdənt] *adj* previsor,-ra.

provindential [prɒvɪ'denʃəl] *adj* providencial.

providing [prə'vaɪdɪŋ] *conj* → **provided**.

province ['prɒvɪns] *n* provincia. ●*fig it's not my ~*, no es de mi competencia/incumbencia.

provincial [prə'vɪnʃəl] *adj* provincial. 2 *pej* provinciano,-a,

provision [prə'vɪʒən] *n* provisión. 2 JUR disposición. ●*to make ~ for*, prever.

provisional [prə'vɪʒənəl] *adj* provisional.

proviso [prə'vaɪzəʊ] *n* condición.

provocative [prə'vɒkətɪv] *adj* provocativo,-a.

provoke [prə'vəʊk] *t* provocar.

provoking [prə'vəʊkɪŋ] *adj* provocador,-ra.

prow [praʊ] *n* proa.

prowess ['praʊəs] *n* destreza, habilidad.

prowl [praʊl] *i* merodear.

proximity ['prɒksɪmɪtɪ] *n* proximidad.

proxy ['prɒksɪ] *n* poder *m*. 2 *(person)* apoderado,-a. ●*by ~*, por poder(es).

prude [pru:d] *n* remilgado,-a, mojigato,-a.

prudence ['pru:dəns] *n* prudencia.

prudent ['pru:dənt] *adj* prudente.

prudish ['pru:dɪʃ] *adj* remilgado,-a.

prune [pru:n] *n* ciruela pasa. – 2 *t* podar.

pry [praɪ] *i* husmear. – 2 *t* → **pise**.

psalm [sɑ:m] *n* salmo.

pseudonym ['su:dənɪm] *n* seudónimo.

psyche ['saɪkɪ] *n* psique *f*.

psychiatrist [saɪ'kaɪətrɪst] *n* psiquiatra *mf*.

psychoanalysis [saɪkəʊə'nælɪsɪs] *n* psicoanálisis *m inv*.

psychoanalyst [saɪkəʊ'ænəlɪst] *n* psicoanalista *mf*.

psychological [saɪkə'lɒdʒɪkəl] *adj* psicológico,-a.

psychologist [saɪ'kɒlədʒɪst] *n* psicólogo,-a.

psychology [saɪ'kɒlədʒɪ] *n* psicología.

psychopath ['saɪkəʊpæθ] *n* psicópata *mf*.

psychosis [saɪ'kəʊsɪs] *n* psicosis *f inv*.

pub [pʌb] *n* bar *m*, pub *m*, taberna.

puberty ['pju:bətɪ] *n* pubertad.

pubic ['pju:bɪk] *adj* púbico,-a.

public ['pʌblɪk] *adj-n* público,-a *(m)*. ■ ~ *house*, bar *m*, pub *m*.

publication [pʌblɪ'keɪʃən] *n* publicación.

publicity [pʌ'blɪsɪtɪ] *n* publicidad.

publicize [pʌblɪ'saɪz] *t* divulgar, hacer público,-a. 2 *(advertise)* promocionar.

publish ['pʌblɪʃ] *t* publicar, editar.

publisher ['pʌblɪʃəʳ] *n* editor,-ra. 2 *(company)* editorial *f*.

pucker ['pʌkəʳ] *n* arruga, pliegue *m*. – 2 *t* arrugar, plegar.

pudding ['pʊdɪŋ] *n* budín *m*, pudín *m*. 2 *fam* postre *m*.

puddle ['pʌdəl] *n* charco.

puerile ['pjʊəraɪl] *adj* pueril.

puff [pʌf] *n* soplo, bufido. 2 *(at cigarette)* fumada; *(of smoke)* humareda. – 3 *i* soplar. 4 *(pant)* jadear. ◆*to ~ up t-i* hinchar(se). ■ ~ *pastry*, hojaldre *m*.

puke ['pju:k] *i fam* vomitar.

pull [pʊl] *n* tirón *m*, sacudida. 2 *(on drawer etc.)* tirador *m*. 3 *(attraction)* atracción. 4 *fam (influence)* influencia. – 5 *t* tirar de, dar un tirón a. 6 *(drag)* arrastrar. 7 *fam (attract)* atraer. – 8 *i* tirar. ◆*to ~ away i* salir. ◆*to ~ down t* derribar. ◆*to ~ in t* atraer. – 2 *i (train)* entrar en la estación. ◆*to ~ off t* llevar a cabo. ◆*to ~ out t* arrancar. – 2 *i (train)* salir de la estación. 3 *(withdraw)* retirarse. ◆*to ~ through i* reponerse. ◆*to ~ together i* trabajar como equipo. – 2 *t o.s. to~ gether*, serenarse. ◆*to ~ up t* arrancar. – 2 *i* detenerse. ●*to ~ a face*, hacer una mueca; *to ~ a gun on sb.*, amenazar a algn. con una pistola; *to ~ sb.'s leg*, tomar el pelo a algn.; *to ~ sth. to pieces*, hacer algo a pedazos; *to ~ strings*, tocar teclas; *fam to ~ a fast one on sb.*, hacer una mala jugada a algn.

pulley ['pʊlɪ] *n* polea.

pullover ['pʊləʊvəʳ] *n* pullover *m*.

pulp [pʌlp] *n* pulpa. 2 *(wood)* pasta.

pulpit ['pʊlpɪt] *n* púlpito.

pulsate [pʌl'seɪt] *i* pulsar, latir.

pulse [pʌls] *n* pulsación. 2 ANAT pulso. 3 BOT legumbre *f*. – 4 *i* pulsar, latir.

pulverize ['pʌlvəraɪz] *t* pulverizar.

puma ['pju:mə] *n* puma *m*.

pumice stone ['pʌmɪsstəʊn] *n* piedra pómez.

pump [pʌmp] *n* bomba. 2 *(shoe)* zapatilla. – 3 *t* bombear. 4 *fam (for information)* sonsacar. ■ *petrol ~*, surtidor de gasolina.

pumpkin ['pʌmpkɪn] *n* calabaza.

pun [pʌn] *n* juego de palabras.

Punch [pʌntʃ] *n* polichinela *m*.

punch [pʌntʃ] *n (blow)* puñetazo. 2 *(drink)* ponche *m*. 3 *(tool)* punzón *m*; *(for tickets)* taladro. 4 *fig* empuje *m*. – 5 *t* dar un puñetazo a. 6 *(make a hole in)* taladrar; *(ticket)* picar.

punch-up ['pʌntʃʌp] *n fam* riña, pelea.

punctilious [pʌŋk'tɪlɪəs] *adj* puntilloso,-a.

punctual ['pʌŋktjʊəl] *adj* puntual.

punctuality [pʌŋktjʊ'ælɪtɪ] *n* puntualidad.

punctuate ['pʌŋktjʊeɪt] *t* puntuar.

punctuation [pʌŋktjʊ'eɪʃən] *n* puntuación.

puncture ['pʌŋktʃə'] *n* pinchazo. – 2 *t-i* pinchar(se).

pungent ['pʌndʒənt] *adj (smell)* acre. 2 *(taste)* picante. 3 *fig* mordaz.

punish ['pʌnɪʃ] *t* castigar.

punishment ['pʌnɪʃmənt] *n* castigo.

punk [pʌŋk] *n fam* punk *mf*.

punnet ['pʌnɪt] *n* cestita.

punt [pʌnt] *n* batea. – 2 *i* ir en batea. 3 GB *fam* apostar.

punter ['pʌntə'] *n fam* apostante *mf*. 2 *(customer)* cliente,-a *m,f*.

puny ['pju:nɪ] *adj* endeble, canijo,-a.

pup [pʌp] *n* cachorro,-a.

pupil ['pju:pɪl] *n* alumno,-a. 2 ANAT pupila.

puppet ['pʌpɪt] *n* títere *m*, marioneta. 2 *fig* títere.

puppy ['pʌpɪ] *n* cachorro,-a.

purchase ['pɜ:tʃəs] *n* compra. 2 *(hold)* agarre *m*. – 3 *t* comprar, adquirir. ■ *purchasing power*, poder *m* adquisitivo.

purchaser ['pɜ:tʃəsə'] *n* comprador,-ra.

pure ['pjʊə'] *adj* puro,-a. – 2 *purely adv* simplemente.

purée ['pjʊəreɪ] *n* puré *m*. – 2 *t* hacer un puré de.

purgative ['pɜ:gətɪv] *n* purgante *m*.

purgatory ['pɜ:gətərɪ] *n* purgatorio.

purge [pɜ:dʒ] *n* purga. – 2 *t* purgar.

purification [pjʊərɪ'keɪʃən] *n* purificación. 2 *(of water)* depuración.

purifier ['pjʊərɪfaɪə'] *n* purificador *m*.

Puritan ['pjʊərɪtən] *adj-n* puritano,-a.

purity ['pjʊərɪtɪ] *n* pureza.

purple ['pɜ:pəl] *adj* purpúreo,-a, morado,-a. – 2 *n* púrpura, color *m* morado.

purport [pɜ:'pɔ:t] *n* significado. – 2 *t* pretender, dar a entender.

purpose ['pɜ:pəs] *n* propósito. 2 *(use)* utilidad. – 3 *purposely adv* a propósito. ●*on ~*, de propósito.

purposeful ['pɜ:pəsful] *adj* decidido,-a.

purr [pɜ:'] *n* ronroneo. – 2 *i* ronronear.

purse [pɜ:s] *n* GB monedero. 2 US bolso. 3 *(prize)* premio. – 4 *t* apretar.

pursue [pə'sju:] *t* perseguir. 2 *(studies)* seguir.

pursuer [pə'sju:ə'] *n* perseguidor,-ra.

pursuit [pə'sju:t] *n* persecución. 2 *(occupation)* actividad, pasatiempo.

purveyor [pɜ:'veɪə'] *n* proveedor,-ra.

pus [pʌs] *n* pus *m*.

push [pʊʃ] *n* empujón *m*, empuje *m*. – 2 *t-i gen* empujar. – 3 *t (button)* pulsar, apretar. 4 *fam (try to sell)* promocionar. 5 *fam (person)* presionar. ◆*to ~ around* *t* dar órdenes a. ◆*to ~ off* *i fam* largarse. ◆*to ~ on* *i* seguir, continuar. ●*to give sb. the ~*, poner a algn. de patitas en la calle; *to ~ one's luck*, arriesgarse demasiado.

pushchair ['pʊʃtʃeə'] *n* sillita (de ruedas).

pusher ['pʊʃə'] *n fam (of drugs)* camello.

pushover ['pʊʃəʊvə'] *n fam it's a ~*, está chupado.

pushy ['pʊʃɪ] *adj fam* insistente.

pussy ['pʊsɪ] *n* minino.

put [pʊt] *t gen* poner, colocar. 2 *(express)* expresar. 3 *(write)* escribir. 4 SP *(shot)* lanzar. ◆*to ~ across* *t* comunicar. ◆*to ~ aside* *t* guardar. ◆*to ~ away* *t* guardar. ◆*to ~ back* *t* atrasar. 2 *(replace)* volver a su sitio. ◆*to ~ down* *t* dejar. 2 *(rebellion)* sofocar. 3 *(animal)* sacrificar. 4 *(write)* apuntar, escribir. 5 *fam (humble)* humillar. ◆*to ~ down to* *t* atribuir a. ◆*to ~ forward* *t* proponer. ◆*to ~ in* *i (ship)* hacer escala. ◆*to ~ in for* *t* solicitar. ◆*to ~ off* *t (postpone)* aplazar. 2 *(distract)* distraer. 3 *(discourage)* desanimar, quitar las ganas a uno. ◆*to ~ on* *t gen* poner. 2 *(clothes, glasses, etc.)* ponerse. 3 *(weight, speed)* ganar. 4 *(play, show)* montar. ◆*to ~ out* *t (fire, light)* apagar. 2 *(cause trouble to)* molestar. ◆*to ~ over* *t* comunicar. ◆*to ~ through* *t (on 'phone)* conectar *(to, con)*. ◆*to ~ to* *t* proponer. ◆*to ~ together* *t (gather)* reunir, juntar. 2 *(assemble)* montar. ◆*to ~ up* *t (lodge)* alojar. 2 *(tent)* armar. 3 *(building)* construir. 4 *(things on wall)* colocar. 5 *(prices, taxes)* aumentar, subir. ◆*to ~ up with* *t* soportar, aguantar. ●*~ together*, juntos,-as; *to be hard ~ to do sth.*, hacérsele a uno cuesta arriba hacer algo; *to ~ an end to*, acabar con; *to ~ a question to sb.*, hacerle una pregunta a algn.; *to ~ it about that*, hacer correr la voz que; *to ~ one over on sb.*, engañar a algn.; *to ~ right*, arreglar; *to ~ sb. up to sth.*, incitar a algn. a hacer algo; *to ~ the blame on*, echar la culpa a; *to ~ the clocks back/forward*, retrasar/adelantar la hora; *to ~ to bed*, acostar; *to* ~ *to death,* ejecutar; *to* ~ *to sea,* zarpar; *to* ~ *to the vote,* someter a votación; *to* ~ *two and two together,* atar cabos; *to* ~ *up a fight,* ofrecer resistencia; *to* ~ *up for sale,* poner en venta; *fam to* ~ *paid to,* acabar con; *fam to stay* ~, quedarse quieto,-a.

putrefy ['pjuːtrɪfaɪ] *i* pudrirse.

putsch [pʊtʃ] *n* golpe *m* de estado.

putrid ['pjuːtrɪd] *adj* pútrido,-a.

putt [pʌt] *n* tiro al hoyo. – **2** *t-i* tirar al hoyo.

putty ['pʌtɪ] *n* masilla.

puzzle ['pʌzəl] *n* rompecabezas *m inv,* puzle *m.* **2** *(mystery)* misterio. – **3** *t* dejar

perplejo,-a. ◆*to* ~ *out t* descifrar, resolver. ●*to* ~ *about/over sth.,* dar vueltas a algo (en la cabeza).

puzzled ['pʌzəld] *adj* perplejo,-a.

puzzling ['pʌzəlɪŋ] *adj* extraño,-a.

pygmy ['pɪgmɪ] *adj-n* pigmeo,-a, enano,-a.

pyjamas [pə'dʒɑːməz] *npl* pijama *m sing.*

pylon ['paɪlən] *n* torre *f* (de tendido eléctrico).

pyramid ['pɪrəmɪd] *n* pirámide *f.*

pyre ['paɪəʳ] *n* pira, hoguera.

pyromaniac [paɪrəʊ'meɪnɪæk] *n* pirómano,-a.

python ['paɪθən] *n* pitón *m.*

Q

quack [kwæk] *n* graznido. **2** *(doctor)* curandero,-a. – **3** *i* graznar.

quad [kwɒd] *n* GB patio interior. **2** *fam (quadruplet)* cuatrillizo,-a.

quadrangle ['kwɒdræŋgəl] *n* patio interior.

quadrant ['kwɒdrənt] *n* cuadrante *m*.

quadraphonic [kwɒdrə'fɒnɪk] *adj* cuadrafónico,-a.

quadruped ['kwɒdrəped] *n* cuadrúpedo.

quadruple ['kwɒdrʊpəl] *n* cuádruplo. – **2** *adj* cuádruple. – **3** *t-i* cuadruplicar(se).

quadruplet ['kwɒdrʊplət] *n* cuatrillizo,-a.

quagmire ['kwɒgmaɪəʳ] *n* cenagal *m*.

quail [kweɪl] *n* codorniz *f*. – **2** *i* acobardarse.

quaint [kweɪnt] *adj* pintoresco,-a, típico,-a. **2** *(odd)* singular, original.

quake [kweɪk] *n* *fam* terremoto. – **2** *i* temblar.

Quaker ['kweɪkəʳ] *adj-n* cuáquero,-a.

qualification [kwɒlɪfɪ'keɪʃən] *n (for job)* requisito. **2** *(paper)* diploma *m*, título. **3** *(reservation)* reserva, salvedad.

qualified ['kwɒlɪfaɪd] *adj (for job)* capacitado,-a.

qualify ['kwɒlɪfaɪ] *t (entitle)* capacitar. **2** *(modify)* modificar, matizar. – **3** *i* reunir las condiciones necesarias. **4** *(obtain degree)* obtener el título *(as,* de). **5** SP calificarse.

qualitative ['kwɒlɪtətɪv] *adj* cualitativo,-a.

quality ['kwɒlɪtɪ] *n* calidad. **2** *(attribute)* cualidad.

qualm [kwɑːm] *n* duda, inquietud. ●*to have no qualms about doing sth.,* no tener escrúpulos en hacer algo.

quandary ['kwɒndərɪ] *n* dilema *m*.

quantify ['kwɒntɪfaɪ] *t* cuantificar.

quantity ['kwɒntɪtɪ] *n* cantidad.

quarantine ['kwɒrəntiːn] *n* cuarentena. – **2** *t* poner en cuarentena.

quarrel ['kwɒrəl] *n* riña, disputa. – **2** *i* reñir, pelear, disputar.

quarrelsome ['kwɒrəlsəm] *adj* pendenciero,-a.

quarry ['kwɒrɪ] *n* cantera. **2** *(in hunting)* presa. – **3** *t* extraer.

quart [kwɔːt] *n* cuarto de galón. ▲ GB = *1,14 litros;* US = *0,95 litros.*

quarter ['kwɔːtəʳ] *n* cuarto. **2** *(area)* barrio. **3** *(three months)* trimestre *m*. **4** US *(moneda de)* veinticinco centavos. **5** *pl* alojamiento *m sing*. – **6** *t* dividir en cuatro. **7** *(reduce)* reducir a la cuarta parte. **8** *(lodge)* alojar. ●*from all quarters,* de todas partes; *to give no ~,* no dar cuartel.

quarterfinal [kwɔːtə'faɪnəl] *n* cuarto de final.

quarterly ['kwɔːtəlɪ] *adj* trimestral. – **2** *adv* trimestralmente. – **3** *n* revista trimestral.

quartermaster ['kwɔːtəmɑːstəʳ] *n* oficial *m* de intendencia.

quartet [kwɔː'tet] *n* cuarteto.

quartz [kwɔːts] *n* cuarzo.

quash [kwɒʃ] *t* sofocar. **2** JUR anular.

quaver ['kweɪvəʳ] *n (note)* corchea. **2** *(voice)* trémolo. – **3** *i* temblar.

quay [kiː] *n* muelle *m*.

queasy ['kwiːzɪ] *adj* mareado,-a.

queen [kwiːn] *n* reina. **2** *sl* loca. ■ *~ bee,* abeja reina; *~ mother,* reina madre.

queer [kwɪəʳ] *adj* raro,-a, extraño,-a. **2** *(ill)* malucho,-a. **3** *fam* gay. – **4** *n fam* gay *m*.

quell [kwel] *t* reprimir, sofocar.

quench [kwentʃ] *t* saciar. **2** *(fire)* apagar.

querulous ['kwerjʊləs] *adj* quejumbroso,-a.

query ['kwɪərɪ] *n* pregunta, duda. – 2 *t* poner en duda.

quest [kwest] *n* búsqueda.

question ['kwestʃən] *n* pregunta. 2 *(matter)* cuestión. 3 *(topic)* cuestión, problema, asunto. – 4 *t* hacer preguntas a, interrogar. 5 *(cast doubt on)* cuestionar, poner en duda. ●*out of the* ~, imposible; *to call into* ~, poner en duda. ■ ~ *mark,* interrogante *m.*

questionable ['kwestʃənəbəl] *adj* cuestionable, discutible. 2 *(doubtful)* dudoso,-a, sospechoso,-a.

questionnaire [kwestʃə'neəʳ] *n* cuestionario.

queue [kju:] *n* cola. – 2 *i* hacer cola.

quibble ['kwɪbəl] *n* pega. – 2 *i* poner pegas.

quick [kwɪk] *adj* rápido,-a. 2 *(clever)* espabilado,-a, despierto,-a. – 3 *quickly adv* rápido, rápidamente. ●*to cut to the* ~, herir en lo vivo; *to have a* ~ *temper,* tener un genio vivo.

quicken ['kwɪkən] *t-i* acelerar(se).

quickie ['kwɪkɪ] *n fam* uno,-a rápido,-a.

quicksand ['kwɪksænd] *n* arenas *fpl* movedizas.

quick-tempered [kwɪk'tempəd] *adj* de genio vivo.

quick-witted [kwɪk'wɪtɪd] *adj* agudo,-a, listo,-a.

quid [kwɪd] *n inv fam* GB libra.

quiet ['kwaɪət] *adj (silent)* callado,-a, silencioso,-a. 2 *(peaceful)* tranquilo,-a. – 3 *n (silence)* silencio. 4 *(calm)* tranquilidad, calma. – 5 *t-i* US → **quieten**. – 6 *quietly adv* silenciosamente, sin hacer ruido. ●*on the* ~, a la chita callando.

quieten ['kwaɪətən] *t-i* callar(se). 2 *(calm down)* tranquilizar(se).

quietness ['kwaɪətnəs] *n (silence)* silencio. 2 *(calm)* tranquilidad .

quill [kwɪl] *n (feather)* pluma. 2 *(spine)* púa.

quilt [kwɪlt] *n* colcha, edredón *m.* – 2 *t* acolchar.

quince [kwɪns] *n* membrillo.

quinine ['kwɪniːn] *n* quinina.

quintessence [kwɪn'tesəns] *n* quintaesencia.

quintet [kwɪn'tet] *n* quinteto.

quintuplet [kwɪn'tjʊplət] *n* quintillizo,-a.

quip [kwɪp] *n* ocurrencia, chiste *m.* – 2 *i* bromear.

quirk [kwɜːk] *n* manía. 2 *(of fate)* avatar *m.*

quirky ['kwɜːkɪ] *adj* raro,-a.

quit [kwɪt] *t* dejar, abandonar. 2 *(stop)* dejar de. – 3 *i* marcharse. ●*to call it quits,* hacer las paces.

quite [kwaɪt] *adv (rather)* bastante. 2 *(totally)* completamente, realmente, verdaderamente: *I* ~ *understand,* lo entiendo perfectamente.

quiver ['kwɪvəʳ] *n (for arrows)* carcaj *m.* 2 *(tremble)* temblor *m.* – 3 *i* temblar, estremecerse.

quiz [kwɪz] *n* RAD TV concurso. – 2 *t* preguntar.

quoit [kwɔɪt] *n* tejo.

quorum ['kwɔːrəm] *n* quórum *m.*

quota ['kwəʊtə] *n (share)* cuota. 2 *(fixed limit)* cupo.

quotation [kwəʊ'teɪʃən] *n* cita. 2 FIN cotización. 3 COM presupuesto. ■ ~ *marks,* comillas *fpl.*

quote [kwəʊt] *n* cita. – 2 *t* citar. 3 COM dar el precio de. 4 FIN cotizar.

quotient ['kwəʊʃənt] *n* cociente *m.*

R

rabbi ['ræbaɪ] n rabí m, rabino.
rabbit ['ræbɪt] n conejo. •to ~ on, no parar de hablar.
rabble ['ræbəl] n populacho.
rabble-rouser ['ræbəlraʊzəʳ] n pej demagogo,-a.
rabid ['ræbɪd] adj rabioso,-a. 2 fig furioso,-a.
rabies ['reɪbiːz] n rabia.
rac(c)oon [rə'kuːn] n mapache m.
race [reɪs] n (people) raza. 2 SP carrera. – 3 i correr, competir.
racecourse ['reɪskɔːs] n GB hipódromo.
racehorse ['reɪhɔːs] n caballo de carreras.
racial ['reɪʃəl] adj racial.
racing ['reɪsɪŋ] n carreras fpl.
racism ['reɪsɪzəm] n racismo.
racist ['reɪsɪst] adj-n racista (mf).
rack [ræk] n estante m. 2 AUTO baca. 3 (on train) rejilla. 4 (for plates) escurreplatos m inv. 5 (for torture) potro. – 6 t atormentar. •to ~ one's brains, devanarse los sesos.
racket ['rækɪt] n SP raqueta. 2 (din) alboroto, ruido. 3 fam (fraud) timo.
racketeer [rækə'tɪəʳ] n timador,-ra.
raconteur [rækɒn'tɜːʳ] n anecdotista mf.
racy ['reɪsɪ] adj atrevido,-a.
radar ['reɪdɑːʳ] n radar m.
radial ['reɪdɪəl] adj radial.
radiance ['reɪdɪəns] n resplandor m.
radiant ['reɪdɪənt] adj radiante.
radiate ['reɪdɪeɪt] t-i irradiar.
radiation [reɪdɪ'eɪʃən] n radiación.
radiator ['reɪdɪeɪtəʳ] n radiador m.
radical ['rædɪkəl] adj-n radical (mf).
radio ['reɪdɪəʊ] n radio f.
radioactive [reɪdɪəʊ'æktɪv] adj radiactivo,-a.
radioactivity [reɪdɪəʊæk'tɪvɪtɪ] n radiactividad.

radio-controlled [reɪdɪəʊkɒn'trəʊld] adj teledirigido,-a.
radish ['rædɪʃ] n rábano.
radium ['reɪdɪəm] n radio.
radius ['reɪdɪəs] n radio. ▲ pl radii ['reɪdɪaɪ].
raffle ['ræfəl] n rifa. – 2 t-i rifar, sortear.
raft [rɑːft] n balsa.
rafter ['rɑːftəʳ] n viga.
rag [ræg] n harapo, andrajo, pingajo. 2 (for cleaning) trapo. 3 (joke) broma pesada. 4 fam (newspaper) periódico malo. 5 GB función benéfica universitaria. – 6 t gastar bromas a. •in rags, harapiento,-a, andrajoso,-a.
ragamuffin ['rægəmʌfɪn] n pilluelo,-a.
ragbag ['rægbæg] n fam mezcolanza.
rage [reɪdʒ] n rabia, furor m, cólera. – 2 i (person) rabiar. 3 (fire etc.) hacer estragos. •to be all the ~, hacer furor; to fly into a ~, montar en cólera.
ragged ['rægɪd] adj (person) andrajoso,-a, harapiento,-a. 2 (clothes) roto,-a, deshilachado,-a.
raid [reɪd] n MIL incursión, ataque m. 2 (by police) redada. 3 (robbery) atraco. – 4 t MIL hacer una incursión en. 5 (police) hacer una redada en. 6 (rob) atracar, asaltar.
raider ['reɪdəʳ] n MIL invasor,-ra. 2 (robber) atracador,-ra, asaltante mf.
rail [reɪl] n barra. 2 (handrail) pasamano, barand(ill)a. 3 (for train) raíl m, carril m, riel m. •to ~ against, despotricar contra. ■ ~ strike, huelga de ferroviarios.
railings ['reɪlɪŋz] npl verja f sing.
railway ['reɪlweɪ], US **railroad** ['reɪlrəʊd] n ferrocarril m.
rain [reɪn] n lluvia. – 2 i llover.
rainbow ['reɪnbəʊ] n arco iris.
raincoat ['reɪnkəʊt] n impermeable m.

ratify

rainfall ['reɪnfɔːl] *n* precipitación. **2** *(quantity)* pluviosidad.

rainy ['reɪnɪ] *adj* lluvioso,-a.

raise [reɪz] *n* US → **rise.** – **2** *t (lift up)* levantar. **3** *(increase)* subir, aumentar. **4** *(laugh etc.)* provocar. **5** *(children)* criar, educar. **6** *(matter)* plantear.

raisin ['reɪzən] *n* pasa.

raja(h) ['rɑːdʒə] *n* rajá *m*.

rake [reɪk] *n (tool)* rastrillo. **2** *(man)* libertino. – **3** *t* rastrillar. ●*to be raking it in,* estar forrándose; *to ~ up the past,* desenterrar el pasado.

rake-off ['reɪkɒf] *n sl* tajada.

rally ['rælɪ] *n* reunión. **2** POL mitin *m*. **3** AUTO rally *m*. **4** *(tennis)* intercambio (de golpes). – **5** *i* reponerse. ◆*to ~ round i* unirse.

ram [ræm] *n* ZOOL carnero. **2** TECH pisón *m*. – **3** *t* TECH apisonar. **4** *(cram)* apretar, embutir. **5** *(crash into)* chocar contra. ■ *battering ~,* ariete *m*.

ramble ['ræmbəl] *n* excursión. – **2** *i* ir de excursión. **3** *(digress)* divagar.

rambler ['ræmblə^r] *n* excursionista *mf*.

rambling ['ræmblɪŋ] *adj (speech etc.)* enmarañado,-a. **2** *(house etc.)* laberíntico,-a.

ramp [ræmp] *n* rampa.

rampage [ræm'peɪdʒ] *i* comportarse como un loco.

rampant ['ræmpənt] *adj* incontrolado,-a.

rampart ['ræmpɑːt] *n* muralla.

ramshackle ['ræmˌʃækəl] *adj* destartalado,-a.

ran [ræn] *pt* → **run.**

ranch [rɑːntʃ] *n* rancho, hacienda.

rancher ['rɑːntʃə^r] *n* ranchero,-a.

rancid ['rænsɪd] *adj* rancio,-a.

rancorous ['ræŋkərəs] *adj* rencoroso,-a.

rancour ['ræŋkə^r] *n* rencor *m*.

random ['rændəm] *adj* fortuito,-a. ●*at ~,* al azar.

randy ['rændɪ] *adj fam* cachondo,-a.

rang [ræŋ] *pp* → **ring.**

range [reɪndʒ] *n (choice)* gama, surtido. **2** *(reach)* alcance *m*. **3** *(of mountains)* cordillera, sierra. – **4** *i* variar, oscilar: *they ~ from ... to...,* van desde ... hasta ... . **5** *(wander)* vagar *(over,* por). ■ *firing ~,* campo de tiro.

rank [ræŋk] *n (line)* fila. **2** MIL *(position)* graduación. – **3** *i (be)* figurar, estar. – **4** *adj (plants)* exuberante. **5** *(smelly)* fétido,-a. **6** *(complete)* total, completo,-a.

ranking ['ræŋkɪŋ] *n* clasificación, ranking *m*.

rankle ['ræŋkəl] *i* doler.

ransack ['rænsæk] *t* saquear, desvalijar. **2** *(search)* registrar.

ransom ['rænsəm] *n* rescate *m*. **2** *t* rescatar. ●*to hold to ~,* pedir rescate por.

rant [rænt] *i* vociferar.

rap [ræp] *n* golpe *m* seco. **2** MUS rap *m*. – **3** *i* golpear. ●*to take the~,* pagar el pato.

rape [reɪp] *n* violación. **2** BOT colza. – **3** *t* violar.

rapid ['ræpɪd] *adj* rápido,-a. – **2** *npl* rápidos *mpl*.

rapidity [rə'pɪdɪtɪ] *n* rapidez *f*.

rapier ['reɪpɪə^r] *n* estoque *m*.

rapist ['reɪpɪst] *n* violador,-ra.

rapport [ræ'pɔː^r] *n* compenetración.

rapt [ræpt] *adj* arrebatado,-a, absorto,-a.

rapture ['ræptʃə^r] *n* éxtasis *m inv*.

rapturous ['ræptʃərəs] *adj* entusiasta.

rare [reə^r] *adj (uncommom)* poco común, raro,-a. **2** *(air)* enrarecido,-a. **3** CULIN poco hecho,-a. – **4** *rarely adv* raras veces.

rarefied ['reərɪfaɪd] *adj* enrarecido,-a.

rarity ['reərɪtɪ] *n* rareza.

raring ['reərɪŋ] *adj fam* con unas ganas locas de.

rascal ['rɑːskəl] *n* bribón *m*, pillo.

rash [ræʃ] *adj* imprudente. – **2** *n* MED sarpullido. **3** *(series)* sucesión.

rasher ['ræʃə^r] *n (of bacon)* loncha.

rasp [rɑːsp] *n* escofina. – **2** *t* raspar. **3** *(say)* decir con voz áspera.

raspberry ['rɑːzbərɪ] *n* frambuesa. **2** *fam (noise)* pedorreta.

rasping ['rɑːspɪŋ] *adj (voice)* áspero,-a.

rat [ræt] *n* rata. **2** *fam* canalla *m*. ●*to ~ on sb./a promise,* chivar a algn./romper una promesa; *to smell a ~,* olerse algo raro.

ratchet ['rætʃɪt] *n* trinquete *m*.

rate [reɪt] *n* tasa, índice *m*. **2** *(speed)* velocidad. **3** *(price)* tarifa, precio. **4** *pl* GB contribución *f sing* urbana. – **5** *t* considerar. **6** *(fix value)* tasar. ●*at any ~,* de todos modos; *at the ~ of,* a razón de; *first/second ~,* de primera/segunda (categoría). ■ *exchange/interest ~,* tipo de cambio/interés.

ratepayer ['reɪtpeɪə^r] *n* GB contribuyente *mf*.

rather ['rɑːðə^r] *adv* bastante, algo, un tanto. ●*I would ~,* preferiría; *or ~,* o mejor dicho; *~ than,* en vez de, mejor que.

ratify ['rætɪfaɪ] *t* ratificar.

rating ['reɪtɪŋ] *n* valoración. 2 MAR marinero. 3 *pl* TV índice *m sing* de audiencia.

ratio ['reɪʃɪəʊ] *n* razón *f*, relación, proporción.

ration ['ræʃən] *n* ración. — 2 *t* racionar.

rational ['ræʃənəl] *adj* racional.

rationale [ræʃə'nɑːl] *n* fundamento.

rationalize ['ræʃənəlaɪz] *t* racionalizar.

rationing ['ræʃənɪŋ] *n* racionamiento.

rattle ['rætəl] *n* (baby's) sonajero. 2 (instrument) carraca, matraca. 3 (noise) traqueteo. — 4 *t-i* (hacer) sonar. — 5 *t fam* poner nervioso,-a. ◆*to ~ off t* decir/escribir a toda prisa. ◆*to ~ on i* hablar sin parar. ◆*to ~ through t* despachar rápidamente.

rattlesnake ['rætəlsneɪk] *n* serpiente *f* de cascabel.

ratty ['rætɪ] *adj fam* malhumorado,-a.

raucous ['rɔːkəs] *adj* estridente.

raunchy ['rɔːntʃɪ] *adj fam* lujurioso,-a.

ravage ['rævɪdʒ] *n* estrago. — 2 *t* devastar.

rave [reɪv] *i* delirar. 2 (rage) enfurecerse. 3 *fam* entusiasmarse.

raven ['reɪvən] *n* cuervo.

ravenous ['rævənəs] *adj* voraz.

rave-up ['reɪvʌp] *n fam* juerga.

ravine [rə'viːn] *n* barranco.

raving ['reɪvɪŋ] *adj-adv* de atar. ● ~ *mad*, loco,-a de atar.

ravish ['rævɪʃ] *t* extasiar. 2 (rape) violar.

ravishing ['rævɪʃɪŋ] *adj* encantador,-ra.

raw [rɔː] *adj* (uncooked) crudo,-a. 2 (unprocessed) bruto,-a. 3 (inexperienced) novato,-a. 4 (weather) crudo,-a. ■ ~ *material(s)*, materia prima.

ray [reɪ] *n* rayo. 2 (fish) raya.

rayon ['reɪɒn] *n* rayón *m*.

raze [reɪz] *t* arrasar.

razor ['reɪzər] *n* navaja de afeitar. 2 (electric) maquinilla de afeitar.

re [riː] *prep* respecto a, con referencia a.

reach [riːtʃ] *n* alcance *m*. — 2 *t-i* (arrive) llegar (a). 3 (be able to touch) alcanzar, llegar (a). — 4 *t* (contact) contactar. 5 (pass) alcanzar. ●*within ~ of*, al alcance de.

react [rɪ'ækt] *i* reaccionar.

reaction [rɪ'ækʃən] *n* reacción.

reactionary [rɪ'ækʃənərɪ] *adj-n* reaccionario,-a.

read [riːd] *t* leer. 2 (decipher) descifrar. 3 (interpret) interpretar. 4 (at university) estudiar, cursar. — 5 *i* (instrument) indicar, marcar. 6 (sign, notice) decir, poner. ◆*to ~ up on t* investigar, buscar datos sobre. ▲ *pt & pp* **read** [red].

reader ['riːdər] *n* lector,-ra.

readily ['redɪlɪ] *adv* (easily) fácilmente. 2 (willingly) de buena gana.

readiness ['redɪnəs] *n* (willingness) disposición, buena voluntad. ●*in ~ for*, preparado,-a para.

reading ['riːdɪŋ] *n* lectura. 2 (of instrument) indicación.

readjust [riːə'dʒʌst] *t* reajustar.

ready ['redɪ] *n* preparado,-a, listo,-a. 2 (willing) dispuesto,-a. 3 (quick) rápido,-a.

ready-made [redɪ'meɪd] *adj* hecho,-a, confeccionado,-a.

real [rɪəl] *adj* real, verdadero,-a. 2 (genuine) genuino,-a, auténtico,-a. — 3 *adv fam* muy. — 4 *really adv* realmente, verdaderamente. ■ ~ *estate*, bienes *mpl* inmuebles.

realism ['rɪəlɪzəm] *n* realismo.

realistic [rɪə'lɪstɪk] *adj* realista.

reality [rɪ'ælɪtɪ] *n* realidad.

realization [rɪəlaɪ'zeɪʃən] *n* realización. 2 comprensión.

realize ['rɪəlaɪz] *t* darse cuenta de. 2 (carry out) realizar. 3 COM realizar.

realm [relm] *n* reino. 2 (field) campo, terreno.

reap [riːp] *t* cosechar.

reaper ['riːpər] *n* (person) segador,-ra. 2 (machine) segadora.

reappear [riːə'pɪər] *i* reaparecer.

reappearance ['riːəpɪərəns] *n* reaparición.

reappraisal [riːə'preɪzəl] *n* revaluación.

reappraise [riːə'preɪz] *t* revaluar.

rear [rɪər] *adj* trasero,-a, último,-a, posterior. — 2 *n* parte *f* de atrás. 3 (of room) fondo. 4 *fam* (of person) trasero. — 5 *t* (raise) criar. 6 (lift up) levantar. — 7 *i to ~ (up)*, encabritarse.

rearmament [riː'ɑːməmənt] *n* rearme *m*.

rearrange [riːə'reɪndʒ] *t* (objects) colocar de otra manera. 2 (event) cambiar la fecha/hora de.

rear-view ['rɪəvjuː] *adj* ~ *mirror*, retrovisor *m*.

reason ['riːzən] *n* razón *f*. — 2 *i* razonar. ●*it stands to ~*, es lógico.

reasonable ['riːzənəbəl] *adj* razonable.

reasoning ['riːzənɪŋ] *n* razonamiento.

reassurance [riːə'ʃʊərəns] *n* tranquilidad, consuelo.

reassure [riːə'ʃʊər] *t* tranquilizar, dar confianza a.

reassuring [riːə'ʃʊərɪŋ] *adj* tranquilizador,-ra.

rebate ['ri:beɪt] *n* FIN devolución.

rebel ['rebəl] *adj-n* rebelde *(mf)*. – **2** *i* rebelarse. ▲ *En 2 (verbo)* [rɪ'bel].

rebellion [rɪ'belɪən] *n* rebelión.

rebellious [rɪ'belɪəs] *adj* rebelde.

rebound ['ri:baʊnd] *n* rebote *m*. – **2** *i* rebotar. ●*on the* ~, de rebote. ▲ *En 2 (verbo)* [rɪ'baʊnd].

rebuff [rɪ'bʌf] *n* repulsa, desaire. – **2** *t* repulsar, desairar.

rebuild [ri:'bɪld] *t* reconstruir. ▲ *pt & pp* **rebuilt** [ri:'bɪlt].

rebuke [rɪ'bju:k] *n* reproche *m*. – **2** *t* reprender.

rebut [rɪ'bʌt] *t* refutar.

recalcitrant [rɪ'kælsɪtrənt] *adj* recalcitrante.

recall [rɪ'kɔ:l] *n* llamada. **2** *(memory)* memoria. – **3** *t* llamar. **4** *(withdraw)* retirar. **5** *(remember)* recordar.

recant [rɪ'kænt] *i* retractarse.

recap ['ri:kæp] *fam*, **recapitulate** [ri:-kə'pɪtjʊleɪt] *t-i* recapitular, resumir.

recapitulation [ri:kəpɪtjʊ'leɪʃən] *n* recapitulación, resumen *m*.

recapture [ri:'kæptʃəʳ] *t* volver a capturar. **2** *fig* hacer revivir.

recede [rɪ'si:d] *i* retroceder.

receipt [rɪ'si:t] *n* recibo. **2** *pl* COM entradas *fpl*.

receive [rɪ'si:v] *t* recibir.

receiver [rɪ'si:vəʳ] *n (person)* receptor,-ra. **2** RAD TV receptor *m*. **3** *(telephone)* auricular *m*.

recent ['ri:sənt] *adj* reciente.

receptacle [rɪ'septəkəl] *n* receptáculo, recipiente *m*.

reception [rɪ'sepʃən] *n gen* recepción. **2** *(welcome)* acogida. **3** *(at wedding)* banquete *m*.

receptionist [rɪ'sepʃənɪst] *n* recepcionista *mf*.

recess ['ri:ses] *n (in wall)* hueco. **2** *(rest)* descanso. **3** POL período de vacaciones.

recharge [ri:'tʃɑ:dʒ] *t* recargar.

rechargeable [ri:'tʃɑ:dʒəbəl] *adj* recargable.

recherché [rə'ʃeəʃeɪ] *adj* rebuscado,-a.

recipe ['resəpɪ] *n* receta.

recipient [rɪ'sɪpɪənt] *n* receptor,-ra.

reciprocal [rɪ'sɪprəkəl] *adj* recíproco,-a.

reciprocate [rɪ'sɪprəkeɪt] *i* corresponder. – **2** *t (invitation)* devolver.

recital [rɪ'saɪtəl] *n* recital *m*.

recite [rɪ'saɪt] *t-i* recitar.

reckless ['rekləs] *adj (hasty)* precipitado,-a. **2** *(careless)* temerario,-a.

recklessness ['rekləsnəs] *n (haste)* imprudencia. **2** *(carelessness)* temeridad.

reckon ['rekən] *t-i (count)* contar. **2** *(calculate)* calcular. – **3** *t (think)* creer, considerar. ◆*to* ~ *on* t contar con. ◆*to* ~ *with* t tener en cuenta. **2** *(deal with)* vérselas con.

reckoning ['rekənɪŋ] *n* cuenta. ●*by my* ~, según mis cálculos.

reclaim [rɪ'kleɪm] *t (money, right, etc.)* reclamar. **2** *(land)* ganar (al mar). **3** *(recycle)* reciclar.

recline [rɪ'klaɪn] *t-i* reclinar(se).

recluse [rɪ'klu:s] *adj* recluso,-a.

recognition [rekəg'nɪʃən] *n* reconocimiento.

recognize ['rekəgnaɪz] *t* reconocer.

recoil ['ri:kɔɪl] *n (of guns)* retroceso. – **2** *i* retroceder. ▲ *En 2 (verbo)* [rɪ'kɔɪl].

recollect [rekə'lekt] *t-i* recordar.

recollection [rekə'lekʃən] *n* recuerdo.

recommend [rekə'mend] *t* recomendar.

recommendation [rekəmen'deɪʃən] *n* recomendación.

recompense ['rekəmpens] *n* recompensa. **2** JUR indemnización. – **3** *t* recompensar. **4** JUR indemnizar.

reconcile ['rekənsaɪl] *t (people)* reconciliar. **2** *(ideas)* conciliar. ●*to* ~ *o.s. to*, resignarse a.

reconciliation [rekənsɪlɪ'eɪʃən] *n* reconciliación.

recondite ['rekəndaɪt] *adj* recóndito,-a.

recondition [ri:kən'dɪʃən] *t* rectificar.

reconnaissance [rɪ'kɒnɪsəns] *n* reconocimiento.

reconnoitre [rekə'nɔɪtəʳ] *t* reconocer.

reconsider [ri:kən'sɪdəʳ] *t* reconsiderar.

reconstitute [ri:'kɒnstɪtju:t] *t* reconstituir.

reconstruct [ri:kəns'trʌkt] *t* reconstruir.

record ['rekɔ:d] *n* constancia (escrita). **2** *(facts about a person)* historial *m*. **3** MUS disco. **4** SP récord *m*, marca. – **5** *t* hacer constar. **6** *(write down)* anotar. **7** *(voice, music)* grabar. ●*off the* ~, confidencialmente. ■ *criminal* ~, antecedentes *mpl* penales; *medical* ~, historial *m* médico. ▲ *De 5 a 7 (verbo)* [rɪ'kɔ:d].

recorder [rɪ'kɔ:dəʳ] *n* MUS flauta. ■ *cassette* ~, casete *m*; *tape* ~, magnetófono.

recording [rɪ'kɔ:dɪŋ] *n* grabación.

recount [rɪ'kaʊnt] *t* contar, relatar. **2** *(count again)* volver a contar. – **3** *n* recuento. ▲ *En 2* [ri:'kaʊnt]; *en 3* ['ri:kaʊnt].

recoup [rɪ'ku:p] *t* recuperar.

recourse [rɪ'kɔːs] *n* recurso. ●*to have ~ to,* recurrir a.

recover [rɪ'kʌvəʳ] *t-i* recuperar(se).

re-cover [riː'kʌvəʳ] *t* recubrir.

recovery [rɪ'kʌvərɪ] *n* recuperación.

recreate [riːkrɪ'eɪt] *t* recrear.

recreation [rekrɪ'eɪʃən] *n* diversión.

recriminate [rɪ'krɪmɪneɪt] *t* recriminar.

recruit [rɪ'kruːt] *n* recluta *m.* − 2 *t* reclutar.

rectangle ['rektæŋgəl] *n* rectángulo.

rectangular [rekt'æŋgjʊləʳ] *adj* rectangular.

rectify ['rektɪfaɪ] *t* rectificar, corregir.

rectitude ['rektɪtjuːd] *n* rectitud.

rector ['rektəʳ] *n* REL párroco.

rectory ['rektərɪ] *n* rectoría.

rectum ['rektəm] *n* recto.

recumbent [rɪ'kʌmbənt] *adj* recostado,-a, yacente.

recuperate [rɪk'uːpəreɪt] *i* recuperar(se).

recuperation [rɪkuːpər'eɪʃən] *n* recuperación.

recur [rɪ'kɜːʳ] *i* repetirse, reproducirse.

recurrence [rɪ'kʌrəns] *n* repetición, reaparición.

recycle [riː'saɪkəl] *t* reciclar.

recycling [riː'saɪkəlɪŋ] *n* reciclaje *m.*

red [red] *adj-n* rojo,-a (*m*). − 2 *adj* (hair) pelirrojo,-a. ●*to be in the ~,* estar en descubierto; *to turn ~,* ponerse colorado,-a, sonrojarse. ■ *~ corpuscle,* glóbulo rojo; *Red Cross,* Cruz *f* Roja; *~ tape,* papeleo burocrático; *~ wine,* vino tinto.

redden ['redən] *t-i* enrojecer(se).

reddish ['redɪʃ] *adj* rojizo,-a.

redeem [rɪ'diːm] *t* rescatar, recuperar. 2 REL redimir. 3 (promise) cumplir.

redeemer [rɪ'diːməʳ] *n* redentor,-ra. ■ *The Redeemer,* el Redentor.

redemption [rɪ'dempʃən] *n* rescate *m.* 2 REL redención.

red-handed [red'hændɪd] *adj* con las manos en la masa, in fraganti.

redhead ['redhed] *n* pelirrojo,-a.

red-hot [red'hɒt] *adj* al rojo vivo.

redness ['rednəs] *n* rojez *f.*

redouble [riː'dʌbəl] *t* redoblar, reduplicar.

redoubtable [rɪ'dautəbəl] *adj* temible.

redress [rɪ'dres] *n* reparación, desagravio. − 2 *t* reparar, corregir.

redskin ['redskɪn] *n* piel roja *m.*

reduce [rɪ'djuːs] *t-i* reducir(se).

reduction [rɪ'dʌkʃən] *n* reducción.

redundancy [rɪ'dʌndənsɪ] *n* despido.

redundant [rɪ'dʌndənt] *adj* redundante. 2 (worker) despedido,-a. ●*to be made ~,* perder el empleo, ser despedido,-a.

reed [riːd] *n* caña, junco. 2 MUS lengüeta.

reef [riːf] *n* arrecife *m.*

reefer ['riːfəʳ] *n sl* porro *m.*

reek [riːk] *n* tufo. − 2 *i* apestar.

reel [riːl] *n* carrete *m.* 2 CINEM bobina. − 3 *i* tambalear(se). 4 (head) dar vueltas.

re-entry [riː'entrɪ] *n* reingreso.

refer [rɪ'fɜːʳ] *t* remitir, enviar. − 2 *i* (mention) referirse (*to*, a). 3 (consult) consultar (*to*, -).

referee [refə'riː] *n* SP árbitro. 2 (for job) garante *m,* avalador,-ra. − 3 *t* arbitrar.

reference ['refərəns] *n* referencia. ●*with ~ to,* referente a. ■ *~ book,* libro de consulta.

referendum [refə'rendəm] *n* referéndum *m.* ▲ *pl referendums* o *referenda* [refə'rendə].

refill ['riːfɪl] *n* recambio. − 2 *t* rellenar. ▲ *En 2 (verbo)* [riː'fɪl].

refine [rɪ'faɪn] *t* refinar.

refined [rɪ'faɪnd] *adj* refinado,-a.

refinement [rɪ'faɪnmənt] *n* refinamiento.

refinery [rɪ'faɪnərɪ] *n* refinería.

reflect [rɪ'flekt] *t* reflejar. − 2 *i* (think) reflexionar. ●*to ~ on* perjudicar.

reflection [rɪ'flekʃən] *n* (image) reflejo. 2 (thought) reflexión. 3 (aspersion) descrédito.

reflector [rɪ'flektəʳ] *n* AUTO catafaro.

reflex ['riːfleks] *adj* reflejo.

reflexive [rɪ'fleksɪv] *adj* reflexivo,-a.

reform [rɪ'fɔːm] *n* reforma. − 2 *t* reformar.

reformation [refə'meɪʃən] *n* reforma.

reformatory [rɪ'fɔːmətərɪ] *n* reformatorio.

reformer [rɪ'fɔːməʳ] *n* reformador,-ra.

refrain [rɪ'freɪn] *n* MUS estribillo. − 2 *i* abstenerse.

refresh [rɪ'freʃ] *t* refrescar.

refreshing [rɪ'freʃɪŋ] *adj* refrescante.

refreshment [rɪ'freʃmənt] *n* refresco, refrigerio.

refrigerate [rɪ'frɪdʒəreɪt] *t* refrigerar.

refrigeration [rɪfrɪdʒə'reɪʃən] *n* refrigeración.

refrigerator [rɪ'frɪdʒəreɪtəʳ] *n* frigorífico, nevera.

refuel [riː'fjʊəl] *t-i* repostar (combustible).

refuge ['refjuːdʒ] *n* refugio.

refugee [refjuː'dʒiː] *n* refugiado,-a.

refund ['ri:fʌnd] *n* reembolso. – 2 *t* reembolsar. ▲ *En* 2 *(verbo)* [ri:'fʌnd].

refusal [ri'fju:zəl] *n* negativa. ■ *first* ~, primera opción.

refuse ['refju:s] *n* basura. – 2 *t* rehusar, rechazar. – 3 *i* negarse. ▲ *En* 2 *y* 3 *(verbo)* [ri'fju:z].

refute [ri'fju:t] *t* refutar.

regain [ri'geɪn] *t* recobrar, recuperar.

regal ['ri:gəl] *adj* real, regio,-a.

regard [ri'gɑ:d] *n* respeto, consideración. 2 *pl* recuerdos *mpl.* – 3 *t* considerar. ●*with* ~ *to*, con respecto a; *without* ~ *to*, sin hacer caso de.

regarding [ri'gɑ:dɪŋ] *prep* tocante a, respecto a.

regardless [ri'gɑ:dləs] *fam adv* a pesar de todo. – 2 *prep* ~ *of*, sin tener en cuenta.

regenerate [ri'dʒenəreit] *t-i* regenerar(se).

regency ['ri:dʒensi] *n* regencia.

regent ['ri:dʒənt] *n* regente *mf.*

regime [rei'ʒi:m] *n* régimen *m.*

regiment ['redʒimənt] *n* regimiento. – 2 *t* regimentar.

region ['ri:dʒən] *n* región.

register ['redʒistə'] *n* registro. – 2 *t-i* registrar(se), inscribir(se). – 3 *t* *(letter)* certificar. 4 *(luggage)* facturar. – 5 *i* *(for classes)* matricularse. ■ *cash* ~, caja registradora.

registrar [redʒis'trɑ:'] *n* registrador,-ra.

registration [redʒis'treiʃən] *n* registro. 2 *(of luggage)* facturación. 3 *(for classes)* matrícula. ■ AUTO ~ *number*, matrícula.

registry ['redʒistri] *n* registro. ■ ~ *office*, registro civil.

regress [ri'gres] *i* retroceder.

regression [ri'greʃən] *n* regresión.

regret [ri'gret] *n* remordimiento. 2 *(sadness)* pesar *m.* – 3 *t* lamentar, arrepentirse de.

regretful [ri'gretful] *adj* arrepentido,-a.

regrettable [ri'gretəbəl] *adj* lamentable.

regular ['regjulə'] *adj* regular. 2 *(methodical)* metódico,-a. 3 *(normal)* normal. – 4 *n fam* cliente *mf* habitual.

regularity [regju'lærəti] *n* regularidad.

regulate ['regjuleit] *t* regular.

regulation [regju'leiʃən] *n* regulación. 2 *(rule)* regla.

rehabilitate [ri:hə'biliteit] *t* rehabilitar.

rehash ['ri:hæʃ] *n* refrito. – 2 *t* refundir.

rehearsal [ri'hɜ:səl] *n* ensayo.

rehearse [ri'hɜ:s] *t* ensayar.

reign [rein] *n* reinado. – 2 *i* reinar.

reimburse [ri:im'bɜ:s] *t* reembolsar.

rein [rein] *n* rienda. 2 *pl (child's)* andadores *mpl.*

reincarnation [ri:inkɑ:'neiʃən] *n* reencarnación.

reindeer ['reindiə'] *n* reno.

reinforce [ri:in'fɔ:s] *t* reforzar. ■ *reinforced concrete*, hormigón *m* armado.

reinforcement [ri:in'fɔ:smənt] *n* refuerzo.

reinstate [ri:in'steit] *t* *(to job)* readmitir.

reiterate [ri:'itəreit] *t* reiterar.

reject ['ri:dʒekt] *n* desecho. – 2 *t* rechazar, rehusar. ▲ *En* 2 *(verbo)* [ri'dʒekt].

rejection [ri'dʒekʃən] *n* rechazo.

rejoice [ri'dʒɔis] *i* alegrarse, regocijarse.

rejoicing [ri'dʒɔisiŋ] *n* alegría, regocijo. 2 *(public)* fiestas *fpl.*

rejoinder [ri'dʒɔində'] *n* réplica.

rejuvenate [ri'dʒu:vəneit] *t* rejuvenecer.

relapse [ri'læps] *n* MED recaída. 2 *(crime)* reincidencia. – 3 *i* MED recaer. 4 *(crime)* reincidir.

relate [ri'leit] *t* *(tell)* relatar, contar. – 2 *t-i* *(connect)* relacionar(se).

related [ri'leitid] *adj* relacionado,-a. 2 *(family)* emparentado,-a.

relation [ri'leiʃən] *n* *(connection)* relación. 2 *(family)* pariente,-a.

relationship [ri'leiʃənʃip] *n* relación. 2 *(between people)* relaciones *fpl.*

relative ['relətiv] *adj* relativo,-a. – 2 *n* pariente,-a.

relax [ri'læks] *t-i* relajar(se).

relaxation [ri:læk'seiʃən] *n* relajación. 2 *(rest)* descanso. 3 *(pastime)* diversion.

relaxed [ri'lækst] *adj* relajado,-a.

relaxing [ri'læksiŋ] *adj* relajante.

relay ['ri:lei] *n* relevo. 2 ELEC relé *m.* – 3 *t* RAD TV retransmitir.

release [ri'li:s] *n* liberación, puesta en libertad. 2 CINEM estreno. 3 *(record)* disco recién salido. – 4 *t* liberar, poner en libertad. 5 CINEM estrenar. 6 *(record)* sacar. 7 *(let go of)* soltar.

relegate ['religeit] *t* relegar. ●SP *to be relegated*, descender.

relegation [reli'geiʃən] *n* descenso.

relent [ri'lent] *i* ablandarse, apiadarse.

relentless [ri'lentləs] *adj* implacable, inexorable.

relevance ['reləvəns] *n* pertinencia.

relevant ['reləvənt] *adj* pertinente.

reliable [ri'laiəbəl] *adj (person)* fiable, de fiar. 2 *(news etc.)* fidedigno,-a. 3 *(machine)* seguro,-a.

reliance [ri'laiəns] *n* dependencia.

relic ['relik] *n* vestigio. 2 REL reliquia.

relief [rɪ'liːf] *n* alivio. **2** *(help)* auxilio, soco-rro. **3** *(person)* relevo. **4** GEOG relieve *m.*

relieve [rɪ'liːv] *t* aliviar. **2** *(brighten up)* ale-grar. **3** *(take over from)* relevar.

religion [rɪ'lɪdʒən] *n* religión.

religious [rɪ'lɪdʒəs] *adj* religioso,-a.

relinquish [rɪ'lɪŋkwɪʃ] *t* renunciar a.

relish ['relɪʃ] *n* gusto, deleite *m.* **2** CULIN condimento. − **3** *t* disfrutar de: *I don't ~ the idea,* no me gusta la idea.

reluctance [rɪ'lʌktəns] *n* renuencia.

reluctant [rɪ'lʌktənt] *adj* reacio,-a.

rely [rɪ'laɪ] *i to ~ on,* confiar en, contar con.

remain [rɪ'meɪn] *i (stay)* quedarse, per-manecer. **2** *(be left)* quedar, sobrar. − **3** *npl* restos *mpl.*

remainder [rɪ'meɪndər] *n* resto.

remaining [rɪ'meɪnɪŋ] *adj* restante.

remark [rɪ'mɑːk] *n* observación, comen-tario. − **2** *t* observar, comentar.

remarkable [rɪ'mɑːkəbəl] *adj* notable, extraordinario,-a.

remedy ['remədɪ] *n* remedio. − **2** *t* re-mediar.

remember [rɪ'membər] *t* recordar, acor-darse de. **2** *(commemorate)* conmemorar. ●*~ me to Katherine,* (dale) recuerdos a Katherine de mi parte.

remembrance [rɪ'membrəns] *n* conme-moración. **2** *(keepsake)* recuerdo. ●*in ~ of,* para conmemorar.

remind [rɪ'maɪnd] *t* recordar: *~ her to phone me,* recuérdale que me llame.

reminder [rɪ'maɪndər] *n* recordatorio.

reminisce [remɪ'nɪs] *t-i* rememorar.

reminiscent [remɪ'nɪsənt] *adj* lleno,-a de recuerdos. ●*~ of ...,* que recuerda ... .

remiss [rɪ'mɪs] *adj* negligente.

remission [rɪ'mɪʃən] *n* remisión.

remit [rɪ'mɪt] *t* remitir.

remittance [rɪ'mɪtəns] *n (money)* giro.

remnant ['remnənt] *n* resto. **2** *(cloth)* re-tal *m.*

remonstrate [rɪ'mɒnstreɪt] *i* protestar, quejarse.

remorse [rɪ'mɔːs] *n* remordimiento.

remorseful [rɪ'mɔːsful] *adj* arrepenti-do,-a.

remorseless [rɪ'mɔːsləs] *adj* implacable.

remote [rɪ'məʊt] *adj* remoto,-a. ●*not the remotest idea,* ni la más mínima idea. ■ *~ control,* mando a distancia.

removal [rɪ'muːvəl] *n* eliminación. **2** *(house)* traslado, mudanza.

remove [rɪ'muːv] *t* quitar, eliminar. **2** *(dismiss)* despedir. − **3** *i* trasladarse.

remuneration [rɪmjuːnəreɪʃən] *t* remu-neración.

remunerative [rɪ'mjuːnərətɪv] *adj* re-munerador,-ra.

Renaissance [rə'neɪsəns] *n* Renacimien-to.

rend [rend] *t* rasgar. ▲ *pt & pp* **rent.**

render ['rendər] *t (give)* dar, prestar. **2** *(make)* hacer, convertir en. **3** *(song)* can-tar; *(music)* interpretar.

rendezvous ['rɒndɪvuː] *n inv* cita. **2** *(place)* punto/lugar *m* de reunión.

rendition ['rendɪʃən] *n* interpretación.

renegade ['renɪgeɪd] *n* renegado,-a.

renew [rɪ'njuː] *t* renovar. **2** *(start again)* reanudar.

renewable [rɪ'njuːəbəl] *adj* renovable.

renewal [rɪ'njuːəl] *n* renovación. **2** *(new start)* reanudación.

renounce [rɪ'naʊns] *t* renunciar.

renovate ['renəveɪt] *t (building)* restaurar.

renovation [renə'veɪʃən] *n* restauración.

renown [rɪ'naʊn] *n* renombre *m*, fama.

renowned [rɪ'naʊnd] *adj* renombrado,-a, famoso,-a.

rent [rent] *n (for flat etc.)* alquiler *m.* **2** *(for land)* arriendo. − **3** *t* alquilar, arrendar. − **4** *pt & pp* → **rend.**

rental ['rentəl] *n* alquiler *m.*

renunciation [rɪnʌnsɪ'eɪʃən] *n* renuncia.

reorganization [riːɔːgənaɪ'zeɪʃən] *n* reorganización.

reorganize [riːˈɔːgənaɪz] *t* reorganizar.

repair [rɪ'peər] *n* reparación. − **2** *t* reparar, arreglar. ●*in good ~,* en buen estado.

reparation [repə'reɪʃən] *n* compensa-ción, indemnización.

repatriate [riː'pætrɪeɪt] *t* repatriar.

repay [riː'peɪ] *t* devolver.

repayment [riː'peɪmənt] *n* devolución, reembolso.

repeal [rɪ'piːl] *n* abrogación, revocación. − **2** *t* abrogar, revocar.

repeat [rɪ'piːt] *n* repetición. − **2** *t* repetir.

repeatedly [rɪ'piːtɪdlɪ] *adv* repetidamen-te.

repel [rɪ'pel] *t gen* repeler. **2** *(disgust)* re-pugnar.

repellent [rɪ'pelənt] *adj* repelente. − **2** *n* loción anti-insectos.

repent [rɪ'pent] *i* arrepentirse. − **2** *t* arre-pentirse de.

repentance [rɪ'pentəns] *n* arrepenti-miento.

repentant [rɪ'pentənt] *adj* arrepenti-do,-a.

repercussion [ri:pə'kʌʃən] *n* repercusión.

repertoire ['repətwɑ:ʳ] *n* repertorio.

repetition [repə'tıʃən] *n* repetición.

repetitive [rı'petıtıv] *adj* reiterativo,-a.

replace [rı'pleıs] *t* devolver a su sitio. 2 *(substitute)* reemplazar, substituir.

replacement [rı'pleısmənt] *n* su(b)stitución. 2 *(person)* su(b)stituto,-a. 3 *(part)* pieza de cambio.

replay ['ri:pleı] *n* TV repetición. 2 SP partido de desempate. – 3 *t* TV repetir. ▲ *En 3 (verbo)* [ri:'pleı].

replenish [rı'plenıʃ] *t* rellenar, llenar de nuevo. 2 *(stocks)* reponer.

replete [rı'pli:t] *adj* repleto,-a.

reply [rı'plaı] *n* respuesta, contestación. – 2 *i* responder (*to*, a), contestar (*to*, a).

report [rı'pɔ:t] *n* informe *m*. 2 *(news)* noticia. 3 RAD TV reportaje *m*. 4 *(rumour)* rumor *m*. – 5 *t* informar sobre, dar parte de. 6 *(to authority)* denunciar. 7 *(for work)* presentarse.

reporter [rı'pɔ:təʳ] *n* reportero,-a, periodista *mf*.

repose [rı'pəuz] *n* reposo. – 2 *t-i* reposar, descansar.

reprehensible [reprı'hensıbəl] *adj* reprensible.

represent [reprı'zent] *t* representar.

representation [reprızen'teıʃən] *n* representación.

representative [reprı'zentətıv] *adj* representativo,-a. – 2 *n* representante *mf*. 3 US POL diputado,-a.

repress [rı'pres] *t* reprimir.

repression [rı'preʃən] *n* represión.

repressive [rı'presıv] *adj* represivo,-a.

reprieve [rı'pri:v] *n* indulto. 2 *fig* respiro, tregua. – 3 *t* indultar.

reprimand ['reprımɑ:nd] *n* reprimenda, reprensión. – 2 *t* reprender.

reprint ['ri:prınt] *n* reimpresión. – 2 *t* reimprimir. ▲ *En 2 (verbo)* [ri:'prınt].

reprisal [rı'praızəl] *n* represalia.

reproach [rı'prəutʃ] *n* reproche *m*. – 2 *t* reprochar.

reprobate ['reprəbeıt] *adj-n* réprobo,-a.

reproduce [ri:prə'dju:s] *t-i* reproducir(se).

reproduction [ri:prə'dʌkʃən] *n* reproducción.

reproductive [ri:prə'dʌktıv] *adj* reproductor,-ra.

reproof [rı'pru:f] *n* reprobación, reprensión.

reprove [rı'pru:v] *t* reprobar, reprender.

reptile ['reptaıl] *n* reptil *m*.

republic [rı'pʌblık] *n* república.

republican [rı'pʌblıkən] *adj-n* republicano,-a.

repudiate [rı'pju:dıeıt] *t* rechazar.

repugnance [rı'pʌgnəns] *n* repugnancia.

repugnant [rı'pʌgnənt] *adj* repugnante.

repulse [rı'pʌls] *t* rechazar.

repulsive [rı'pʌlsıv] *adj* repulsivo,-a.

reputable ['repjutəbəl] *adj* acreditado,-a. 2 *(person)* de confianza.

reputation [repju'teıʃən] *n* reputación, fama.

repute [rı'pju:t] *n* reputación, fama.

reputed [rı'pju:tıd] *adj* considerado,-a. – 2 *reputedly adv* según se dice.

request [rı'kwest] *n* solicitud, petición. – 2 *t* pedir, solicitar.

require [rı'kwaıəʳ] *t-i* requerir, exigir. 2 *(need)* necesitar.

requirement [rı'kwaıəmənt] *n* requisito, condición. 2 *(need)* necesidad.

requisite ['rekwızıt] *adj* requerido,-a, necesario,-a. – 2 *n* requisito.

requisition [rekwı'zıʃən] MIL *n* requisa. – 2 *t* requisar.

rescind [rı'sınd] *t* rescindir.

rescue ['reskju:] *n* rescate *m*. – 2 *t* rescatar.

rescuer ['reskjuəʳ] *n* salvador,-ra.

research [rı'sɜ:tʃ] *n* investigación. – 2 *t-i* investigar.

researcher [rı'sɜ:tʃəʳ] *n* investigador,-ra.

resemblance [rı'zembləns] *n* parecido, semejanza.

resemble [rı'zembəl] *t* parecerse a.

resent [rı'zent] *t* ofenderse por, tomar a mal.

resentful [rı'zentful] *adj* resentido,-a, ofendido,-a.

resentment [rı'zentmənt] *n* resentimiento, rencor *m*.

reservation [rezə'veıʃən] *n* reserva.

reserve [rı'zɜ:v] *n* reserva. – 2 *t* reservar.

reserved [rı'zɜ:vd] *adj* reservado,-a.

reservoir ['rezəvwɑ:ʳ] *n* embalse *m*.

reshuffle [ri:'ʃʌfəl] *n* POL reorganización. – 2 *t* POL reorganizar. 3 *(cards)* volver a barajar.

reside [rı'zaıd] *i* residir.

residence ['rezıdəns] *n* residencia.

resident ['rezıdənt] *adj-n* residente (*mf*).

residential [rezı'denʃəl] *adj* residencial.

residual [rı'zıdjuəl] *adj* residual.

residue ['rezıdju:] *n* residuo.

resign [rı'zaın] *t-i* dimitir (*from*, de). ●*to ~ o.s. to sth.*, resignarse a algo.

resignation [rezɪg'neɪʃən] *n* dimisión. 2 *(acceptance)* resignación.

resilience [rɪ'zɪlɪəns] *n* elasticidad. 2 *(strength)* fuerza, resistencia.

resilient [rɪ'zɪlɪənt] *adj* elástico,-a. 2 *(strong)* fuerte, resistente.

resin ['rezɪn] *n* resina.

resist [rɪ'zɪst] *t* resistir (a). 2 *(fight)* oponer resistencia a.

resistance [rɪ'zɪstəns] *n* resistencia.

resistant [rɪ'zɪstənt] *adj* resistente.

resolute ['rezəluːt] *adj* resuelto,-a.

resolution [rezə'luːʃən] *n* resolución.

resolve [rɪ'zɒlv] *n* resolución. – 2 *t-i* resolver(se).

resonance ['rezənəns] *n* resonancia.

resort [rɪ'zɔːt] *n (place)* lugar *m* de vacaciones. 2 *(recourse)* recurso. – 3 *i* recurrir *(to,* a).

resound [rɪ'zaʊnd] *i* resonar.

resounding [rɪ'zaʊndɪŋ] *adj* resonante. 2 *fig* enorme, importante.

resource [rɪ'zɔːs] *n* recurso.

resourceful [rɪ'zɔːsful] *adj* ingenioso,-a.

respect [rɪ'spekt] *n* respeto. – 2 *t* respetar. ●*with ~ to,* con respeto a.

respectable [rɪ'spektəbəl] *adj* respetable. 2 *(decent)* decente, presentable.

respectful [rɪ'spektful] *adj* respetuoso,-a.

respective [rɪ'spektɪv] *adj* respectivo,-a.

respiration [respɪ'reɪʃən] *n* respiración.

respiratory ['respərətərɪ] *adj* respiratorio,-a.

respite ['respaɪt] *n* respiro, alivio.

resplendent [rɪ'splendənt] *adj* resplandeciente.

respond [rɪ'spɒnd] *i* responder.

response [rɪ'spɒns] *n* respuesta.

responsibility [rɪspɒnsɪ'bɪlɪtɪ] *n* responsabilidad.

responsible [rɪ'spɒnsəbəl] *adj* responsable.

responsive [rɪ'spɒnsɪv] *adj* que reacciona/muestra interés.

rest [rest] *n* descanso, reposo. 2 *(peace)* paz *f*, tranquilidad. 3 *(support)* soporte *m*. 4 *(remainder)* resto: *the ~,* lo/los demás. – 5 *t-i* descansar. – 6 *i (be calm)* quedarse tranquilo,-a. – 7 *t (lean)* apoyar. ●*to ~ with i* corresponder a, depender de.

restaurant ['restərɒnt] *n* restaurante *m*.

restful ['restful] *adj* tranquilo,-a.

restive ['restɪv], **restless** ['restləs] *adj* inquieto,-a

restoration [restə'reɪʃən] *n* restauración. 2 *(return)* devolución.

restore [rɪ'stɔːʳ] *t* restaurar. 2 *(return)* devolver. 3 *(order)* restablecer.

restrain [rɪ'streɪn] *t* contener, reprimir.

restraint [rɪ'streɪnt] *n* limitación. 2 *(moderation)* moderación.

restrict [rɪ'strɪkt] *t* restringir.

restriction [rɪ'strɪkʃən] *n* restricción.

restrictive [rɪ'strɪktɪv] *adj* restrictivo,-a.

result [rɪ'zʌlt] *n* resultado. 2 *(consequence)* consecuencia. – 3 *i to ~ from,* resultar de. – 2 *to ~ in t* producir, causar.

resume [rɪ'zjuːm] *t-i* reanudar(se). ●*to ~ one's seat,* volver a sentarse.

résumé ['rezjuːmeɪ] *n* resumen *m*.

resumption [rɪ'zʌmpʃən] *n* reanudación.

resurgence [rɪ'sɜːdʒəns] *n* resurgimiento.

resurrect [rezə'rekt] *t* resucitar.

resurrection [rezə'rekʃən] *n* resurrección.

resuscitate [rɪ'sʌsɪteɪt] *t-i* resucitar.

resuscitation [rɪsʌsɪ'teɪʃən] *n* resucitación.

retail ['riːteɪl] *n* venta al detall/al por menor. – 2 *t-i* vender(se) (al por menor).

retailer ['riːteɪləʳ] *n* detallista *mf*.

retain [rɪ'teɪn] *t* retener, conservar. 2 *(in possession)* guardar.

retaliate [rɪ'tælɪeɪt] *i* vengarse, tomar represalias.

retaliation [rɪtælɪ'eɪʃən] *n* venganza, represalias *fpl*.

retard [rɪ'tɑːd] *t* retardar, retrasar.

retarded [rɪ'tɑːdɪd] *adj* retrasado, -a.

retch [retʃ] *i* tener arcadas/náuseas.

retention [rɪ'tenʃən] *n* retención.

reticence ['retɪsəns] *n* reticencia, reserva.

reticent ['retɪsənt] *adj* reservado,-a.

retina ['retɪnə] *n* retina.

retinue ['retɪnjuː] *n* séquito.

retire [rɪ'taɪəʳ] *t-i (from work)* jubilar(se). – 2 *i* retirarse. 3 *(to bed)* acostarse.

retired [rɪ'taɪəd] *adj* jubilado,-a.

retirement [rɪ'taɪəmənt] *n* jubilación.

retiring [rɪ'taɪərɪŋ] *adj (shy)* retraído,-a, tímido,-a. 2 *(from post)* saliente.

retort [rɪ'tɔːt] *n* réplica. 2 CHEM retorta. – 3 *t* replicar.

retrace [rɪ'treɪs] *t* desandar, volver sobre. ●*to ~ one's steps,* volver sobre sus pasos.

retract [rɪ'trækt] *t-i* retractarse (de). – 2 *t* retraer.

retreat [rɪ'triːt] *n* retirada. 2 *(place)* retiro, refugio. – 3 *i* retirarse.

retrial [riː'traɪəl] *n* nuevo juicio.

retribution [retrɪ'bjuːʃən] *n* justo castigo.

retrieval [rɪ'triːvəl] *n* recuperación.

retrieve [rɪ'triːv] *t* recuperar.

retrograde ['retrəgreɪd] *adj* retrógrado,-a.

retrospect ['retrəspekt] *n in* ~, retrospectivamente.

retrospective [retrə'spektɪv] *adj* retrospectivo,-a. 2 *(law)* retroactivo,-a.

return [rɪ'tɜːn] *n* vuelta, regreso, retorno. 2 *(giving back)* devolución. 3 *(profit)* beneficio. – 4 *i* volver, regresar. – 5 *t* *(give back)* devolver. 6 POL elegir. 7 *(verdict)* pronunciar. ●*in* ~ *for,* a cambio de; *many happy returns (of the day)!,* ¡feliz cumpleaños! ■ *income tax* ~, declaración de la renta; ~ *ticket,* billete de ida y vuelta.

reunion [riː'juːnɪən] *n* reunión, encuentro.

reunite [riːjuː'naɪt] *t-i* reunir(se). 2 *(reconcile)* reconciliar(se).

revalue [riː'væljuː] *t* revalorizar.

reveal [rɪ'viːl] *t* revelar, descubrir.

reveille [rɪ'vælɪ] *n* MIL diana.

revel ['revəl] *i to* ~ *in,* disfrutar mucho con.

revelry ['revəlrɪ] *n* juerga.

revelation [revə'leɪʃən] *n* revelación.

revenge [rɪ'vendʒ] *n* venganza. – 2 *t* vengar. ●*to* ~ *o.s.,* vengarse.

revenue ['revənjuː] *n* renta. ■ GB *Inland Revenue,* US *Internal Revenue,* Hacienda Pública.

reverberate [rɪ'vɜːbəreɪt] *t* resonar, retumbar.

reverberation [rɪvɜːbə'reɪʃən] *n* resonancia, retumbo.

revere [rɪ'vɪər] *t* reverenciar.

reverence ['revərəns] *n* reverencia.

reverend ['revərənd] *adj* reverendo,-a.

reverent ['revərənt] *adj* reverente.

reverie ['revərɪ] *n* ensueño.

reversal [rɪ'vɜːsəl] *n (in order)* inversión. 2 *(change)* cambio completo.

reverse [rɪ'vɜːs] *adj* inverso,-a, contrario,-a. – 2 *n* lo contrario. 3 *(of coin)* reverso. 4 *(of cloth)* revés *m.* 5 AUTO marcha atrás. 6 *(setback)* revés *m.* – 7 *t* invertir. 8 *(turn round)* volver al revés. – 9 *i* AUTO poner/dar marcha atrás. ●*to* ~ *the charges,* llamar a cobro revertido.

revert [rɪ'vɜːt] *i* volver *(to,* a).

review [rɪ'vjuː] *n* revista. 2 *(examination)* examen *m.* 3 *(of film, book, etc.)* crítica. – 4 *t (troops)* pasar revista a. 5 *(examine)*

examinar. 6 *(film, book, etc.)* hacer una crítica.

reviewer [rɪ'vjuːər] *n* crítico,-a.

revile [rɪ'vaɪl] *t* injuriar, vilipendiar.

revise [rɪ'vaɪz] *t* revisar. 2 *(correct)* corregir. 3 *(change)* modificar. – 4 *t-i (for exam)* repasar.

revision [rɪ'vɪʒən] *n* revisión. 2 *(correction)* corrección. 3 *(change)* modificación. 4 *(for exam)* repaso.

revitalize [riː'vaɪtəlaɪz] *t* revivificar.

revival [rɪ'vaɪvəl] *n (rebirth)* renacimiento. 2 *(of economy)* reactivación. 3 *(of play)* reestreno.

revive [rɪ'vaɪv] *t* reanimar, reavivar, despertar. 2 *(economy)* reactivar. 3 *(play)* reestrenar. – 4 *t-i* MED (hacer) volver en sí.

revoke [rɪ'vəʊk] *t* revocar.

revolt [rɪ'vəʊlt] *n* revuelta, rebelión. – 2 *i* sublevarse, rebelarse. – 3 *t* repugnar.

revolting [rɪ'vəʊltɪŋ] *adj* repugnante.

revolution [revə'luːʃən] *n* revolución.

revolutionary [revəl'uːʃənərɪ] *adj-n* revolucionario,-a.

revolve [rɪ'vɒlv] *t-i* (hacer) girar.

revolver [rɪ'vɒlvər] *n* revólver *m.*

revolving [rɪ'vɒlvɪŋ] *adj* giratorio,-a.

revue [rɪ'vjuː] *n* revista.

revulsion [rɪ'vʌlʃən] *n* revulsión.

reward [rɪ'wɔːd] *n* recompensa. – 2 *t* recompensar.

rewarding [rɪ'wɔːdɪŋ] *adj* gratificador,-ra.

rhapsody ['ræpsədɪ] *n* rapsodia.

rhetoric ['retərɪk] *n* retórica.

rheumatic [ruː'mætɪk] *adj* reumático,-a.

rheumatism ['ruːmətɪzəm] *n* reumatismo, reuma *m.*

rhinoceros [raɪ'nɒsərəs] *n* rinoceronte *m.*

rhubarb ['ruːbɑːb] *n* ruibarbo.

rhyme [raɪm] *n* rima. – 2 *t-i* rimar. ●*without* ~ *or reason,* sin ton ni son.

rhythm ['rɪðəm] *n* ritmo.

rhythmic ['rɪðmɪk] *adj* rítmico,-a.

rib [rɪb] *n* costilla.

ribald ['rɪbəld] *adj* grosero,-a, obsceno,-a.

ribbon ['rɪbən] *n* cinta. 2 *(for hair)* lazo.

rice [raɪs] *n* arroz *m.* ■ ~ *field,* arrozal *m.*

rich [rɪtʃ] *adj* rico,-a. 2 *(luxurious)* suntuoso,-a, lujoso,-a. 3 *(fertile)* fértil. 4 *(food)* fuerte, pesado,-a. 5 *(voice)* sonoro,-a.

riches ['rɪtʃɪz] *npl* riqueza *f sing.*

rickets ['rɪkɪts] *npl* raquitismo *m sing.*

rickety ['rɪkətɪ] *adj* desvencijado,-a. 2 *(unsteady)* tambaleante.

ricochet ['rɪkəʃeɪ] *n* rebote *m.* — 2 *i* rebotar.

rid [rɪd] *t* librar. ●*to get ~ of,* deshacerse/desembarazarse de. ▲ *pt & pp* **rid** *o* **ridded** ['rɪdɪd].

ridden ['rɪdən] *pp* → **ride**.

riddle ['rɪdəl] *n* acertijo, adivinanza. 2 *(sieve)* criba. — 3 *t* cribar. 4 *(with bullets)* acribillar.

ride [raɪd] *n* paseo, viaje *m,* vuelta. — 2 *i (horse)* montar a caballo. 3 *(in vehicle)* viajar. — 4 *t (horse)* montar. 5 *(bicycle)* montar/andar en. ●*to ~ on t* depender de. ●*to ~ out t* aguantar hasta el final de. ●*to take sb. for a ~,* tomar el pelo a algn. ▲ *pt* **rode**; *pp* **ridden**.

rider ['raɪdə'] *n (on horse)* jinete *m,* amazona. 2 *(on bicycle)* ciclista *mf.* 3 *(on motorcycle)* motorista *mf.*

ridge [rɪdʒ] *n* GEOG cresta. 2 *(of roof)* caballete *m.*

ridicule ['rɪdɪkjuːl] *n* ridículo. — 2 *t* ridiculizar, poner en ridículo.

ridiculous [rɪ'dɪkjʊləs] *adj* ridículo,-a.

riding ['raɪdɪŋ] *n* equitación.

rife [raɪf] *adj* abundante. ●*to be ~,* abundar.

riffraff ['rɪfræf] *n* chusma.

rifle ['raɪfəl] *n* rifle *m,* fusil *m.* — 2 *t* robar.

rift [rɪft] *n* hendedura, grieta. 2 *fig* ruptura, desavenencia.

rig [rɪg] *n (oil) ~,* plataforma petrolífera. — 2 *t* MAR aparejar. 3 *fam (fix)* amañar. ●*to ~ up t* improvisar.

rigging ['rɪgɪŋ] *n* MAR aparejo, jarcia.

right [raɪt] *adj (not left)* derecho,-a. 2 *(correct)* correcto,-a. 3 *(just)* justo,-a. 4 *(suitable)* apropiado,-a, adecuado,-a. 5 *fam (total)* auténtico,-a, total. — 6 *adv* a/hacia la derecha. 7 *(correctly)* bien, correctamente. 8 *(immediately)* inmediatamente. 9 *(very)* muy. — 10 *n (not left)* derecha. 11 *(entitlement)* derecho. — 12 *t* corregir. 13 MAR enderezar. — 14 **rightly** *adv* con razón, correctamente. ●*all ~!,* ¡bien!, ¡conforme!, ¡vale!; *it serves you/him ~,* te/le está bien empleado; *~ away,* en seguida; *~ now,* ahora mismo; *to be ~,* tener razón; *to put ~,* arreglar. ■ *~ and wrong,* el bien y el mal; *~ angle,* ángulo recto; *~ of way,* JUR derecho de paso; AUTO prioridad; POL *~ wing,* derecha.

righteous ['raɪtʃəs] *adj* recto,-a, justo,-a. 2 *(justified)* justificado,-a.

rightful ['raɪtfʊl] *adj* legítimo,-a.

right-hand ['raɪthænd] *adj* derecho,-a.

right-wing ['raɪtwɪŋ] *adj* POL de derechas.

rigid ['rɪdʒɪd] *adj* rígido,-a.

rigmarole ['rɪgmərəʊl] *n* galimatías *m inv.*

rigorous ['rɪgərəs] *adj* riguroso,-a.

rigour ['rɪgə'] *n* rigor *m.*

rile [raɪl] *t fam* poner nervioso,-a, irritar.

rim [rɪm] *n* borde *m,* canto. 2 *(of wheel)* llanta.

rind [raɪnd] *n* corteza.

ring [rɪŋ] *n (for finger)* anillo, sortija. 2 *(hoop)* anilla, aro. 3 *(circle)* círculo; *(of people)* corro. 4 *(circus)* pista, arena. 5 *(boxing)* ring *m,* cuadrilátero. 6 *(of bell)* tañido, toque *m; (of doorbell)* llamada. 7 *(phonecall)* llamada. — 8 *i (bell)* sonar. 9 *(ears)* zumbar. — 10 *t (call)* llamar. 11 *(bell)* tocar. 12 *(bird)* anillar. 13 *(encircle)* rodear. ■ *~ road,* cinturón *m* de ronda. ▲ *pt* **rang**; *pp* **rung**.

ringing ['rɪŋɪŋ] *n* campaneo, repique *m.* 2 *(in ears)* zumbido.

ringleader ['rɪŋliːdə'] *n* cabecilla *mf.*

ringlet ['rɪŋlət] *n* rizo.

ringside ['rɪŋsaɪd] *adj-n* (de) primera fila.

rink [rɪŋk] *n* pista de patinaje.

rinse [rɪns] *t* aclarar. 2 *(dishes, mouth)* enjuagar.

riot ['raɪət] *n* disturbio. 2 *(in prison)* motín *m.* — 3 *i* amotinarse.

rioter ['raɪətə'] *n* amotinado,-a.

riotous ['raɪətəs] *adj* amotinado,-a. 2 *(unrestrained)* desenfrenado,-a.

rip [rɪp] *n* rasgadura. — 2 *t-i* rasgar(se). ●*to ~ off t* arrancar. 2 *fam* timar.

ripe [raɪp] *adj* maduro,-a.

ripen ['raɪpən] *t-i* madurar.

ripeness ['raɪpnəs] *n* madurez *f.*

rip-off ['rɪpɒf] *n fam* timo.

ripple ['rɪpəl] *n* onda. 2 *(sound)* murmullo. — 3 *t-i* rizar(se). — 4 *i* murmurar.

rise [raɪz] *n* ascenso, subida. 2 *(increase)* aumento. 3 *(slope)* subida, cuesta. — 4 *i* ascender, subir. 5 *(increase)* aumentar. 6 *(stand up)* ponerse de pie. 7 *(get up)* levantarse. 8 *(sun)* salir. 9 *(river)* nacer. 10 *(level of river)* crecer. 11 *(mountains)* elevarse. ●*to give ~ to,* dar origen a; *to ~ to the occasion,* ponerse a la altura de las circunstancias. ▲ *pt* **rose**; *pp* **risen** ['rɪzən].

rising ['raɪzɪŋ] *n (rebellion)* levantamiento.

risk [rɪsk] *n* riesgo, peligro. — 2 *t* arriesgar. ●*to ~ doing sth.,* exponerse a hacer algo.

risky ['rɪskɪ] *adj* arriesgado,-a.

risqué ['rɪskeɪ] *adj* atrevido,-a.
rite [raɪt] *n* rito.
ritual ['rɪtjʊəl] *adj-n* ritual *(m)*.
rival ['raɪvəl] *adj-n* competidor,-ra, rival *(mf)*. – 2 *t* competir/rivalizar con.
rivalry ['raɪvəlrɪ] *n* rivalidad.
river ['rɪvəʳ] *n* río.
river-bank ['rɪvəbæŋk] *n* ribera, orilla.
river-bed ['rɪvəbed] *n* lecho.
riverside ['rɪvəsaɪd] *n* ribera, orilla.
rivet ['rɪvɪt] *n* remache *m*. – 2 *t* remachar. 3 *fig* fijar, absorber.
riveting ['rɪvɪtɪŋ] *adj fig* fascinante.
road [rəʊd] *n* carretera. 2 *(way)* camino.
●*fam in the road*, estorbando el paso. ■ ~ *safety*, seguridad vial; ~ *sign*, señal *f* de tráfico.
roadblock ['rəʊdblɒk] *n* control *m* policial.
roadway ['rəʊdweɪ] *n* calzada.
roadworthy ['rəʊdwɜːðɪ] *adj* AUTO en buen estado.
roam [rəʊm] *t-i* vagar (por).
roar [rɔːʳ] *n* bramido. 2 *(of lion)* rugido. 3 *(of crowd)* griterío, clamor *m*. – 4 *i* rugir, bramar.
roaring ['rɔːrɪŋ] *n fig* tremendo,-a, enorme.
roast [rəʊst] *adj-n* asado,-a *(m)*. – 2 *t-i* asar(se). – 4 *t (coffee, nuts, etc.)* tostar.
roasting ['rəʊstɪŋ] *adj* abrasador,-ra.
rob [rɒb] *t* robar. 2 *(bank)* atracar.
robber ['rɒbəʳ] *n* ladrón,-ona. 2 *(of bank)* atracador,-ra.
robbery ['rɒbərɪ] *n* robo. 2 *(of bank)* atraco.
robe [rəʊb] *n* bata. 2 *(ceremonial)* vestidura, toga
robin ['rɒbɪn] *n* petirrojo.
robot ['rəʊbɒt] *n* robot *m*.
robust [rəʊ'bʌst] *adj* robusto,-a, fuerte.
rock [rɒk] *n* roca. 2 MUS rock *m*. – 3 *t-i (chair)* mecer(se). – 4 *t (baby)* acunar. 5 *(upset)* sacudir. ●*on the rocks*, arruinado,-a; *(drink)* con hielo.
rock-climbing ['rɒkklaɪmɪŋ] *n* alpinismo.
rocker ['rɒkəʳ] *n* balancín *m*. ● *fam off one's ~*, mal de la cabeza.
rocket ['rɒkɪt] *n* cohete *m*. – 2 *i (rise)* dispararse.
rocking-chair ['rɒkɪŋtʃeəʳ] *n* mecedora.
rocky ['rɒkɪ] *adj* rocoso,-a.
rod [rɒd] *n* vara. 2 *(thick)* barra. ■ *fishing* ~, caña de pescar.
rode [rəʊd] *pt* → **ride**.
rodent ['rəʊdənt] *n* roedor *m*.
rodeo ['rəʊdɪəʊ] *n* rodeo.

roe [rəʊ] *n* hueva.
rogue [rəʊg] *n* pícaro, bribón *m*.
role, rôle [rəʊl] *n* papel *m*.
roll [rəʊl] *n* rollo. 2 *(list)* lista. 3 *(of bread)* bollo, panecillo. – 4 *t-i* (hacer) rodar. 5 *(move)* mover (lentamente). 6 *(into a ball)* enroscar(se). 7 *(paper)* enrollar(se). – 8 *t (flatten)* allanar. ◆*to ~ out t (pastry)* extender. ◆*to ~ up t-i* enrollar(se). 2 *(into a ball)* enroscar(se). ●*to ~ up one's sleeves*, arremangarse; *fam to be rolling in it*, estar forrado,-a.
roller ['rəʊləʳ] *n* rodillo. 2 *(wave)* ola grande. 3 *(for hair)* rulo. ■ ~ *skating*, patinaje *m* sobre ruedas.
roller-skate ['rəʊləskeɪt] *i* patinar sobre ruedas.
rolling ['rəʊlɪŋ] *adj* ondulante. ■ ~ *stock*, material *m* rodante; ~ *pin*, rodillo.
Roman ['rəʊmən] *adj-n* romano,-a.
Romance [rəʊ'mæns] *adj* románico,-a.
romance [rəʊ'mæns] *n* romance *m*. 2 *(novel)* novela romántica. 3 *(quality)* lo romántico. 4 *(affair)* idilio.
romantic [rəʊ'mæntɪk] *adj* romántico,-a.
romanticize [rəʊ'mæntɪsaɪz] *i* fantasear.
romp [rɒmp] *i* jugar, retozar.
rompers ['rɒmpəz] *npl* pelele *m sing*.
roof [ruːf] *n* tejado; *(tiled)* techado. 2 *(of mouth)* cielo. 3 AUTO techo. – 4 *t* techar. ■ *flat* ~, azotea.
roof-rack ['ruːfræk] *n* baca.
rook [rʊk] *n (bird)* grajo. 2 *(in chess)* torre *f*.
room [ruːm] *n* cuarto, habitación. 2 *(space)* espacio, sitio.
roomy ['ruːmɪ] *adj* espacioso,-a, amplio,-a.
roost [ruːst] *n* percha. – 2 *i* dormir (en una percha).
rooster ['ruːstəʳ] *n* gallo.
root [ruːt] *n* raíz *f*. – 2 *t-i* arraigar. – 3 *i (search)* buscar. ●*to take ~*, arraigar.
rope [rəʊp] *n* cuerda. – 2 *t* atar, amarrar. ◆*to ~ in t fam* enganchar.
rosary ['rəʊzərɪ] *n* rosario.
rose [rəʊz] *n (flower)* rosa. 2 *(bush)* rosal. – 3 *pt* → **rise**.
rosé ['rəʊzeɪ] *n (wine)* rosado.
rosemary ['rəʊzmərɪ] *n* romero.
rosette [rəʊ'zet] *n* escarapela.
roster ['rɒstəʳ] *n* lista.
rostrum ['rɒstrəm] *n* tribuna. ▲ *pl* rostrums *o* rostra.
rosy ['rəʊzɪ] *adj* (son)rosado,-a. 2 *(future)* prometedor,-ra.
rot [rɒt] *n* putrefacción. – 2 *t-i* pudrir(se).

rota ['rəutə] *n* → roster.

rotary ['rəutərɪ] *adj* rotatorio,-a.

rotate [rəu'teɪt] *t-i* (hacer) girar/dar vueltas. **2** *fig* alternar.

rotation [rəu'teɪʃən] *n* rotación.

rotten ['rɒtən] *adj* podrido,-a. **2** *(tooth)* picado,-a. **3** *fam* malísimo,-a.

rotter ['rɒtə'] *n fam* sinvergüenza *mf*.

rotund [rə'tʌnd] *adj (fat)* regordete,-a.

rouble ['ruːbəl] *n* rublo.

rouge [ruːʒ] *n* colorete *m*.

rough [rʌf] *adj* áspero,-a, basto,-a. **2** *(road)* lleno,-a de baches. **3** *(edge)* desigual. **4** *(terrain)* escabroso,-a. **5** *(sea)* agitado,-a. **6** *(weather)* tempestuoso,-a. **7** *(wine)* áspero,-a. **8** *(rude)* rudo,-a. **9** *(violent)* violento,-a. **10** *(approximate)* aproximado,-a. **11** *fam (bad)* fatal. — **12 roughly** *adv (about)* aproximadamente. **13** *(not gently)* bruscamente. ◆*to ~ it,* vivir sin comodidades; *to sleep ~,* dormir al raso. ∎ *~ copy/version,* borrador *m*.

roughen ['rʌfən] *t* poner áspero,-a.

roughness ['rʌfnəs] *n* aspereza. **2** *(violence)* violencia.

roulette [ruː'let] *n* ruleta.

round [raund] *adj* redondo,-a. — **2** *n (circle)* círculo. **3** *(series)* serie *f*, tanda; *(one of a series)* ronda. **4** SP ronda; *(boxing)* asalto. **5** *(of drinks)* ronda. **6** *(of policeman etc.)* ronda. **7** *(shot)* disparo. — **8** *adv (about)* por ahí. **9** *(to visit) they came ~ to see me,* vinieron (a casa) a verme. — **10** *prep* alrededor de. — **11** *t* dar la vuelta a. ◆*to ~ off t* completar, acabar. ◆*to ~ up t (number)* redondear. **2** *(cattle)* acorralar. **3** *(people)* reunir. ●*all the year ~,* durante todo el año; *~ the clock,* día y noche; *~ the corner,* a la vuelta de la esquina; *the other way ~,* al revés; *to go ~,* dar vueltas; *to turn ~,* hacer girar alrededor de.

roundabout ['raundəbaut] *adj* indirecto,-a. — **2** *n* tiovivo. **3** AUTO plaza circular.

rounders ['raundəz] *n* especie de béisbol *m* infantil.

round-up ['raundʌp] *n (cattle)* rodeo. **2** *(by police)* redada. **3** *(summary)* resumen *m*.

rouse [rauz] *t-i* despertar(se). — **2** *t (provoke)* provocar.

rousing ['rauzɪŋ] *adj* apasionante. **2** *(moving)* conmovedor,-ra.

rout [raut] *n* derrota. — **2** *t* derrotar.

route [ruːt] *n* ruta, camino, vía. **2** *(of bus)* línea, trayecto.

routine [ruː'tiːn] *n* rutina. — **2** *adj* rutinario,-a.

rove [rəuv] *i* vagar, errar.

row [rau] *n* riña, pelea. **2** *(noise)* jaleo, ruido. **3** *(line)* fila, hilera. **4** *(in a boat)* paseo en bote. — **5** *i* pelearse. **6** *(in a boat)* remar. — **7** *t* impeler mediante remos. ▲ *En 3, 4, 6, y 7* [rəu].

rowdy ['raudɪ] *adj* alborotador,-ra. **2** *(noisy)* ruidoso,-a.

rowing ['rəuɪŋ] *n* remo. ∎ *~ boat,* bote *m* de remos.

royal ['rɔɪəl] *adj* real.

royalist ['rɔɪəlɪst] *adj-n* monárquico,-a.

royalty ['rɔɪəltɪ] *n* realeza. **2** *(people)* miembros de la familia real. **3** *pl* derechos *mpl* (de autor).

rub [rʌb] *n* friega. — **2** *t* frotar; *(hard)* restregar. — **3** *i* rozar. ◆*to ~ out t* borrar. ●*fam to ~ it in,* insistir.

rubber ['rʌbə'] *n* caucho, goma. **2** *(eraser)* goma de borrar. **3** US *fam* goma. ∎ *~ band,* goma elástica.

rubbish ['rʌbɪʃ] *n (refuse)* basura. **2** *fam (thing)* birria, porquería. **3** *(nonsense)* tonterías *fpl.*

rubble ['rʌbəl] *n* escombros *mpl.*

rubella [ruː'belə] *n* rubéola.

ruby ['ruːbɪ] *n* rubí *m*.

rucksack ['rʌksæk] *n* mochila.

ructions ['rʌkʃənz] *npl fam* follón *m sing.*

rudder ['rʌdə'] *n* timón *m*.

ruddy ['rʌdɪ] *adj* colorado,-a. **2** GB *fam* maldito,-a.

rude [ruːd] *adj* maleducado,-a, descortés. **2** *(simple)* rudo,-a, tosco,-a. **3** *(improper)* grosero,-a.

rudeness ['ruːdnəs] *n* falta de educación. **2** *(simplicity)* rudeza, tosquedad. **3** *(impropriety)* grosería.

rudimentary [ruːdɪ'mentrɪ] *adj* rudimentario,-a.

rudiment ['ruːdɪmənt] *n* rudimento.

rue [ruː] *t* lamentar, arrepentirse de.

rueful ['ruːfʊl] *adj* arrepentido,-a, afligido,-a.

ruff [rʌf] *n* gorguera. **2** ZOOL collarín *m*.

ruffian ['rʌfɪən] *adj* rufián *m*.

ruffle ['rʌfəl] *n* chorrera. **2** *(on cuffs)* volante *m*. — **3** *t* agitar. **4** *(feathers)* erizar. **5** *(hair)* despeinar. **6** *(annoy)* irritar.

rug [rʌg] *n* alfombra, alfombrilla.

rugby ['rʌgbɪ] *n* rugby *m*.

rugged ['rʌgɪd] *adj (terrain)* escabroso,-a.

ruin ['ruːɪn] *n* ruina. — **2** *t* arruinar. **3** *(spoil)* estropear.

ruined ['ruːɪnd] *adj* arruinado,-a. **2** *(spoilt)* estropeado,-a. **3** *(building)* en ruinas.

rule [ru:l] *n* regla, norma. **2** *(control)* dominio. **3** *(of monarch)* reinado. **4** *(measure)* regla. – **5** *t-i* gobernar, mandar. **6** *(monarch)* reinar. **7** *(decree)* decretar. ◆*to ~ out t* excluir, descartar. ●*as a ~,* por regla general.

ruler ['ru:lə'] *n* gobernante *mf,* dirigente *mf.* **2** *(monarch)* soberano,-a. **3** *(instrument)* regla.

ruling ['ru:lɪŋ] *adj* dirigente. – **2** *n* JUR fallo.

rum [rʌm] *n* ron *m.*

rumble ['rʌmbəl] *n* retumbo, ruido sordo. **2** *(stomach)* borborigmo. – **3** *i* retumbar, hacer un ruido sordo. **4** *(stomach)* hacer ruidos.

ruminant ['ru:mɪnənt] *adj-n* rumiante *(m).*

ruminate ['ru:mɪneɪt] *t-i* rumiar.

rummage ['rʌmɪdʒ] *t-i* revolver (buscando).

rumour ['ru:mə'] *n* rumor *m.* – **2** *t* rumorear.

rump [rʌmp] *n* ancas *fpl.* **2** *(of person)* trasero.

rumple ['rʌmpəl] *t* arrugar. **2** *(hair)* despeinar.

rumpus ['rʌmpəs] *n fam* jaleo.

run [rʌn] *n* carrera. **2** *(trip)* viaje *m;* *(for pleasure)* paseo. **3** *(sequence)* racha. **4** *(ski ~)* pista. **5** *(in stocking)* carrera. **6** *(demand)* gran demanda. – **7** *i gen* correr. **8** *(flow)* correr, discurrir. **9** *(drip)* gotear. **10** *(operate)* funcionar. **11** *(in election)* presentarse. **12** *(last)* durar. **13** *(bus, train)* circular. **14** *(colour)* desteñirse. – **15** *t (race)* correr en. **16** *(take by car)* llevar. **17** *(manage)* llevar, dirigir, regentar. **18** *(organize)* organizar, montar. **19** *(operate)* hacer funcionar. **20** *(publish)* publicar. ◆*to ~ after t* perseguir. ◆*to ~ along i* irse. ◆*to ~ away i* escaparse. ◆*to ~ down t (knock down)* atropellar. **2** *(criticize)* criticar. – **3** *t-i (battery)* agotar(se). **4** *(clock)* pararse. ◆*to ~ in t (car)* rodar. **2** *(criminal)* detener. ◆*to ~ into t (car)* chocar con. **2** *(meet)* tropezar con. ◆*to ~ off with t* escaparse con. ◆*to ~ out i* acabarse: *I've ~ out of sugar,* se

me ha acabado el azúcar. ◆*to ~ over t (knock down)* atropellar. – **2** *i (overflow)* rebosar. **3** *(spill)* derramar. ◆*to ~ through t* ensayar. **2** *(read)* echar un vistazo a. ◆*to ~ up t (debts)* acumular. **2** *(flag)* izar. ●*in the long ~,* a la larga. ▲ *pt ran; pp run.*

runaway ['rʌnəweɪ] *adj-n* fugitivo,-a. – **2** *adj (out of control)* incontrolado,-a. **3** *(tremendous)* aplastante.

rung [rʌŋ] *n* escalón *m.* – **2** *pp → ring.*

runner ['rʌnə'] *n* corredor,-ra. **2** *(of sledge)* patín *m.*

runner-up [rʌnər'ʌp] *n* subcampeón, -ona. ▲ *pl runners-up.*

running ['rʌnɪŋ] *n* el correr. – **2** *adj* corriente. **3** *(continuous)* contínuo,-a. – **4** *adv* seguido,-a. ●*out of/in the ~,* sin/con posibilidades de ganar. ■ *~ costs,* gastos de mantenimiento.

runny ['rʌnɪ] *adj* blando,-a, líquido,-a. **2** *(nose)* que moquea.

run-of-the-mill [rʌnəvðə'mɪl] *adj* corriente y moliente.

runway ['rʌnweɪ] *n* pista de aterrizaje.

run-up ['rʌnʌp] *n* etapa preliminar.

rupee [ru:'pi:] *n* rupia.

rupture ['rʌptʃə'] *n* hernia. **2** *fig* ruptura. – **3** *t* romper. ●*to ~ o.s.,* herniarse.

rural ['ruərəl] *adj* rural.

ruse [ru:z] *n* ardid *m,* astucia.

rush [rʌʃ] *n* prisa, precipitación. **2** *(movement)* movimiento/avance impetuoso. **3** BOT junco. – **4** *t-i* precipitar(se), apresurar(se). – **5** *t (job etc.)* hacer de prisa. **6** *fam* cobrar. ●*to be rushed off one's feet,* ir de culo. ■ *~ hour,* hora punta.

rusk [rʌsk] *n* galleta.

rust [rʌst] *n* óxido. – **2** *t-i* oxidar(se).

rustic ['rʌstɪk] *adj* rústico,-a.

rustle ['rʌsəl] *n* crujido. – **2** *t-i* (hacer) crujir. – **3** *i* robar ganado.

rustler ['rʌsələ'] *n* cuatrero,-a.

rusty ['rʌstɪ] *adj* oxidado,-a.

rut [rʌt] *n* surco. **2** ZOOL celo. ●*in a ~,* esclavo,-a de la rutina.

ruthless ['ru:θləs] *adj* cruel, despiadado,-a.

rye [raɪ] *n* centeno.

S

sabbatical [sə'bætɪkəl] *n* año sabático.
sabotage ['sæbətɑːʒ] *n* sabotaje *m*. − 2 *t* sabotear.
sack [sæk] *n* saco. − 2 *t* MIL saquear. 3 *fam* despedir a, echar del trabajo a. ●*fam to get the* ~, ser despedido,-a; *fam to hit the* ~, irse al catre.
sacrament ['sækrəmənt] *n* sacramento.
sacred ['seɪkrəd] *adj* sagrado,-a. ■ ~ *music*, música religiosa.
sacrifice ['sækrɪfaɪs] *n* sacrificio. 2 *(offering)* ofrenda. − 3 *t* sacrificar.
sacrilege ['sækrɪlɪdʒ] *n* sacrilegio.
sad [sæd] *adj* triste. 2 *(deplorable)* lamentable.
sadden ['sædən] *t-i* entristecer(se).
saddle ['sædəl] *n (for horse)* silla (de montar). 2 *(of bicycle)* sillín *m*. − 3 *t* ensillar.
sadism ['seɪdɪzəm] *n* sadismo.
sadness ['sædnəs] *n* tristeza.
safe [seɪf] *adj (unharmed)* ileso,-a. 2 *(out of danger)* a salvo, fuera de peligro. 3 *(not harmful)* inocuo,-a. 4 *(secure)* seguro,-a. − 5 *n* caja fuerte. − 6 *safely adv (surely)* con toda seguridad. 7 *(without mishap)* sin contratiempos. ●~ *and sound*, sano,-a y salvo,-a; ~ *from*, a salvo de; *to be on the* ~ *side*, para mayor seguridad.
safe-conduct [seɪf'kɒndəkt] *n* salvoconducto.
safeguard ['seɪfgɑːd] *n* salvaguarda. − 2 *t* salvaguardar.
safety ['seɪftɪ] *n* seguridad. ■ ~ *belt*, cinturón *m* de seguridad; ~ *pin*, imperdible *m*.
saffron ['sæfrən] *n* azafrán *m*.
sag [sæg] *i (wood, iron)* combarse. 2 *(roof)* hundirse. 3 *(wall)* pandear. 4 *fig* flaquear.
saga ['sɑːgə] *n* saga.
sage [seɪdʒ] *adj-n* sabio,-a. 2 BOT salvia.

Sagittarius [sædʒɪ'teərɪəs] *n* Sagitario.
said [sed] *pt & pp* → **say**.
sail [seɪl] *n (canvas)* vela. 2 *(trip)* paseo en barco. − 3 *t* navegar. 4 *(cross)* cruzar en barco. − 5 *i* ir en barco. 6 *(leave)* zarpar. ●*to set* ~, zarpar; *fig to* ~ *through sth.*, encontrar algo muy fácil.
sailing ['seɪlɪŋ] *n gen* navegación. 2 *(yachting)* vela. ■ ~ *boat/ship*, velero, barco de vela.
sailor ['seɪlə'] *n* marinero.
saint [seɪnt] *n* san, santo,-a.
saintly ['seɪntlɪ] *adj* santo,-a.
sake [seɪk] *n* bien *m*. ●*for old times'* ~, por los viejos tiempos; *for the* ~ *of*, por (el bien de); *fam for God's/goodness'* ~!, ¡por el amor de Dios!
salad ['sæləd] *n* ensalada. ■ ~ *dressing*, aliño, aderezo.
salamander ['sæləmændə'] *n* salamandra.
salary ['sælərɪ] *n* salario, sueldo.
sale [seɪl] *n gen* venta. 2 *(special offering)* liquidación, rebajas *fpl*. 3 *(auction)* subasta. ●*for/on* ~, en venta. ■ *sales manager*, jefe,-a de ventas, director,-ra comercial.
salesclerk ['seɪlzklɑːk] *n* dependiente,-a.
salesman ['seɪlzmən] *n* vendedor *m*. 2 *(in shop)* dependiente. 3 *(travelling)* representante *m*.
saleswoman ['seɪlzwʊmən] *n* vendedora. 2 *(in shop)* dependienta. 3 *(travelling)* representante *f*.
saliva [sə'laɪvə] *n* saliva.
sallow ['sæləʊ] *adj* cetrino,-a.
salmon ['sæmən] *n* salmón *m*.
salon ['sælɒn] *n* salón *m*.
saloon [sə'luːn] *n* US taberna, bar *m*. ■ GB ~ *(bar)*, bar *m* de lujo; GB ~ *(car)*, turismo.

salt [sɔːlt] *n* sal *f.* – 2 *adj* salado,-a. – 3 *t* *(cure)* curar. 4 *(season)* salar. ●*fig the ~ of the earth,* la sal de la tierra. ■ *~ beef,* cecina; *~ pork,* tocino.

saltcellar [ˈsɔːltselərˈ] *n* salero.

saltpetre [sɔːltˈpiːtərˈ] *n* salitre *m.*

saltwater [ˈsɔːltwɔːtərˈ] *adj* de agua salada.

salty [ˈsɔːltɪ] *adj* salado,-a.

salutary [ˈsæljʊtərɪ] *adj* beneficioso,-a.

salute [səˈluːt] *n* saludo. – 2 *t-i* saludar.

salvage [ˈsælvɪdʒ] *n* salvamento, rescate *m.* 2 *(property)* objetos *mpl* recuperados. – 3 *t* salvar, rescatar.

salvation [sælˈveɪʃən] *n* salvación.

salve [sælv] *n* pomada. – 2 *t* *fml* aliviar.

same [seɪm] *adj* mismo,-a. – 2 *pron the ~,* lo mismo. – 3 *adv* igual, del mismo modo. ●*all the ~,* a pesar de todo; *at the ~ time,* a la vez, al mismo tiempo; *fam ~ here,* yo también; *fam the ~ to you!,* ¡igualmente!

sample [ˈsɑːmpəl] *n* muestra. – 2 *t gen* probar; *(wine)* catar.

sanatorium [sænəˈtɔːrɪəm] *n* sanatorio. ▲ *pl* **sanatoriums** *o* **sanatoria** [sænəˈtɔːrɪə].

sanctimonious [sæŋktɪˈməʊnɪəs] *adj pej* santurrón,-ona.

sanction [ˈsæŋkʃən] *n* sanción. 2 *fml* *(permission)* autorización, permiso. – 3 *t fml* autorizar.

sanctuary [ˈsæŋktjʊərɪ] *n* santuario. 2 *(asylum)* asilo. 3 *(for animals)* refugio.

sand [sænd] *n* arena. ■ *~ dune,* duna.

sandal [ˈsændəl] *n* sandalia.

sandbank [ˈsændbæŋk] *n* banco de arena.

sandpaper [ˈsændpeɪpərˈ] *n* papel *m* de lija. – 2 *t* lijar.

sandstone [ˈsændstəʊn] *n* arenisca.

sandwich [ˈsænwɪdʒ] *n* sandwich *m,* bocadillo. – 2 *t* intercalar, encajonar.

sandy [ˈsændɪ] *adj* arenoso,-a. 2 *(hair)* rubio,-a oscuro,-a.

sane [seɪn] *adj* cuerdo,-a. 2 *(sensible)* sensato,-a.

sang [sæŋ] *pt →* **sing.**

sanitary [ˈsænɪtərɪ] *adj* sanitario,-a, de sanidad. 2 *(clean)* higiénico,-a. ■ *~ towel,* compresa.

sanitation [sænɪˈteɪʃən] *n* *(public health)* sanidad (pública). 2 *(plumbing)* sistema *m* de saneamiento.

sanity [ˈsænɪtɪ] *n* cordura, juicio. 2 *(sense)* sensatez *f.*

sank [sæŋk] *pt →* **sink.**

sap [sæp] *n* savia. – 2 *t fig* minar, debilitar.

sapphire [ˈsæfaɪərˈ] *n* zafiro.

sarcasm [ˈsɑːkæzəm] *n* sarcasmo, sorna.

sarcastic [sɑːˈkæstɪk] *adj* sarcástico,-a.

sardine [sɑːˈdiːn] *n* sardina.

sardonic [sɑːˈdɒnɪk] *adj* sardónico,-a.

sash [sæʃ] *n* *(waistband)* faja. 2 *(frame)* marco (de ventana). ■ *~ window,* ventana de guillotina.

sat [sæt] *pt & pp →* **sit.**

satanic [səˈtænɪk] *adj* satánico,-a.

satchel [ˈsætʃəl] *n* mochila (de colegial).

satellite [ˈsætəlaɪt] *n* satélite *m.* ■ *~ dish aerial,* antena parabólica.

satiate [ˈseɪʃɪeɪt] *t* saciar.

satin [ˈsætɪn] *n* satén *m,* raso.

satire [ˈsætaɪərˈ] *n* sátira.

satirical [səˈtɪrɪkəl] *adj* satírico,-a.

satirize [ˈsætəraɪz] *t* satirizar.

satisfaction [sætɪsˈfækʃən] *n* satisfacción.

satisfactory [sætɪsˈfæktərɪ] *adj* satisfactorio,-a.

satisfy [ˈsætɪsfaɪ] *t* satisfacer. 2 *(requirements)* cumplir. 3 *(convince)* convencer.

saturate [ˈsætʃəreɪt] *t* saturar. 2 *(soak)* empapar.

Saturday [ˈsætədɪ] *n* sábado.

sauce [sɔːs] *n* salsa. 2 *fam (cheek)* frescura, descaro. ■ *~ boat,* salsera.

saucepan [ˈsɔːspən] *n* cazo, cacerola. 2 *(large)* olla.

saucer [ˈsɔːsərˈ] *n* platillo. ■ *flying ~,* platillo volante.

saucy [ˈsɔːsɪ] *adj fam* descarado,-a, fresco,-a.

sauna [ˈsɔːnə] *n* sauna.

saunter [ˈsɔːntərˈ] *i* pasearse.

sausage [ˈsɒsɪdʒ] *n* *(uncooked)* salchicha. 2 *(cooked)* embutido.

sauté [ˈsəʊteɪ] *t* saltear.

savage [ˈsævɪdʒ] *adj (fierce)* feroz. 2 *(cruel)* salvaje, cruel. 3 *(uncivilized)* salvaje. – 4 *n* salvaje *mf.* – 5 *t* embestir.

save [seɪv] *t* salvar. 2 *(keep)* guardar. 3 *(money, time, energy)* ahorrar(se). – 4 *i to ~ (up),* ahorrar. – 5 *prep fml* salvo. ◆*to ~ on t* ahorrar.

saving [ˈseɪvɪŋ] *n* ahorro, economía. 2 *pl* ahorros *mpl.* ■ *savings account/bank,* cuenta/caja de ahorros.

saviour [ˈseɪvɪərˈ] *n* salvador,-ra.

savour [ˈseɪvərˈ] *n* sabor *m.* – 2 *t* saborear.

savoury [ˈseɪvərɪ] *adj* salado,-a. – 2 *n* canapé *m,* entremés *m.*

saw [sɔ:] *pt* → **see**. — **2** *n (tool)* sierra. — **3** *t-i* (a)serrar. ▲ *pp* sawed o sawn [sɔ:n].
sawdust ['sɔ:dʌst] *n* serrín *m*.
sawn [sɔ:n] *pp* → **saw**.
saxophone ['sæksəfəʊn] *n* saxofón *m*.
say [seɪ] *t* decir: *he says (that) he's innocent*, dice que es inocente. **2** *(clock, meter)* marcar. **3** *(suppose)* (su)poner: *let's* ~ *it costs about £20*, pongamos que cuesta unas veinte libras. — **4** *n* opinión. ●*it is said that ...*, dicen que ...; se dice que ...; *that is to* ~, es decir; *to have one's* ~, dar su opinión; *to* ~ *the least*, como mínimo; *fam you don't* ~*!*, ¡no me digas! ▲ *pt & pp* said.
saying ['seɪɪŋ] *n* dicho, decir *m*.
scab [skæb] *n* costra, postilla. **2** *pej (blackleg)* esquirol *m*.
scaffold ['skæfəʊld] *n* andamio. **2** *(for criminals)* patíbulo.
scaffolding ['skæfəldɪŋ] *n* andamio.
scald [skɔ:ld] *n* escaldadura. — **2** *t (burn)* escaldar. **3** *(liquid)* calentar.
scale [skeɪl] *n gen* escala. **2** *(of fish etc.)* escama. **3** *(on pipes etc.)* incrustaciones *fpl*. **4** *pl (for weighing)* balanza *f sing*; *(in bathroom)* báscula *f sing*. — **5** *t (climb up)* escalar. **6** *(fish)* escamar. ◆*to* ~ *down/up t* reducir/aumentar proporcionalmente. ●*on a large* ~, a gran escala; *to* ~, a escala. ■ ~ *drawing*, dibujo (hecho) a escala; ~ *model*, maqueta.
scalp [skælp] *n* cuero cabelludo.
scalpel ['skælpəl] *n* bisturí *m*.
scaly ['skeɪlɪ] *adj* escamoso,-a.
scamp [skæmp] *n* diablillo,-a, pícaro,-a.
scamper ['skæmpəʳ] *i* corretear.
scampi ['skæmpɪ] *n* cigalas *fpl* empanadas/rebozadas.
scan [skæn] *t (examine)* escrutar. **2** *(glance over)* echar un vistazo a. — **3** *n* exploración ultrasónica, ecografía.
scandal ['skændəl] *n* escándalo. **2** *(gossip)* chismes *mpl*.
scandalize ['skændəlaɪz] *t* escandalizar.
scandalous ['skændələs] *adj* escandaloso,-a.
scant [skænt] *adj* escaso,-a.
scanty ['skæntɪ] *adj* escaso,-a; *(meal)* insuficiente.
scapegoat ['skeɪpgəʊt] *n fig* cabeza de turco, chivo expiatorio.
scar [skɑːʳ] *n* cicatriz *f*. **2** *fig* huella. — **3** *t* dejar cicatriz.
scarce [skeəs] *adj* escaso,-a. — **2** *scarcely adv* apenas. ●*scarcely ever*, casi nunca; *to be* ~, escasear.
scarcity ['skeəsɪtɪ] *n* escasez *f*.

scare [skeəʳ] *n (fright)* susto. **2** *(widespread)* alarma, pánico. — **3** *t-i* asustar(se), espantar(se). ◆*to* ~ *away/off t* espantar, ahuyentar.
scarecrow ['skeəkrəʊ] *n* espantapájaros *m inv*, espantajo.
scarf [skɑːf] *n (small)* pañuelo. **2** *(long, woolen)* bufanda. ▲ *pl scarfs* o *scarves* [skɑːvz].
scarlet ['skɑːlət] *adj-n* escarlata *(m)*. ■ ~ *fever*, escarlatina.
scary ['skeərɪ] *adj fam* espantoso,-a. **2** *(film, story)* de miedo/terror.
scatter ['skætəʳ] *t-i (disperse)* dispersar(se). **2** *(spread)* esparcir, derramar.
scatterbrain ['skætəbreɪn] *n* cabeza de chorlito.
scattering ['skætərɪŋ] *n a* ~ *of*, unos,-as cuantos,-as, algunos,-as.
scavenge ['skævɪndʒ] *i* rebuscar. — **2** *t* encontrar en la basura.
scavenger ['skævɪndʒəʳ] *n (animal)* animal carroñero. **2** *(person)* rebuscador,-ra, trapero,-a.
scenario [sɪ'nɑːrɪəʊ] *n* CINEM guión *m*. **2** *(situation)* (posible) situación, circunstancias *fpl*.
scene [si:n] *n gen* escena. **2** *(place)* escenario. **3** *(view)* vista, panorama *m*. ●*behind the scenes*, entre bastidores; *the* ~ *of the crime*, el lugar del crimen; *to make a* ~, armar un escándalo.
scenery ['si:nərɪ] *n* paisaje *m*. **2** THEAT decorado.
scent [sent] *n* olor *m*. **2** *(perfume)* perfume *m*. **3** *(track)* pista, rastro. — **4** *t (smell)* olfatear; *fig* presentir. **5** *(add perfume to)* perfumar.
sceptre ['septəʳ] *n* cetro.
schedule ['ʃedjuːl, 'skedjuːl] *n (programme)* programa *m*. **2** *(list)* lista. **3** US *(timetable)* horario. — **4** *t* programar, fijar. ●*on* ~, a la hora (prevista); *to be ahead of/behind* ~, ir adelantado,-a/retrasado,-a.
scheme [skiːm] *n (plan)* plan *m*, programa *m*; *(system)* sistema *m*. **2** *(plot)* intriga; *(trick)* ardid *m*. — **3** *i* conspirar, tramar.
schism ['skɪzəm] *n* cisma *m*.
schizophrenia [skɪtsəʊ'friːnɪə] *n* esquizofrenia.
scholar ['skɒləʳ] *n (learned person)* erudito,-a. **2** *(holder of scholarship)* becario,-a.
scholarship ['skɒləʃɪp] *n (grant)* beca. **2** *(learning)* erudición.
school [skuːl] *n* escuela. **2** *(students)* alumnos *mpl*, alumnado. **3** *(of university)*

facultad *f.* 4 *(of fish)* banco. – 5 *t (teach)* enseñar; *(train)* educar, formar. ■ ~ *of thought,* corriente *f* de opinión; ~ *year,* año escolar.

schoolchild ['sku:ltʃaɪld] *n* alumno,-a. ▲ *pl* **schoolchildren** ['sku:ltʃɪldrən].

schooling ['sku:lɪŋ] *n* estudios *mpl.*

schoolmaster ['sku:lmɑːstəʳ] *n* profesor *m.* 2 *(primary education)* maestro.

schoolmistress ['sku:lmɪstrəs] *n* profesora. 2 *(primary education)* maestra.

science ['saɪəns] *n* ciencia. 2 *(subject)* ciencias *fpl.* ■ ~ *fiction,* ciencia-ficción.

scientific [saɪən'tɪfɪk] *adj* científico,-a.

scientist ['saɪəntɪst] *n* científico,-a.

scissors ['sɪzəz] *npl* tijeras *fpl.* ●*a pair of* ~, unas tijeras.

scoff [skɒf] *i (mock)* mofarse/burlarse *(at,* de). 2 *fam (eat fast)* zamparse.

scold [skəʊld] *t* reñir, regañar.

scoop [sku:p] *n gen* pala; *(for ice-cream)* cucharón *m.* 2 *(amount)* cucharada. 3 *(exclusive)* exclusiva. ◆*to* ~ *out t* sacar con pala/cucharón.

scooter ['sku:təʳ] *n (adult's)* Vespa®. 2 *(child's)* patinete *m.*

scope [skəʊp] *n (range)* alcance *m; (of undertaking)* ámbito. 2 *(chance)* oportunidad.

scorch [skɔ:tʃ] *t (singe)* chamuscar. 2 *(burn)* abrasar.

scorching ['skɔ:tʃɪŋ] *adj* abrasador,-ra.

score [skɔ:ʳ] *n* SP tanteo; *(golf, cards)* puntuación. 2 *(result)* resultado. 3 *(notch)* muesca. 4 MUS partitura; *(of film)* música. – 5 *t-i* SP marcar (un tanto); *(football)* marcar (un gol). 6 *fig (have success)* tener (éxito). – 7 *t (notch)* hacer una muesca en; *(paper)* rayar. ●*on that* ~, a ese respecto; *to keep the* ~, seguir el marcador; *what's the* ~?, ¿cómo van?

scoreboard ['skɔ:bɔ:d] *n* marcador *m.*

scorn [skɔ:n] *n* desdén *m,* desprecio. – 2 *t* desdeñar, despreciar.

Scorpio ['skɔ:pɪəʊ] *n* Escorpión *m.*

scorpion ['skɔ:pɪən] *n* escorpión *m.*

scoundrel ['skaʊndrəl] *n* canalla *m.*

scour ['skaʊəʳ] *t (search)* recorrer. 2 *(clean)* fregar, restregar.

scout [skaʊt] *n* explorador,-ra. – 2 *i* reconocer el terreno.

scowl [skaʊl] *i* fruncir el ceño.

scramble ['skræmbəl] *n (climb)* subida. 2 *(struggle)* lucha. – 3 *i (climb)* trepar. 4 *(struggle)* pelearse: *to* ~ *for seats,* pelearse por encontrar asiento. – 5 *t* revolver. ■ *scrambled eggs,* huevos *mpl* revueltos.

scrap [skræp] *n* trozo, pedazo. 2 *pl* restos *mpl; (of food)* sobras *fpl.* 3 *fam (fight)* pelea. – 4 *t* desechar. – 5 *i fam* pelearse. ■ ~ *(metal),* chatarra; ~ *paper,* papel *m* borrador.

scrape [skreɪp] *n (act)* raspado. 2 *(mark)* rasguño. – 3 *t (paint)* raspar. 4 *(skin)* hacerse un rasguño en. ◆*to* ~ *along i.* ir tirando. ◆*to* ~ *through t (exam)* aprobar de chiripa/por los pelos.

scratch [skrætʃ] *n* arañazo; *(on record, photo)* raya. 2 *(noise)* chirrido. – 3 *t-i* arañar, rasguñar; *(paintwork etc.)* rayar. 4 *(itch)* rascarse. – 5 *t* SP cancelar. ●*fam to be/come up to* ~, dar la talla; *fam to start from* ~, partir de cero. ■ SP ~ *team,* equipo improvisado.

scrawny ['skrɔ:nɪ] *adj pej* flacucho,-a.

scream [skri:m] *n* grito, chillido. – 2 *t-i* gritar. ●*fam it was a* ~, fue la monda.

screech [skri:tʃ] *n (of person)* chillido. 2 *(of tyres etc.)* chirrido. – 3 *i (person)* chillar. 4 *(tyres etc.)* chirriar.

screen [skri:n] *n (partition)* biombo. 2 *(cinema, TV, etc.)* pantalla. 3 *fig* cortina. – 4 *t (protect)* proteger. 5 *(hide)* ocultar, tapar. 6 *(test)* examinar. 7 *(film)* proyectar. ■ CINEM ~ *test,* prueba.

screw [skru:] *n* tornillo. 2 *(propeller)* hélice *f.* – 3 *t* atornillar. – 4* *t-i (have sex with)* joder*. ◆*to* ~ *up t (twist)* arrugar; *(face)* torcer. 2 *sl (ruin)* jorobar, fastidiar. ●*sl to* ~ *money out of sb.,* sacarle dinero a algn.

screwdriver ['skru:draɪvəʳ] *n* destornillador *m.*

scribble ['skrɪbəl] *n* garabatos *mpl.* – 2 *t-i* garabatear.

script [skrɪpt] *n (handwriting)* letra. 2 *(writing)* escritura. 3 CINEM guión *m.*

scrounge [skraʊndʒ] *i* gorrear, vivir de gorra. – 2 *t* gorrear *(from,* de/a). ●*to* ~ *off sb.,* vivir a costa de algn.

scrub [skrʌb] *n (undergrowth)* maleza. 2 *(cleaning)* fregado. – 3 *t gen* fregar; *(clothes)* lavar.

scruff [skrʌf] *n* cogote *m.*

scruffy ['skrʌfɪ] *adj* desaliñado,-a.

scruple ['skru:pəl] *n* escrúpulo.

scrupulous ['skru:pjʊləs] *adj* escrupuloso,-a.

scrutinize ['skru:tɪnaɪz] *t* escudriñar, examinar a fondo.

sculptor ['skʌlptəʳ] *n* escultor *m.*

sculptress ['skʌlptrəs] *n* escultora.

sculpture ['skʌlptʃəʳ] *n* escultura. – 2 *t* esculpir.

scum [skʌm] *n* espuma. 2 *fig* escoria.

scurry ['skʌrɪ] *i* correr. ◆*to* ~ *away/off i* escabullirse.

scuttle ['skʌtəl] *t* MAR hundir. – 2 *i* (run) corretear.

sea [si:] *n* mar *m & f.* ●*at* ~, en el mar; *fam fig* desorientado,-a; *by the* ~, a orillas del mar. ■ *rough* ~, marejada; ~ *level,* nivel *m* del mar; ~ *lion,* león marino; ~ *trout,* trucha de mar, reo.

seafood ['si:fu:d] *n* mariscos *mpl.*

seagull ['si:gʌl] *n* gaviota.

sea-horse ['si:hɔːs] *n* caballito de mar.

seal [si:l] *n* ZOOL foca. 2 (stamp) sello. – 3 *t* sellar; (bottle) precintar. ◆*to* ~ *off t* (close) cerrar. 2 (block) cerrar el acceso a.

seam [si:m] *n* costura. 2 TECH juntura, junta. 3 MED sutura. 4 (of mineral) veta.

seamstress ['semstrəs] *n* costurera.

search [sɜːtʃ] *n* búsqueda. 2 (of building) registro. – 3 *t-i* buscar (en). – 4 *t* (building, suitcase) registrar. 5 (person) cachear. ●*in* ~ *of,* en busca de. ■ ~ *party,* equipo de salvamento.

searchlight ['sɜːtʃlaɪt] *n* reflector *m,* proyector *m.*

seasick ['si:sɪk] *adj* mareado,-a.

seaside ['si:saɪd] *n* playa, costa. ■ ~ *resort,* lugar *m*/complejo turístico de veraneo.

season ['si:zən] *n* (of year) estación. 2 (time) época. 3 (for sport etc.) temporada. – 4 *t* (food) sazonar. 5 (person) avezar. ●*in* ~, (fruit) en sazón; (animal) en celo. ■ ~ *ticket,* abono.

seat [si:t] *n* asiento. 2 (at theatre etc.) localidad. 3 (of cycle) sillín *m.* 4 (centre) sede *f,* centro. 5 (in parliament) escaño. – 6 *t* sentar. 7 (accomodate) tener cabida para. ●*to take a* ~, sentarse, tomar asiento.

secession [sɪ'seʃən] *n* secesión.

secluded [sɪ'klu:dɪd] *adj* aislado,-a, apartado,-a.

seclusion [sɪ'klu:ʒən] *n* aislamiento.

second ['sekənd] *adj-n* segundo,-a. – 2 *n* (time) segundo. 3 *pl* COM artículos *mpl* defectuosos. – 4 *adv* segundo, en segundo lugar. – 5 *t* (support) apoyar, secundar. 6 GB (transfer) trasladar temporalmente. – 7 *secondly adv* en segundo lugar. ●*to have* ~ *thoughts about sth.,* dudar de algo. ■ ~ *hand,* (of watch) segundero. ▲ *En 6* (verbo) [sɪ'kɒnd].

secondary ['sekəndərɪ] *adj* secundario,-a.

second-hand ['sekəndhænd] *adj* de segunda mano.

secrecy ['si:krəsɪ] *n* secreto. 2 (practice) discreción.

secret ['si:krət] *adj* secreto,-a. – 2 *n* secreto. – 3 *secretly adv* en secreto. ●*in* ~, en secreto. ■ ~ *service,* servicio secreto.

secretary ['sekrətərɪ] *n* secretario,-a. ■ *Secretary of State,* GB ministro,-a con cartera, US ministro,-a de Asuntos Exteriores.

secrete [sɪ'kri:t] *t* secretar, segregar.

sect [sekt] *n* secta.

section ['sekʃən] *n gen* sección. 2 (of road, track) tramo. 3 (of law) apartado. – 4 *t* cortar, seccionar.

sector ['sektə] *n* sector *m.*

secular ['sekjulər] *adj* (education) laico,-a. 2 (art, music) profano,-a.

secure [sɪ'kjuər] *adj* seguro,-a. – 2 *t* asegurar. 3 (fasten) sujetar, fijar; (window etc.) asegurar. 4 (obtain) obtener, conseguir.

security [sɪ'kjuərɪtɪ] *n* (safety) seguridad. 2 (property) fianza, aval *m.* 3 *pl* COM valores *mpl.*

sedative ['sedətɪv] *adj-n* sedativo,-a, sedante *(m).*

sedentary ['sedəntərɪ] *adj* sedentario,-a.

sediment ['sedɪmənt] *n* sedimento. 2 (of wine) hez *f,* poso.

sedition [sɪ'dɪʃən] *n* sedición.

seduce [sɪ'dju:s] *t* seducir.

see [si:] *t-i* ver. 2 (ensure) procurar: ~ *that you arrive on time,* procura llegar a la hora. 3 (accompany) acompañar (to, a). – 4 *n* sede *f.* ◆*to* ~ *about t* ocuparse de. ◆*to* ~ *off t* despedirse de. ◆*to* ~ *out t* (last) durar. 2 (go to door with) acompañar hasta la puerta. ◆*to* ~ *through t* calar a, verle el plumero a. ◆*to* ~ *to t* ocuparse de. ●~ *you later/Monday!,* ¡hasta luego/el lunes!; *to be seeing things,* ver visiones; *to* ~ *red,* ponerse negro,-a; *we'll* ~, ya veremos. ▲ *pt saw; pp seen.*

seed [si:d] *n* semilla; (of fruit) pepita. 2 SP cabeza *m* de serie. – 3 *t* sembrar.

seedy ['si:dɪ] *adj* sórdido,-a. 2 (unwell) pachucho,-a.

seek [si:k] *t* (look for) buscar. 2 (ask for) solicitar. ◆*to* ~ *after/out t* buscar. ▲ *pt & pp sought.*

seem [si:m] *i* parecer: *it seems to me that ...,* me parece que ... . ●*so it seems,* eso parece.

seeming ['si:mɪŋ] *adj* aparente. – 2 *seemingly adv* aparentemente, al parecer.

seen [si:n] *pp* → *see.*

seep [si:p] *i* rezumarse. ●*to* ~ *into/out sth.,* filtrarse en/de algo.

seesaw ['si:sɔ:] *n* subibaja *m*.

seethe [si:ð] *i* hervir. 2 *fig (with anger)* rabiar.

segment ['segmənt] *n* segmento.

segregate ['segrigeit] *t* segregar.

segregation [segri'geiʃən] *n* segregación.

seismic ['saizmik] *adj* sísmico,-a.

seize [si:z] *t* asir, agarrar, coger. 2 JUR incautar, embargar. 3 MIL tomar, apoderarse de. ●*to* ~ *up i* agarrotarse.

seizure ['si:ʒə^r] *n* JUR incautación, embargo. 2 MED ataque *m* (de apoplejía).

seldom ['seldəm] *adv* raramente, rara vez.

select [si'lekt] *t* escoger, elegir. 2 SP seleccionar. – 3 *adj* selecto,-a, escogido,-a.

selection [si'lekʃən] *n* selección. 2 *(choosing)* elección. 3 *(range)* surtido.

selective [si'lektiv] *adj* selectivo,-a.

self [self] *n* yo, identidad propia: *my other ~,* mi otro yo. ▲ *pl* **selves** [selvz].

self-assured [selfə'ʃuəd] *adj* seguro,-a de sí mismo,-a.

self-centred [self'sentəd] *adj* egocéntrico,-a.

self-confidence [self'kɒnfidəns] *n* seguridad/confianza en sí mismo,-a.

self-conscious [self'kɒnʃəs] *adj* cohibido,-a, tímido,-a.

self-defence [selfdi'fens] *n* defensa personal, autodefensa.

self-employed [selfim'plɔid] *adj* autónomo,-a, que trabaja por cuenta propia.

self-government [self'gʌvənmənt] *n* autonomía, autogobierno.

selfish ['selfiʃ] *adj* egoísta.

selfishness ['selfiʃnəs] *n* egoísmo.

selfless ['selfləs] *adj* desinteresado,-a.

self-respect [selfri'spekt] *n* amor *m* propio, dignidad.

self-righteous [self'raitʃəs] *adj* altivo,-a.

self-service [self'sɜ:vis] *adj-n* (de) autoservicio.

sell [sel] *t-i* vender(se). ●*to* ~ *off t (cheaply)* liquidar. ●*to* ~ *out i (be disloyal)* claudicar, venderse. – 2 *t* agotarse: *the tickets are sold out,* las localidades están agotadas. ●*to* ~ *up i* venderlo todo. ●*fam to be sold on sth.,* entusiasmarse por algo. ▲ *pt & pp* **sold**.

seller ['selə^r] *n* vendedor,-ra.

sellotape® ['seləteip] *n* celo®, cinta adhesiva.

semantics [si'mæntiks] *n* semántica.

semen ['si:mən] *n* semen *m*.

semester [si'mestə^r] *n* semestre *m*.

semicircle ['semisɜ:kəl] *n* semicírculo.

semicolon [semi'kəulən] *n* punto y coma.

semidetached [semidi'tætʃt] *adj* adosado,-a. – 2 *n* casa adosada.

semifinal [semi'fainəl] *n* semifinal *f*.

seminar ['seminɑ:^r] *n* seminario.

senate ['senət] *n* senado.

senator ['senətə^r] *n* senador,-ra.

send [send] *t gen* enviar, mandar: ~ *me the results,* envíeme los resultados. 2 *(cause to become)* volver: *the noise sent her mad,* el ruido la volvió loca. – 3 *i to* ~ *for sb./sth.,* mandar llamar a algn./ pedir algo (por correo). ●*to* ~ *away t* despachar. – 2 *i to* ~ *away for sth.,* pedir algo por correo. ●*to* ~ *back t (goods etc.)* devolver. 2 *(person)* hacer volver. ●*to* ~ *in t (post)* mandar, enviar. 2 *(visitor)* hacer pasar. ●*to* ~ *off t (post)* enviar. 2 *(football)* expulsar. ●*to* ~ *on t (letter)* hacer seguir. 2 *(luggage)* facturar. ●*to* ~ *sth. flying,* tirar algo (al aire); *to* ~ *word,* mandar recado. ▲ *pt & pp* **sent**.

sender ['sendə^r] *n* remitente *mf*.

send-off ['sendɒf] *n fam* despedida.

senile ['si:nail] *adj* senil.

senior ['si:niə^r] *adj (in age)* mayor; *(in rank)* superior. 2 *(with longer service)* de más antigüedad. – 3 *n (in age)* mayor *mf*; *(in rank)* superior *m*. ■ ~ *citizen,* jubilado,-a, persona de la tercera edad.

seniority [si:ni'ɒriti] *n* antigüedad.

sensation [sen'seiʃən] *n* sensación. ●*to be a* ~, ser (todo) un éxito.

sensational [sen'seiʃənəl] *adj* sensacional. 2 *(exaggerated)* sensacionalista.

sense [sens] *n gen* sentido. 2 *(feeling)* sensación. – 3 *t* sentir, percibir. ■ *in a* ~, hasta cierto punto; *there's no* ~ *in ...,* ¿de qué sirve ...?; *to come to one's senses,* recobrar el juicio; *to make* ~, tener sentido.

senseless ['sensləs] *adj (unconscious)* inconsciente. 2 *(foolish)* absurdo,-a, insensato,-a.

sensibility [sensi'biliti] *n* sensibilidad.

sensible ['sensibəl] *adj* sensato,-a, razonable.

sensitive ['sensitiv] *adj* sensible *(to, a)*. 2 *(touchy)* susceptible. 3 *(document)* confidencial.

sensual ['sensjuel] *adj* sensual.

sent [sent] *pt & pp* → **send**.

sentence ['sentəns] *n* frase *f*, oración. 2
JUR sentencia, fallo, condena. — 3 *t* JUR
condenar. ●*to pass ~ on sb.,* imponer
una pena a algn.

sentimental [sentɪ'mentəl] *adj* sentimental.

sentry ['sentrɪ] *n* centinela *m & f.*

separable ['sepərəbəl] *adj* separable.

separate ['sepərət] *t-i* separar(se). — 2 *t*
(divide) dividir. — 3 *adj* separado,-a. 4
(individual) individual. 5 *(different)* distinto,-a. — 6 *separately adv* por separado. ▲ *De 3 a 5 (adjetivo)* ['sepərət].

separation [sepə'reɪʃən] *n* separación.

separatist ['sepərətɪst] *n* separatista *mf.*

September [səp'tembəʳ] *n* septiembre
m.

septic ['septɪk] *adj* séptico,-a.

sepulchre ['sepəlkəʳ] *n* sepulcro.

sequel ['siːkwəl] *n* secuela.

sequence ['siːkwəns] *n* secuencia.

sequin ['siːkwɪn] *n* lentejuela.

serenade [serə'neɪd] *n* serenata. — 2 *t* dar
una serenata a.

serene [sə'riːn] *adj* sereno,-a, tranquilo,-a.

serenity [sə'renɪtɪ] *n* serenidad.

sergeant ['sɑːdʒənt] *n* MIL sargento. 2 *(of
police)* cabo. ■ *~ major,* sargento mayor, brigada *m.*

serial ['sɪərɪəl] *adj* de serie. — 2 *n* serial *m*;
(book) novela por entregas.

series ['sɪərɪːz] *n inv* serie *f.* 2 *(of films, lec-
tures)* ciclo.

serious ['sɪərɪəs] *adj* serio,-a. 2 *(causing
concern)* grave. — 3 *seriously adv (in earnest)* en serio. 4 *(severely)* seriamente,
gravemente. ●*seriously wounded,* herido,-a de gravedad; *to be ~, (person)*
hablar en serio.

seriousness ['sɪərɪəsnəs] *n* seriedad, gravedad.

sermon ['sɜːmən] *n* sermón *m.*

servant ['sɜːvənt] *n* criado,-a.

serve [sɜːv] *t-i* servir *(as/for,* de). — 2 *t*
(provide) equipar *(with,* de). 3 *(sentence)*
cumplir. 4 *(tennis etc.)* sacar, servir. ●*to
~ time,* cumplir una condena; *fam it
serves him/you right,* lo tiene(s) bien
merecido.

server ['sɜːvəʳ] *n (cutlery)* cubierto de servir. 2 SP jugador,-ra al servicio.

service ['sɜːvɪs] *n* servicio. 2 *(maintenance)* revisión; *(of car)* puesta a punto.
3 REL oficio. 4 *(of dishes)* juego, servicio.
5 *(tennis)* saque *m*, servicio. ●*at your ~,*
a su disposición. ■ *~ station,* estación
de servicio.

serviceman ['sɜːvɪsmən] *n* militar *m.*

serviette [sɜːvɪ'et] *n* GB servilleta.

session ['seʃən] *n* sesión.

set [set] *n* juego. 2 *(books, poems)* colección. 3 MATH conjunto. 4 *(tennis)* set *m.*
5 CINEM THEAT escenario, decorado. 6
(equipment) aparato. — 7 *adj (fixed)*
fijo,-a. 8 *(rigid)* rígido,-a; *(opinion)* inflexible. 9 *(ready)* listo,-a *(for/to,* para). —
10 *t (put, place)* poner, colocar; *(trap)*
tender. 11 *(establish)* fijar. 12 *(adjust)*
ajustar; *(clock, alarm)* poner. 13 *(give, assign)* poner. 14 *(precious stone)* montar.
15 *(hair)* marcar. — 16 *i (sun)* ponerse.
17 *(liquid, jelly)* cuajar; *(cement)* endurecerse. ◆*to ~ about t* empezar a. ◆*to
~ aside t (save)* guardar, reservar. 2 *(disregard)* dejar de lado. ◆*to ~ back t (at
a distance)* apartar. 2 *(make late)* retrasar.
3 *fam (cost)* costar. ◆*to ~ down t (write)*
poner por escrito. 2 GB *(leave off)* dejar.
◆*to ~ in i (bad weather)* comenzar;
(problems etc.) surgir. ◆*to ~ off i* salir,
ponerse en camino. — 2 *t (bomb)* hacer
estallar; *(alarm)* hacer sonar/saltar. 2
(enhance) hacer resaltar. ◆*to ~ out i* partir, salir *(for,* para). 2 *(intend)* proponerse *(to, -).* — 3 *t* disponer. ◆*to ~ up t
(raise)* levantar; *(tent, stall)* montar. 2
(establish) crear. 3 *to ~ (o.s.) up,* establecerse *(as,* como). ●*to be ~ on doing
sth.,* estar empeñado,-a en hacer algo;
to ~ sb. free, poner a algn. en libertad;
to ~ the pace, marcar el paso; *to ~ the
table,* poner la mesa; *to ~ to work,* ponerse a trabajar. ■ *~ lunch,* menú *m* del
día; *~ phrase,* frase hecha. ▲ *pt & pp
set.*

setback ['setbæk] *n* revés *m*, contratiempo.

settee [se'tiː] *n* sofá *m.*

setting ['setɪŋ] *n (of sun)* puesta. 2 *(of jewel)* engaste *m.* 3 *(background)* marco; *(of
film etc.)* escenario. 4 *(of machine etc.)*
ajuste *m.*

settle ['setəl] *t (place)* colocar, asentar. 2
(decide on) acordar. 3 *(sort out)* resolver.
4 *(calm)* calmar. 5 *(debt)* pagar. 6 *(colonize)* colonizar, poblar. — 7 *i (bird)* posarse; *(sediment)* precipitarse; *(liquid)* asen-
tarse. 8 *(sit down)* acomodarse *(into,* en).
9 *(go and live)* afincarse. 10 *(calm down)*
calmarse; *(weather)* estabilizarse. ◆*to ~
down i* instalarse, afincarse. 2 *(live a
quiet life)* sentar la cabeza. 3 *(adapt)*
adaptarse. ◆*to ~ for t* conformarse con.
◆*to ~ in i (adapt)* acostumbrarse. ◆*to
~ on t* decidirse por. ●JUR *to ~ out of
court,* llegar a un acuerdo amistoso.

settlement ['setəlmənt] n (village) poblado; (colony) colonia. 2 (agreement) acuerdo. 3 (of bill, debt) pago.

settler ['setləʳ] n poblador,-ra, colono.

setup ['setʌp] n situación. 2 sl montaje m.

seven ['sevən] adj-n siete (m).

seventeen [sevən'tiːn] adj-n diecisiete (m).

seventeenth [sevən'tiːnθ] adj-n decimoséptimo,-a. — 2 n (fraction) decimoséptimo, decimoséptima parte.

seventh ['sevənθ] adj-n séptimo,-a. — 2 n (fraction) séptimo, séptima parte.

seventieth ['sevəntiəθ] adj-n septuagésimo,-a. — 2 n (fraction) septuagésimo, septuagésima parte.

seventy ['sevənti] adj-n setenta (m).

sever ['sevəʳ] t cortar. — 2 i romperse.

several ['sevərəl] adj-pron (a few) varios,-as. — 2 adj (respective) respectivos,-as.

severe [sɪ'vɪəʳ] adj (strict) severo,-a. 2 (pain) agudo,-a; (illness) grave; (climate) duro,-a. — 3 severely adv severamente, gravemente.

severity [sɪ'verɪti] n (strictness) severidad. 2 (of pain) agudeza; (of illness) gravedad; (of climate) rigor m.

sew [səʊ] t-i coser (on, a). ▲ pp sewed o sewn.

sewage ['sjuːɪdʒ] n aguas fpl residuales. ■ ~ system, alcantarillado.

sewer [sjʊəʳ] n alcantarilla, cloaca.

sewing ['səʊɪŋ] n costura. ■ ~ machine, máquina de coser.

sewn [səʊn] pp → sew.

sex [seks] n sexo. ●to have ~ with, tener relaciones sexuales con.

sexist ['seksɪst] adj-n sexista (mf).

sexual ['seksjʊəl] adj sexual.

sexuality [seksjʊ'ælɪti] n sexualidad.

sexy ['seksi] adj sexi.

shabby ['ʃæbi] adj (clothes) raído,-a, desharrapado,-a. 2 (person) mal vestido,-a. 3 (mean) mezquino,-a.

shack [ʃæk] n choza.

shackle ['ʃækəl] n grillete m, grillo. 2 fig traba. — 3 t poner grilletes a. 4 fig poner trabas a. ▲ 1 gen pl.

shade [ʃeɪd] n (shadow) sombra. 2 (of lamp) pantalla. 3 (of colour) matiz m. 4 (small bit) poquito. 5 fig matiz m. — 6 t proteger contra el sol/la luz.

shadow ['ʃædəʊ] n sombra. — 2 t fig seguir la pista a. ●without a ~ of doubt, sin lugar a dudas.

shadowy ['ʃædəʊi] adj oscuro,-a.

shady ['ʃeɪdi] adj (place) a la sombra. 2 fam (suspicious) sospechoso,-a.

shaft [ʃɑːft] n (of axe, tool) manga; (of arrow) astil m. 2 TECH eje m. 3 (of mine) pozo; (of lift) hueco. 4 (of light) rayo.

shaggy ['ʃægi] adj desgreñado,-a.

shake [ʃeɪk] n sacudida. 2 (milkshake) batido. — 3 t sacudir, agitar; (building etc.) hacer temblar. — 4 i temblar. 5 (hands) estrecharse la mano. ◆to ~ off t sacudirse. 2 fig quitarse de encima. ◆to ~ up t (liquid) agitar. 2 fig (stun) conmocionar. 3 fig (rearrange) reorganizar. ●to ~ hands, darse/estrecharse la mano; to ~ one's head, negar con la cabeza; to ~ with cold/fear, tiritar de frío/temblar de miedo. ▲ pt shook; pp shaken ['ʃeɪkən].

shake-up ['ʃeɪkʌp] n fig reorganización.

shaky ['ʃeɪki] adj gen tembloroso,-a; (writing) temblón,-ona; (ladder etc.) inestable. 2 (health) débil. 3 fig (argument etc.) sin fundamento.

shall [ʃæl, unstressed ʃəl] aux (future) I ~ go tomorrow, iré mañana; we ~ see them on Sunday, los veremos el domingo. 2 (offers) ~ I close the window?, ¿cierro la ventana? 3 (emphatic, command) you ~ leave immediately, debes irte enseguida. ▲ En 1 y 2 se emplea sólo para la 1ª pers del sing y pl.

shallow ['ʃæləʊ] adj poco profundo,-a. 2 fig superficial.

sham [ʃæm] n farsa. — 2 adj falso,-a. — 3 t-i fingir(se).

shambles ['ʃæmbəlz] n desorden m, confusión.

shame [ʃeɪm] n vergüenza. — 2 t deshonrar. ●to put sb./sth. to ~, humillar a algn./aplastar algo; what a ~!, ¡qué pena!, ¡qué lástima!

shameful ['ʃeɪmfʊl] adj vergonzoso,-a.

shameless ['ʃeɪmləs] adj desvergonzado,-a.

shampoo [ʃæm'puː] n champú m. — 2 t lavar con champú.

shandy ['ʃændi] n GB clara, cerveza con gaseosa.

shape [ʃeɪp] n gen forma; (shadow) figura, silueta. 2 (condition) estado. — 3 t gen dar forma a; (clay) modelar. 4 fig formar. — 5 i to ~ (up), evolucionar. ●out of ~, en baja forma; to get (o.s.) into ~, ponerse en forma.

shapeless ['ʃeɪpləs] adj informe, sin forma.

share [ʃeəʳ] n parte f. 2 FIN acción. — 3 t-i compartir. — 4 t (divide) repartir. ●to do one's ~, hacer uno su parte.

shareholder [ˈʃeəhəʊldəʳ] *n* accionista *mf*.

shark [ʃɑːk] *n* tiburón *m*. 2 *fam* estafador,-ra, timador,-ra.

sharp [ʃɑːp] *adj (knife)* afilado,-a; *(pointed object)* puntiagudo,-a. 2 *(alert)* avispado,-a, (d)espabilado,-a. 3 *(intense)* fuerte; *(pain, cry)* agudo,-a. 4 *(sudden)* brusco,-a. 5 *(distinct)* definido,-a, nítido,-a. 6 *(criticism)* mordaz; *(scolding)* severo,-a. 7 MUS sostenido,-a: *F* ~, fa sostenido. − 8 *adv* en punto: *at ten o'clock* ~, a las diez en punto.

sharpen [ˈʃɑːpən] *t (knife)* afilar; *(pencil)* sacar punta a. 2 *fig* agudizar.

sharpener [ˈʃɑːpənəʳ] *n (for knife)* afilador *m*; *(for pencil)* sacapuntas *m inv*.

shatter [ˈʃætəʳ] *t-i* romper(se), hacer(se) añicos/pedazos. − 2 *t fig* destrozar, quebrantar.

shave [ʃeɪv] *n* afeitado. − 2 *t-i (person)* afeitar(se). − 3 *t (wood)* cepillar. ●*fig to have a close/narrow* ~, salvarse por los pelos.

shaver [ˈʃeɪvəʳ] *n (electric)* ~, máquina de afeitar.

shaving [ˈʃeɪvɪŋ] *n* afeitado. 2 *(wood)* viruta. ■ ~ *brush,* brocha de afeitar.

shawl [ʃɔːl] *n* chal *m*.

she [ʃiː] *pers pron* ella.

sheaf [ʃiːf] *n* gavilla, haz *m*. 2 *(of notes etc.)* fajo.

shear [ʃɪəʳ] *t* esquilar. − 2 *npl* tijeras *fpl* (grandes). ▲ *pp* **sheared** o **shorn**.

sheath [ʃiːθ] *n (for sword)* vaina; *(for knife)* funda. 2 *(condom)* preservativo. ▲ *pl* **sheaths** [ʃiːðz].

shed [ʃed] *n (in garden)* cobertizo; *(workman's)* barraca. − 2 *t (pour forth)* derramar. 3 *(throw off)* despojarse de; *(get rid of)* deshacerse de. ●*to* ~ *its skin,* *(animal)* mudar de piel. ▲ *pt & pp* **shed**.

sheep [ʃiːp] *n inv* oveja.

sheer [ʃɪəʳ] *adj (total)* total, absoluto,-a. 2 *(cliff)* escarpado,-a. 3 *(stockings etc.)* fino,-a.

sheet [ʃiːt] *n (on bed)* sábana. 2 *(of paper)* hoja; *(of metal, glass, etc.)* lámina; *(of ice)* capa. ■ ~ *metal,* chapa de metal; ~ *music,* papel pautado.

shelf [ʃelf] *n (on wall)* estante *m*. 2 *(in rock)* promontorio. ■ *(set of)* **shelves**, estantería.

shell [ʃel] *n (of egg, nut)* cáscara. 2 *(of pea)* vaina. 3 *(of tortoise, lobster)* caparazón *m*. 4 *(of snail, oyster)* concha. 5 *(of building)* armazón *m*, esqueleto. 6 MIL proyectil *m*. − 7 *t (nuts)* descascarar; *(peas)* des-

vainar. 8 MIL bombardear. ◆*to* ~ *out t fam* soltar, pagar.

shellfish [ˈʃelfɪʃ] *n inv* marisco(s) *m(pl)*.

shelter [ˈʃeltəʳ] *n* abrigo, protección. 2 *fig* refugio, cobijo. 3 *(for homeless)* asilo. − 4 *t* abrigar, amparar. − 5 *i* refugiarse. ●*to take* ~, refugiarse *(from,* de).

shelve [ʃelv] *t (put on shelf)* poner en la estantería. 2 *fig (postpone)* dejar de lado.

shepherd [ˈʃepəd] *n* pastor *m*.

sherry [ˈʃerɪ] *n* (vino de) jerez *m*.

shield [ʃiːld] *n* MIL escudo; *(of police)* placa. 2 TECH pantalla protectora. − 3 *t* proteger *(from,* de).

shift [ʃɪft] *n (change)* cambio. 2 *(of work, workers)* turno, tanda. − 3 *t-i (change)* cambiar; *(move)* cambiar de sitio, desplazar(se).

shilling [ˈʃɪlɪŋ] *n* chelín *m*.

shimmer [ˈʃɪməʳ] *n* luz trémula. − 2 *i* relucir, rielar.

shin [ʃɪn] *n* espinilla.

shine [ʃaɪn] *n* brillo, lustre *m*. − 2 *i* brillar; *(metal)* relucir. 3 *fig (excel)* sobresalir *(at,* en). − 4 *t (light)* dirigir. 5 *(shoes)* sacar brillo a. ▲ *pt & pp* **shone**; *en* 5 *pt & pp* **shined**.

shingle [ˈʃɪŋgəl] *n (pebbles)* guijarros *mpl*. 2 *pl* MED herpes *m inv*.

shining [ˈʃaɪnɪŋ] *adj* brillante, reluciente. 2 *fig* destacado,-a.

shiny [ˈʃaɪnɪ] *adj* brillante.

ship [ʃɪp] *n* barco, buque *m*. − 2 *t (send)* enviar; *(by ship)* transportar (en barco). ●*on board* ~, a bordo.

shipment [ˈʃɪpmənt] *n* transporte *m*, embarque *m*. 2 *(load)* consignación, remesa.

shipping [ˈʃɪpɪŋ] *n (ships)* barcos *mpl*. 2 *(sending)* envío; *(transporting)* transporte *m*.

shipwreck [ˈʃɪprek] *n* naufragio. − 2 *t to be shipwrecked,* naufragar.

shipyard [ˈʃɪpjɑːd] *n* astillero.

shirk [ʃɜːk] *t* eludir, esquivar.

shirt [ʃɜːt] *n* camisa. ●*in* ~ *sleeves,* en mangas de camisa.

shit* [ʃɪt] *n* mierda*. − 2 *i* cagar*. ▲ *pt & pp* **shitted** o **shit**.

shitty* [ˈʃɪtɪ] *adj* de mierda*: *a* ~ *book*,* una porquería de libro.

shiver [ˈʃɪvəʳ] *n* escalofrío. − 2 *i* tiritar, estremecerse.

shock [ʃɒk] *n (jolt)* choque *m*, sacudida. 2 *(upset)* golpe *m*. 3 *(scare)* susto. 4 MED shock *m*. − 5 *t (upset)* conmocionar. 6 *(startle)* asustar.

shocking ['ʃɒkɪŋ] *adj (horrific)* espanto-so,-a, horroroso,-a. 2 *(disgraceful)* chocante. 3 *(colour)* chillón: ~ *pink*, rosa chillón.

shod [ʃɒd] *pt & pp* → **shoe**.

shoddy ['ʃɒdɪ] *adj* chapucero,-a.

shoe [ʃuː] *n* zapato. 2 *(for horse)* herradura. – 3 *t (horse)* herrar. ■ ~ *polish*, betún *m*; ~ *shop*, zapatería. ▲ *pt & pp* **shod**.

shoehorn ['ʃuːhɔːn] *n* calzador *m*.

shoemaker ['ʃuːmeɪkəʳ] *n* zapatero,-a.

shone [ʃɒn] *pt & pp* → **shine**.

shoo [ʃuː] *interj* ¡fuera! – 2 *t* to ~ *(away)*, ahuyentar.

shook [ʃʊk] *pt* → **shake**.

shoot [ʃuːt] *n* BOT brote *m*, retoño. 2 GB *(shooting party)* cacería. – 3 *t* pegar un tiro a. 4 *(missile)* lanzar; *(arrow, bullet)* disparar. 5 *(film)* rodar; *(photo)* fotografiar. – 6 *i* disparar *(at,* a/sobre). ◆to ~ *down t (aircraft)* derribar. ◆to ~ *out i* salir disparado,-a; *(liquid)* brollar. ◆to ~ *past i* pasar volando. ◆to ~ *up i (flames)* salir; *(prices)* dispararse; *(plant, child)* crecer rápidamente. 2 *sl (heroin etc.)* chutarse. ▲ *pt & pp* **shot**.

shooting ['ʃuːtɪŋ] *n* ~ *star*, estrella fugaz.

shop [ʃɒp] *n gen* tienda; *(large)* almacén *m.* 2 *(business)* comercio, negocio. 3 *(workshop)* taller *m.* – 4 *i* hacer compras. ●*to go shopping*, ir de compras; *to set up* ~, abrir un negocio; *to talk* ~, hablar del trabajo. ■ ~ *assistant*, dependiente,-a; ~ *floor*, planta; ~ *window*, escaparate *m.*

shoplifting ['ʃɒplɪftɪŋ] *n* ratería, hurto.

shopper ['ʃɒpəʳ] *n* comprador,-ra.

shore [ʃɔːʳ] *n (of sea, lake)* orilla; *(coast)* costa. 2 US playa. – 3 *t* to ~ *(up)*, apuntalar; *fig* consolidar. ●*on* ~, en tierra.

shorn [ʃɔːn] *pp* → **shear**.

short [ʃɔːt] *adj* corto,-a. 2 *(person)* bajo,-a. 3 *(brief)* breve, corto,-a. 4 *(curt)* seco,-a, brusco,-a. – 5 *adv* bruscamente. – 6 *n (drink)* bebida corta, copa. 7 CINEM cortometraje *m.* 8 ELEC cortocircuito. 9 *pl* pantalones *mpl* cortos. – 10 *shortly adv* dentro de poco, en breve. ●*at* ~ *notice*, con poca antelación; *in* ~, en pocas palabras; *for* ~, para abreviar; *shortly after*, poco después; *to be* ~ *of*, andar escaso,-a/mal de; *to cut* ~, interrumpir. ■ ~ *circuit*, cortocircuito; ~ *cut*, atajo.

shortage ['ʃɔːtɪdʒ] *n* falta, escasez *f.*

shortbread ['ʃɔːtbred] *n* mantecado.

shortcomings ['ʃɔːtkʌmɪŋz] *npl* defectos *mpl.*

shorten ['ʃɔːtən] *t* acortar, abreviar, reducir.

shortfall ['ʃɔːtfɔːl] *n* déficit *m.*

shorthand ['ʃɔːthænd] *n* taquigrafía. ■ ~ *typing*, taquimecanografía.

short-sighted [ʃɔːtˈsaɪtɪd] *adj* corto,-a de vista.

short-term ['ʃɔːttɜːm] *adj* a corto plazo.

shot [ʃɒt] *pt & pp* → **shoot**. – 2 *n* tiro, disparo, balazo. 3 *(projectile)* bala. 4 *(person)* tirador,-ra. 5 *(kick)* tiro (a gol), chut *m.* 6 *(try)* intento. 7 *(injection)* inyección, pinchazo. 8 *(drink)* trago. 9 *(photo)* foto *f*; CINEM toma. ●*to be off like a* ~, salir disparado,-a; *to have a* ~ *at sth.*, intentar hacer algo; *fig not by a long* ~, ni mucho menos.

shotgun ['ʃɒtgʌn] *n* escopeta.

should [ʃʊd] *aux verb (duty)* deber: *you* ~ *see the dentist*, deberías ir al dentista. 2 *(probability)* deber de: *the clothes* ~ *be dry now*, la ropa ya debe de estar seca. ●*I* ~ *like to ask a question*, quisiera hacer una pregunta; *I* ~ *think so*, me imagino que sí.

shoulder ['ʃəʊldəʳ] *n* hombro. 2 *(of meat)* espalda. 3 *(slope)* lomo. – 4 *t* cargar con. ●~ *to* ~, hombro con hombro; *to give sb. the cold* ~, volver la espalda a algn. ■ ~ *bag*, bolso (de bandolera).

shout [ʃaʊt] *n* grito. – 2 *t-i* gritar. ◆to ~ *down t* abuchear.

shouting ['ʃaʊtɪŋ] *n* gritos *mpl*, vocerío.

shove [ʃʌv] *n* empujón *m.* – 2 *t-i* empujar. ◆to ~ *off i fam* largarse.

shovel ['ʃʌvəl] *n* pala. – 2 *t* mover/quitar con pala.

show [ʃəʊ] *n* THEAT *(entertainment)* espectáculo; *(performance)* función. 2 RAD TV programa *m.* 3 *(exhibition)* exposición. 4 *(display)* demostración. 5 *(outward appearance)* apariencia. 6 fam *(organization)* negocio, tinglado. – 7 *t gen* mostrar, enseñar. 8 *(teach)* enseñar. 9 *(indicate)* indicar. 10 *(demonstrate)* demostrar. 11 *(at exhibition)* exponer. 12 *(guide)* llevar, acompañar. – 13 *t-i* CINEM TV poner: *what's showing?*, ¿qué ponen? – 14 *i* verse: *the stain doesn't* ~, no se ve la mancha. ◆to ~ *off i* fardar, fanfarronear. ◆to ~ *up t (reveal)* hacer resaltar, destacar. 2 *(embarrass)* dejar en ridículo. – 3 *i fam (arrive)* presentarse, aparecer. ●*time will* ~, el tiempo lo dirá; *to be on* ~, estar expuesto,-a; *to make a* ~ *of*, hacer gala/alarde de; *to* ~

sb. how to do sth., enseñar a algn. a hacer algo; *to ~ sb. in,* hacer pasar a algn.; *to steal the ~,* llevarse la palma. ■ *horse ~,* concurso hípico; *motor ~,* salón *m* del automóvil; *~ business,* el mundo del espectáculo; *~ of hands,* votación a mano alzada. ▲ *pp showed o shown.*

showdown ['ʃəʊdaʊn] *n* enfrentamiento.

shower ['ʃaʊəʳ] *n* METEOR chubasco, chaparrón *m.* 2 *(fall)* lluvia. 3 *(bath)* ducha. – 4 *t fig* inundar, colmar. – 5 *i (fall)* caer. 6 *(in bath)* ducharse. ●*to have/take a ~,* ducharse.

showground ['ʃəʊgraʊnd] *n* recinto ferial.

showjumping ['ʃəʊdʒʌmpɪŋ] *n* concurso hípico.

shown [ʃəʊn] *pp* → show.

show-off ['ʃəʊɒf] *n fam* fanfarrón,-ona.

showroom ['ʃəʊrʊm] *n* COM exposición. 2 ART sala de exposiciones.

showy ['ʃəʊɪ] *adj* ostentoso,-a, llamativo,-a.

shrank [ʃræŋk] *pt* → shrink.

shrapnel ['ʃræpnəl] *n* metralla.

shred [ʃred] *n gen* triza; *(of cloth)* jirón *m;* *(of paper)* tira. 2 *fig (bit)* pizca. – 3 *t* hacer trizas/jirones; *(vegetables)* rallar. ●*to tear sth. to shreds,* hacer algo trizas.

shrew [ʃru:] *n* ZOOL musaraña. 2 *fig* arpía, bruja.

shrewd [ʃru:d] *adj* astuto,-a, perspicaz. 2 *(decision etc.)* acertado,-a, razonable.

shriek [ʃri:k] *n* chillido. – 2 *i* chillar, gritar.

shrill [ʃrɪl] *adj* agudo,-a, chillón,-ona.

shrimp [ʃrɪmp] *n* camarón *m,* gamba. 2 *pej* enano,-a.

shrine [ʃraɪn] *n (holy place)* santuario. 2 *(chapel)* capilla; *(remote)* ermita.

shrink [ʃrɪŋk] *t-i* encoger(se). – 2 *i (move back)* retroceder. ●*to ~ from doing sth.,* no tener valor para hacer algo. ▲ *pt shrank; pp shrunk.*

shrinkage ['ʃrɪŋkɪdʒ] *n* encogimiento.

shrivel ['ʃrɪvəl] *t-i* encoger(se); *(plant)* secar(se); *(skin)* arrugar(se).

shroud [ʃraʊd] *n* mortaja, sudario. 2 *fig* velo. – 3 *t fig* envolver.

shrub [ʃrʌb] *n* arbusto.

shrug [ʃrʌg] *t-i to ~ (one's shoulders),* encogerse de hombros. – 2 *n* encogimiento de hombros. ●*to ~ off t* quitar importancia a.

shrunk [ʃrʌŋk] *pp* → shrink.

shudder ['ʃʌdəʳ] *n* escalofrío, estremecimiento. – 2 *i* estremecerse, temblar *(with,* de).

shuffle ['ʃʌfəl] *n* arrastre *m.* 2 *(shake-up)* reajuste *m.* – 3 *t (cards)* barajar; *(papers)* revolver. – 4 *i* andar arrastrando los pies.

shush! [ʃʊʃ] *interj* ¡chis!, ¡chitón!

shut [ʃʌt] *t-i* cerrar(se). ◆*to ~ away t* encerrar. ◆*to ~ down t-i* cerrar(se). ◆*to ~ off t* cortar, cerrar. 2 *(isolate)* aislar *(from,* de). ◆*to ~ up t (close)* cerrar. 2 *fam (quieten)* callar(se). ▲ *pt & pp shut.*

shutdown ['ʃʌtdaʊn] *n* cierre *m.*

shutter ['ʃʌtəʳ] *n* postigo, contraventana. 2 *(of camera)* obturador *m.*

shuttle ['ʃʌtəl] *n* AV puente *m* aéreo; *(bus, train)* servicio regular. – 2 *t* transportar. ■ *(space) ~,* transbordador *m* espacial.

shy [ʃaɪ] *adj* tímido,-a. – 2 *i* espantarse *(at,* de). ●*to be ~ to do sth.,* no atreverse a hacer algo.

shyness ['ʃaɪnəs] *n* timidez *f.*

sick [sɪk] *adj (ill)* enfermo,-a. 2 *(nauseated)* mareado,-a. 3 *(morbid)* morboso,-a. ●*to be ~,* vomitar; *to be ~ of sb./sth.,* estar harto,-a de algn./algo; *fam it makes me ~,* me revienta. ■ *~ leave,* baja por enfermedad; *~ pay,* subsidio por enfermedad.

sicken ['sɪkən] *t* poner enfermo,-a. 2 *(revolt)* dar asco. – 3 *i* caer/ponerse enfermo,-a.

sickening ['sɪkənɪŋ] *adj* repugnante, asqueroso,-a.

sickly ['sɪklɪ] *adj* enfermizo,-a. 2 *(pale)* pálido,-a. 3 *(smell, taste)* empalagoso,-a.

sickness ['sɪknəs] *n* enfermedad. 2 *(nausea)* náusea.

sickroom ['sɪkrʊm] *n* enfermería.

side [saɪd] *n gen* lado. 2 *(of animal)* ijar *m,* ijada. 3 *(edge)* borde *m;* *(of lake etc.)* orilla. 4 SP equipo. – 5 *i* unirse *(with,* a). ●*by his/my ~,* a su/mi lado; *~ by ~,* juntos,-as, uno,-a al lado de otro,-a; *to look on the bright ~,* ver el lado bueno de las cosas; *to put sth. on/to one ~,* guardar algo; *to take sides with sb.,* ponerse de parte de algn. ■ *~ dish,* guarnición; *~ door/entrance,* puerta/entrada lateral; *~ effect,* efecto secundario.

sideboard ['saɪdbɔ:d] *n* aparador *m.* 2 *pl* patillas *fpl.*

sidelight ['saɪdlaɪt] *n* piloto, luz *f* lateral.

sideline ['saɪdlaɪn] *n* SP línea de banda. 2 *(extra job)* empleo suplementario.

sidelong ['saɪdlɒŋ] *adj* de soslayo. – 2 *adv* de lado.

sidetrack ['saɪdtræk] *t* despistar, distraer.

sidewalk ['saɪdwɔːk] *n* US acera.

sideways ['saɪdweɪz] *adj (movement)* lateral; *(look)* de soslayo. – 2 *adv* de lado.

siege [siːdʒ] *n* sitio, cerco. ●*to lay* ~ *to,* sitiar, cercar.

sieve [sɪv] *n (fine)* tamiz *m; (coarse)* criba. – 2 *t* tamizar, cribar.

sift [sɪft] *t* tamizar, cribar. ●*to* ~ *through,* examinar cuidadosamente.

sigh [saɪ] *n* suspiro. – 2 *i* suspirar.

sight [saɪt] *n gen* vista. 2 *(spectacle)* espectáculo. 3 *(on gun)* mira. 4 *pl (of city)* atracciones *fpl,* monumentos *mpl.* 5 *fam a* ~, mucho: *a* ~ *cheaper,* mucho más barato,-a. – 6 *t* observar, ver; *(land)* divisar. ●*at first* ~, a primera vista; *by* ~, de vista; *to catch* ~ *of,* ver, divisar; *to come into* ~, aparecer; *to lose* ~ *of,* perder de vista; *to see the sights,* visitar la ciudad.

sightseeing ['saɪtsiːɪŋ] *n* visita turística, turismo.

sign [saɪn] *n (symbol)* signo. 2 *(signal, indication)* señal *f.* 3 *(gesture)* gesto. 4 *(board)* letrero; *(notice)* anuncio, aviso. 5 *(trace)* rastro, huella. – 6 *t-i (name)* firmar. ◆*to* ~ *away t* ceder. ◆*to* ~ *in i* firmar el registro. ◆*to* ~ *on/up t (worker)* contratar; *(player)* fichar. ●*as a* ~ *of,* como muestra de.

signal ['sɪgnəl] *n* señal *f.* 2 RAD TV sintonía. – 3 *i (with hands)* hacer señales; *(in car)* señalar. – 4 *t* indicar, señalar.

signatory ['sɪgnətərɪ] *n fml* signatario,-a.

signature ['sɪgnɪtʃər] *n* firma.

significance [sɪg'nɪfɪkəns] *n* significado. 2 *(importance)* importancia.

significant [sɪg'nɪfɪkənt] *adj* significativo,-a.

signify ['sɪgnɪfaɪ] *t fml* significar. 2 *(show)* mostrar.

signpost ['saɪnpəʊst] *n* poste *m* indicador.

silence ['saɪləns] *n* silencio. – 2 *t* acallar, hacer callar. ●*in* ~, en silencio.

silencer ['saɪlənsər] *n* silenciador *m.*

silent ['saɪlənt] *adj gen* silencioso,-a. 2 *(not talking)* callado,-a. 3 *(film, letter)* mudo,-a. – 4 *silently adv* silenciosamente, en silencio. ●*to be* ~, callarse.

silhouette [sɪluː'et] *n* silueta.

silk [sɪlk] *n* seda.

silkworm ['sɪlkwɜːm] *n* gusano de la seda.

silky ['sɪlkɪ] *adj* sedoso,-a.

sill [sɪl] *n* alféizar *m,* antepecho.

silliness ['sɪlɪnəs] *n (quality)* estupidez *f.* 2 *(act)* tontería.

silly ['sɪlɪ] *adj* tonto,-a, necio,-a. 2 *(absurd)* absurdo,-a. ●*to do sth.* ~, hacer una tontería.

silo ['saɪləʊ] *n* silo.

silver ['sɪlvər] *n* plata. 2 *(coins)* monedas *fpl* (de plata). 3 *(tableware)* (vajilla de) plata. – 4 *adj* de plata. ■ ~ *foil/paper,* papel *m* de plata/aluminio; ~ *wedding,* bodas *fpl* de plata.

silversmith ['sɪlvəsmɪθ] *n* platero,-a.

silverware ['sɪlvəweər] *n* (vajilla de) plata.

similar ['sɪmɪlər] *adj* parecido,-a, similar, semejante. – 2 *similarly adv* igualmente, del mismo modo.

similarity [sɪmɪ'lærɪtɪ] *n* semejanza, parecido.

simmer ['sɪmər] *t-i* cocer(se)/hervir a fuego lento.

simple ['sɪmpəl] *adj gen* sencillo,-a. 2 *(foolish)* simple, tonto,-a. – 3 *simply adv* simplemente.

simplicity [sɪm'plɪsɪtɪ] *n gen* sencillez *f.* 2 *(foolishness)* simpleza.

simplify ['sɪmplɪfaɪ] *t* simplificar.

simplistic [sɪm'plɪstɪk] *adj* simplista.

simulate ['sɪmjʊleɪt] *t* simular, imitar.

simultaneous [sɪməl'teɪnɪəs] *adj* simultáneo,-a. – 2 *simultaneously adv* simultáneamente, a la vez.

sin [sɪn] *n* pecado. – 2 *i* pecar.

since [sɪns] *adv* desde entonces. – 2 *prep* desde: *I've been here* ~ *four o'clock,* llevo aquí desde las cuatro. – 3 *conj (time)* desde que. 4 *(because)* ya/puesto que.

sincere [sɪn'sɪər] *adj* sincero,-a. – 2 *sincerely adv* sinceramente; *(in letter)* **yours sincerely,** (le saluda) atentamente.

sincerity [sɪn'serɪtɪ] *n* sinceridad.

sinecure ['saɪnɪkjʊər] *n* sinecura, prebenda.

sinful ['sɪnfʊl] *adj (person)* pecador,-ra. 2 *(thought, act)* pecaminoso,-a.

sing [sɪŋ] *t-i* cantar. ▲ *pt* **sang;** *pp* **sung.**

singe [sɪndʒ] *t* chamuscar.

singer ['sɪŋər] *n* cantante *mf.*

singing ['sɪŋɪŋ] *n* canto, cantar *m.*

single ['sɪŋgəl] *adj (solitary)* solo,-a. 2 *(only one)* único,-a. 3 *(not double)* individual. 4 *(unmarried)* soltero,-a. – 5 *n* GB *(ticket)* billete sencillo/de ida. 6 *(record)* single *m.* 7 *pl* SP individuales *mpl.* – 8 *singly adv (separately)* por separado; *(one by one)* uno por uno. ◆*to* ~ *out t (choose)* escoger. 2 *(distinguish)* destacar. ●*every* ~ *day/month,* todos los días/

meses; *in ~ file,* en fila india. ■ *~ bed/room,* cama/habitación individual.

single-handed [sɪŋgəl'hændɪd] *adj & adv* sin ayuda, solo,-a.

sing-song ['sɪŋsɒŋ] *adj* cantarín,-ina. — **2** *n* sonsonete *m*.

singular ['sɪŋgjʊlər] *adj-n* GRAM singular *(m)*. — **2** *adj fml* excepcional.

sinister ['sɪnɪstər] *adj* siniestro,-a.

sink [sɪŋk] *n* fregadero. **2** US lavabo. — **3** *t (ship)* hundir, echar a pique. **4** *fig* acabar con. **5** *(hole, shaft)* cavar; *(well)* abrir. **6** *(teeth)* hincar *(into,* en). **7** *(invest)* invertir. — **8** *i gen* hundirse. **9** *(sun, moon)* ponerse. **10** *(decrease)* bajar. ◆*to ~ in i* penetrar. **2** *fig* causar impresión. ▲ *pt* sank; *pp* sunk.

sinner ['sɪnər] *n* pecador,-ra.

sip [sɪp] *n* sorbo. — **2** *t* beber a sorbos.

siphon ['saɪfən] *n* sifón *m*.

sir [sɜːr] *n fml* señor *m*: *yes, ~,* sí, señor. **2** *(title) Sir Winston Churchill,* Sir Winston Churchill. ●*Dear Sir,* muy señor mío, estimado señor.

siren ['saɪərən] *n* sirena.

sirloin ['sɜːlɔɪn] *n* solomillo.

sister ['sɪstər] *n* hermana. **2** GB enfermera jefe. **3** REL hermana, monja; *(before name)* sor. ■ *~ ship,* barco gemelo.

sister-in-law ['sɪstərɪnlɔː] *n* cuñada. ▲ *pl* sisters-in-law.

sit [sɪt] *t-i* sentar(se): *he's sitting in my chair,* está sentado en mi silla. — **2** *i (lie, rest)* yacer. **3** *(be situated)* hallarse, estar. **4** *(stay)* quedarse. **5** *(animal)* posar. **6** *(be a member)* ser miembro: *he sits on a jury,* es miembro de un jurado. **7** *(have meeting)* reunirse. — **8** *t* GB *(exam)* presentarse a. ◆*to ~ about/around i fam* hacer el vago. ◆*to ~ in for t* sustituir a. ◆*to ~ on t fam (delay)* dejar dormir, aplazar. ◆*to ~ out/through t* aguantar (hasta el final). ◆*to ~ up t-i (in bed)* incorporar(se) (en la cama). — **2** *i (stay up late)* quedarse levantado,-a. ●*to ~ down,* sentarse. ▲ *pt & pp* sat.

site [saɪt] *n (location)* emplazamiento, zona. **2** *(area)* terreno. ■ *building ~,* solar *m*.

sit-in ['sɪtɪn] *n* huelga de brazos cruzados.

sitting ['sɪtɪŋ] *n (of meal)* turno. **2** *(meeting)* sesión. ■ POL *~ member,* miembro activo; *~ room,* sala de estar, salón *m*.

situated ['sɪtjʊeɪtɪd] *adj* situado,-a, ubicado,-a.

situation [sɪtjʊ'eɪʃən] *n* situación. ■ *"situations vacant",* "bolsa de trabajo".

six [sɪks] *adj-n* seis *(m)*.

sixteen [sɪks'tiːn] *adj-n* dieciséis *(m)*.

sixteenth [sɪks'tiːnθ] *adj-n* decimosexto,-a. — **2** *n (fraction)* decimosexto, decimosexta parte.

sixth [sɪksθ] *adj-n* sexto,-a. — **2** *n (fraction)* sexto, sexta parte.

sixtieth ['sɪkstɪəθ] *adj-n* sexagésimo,-a. — **2** *n (fraction)* sexagésimo, sexagésima parte.

sixty ['sɪkstɪ] *adj-n* sesenta *(m)*.

size [saɪz] *n* tamaño. **2** *(of garment, person)* talla; *(of shoes)* número. **3** *(magnitude)* magnitud *f*. ◆*to ~ up t* evaluar. ●*fig to cut sb. down to ~,* bajarle los humos a algn.

sizzle ['sɪzəl] *i* chisporrotear.

skate [skeɪt] *n* patín *m*. — **2** *i* patinar.

skateboard ['skeɪtbɔːd] *n* monopatín *m*.

skating ['skeɪtɪŋ] *n* patinaje *m*. ■ *~ rink,* pista de patinaje.

skeleton ['skelɪtən] *n (of person, animal)* esqueleto. **2** *(of building, ship)* armazón *m*. — **3** *adj* reducido,-a. ■ *~ key,* llave maestra.

sketch [sketʃ] *n (rough drawing)* croquis *m*; *(preliminary)* bosquejo, esbozo. **2** *(outline)* esquema *m*. **3** THEAT TV sketch *m*. — **4** *t (rough drawing)* hacer un croquis de; *(preliminary)* bosquejar, esbozar.

ski [skiː] *n* esquí *m*. — **2** *i* esquiar. ■ *~ lift,* telesquí *m*; *(with seats)* telesilla *m*; *~ resort,* estación de esquí.

skid [skɪd] *n* patinazo, resbalón *m*. — **2** *i* patinar, derrapar.

skier ['skiːər] *n* esquiador,-ra.

skiing ['skiːɪŋ] *n* esquí *m*.

skilful ['skɪlfʊl] *adj* diestro,-a, hábil. — **2** *skilfully adv* hábilmente, con destreza.

skill [skɪl] *n (ability)* habilidad, destreza. **2** *(technique)* técnica, arte *m*.

skilled [skɪld] *adj* cualificado,-a, especializado,-a.

skim [skɪm] *t (milk)* desnatar, descremar. **2** *(brush against)* rozar.

skimp [skɪmp] *t-i* escatimar *(on,* -).

skin [skɪn] *n gen* piel *f*; *(of face)* cutis *m*; *(complexion)* tez *f*. **2** *(of animal, sausage)* pellejo. **3** *(peeling)* monda, mondadura. **4** *(on paint)* telilla. **5** *(on milk)* nata. — **6** *t (animal)* desollar, despellejar. **7** *(fruit, vegetable)* pelar. **8** *(elbow, knee)* hacer un rasguño en. ●*fig to get under one's ~,* irritarle a uno; *fam to save one's own ~,* salvar el pellejo.

skin-deep [skɪn'diːp] *adj* superficial.

skin-diving ['skɪndaɪvɪŋ] *n* buceo, submarinismo.

slide

skinny ['skını] *adj fam* flaco,-a, delgaducho,-a.

skip [skıp] *n* salto, brinco. 2 *(container)* contenedor *m*, container *m*. – 3 *i* saltar. – 4 *t fig* saltarse.

skirmish ['skɜ:mıʃ] *n* MIL escaramuza; *(fight)* refriega, pelea.

skirt [skɜ:t] *n* falda. 2 *(cover)* cubierta. – 3 *t* bordear, rodear. 4 *fig* esquivar. ■ GB *skirting (board),* zócalo, rodapié *m*.

skittle ['skıtəl] *n* bolo. 2 *pl* bolos *mpl*, boliche *m sing*.

skull [skʌl] *n* cráneo, calavera. 2 *fam* coco, crisma.

skunk [skʌŋk] *n* mofeta, AM zorrillo.

sky [skaı] *n* cielo.

sky-diving ['skaıdaıvıŋ] *n* paracaidismo.

skylight ['skaılaıt] *n* tragaluz *m*, claraboya.

skyscraper ['skaıskreıpəᵣ] *n* rascacielos *m inv*.

slab [slæb] *n (of stone)* losa. 2 *(of cake)* trozo.

slack [slæk] *adj (not taut, strict)* flojo,-a. 2 *(careless)* descuidado,-a. 3 *(sluggish)* flojo,-a; *(season)* bajo,-a. – 4 *n* parte floja. – 5 *i pej* gandulear.

slacken ['slækən] *t (loosen)* aflojar. 2 *(reduce)* reducir. – 3 *i* aflojar(se).

slag [slæg] *n* escoria. 2 GB *sl* fulana.

slain [sleın] *pp* → **slay**.

slam [slæm] *n* golpe *m*; *(of door)* portazo. – 2 *t-i* cerrar(se) de golpe. – 3 *t fig (attack)* criticar duramente. ●AUTO *to* ~ *on the brakes,* dar un frenazo; *to* ~ *the door,* dar un portazo.

slander ['slɑ:ndəᵣ] *n* difamación. 2 JUR calumnia. – 3 *t* difamar. 4 JUR calumniar.

slanderous ['slɑ:ndərəs] *adj* difamatorio,-a. 2 JUR calumnioso,-a.

slang [slæŋ] *n* argot *m*, jerga.

slant [slɑ:nt] *n gen* inclinación; *(slope)* declive *m*. 2 *(point of view)* punto de vista. – 3 *t-i* inclinar(se). – 4 *t pej* enfocar subjetivamente.

slap [slæp] *n gen* palmada; *(smack)* cachete *m*; *(in face)* bofetada. – 2 *adv fam* justo, de lleno. – 3 *t* pegar (con la mano); *(in face)* abofetear, dar una bofetada a. ●*fam to* ~ *paint on a wall,* dar un poco de pintura a la pared.

slapdash ['slæpdæʃ] *adj* descuidado,-a; *(work)* chapucero,-a.

slash [slæʃ] *n (with sword)* tajo; *(with knife)* cuchillada; *(with razor)* navajazo. 2* *sl* meada*. 3 *fam (mark)* barra oblicua. – 4 *t (with sword)* dar un tajo a; *(with*

**knife)* acuchillar. 5 *fig (lower)* rebajar, reducir. ●*to have a* ~*,* mear*.

slate [sleıt] *n* pizarra. – 2 *t* GB *(attack)* criticar duramente.

slaughter ['slɔ:təᵣ] *n (of animals)* matanza; *(of people)* carnicería. – 2 *t (animals)* matar; *(many people)* masacrar. 3 *fam* dar una paliza a.

slaughterhouse ['slɔ:təhaus] *n* matadero.

slave [sleıv] *n* esclavo,-a. – 2 *i to* ~ *(away) at sth.,* trabajar como un negro en algo. ■ ~ *trade,* trata de esclavos.

slavery ['sleıvərı] *n* esclavitud *f*.

slay [sleı] *t* matar, asesinar. ▲ *pt* **slew**; *pp* **slain**.

sledge [sledʒ] *n* trineo.

sleek [sli:k] *adj (hair)* liso,-a, lustroso,-a. 2 *(appearance)* impecable, elegante.

sleep [sli:p] *n* sueño. – 2 *i t-i* dormir. – 3 *i fam (numb)* entumecerse. – 4 *t (accomodate)* tener camas para. ◆*to* ~ *in i* quedarse en la cama. ◆*to* ~ *through t* no oír. ●*to go to* ~*,* irse a dormir; *fig to* ~ *on sth.,* consultar algo con la almohada; *fam to* ~ *it off,* dormir la mona; *fam to* ~ *like a log/top,* dormir como un tronco. ▲ *pt & pp* **slept**.

sleeping ['sli:pıŋ] *adj* durmiente, dormido,-a. ■ ~ *bag,* saco de dormir; ~ *car,* coche-cama *m*; ~ *pill,* somnífero.

sleepwalker ['sli:pwɔ:kəᵣ] *n* sonámbulo,-a.

sleepy ['sli:pı] *adj* soñoliento,-a. ●*to be* ~*,* tener sueño; *to make* ~*,* dar sueño.

sleet [sli:t] *n* aguanieve *f*. – 2 *i* caer aguanieve.

sleeve [sli:v] *n (of garment)* manga. 2 *(of record)* funda. ●*to have sth. up one's* ~*,* guardar una carta en la manga.

slender ['slendəᵣ] *adj* delgado,-a, esbelto,-a. 2 *fig (slight)* ligero,-a.

slept [slept] *pt & pp* → **sleep**.

slew [slu:] *pt* → **slay**.

slice [slaıs] *n (of bread)* rebanada; *(of ham)* lonja, loncha; *(of beef etc.)* tajada; *(of salami, lemon)* rodaja; *(of cake)* porción, trozo. 2 *fig (share)* parte *f*. 3 *(tool)* pala, paleta. – 4 *t* cortar a rebanadas/lonjas etc. – 5 *i* SP dar efecto a la pelota. ◆*to* ~ *off/through t* cortar.

slick [slık] *adj (skilful)* mañoso,-a, hábil. 2 *pej (glib)* despabilado,-a. – 3 *n* marea negra.

slide [slaıd] *n (movement)* deslizamiento, desliz *m*; *(slip)* resbalón *m*. 2 *(in playground)* tobogán *m*. 3 *fig (fall)* baja. 4 *(film)* diapositiva. 5 *(of microscope)* platina. — **6** *i-t* deslizar(se). — **7** *i (slip)* resbalar. ●*to let sth.* ~, no ocuparse de algo. ■ ~ *rule,* regla de cálculo; *sliding door,* puerta corredera. ▲ *pt & pp* **slid** [slɪd].

slight [slaɪt] *adj (small)* ligero,-a. **2** *(person)* delicado,-a. **3** *(trivial)* leve. — **4** *n* desaire *m*. — **5** *t* despreciar. — **6** *slightly adv* ligeramente, un poco.

slim [slɪm] *adj* delgado,-a, esbelto,-a. **2** *fig* remoto,-a. — **3** *i* adelgazar.

slime [slaɪm] *n (mud)* lodo, cieno. **2** *(of snail)* baba.

sling [slɪŋ] *n* MED cabestrillo. **2** *(catapult)* honda. **3** *(child's)* tirador *m*. — **4** *t* tirar, arrojar. ▲ *pt & pp* **slung**.

slink [slɪŋk] *i* desplazarse sigilosamente. ◆*to* ~ *away/off i* escabullirse. ▲ *pt & pp* **slunk**.

slip [slɪp] *n (slide)* resbalón *m*; *(trip)* traspié *m*. **2** *fig* error *m*; *(moral)* desliz *m*. **3** *(women's)* combinación. **4** *(of paper)* trocito (de papel). — **5** *i* resbalar. **6** *(move quickly)* escabullirse. **7** *(decline)* empeorar. — **8** *t (give)* dar a escondidas. ◆*to* ~ *away/by i* pasar volando. ◆*to* ~ *into/on t* ponerse rápidamente. ◆*to* ~ *off t* quitarse. ◆*to* ~ *up i* cometer un desliz, equivocarse. ●*a* ~ *of the pen/tongue,* un lapsus; *to let a chance* ~, dejar escapar una oportunidad; *to* ~ *one's memory/mind,* írsele a uno de la memoria.

slipknot [ˈslɪpnɒt] *n* nudo corredizo.

slipper [ˈslɪpəʳ] *n* zapatilla. **2** TECH zapata, patín *m*.

slippery [ˈslɪpərɪ] *adj* resbaladizo,-a. **2** *(viscous)* escurridizo,-a. **3** *fig* astuto,-a.

slit [slɪt] *n (opening)* abertura, hendedura; *(cut)* corte *m*. — **2** *t* cortar, rajar, hender. ▲ *pt & pp* **slit**.

sliver [ˈslɪvəʳ] *n* astilla.

slob [slɒb] *n fam* palurdo,-a.

slobber [ˈslɒbəʳ] *i* babear.

slog [slɒg] GB *fam n* paliza. — **2** *i* currar.

slogan [ˈsləʊgən] *n* (e)slogan *m*, lema *m*.

slop [slɒp] *t-i* derramar(se), verter(se). — **2** *npl (food)* gachas *fpl*; *(left-over)* bazofia *f sing*.

slope [sləʊp] *n (incline)* cuesta, pendiente *f*. **2** *(of mountain)* vertiente *f*. — **3** *i* inclinarse.

sloppy [ˈslɒpɪ] *adj (loose)* muy ancho,-a. **2** *(careless)* descuidado,-a.

sloshed [slɒʃt] *adj fam* **to get** ~, pillar/ coger una trompa.

slot [slɒt] *n* abertura; *(for coin)* ranura; *(groove)* muesca. **2** *fig* hueco. — **3** *t* meter, introducir. ■ ~ *machine,* GB distribuidor automático; US *(máquina)* tragaperras *f inv*.

slouch [slaʊtʃ] *i* andar/sentarse con los hombros caídos.

slovenly [ˈslʌvənlɪ] *adj* descuidado,-a, desaseado,-a.

slow [sləʊ] *adj gen* lento,-a; *(clock)* atrasado,-a. **2** *(dull)* aburrido,-a, pesado,-a. **3** *(person)* lento,-a, torpe. — **4** *slow(ly) adv* despacio, lentamente. — **5** *i to* ~ *(down/up),* ir más despacio; *(vehicle)* reducir la velocidad. ●*in* ~ *motion,* a cámara lenta.

slowness [ˈsləʊnəs] *n* lentitud *f*. **2** *(dullness)* pesadez *f*. **3** *(of person)* torpeza.

slug [slʌg] *n* babosa.

sluggish [ˈslʌgɪʃ] *adj* lento,-a. **2** COM inactivo,-a.

slum [slʌm] *n fam (area)* barrio bajo/de chabolas. **2** *(place)* chabola.

slump [slʌmp] *n (crisis)* crisis *f* económica; *(drop)* bajón *m*. — **2** *i (decline)* hundirse; *fig* desplomarse. **3** *(fall)* caer: *to* ~ *to the floor,* caer desmayado,-a al suelo.

slung [slʌŋ] *pt & pp* → **sling**.

slunk [slʌŋk] *pt & pp* → **slink**.

slur [slɜːʳ] *n* mala pronunciación. **2** *(remark)* calumnia, difamación. — **3** *t (letters, syllables)* comerse, pronunciar mal.

slurp [slɜːp] *t-i* sorber/beber ruidosamente.

slush [slʌʃ] *n (snow)* aguanieve *f*. **2** *(mud)* lodo. **3** *fam* sentimentalismo.

slut [slʌt] *n pej* fulana, ramera.

sly [slaɪ] *adj* astuto,-a, taimado,-a. **2** *(secretive)* furtivo,-a. ●*on the* ~, a escondidas/hurtadillas.

smack [smæk] *n (slap)* bofetada, cachete *m*. **2** *sl (heroin)* caballo. — **3** *t (slap)* dar una bofetada a, abofetear; *(hit)* golpear. ◆*to* ~ *of t fig* oler a. ●*fig to* ~ *one's lips,* relamerse.

small [smɔːl] *adj gen* pequeño,-a. **2** *(scant)* escaso,-a. **3** *(minor)* insignificante. ●*a* ~ *table,* una mesita; *(it's)* ~ *wonder that* ..., no me extraña que ...; *in the* ~ *hours,* a altas horas de la noche. ■ ~ *change,* cambio, suelto.

smallish [ˈsmɔːlɪʃ] *adj* más bien pequeño,-a.

small-minded [smɔːlˈmaɪndɪd] *adj* de miras estrechas.

smallness [ˈsmɔːlnəs] *n* pequeñez *f*.

smallpox [ˈsmɔːlpɒks] *n* viruela.

smart [smɑːt] *adj (elegant)* elegante, fino,-a. **2** US listo,-a, inteligente. **3** *(quick)* rápido,-a. — **4** *i* picar, escocer. ■ *the* ~ *set,* la gente bien.

smash [smæʃ] *n (breaking)* rotura. **2** *(noise)* estrépito. **3** *(collision)* choque violento. **4** *(tennis)* smash *m*, mate *m*. – **5** *t-i gen* romper(se), hacer(se) pedazos. **6** *(car)* estrellar(se) *(into,* contra). – **7** *t (crush)* aplastar. **8** *fig* aplastar, derrotar. ■ ~ *hit,* gran éxito, exitazo.

smashing [ˈsmæʃɪŋ] *adj* GB *fam* estupendo,-a, fenomenal.

smattering [ˈsmætərɪŋ] *n* nociones *fpl*: **he has a ~ of French,** tiene nociones de francés.

smear [smɪər] *n* mancha. **2** *fig* calumnia. – **3** *t (spread)* untar. **4** *(stain)* manchar. **5** *fig* calumniar, difamar.

smell [smel] *n (sense)* olfato. **2** *(odour)* olor *m*. – **3** *t* oler. **4** *fig* olfatear. – **5** *i* oler (a): *it smells good/like orange,* huele bien/a naranja. ▲ *pt & pp* **smelled** *o* **smelt**.

smelly [ˈsmelɪ] *adj* apestoso,-a, pestilente.

smelt [smelt] *t* fundir. – **2** *pt & pp* → **smell**.

smile [smaɪl] *n* sonrisa. – **2** *i* sonreír.

smirk [smɜːk] *n* sonrisa boba. – **2** *i* sonreír tontamente.

smock [smɒk] *n (blouse)* blusón *m*. **2** *(overall)* bata, guardapolvo.

smog [smɒg] *n* niebla tóxica, smog *m*.

smoke [sməʊk] *n* humo. – **2** *t-i (cigarettes etc.)* fumar. – **3** *t (meat etc.)* ahumar. – **4** *i* echar humo. *"no smoking"*, *"prohibido fumar"; fam* **to have a ~,** fumarse un pitillo. ■ ~ *screen,* cortina de humo.

smoked [sməʊkt] *adj* ahumado,-a.

smoker [ˈsməʊkər] *n* fumador,-ra.

smoky [ˈsməʊkɪ] *adj (fire etc.)* humeante. **2** *(room)* lleno,-a de humo. **3** *(food, colour)* ahumado,-a.

smooth [smuːð] *adj gen* liso,-a. **2** *(road)* llano,-a. **3** *(liquid)* sin grumos. **4** *(wine etc.)* suave. **5** *fig (pleasant)* agradable, tranquilo,-a. **6** *pej* zalamero,-a, meloso,-a. – **7** *t* alisar. – **8** *smoothly adv fig* tranquilamente. ◆*to* ~ *back/down/out t* alisar. ◆*to* ~ *over t fig* limar.

smother [ˈsmʌðər] *t-i* asfixiar(se). – **2** *t (cover)* cubrir *(with,* de).

smoulder [ˈsməʊldər] *i (fire)* arder sin llama. **2** *fig* arder.

smudge [smʌdʒ] *n* borrón *m*. – **2** *i* emborronar.

smug [smʌg] *adj* engreído,-a, satisfecho,-a. – **2** *smugly adv* con engreimiento.

smuggle [ˈsmʌgəl] *t* pasar de contrabando.

smuggler [ˈsmʌglər] *n* contrabandista *mf*.

smut [smʌt] *n (of soot)* hollín *m*; *(stain)* tizón *m*. **2** *fam* obscenidades *fpl*.

snack [snæk] *n* bocado, tentempié *m*; *(afternoon)* merienda. ■ ~ *bar,* cafetería, bar *m*.

snag [snæg] *n (thread)* enganchón *m*. **2** *fig* pega, problema *m*.

snail [sneɪl] *n* caracol *m*.

snake [sneɪk] *n* serpiente *f*; *(small)* culebra. – **2** *i fig* serpentear.

snap [snæp] *n (sharp noise)* ruido seco; *(of fingers)* chasquido. – **2** *adj* instantáneo,-a, repentino,-a. – **3** *t-i (break)* romper(se) (en dos). **4** *(make sharp noise)* chasquear. – **5** *i (speak angrily)* regañar *(at,* a). ◆*to* ~ *up t* llevarse, agarrar. ◆*to* ~ *shut,* cerrarse de golpe; *fam* **to ~ out of it,** olvidarlo.

snappy [ˈsnæpɪ] *adj (quick)* rápido,-a. **2** *(stylish)* elegante. **3** *(short-tempered)* irascible.

snapshot [ˈsnæpʃɒt] *n* foto *f* instantánea.

snarl [snɑːl] *n (growl)* gruñido. **2** *(tangle)* enredo, maraña. – **3** *i (growl)* gruñir. – **4** *t-i (entangle)* enredar(se).

snatch [snætʃ] *n* arrebatamiento. **2** *fam* robo, hurto. **3** *(bit)* trocito. – **4** *t* arrebatar. **5** *fam (steal)* robar; *(kidnap)* secuestrar. ◆*to* ~ *an opportunity,* aprovechar una ocasión.

sneak [sniːk] *n fam* chivato,-a, soplón,-ona. – **2** *t* sacar (a escondidas). ◆*to* ~ *away/off i* escabullirse. ◆*to* ~ *in/out i* entrar/salir a hurtadillas. ◆*to* ~ *up on sb.,* sorprender a algn.

sneer [snɪər] *n (look)* mueca de desprecio. **2** *(remark)* comentario desdeñoso. – **3** *i* burlarse *(at,* de).

sneeze [sniːz] *n* estornudo. – **2** *i* estornudar.

sniff [snɪf] *n (inhaling)* inhalación; *(by dog)* olfateo, husmeo. – **2** *t-i to* ~ *(at),* oler; *(suspiciously)* olfatear, husmear.

sniffle [ˈsnɪfəl] *n* resfriado. – **2** *i* sorberse los mocos. **3** *fig* lloriquear.

snip [snɪp] *n* tijeretazo. **2** *(small piece)* recorte *m*. **3** GB *fam* ganga, chollo. – **4** *t* tijeretear. ◆*to* ~ *off t* cortar con tijeras.

sniper [ˈsnaɪpər] *n* francotirador,-ra.

snob [snɒb] *n* (e)snob *mf*.

snobbery [ˈsnɒbərɪ] *n* (e)snobismo.

snobbish [ˈsnɒbɪʃ] *adj* (e)snob.

snooze [snuːz] *fam n* cabezada. – **2** *i* dormitar. ◆*to have a ~,* echar una cabezada.

snore [snɔːʳ] *n* ronquido. — 2 *i* roncar.

snorkel [ˈsnɔːkəl] *n* tubo respiratorio.

snort [snɔːt] *i* resoplar.

snout [snaʊt] *n* hocico.

snow [snəʊ] *n* nieve *f*. — 2 *i* nevar. ●*to be snowed in/up,* quedar aislado,-a por la nieve; *fig* **to be snowed under with work,** estar agobiado,-a de trabajo.

snowfall [ˈsnəʊfɔːl] *n* nevada.

snowflake [ˈsnəʊfleɪk] *n* copo de nieve.

snub [snʌb] *n* desaire *m.* — 2 *t (person)* desairar; *(offer)* rechazar.

snuff [snʌf] *n* rapé *m.* ●*to ~ out i* sofocar.

snug [snʌg] *adj (cosy)* cómodo,-a; *(warm)* calentito,-a. 2 *(tight)* ajustado,-a, ceñido,-a.

so [səʊ] *adv* tan: *she's ~ tired that ...,* está tan cansada que ... . − 2 *conj (result)* así que, por lo tanto. 3 *(purpose)* para que. ●*and ~ forth/on,* y así sucesivamente; *an hour or ~,* una hora más o menos; *if ~,* en ese caso; *I hope/think ~,* espero/creo que sí; *~ ... as ...,* tan ... como ...; *~ many,* tantos,-as; *~ much,* tanto,-a; *~ (that) ...,* para que ...; *fam ~ what?,* ¿y qué?

soak [səʊk] *t* poner en remojo, remojar. − 2 *i* estar en remojo. ◆*to ~ through t* penetrar. ◆*to ~ up t* absorber. ●*soaked to the skin,* calado,-a hasta los huesos; *to get soaked,* empaparse.

soap [səʊp] *n* jabón *m.* − 2 *t* (en)jabonar. ■ *~ opera,* TV telenovela; RAD radionovela; *~ powder,* jabón en polvo.

soapy [ˈsəʊpi] *adj* jabonoso,-a.

soar [sɔːʳ] *i* remontar el vuelo. 2 *fig* crecer, aumentar.

sob [sɒb] *n* sollozo. − 2 *i* sollozar.

sober [ˈsəʊbəʳ] *adj* sobrio,-a. 2 *(thoughtful)* sensato,-a, serio,-a. 3 *(colour)* discreto,-a. ◆*to ~ up i* pasársele a uno la borrachera.

sobriety [səˈbraɪəti] *n* sobriedad. 2 *(sense)* sensatez *f.*

so-called [ˈsəʊkɔːld] *adj* supuesto,-a, llamado,-a.

soccer [ˈsɒkəʳ] *n* fútbol *m.*

sociable [ˈsəʊʃəbəl] *adj* sociable.

social [ˈsəʊʃəl] *adj gen* social. 2 *(sociable)* sociable. ■ *Social Democrat,* socialdemócrata *mf; ~ science,* ciencias *fpl* sociales; *~ security,* seguro/seguridad social; *~ worker,* asistente,-a social.

socialism [ˈsəʊʃəlɪzəm] *n* socialismo.

socialist [ˈsəʊʃəlɪst] *adj-n* socialista *(mf).*

socialize [ˈsəʊʃəlaɪz] *i* relacionarse, alternar.

society [səˈsaɪəti] *n gen* sociedad. 2 *(company)* compañía. ■ *~ column,* ecos *mpl* de sociedad.

sociology [səʊsɪˈɒlədʒi] *n* sociología.

sock [sɒk] *n* calcetín *m.*

socket [ˈsɒkɪt] *n (of eye)* cuenca. 2 ELEC enchufe *m.*

sod [sɒd] *n (turf)* terrón *m.* 2* *(bastard)* cabrón,-ona*. 3* *(wretch)* desgraciado,-a. ●*~ it!*,* ¡maldito,-a sea!

soda [ˈsəʊdə] *n* sosa. 2 US gaseosa. ■ *~ water,* soda, sifón *m.*

sofa [ˈsəʊfə] *n* sofá *m.* ■ *~ bed,* sofá cama *m.*

soft [sɒft] *adj (not hard)* blando,-a. 2 *(smooth, quiet)* suave. 3 *(weak)* débil. − 4 *softly adv* suavemente. ■ *~ drink,* refresco.

soften [ˈsɒfən] *t-i (make less tough)* ablandar(se). 2 *(smooth)* suavizar(se).

softness [ˈsɒftnəs] *n gen* blandura. 2 *(smoothness)* dulzura. 3 *(weakness)* debilidad.

soggy [ˈsɒgi] *adj (wet)* empapado,-a. 2 *(too soft)* pastoso,-a.

soil [sɔɪl] *n* tierra. − 2 *t* ensuciar; *fig* manchar.

solar [ˈsəʊləʳ] *adj* solar.

sold [səʊld] *pt & pp → sell.*

solder [ˈsɒldəʳ] *n* soldadura. − 2 *t* soldar.

soldier [ˈsəʊldʒəʳ] *n* soldado. 2 *(military man)* militar *m.*

sole [səʊl] *n (of foot)* planta. 2 *(of shoe)* suela. 3 *(fish)* lenguado. − 4 *adj* único,-a. − 5 *solely adv* solamente, únicamente. − 6 *t* poner suela a.

solemn [ˈsɒləm] *adj* solemne.

solemnity [səˈlemnɪti] *n* solemnidad.

solicit [səˈlɪsɪt] *t-i* pedir, solicitar. − 2 *i (prostitute etc.)* ejercer la prostitución.

solicitor [səˈlɪsɪtəʳ] *n* JUR abogado,-a, procurador,-ra. 2 *(for wills)* notario,-a.

solid [ˈsɒlɪd] *adj gen* sólido,-a. 2 *(not hollow)* macizo,-a. 3 *(firm, strong)* fuerte, macizo,-a. 4 *(continuous)* entero,-a: *we waited for two ~ hours,* esperamos dos horas enteras. 5 *(pure)* puro,-a. − 6 *n* sólido.

solidarity [sɒlɪˈdærɪti] *n* solidaridad.

solidify [səˈlɪdɪfaɪ] *t-i* solidificar(se).

solidity [səˈlɪdɪti] *n* solidez *f.*

solitary [ˈsɒlɪtəri] *adj (alone)* solitario,-a. 2 *(only, sole)* solo,-a. 3 *(secluded)* apartado,-a.

solitude [ˈsɒlɪtjuːd] *n* soledad.

solo [ˈsəʊləʊ] *n* solo. − 2 *adj* en solitario. − 3 *adv* solo,-a, a solas.

solution [sə'lu:ʃən] *n* solución.
solve [sɒlv] *t* resolver, solucionar.
sombre ['sɒmbəʳ] *adj (dark)* sombrío,-a; *(gloomy)* lúgubre, umbrío,-a.
some [sʌm] *adj (with pl nouns)* unos,-as, algunos,-as: *there were ~ flowers,* había unas/algunas flores. **2** *(with sing nouns)* un poco (de): *would you like ~ coffee?,* ¿quieres (un poco de) café? **3** *(certain)* cierto,-a. **4** *(unspecified)* algún,-una: *~ day,* algún día. **5** *(quite a lot of)* bastante. — **6** *pron (unspecified)* algunos,-as, unos,-as; *(quite a few)* unos,-as cuantos,-as. **7** *(a little)* algo, un poco. ●*in ~ ways,* en cierto modo/sentido; *~ ... or other,* algún,-una ... que otro,-a; *~ other time,* en otro momento.
somebody ['sʌmbədɪ] *pron* alguien. ●*~ else,* otro,-a, otra persona.
somehow ['sʌmhaʊ] *adv (in some way)* de algún modo. **2** *(for some reason)* por alguna razón.
someone ['sʌmwʌn] *pron* → somebody.
somersault ['sʌməsɔ:lt] *n (acrobatics)* salto mortal; *(by child etc.)* voltereta; *(by car)* vuelta de campana.
something ['sʌmθɪŋ] *n* algo. ●*~ else,* otra cosa.
sometime ['sʌmtaɪm] *adv* un/algún día. — **2** *adj* antiguo,-a, ex-. ●*~ or other,* un día de éstos.
sometimes ['sʌmtaɪmz] *adv* a veces, de vez en cuando.
somewhat ['sʌmwɒt] *n* algo, un tanto.
somewhere ['sʌmweəʳ] *adv* en/a alguna parte. ●*~ else,* en otra parte.
son [sʌn] *n* hijo.
song [sɒŋ] *n* canción. **2** *(singing)* canto. ●*to burst into ~,* ponerse a cantar.
songbook ['sɒŋbʊk] *n* cancionero.
son-in-law ['sʌnɪnlɔ:] *n* yerno, hijo político. ▲ *pl* **sons-in-law.**
soon [su:n] *adv (within a short time)* pronto, dentro de poco. **2** *(early)* pronto, temprano. ●*as ~ as,* en cuanto; *as ~ as possible,* cuanto antes; *I would (just) as ~ ...,* prefiero/preferiría ...; *~ afterwards,* poco después.
sooner ['su:nəʳ] *adv* más temprano. ●*I would ~,* preferiría; *no ~ ...,* nada más ... .
soot [sʊt] *n* hollín *m.*
soothe [su:ð] *t (calm)* calmar. **2** *(pain)* aliviar.
sophisticated [sə'fɪstɪkeɪtɪd] *adj* sofisticado,-a.
soprano [sə'prɑ:nəʊ] *n* soprano *mf.*
sorcerer ['sɔ:sərəʳ] *n* hechicero, brujo.

sordid ['sɔ:dɪd] *adj* sórdido,-a.
sore [sɔ:ʳ] *adj* dolorido,-a, inflamado,-a. **2** *fam (angry)* enfadado,-a *(at,* con). — **3** *n* llaga, úlcera. — **4** *sorely adv* profundamente, muy. ●*to have a ~ throat,* tener dolor de garganta. ■ *~ point,* asunto delicado.
soreness ['sɔ:nəs] *n* dolor *m.*
sorrow ['sɒrəʊ] *n* pena, pesar *m,* dolor *m.*
sorry ['sɒrɪ] *adj (pitiful)* triste, lamentable. — **2** *interj* ¡perdón!, ¡disculpe! ●*to be ~ (about sth.),* sentir (algo): *I'm ~,* lo siento; *I'm ~ I'm late,* siento haber llegado tarde; *to feel ~ for sb.,* compadecer a algn.
sort [sɔ:t] *n (type)* clase *f,* tipo. **2** *fam (person)* tipo. — **3** *t* clasificar. — **4** *t* clasificar, ordenar. **2** *(solve)* arreglar, solucionar. ●*of sorts,* de alguna clase; *out of sorts, (unwell)* pachucho,-a; *(moody)* de mal humor; *~ of,* un poco; *fam to be ~ of ...,* estar como ... .
so-so ['səʊsəʊ] *adv fam* así así, regular.
sought [sɔ:t] *pt & pp* → seek.
soul [səʊl] *n gen* alma. **2** *(feeling)* ánimo. ●*not a ~,* ni un alma.
soulful ['səʊlfʊl] *adj* conmovedor,-a, emotivo,-a.
sound [saʊnd] *n gen* sonido. **2** *(noise)* ruido. **3** GEOG estrecho. — **4** *t* tocar, hacer sonar. **5** MAR MED sondar. — **6** *i* sonar: *it sounds like Mozart,* (me) suena a Mozart. **7** *fig (give impression)* parecer. — **8** *adj (healthy)* sano,-a. **9** *(in good condition)* en buen estado. **10** *(reasonable)* razonable. **11** *(robust)* fuerte, robusto,-a. **12** *(sleep)* profundo,-a. ●*to be ~ asleep,* estar profundamente dormido,-a.
sounding ['saʊndɪŋ] *n* sondeo.
soundproof ['saʊndpru:f] *adj* insonorizado,-a. — **2** *t* insonorizar.
soundtrack ['saʊndtræk] *n* banda sonora.
soup [su:p] *n* sopa. **2** *(clear, thin)* caldo, consomé *m.* ■ *~ spoon,* cuchara sopera.
sour ['saʊəʳ] *adj* ácido,-a, agrio,-a. **2** *(milk)* cortado,-a. **3** *fig (bitter)* amargado,-a.
source [sɔ:s] *n* fuente *f.* **2** *(of infection)* foco.
sourness ['saʊənəs] *n* acidez *f.* **2** *(of milk)* agrura. **3** *fig* amargura, acritud.
south [saʊθ] *n* sur *m.* — **2** *adj* del sur. — **3** *adv* hacia el sur, al sur.
southeast [saʊθ'i:st] *n* sudeste *m.* — **2** *adj* (del) sudeste. — **3** *adv* hacia el sudeste, al sudeste.

southern ['sʌðən] *adj* del sur, meridional.

souvenir [su:və'nɪəʳ] *n* recuerdo.

sovereign ['sɒvrɪn] *adj-n* soberano,-a.

sow [saʊ] *n* cerda, puerca. – **2** *t* sembrar. ▲ *En* 2 *(verbo)* [səʊ]; *pp* **sowed** *o* **sown**.

space [speɪs] *n gen* espacio. **2** *(room)* sitio, lugar *m.* – **3** *t* espaciar. ■ ~ *age,* era espacial.

spacecraft ['speɪskrɑːft] *n* nave *f* espacial.

spacious ['speɪʃəs] *adj* espacioso,-a, amplio,-a.

spade [speɪd] *n* pala. **2** *(cards)* pica; *(Spanish pack)* espada.

span [spæn] *n (of wing)* envergadura; *(of arch etc.)* luz *f*, ojo. **2** *(of time)* lapso, espacio. – **3** *t (bridge etc.)* atravesar. **4** *(life etc.)* abarcar.

spangle ['spæŋgəl] *n* lentejuela.

spank [spæŋk] *t* zurrar, pegar.

spanner ['spænəʳ] *n* llave *f* de tuerca.

spar [spɑːʳ] *n* palo, verga. – **2** *i (boxing)* entrenarse. **3** *(argue)* discutir.

spare [speəʳ] *adj (extra)* de sobra/más; *(left over)* sobrante, que sobra. – **2** *n* AUTO (pieza de) recambio/repuesto. – **3** *t (do without)* prescindir de, pasar sin. **4** *(begrudge)* escatimar. ●*can you* ~ *five minutes?,* ¿tienes cinco minutos? ■ ~ *wheel,* rueda de recambio.

sparing ['speərɪŋ] *adj (frugal)* frugal. **2** *(economical)* económico,-a. – **3** *sparingly adv* en poca cantidad.

spark [spɑːk] *n* chispa. – **2** *i* echar chispas. ◆*to* ~ *off t* provocar. ■ ~ *plug,* bujía.

sparkle ['spɑːkəl] *n* centelleo, brillo. **2** *fig* viveza. – **3** *i* centellear, destellar. **4** *fig* brillar.

sparkler ['spɑːkələʳ] *n* bengala.

sparrow ['spærəʊ] *n* gorrión *m.*

sparse [spɑːs] *adj (thin)* escaso,-a. **2** *(scattered)* disperso,-a. **3** *(hair)* ralo,-a.

spasm ['spæzəm] *n* MED espasmo. **2** *(of anger, coughing)* acceso.

spat [spæt] *pt & pp* → **spit**. – **2** *n* polaina.

spate [speɪt] *n (of letters)* avalancha; *(of accidents)* racha.

spatter ['spætəʳ] *t* salpicar, rociar.

speak [spiːk] *i gen* hablar. **2** *(give speech)* pronunciar un discurso. – **3** *t (utter)* decir: **he spoke the truth,** dijo la verdad. **4** *(language)* hablar. ◆*to* ~ *out i* hablar claro. ◆*to* ~ *up i* hablar más fuerte. ●*generally speaking,* en términos generales; *so to* ~, por así decirlo; *to be nothing to* ~ *of,* no ser nada especial; *to*

~ *one's mind,* hablar claro/sin rodeos. ▲ *pt* **spoke;** *pp* **spoken.**

speaker ['spiːkəʳ] *n* persona que habla, el/la que habla. **2** *(in dialogue)* interlocutor,-ra. **3** *(lecturer)* conferenciante *mf.* **4** *(of language)* hablante *mf.* **5** *(loudspeaker)* altavoz *m.*

spear [spɪəʳ] *n gen* lanza. **2** *(harpoon)* arpón *m.*

special ['speʃəl] *adj* especial. **2** *(specific, unusual)* particular. – **3** *n (train)* tren *m* especial. **4** RAD TV programa *m* especial. – **5** *specially adv* especialmente. ■ ~ *delivery,* express *m;* ~ *offer,* oferta.

specialist ['speʃəlɪst] *n* especialista *mf.*

speciality [speʃɪ'ælɪti] *n* especialidad.

specialize ['speʃəlaɪz] *i* especializarse.

species ['spiːʃiːz] *n inv* especie *f.*

specific [spə'sɪfɪk] *adj* específico,-a. **2** *(exact)* preciso,-a. – **3** *npl* datos *mpl* (concretos). – **4** *specifically adv* concretamente, en concreto.

specifications [spesɪfɪ'keɪʃənz] *npl* datos *mpl* específicos.

specify ['spesɪfaɪ] *t* especificar, precisar.

specimen ['spesɪmən] *n* espécimen *m,* muestra, ejemplar *m.*

speck [spek] *n (of dust, soot)* mota. **2** *(trace)* pizca. **3** *(dot)* punto negro.

speckled ['spekəld] *adj* moteado,-a, con puntitos.

spectacle ['spektəkəl] *n* espectáculo. – **2** *npl* gafas *fpl.*

spectacular [spek'tækjʊləʳ] *adj* espectacular. – **2** *n* superproducción.

spectator [spek'teɪtəʳ] *n* espectador,-ra.

spectre ['spektəʳ] *n* espectro, fantasma *m.*

speculate ['spekjʊleɪt] *i* especular *(on/about,* sobre).

speculation [spekjʊ'leɪʃən] *n* especulación.

sped [sped] *pt & pp* → **speed**.

speech [spiːtʃ] *n (faculty)* habla. **2** *(pronunciation)* pronunciación. **3** *(address)* discurso. **4** GRAM oración. ●*to give/make a* ~, pronunciar un discurso.

speechless ['spiːtʃləs] *adj* mudo,-a, boquiabierto,-a.

speed [spiːd] *n* velocidad. – **2** *i (go fast)* ir corriendo/a toda prisa. ◆*to* ~ *past i* pasar volando. ◆*to* ~ *up t-i* acelerar; *(person)* apresurar(se). ▲ *pt & pp* **speeded** *o* **sped**.

speedometer [spɪ'dɒmɪtəʳ] *n* velocímetro.

speedy ['spiːdɪ] *adj* rápido,-a, veloz.

spoke

spell [spel] *n (magical)* hechizo, encanto. 2 *(period)* período, temporada; *(short)* racha. 3 *(shift)* tanda. – 4 *t-i (letter by letter)* deletrear. 5 *(write)* escribir correctamente. – 6 *t fig (denote)* representar. ▲ *pt & pp* **spelled** *o* **spelt**.

spelling ['spelɪŋ] *n* ortografía.

spelt [spelt] *pt & pp* → **spell**.

spend [spend] *t (money)* gastar *(on,* en). 2 *(time)* pasar: *we spent two days there,* pasamos allí dos días. 3 *(devote)* dedicar. ▲ *pt & pp* **spent**.

spending ['spendɪŋ] *n* gasto(s) *m(pl).*

spendthrift ['spendθrɪft] *n* derrochador,-ra.

spent [spent] *pt & pp* → **spend**.

sperm [spɜːm] *n* esperma *mf.*

sphere [sfɪəʳ] *n* esfera.

sphinx [sfɪŋks] *n* esfinge *f.*

spice [spaɪs] *n* especia. 2 *fig* sazón *m,* sal *f.* – 3 *t* sazonar, condimentar.

spicy ['spaɪsɪ] *adj* sazonado,-a; *(hot)* picante. 2 *fig* picante.

spider ['spaɪdəʳ] *n* araña. ■ *spider's web,* telaraña.

spike [spaɪk] *n (stake)* estaca. 2 *(metal rod)* pincho. 3 *(sharp point)* punta. 4 *(on shoes)* clavo. 5 BOT espiga.

spiky ['spaɪkɪ] *adj* puntiagudo,-a. 2 *fam (hair)* de punta.

spill [spɪl] *n* derrame *m.* – 2 *t-i* derramar(se); *(pour)* verter(se). ◆*to ~ over t* desbordarse. ●*fam to ~ the beans,* descubrir el pastel. ▲ *pt & pp* **spilled** *o* **spilt**.

spin [spɪn] *n* vuelta, giro. 2 *(of washing machine)* centrifugado. 3 *(of ball)* efecto. – 4 *t-i (turn)* (hacer) girar, dar vueltas (a). 5 *(cotton, wool, etc.)* hilar. ◆*to ~ out t* prolongar. ●*to go for a ~,* dar una vuelta (en coche/moto); *fam to ~ sb. a yarn,* pegarle un rollo a algn. ▲ *pt* **spun** *o* **span**; *pp* **spun**.

spinach ['spɪnɪdʒ] *n* espinacas *fpl.*

spinal ['spaɪnəl] *adj* espinal, vertebral. ■ *~ column,* columna vertebral.

spin-dryer [spɪn'draɪəʳ] *n* secador,-ra centrífugo,-a.

spine [spaɪn] *n* ANAT columna vertebral, espina dorsal. 2 *(of book)* lomo. 3 ZOOL púa.

spineless ['spaɪnləs] *adj* invertebrado,-a. 2 *fig* débil.

spinning ['spɪnɪŋ] *n (act)* hilado; *(art)* hilandería. ■ *~ top,* peonza, trompo; *~ wheel,* rueca, torno de hilar.

spinster ['spɪnstəʳ] *n* soltera. ●*pej to be an old ~,* ser una vieja solterona.

spiral ['spaɪərəl] *adj-n* espiral *(f).* – 2 *i* moverse en espiral. ■ *~ staircase,* escalera de caracol.

spire ['spaɪəʳ] *n* aguja.

spirit ['spɪrɪt] *n gen* espíritu *m.* 2 *(ghost)* fantasma *m.* 3 *(force, vitality)* vigor *m,* ánimo; *(personality)* carácter *m.* 4 CHEM alcohol *m.* 5 *pl (mood)* moral *f sing.* 6 *pl (drink)* licores *mpl.* ◆*to ~ away/off t* llevarse como por arte de magia. ●*to be in high/low spirits,* estar animado,-a/desanimado,-a. ■ *~ level,* nivel *m* de aire; *the Holy Spirit,* el Espíritu Santo.

spirited ['spɪrɪtɪd] *adj* enérgico,-a, vigoroso,-a.

spiritual ['spɪrɪtjʊəl] *adj* espiritual. – 2 *n* espiritual *m* negro.

spit [spɪt] *n* saliva, esputo. 2 CULIN asador *m.* 3 GEOG punta. – 4 *t-i* escupir. ◆*to ~ out t* escupir. 2 *fig* soltar. ▲ *pt & pp* **spat**.

spite [spaɪt] *n* rencor *m,* ojeriza. – 2 *t* fastidiar. ●*in ~ of,* a pesar de, pese a; *out of ~,* por despecho.

spiteful ['spaɪtfʊl] *adj* rencoroso,-a, malévolo,-a. – 2 *spitefully adv* con rencor.

splash [splæʃ] *n (noise)* chapoteo. 2 *(spray)* salpicadura, rociada. 3 *fig (of light etc.)* mancha. – 4 *t* salpicar, rociar *(with,* de). – 5 *i* chapotear. – 6 *interj* ¡plaf! ◆*to ~ out t fam* derrochar dinero. ●*to make a ~,* causar sensación.

splendid ['splendɪd] *adj* espléndido,-a, maravilloso,-a.

splendour ['splendəʳ] *n* esplendor *m.*

splice [splaɪs] *t* empalmar. 2 CINEM montar.

splint [splɪnt] *n* tablilla.

splinter ['splɪntəʳ] *n (of wood)* astilla; *(of metal, bone)* esquirla; *(of glass)* fragmento. – 2 *t-i* astillar(se), hacer(se) astillas. ■ POL *~ group,* grupo disidente, facción.

split [splɪt] *n* grieta, hendidura. 2 *(tear)* desgarrón *m.* 3 *fig* división, ruptura. 4 *fig* POL escisión. – 5 *adj* partido,-a, hendido,-a. – 6 *t-i (crack)* agrietar(se), hender(se). 7 *(in two)* partir(se). 8 *(tear)* rajar(se). 9 *(divide)* dividir(se). – 10 *i* POL escindirse. 11 *sl* largarse. ◆*to ~ up t* partir, dividir. – 2 *i* dispersarse; *(couple)* separarse. ●*in a ~ second,* en una fracción de segundo. ▲ *pt & pp* **split**.

spoil [spɔɪl] *t-i* estropear(se), echar(se) a perder. – 2 *t (child etc.)* mimar. – 3 *npl* botín *m sing.* ▲ *pt & pp* **spoiled** *o* **spoilt** [spɔɪlt].

spoke [spəʊk] *pt* → **speak**. – 2 *n* radio, rayo.

spoken ['spəʊkən] *pp* → **speak**.

spokesman ['spəʊksmən] *n* portavoz *mf*.

sponge [spʌndʒ] *n* esponja. − 2 *t* lavar/ limpiar con esponja. − 3 *i pej* vivir de gorra, gorrear. ◆*to* ~ *off/on t pej* vivir a costa de. ■ ~ *cake*, bizcocho.

sponger ['spʌndʒəʳ] *n pej* gorrón,-ona, sablista *mf*.

spongy ['spʌndʒɪ] *adj* esponjoso,-a.

sponsor ['spɒnsəʳ] *n gen* patrocinador,-ra. 2 FIN avalador,-ra, garante *mf*. 3 REL *m* padrino, *f* padrina. − 4 *t gen* patrocinar. 5 FIN avalar. 6 REL apadrinar.

spontaneous [spɒn'teɪnɪəs] *adj* espontáneo,-a.

spoof [spu:f] *n* parodia.

spooky ['spu:kɪ] *adj fam* escalofriante.

spool [spu:l] *n* carrete *m*, bobina.

spoon [spu:n] *n* cuchara. 2 *(small)* cucharilla, cucharita.

spoonful ['spu:nful] *n* cucharada. ▲ *pl* **spoonfuls** o **spoonsful**.

sporadic [spə'rædɪk] *adj* esporádico,-a.

sport [spɔ:t] *n* deporte *m*. − 2 *t* lucir. ◆*fam to be a (good)* ~, ser buena persona. ■ *sports car*, coche deportivo; *sports jacket*, chaqueta *(de) sport*.

sporting ['spɔ:tɪŋ] *adj* deportivo,-a.

sportsman ['spɔ:tsmən] *m* deportista *m*.

sportsmanship ['spɔ:tsmənʃɪp] *n* deportividad.

sportswoman ['spɔ:tswʊmən] *n* deportista.

spot [spɒt] *n (dot)* punto; *(on fabric)* lunar *m*. 2 *(stain)* mancha. 3 *(on face)* grano. 4 *(place)* sitio, lugar *m*. 5 *(fix)* aprieto, apuro. 6 *(advert)* spot *(publicitario)*. 7 *fam (bit)* poquito. − 8 *t (pick out)* reconocer, encontrar. 9 *(notice)* darse cuenta de. 10 *(mark with spots)* motear. ◆*to be on the* ~, estar allí/presente; *to put sb. on the* ~, poner a algn. en un aprieto.

spotless ['spɒtləs] *adj* limpísimo,-a, impecable. 2 *fig* intachable.

spotlight ['spɒtlaɪt] *n* foco. ◆*fig to be in the* ~, ser objeto de la atención pública.

spouse [spaʊz] *n* cónyuge *mf*.

spout [spaʊt] *n (of jug)* pico; *(of fountain)* surtidor *m*; *(of roof-gutter)* canalón *m*. 2 *(of water)* chorro. − 3 *t* echar, arrojar. − 4 *i* salir a chorros.

sprain [spreɪn] *n* torcedura. − 2 *t* torcer: *she sprained her ankle*, se torció el tobillo.

sprang [spræŋ] *pt* → **spring**.

sprawl [sprɔ:l] *i (person)* tumbarse, repantigarse. 2 *(city etc.)* extenderse.

spray [spreɪ] *n (of water)* rociada; *(from sea)* espuma. 2 *(from can)* pulverización. 3 *(aerosol)* spray *m*, atomizador *m*. 4 *(of flowers)* ramita. − 5 *t (water)* rociar; *(perfume)* atomizar; *(insecticide)* pulverizar. ■ ~ *can*, aerosol *m*; ~ *paint*, pintura spray.

spread [spred] *n gen* extensión. 2 *(of ideas, news)* difusión. 3 *(of disease, fire)* propagación. 4 *(of wings, sails)* envergadura. 5 CULIN pasta (para untar). 6 *fam (meal)* comilona. − 7 *t-i gen* extender(se). 8 *(unfold)* desplegar(se). 9 *(news etc.)* difundir(se). 10 *(disease, fire)* propagar(se). − 11 *t (butter etc.)* untar. ■ *two-page* ~, doble página. ▲ *pt & pp* **spread**.

spree [spri:] *n* juerga, parranda. ●*to go on a* ~, ir de juerga.

sprig [sprɪg] *n* ramita, ramito.

spring [sprɪŋ] *n (season)* primavera. 2 *(source)* manantial *m*, fuente *f*. 3 *(of furniture etc.)* muelle *m*; *(of watch, lock, etc.)* resorte *m*; *(of car)* ballesta. 4 *(elasticity)* elasticidad. − 5 *i* saltar. − 6 *t fig* espetar *(on, a)*: *he sprang the news on me*, me espetó la noticia. ◆*to* ~ *up* i aparecer, surgir. ●*to* ~ *a leak*, hacer agua; *to* ~ *to one's feet*, levantarse de un salto. ■ ~ *onion*, cebolleta. ▲ *pt* **sprang**; *pp* **sprung**.

springboard ['sprɪŋbɔ:d] *n* trampolín *m*.

springtime ['sprɪŋtaɪm] *n* primavera.

sprinkle ['sprɪŋkəl] *t (with water)* rociar, salpicar *(with, de)*. 2 *(with flour etc.)* espolvorear *(with, de)*.

sprinkler ['sprɪŋkələʳ] *n* aspersor *m*.

sprint [sprɪnt] *n* carrera corta; SP (e)sprint *m*. − 2 *i* correr a toda velocidad; SP (e)sprintar.

sprout [spraʊt] *n* brote *m*, retoño. − 2 *i* brotar. 3 *fig* crecer rápidamente. ■ *(Brussels) sprouts*, coles *fpl* de Bruselas.

spruce [spru:s] *n inv* BOT picea. − 2 *adj* acicalado,-a, apuesto,-a. ◆*to* ~ *up t* acicalar, arreglar.

sprung [sprʌŋ] *pp* → **spring**.

spun [spʌn] *pt & pp* → **spin**.

spur [spɜ:ʳ] *n (rider's)* espuela. 2 ZOOL espolón *m*. 3 *fig* aguijón *m*. − 4 *t* espolear. 5 *fig* estimular, incitar. ●*on the* ~ *of the moment*, sin pensarlo.

spurn [spɜ:n] *t fml* desdeñar.

spurt [spɜ:t] *n (of liquid)* chorro. 2 *fig* racha, ataque *m*. 3 SP esfuerzo. − 4 *i* chorrear, salir a chorro. **5** *fig* hacer un último esfuerzo.

sputter ['spʌtə'] *i (fire, fat)* chisporrotear. **2** *(engine)* petardear.

spy [spaɪ] *n* espía *mf*. − **2** *i* espiar *(on, a)*.

spyhole ['spaɪhəʊl] *n* mirilla.

squabble ['skwɒbəl] *n* disputa, riña. − **2** *i* disputar, reñir *(over, por)*.

squad [skwɒd] *n* MIL. pelotón *m*. **2** *(of police)* brigada. ■ ~ *car,* coche *m* patrulla.

squadron ['skwɒdrən] *n* MIL. escuadrón *m*. **2** AV escuadrilla.

squalid ['skwɒlɪd] *adj* sucio,-a, mugriento,-a. **2** *(poor)* miserable.

squalor ['skɒlə'] *n* suciedad, mugre *f*. **2** *(poverty)* miseria.

squander ['skwɒndə'] *t* derrochar, malgastar.

square [skweə'] *n (shape)* cuadrado; *(on fabric)* cuadro. **2** *(on chessboard, paper)* casilla. **3** *(in town)* plaza. **4** MATH cuadrado. **5** *fam (person)* carroza *mf*. − **6** *adj* cuadrado,-a. **7** *(meal)* bueno,-a, decente. **8** *fam (fair)* justo,-a. − **9** *adv* justo, exactamente. − **10** *t-i* cuadrar. − **11** *t* MATH elevar al cuadrado. **12** *(settle)* ajustar, arreglar. ◆*to* ~ *up i fam* ajustar las cuentas. ●*to get a* ~ *deal,* recibir un trato justo. ■ ~ *brackets,* corchetes *mpl*; *squared paper,* papel cuadriculado; ~ *metre,* metro cuadrado.

squash [skɒʃ] *n (crowd)* apiñamiento, agolpamiento. **2** *(drink)* zumo. **3** BOT calabaza. **4** SP squash *m*. − **5** *t-i* aplastar(se), chafar(se). − **6** *t fig (person)* apabullar, hacer callar.

squat [skwɒt] *adj* rechoncho,-a, achaparrado,-a. − **2** *i (crouch)* agacharse, sentarse en cuclillas. **3** *(in building)* vivir ilegalmente.

squatter ['skwɒtə'] *n* ocupante *mf* ilegal.

squawk [skwɔːk] *n* graznido, chillido. − **2** *i* graznar, chillar.

squeak [skwiːk] *n (of animal)* chillido. **2** *(of wheel etc.)* chirrido, rechinamiento. − **3** *i (animal)* chillar; *(wheel etc.)* chirriar, rechinar.

squeaky ['skwiːkɪ] *adj* chirriante; *(voice)* chillón,-ona.

squeal [skwiːl] *n* chillido. − **2** *i* chillar. **3** *fam* cantar, chivarse *(on, de)*.

squeamish ['skwiːmɪʃ] *adj* muy sensible, remilgado,-a.

squeeze [skwiːz] *n* estrujón *m*. **2** *(of hand)* apretón *m*. **3** *(crowd)* apretujón *m*. − **4** *t gen* apretar. **5** *(lemon etc.)* exprimir. **6** *(sponge)* estrujar. ◆*to* ~ *in/out i* meterse/salir con dificultad.

squelch [skweltʃ] *i* chapotear.

squid [skwɪd] *n* calamar *m*; *(small)* chipirón *m*.

squint [skwɪnt] *n* MED bizquera. **2** *fam (look)* vistazo, ojeada. − **3** *i* MED bizquear, ser bizco,-a. **4** *(in sunlight)* entrecerrar los ojos.

squirm [skwɜːm] *i* retorcerse.

squirrel ['skwɪrəl] *n* ardilla.

squirt [skwɜːt] *n* chorro. **2** *fam pej (person)* mequetrefe *mf*. − **3** *t* lanzar a chorro. ◆*to* ~ *out i* salir a chorro.

stab [stæb] *n* puñalada, navajazo. − **2** *t-i* apuñalar, acuchillar. ■ ~ *of pain,* punzada.

stability [stə'bɪlɪtɪ] *n* estabilidad.

stabilize ['steɪbəlaɪz] *t-i* estabilizar(se).

stable ['steɪbəl] *adj* estable. − **2** *n* cuadra, caballeriza, establo.

stack [stæk] *n* montón *m*. − **2** *t* apilar, amontonar.

stadium ['steɪdɪəm] *n* estadio.

staff [stɑːf] *n (personnel)* personal *m*, empleados *mpl*. **2** *(stick)* bastón *m*. **3** REL báculo. **3** MUS pentagrama *m*. − **4** *t* proveer de personal. ■ *editorial* ~, redacción; *teaching* ~, cuerpo docente, profesorado.

stag [stæg] *n* ciervo, venado. ■ ~ *party,* despedida de soltero.

stage [steɪdʒ] *n (period)* etapa, fase *f*. **2** *(of road)* tramo. **3** THEAT escenario, escena. **4** *(platform)* estrado, plataforma. − **5** *t* THEAT poner en escena, representar. **6** *(carry out)* llevar a cabo. ●*by/in stages,* por etapas; *to go on* ~, salir al escenario. ■ ~ *manager,* director,-ra de escena.

stagecoach ['steɪdʒkəʊtʃ] *n* diligencia.

stagger ['stægə'] *i* tambalearse.- **2** *t (hours, work)* escalonar.

stagnant ['stægnənt] *adj* estancado,-a.

stagnate [stæg'neɪt] *i* estancarse.

stain [steɪn] *n* mancha. **2** *(dye)* tinte *m*. − **3** *t-i* manchar(se). − **4** *t* teñir. ■ *stained glass,* vidrio de colores.

stainless ['steɪnləs] *adj* ~ *steel,* acero inoxidable.

stair [steə'] *n* escalón *m*, peldaño. **2** *pl* escalera *f sing*.

staircase ['steəkeɪs] *n* escalera.

stake [steɪk] *n (stick)* estaca, palo. **2** *(post)* poste *m*. **3** *(bet)* (a)puesta. **4** *(interest)* intereses *mpl*. − **5** *t (bet)* apostar. **6** *(invest)* invertir. ◆*to* ~ *out t* cercar con estacas. ●*at* ~, *(at risk)* en juego; *(in danger)* en peligro.

stalactite ['stæləktaɪt] *n* estalactita.

stale [steɪl] *adj (bread)* duro,-a; *(food)* pasado,-a. **2** *(smell)* a cerrado. **3** *fig (joke)* gastado,-a.

stalemate [ˈsteɪlmeɪt] *n (chess)* tablas *fpl.* **2** *fig* punto muerto.

stalk [stɔːk] *n (of plant)* tallo. **2** *(of fruit)* rabo. — **3** *t* cazar al acecho. — **4** *i* andar con paso majestuoso.

stall [stɔːl] *n (in market)* puesto; *(at fair)* caseta. **2** *(stable compartment)* casilla (de establo). **3** *pl* platea *f sing.* — **4** *t-i* AUTO calar(se), parar(se). — **5** *i fam (delay)* andarse con rodeos.

stallion [ˈstæljən] *n* semental *m.*

stalwart [ˈstɔːlwət] *adj* fuerte, fornido,-a. — **2** *n* partidario,-a incondicional.

stammer [ˈstæməʳ] *n* tartamudeo. — **2** *i* tartamudear.

stamp [stæmp] *n (postage)* sello; *(fiscal)* timbre *m.* **2** *(of rubber)* sello de goma, tampón *m.* **3** *(of foot)* patada. — **4** *t (post)* poner sello a. **5** *(with rubber stamp)* sellar. — **6** *i* patear, patalear; *(in dancing)* zapatear. ◆*to ~ out t fig* acabar con. ●*to ~ one's feet,* patalear; *(in dancing)* zapatear. ■ ~ *collecting,* filatelia.

stampede [stæmˈpiːd] *n* estampida, desbandada. — **2** *i* desbandarse.

stance [stæns] *n* postura.

stand [stænd] *n* posición, postura. **2** *(of lamp etc.)* pie *m.* **3** *(market stall)* puesto; *(at exhibition)* stand *m,* pabellón *m.* **4** *(platform)* plataforma. **5** SP tribuna. — **6** *i (be upright)* estar de pie; *(get up)* ponerse de pie, levantarse; *(stay upright)* quedarse de pie. **7** *(measure)* medir. **8** *(be situated)* encontrarse. **9** *(remain valid)* seguir en pie. **10** *(be)* estar. — **11** *t* poner, colocar. **12** *fam (bear)* aguantar: *I can't ~ him,* no lo aguanto. ◆*to ~ back i* abrir paso. ◆*to ~ by i* quedarse sin hacer nada. **2** *(be ready)* estar preparado,-a. — **3** *t (person)* respaldar a; *(decision etc.)* atenerse a. ◆*to ~ for t* significar. **2** *(put up with)* tolerar. ◆*to ~ in for t* sustituir a. ◆*to ~ out i* destacar(se). ◆*to ~ up i* ponerse de pie. — **2** *t fam* dejar plantado,-a. ◆*to ~ up for t fig* defender. ●*as things ~,* tal como están las cosas; *to ~ to reason,* ser lógico,-a; *fig to ~ up to sb.,* hacer frente a algn. ▲ *pt & pp* **stood.**

standard [ˈstændəd] *n* nivel *m.* **2** *(principle)* criterio, valor *m.* **3** *(norm)* norma. **4** *(flag)* estandarte *m.* **5** *(measure)* patrón *m.* — **6** *adj* normal, corriente, estándar. ●*to be up to/below ~,* satisfacer los requisitos. ■ ~ *of living,* nivel de vida; ~ *time,* hora oficial.

standardize [ˈstændədaɪz] *t* normalizar, estandarizar.

standby [ˈstændbaɪ] *n (person)* suplente *mf.* ●*to be on ~,* *(passenger)* estar en la lista de espera; MIL estar de retén.

standing [ˈstændɪŋ] *adj (not sitting)* de pie. **2** *(vertical)* derecho,-a. **3** *(committee)* permanente. — **4** *n (position)* rango, estatus *m.* **5** *(reputation)* fama, reputación. **6** *(duration)* duración. ■ ~ *invitation,* invitación abierta; FIN ~ *order,* pago fijo; ~ *ovation,* ovación calurosa; SP ~ *start,* salida parada.

stand-offish [stændˈɒfɪʃ] *adj fam* estirado,-a, altivo,-a.

standpoint [ˈstændpɔɪnt] *n* punto de vista.

standstill [ˈstændstɪl] *n* paralización. ●*at a ~,* *(traffic etc.)* parado,-a; *(industry)* paralizado,-a.

stank [stæŋk] *pt* → **stink.**

stanza [ˈstænzə] *n* estrofa.

staple [ˈsteɪpəl] *n (fastener)* grapa. **2** *(product)* producto principal. — **3** *adj (food, diet)* básico,-a. — **4** *t* grapar.

stapler [ˈsteɪpələʳ] *n* grapadora.

star [stɑːʳ] *n* estrella. — **2** *adj* estelar. — **3** *i* protagonizar *(in, -).* — **4** *t* tener como protagonista a.

starboard [ˈstɑːbəd] *n* estribor *m.*

starch [stɑːtʃ] *n* almidón *m;* *(of potatoes)* fécula. — **2** *t* almidonar.

stardom [ˈstɑːdəm] *n* estrellato.

stare [steəʳ] *n* mirada fija. — **2** *i* mirar fijamente, clavar la vista/los ojos *(at,* en). ●*to ~ into space,* mirar al vacío.

starfish [ˈstɑːfɪʃ] *n* estrella de mar.

stark [stɑːk] *adj (landscape)* desolado,-a. **2** *(décor, colour)* sobrio,-a, austero,-a. **3** *fig (truth etc.)* desnudo,-a. — **4** *adv* completamente. ●~ *mad,* loco,-a de remate; *fam* ~ *naked,* en cueros.

starlight [ˈstɑːlaɪt] *n* luz *f* de estrellas.

starry [ˈstɑːrɪ] *adj* estrellado,-a.

starry-eyed [stɑːrɪˈaɪd] *adj* idealista, ilusionado,-a.

start [stɑːt] *n (beginning)* principio, comienzo. **2** *(of race)* salida. **3** *(advantage)* ventaja. **4** *(fright)* susto, sobresalto. — **5** *t-i gen* empezar, comenzar. **6** *(car, engine)* arrancar, poner(se) en marcha. — **7** *t (cause)* causar. ◆*to ~ back i* emprender la vuelta. ◆*to ~ off/out i (begin)* empezar. **2** *(leave)* salir, partir. ◆*to ~ up t-i (car etc.)* arrancar. ●*for a ~,* para empezar; *from the ~,* desde el principio; *starting point,* punto de partida; *to make an early ~,* salir a primera hora;

237   **stepfather**

to ~ doing/to do sth., empezar a hacer algo.

starter ['stɑːtəʳ] *n* SP *(official)* juez *mf* de salida. 2 AUTO motor *m* de arranque. 3 *fam (dish)* primer plato. ●*fig for starters,* para empezar.

startle [stɑːtəl] *t* asustar, sobresaltar.

startling ['stɑːtəlɪŋ] *adj (frightening)* alarmante. 2 *(amazing)* sorprendente.

starvation [stɑːˈveɪʃən] *n* hambre *f,* inanición.

starve [stɑːv] *i* pasar hambre. – 2 *t* matar de hambre, hacer pasar hambre. ●*to ~ to death,* morirse de hambre.

starving ['stɑːvɪŋ] *adj* hambriento,-a, muerto,-a de hambre.

state [steɪt] *n* gen estado. – 2 *adj* POL estatal, del Estado. 3 *(solemn)* solemne. – 4 *t (express)* expresar; *(say)* afirmar. 5 *(date etc.)* fijar. ●*to lie in ~,* estar de cuerpo presente. ■ *~ education,* enseñanza pública; *~ of mind,* estado de ánimo; *~ visit,* visita oficial.

stated ['steɪtɪd] *adj* indicado,-a, señalado,-a.

stately ['steɪtlɪ] *adj* majestuoso,-a.

statement ['steɪtmənt] *n gen* exposición, afirmación. 2 *(official, formal)* comunicado. 3 FIN extracto de cuentas. ●JUR *to make a ~,* prestar declaración.

statesman ['steɪtsmən] *n* estadista *m,* hombre *m* de estado.

station ['steɪʃən] *n (railway, bus)* estación. 2 RAD emisora; TV canal *m.* 3 *(position)* puesto. – 4 *t* MIL estacionar, apostar.

stationary ['steɪʃənərɪ] *adj (still)* inmóvil. 2 *(unchanging)* estacionario,-a.

stationery ['steɪʃənərɪ] *n (paper)* papel *m* de carta. 2 *(other materials)* artículos de escritorio.

statistical [stəˈtɪstɪkəl] *adj* estadístico,-a.

statistics [stəˈtɪstɪks] *n (science)* estadística. 2 *pl (numbers)* estadísticas *fpl.*

statue ['stætjuː] *n* estatua.

stature ['stætʃəʳ] *n* estatura. 2 *fig* talla.

status ['steɪtəs] *n* estado, condición. 2 *(recognition)* estatus *m.* ■ *~ quo,* statu quo *m.*

statute ['stætjuːt] *n* estatuto.

staunch [stɔːntʃ] *adj* fiel, leal.

stave [steɪv] *n (of barrel)* duela. 2 MUS pentagrama *m.* ◆*to ~ off t (avoid)* evitar. 2 *(delay)* aplazar.

stay [steɪ] *n* estancia. 2 JUR aplazamiento. – 3 *i gen* quedarse, permanecer. 4 *(in hotel etc.)* alojarse. – 5 *t* resistir. ◆*to ~ in i* quedarse en casa, no salir. ◆*to ~ on i*

quedarse. ◆*to ~ out i* quedarse fuera. ◆*to ~ up i* no acostarse: *to ~ up late,* acostarse tarde. ●*to ~ away from sth.,* no acercarse a algo;

steadfast ['stedfɑːst] *adj* firme, resuelto,-a.

steadiness ['stedɪnəs] *n* firmeza. 2 *fig* estabilidad.

steady ['stedɪ] *adj gen* firme, seguro,-a; *(table etc.)* estable. 2 *(job, gaze)* fijo,-a. 3 *(regular)* regular. 4 *(student, worker)* aplicado,-a. – 5 *t-i* estabilizar(se). – 6 *steadily adv* constantemente. ●*to ~ sb.'s nerves,* calmarle a algn. los nervios.

steak [steɪk] *n* bistec *m,* filete *m* de buey.

steal [stiːl] *t-i* robar, hurtar. ◆*to ~ away i* escabullirse. ●*to ~ into a room,* colarse en una habitación; *to ~ the show,* acaparar la atención de todos. ▲ *pt* **stole***; pp* **stolen**.

stealthy ['stelθɪ] *adj* sigiloso,-a.

steam [stiːm] *n* vapor *m.* – 2 *t* cocer al vapor. – 3 *i* echar vapor; *(soup etc.)* humear. ◆*to ~ up i* empañarse. ■ *~ engine,* máquina de vapor.

steamer ['stiːməʳ] *n* → **steamship**.

steamroller ['stiːmrəʊləʳ] *n* apisonadora.

steamship ['stiːmʃɪp] *n (buque m de) va-por m.*

steel [stiːl] *n* acero. ●*fig to ~ o.s.,* armarse de valor. ■ *~ industry,* industria siderúrgica; *~ wool,* estropajo de acero.

steep [stiːp] *adj* empinado,-a, escarpado,-a. 2 *fig (price etc.)* excesivo,-a. – 3 *t* remojar.

steeple ['stiːpəl] *n* aguja, chapitel *m.*

steer [stɪəʳ] *n* buey *m.* – 2 *t gen* dirigir. 3 *(vehicle)* conducir. 4 *(ship)* gobernar. 5 *fig (conversation)* llevar.

steering ['stɪərɪŋ] *n* dirección. ■ *~ wheel,* volante *m.*

stem [stem] *n* BOT tallo. 2 *(of glass)* pie *m.* 3 GRAM raíz *f.* – 4 *t* contener, detener. ◆*to ~ from t* derivarse de.

stench [stentʃ] *n* hedor *m,* peste *f.*

step [step] *n gen* paso. 2 *(stair)* escalón *m,* peldaño. 3 *(formality)* gestión, trámite *m.* 4 *pl (outdoor)* escalinata *f sing;* (indoor) escalera *f sing.* – 5 *i* dar un paso, andar. ◆*to ~ aside i* apartarse. ◆*to ~ down i* renunciar *(from,* a). ◆*to ~ in i* intervenir. ◆*to ~ out i* salir. ◆*to ~ up t fam* aumentar. ●*~ by ~,* paso a paso, poco a poco; *to ~ on sth.,* pisar algo; *to take steps,* tomar medidas; *fig to watch one's ~,* ir con cuidado.

stepchild ['steptʃaɪld] *n* hijastro,-a.

stepfather ['stepfɑːðəʳ] *n* padrastro.

stepladder ['steplædə^r] *n* escalera de ti-jera.

stepmother ['stepmʌðə^r] *n* madrastra.

stepping-stone ['stepɪŋstəʊn] *n* pasa-dera. **2** *fig* trampolín *m*.

stereo ['steriəʊ] *n (set)* equipo estereo-fónico. **2** *(sound)* estéreo. – **3** *adj* este-reofónico,-a.

stereotype ['steriətaip] *n* estereotipo. – **2** *t* estereotipar.

sterile ['sterail] *adj (barren)* estéril. **2** *(germ-free)* esterilizado,-a.

sterilize ['sterəlaiz] *t* esterilizar.

sterling ['stɜ:lɪŋ] *n inv* libra esterlina. – **2** *adj* puro,-a, de ley: ~ *silver,* plata de ley.

stern [stɜ:n] *adj* austero,-a, severo,-a. – **2** *n* popa.

sternness ['stɜ:nnəs] *n* severidad, aus-teridad.

stevedore ['sti:vədɔ:^r] *n* estibador *m*.

stew [stju:] *n* estofado, guisado. – **2** *t (meat)* estofar, guisar; *(fruit)* cocer.

steward ['stju:əd] *n (on ship)* camarero; *(on plane)* auxiliar *m* de vuelo.

stewardess ['stju:ədes] *n (on ship)* ca-marera; *(on plane)* azafata.

stick [stik] *n (piece of wood)* (trozo de) ma-dera. **2** *(rod)* palo. **3** *(for walking)* bastón *m*. **4** MUS batuta. **5** *(of celery etc.)* rama. – **6** *t (pointed object)* clavar, hincar. **7** *fam* poner, meter. **8** *(fix, glue)* pegar. **9** *fam (bear)* aguantar. – **10** *i (become attached)* pegarse. **11** *(get caught)* atrancarse; *(machine part)* encasquillarse. ◆*to ~ around i fam* quedarse. ◆*to ~ at t* seguir con. ◆*to ~ by t fam (friend)* apoyar; *(promise)* cumplir con. ◆*to ~ out i (pro-trude)* sobresalir. **2** *fam (be obvious)* saltar a la vista. – **3** *t* sacar. ◆*to ~ to t (keep to)* seguir con. **2** *(carry out)* cumplir con. ◆*to ~ up i (sobre)*salir; *(hair)* estar de punta. – **3** *t (raise)* levantar. ◆*to ~ up for t fam* defender. ●*fig to ~ one's neck out,* jugarse el tipo; *fam to get hold of the wrong end of the ~,* coger el rábano por las hojas. ▲ *pt & pp* **stuck**.

sticker ['stikə^r] *n (label)* etiqueta adhesi-va. **2** *(with message, picture)* pegatina.

sticky ['stiki] *adj* pegajoso,-a. **2** *(weather)* bochornoso,-a. **3** *fam (situation)* difícil.

stiff [stif] *adj (rigid)* rígido,-a, tieso,-a. **2** *(joint)* entumecido,-a. **3** *(firm)* espeso,-a. **4** *(manner)* frío,-a, estirado,-a. **5** *fig (dif-ficult)* difícil, duro,-a. **6** *fam (drink)* fuer-te, cargado,-a. ●*to feel ~,* tener agujetas; *fig to keep a ~ upper lip,* poner a

mal tiempo buena cara; *fam to be scared ~,* estar muerto,-a de miedo.

stiffen ['stifən] *t (fabric)* reforzar; *(collar)* almidonar. **2** *(paste)* endurecer. – **3** *i (person)* ponerse rígido,-a; *(joint)* entu-mecerse. – **4** *t-i fig* fortalecer(se).

stiffness ['stifnəs] *n* rigidez *f*.

stifle ['staifəl] *t-i* ahogar(se), sofocar(se).

stifling ['staifəlɪŋ] *adj* sofocante.

stigma ['stigmə] *n* estigma *m*.

still [stil] *adj (not moving)* quieto,-a. **2** *(calm)* tranquilo,-a. **3** *(silent)* silencio-so,-a. **4** *(drink)* sin gas. – **5** *adv* todavía, aún: *I can ~ hear it,* todavía lo oigo. **6** *(even so)* a pesar de todo. **7** *(however)* sin embargo. – **8** *n fml* silencio. **9** CINEM vis-ta fija. – **10** *t fml* acallar. ●*to keep ~,* estarse quieto,-a; *to stand ~,* no mo-verse. ■ ART ~ *life,* naturaleza muerta.

stillborn ['stilbɔ:n] *adj* nacido,-a muer-to,-a.

stillness ['stilnəs] *n (calm)* calma, quietud *f*. **2** *(silence)* silencio.

stilt [stilt] *n* zanco.

stilted ['stiltid] *adj* afectado,-a.

stimulant ['stimjʊlənt] *n* estimulante *m*.

stimulate ['stimjʊleit] *t* estimular.

stimulus ['stimjʊləs] *n* estímulo. ▲ *pl* **stim-uli** ['stimjʊli:].

sting [stiŋ] *n (organ)* aguijón *m*. **2** *(wound)* picadura. **3** *(burning)* escozor *m*, picazón *f*. **4** *fig (of remorse)* punzada. – **5** *t-i* picar. – **6** *t fig (remark)* herir en lo más hondo. ▲ *pt & pp* **stung**.

stinginess ['stindʒinəs] *n* tacañería.

stingy ['stindʒi] *adj* tacaño,-a, roñoso,-a.

stink [stiŋk] *n* peste *f*, hedor *m*. – **2** *i* apestar/heder *(of,* a). ▲ *pt* **stank** *o* **stunk**; *pp* **stunk**.

stint [stint] *n* período, temporada. – **2** *t* escatimar.

stipulate ['stipjʊleit] *t* estipular.

stir [stɜ:^r] *n* acción de agitar. **2** *fig* revuelo, conmoción. – **3** *t (mixture)* remover. **4** *fig (curiosity etc.)* despertar, estimular. – **5** *t-i (move)* mover(se). ◆*to ~ up t fig* provocar.

stirrup ['stirəp] *n* estribo.

stitch [stitʃ] *n (sewing)* puntada. **2** *(knit-ting)* punto. **3** MED punto de sutura. – **4** *t* coser *(on,* a). **5** MED suturar. ●*fam to be in stitches,* troncharse de risa.

stock [stɒk] *n (supply)* reserva. **2** COM existencias *fpl*, stock *m*. **3** FIN *(capital)* capital *m* social. **4** *(livestock)* ganado. **5** CULIN caldo. **6** *(descent)* linaje *m*. – **7** *adj pej* consabido,-a, muy visto,-a. **8** COM normal, de serie. – **9** *t (have in stock)* tener (en el almacén). **10** *(provide)* surtir *(with,* de). **11** *(fill up)* llenar *(with,* de). ◆*to* ~ *up* i abastecerse *(on/with,* de). ●*to be out of* ~, estar agotado,-a; *fig to take* ~ *of,* evaluar. ■ ~ *exchange/market,* bolsa (de valores).

stockade [stɒ'keɪd] *n* empalizada, estacada.

stockbreeder ['stɒkbriːdəʳ] *n* ganadero,-a.

stockbroker ['stɒkbrəʊkəʳ] *n* corredor,-ra de bolsa.

stocking ['stɒkɪŋ] *n* media.

stocky ['stɒki] *adj* robusto,-a, fornido,-a.

stoical ['stəʊɪkəl] *adj* estoico,-a.

stoke [stəʊk] *t* atizar, avivar. ◆*to* ~ *up* i *fig* atiborrarse *(on,* de).

stole [stəʊl] *pt* → **steal.** – **2** *n* estola.

stolen ['stəʊlən] *pp* → **steal.**

stolid ['stɒlɪd] *adj* impasible.

stomach ['stʌmək] *n* estómago. – **2** *t fig* aguantar, tragar. ●*on an empty* ~, en ayunas. ■ ~ *ache,* dolor *m* de estómago.

stomp [stɒmp] *i fam* caminar pisando fuerte.

stone [stəʊn] *n* piedra. **2** *(of fruit)* hueso. **3** *(weight)* = 6,348 kg: *she weighs 9* ~, pesa 57 kilos. – **4** *adj* de piedra. – **5** *t (person)* apedrear. **6** *(fruit)* deshuesar. ●*fig at a stone's throw,* a tiro de piedra. ■ *Stone Age,* Edad *f* de Piedra.

stone-cold [stəʊn'kəʊld] *adj* helado,-a.

stoned [stəʊnd] *adj sl (on drugs)* flipado,-a, colocado,-a. **2** *(drunk)* trompa.

stonewall ['stəʊnwɔːl] *i* andarse con evasivas.

stony ['stəʊni] *adj* pedregoso,-a. **2** *fig* frío,-a, glacial.

stood [stʊd] *pt & pp* → **stand.**

stool [stuːl] *n* taburete *m.* **2** MED deposición, heces *fpl.*

stoop [stuːp] *n* encorvamiento. – **2** *i (bend)* inclinarse, agacharse. **3** *(habitually)* ser cargado,-a de espaldas. ◆*to* ~ *to* *t fig* rebajarse a.

stop [stɒp] *n (halt)* parada, alto. **2** *(break)* descanso; AV escala. **3** *(overnight)* estancia. **4** *(for bus etc.)* parada. **5** MUS *(on organ)* registro. – **6** *t-i* parar(se), detener(se). – **7** *t (prevent)* impedir, evitar. **8** *(production)* paralizar. **9** *(put an end to)* poner fin/término a, acabar con. **10** *(suspend)* suspender. **11** *(habit)* dejar de. – **12** *i (cease)* terminar. **13** *fam (stay)* quedarse. – **14** *interj* ¡pare!, ¡alto! ◆*to* ~ *by* i *fam* pasar *(at,* por). ◆*to* ~ *off* i hacer una parada *(at/in,* en). ◆*to* ~ *up*

t tapar, taponar. ●*to come to a* ~, pararse. ■ ~ *sign,* stop *m.*

stopover ['stɒpəʊvəʳ] *n* parada; AV escala.

stoppage ['stɒpɪdʒ] *n (of work)* paro; *(strike)* huelga. **2** *(deduction)* deducción. **3** *(blockage)* obstrucción.

stopper ['stɒpəʳ] *n* tapón *m.*

stopwatch ['stɒpwɒtʃ] *n* cronómetro.

storage ['stɔːrɪdʒ] *n* almacenaje *m,* almacenamiento. ■ ~ *heater,* placa acumuladora; ~ *unit,* armario.

store [stɔːʳ] *n (supply)* provisión, reserva. **2** *pl* MIL pertrechos *mpl.* **3** *(warehouse)* almacén *m.* **4** US tienda. – **5** *t (put in storage)* almacenar; *(keep)* guardar. ◆*to* ~ *up* *t* acumular.

storey ['stɔːri] *n* piso.

stork [stɔːk] *n* cigüeña.

storm [stɔːm] *n gen* tormenta; *(at sea)* tempestad *f; (with wind)* borrasca. **2** *fig (uproar)* revuelo. **3** *fig (of missiles, insults)* lluvia. – **4** *t* asaltar. – **5** *i* echar pestes, vociferar.

stormy ['stɔːmi] *adj* tormentoso,-a. **2** *fig* acalorado,-a, tempestuoso,-a.

story ['stɔːri] *n gen* historia. **2** *(tale)* cuento. **3** *(account)* relato. **4** *(article)* artículo. **5** *(plot)* argumento.

stout [staʊt] *adj (fat)* gordo,-a, robusto,-a. **2** *(strong)* sólido,-a. **3** *(determined)* firme, resuelto,-a. – **4** *n* cerveza negra.

stove [stəʊv] *n (for heating)* estufa. **2** *(cooker)* cocina; *(ring)* hornillo.

stow [stəʊ] *t* guardar. **2** MAR estibar.

stowaway ['stəʊəweɪ] *n* polizón *mf.*

straddle ['strædəl] *t* sentarse a horcajadas sobre.

straggle ['strægəl] *i (spread)* desparramarse. **2** *(lag behind)* rezagarse.

straggly ['strægəli] *adj* desparramado,-a.

straight [streɪt] *adj* recto,-a, derecho,-a. **2** *(hair)* liso,-a. **3** *(successive)* seguido,-a: *eight hours* ~, ocho horas seguidas. **4** *(honest)* honrado,-a, de confianza. **5** *(answer etc.)* sincero,-a. **6** THEAT serio,-a. **7** *(drink)* solo,-a. **8** *sl (conventional)* carca. – **9** *adv (in a line)* en línea recta. **10** *(directly)* directamente: *he went* ~ *to the office,* fue directamente al despacho. **11** *(immediately)* en seguida. **12** *(frankly)* francamente. – **13** *n (line)* línea recta. **14** *(in race)* recta. ●~ *off,* sin pensarlo; *to get things* ~, hablar claro; *to keep a* ~ *face,* contener la risa.

straightaway [streɪtə'weɪ] *adv* en seguida.

straighten ['streɪtən] t gen enderezar, poner bien, arreglar. 2 (hair) estirar. ◆to ~ out t-i resolver(se). ◆to ~ up t (tidy) ordenar. – 2 t-i poner(se) derecho,-a.

straightforward [streɪt'fɔ:wəd] adj franco,-a, honrado,-a.

strain [streɪn] n gen tensión. 2 (on metal) deformación. 3 MED torcedura. 4 (breed) raza. 5 (streak) vena. – 6 t (stretch) estirar, tensar. 7 MED torcer(se); (voice, eyes) forzar. 8 (filter) colar. – 9 i tirar (at, de).

strainer ['streɪnər] n colador m.

strait [streɪt] n GEOG estrecho. 2 (difficulty) aprieto. ●in dire straits, en un gran aprieto.

straitjacket ['streɪtdʒækɪt] n camisa de fuerza.

strait-laced [streɪt'leɪst] adj pej mojigato,-a.

strand [strænd] n (of thread) hebra, hilo. 2 (of rope) ramal m. 3 (of hair) pelo. 4 (of pearls) sarta. – 5 t MAR varar. 6 fig abandonar: he was left stranded, le dejaron plantado.

strange [streɪndʒ] adj (bizarre) extraño,-a, raro,-a. 2 (unknown) desconocido,-a. – 3 strangely adv extrañamente.

strangeness ['streɪndʒnəs] n rareza.

stranger ['streɪndʒər] n extraño,-a, desconocido,-a.

strangle ['stræŋgəl] t estrangular.

strangulation [stræŋgjʊ'leɪʃən] n estrangulación.

strap [stræp] n gen correa. 2 (on dress) tirante m. – 3 t atar/sujetar con correa.

strapping ['stræpɪŋ] adj fornido,-a.

strata ['strɑːtə] npl → **stratum**.

strategic(al) [strə'tiːdʒɪk(əl)] adj estratégico,-a.

strategy ['strætədʒɪ] n estrategia.

stratify ['strætɪfaɪ] t estratificar.

stratum ['strɑːtəm] n estrato. ▲ pl **strata**.

straw [strɔː] n paja. 2 (for drinking) paja, pajita. ●fam that's the last ~!, ¡es el colmo! ■ ~ hat, sombrero de paja.

strawberry ['strɔːbərɪ] n fresa; (large) fresón m.

stray [streɪ] adj perdido,-a. – 2 n animal extraviado. – 3 i extraviarse, perderse.

streak ['striːk] n (line) raya, lista. 2 (in hair) mecha, mechón m. 3 fig (of madness etc.) vena; (of luck) racha. – 4 t rayar (with, de).

streaky ['striːkɪ] adj (hair) con mechas. 2 (bacon) entreverado,-a.

stream [striːm] n (brook) arroyo, riachuelo. 2 (current) corriente f. 3 (of water) flu-

jo; (of blood) chorro. 4 fig (of people) oleada. – 5 i manar, correr, chorrear. 6 fig (people etc.) desfilar.

streamer ['striːmər] n serpentina.

streamline ['striːmlaɪn] n línea aerodinámica. – 2 t aerodinamizar. 3 fig racionalizar.

street [striːt] n calle f.

streetlamp ['striːtlæmp] n farol m.

strength [streŋθ] n gen fuerza. 2 (of currency) valor m. 3 (of emotion, colour) intensidad. 4 (power) poder m, potencia. ●in ~, en gran número; on the ~ of, en base a.

strengthen ['streŋθən] t-i gen fortalecer(se), reforzar(se). 2 (colour) intensificar(se).

strenuous ['strenjuəs] adj (energetic) enérgico,-a. 2 (exhausting) fatigoso,-a.

stress [stres] n tensión (nerviosa), estrés m. 2 TECH tensión. 3 (emphasis) hincapié m, énfasis m. 4 GRAM acento. – 5 t recalcar, subrayar. 6 GRAM acentuar. ●to lay great ~ on sth., poner énfasis en algo.

stressful ['stresfʊl] adj estresante.

stretch [stretʃ] n gen extensión. 2 (elasticity) elasticidad. 3 (length) trecho, tramo. 4 (of time) período, intervalo. – 5 t-i (spread) extender(se). 6 (elastic) estirar(se); (shoes) ensanchar(se). ◆to ~ out t-i estirar(se); (lie down) tumbar(se). 2 (lengthen) alargar(se). ●to ~ one's legs, estirar las piernas; fig at a ~, de un tirón.

stretcher ['stretʃər] n camilla.

stretchy ['stretʃɪ] adj elástico,-a.

strew [struː] t esparcir. ▲ pp **strewed** o **strewn** [struːn].

stricken ['strɪkən] adj (with grief) afligido,-a; (by disaster) afectado,-a.

strict [strɪkt] adj estricto,-a. – 2 adv estrictamente. 3 (exclusively) exclusivamente. ●in the strictest confidence, en el más absoluto secreto; strictly speaking, en sentido estricto.

strictness ['strɪktnəs] n severidad. 2 (precision) exactitud.

stride [straɪd] n zancada, trancada. – 2 i andar a zancadas. ●fig to take sth. in one's ~, tomarse las cosas con calma. ▲ pt **strode**; pp **stridden** ['strɪdən].

strident ['straɪdənt] adj estridente.

strife [straɪf] n conflictos mpl, luchas fpl.

strike [straɪk] n (by workers etc.) huelga. 2 (blow) golpe m. 3 (find) hallazgo. 4 MIL ataque m. – 5 t (hit) pegar, golpear. 6 (collide with) dar/chocar contra; (light-

ning, bullet) alcanzar. **7** *(gold, oil)* descubrir. **8** *(coin)* acuñar. **9** *(match)* encender. **10** *(clock)* dar, tocar. **11** *(deal)* cerrar. − **12** *i (attack)* atacar. **13** *(workers etc.)* hacer huelga. **14** *(clock)* dar/tocar la hora. ◆*to* ~ *back i* devolver el golpe. ◆*to* ~ *down t* abatir. ◆*to* ~ *off t* tachar. **2** JUR suspender. ◆*to* ~ *up t* entablar. ●*it strikes me that ...,* se me ocurre que ...; *to be/go on* ~, estar/declararse en huelga; *to be struck dumb,* quedarse mudo,-a; *to* ~ *out on one's own,* volar con sus propias alas; *fam to* ~ *it rich,* hacerse rico,-a. ▲ *pt & pp struck.*

striker ['straɪkəʳ] *n* huelguista *mf*. **2** SP marcador,-ra.

striking ['straɪkɪŋ] *adj* llamativo,-a, impresionante. **2** *(on strike)* en huelga.

string [strɪŋ] *n gen* cuerda; *(lace)* cordón *m*. **2** *(of garlic, lies)* ristra. **3** *(of hotels, events)* cadena. − **4** *t (beads)* ensartar. **5** *(racket etc.)* encordar. ●*fig to pull strings for sb.,* enchufar a algn. ◆*to* ~ *along i* seguir la corriente *(with,* a). ▲ *pt & pp strung.*

stringent ['strɪndʒənt] *adj* severo,-a, estricto,-a.

strip [strɪp] *n (of paper, leather)* tira. **2** *(of land)* franja. **3** *(of metal)* fleje *m*. **4** *(cartoon)* historieta. − **5** *t (tear up)* hacer tiras. **6** *(paint etc.)* quitar; *(room)* vaciar. − **7** *t-i (undress)* desnudar(se). ◆*to* ~ *down t* desmontar. ◆*to* ~ *off i* desnudarse. ●*to* ~ *sb. of sth.,* despojar a algn. de algo.

stripe [straɪp] *n* raya, lista. **2** MIL galón *m*. − **3** *t* pintar/dibujar a rayas.

striped [straɪpt] *adj* a rayas.

striptease ['strɪptiːz] *n* strip-tease *m*.

strive [straɪv] *i* esforzarse *(after/for,* por). ▲ *pt* **strove**; *pp* **striven** ['strɪvən].

strode [strəʊd] *pt* → **stride**.

stroke [strəʊk] *n gen* golpe *m*. **2** *(swimming)* brazada; *(billiards)* tacada. **3** *(of bell)* campanada. **4** *(of engine)* tiempo. **5** *(of brush)* pincelada. **6** MED apoplejía. − **7** *t* acariciar. ■ ~ *of luck,* golpe *m* de suerte.

stroll [strəʊl] *n* paseo. − **2** *i* pasear, dar un paseo. ●*to take a* ~, dar una vuelta.

strong [strɒŋ] *adj gen* fuerte. **2** *(firm)* firme, acérrimo,-a. **3** *(severe)* severo,-a. − **4** *adv* fuerte. − **5** *strongly adv* fuertemente. ●*to be ...* ~, contar con ... miembros. ■ ~ *room,* cámara acorazada.

stronghold ['strɒŋhəʊld] *n* fortaleza. **2** *fig* baluarte *m*.

strong-minded [strɒŋ'maɪndɪd] *adj* resuelto,-a, decidido,-a.

stroppy ['strɒpɪ] *adj* GB *fam* de mala uva.

strove [strəʊv] *pt* → **strive**.

struck [strʌk] *pt & pp* → **strike**.

structural ['strʌktʃərəl] *adj* estructural. ■ ~ *fault,* fallo de armazón.

structure ['strʌktʃəʳ] *n* estructura. **2** *(thing constructed)* construcción. − **3** *t* estructurar.

struggle ['strʌgəl] *n* lucha. **2** *(physical)* pelea, forcej(e)o. − **3** *i* luchar. **4** *(physically)* forcejear.

strung [strʌŋ] *pt & pp* → **string**.

strut [strʌt] *n* ARCH puntal *m*, riostra. − **2** *i* pavonearse.

stub [stʌb] *n (of cigarette)* colilla. **2** *(of pencil, candle)* cabo. **3** *(of cheque)* matriz *f*.

stubble ['stʌbəl] *n (in field)* rastrojo. **2** *(on chin)* barba incipiente.

stubborn ['stʌbən] *adj* terco,-a, testarudo,-a, obstinado,-a.

stubbornness ['stʌbənnəs] *n* testarudez *f*.

stubby ['stʌbɪ] *adj* rechoncho,-a.

stuck [stʌk] *pt & pp* → **stick**.

stuck-up [stʌk'ʌp] *adj fam* creído,-a.

stud [stʌd] *n (on clothing)* tachón *m*; *(on shirt)* botonadura. **2** *(on furniture)* tachuela. **3** *(animal)* semental *m*. − **4** *t* tachonar *(with,* de).

student ['stjuːdənt] *n* estudiante *mf*. ■ ~ *teacher,* profesor,-ra en prácticas.

studied ['stʌdɪd] *adj* estudiado,-a, pensado,-a. **2** *pej* afectado,-a.

studio ['stjuːdɪəʊ] *n* estudio; *(artist's)* taller *m*. ■ ~ *flat,* estudio.

studious ['stjuːdɪəs] *adj* estudioso,-a, aplicado,-a.

study ['stʌdɪ] *n* estudio. − **2** *t-i gen* estudiar. − **3** *t (examine)* investigar.

stuff [stʌf] *n* materia, material *m*. **2** *fam (things)* cosas *fpl*, trastos *mpl*. **3** *(fabric)* tela, género. − **4** *t (fill)* rellenar *(with,* de). **5** *(animal)* disecar. **6** *(cram)* atiborrar *(with,* de). ●*fam to do one's* ~, hacer uno lo suyo; *fam to* ~ *o.s.,* hartarse de comida. ■ *stuffed toy,* muñeco de peluche; *fam stuffed shirt,* persona estirada.

stuffing ['stʌfɪŋ] *n* relleno.

stuffy ['stʌfɪ] *adj* cargado,-a, mal ventilado,-a. **2** *(person)* estirado,-a.

stumble ['stʌmbəl] *n* tropezón *m*, traspié *m*. − **2** *i* tropezar *(across/on,* con), dar un traspié. ■ *stumbling block,* escollo, tropiezo.

stump [stʌmp] *n* (*of tree*) tocón *m*. 2 (*of pencil, candle*) cabo. 3 (*of arm, leg*) muñón *m*, chueca. 4 (*cricket*) estaca. – 5 *t fam* desconcertar. – 6 *i* pisar fuerte.

stun [stʌn] *t* aturdir, atontar. 2 *fig* sorprender.

stung [stʌŋ] *pt & pp* → **sting**.

stunk [stʌŋk] *pt & pp* → **stink**.

stunning ['stʌnɪŋ] *adj* aturdidor,-ra. 2 *fig* estupendo,-a, impresionante.

stunt [stʌnt] *n* CINEM escena peligrosa. 2 (*trick*) truco. – 3 *t* atrofiar. ■ ~ *man/ woman*, doble *mf*, especialista *mf*.

stunted ['stʌntɪd] *adj* enano,-a, raquítico,-a.

stupefy ['stju:pɪfaɪ] *t* atontar, aletargar. 2 *fig* dejar pasmado,-a.

stupid ['stju:pɪd] *adj-n* tonto,-a, imbécil (*mf*).

stupidity [stju:'pɪdɪtɪ] *n* estupidez *f*.

stupor ['stju:pəʳ] *n* estupor *m*.

sturdy ['stɜ:dɪ] *adj* robusto,-a, fuerte.

stutter ['stʌtəʳ] *n* tartamudeo. – 2 *i* tartamudear.

stutterer ['stʌtərəʳ] *n* tartamudo,-a.

sty [staɪ] *n* pocilga.

style [staɪl] *n gen* estilo. 2 (*of hair*) peinado. 3 (*fashion*) moda.

stylish ['staɪlɪʃ] *adj* elegante. 2 (*fashionable*) a la moda.

suave [swɑ:v] *adj* afable.

subconscious [sʌb'kɒnʃəs] *adj-n* subconsciente (*m*).

subdivide [sʌbdɪ'vaɪd] *t* subdividir.

subdue [səb'dju:] *t* (*conquer*) someter, dominar. 2 (*feelings etc.*) contener. 3 (*colour*) atenuar, suavizar.

subheading [sʌb'hedɪŋ] *n* subtítulo.

subject ['sʌbdʒekt] *n* (*topic*) tema *m*. 2 (*at school*) asignatura. 3 (*citizen*) súbdito. – 4 *adj gen* sujeto,-a (*to*, a). 5 (*fine*) expuesto,-a (*to*, a). 6 (*delay*) susceptible (*to*, de). – 7 *t* someter. ●~ *to approval*, previa aprobación. ▲ En 7 (*verbo*) [səb'dʒekt].

subjective [səb'dʒektɪv] *adj* subjetivo,-a.

subjugate ['sʌbdʒʊgeɪt] *t* sojuzgar.

subjunctive [səb'dʒʌŋktɪv] *adj-n* subjuntivo,-a (*m*).

sublet [sʌb'let] *t-i* realquilar, subarrendar. ▲ *pt & pp* **sublet**.

sublime [sə'blaɪm] *adj* sublime.

submarine [sʌbmə'ri:n] *n* submarino.

submerge [səb'mɜ:dʒ] *t-i* sumergir(se). – 2 *t* (*flood*) inundar.

submission [səb'mɪʃən] *n* sumisión. 2 (*of documents*) presentación.

submissive [səb'mɪsɪv] *adj* sumiso,-a.

submit [səb'mɪt] *t-i* someter(se). – 2 *t* (*application etc.*) presentar.

subnormal [sʌb'nɔ:məl] *adj* subnormal.

subordinate [sə'bɔ:dɪnət] *adj-n* subordinado,-a. – 2 *t* subordinar (*to*, a). ▲ En 2 (*verbo*) [sə'bɔ:dɪneɪt].

subordination [səbɔ:dɪ'neɪʃən] *n* subordinación.

subscribe [səb'skraɪb] *i* su(b)scribirse (*to*, a). 2 (*opinion*) estar de acuerdo (*to*, con).

subscriber [səb'skraɪbəʳ] *n* su(b)scriptor,-ra, abonado,-a.

subscription [səb'skrɪpʃən] *n* su(b)scripción, abono.

subsequent ['sʌbsɪkwənt] *adj* subsiguiente, posterior (*to*, a). – 2 *subsequently* *adv* posteriormente.

subservient [səb'sɜ:vɪənt] *adj* servil.

subside [səb'saɪd] *i* (*sink*) hundirse. 2 (*weather, anger*) amainar.

subsidiary [səb'sɪdɪərɪ] *adj* secundario,-a. – 2 *n* filial *f*, sucursal *f*.

subsidize ['sʌbsɪdaɪz] *t* subvencionar.

subsidy ['sʌbsɪdɪ] *n* subvención, subsidio.

subsist [səb'sɪst] *i* subsistir. ●*to ~ on ...,* sustentarse a base de ... .

subsistence [səb'sɪstəns] *n* subsistencia. 2 (*sustenance*) sustento. ■ ~ *wage*, sueldo miserable.

substance ['sʌbstəns] *n* su(b)stancia. 2 *fig* esencia. 3 (*wealth*) riqueza.

substandard [sʌb'stændəd] *adj* inferior (a la media).

substantial [səb'stænʃəl] *adj* (*solid*) sólido,-a. 2 (*considerable*) importante, substancial. 3 (*meal*) abundante.

substantiate [səb'stænʃɪeɪt] *t* justificar.

substantive ['sʌbstəntɪv] *n* su(b)stantivo.

substitute ['sʌbstɪtju:t] *n* (*person*) su(b)stituto,-a, suplente *mf*. 2 (*food*) sucedáneo. – 3 *t* su(b)stituir.

substitution [sʌbstɪ'tju:ʃən] *n gen* su(b)stitución. 2 (*in job*) suplencia.

subterfuge ['sʌbtəfju:dʒ] *n* subterfugio.

subterranean [sʌbtə'reɪnɪən] *adj* subterráneo,-a.

subtitle ['sʌbtaɪtəl] *n* subtítulo. – 2 *t* subtitular.

subtle ['sʌtəl] *adj gen* sutil. 2 (*taste etc.*) delicado,-a. 3 (*remark*) agudo,-a. – 4 *subtly* *adv* sutilmente.

subtlety ['sʌtəltɪ] *n gen* sutileza. 2 (*of taste*) delicadeza. 3 (*of remark*) agudeza.

subtract [səb'trækt] *t* restar (*from*, de).

subtraction [səb'trækʃən] *n* resta.
suburb ['sʌbɜ:b] *n* barrio periférico/residencial. ▪ *the suburbs,* las afueras.
subversion [sʌb'vɜ:ʃən] *n* subversión.
subversive [sʌb'vɜ:sɪv] *adj-n* subversivo,-a.
subway ['sʌbweɪ] *n* GB paso subterráneo. 2 US metro.
succeed [sək'si:d] *i gen* tener éxito, triunfar; *(plan)* salir bien. − 2 *t* suceder a. ●*to ~ in doing sth.,* conseguir hacer algo.
success [sək'ses] *n* éxito.
successful [sək'sesful] *adj* que tiene éxito, de éxito, afortunado,-a; *(plan)* acertado,-a. 2 *(business)* próspero,-a; *(marriage)* feliz. − 3 *successfully adv* con éxito.
succession [sək'seʃən] *n* sucesión.
successive [sək'sesɪv] *adj* sucesivo,-a.
successor [sək'sesəʳ] *n* sucesor,-ra.
succinct [sək'sɪŋkt] *adj* sucinto,-a.
succulent ['sʌkjulənt] *adj* suculento,-a.
succumb [sə'kʌm] *i* sucumbir (*to,* a).
such [sʌtʃ] *adj (of that sort)* tal, semejante: *there's no ~ thing,* no existe tal cosa. 2 *(so much, so great)* tanto,-a: *he's always in ~ a hurry,* siempre anda con tanta prisa; *there were ~ a lot of books,* había tantos libros. − 3 *adv* tan: *she's ~ a clever woman,* es una mujer tan inteligente. ●*at ~ and ~ a time,* a tal hora; *in ~ a way that ...,* de tal manera que ... .
suchlike ['sʌtʃlaɪk] *adj* tal, semejante. − 2 *n* cosas *fpl* por el estilo.
suck [sʌk] *n* chupada. − 2 *t-i gen* chupar; *(baby)* mamar. − 3 *t (vacuum cleaner)* aspirar. 4 *(whirlpool)* tragar. ●*fam to ~ up to sb.,* dar coba a algn.
sucker ['sʌkəʳ] *n* ZOOL ventosa. 2 BOT chupón *m*. 3 *fam (mug)* primo,-a.
suckle ['sʌkəl] *t* amamantar. − 2 *i* mamar.
suction ['sʌkʃən] *n* succión. ▪ *~ pump,* bomba de aspiración.
sudden ['sʌdən] *adj (quick)* repentino,-a. 2 *(unexpected)* inesperado,-a, imprevisto,-a. − 3 *suddenly adv* de repente/pronto. ●*all of a ~,* de repente/pronto.
suds [sʌdz] *npl* jabonaduras *fpl,* espuma *f sing* (de jabón).
sue [su:] *t-i* demandar.
suede [sweɪd] *n* ante *m,* gamuza. − 2 *adj* de ante/gamuza.
suffer ['sʌfəʳ] *t-i* sufrir (*from,* de). − 2 *t (bear)* aguantar, soportar.
suffering ['sʌfərɪŋ] *n* sufrimiento. 2 *(pain)* dolor *m*.

suffice [sə'faɪs] *t-i fml* bastar, ser suficiente.
sufficient [sə'fɪʃənt] *adj* suficiente, bastante. − 2 *sufficiently adv* suficientemente.
suffix ['sʌfɪks] *n* sufijo.
suffocate ['sʌfəkeɪt] *t-i* asfixiar(se), ahogar(se).
suffrage ['sʌfrɪdʒ] *n* sufragio.
sugar ['ʃugəʳ] *n* azúcar *m & f*. − 2 *t* azucarar. ▪ *~ bowl,* azucarero; *~ cane,* caña de azúcar.
sugarbeet ['ʃugəbi:t] *n* remolacha (azucarera).
sugary ['ʃugərɪ] *adj* azucarado,-a. 2 *fig* almibarado,-a.
suggest [sə'dʒest] *t* sugerir. 2 *(advise)* aconsejar. 3 *(imply)* implicar.
suggestion [sə'dʒestʃən] *n* *(proposal)* sugerencia. 2 *(insinuation)* insinuación. 3 *(hint)* sombra, traza.
suggestive [sə'dʒestɪv] *adj* sugestivo,-a. 2 *(indecent)* provocativo,-a.
suicidal [sju:ɪ'saɪdəl] *adj* suicida.
suicide ['sju:ɪsaɪd] *n* suicidio. ●*to commit ~,* suicidarse.
suit [sju:t] *n (man's)* traje *m*; *(woman's)* traje de chaqueta. 2 JUR pleito. 3 *(cards)* palo. − 4 *t (be convenient for)* convenir a, venir bien a. 5 *(be appropriate)* ir/sentar bien (a), favorecer: *red suits you,* el rojo te favorece mucho. 6 *(please)* satisfacer. ●*~ yourself!,* ¡como quieras!; *fig to follow ~,* seguir el ejemplo.
suitable ['sju:təbəl] *adj* conveniente. 2 *(appropriate)* adecuado,-a, apto,-a: *~ for children,* apto,-a para niños.
suitcase ['su:tkeɪs] *n* maleta.
suite [swi:t] *n (of furniture)* juego. 2 *(musical, in hotel)* suite *f*.
suitor ['sju:təʳ] *n (wooer)* pretendiente *mf*. 2 JUR demandante *mf*.
sulk [sʌlk] *i* enfurruñarse, estar de mal humor.
sulky ['sʌlkɪ] *adj* malhumorado,-a.
sullen ['sʌlən] *adj* hosco,-a, huraño,-a.
sulphur ['sʌlfəʳ] *n* azufre *m*.
sultana [sʌl'tɑ:nə] *n (raisin)* pasa de Esmirna.
sultry ['sʌltrɪ] *adj (muggy)* bochornoso,-a, sofocante. 2 *(seductive)* sensual.
sum [sʌm] *n gen* suma. 2 *(of invoice, money)* importe *m*. ◆*to ~ up t* resumir. ●*in ~,* en suma/resumen. ▪ *~ total,* (suma) total *m*.
summarize ['sʌməraɪz] *t* resumir.
summary ['sʌmərɪ] *n* resumen *m*.

summer ['sʌmə'] n verano. – 2 adj gen de verano. 3 *(weather)* veraniego,-a. 4 *(resort)* de veraneo.

summertime ['sʌmətaim] n verano.

summit ['sʌmit] n cumbre f.

summon ['sʌmən] t to ~ **up one's strength**, armarse de valor.

summons ['sʌmənz] n llamamiento. 2 JUR citación. – 3 t JUR citar.

sumptuous ['sʌmptjʊəs] adj suntuo-so,-a.

sun [sʌn] n sol m. ●**in the** ~, al sol; **to** ~ **o.s.**, tomar el sol.

sunbathe ['sʌnbeɪð] i tomar el sol.

sunburnt ['sʌnbɜːnt] adj quemado,-a por el sol.

Sunday ['sʌndeɪ] n domingo. ■ ~ **school**, catequesis f inv.

sundial ['sʌndaɪəl] n reloj m de sol.

sunflower ['sʌnflaʊə'] n girasol m.

sung [sʌŋ] pp → **sing**.

sunglasses ['sʌnglɑːsɪz] npl gafas fpl de sol.

sunk [sʌŋk] pp → **sink**.

sunlight ['sʌnlaɪt] n (luz f del) sol m.

sunny ['sʌnɪ] adj soleado,-a. 2 fig alegre. ●**to be** ~, hacer sol.

sunrise ['sʌnraɪz] n salida del sol, ama-necer m.

sunset ['sʌnset] n puesta del sol, ocaso.

sunshade ['sʌnʃeɪd] n *(parasol)* sombri-lla. 2 *(awning)* toldo.

sunshine ['sʌnʃaɪn] n (luz f de) sol m.

sunstroke ['sʌnstrəʊk] n insolación.

suntan ['sʌntæn] n bronceado.

super ['suːpə'] adj fam fenomenal, de pri-mera.

superb [suːˈpɜːb] adj estupendo,-a, mag-nífico,-a.

supercilious [suːpəˈsɪlɪəs] adj altane-ro,-a, desdeñoso,-a.

superficial [suːpəˈfɪʃəl] adj superficial.

superfluous [suːˈpɜːfluəs] adj super-fluo,-a.

superhuman [suːpəˈhjuːmən] adj sobre-humano,-a.

superintendent [suːpərɪnˈtendənt] n inspector,-ra, supervisor,-ra.

superior [suːˈpɪərɪə'] adj gen superior. 2 *(haughty)* altanero,-a. – 3 n superior,-ra.

superiority [suːpɪərɪˈɒrɪtɪ] n superiori-dad.

superlative [suːˈpɜːlətɪv] adj-n superla-tivo,-a *(m)*.

supermarket [suːpəˈmɑːkɪt] n super-mercado.

supernatural [suːpəˈnætʃərəl] adj sobre-natural.

superpower ['suːpəpaʊə'] n superpoten-cia.

supersede [suːpəˈsiːd] t fml reemplazar, substituir.

supersonic [suːpəˈsɒnɪk] adj supersóni-co,-a.

superstition [suːpəˈstɪʃən] n supersti-ción.

superstitious [sjuːpəˈstɪʃəs] adj supers-ticioso,-a.

supervise ['suːpəvaɪz] t *(watch over)* vi-gilar. 2 *(run)* supervisar.

supervision [suːpəˈvɪʒən] n inspección, vigilancia.

supervisor ['suːpəvaɪzə'] n supervi-sor,-ra.

supper ['sʌpə'] n cena. ●**to have** ~, ce-nar.

supplant [səˈplɑːnt] t suplantar.

supple ['sʌpəl] adj flexible.

supplement ['sʌplɪmənt] n suplemento. – 2 t complementar. ▲ *En 2 (verbo)* ['sʌplɪment].

supplementary [sʌplɪˈmentərɪ] adj su-plementario,-a.

supplier [səˈplaɪə'] n suministrador,-ra. 2 COM proveedor,-ra.

supply [səˈplaɪ] n *(provision)* suministro; COM provisión. 2 *(stock)* surtido, exis-tencias fpl. 3 pl *(food)* víveres mpl; MIL pertrechos mpl. – 4 t suministrar; COM surtir. 5 MIL aprovisionar. 6 *(information)* facilitar. ●~ **and demand**, la oferta y la demanda.

support [səˈpɔːt] n gen apoyo. 2 *(finan-cial)* ayuda económica. – 3 t *(weight etc.)* sostener. 4 fig apoyar, respaldar. 5 SP seguir. 6 *(keep)* mantener. ●**to** ~ **o.s.**, ganarse la vida.

supporter [səˈpɔːtə'] n POL partidario,-a. 2 SP seguidor,-ra; *(fan)* hincha mf, foro-fo,-a.

supportive [səˈpɔːtɪv] adj comprensi-vo,-a.

suppose [səˈpəʊz] t suponer. 2 *(sugges-tion)* ~ **we leave now?**, ¿y si nos fuéra-mos ya? ●**I** ~ **so/not**, supongo que sí/ no; **to be supposed to ...**, *(supposition)* se dice/supone que ...; *(obligation)* deber ...; **you're supposed to be in bed**, deberías estar en la cama.

supposed [səˈpəʊzd] adj supuesto,-a. – 2 **supposedly** adv aparentemente.

suppository [səˈpɒzɪtərɪ] n supositorio.

suppress [səˈpres] t suprimir. 2 *(feelings, revolt, etc.)* reprimir.

swear

suppression [sə'preʃən] *n* supresión. 2 *(of feelings, revolt, etc.)* represión.

supremacy [su:'preməsɪ] *n* supremacía.

supreme [su:'pri:m] *adj* supremo,-a. – 2 *supremely adv* sumamente. ■ JUR ~ *court,* tribunal supremo.

surcharge ['sɜ:tʃɑ:dʒ] *n* recargo.

sure [ʃʊəˀ] *adj* seguro,-a. – 2 *adv* claro. 3 *(certainly)* seguro. 4 US *(really) he ~ is handsome,* ¡qué guapo es! – 5 *surely adv (no doubt)* seguramente, sin duda. 6 *(in a sure manner)* con seguridad. ●~ *enough,* efectivamente; *to be ~ to ...,* no olvidarse de ...; *to make ~,* asegurarse *(of,* de).

surf [sɜ:f] *n (waves)* oleaje *m.* 2 *(foam)* espuma. – 3 *i* hacer surf.

surface ['sɜ:fəs] *n gen* superficie. 2 *(of road)* firme *m.* – 3 *t* revestir. – 4 *i* salir a la superficie; *fig* asomarse.

surge [sɜ:dʒ] *n (of sea)* oleaje *m.* 2 *(growth)* alza, aumento. 3 *fig* oleada. – 4 *i* agitarse, encresparse.

surgeon ['sɜ:dʒən] *n* cirujano,-a.

surgery ['sɜ:dʒərɪ] *n* cirugía. 2 GB *(consulting room)* consultorio.

surgical ['sɜ:dʒɪkəl] *adj* quirúrgico,-a.

surly ['sɜ:lɪ] *adj* hosco,-a, arisco,-a.

surmise [sɜ:'maɪz] *n* conjetura. – 2 *t* conjeturar, suponer.

surname ['sɜ:neɪm] *n* apellido.

surpass [sɜ:'pɑ:s] *t* superar, sobrepasar.

surplus ['sɜ:pləs] *adj-n* sobrante *(m),* excedente *(m).* – 2 *n (of budget)* superávit *m.*

surprise [sə'praɪz] *n* sorpresa. – 2 *adj* inesperado,-a; *(attack)* sorpresa. – 3 *t* sorprender. ●*to take sb. by ~,* coger desprevenido,-a a algn.

surprising [sə'praɪzɪŋ] *adj* sorprendente.

surreal [sə'rɪəl] *adj* surrealista.

surrealism [sə'rɪəlɪzəm] *n* surrealismo.

surrender [sə'rendəˀ] *n* MIL rendición; *(of weapons)* entrega. – 2 *t-i* rendir(se), entregar(se).

surround [sə'raʊnd] *t* rodear *(with,* de).

surrounding [sə'raʊndɪŋ] *adj* circundante. – 2 *npl* alrededores *mpl.* 3 *(environment)* entorno *m sing.*

surveillance [sɜ:'veɪləns] *n* vigilancia.

survey ['sɜ:veɪ] *n (of opinion)* sondeo; *(of trends etc.)* encuesta, estudio. 2 *(of building, land)* reconocimiento; *(in topography)* medición. 3 *(view)* panorama. – 4 *t (look at)* contemplar. 5 *(study)* estudiar. 6 *(building, land)* inspeccionar. ▲ *De 4 a 6 (verbo)* [sə'veɪ].

surveyor [sə'veɪəˀ] *n* agrimensor,-ra, topógrafo,-a. ■ *quantity ~,* aparejador,-ra.

survival [sə'vaɪvəl] *n* supervivencia. 2 *(relic)* vestigio.

survive [sə'vaɪv] *t-i* sobrevivir (a).

survivor [sə'vaɪvəˀ] *n* superviviente *mf.*

susceptible [sə'septɪbəl] *adj (to attack etc.)* susceptible. 2 *(to illness)* propenso,-a. 3 *(to flattery etc.)* sensible.

suspect ['sʌspekt] *adj-n* sospechoso,-a. – 2 *t gen* sospechar. 3 *(imagine)* imaginar. ▲ *En 2 y 3 (verbo)* [sə'spekt].

suspend [sə'spend] *t* suspender. 2 *(pupil)* expulsar. 3 SP *(player)* sancionar. ■ JUR *suspended sentence,* condena condicional.

suspender [sə'spendəˀ] *n* liga. 2 *pl* tirantes *mpl.*

suspense [sə'spens] *n (anticipation)* incertidumbre *f.* 2 *(intrigue)* suspense *m.*

suspension [sə'spenʃən] *n gen* suspensión. 2 *(of pupil)* expulsión. 3 SP *(of player)* sanción. ■ ~ *bridge,* puente *m* colgante.

suspicion [sə'spɪʃən] *n* sospecha. 2 *(mistrust)* recelo, desconfianza.

suspicious [sə'spɪʃəs] *adj* sospechoso,-a. 2 *(wary)* desconfiado,-a. – 3 *suspiciously adv* de modo sospechoso. 4 *(warily)* con recelo.

sustain [sə'steɪn] *t gen* sostener. 2 *(nourish)* sustentar. 3 *(suffer)* sufrir.

sustenance ['sʌstɪnəns] *n* sustento.

swagger ['swægəˀ] *i* contonearse.

swallow ['swɒləʊ] *n (of drink, food)* trago. 2 *(bird)* golondrina. – 3 *t-i* tragar. – 4 *t fig (believe)* tragarse.

swam [swæm] *pt* → swim.

swamp [swɒmp] *n* pantano, ciénaga. – 2 *t (flood)* inundar *(by/with,* de). 3 *(sink)* hundir. 4 *fig* abrumar *(with,* de).

swan [swɒn] *n* cisne *m.*

swank [swæŋk] *fam n* farol *m.* – 2 *i* fanfarronear, fardar.

swap [swɒp] *t-i fam* (inter)cambiar. ●*to ~ round t* cambiar de sitio.

swarm [swɔ:m] *n* enjambre *m.* – 2 *i* enjambrar. 3 *fig* rebosar *(with,* de).

swarthy ['swɔ:ðɪ] *adj* moreno,-a, atezado,-a.

swat [swɒt] *t* aplastar.

sway [sweɪ] *n (movement)* balanceo, vaivén *m.* 2 *fig (influence)* dominio. – 3 *t-i* balancear(se). 4 *(totter)* tambalear(se). – 5 *t fig* convencer.

swear [sweəˀ] *t-i (vow)* jurar. – 2 *i (curse)* decir palabrotas; *(blaspheme)* jurar, blasfemar. ◆*to ~ by t fam* tener entera confianza en. ●*to be sworn in,* jurar el cargo. ▲ *pt* swore; *pp* sworn.

swear-word ['sweəwɜːd] *n* palabrota, taco.

sweat [swet] *n* sudor *m*. 2 *fam (hard work)* trabajo duro. – 3 *t-i* sudar. ●*fam to ~ it out,* aguantar.

sweater ['swetə'] *n* suéter *m*, jersey *m*.

sweatshirt ['swetʃɜːt] *n* sudadera.

sweep [swiːp] *n* barrido. 2 *(of arm)* movimiento/gesto amplio. 3 *(range)* abanico. 4 *(curve)* curva. 5 *(police)* redada. 6 *fam (person)* deshollinador,-ra. – 7 *t-i (with broom)* barrer. – 8 *t (wind, waves)* barrer. 9 *(spread)* recorrer, extenderse por. 10 *(carry away)* arrastrar. ◆*to ~ aside t fig* rechazar. ●*to ~ in/out/past,* entrar/salir/pasar rápidamente; *to ~ sb. off his/her feet,* hacerle a algn. perder la cabeza; *fig to make a clean ~ of things,* hacer tabla rasa. ▲ *pt & pp* swept.

sweeper ['swiːpə'] *n (person)* barrendero,-a. 2 *(machine)* barredora.

sweeping ['swiːpɪŋ] *adj (broad)* amplio,-a. 2 *(victory etc.)* arrollador,-ra.

sweet [swiːt] *adj* dulce. 2 *(pleasant)* agradable; *(smell)* fragante. 3 *(charming)* encantador,-ra. – 4 *n (candy)* caramelo, golosina. 5 *(dessert)* postre *m*. ●*to have a ~ tooth,* ser goloso,-a. ■ *~ pea,* guisante *m* de olor; *~ potato,* boniato, batata.

sweeten ['swiːtən] *t* endulzar, azucarar. 2 *fig* ablandar.

sweetener ['swiːtənə'] *n* edulcorante *m*.

sweetheart ['swiːthɑːt] *n (dear)* cariño. 2 *(loved one)* novio,-a.

swell [swel] *n* marejada, oleaje *m*. – 2 *adj* us *fam* fenomenal. – 3 *i (sea)* levantarse; *(river, sales)* crecer. 4 *(body)* hincharse. ▲ *pp* swollen.

swelling ['swelɪŋ] *n* hinchazón *f*.

swelter ['sweltə'] *i* achicharrarse.

swept [swept] *pt & pp* → **sweep**.

swerve [swɜːv] *n* viraje *m* (brusco). – 2 *t-i* desviar(se) bruscamente.

swift [swɪft] *adj fml* rápido,-a, veloz. – 2 *n* vencejo común.

swiftness ['swɪftnəs] *n* velocidad, rapidez *f*.

swim [swɪm] *n* baño. – 2 *i* nadar. – 3 *t* pasar/cruzar a nado. ●*to go for a ~,* ir a nadar/bañarse. ▲ *pt* swam; *pp* swum.

swimming ['swɪmɪŋ] *n* natación. ■ *~ baths,* piscina *f* sing (interior); *~ costume/trunks,* bañador *m* sing; *~ pool,* piscina.

swindle ['swɪndəl] *n* estafa, timo. – 2 *t* estafar, timar.

swindler ['swɪndlə'] *n* estafador,-ra, timador,-ra.

swine [swaɪn] *n inv* cerdo. 2 *fam (person)* cerdo,-a, canalla *mf*.

swing [swɪŋ] *n (movement)* balanceo, oscilación. 2 *(plaything)* columpio. 3 *fig (change)* giro. 4 sp mus swing *m*. – 5 *t-i (to and fro)* balancear(se). 6 *(arms etc.)* menear(se). 7 *(on plaything)* columpiar(se). 8 *fig* girar, virar. – 9 *t (turn)* hacer girar. ●*in full ~,* en plena marcha; *to ~ open/shut, (door)* abrirse/cerrarse de golpe. ▲ *pt & pp* swung.

swipe [swaɪp] *n* golpe *m*. – 2 *t* golpear, pegar. 3 *fam (pinch)* birlar, mangar.

swirl [swɜːl] *n* gen remolino. 2 *(of smoke)* voluta. 3 *(of skirt)* vuelo. – 4 *i* arremolinarse. 5 *(person)* dar vueltas.

switch [swɪtʃ] *n* ELEC interruptor *m*, llave *f*. 2 *(change)* cambio repentino. 3 *(exchange)* canje *m*. 4 *(stick)* vara. – 5 *t gen* cambiar de. 6 *(train, attention, support)* desviar. ◆*to ~ off t (light)* apagar; *(current)* cortar. ◆*to ~ on t (light)* encender; *(radio, TV)* poner. ◆*to ~ over i* cambiar.

switchboard ['swɪtʃbɔːd] *n* centralita.

swivel ['swɪvəl] *t-i* girar(se).

swollen ['swəʊlən] *pp* → **swell**.

swoop [swuːp] *i (bird)* abalanzarse. 2 *(plane)* bajar en picado. 3 *(police)* hacer una redada.

sword [sɔːd] *n* espada.

swordfish ['sɔːdfɪʃ] *n* pez *m* espada.

swore [swɔː'] *pt* → **swear**.

sworn [swɔːn] *pp* → **swear**.

swot [swɒt] *fam n* empollón,-ona. – 2 *i* empollar.

swum [swʌm] *pp* → **swim**.

swung [swʌŋ] *pt & pp* → **swing**.

sycamore ['sɪkəmɔː'] *n* sicomoro.

syllable ['sɪləbəl] *n* sílaba.

syllabus ['sɪləbəs] *n* programa *m* de estudios.

symbol ['sɪmbəl] *n* símbolo.

symbolic(al) [sɪm'bɒlɪk(əl)] *adj* simbólico,-a.

symbolize ['sɪmbəlaɪz] *t* simbolizar.

symmetric(al) [sɪ'metrɪk(əl)] *adj* simétrico,-a.

symmetry ['sɪmɪtrɪ] *n* simetría.

sympathetic [sɪmpə'θetɪk] *adj (showing pity)* compasivo,-a. 2 *(understanding)* comprensivo,-a *(to,* con).

sympathize ['sɪmpəθaɪz] *i (show pity)* compadecerse (*with,* de). 2 *(understand)* comprender (*with,* -).

sympathizer ['sɪmpəθaɪzəʳ] *n* simpatizante *mf.*

sympathy ['sɪmpəθɪ] *n (pity)* compasión, lástima. 2 *(condolences)* condolencia, pésame *m.* 3 *(understanding)* comprensión. ●*to express one's ~,* dar el pésame.

symphony ['sɪmfənɪ] *n* sinfonía.

symptom ['sɪmptəm] *n* síntoma *m.*

synagogue ['sɪnəgɒg] *n* sinagoga.

synchronize ['sɪŋkrənaɪz] *t* sincronizar.

syndicate ['sɪndɪkət] *n* corporación, empresa. 2 *(agency)* agencia (de prensa).

syndrome ['sɪndrəʊm] *n* síndrome *m.*

synonym ['sɪnənɪm] *n* sinónimo.

synonymous [sɪ'nɒnɪməs] *adj* sinónimo,-a (*with,* de).

syntax ['sɪntæks] *n* sintaxis *f inv.*

synthesis ['sɪnθəsɪs] *n* síntesis *f inv.*

synthesize ['sɪnθəsaɪz] *t* sintetizar.

synthetic [sɪn'θetɪk] *adj-n* sintético,-a *(m).*

syringe [sɪ'rɪndʒ] *n* jeringa, jeringuilla.

syrup ['sɪrəp] *n* MED jarabe *m.* 2 CULIN almíbar *m.*

system ['sɪstəm] *n* sistema *m.*

systematic [sɪstə'mætɪk] *adj* sistemático,-a.

systematize ['sɪstɪmətaɪz] *t* sistematizar.

T

ta [tɑ:] *interj* GB *fam* ¡gracias!
tab [tæb] *n* lengüeta. 2 *(label)* etiqueta.
table ['teɪbəl] *n* mesa. 2 *(grid)* tabla, cuadro. – 3 *t* presentar. ■ ~ *tennis*, tenis *m* de mesa.
tablecloth ['teɪbəlklɒθ] *n* mantel *m*.
tablespoon ['teɪbəlspu:n] *n* cucharón *m*.
tablet ['tæblət] *n* MED pastilla. 2 *(stone)* lápida.
tabloid ['tæblɔɪd] *n* periódico de formato pequeño.
taboo [tə'bu:] *adj-n* tabú *(m)*.
tabulate ['tæbjuleɪt] *t* tabular.
tacit ['tæsɪt] *adj* tácito,-a.
taciturn ['tæsɪtɜ:n] *adj* taciturno,-a.
tack [tæk] *n (nail)* tachuela. – 2 *t* clavar con tachuelas. 3 SEW hilvanar. ●*to change ~*, cambiar de rumbo.
tackle ['tækəl] *n* equipo, aparejos *mpl*. 2 *(pulleys etc.)* polea. 3 SP *(football)* entrada; *(rugby)* placaje *m*. – 4 *t (deal with)* abordar. 5 SP *(football)* atajar; *(rugby)* placar.
tacky ['tækɪ] *adj* pegajoso,-a. 2 *(bad)* de pacotilla.
tact [tækt] *n* tacto.
tactful ['tæktful] *adj* diplomático,-a.
tactics ['tæktɪks] *npl* táctica *f sing*.
tactless ['tæktləs] *adj* falto,-a de tacto.
tadpole ['tædpəʊl] *n* renacuajo.
tag [tæg] *n* etiqueta. 2 *(phrase)* coletilla. 3 *(game)* marro. – 4 *t* etiquetar. ◆*to ~ on t* añadir.
tail [teɪl] *n* cola. 2 *pl (of coin)* cruz *f sing*. – 3 *t* seguir.
tailback ['teɪlbæk] *n (holdup)* caravana.
tailor ['teɪlə'] *n* sastre,-a. – 2 *fig* adaptar.
tailor-made [teɪlə'meɪd] *adj* hecho,-a a la medida.
taint [teɪnt] *t* corromper.
take [teɪk] *t* tomar, coger, AM agarrar. 2 *(meals, drink, etc.)* tomar. 3 *(accept)* acep-

tar. 4 *(transport, carry)* llevar. 5 *(need)* requerir, necesitar. 6 *(write down)* apuntar. 7 *(occupy)* ocupar. 8 *(stand)* aguantar. 9 *(suppose)* suponer. – 10 *n* CINEM toma. ◆*to ~ after t* parecerse a. ◆*to ~ away t* llevarse. 2 *(remove)* quitar. 3 MATH restar. ◆*to ~ back t* recibir otra vez. 2 *(one's word)* retractar. ◆*to ~ down t (remove)* desmontar. 2 *(coat etc.)* descolgar. 3 *(write)* apuntar. ◆*to ~ in t (shelter)* dar cobijo a. 2 *(deceive)* engañar. 3 *(grasp)* asimilar. 4 *(include)* incluir. 5 *(clothes)* meter. ◆*to ~ off t (clothes)* quitarse. 2 *(imitate)* imitar. – 3 *i (plane)* despegar. ◆*to ~ on t (job)* hacerse cargo de, aceptar. 2 *(worker)* contratar. ◆*to ~ out t* sacar. 2 *(person)* invitar a salir. 3 *(insurance)* hacer. ◆*to ~ over t* tomar posesión de. ◆*to ~ over from t* relevar. ◆*to ~ to t (person)* tomar cariño a. 2 *(vice)* darse a. 3 *(start to do)* empezar a. ◆*to ~ up t* ocupar. 2 *(continue)* continuar. 3 *(offer)* aceptar. 4 *(start to do)* dedicarse a. ●*to ~ it out on sb.*, desquitarse con algn; *to ~ sth. up with sb.*, consultar algo con algn.; *to ~ to one's heels*, darse a la fuga. ▲ *pt* took; *pp* taken.
takeaway ['teɪkəweɪ] *n* restaurante *m que vende comida para llevar*.
taken ['teɪkən] *pp* → take.
takeoff ['teɪkɒf] *n* AV despegue *m*. 2 *(imitation)* imitación.
takeover ['teɪkəʊvə'] *n* toma de posesión. 2 COM adquisición. ■ *military ~*, golpe *m* de estado.
takings ['teɪkɪŋz] *npl* recaudación *f sing*.
talcum powder ['tælkəmpaʊdə'] *n* polvos *mpl* de talco.
tale [teɪl] *n* cuento. ●*to tell tales*, contar cuentos.
talent ['tælənt] *n* talento.
talisman ['tælɪzmən] *n* talismán *m*.

talk [tɔːk] *t-i* hablar. – **2** *n* conversación, charla. **3** *(rumour)* rumor *m*. ◆*to ~ over t* discutir. ◆*to ~ round t* convencer. ●*to ~ sb. into sth.*, convencer a algn. para que haga algo; *to ~ sb. out of sth.*, disuadir a algn. de hacer algo.

talkative [ˈtɔːkətɪv] *adj* hablador,-ra.

talker [ˈtɔːkəʳ] *n* hablador,-ra.

talking-to [ˈtɔːkɪŋtuː] *n fam* bronca.

tall [tɔːl] *adj* alto,-a; *how ~ are you?*, ¿cuánto mides?; *it's 5 metres ~*, mide 5 metros de alto. ■ *~ story*, cuento chino.

tally [ˈtælɪ] *n* cuenta. – **2** *i* concordar *(with,* con).

talon [ˈtælən] *n* garra.

tambourine [tæmbəˈriːn] *n* pandereta.

tame [teɪm] *adj (by nature)* manso,-a, dócil. **2** *(tamed)* domesticado,-a. **3** *fig* soso,-a. – **4** *t* domar, domesticar.

tamer [ˈteɪməʳ] *n* domador,-ra.

tamper [ˈtæmpəʳ] *i to ~ with,* interferir en. **2** *(document)* falsificar.

tampon [ˈtæmpɒn] *n* tampón *m*.

tan [tæn] *n* color *m* canela. **2** *(suntan)* bronceado. – **3** *t (leather)* curtir. – **4** *t-i (skin)* broncear(se), poner(se) moreno,-a.

tang [tæŋ] *n* sabor *m*/olor *m* fuerte.

tangent [ˈtændʒənt] *n* tangente *f*.

tangerine [tændʒəˈriːn] *n* clementina.

tangible [ˈtændʒəbəl] *adj* tangible.

tangle [ˈtæŋɡəl] *n* enredo. – **2** *t-i* enredar(se), enmarañar(se). ◆*to ~ with t* meterse con.

tango [ˈtæŋɡəʊ] *n* tango.

tank [tæŋk] *n* depósito, tanque *m*. **2** MIL tanque.

tankard [ˈtæŋkəd] *n* bock *m*.

tanker [ˈtæŋkəʳ] *n (ship)* buque *m* cisterna. **2** *(for oil)* petrolero. **3** *(lorry)* camión *m* cisterna.

tantamount [ˈtæntəmaʊnt] *adj ~ to,* equivalente a.

tantrum [ˈtæntrəm] *n* berrinche *m*, rabieta.

tap [tæp] *n* grifo. **2** *(blow)* golpecito. – **3** *t* golpear suavemente. **4** *fig* explotar. **5** *(phone)* pinchar, intervenir. ■ *~ dance,* claqué *m*.

tape [teɪp] *n* cinta. – **2** *t* pegar con cinta. **3** *(record)* grabar. ■ *~ measure,* cinta métrica; *~ recorder,* magnetófono.

taper [ˈteɪpəʳ] *t-i* ahusar(se).

tapestry [ˈtæpəstrɪ] *n* tapiz *m*.

tapeworm [ˈteɪpwɜːm] *n* tenia, solitaria.

tar [tɑːʳ] *n* alquitrán *m*. – **2** *t* alquitranar.

teach

tarantula [təˈræntjʊlə] *n* tarántula.

target [ˈtɑːɡɪt] *n* blanco. **2** *(aim)* meta.

tariff [ˈtærɪf] *n* tarifa, arancel *m*.

tarmac [ˈtɑːmæk] *n* alquitrán *m*. – **2** *t* alquitranar.

tarnish [ˈtɑːnɪʃ] *t-i* deslustrar(se).

tarot [ˈtærəʊ] *n* tarot *m*.

tarpaulin [tɑːˈpɔːlɪn] *n* lona.

tarragon [ˈtærəɡən] *n* estragón *m*.

tart [tɑːt] *adj* acre, agrio,-a. **2** *(reply)* mordaz. – **3** *n* tarta, pastel *m*. **4** *sl* fulana.

tartan [ˈtɑːtən] *n* tartán *m*.

task [tɑːsk] *n* tarea, labor *f*.

tassel [ˈtæsəl] *n* borla.

taste [teɪst] *n (sense)* gusto. **2** *(flavour)* sabor. – **3** *t (food)* probar. **4** *(wine)* catar. – **5** *i* saber *(of,* a). ●*in bad ~*, de mal gusto.

tasteful [ˈteɪstfʊl] *adj* de buen gusto.

tasteless [ˈteɪstləs] *adj* de mal gusto. **2** *(insipid)* insípido,-a, soso,-a.

tasty [ˈteɪstɪ] *adj* sabroso,-a.

ta-ta [tæˈtɑː] *interj* GB *fam* ¡adiós!

tattered [ˈtætəd] *adj* harapiento,-a, andrajoso,-a.

tatters [ˈtætəz] *npl* harapos *mpl*, andrajos *mpl*.

tattoo [təˈtuː] *n* MIL retreta. **2** *(show)* espectáculo militar. – **3** *(on skin)* tatuaje *m*. – **4** *t* tatuar.

tatty [ˈtætɪ] *adj* en mal estado. **2** *(clothes)* raído,-a.

taught [tɔːt] *pt & pp* → **teach**.

taunt [tɔːnt] *n* mofa, pulla. – **2** *t* mofarse de.

Taurus [ˈtɔːrəs] *n* Tauro.

taut [tɔːt] *adj* tirante, tieso,-a.

tavern [ˈtævən] *n* taberna, mesón *m*.

tawdry [ˈtɔːdrɪ] *adj* hortera, charro,-a.

tawny [ˈtɔːnɪ] *adj* leonado,-a.

tax [tæks] *n* impuesto, contribución. – **2** *t (thing)* gravar. **3** *(person)* imponer contribuciones a.

taxation [tækˈseɪʃən] *n* impuestos *mpl*.

taxi [ˈtæksɪ] *n* taxi *m*. ■ *~ driver,* taxista *mf*.

taxidermist [ˈtæksɪdɜːmɪst] *n* taxidermista *mf*.

taximeter [ˈtæksɪmiːtəʳ] *n* taxímetro.

taxpayer [ˈtækspeɪəʳ] *n* contribuyente *mf*.

tea [tiː] *n* té *m*. **2** *(light meal)* merienda. **3** *(full meal)* cena. ■ *~ set,* juego de té; *~ spoon,* cucharilla.

teach [tiːtʃ] *t* enseñar. **2** *(subject)* dar clases de. – **3** *i* dar clases. ▲ *pt & pp* **taught**.

teacher ['tiːtʃəʳ] n maestro,-a, profesor,-ra.
teaching ['tiːtʃɪŋ] n enseñanza.
teacloth ['tiːklɒθ] n paño (de cocina).
teacup ['tiːkʌp] n taza para té.
teak [tiːk] n teca.
team [tiːm] n equipo.
teapot ['tiːpɒt] n tetera.
tear [tɪəʳ] n lágrima. 2 (rip) rasgón m, desgarrón m. − 3 t (rip) rasgar, desgarrar. ◆to ~ down t derribar. ◆to ~ into t arremeter contra. ◆to ~ up t romper en pedazos. ●to burst into tears, romper a llorar. ■ ~ gas, gas m lacrimógeno; wear and ~, desgaste m. ▲ pt tore; pp torn.
tearaway ['teərəweɪ] n GB gamberro,-a.
teardrop ['tɪədrɒp] n lágrima.
tearful ['tɪəfʊl] adj lloroso,-a.
tease [tiːz] t tomar el pelo a.
teaspoon ['tiːspuːn] n cucharilla.
teaspoonful ['tiːspuːnfʊl] n cucharadita.
teat [tiːt] n ZOOL teta. 2 (on bottle) tetina.
technical ['teknɪkəl] adj técnico,-a.
technician [tek'nɪʃən] n técnico,-a.
technique [tek'niːk] n técnica.
technological [teknə'lɒdʒɪkəl] adj tecnológico,-a.
technology [tek'nɒlədʒɪ] n tecnología.
teddy bear ['tedɪbeəʳ] n osito de peluche.
tedious ['tiːdɪəs] adj tedioso,-a, aburrido,-a.
tediousness ['tiːdɪəsnəs] n tedio, aburrimiento.
teem [tiːm] i to ~ with, abundar en, estar lleno,-a de.
teenage ['tiːneɪdʒ] adj adolescente.
teenager ['tiːneɪdʒəʳ] n adolescente mf de 13 a 19 años.
teeny(-weeny) ['tiːnɪ('wiːnɪ)] adj fam chiquitín,-ina.
tee-shirt ['tiːʃɜːt] n camiseta.
teeter ['tiːtəʳ] i balancearse.
teeth [tiːθ] npl → tooth.
teethe [tiːð] i endentecer, echar los dientes.
teetotaller [tiː'təʊtləʳ] n abstemio,-a.
telecommunications ['telɪkəmjuːnɪ'keɪʃənz] npl telecomunicaciones fpl.
telegram ['telɪgræm] n telegrama m.
telegraph ['telɪgrɑːf] n telégrafo. − 2 i telegrafiar. ■ ~ pole, poste m telegráfico.
telepathy [tɪ'lepəθɪ] n telepatía.
telephone ['telɪfəʊn] n teléfono. − 2 t-i telefonear, llamar por teléfono. ■ ~ box, cabina telefónica; ~ number, número de teléfono.
telephonist [tə'lefənɪst] n telefonista mf.
telephoto lens [telɪfəʊtəʊ'lenz] n teleobjetivo.
telescope ['telɪskəʊp] n telescopio. − 2 t-i plegar(se).
televise ['telɪvaɪz] t televisar.
television ['telɪvɪʒən] n televisión. 2 (set) televisor m.
telex ['teleks] n télex m. − 2 t-i enviar un télex (a).
tell [tel] t decir. 2 (story) contar. 3 (order) mandar, ordenar. 4 (one fron another) distinguir. 5 (know) saber. ◆to ~ off t echar una bronca a. ◆to ~ on t (have effect) afectar a. 2 (tell tales) chivar.
teller ['teləʳ] n (in bank) cajero,-a.
telling-off [telɪŋ'ɒf] n fam bronca.
telltale ['telteɪl] n chivato,-a, acusica mf.
telly ['telɪ] n fam tele f.
temerity [tə'merɪtɪ] n temeridad.
temper ['tempəʳ] n humor m. 2 (bad ~) mal genio. 3 (nature) temperamento. − 4 t templar. − 5 fig moderar. ●to lose one's ~, enfadarse.
temperament ['tempərəmənt] n temperamento.
temperance ['tempərəns] n moderación. 2 (from alcohol) abstinencia.
temperate ['tempərət] adj moderado,-a. 2 (climate) templado,-a.
temperature ['tempərətʃəʳ] n temperatura. ●to have a ~, tener fiebre.
tempest ['tempəst] n tempestad.
tempestuous [tem'pestjʊəs] adj tempestuoso,-a.
temple ['tempəl] n templo. 2 ANAT sien f.
tempo ['tempəʊ] n MUS tempo. 2 fig ritmo.
temporary ['tempərərɪ] adj temporal, provisional.
tempt [tempt] t tentar.
temptation [temp'teɪʃən] n tentación.
tempter ['temptəʳ] n tentador,-ra.
ten [ten] adj-n diez (m).
tenable ['tenəbəl] adj sostenible.
tenacious [tə'neɪʃəs] adj tenaz.
tenacity [tə'næsɪtɪ] n tenacidad.
tenant ['tenənt] n inquilino,-a, arrendatario,-a.
tend [tend] t cuidar. − 2 i tender a, tener tendencia a.
tendency ['tendənsɪ] n tendencia.
tender ['tendəʳ] adj (meat etc.) tierno,-a. 2 (loving) tierno,-a, cariñoso,-a. 3 (sore) dolorido,-a. − 5 n (of train) ténder m. 6

MAR lancha (auxiliar). **6** COM oferta. — **7** *t* presentar. ■ *legal* ~, moneda de curso legal.

tenderhearted ['tendəhɑːtɪd] *adj* compasivo,-a, bondadoso,-a.

tenderness ['tendənəs] *n* ternura.

tendon ['tendən] *n* tendón *m*.

tendril ['tendrəl] *n* zarcillo.

tenement ['tenəmənt] *n* casa de vecindad.

tenet ['tenət] *n* principio, dogma *m*.

tennis ['tenɪs] *n* tenis *m*. ■ ~ *court*, pista de tenis.

tenor ['tenəʳ] *n* MUS tenor *m*. **2** *(meaning)* significado.

tense [tens] *adj* tenso,-a. — **2** *n* GRAM tiempo.

tension ['tenʃən] *n* tensión.

tent [tent] *n* tienda de campaña.

tentacle ['tentəkəl] *n* tentáculo.

tentative ['tentətɪv] *adj* de prueba/ensayo, provisional. **2** *(person)* indeciso,-a.

tenterhooks ['tentəhʊks] *npl on* ~, sobre ascuas.

tenth [tenθ] *adj-n* décimo,-a. — **2** *n* décimo, décima parte *f*.

tenuous ['tenjuəs] *adj* tenue, sutil.

tenure ['tenjəʳ] *n* tenencia, posesión.

tepid ['tepɪd] *adj* tibio,-a.

term [tɜːm] *n* EDUC trimestre *m*. **2** *(period)* período. **3** *(expression, word)* término. **4** *pl* COM condiciones *fpl*. **5** *pl (relations)* relaciones *fpl*. — **6** *t* calificar de, llamar. ●*to be on good terms with*, tener buenas relaciones con; *to come to terms*, llegar a un arreglo. ■ *easy terms*, facilidades *fpl* de pago.

terminal ['tɜːmɪnəl] *adj* terminal. — **2** *n* ELEC borne *m*. **3** COMPUT terminal *m*. **4** *(at airport etc.)* terminal *f*.

terminate ['tɜːmɪneɪt] *t-i* terminar.

termination [tɜːmɪ'neɪʃən] *n* terminación.

terminology [tɜːmɪ'nɒlədʒɪ] *n* terminología.

terminus ['tɜːmɪnəs] *n* término. ▲ *pl terminuses o termini* ['tɜːmɪnaɪ].

termite ['tɜːmaɪt] *n* termita.

terrace ['terəs] *n (of houses)* hilera. **2** AGR terraza. **3** *(patio)* terraza. **4** *pl* SP gradas *fpl*.

terrain [tə'reɪn] *n* terreno.

terrestrial [tə'restrɪəl] *adj* terrestre.

terrible ['terɪbəl] *adj* terrible. **2** *fam* fatal. — **3** *terribly adv* terriblemente. **4** *(very)* muy.

terrific [tə'rɪfɪk] *adj* fabuloso,-a, estupendo,-a.

terrify ['terɪfaɪ] *t* aterrar, aterrorizar.

terrifying ['terɪfaɪɪŋ] *adj* aterrador,-ra.

territory ['terɪtərɪ] *n* territorio.

terror ['terəʳ] *n* terror *m*, espanto.

terrorism ['terərɪzəm] *n* terrorismo.

terrorist ['terərɪst] *adj-n* terrorista *(mf)*.

terrorize ['terəraɪz] *t* aterrorizar.

terse [tɜːs] *adj* lacónico,-a.

test [test] *n* prueba. **2** EDUC examen *m*, test *m*. **3** MED análisis *m*. — **4** *t* probar, poner a prueba. ■ ~ *tube*, probeta.

testament ['testəmənt] *n* testamento.

testicle ['testɪkəl] *n* testículo.

testify ['testɪfaɪ] *t* atestiguar. — **2** *i* declarar.

testimonial [testɪ'məʊnɪəl] *n* recomendación.

testimony ['testɪmənɪ] *n* testimonio.

testy ['testɪ] *adj* irritable.

tetanus ['tetənəs] *n* tétanos *m inv*.

tetchy ['tetʃɪ] *adj* → **testy**.

tête-à-tête [teɪtɑ'teɪt] *n* conversación privada.

tether ['teðəʳ] *n* cuerda. — **2** *t* atar. ●*at the end of one's* ~, hasta la coronilla.

text [tekst] *n* texto.

textbook ['tekstbʊk] *n* libro de texto.

textile ['tekstaɪl] *adj* textil. — **2** *n* textil *m*, tejido.

texture ['tekstʃəʳ] *n* textura.

than [ðæn, *unstressed* ðən] *conj* que: *he is taller* ~ *you*, él es más alto que tú. **2** *(with numbers)* de: *more* ~ *once*, más de una vez.

thank [θæŋk] *t* dar las gracias a, agradecer. — **2** *npl* gracias *fpl*. ●~ *you*, gracias.

thankful ['θæŋkfʊl] *adj* agradecido,-a.

thankless ['θæŋkləs] *adj* ingrato,-a.

thanksgiving [θæŋks'gɪvɪŋ] *n* acción de gracias.

that [ðæt] *adj* ese, esa; *(remote)* aquel, aquella: *look at* ~ *cow*, mira esa/aquella vaca. — **2** *pron* ése *m*, ésa; *(remote)* aquél *m*, aquélla: *this is mine*, ~ *is yours*, esta es mía, ésa/aquélla es tuya. **3** *(indefinite)* eso; *(remote)* aquello: *what's* ~?, ¿qué es eso/aquello? — **4** *conj* que: *I know* (~) *it's true*, sé que es verdad. — **5** *pron (relative)* que: *the car* (~) *he drives*, el coche que tiene. **6** *(with preposition)* que, el/la que, el/la cual: *the door* (~) *he went through*, la puerta por la que/cual pasó. — **7** *adv fam* tan: *it's not* ~ *dear*, no es tan caro. ●~ *much*, tanto,-a;

that's right, eso es. ▲ *En 1, 2 y 3 pl tho-se. En 4 y 5 también se pronuncia* [ðət].

thatch [θætʃ] *n* paja. – 2 *t* poner techo de paja a.

thaw [θɔ:] *n* deshielo. – 2 *t-i* deshelar(se).

the [ðə] *art* el, la; *pl* los, las. – 2 *adv* ~ *more you have* ~ *more you want,* cuanto más se tiene más se quiere; ~ *sooner,* ~ *better,* cuanto antes mejor. ▲ *Delante de una vocal* [ðɪ]; *con énfasis* [ði:].

theatre [ˈθɪətəʳ] *n* teatro. 2 MED quirófano.

theatrical [θɪˈætrɪkəl] *adj* teatral.

theft [θeft] *n* robo, hurto.

their [ðeəʳ] *poss adj* su; *pl* sus.

theirs [ðeəz] *pron* (el) suyo, (la) suya; *pl* (los) suyos, (las) suyas.

them [ðem, *unstressed* ðəm] *m pron (direct object)* los, las; *(indirect object)* les. 2 *(with preposition, stressed)* ellos, ellas.

theme [θi:m] *n* tema *m.*

themselves [ðəmˈselvz] *pers pron (subject)* ellos mismos, ellas mismas. 2 *(object)* se. 3 *(after preposition)* sí mismos/mismas.

then [ðen] *adv* entonces. 2 *(next)* entonces, luego, después. 3 *(in that case)* pues, en ese caso. – 4 *adj* (de) entonces. ●*now and* ~, de vez en cuando; *now* ~, pues bien.

theological [θɪəˈlɒdʒɪkəl] *adj* teológico,-a.

theology [θɪˈɒlədʒɪ] *n* teología.

theorem [ˈθɪərəm] *n* teorema *m.*

theoretic(al) [θɪəˈretɪk(əl)] *adj* teórico,-a.

theorize [ˈθɪəraɪz] *i* teorizar.

theory [ˈθɪərɪ] *n* teoría.

therapeutic [θerəˈpju:tɪk] *adj* terapéutico,-a.

therapy [ˈθerəpɪ] *n* terapia, terapéutica.

there [ðeəʳ] *adv* allí, allá, ahí. ●~ *is/are,* hay; ~ *was/were,* había.

thereabouts [ðeərəˈbauts] *adv* por ahí.

thereafter [ðeəˈræftəʳ] *adv* a partir de entonces.

thereby [ˈðeəbaɪ] *adv* por eso/ello.

therefore [ˈðeəfɔ:ʳ] *adv* por lo tanto.

thermal [ˈθɜ:məl] *adj* termal. 2 PHYS térmico,-a.

thermometer [θeˈmɒmɪtəʳ] *n* termómetro.

thermos® [ˈθɜ:mɒs] *n* ~ *(flask),* termo.

thermostat [ˈθɜ:məstæt] *n* termostato.

thesaurus [θɪˈsɔ:rəs] *n* diccionario de sinónimos.

these [ði:z] *adj pl* estos,-as. – 2 *pron pl* éstos,-as.

thesis [ˈθi:sɪs] *n* tesis *f.* ▲ *pl* **theses** [ˈθi:si:z].

they [ðeɪ] *pers pron* ellos,-as. ●~ *say that,* dicen/se dice que.

thick [θɪk] *adj* grueso,-a: *two inches* ~, de dos pulgadas de grueso. 2 *(liquid, gas, forest, etc.)* espeso,-a. 3 *(beard)* poblado,-a, tupido,-a. 4 *fam* corto,-a de alcances, de pocas luces.

thicken [ˈθɪkən] *t-i* espesar(se).

thicket [ˈθɪkɪt] *n* espesura, matorral *m.*

thickness [ˈθɪknəs] *n* espesor *m,* grueso, grosor *m.*

thief [θi:f] *n* ladrón,-ona.

thieve [θi:v] *t-i* robar, hurtar.

thigh [θaɪ] *n* muslo.

thimble [ˈθɪmbəl] *n* dedal *m.*

thin [θɪn] *n (person)* delgado,-a, flaco,-a. 2 *(slice, material)* fino,-a. 3 *(hair, vegetation, etc.)* ralo,-a. 4 *(liquid)* líquido,-a, poco espeso,-a. – 5 *t.(liquid)* diluir.

thing [θɪŋ] *n* cosa. ●*for one* ~, entre otras cosas; *poor* ~!, ¡pobrecito,-a!

think [θɪŋk] *t-i gen* pensar. 2 *(imagine)* pensar, imaginar. – 3 *t (believe)* pensar, creer. 4 *(remember)* acordarse. ◆*to* ~ *over t* considerar. ◆*to* ~ *up t* inventar. ●~ *nothing of it,* no tiene importancia; *to* ~ *better of it,* pensárselo mejor. ▲ *pt & pp* **thought.**

thinker [ˈθɪŋkəʳ] *n* pensador,-ra.

thinking [ˈθɪŋkɪŋ] *n* opinión, parecer *m.*

thinness [ˈθɪnnəs] *n* delgadez *f.*

third [θɜ:d] *adj* tercero,-a. – 2 *n (in series)* tercero,-a. 3 *(fraction)* tercio, tercera parte *f.* ■ ~ *party,* tercera persona; ~ *party insurance,* seguro a terceros.

thirst [θɜ:st] *n* sed *f.*

thirsty [ˈθɜ:stɪ] *adj* sediento,-a. ●*to be* ~, tener sed.

thirteen [θɜ:ˈti:n] *adj-n* trece *(m).*

thirteenth [θɜ:ˈti:nθ] *adj-n* decimotercero,-a. – 2 *n* decimotercero, decimotercera parte.

thirtieth [ˈθɜ:tɪəθ] *adj-n* trigésimo,-a. – 2 *n* trigésimo, trigésima parte.

thirty [ˈθɜ:tɪ] *adj-n* treinta *(m).*

this [ðɪs] *adj* este, esta. – 2 *pron* éste, ésta; *(indefinite)* esto. – 3 *adv* tan. ●*like* ~, así.

thistle [ˈθɪsəl] *n* cardo.

thong [θɒŋ] *n* correa.

thorax [ˈθɔ:ræks] *n* tórax *m.*

thorn [θɔ:n] *n* espina, pincho.

thorny [ˈθɔ:nɪ] *adj* espinoso,-a.

thorough [ˈθʌrə] *adj (deep)* profundo,-a. 2 *(careful)* cuidadoso,-a, minucioso,-a. 3

thunderous

(total) total. – **4** *thoroughly adv* a fondo.
5 *(totally)* totalmente.

thoroughbred ['θʌrəbred] *adj-n* (de)
pura sangre.

thoroughfare ['θʌrəfeəʳ] *n* vía pública.

those [ðəʊz] *adj* esos,-as; *(remote)* aquellos,-as. – **2** *pron* ésos,-as; *(remote)* aquéllos,-as.

though [ðəʊ] *conj* aunque, si bien. – **2**
adv sin embargo. ●*as* ~, como si

thought [θɔ:t] *pt & pp* → **think**. – **2** *n*
pensamiento. **3** *(consideration)* consideración.

thoughtful ['θɔ:tfʊl] *adj* pensativo,-a,
meditabundo,-a. **2** *(considerate)* considerado,-a, atento,-a.

thoughtfulness ['θɔ:tfʊlnəs] *n* meditación. **2** *(consideration)* consideración,
atención.

thoughtless ['θɔ:tləs] *adj* irreflexivo,-a.
2 *(person)* desconsiderado,-a.

thoughtlessness ['θɔ:tləsnəs] *n* irreflexión, falta de consideración.

thousand ['θaʊzənd] *adj-n* mil *(m)*.

thousandth ['θaʊzənθ] *adj-n* milésimo,-a. – **2** *n* *(fraction)* milésimo, milé-
sima parte *f*.

thrash [θræʃ] *t* azotar. **2** *(defeat)* derrotar.
– **3** *i* revolcarse, agitarse.

thrashing ['θræʃɪŋ] *n* zurra, paliza.

thread [θred] *n* hilo. **2** *(of screw)* rosca. –
3 *t* enhebrar. **4** *(beads)* ensartar.

threat [θret] *n* amenaza.

threaten ['θretən] *t-i* amenazar.

threatening ['θretənɪŋ] *adj* amenazador,-ra.

three [θri:] *adj-n* tres *(m)*.

three-dimensional [θri:dɪ'menʃənəl] *adj*
tridimensional.

thresh [θreʃ] *t-i* trillar.

threshold ['θreʃ(h)əʊld] *n* umbral *m*.

threw [θru:] *pt* → **throw**.

thrift [θrɪft] *n* economía, frugalidad.

thrifty ['θrɪftɪ] *adj* económico,-a, frugal.

thrill [θrɪl] *n* emoción. – **2** *t-i* emocio-
nar(se).

thriller ['θrɪləʳ] *n* novela/película/obra de
suspense.

thrilling ['θrɪlɪŋ] *adj* emocionante.

thrive [θraɪv] *i* *(grow)* crecer. **2** *(prosper)*
prosperar. ▲ *pt* **throve** *o* **thrived**; *pp*
thrived *o* **thriven** ['θrɪvən].

thriving ['θraɪvɪŋ] *adj* próspero,-a, floreciente.

throat [θrəʊt] *n* garganta. ■ *sore* ~, dolor
m de garganta.

throb [θrɒb] *n* latido, palpitación. – **2** *i*
latir, palpitar.

throes [θrəʊz] *n* agonía *f sing*. ●*in the* ~
of, en medio de.

thrombosis [θrɒm'bəʊsɪs] *n* trombosis *f*.

throne [θrəʊn] *n* trono.

throng [θrɒŋ] *n* muchedumbre *f*, tropel
m. – **2** *i* apiñarse, agolparse. – **3** *t* atestar.

throttle ['θrɒtəl] *n* válvula reguladora. –
2 *t* estrangular.

through [θru:] *prep* por, a través de: ~
the door, por la puerta. **2** *(because of)*
por, a causa de: *off work* ~ *illness*, de
baja por enfermedad. **3** *(time)* durante
todo,-a: *we danced* ~ *the night*, baila-
mos durante toda la noche. **4** *(to the end)*
hasta el final de: *he read* ~ *the book*,
leyó todo el libro. – **5** *adv* de un lado a
otro: *he let me* ~, me dejó pasar. **6** *(to
the end)* hasta el final: *he read the book*
~, leyó todo el libro. – **7** *adj* *(train)* directo,-a. ●*to be* ~ *with*, haber acabado
con.

throughout [θru:'aʊt] *prep* por/en
todo,-a: ~ *the world*, en todo el mundo.
2 *(time)* durante todo,-a, a lo largo de:
~ *the year*, durante todo el año. – **3** *adv*
(all over) por/en todas partes. **4** *(completely)* completamente. **5** *(from start to
end)* desde el principio hasta el fin.

throve [θrəʊv] *pt* → **thrive**.

throw [θrəʊ] *n* lanzamiento, tiro. **2** *(of
dice)* tirada. – **3** *t* tirar, arrojar, lanzar. **4**
fam (party) organizar. ◆*to* ~ *away* *t* tirar. **2** *(chance)* desaprovechar. ◆*to* ~ *in*
t fam incluir (gratis). ◆*to* ~ *off* *t* librarse
de. ◆*to* ~ *out* *t* echar. **2** *(reject)* rechazar.
◆*to* ~ *up* *i* vomitar. – **2** *t* dejar. ▲ *pt*
threw; *pp* **thrown** [θrəʊn].

thru [θru:] *prep-adv* US → **through**: *Monday* ~ *Friday*, de lunes a viernes.

thrush [θrʌʃ] *n* *(bird)* tordo.

thrust [θrʌst] *n* PHYS empuje *m*. **2** *(with
sword)* estocada. – **3** *t* empujar. **4**
(sword) clavar.

thud [θʌd] *n* ruido sordo. – **2** *t* hacer un
ruido sordo.

thug [θʌg] *n* matón *m*. **2** *(criminal)* gángster *m*.

thumb [θʌm] *n* pulgar *m*.

thumbtack ['θʌmtæk] *n* US chincheta.

thump [θʌmp] *n* golpe *m*. – **2** *t* golpear.

thunder ['θʌndəʳ] *n* trueno. – **2** *i* tronar.

thunderbolt ['θʌndəbəʊlt] *n* rayo.

thunderous ['θʌndərəs] *adj fig* ensordecedor,-ra.

thunderstorm ['θʌndəstɔːm] *n* tormenta.

Thursday ['θɜːzdɪ] *n* jueves *m inv*.

thus [ðʌs] *adv* así, de este modo.

thwart [θwɔːt] *t* desbaratar, frustrar.

thyme [taɪm] *n* tomillo.

tiara [tɪˈɑːrə] *n* diadema.

tic [tɪk] *n* tic *m*.

tick [tɪk] *n* ZOOL garrapata. 2 *(noise)* tictac *m*. 3 *(mark)* marca, señal *f*. 4 *fam* momento, instante *m*. 5 *fam* crédito. – 6 *i (clock)* hacer tictac. – 7 *t* señalar, marcar. ◆*to ~ off t* marcar. 2 *(scold)* regañar.

ticket ['tɪkɪt] *n* billete *m*. 2 *(for zoo, cinema, etc.)* entrada. 3 *(label)* etiqueta. 4 *fam (fine)* multa. ■ *return ~*, billete de ida y vuelta; *~ office*, taquilla.

ticking-off [tɪkɪŋˈɒf] *n fam* rapapolvo.

tickle ['tɪkəl] *t* hacer cosquillas a. – 2 *i* hacer cosquillas, picar.

ticklish ['tɪkəlɪʃ] *adj to be ~*, tener cosquillas. 2 *fig* delicado.

tick-tock ['tɪktɒk] *n* tic-tac *m*.

tiddly ['tɪdlɪ] *adj* GB *fam* achispado,-a.

tide [taɪd] *n* marea. 2 *fig* corriente *f*. 3 *(progress)* marcha. ◆*to ~ over t* ayudar, sacar de un apuro. ■ *high/low ~*, pleamar *f*/bajamar *f*.

tidings ['taɪdɪŋz] *n* noticias *fpl*, nuevas *fpl*.

tidy ['taɪdɪ] *adj* ordenado,-a. 2 *(appearance)* arreglado,-a. – 3 *t to ~ (up)*, poner en orden. – 4 *i to ~ (up)*, poner las cosas en orden. ◆*to ~ o.s. up*, arreglarse.

tie [taɪ] *n (man's)* corbata. 2 *fig* lazo, vínculo. 3 SP *(draw)* empate *m*. 4 *(hindrance)* atadura. – 5 *t* atar; *(knot)* hacer. – 6 *i* empatar. ◆*to ~ down t* sujetar. ◆*to ~ up t* atar. 2 *(connect)* conectar.

tier [tɪəʳ] *n* grada, fila. 2 *(of cake)* piso.

tiff [tɪf] *n fam* desavenencia.

tiger ['taɪgəʳ] *n* tigre *m*.

tight [taɪt] *adj* apretado,-a. 2 *(rope)* tensado,-a. 3 *(clothes)* ajustado,-a, ceñido,-a. 4 *fam (stingy)* agarrado,-a. 5 *fam (scarce)* escaso,-a. ■ *~ spot*, aprieto.

tighten ['taɪtən] *t-i* apretar(se). 2 *(rope)* tensar(se).

tightfisted [taɪtˈfɪstɪd] *adj* tacaño,-a.

tightrope ['taɪtrəʊp] *n* cuerda floja. ■ *~ walker*, funámbulo,-a.

tights [taɪts] *npl* panties *mpl*, medias *fpl*. 2 *(thick)* leotardos *mpl*.

tigress ['taɪgrəs] *n* tigresa.

tile [taɪl] *n (wall)* azulejo. 2 *(floor)* baldosa. 3 *(roof)* teja. – 4 *t (wall)* alicatar, poner azulejos a. 5 *(floor)* embaldosar. 6 *(roof)* tejar.

till [tɪl] *prep* hasta. – 2 *conj* hasta que. – 3 *n (for cash)* caja. – 4 *t* labrar, cultivar.

tiller ['tɪləʳ] *n* caña del timón.

tilt [tɪlt] *n* inclinación, ladeo. – 2 *t-i* inclinar(se), ladear(se). ◆*at full ~*, a toda velocidad.

timber ['tɪmbəʳ] *n* madera (de construcción). 2 *(beam)* viga. 3 *(trees)* árboles *mpl* maderables.

time [taɪm] *n gen* tiempo: *~ flies*, el tiempo vuela. 2 *(short period)* rato: *we spoke for a ~*, hablamos durante un rato. 3 *(of day)* hora: *it's ~ to go*, es (la) hora de marchar; *what ~ is it?*, ¿qué hora es? 4 *(age, period, season)* época. 5 *(occasion)* vez *f*: *how many times?*, ¿cuántas veces?; *two at a ~*, de dos en dos. 6 MUS compás *m*. – 7 *t (measure ~)* medir la duración de; SP cronometrar. 8 *(set ~)* fijar la hora de. ◆*at any ~*, en cualquier momento; *at no ~*, nunca; *at the same ~*, al mismo tiempo; *at times*, a veces; *behind the times*, anticuado; *from ~ to ~*, de vez en cuando; *in ~*, *(in the long run)* con el tiempo; *(not late)* con tiempo de sobra; *on ~*, puntual; *to have a good ~*, divertirse, pasarlo bien. ■ *~ bomb*, bomba de relojería.

time-honoured ['taɪmɒnəd] *adj* consagrado,-a.

timekeeper ['taɪmkiːpəʳ] *n* cronometrador,-ra.

timely ['taɪmlɪ] *adj* oportuno,-a.

timepiece ['taɪmpiːs] *n* reloj *m*.

timer ['taɪməʳ] *n (machine)* temporizador *m*.

times [taɪmz] *prep* (multiplicado) por.

timetable ['taɪmteɪbəl] *n* horario.

timid ['tɪmɪd] *adj* tímido,-a.

timidity [tɪˈmɪdɪtɪ] *n* timidez *f*.

tin [tɪn] *n (metal)* estaño. 2 *(can)* lata, bote *m*. 3 *(for baking)* molde *m*. – 4 *t* enlatar. ■ *~ opener*, abrelatas *m inv*.

tinder ['tɪndəʳ] *n* yesca.

tinfoil ['tɪnfɔɪl] *n* papel *m* de estaño.

tinge [tɪndʒ] *n* tinte *m*, matiz *f*. – 2 *t* teñir.

tingle ['tɪŋgəl] *n* hormigueo. – 2 *i* hormiguear.

tinker ['tɪŋkəʳ] *n* hojalatero,-a. – 2 *i to ~ with*, tratar de arreglar; *(ruin)* estropear.

tinkle ['tɪŋkəl] *n* tintineo. – 2 *t-i (hacer)* tintinar. ◆GB *fam to give sb. a ~*, llamar a algn. por teléfono.

tinny ['tɪnɪ] *adj* metálico,-a. 2 *(cheap)* de pacotilla.

tinsel ['tɪnsəl] *n* oropel *m*.

tint [tɪnt] *n* tinte *m*, matiz *f*. – 2 *t* teñir, matizar.

tiny ['taɪnɪ] *adj* diminuto,-a.

tip [tɪp] *n* extremo, punta. 2 *(money)* propina. 3 *(advice)* consejo. 4 *(for rubbish)* vertedero, basurero. – 5 *t-i* inclinar(se), ladear(se). – 6 *t (rubbish)* verter. 7 *(give money)* dar una propina a. ◆*to ~ off t* dar un soplo a. ◆*to ~ over/up t-i* volcar(se).

tip-off ['tɪpɒf] *n fam* soplo.

tipsy ['tɪpsɪ] *adj* achispado,-a.

tiptoe ['tɪptəʊ] *n on ~*, de puntillas.

tiptop ['tɪptɒp] *adj fam* de primera.

tirade [taɪ'reɪd] *n* invectiva.

tire ['taɪə'] *t-i* cansar(se), fatigar(se).

tired ['taɪəd] *adj* cansado,-a.

tiredness ['taɪədnəs] *n* cansancio.

tireless ['taɪələs] *adj* incansable.

tiresome ['taɪəsəm] *adj* molesto,-a, pesado,-a.

tiring ['taɪərɪŋ] *adj* cansado,-a, agotador,-ra.

tissue ['tɪʃuː] *n* tisú *m*. 2 *(handkerchief)* pañuelo de papel. 3 BIOL tejido. ■ ~ *paper*, papel *m* de seda.

tit [tɪt] *n sl* teta. ●~ *for tat*, donde las dan las toman.

titbit ['tɪtbɪt] *n* golosina.

tithe [taɪð] *n* diezmo.

titillate ['tɪtɪleɪt] *t* excitar.

titivate ['tɪtɪveɪt] *t* emperifollar.

title ['taɪtəl] *n* título. ■ ~ *deed*, escritura de propiedad; ~ *page*, portada.

titter ['tɪtə'] *n* risita. – 2 *i* reírse disimuladamente.

tizzy ['tɪzɪ] *n fam to get into a ~*, ponerse nervioso,-a.

tittle-tattle ['tɪtəltætəl] *n* chismes *mpl*.

to [tʊ, *unstressed* tə] *prep gen* a. 2 *(towards)* hacia. 3 *(as far as)* a, hasta. 4 *(telling time)* menos: *ten ~ two*, las dos menos diez. 5 *(in order ~)* para, a fin de. ●~ *and fro*, de acá para allá; *to come ~*, volver en sí. ▲ *Cuando se usa para formar el infinitivo del verbo no se traduce.*

toad [təʊd] *n* sapo.

toadstool ['təʊdstuːl] *n* hongo *venenoso*.

toast [təʊst] *n* pan *m* tostado: *a piece of ~*, una tostada. 2 *(drink)* brindis *m*. – 3 *t* tostar. 4 *(drink)* brindar por.

toaster ['təʊstə'] *n* tostador *m*.

tobacco [tə'bækəʊ] *n* tabaco.

tobacconist [tə'bækənɪst] *n* estanquero,-a. ■ *tobacconist's (shop)*, estanco.

toboggan [tə'bɒgən] *n* tobogán *(m)*. – 2 *i* ir en tobogán.

today [tə'deɪ] *n* hoy *m*. – 2 *adv* hoy. 3 *(nowadays)* hoy en día.

toddle ['tɒdəl] *i (child)* dar los primeros pasos.

toddler ['tɒdlə'] *n* niño,-a *que empieza a andar*.

to-do [tə'duː] *n* lío, jaleo.

toe [təʊ] *n* dedo del pie. 2 *(of shoe)* punta.

toenail ['təʊneɪl] *n* uña del dedo del pie.

toffee ['tɒfɪ] *n* caramelo.

together [tə'geðə'] *adv* junto, juntos,-as. ●*to come ~*, juntarse; ~ *with*, junto con.

toggle ['tɒgəl] *n* botón *m* de madera.

togs [tɒgz] *npl fam* ropa *f sing*.

toil [tɔɪl] *n* trabajo, esfuerzo. – 2 *i* afanarse, esforzarse.

toilet ['tɔɪlət] *n* wáter *m*, lavabo. 2 *(public)* servicios *mpl*. 3 *(washing)* aseo. ■ ~ *paper*, papel *m* higiénico.

token ['təʊkən] *n* señal *f*, prueba. 2 *(coupon)* vale *m*. 3 *(coin)* ficha. – 4 *adj* simbólico,-a.

told [təʊld] *pt & pp* → **tell**.

tolerance ['tɒlərəns] *n* tolerancia.

tolerant ['tɒlərənt] *adj* tolerante.

tolerate ['tɒləreɪt] *t* tolerar.

toll [təʊl] *n* peaje *m*. 2 *(of bell)* tañido. – 3 *t-i* tañer, doblar.

tomato [tə'mɑːtəʊ, US tə'meɪtəʊ] *n* tomate *m*.

tomb [tuːm] *n* tumba, sepulcro.

tomboy ['tɒmbɔɪ] *n* marimacho *f*.

tombstone ['tuːmstəʊn] *n* lápida (sepulcral).

tomcat ['tɒmkæt] *n* gato (macho).

tome [təʊm] *n* tomo.

tomfoolery [tɒm'fuːlərɪ] *n* tonterías *fpl*.

tomorrow [tə'mɒrəʊ] *adv-n* mañana *(m)*.

tom-tom ['tɒmtɒm] *n* tam-tam *m*.

ton [tʌn] *n* tonelada.

tone [təʊn] *n* tono. ◆*to ~ down t* atenuar, suavizar.

tone-deaf [təʊn'def] *adj* duro,-a de oído.

tongs [tɒŋz] *npl* tenacillas *fpl*.

tongue [tʌŋ] *n* lengua. ●*to hold one's ~*, callarse. ■ ~ *twister*, trabalenguas *m inv*.

tonic ['tɒnɪk] *adj-n* tónico,-a *(m)*.

tonight [tə'naɪt] *adv-n* esta noche *(f)*.

tonnage ['tʌnɪdʒ] *n* tonelaje *m*.

tonsil ['tɒnsəl] *n* amígdala.

tonsillitis [tɒnsə'laɪtəs] *n* amigdalitis *f*.

too [tuː] *adv* demasiado. 2 *(also)* también. 3 *(besides)* además. ●~ *many*, demasiados,-as; ~ *much*, demasiado,-a.

took [tʊk] *pt* → **take**.

tool [tu:l] *n* herramienta, instrumento.
toot [tu:t] AUTO *n* bocinazo. — 2 *t-i* tocar (la bocina).
tooth [tu:θ] *n* diente *m*; *(molar)* muela. 2 *(of comb)* púa. 3 *(of saw)* diente. ▲ *pl* **teeth**.
toothache ['tu:θeɪk] *n* dolor *m* de muelas.
toothbrush ['tu:θbrʌʃ] *n* cepillo de dientes.
toothless ['tu:θləs] *adj* desdentado,-a.
toothpaste ['tu:θpeɪst] *n* pasta de dientes.
toothpick ['tu:θpɪk] *n* mondadientes *m inv*, palillo.
top [tɒp] *n* parte *f* superior/de arriba. 2 *(of mountain)* cumbre *m*. 3 *(of tree)* copa. 4 *(surface)* superficie *f*. 5 *(of bottle)* tapón *m*, tapa. 6 *(of list)* cabeza. 7 *(toy)* peonza. 8 *(clothes)* blusa (corta), top *m*. — 9 *adj* de arriba, superior, más alto,-a. 10 *(best)* mejor. — 11 *t* cubrir, rematar. 12 *(better)* superar. ◆*to ~ up t* llenar hasta arriba. ●*at ~ speed,* a toda velocidad; *from ~ to bottom,* de arriba abajo; *on ~ of,* encima de. ■ ~ *hat,* chistera.
topaz ['təʊpæz] *n* topacio.
topic ['tɒpɪk] *n* tema *m*.
topical ['tɒpɪkəl] *adj* de actualidad.
topless ['tɒpləs] *adj* desnudo,-a de cintura para arriba.
topple ['tɒpəl] *t-i* volcar(se). 2 *fig* derribar(se).
top-secret [tɒp'si:krət] *adj* sumamente secreto,-a.
torch [tɔ:tʃ] *n* antorcha. 2 *(electric)* linterna.
tore [tɔ:ʳ] *pt* → **tear**.
torment ['tɔ:mənt] *n* tormento, tortura. — 2 *t* atormentar, torturar. ▲ *En 2 (verbo)* [tɔ:'ment].
torn [tɔ:n] *pp* → **tear**. — 2 *adj* rasgado,-a, roto,-a.
tornado [tɔ:'neɪdəʊ] *n* tornado.
torpedo [tɔ:'pi:dəʊ] *n* torpedo. — 2 *t* torpedear.
torrent ['tɒrənt] *n* torrente *m*.
torrid ['tɒrɪd] *adj* tórrido,-a.
torso ['tɔ:səʊ] *n* torso.
tortoise ['tɔ:təs] *n* tortuga (de tierra).
tortuous ['tɔ:tjʊəs] *adj* tortuoso,-a.
torture ['tɔ:tʃə] *n* tortura, tormento. — 2 *t* torturar, atormentar.
Tory ['tɔ:rɪ] *adj-n* GB POL conservador,-a.
toss [tɒs] *n* sacudida. 2 *(of coin)* sorteo a cara o cruz. — 3 *t* sacudir, menear. 4

(ball) arrojar, lanzar. — 5 *i* moverse, agitarse. ◆*to ~ up for t* echar a cara y cruz.
toss-up ['tɒsʌp] *n it's a ~,* tanto puede ser uno como otro.
tot [tɒt] *n* chiquitín,-na. 2 *fam (drink)* trago. ◆*to ~ up t* sumar.
total ['təʊtəl] *adj-n* total *(m)*. — 2 *t-i* sumar.
totalitarian [təʊtælɪ'teərɪən] *adj* totalitario,-a.
tote [təʊt] *t fam* acarrear.
totter ['tɒtəʳ] *i* tambalearse.
touch [tʌtʃ] *n* toque *m*. 2 *(sense)* tacto. 3 *(detail)* detalle *m*. 4 *fam* habilidad. — 5 *t-i* tocar(se). — 6 *t (move)* conmover. 7 *(equal)* igualar. ◆*to ~ down i (plane)* aterrizar. 2 SP hacer un ensayo. ◆*to ~ off t* provocar. ◆*to ~ up t* retocar. ●*to get in ~ with,* ponerse en contacto con.
touchdown ['tʌtʃdaʊn] *n (on land)* aterrizaje *m*. 2 *(on sea)* amerizaje *m*. 3 SP ensayo.
touched [tʌtʃt] *adj* conmovido,-a. 2 *(crazy)* tocado,-a.
touchiness ['tʌtʃɪnəs] *n* susceptibilidad.
touching ['tʌtʃɪŋ] *adj* conmovedor,-ra.
touchy ['tʌtʃɪ] *adj* susceptible.
tough [tʌf] *adj* fuerte, resistente. 2 *(difficult, severe)* duro,-a. 3 *(meat)* duro,-a.
toughen ['tʌfən] *t-i* endurecer(se).
toughness ['tʌfnəs] *n* dureza, resistencia. 2 *(difficulty)* dificultad. 3 *(severity)* severidad.
toupee ['tu:peɪ] *n* peluquín *m*.
tour [tʊəʳ] *n* viaje *m*. 2 *(round building)* visita. 3 SP THEAT gira. — 4 *t* recorrer. 5 *(building)* visitar.
tourism ['tʊərɪzəm] *n* turismo.
tourist ['tʊərɪst] *n* turista *mf*.
tournament ['tʊənəmənt] *n* torneo.
tourniquet ['tʊənɪkeɪ] *n* torniquete *m*.
tousled ['taʊzəld] *adj* despeinado,-a.
tout [taʊt] *n* revendedor,-ra. — 2 *t* revender. — 3 *i* intentar captar clientes.
tow [təʊ] *t* remolcar. ●*on ~,* de remolque.
toward(s) [tə'wɔ:d(z)] *prep* hacia. 2 *(attitude)* para con. 3 *(payment)* para.
towel ['taʊəl] *n* toalla.
tower ['taʊəʳ] *n* torre *f*. 2 *(of church)* campanario. — 3 *i* elevarse. ◆*to ~ above/ over t* dominar.
towering ['taʊərɪŋ] *adj* alto,-a.
town [taʊn] *n* ciudad. 2 *(small)* población, municipio, pueblo. ●*on the ~,* de juerga; *to paint the ~ red ,* ir de juerga. ■ ~ *council/hall,* ayuntamiento.

toxic ['tɒksɪk] *n* tóxico,-a.
toxicology [tɒksɪ'kɒlədʒɪ] *n* toxicología.
toy [tɔɪ] *n* juguete *m*. – 2 *i* jugar.
toyshop ['tɔɪʃɒp] *n* juguetería.
trace [treɪs] *n* indicio, rastro. – 2 *t (draw)* trazar, esbozar. 3 *(copy)* calcar. 4 *(track)* seguir la pista de. 5 *(find origin)* buscar el origen de.
tracing ['treɪsɪŋ] *n* calco.
track [træk] *n (marks)* pista, huellas *fpl.* 2 *(path)* camino. 3 SP pista. 4 *(for motorracing)* circuito. 5 *(of railway)* vía. – 6 *t* seguir la pista de. ◆*to ~ down t* localizar, encontrar.
tracksuit ['træksuːt] *n* chándal *m*.
tract [trækt] *n (land)* extensión. 2 *(treatise)* tratado. ■ *digestive ~,* aparato digestivo.
tractable ['træktəbəl] *adj* tratable.
traction ['trækʃən] *n* tracción.
tractor ['træktəʳ] *n* tractor *m*.
trade [treɪd] *n* oficio. 2 *(business)* negocio, *(industry)* industria. 3 *(commerce)* comercio. – 4 *i* comerciar. – 5 *t (exchange)* cambiar, trocar. ■ *~ union,* sindicato obrero.
trader ['treɪdəʳ] *n* comerciante *mf*.
tradesman ['treɪdzmən] *n* comerciante *m*.
trading ['treɪdɪŋ] *n* comercio.
tradition [trə'dɪʃən] *n* tradición.
traditional [trə'dɪʃənəl] *adj* tradicional.
traffic ['træfɪk] *n* AUTO tráfico, tránsito, circulación. 2 *(trade)* tráfico. – 3 *i* traficar. ■ *~ light,* semáforo.
trafficker ['træfɪkəʳ] *n* traficante *mf*.
tragedy ['trædʒədɪ] *n* tragedia.
tragic ['trædʒɪk] *adj* trágico,-a.
trail [treɪl] *n* rastro, pista. 2 *(path)* camino. 3 *(of comet, jet)* estela. – 4 *t (follow)* seguir (la pista de). – 5 *t-i (drag)* arrastrar(se). – 6 *i (lag behind)* rezagarse. 7 *(plant)* arrastrar(se).
trailer ['treɪləʳ] *n* AUTO remolque *m*. 2 CINEM tráiler *m*.
train [treɪn] *n* tren *m*. 2 *(of dress)* cola. 3 *(of mules)* recua. – 4 *t-i* SP entrenar(se). 5 *(teach)* formar(se). 6 *(gun)* apuntar *(on,* a). – 7 *t (animal)* adiestrar.
trainee [treɪ'niː] *n* aprendiz,-za.
trainer ['treɪnəʳ] *n* SP entrenador,-ra. 2 *(of dogs)* amaestrador,-ra. 3 *(shoe)* zapatilla.
training ['treɪnɪŋ] *n* formación. 2 SP entrenamiento. 3 *(of dogs)* amaestramiento.
trait [treɪt] *n* rasgo.
traitor ['treɪtəʳ] *n* traidor,-ra.

trajectory [trə'dʒektərɪ] *n* trayectoria.
tram [træm] *n* tranvía *m*.
tramp [træmp] *n* vagabundo,-a. – 2 *i* caminar (con pasos pesados).
trample ['træmpəl] *t* pisotear.
trampoline ['træmpəliːn] *n* cama elástica.
trance [trɑːns] *n* trance *m*.
tranquil ['træŋkwɪl] *adj* tranquilo,-a.
tranquility [træŋ'kwɪlɪtɪ] *n* tranquilidad.
tranquillize ['træŋkwɪlaɪz] *t* tranquilizar.
tranquillizer ['træŋkwɪlaɪzəʳ] *n* tranquilizante *m*, calmante *m*.
transact [træn'zækt] *t* llevar a cabo, despachar.
transaction [træn'zækʃən] *n* operación, transacción.
transatlantic [trænzət'læntɪk] *adj* transatlántico,-a.
transcend [træn'send] *t* sobrepasar, trascender.
transcendental [trænsen'dentəl] *adj* trascendental.
transcribe [træn'skraɪb] *t* transcribir.
transcript ['trænskrɪpt] *n* transcripción.
transfer ['trænsfɜːʳ] *n* transferencia. 2 JUR traspaso. – 3 *t* transferir. 4 JUR traspasar. ▲ *En 3 y 4 (verbo)* [træns'fɜːʳ].
transform [træns'fɔːm] *t-i* transformar(se).
transformation [trænsfə'meɪʃən] *n* transformación.
transformer [træns'fɔːməʳ] *n* ELEC transformador *m*.
transfusion [træns'fjuːʒən] *n* transfusión (de sangre).
transgress [træns'gres] *t* transgredir.
transgression [træns'greʃən] *n* transgresión.
transient ['trænzɪənt] *adj* transitorio,-a.
transistor [træn'zɪstəʳ] *n* transistor *m*.
transit ['trænsɪt] *n* tránsito, paso.
transition [træn'zɪʃən] *n* transición.
transitive ['trænsɪtɪv] *adj* transitivo,-a.
transitory ['trænsɪtərɪ] *adj* transitorio,-a.
translate [træns'leɪt] *t* traducir.
translation [træns'leɪʃən] *n* traducción.
translator [træns'leɪtəʳ] *n* traductor,-ra.
translucent [trænz'luːsənt] *adj* translúcido,-a.
transmission [trænz'mɪʃən] *n* transmisión.
transmit [trænz'mɪt] *t* transmitir.
transmitter [trænz'mɪtəʳ] *n (apparatus)* transmisor *m*. 2 RAD TV emisora.

transparence [træns'peərəns] *n* transparencia.

transparency [træns'peərənsı] *n* transparencia. 2 *(slide)* diapositiva.

transparent [træns'peərənt] *adj* transparente.

transpiration [trænspı'reıʃən] *n* transpiración.

transpire [træns'paıəʳ] *t-i* transpirar. 2 *fam (happen)* pasar, ocurrir.

transplant ['trænsplɑːnt] *n* transplante *m*. — 2 *t* transplantar. ▲ *En* 2 *(verbo)* [træns'plɑːnt].

transport ['trænspɔːt] *n* transporte *m*. — 2 *t* transportar. ▲ *En* 2 *(verbo)* [træns'pɔːt].

transportation [trænspɔː'teıʃən] *n* transporte *m*.

transporter [træns'pɔːtəʳ] *n* transportador *m*.

transpose [træns'pəuz] *t* transponer. 2 MUS transportar.

transversal [trænz'vɜːsəl] *adj* transversal.

transvestite [trænz'vestaıt] *n* travestido,-a, travestí *m*, travestí *m*.

trap [træp] *n* trampa. — 2 *t* atrapar. ●*to set a ~,* tender una trampa.

trapeze [trə'piːz] *n* trapecio.

trapper ['træpəʳ] *n* trampero,-a.

trappings ['træpıŋz] *npl* adornos *mpl*, atavíos *mpl*.

trash [træʃ] *n* pacotilla. 2 US basura.

trashy ['træʃı] *adj* de pacotilla.

traumatic [trɔː'mætık] *adj* traumático,-a.

travel ['trævəl] *n* viajes *mpl*. — 2 *i* viajar. ■ *~ agency,* agencia de viajes.

traveller ['trævələʳ] *n* viajero,-a. 2 COM viajante *mf*. ■ *traveller's cheque,* cheque *m* de viaje.

travelling ['trævəlıŋ] *adj* ambulante. — 2 *n* viajar *m*. ■ *~ expenses,* gastos *mpl* de viaje.

travel-sick ['trævəlsık] *adj* mareado,-a.

travel-sickness ['trævəlsıknəs] *n* mareo.

traverse [trə'vɜːs] *t* cruzar, atravesar.

travesty ['trævəstı] *n* parodia. — 2 *t* parodiar.

trawl [trɔːl] *n* red *f* barredera. — 2 *i* pescar al arrastre.

trawler ['trɔːləʳ] *n* barco de arrastre.

tray [treı] *n* bandeja.

treacherous ['tretʃərəs] *adj* traidor,-ra, traicionero,-a. 2 *(dangerous)* muy peligroso,-a.

treachery ['tretʃərı] *n* traición.

treacle ['triːkəl] *n* GB melaza.

tread [tred] *n* paso. 2 *(on tyre)* dibujo. — 3 *t-i* pisar. ▲ *pt* **trod;** *pp* **trodden** *o* **trod**.

treason ['triːzən] *n* traición.

treasure ['treʒəʳ] *n* tesoro. — 2 *t (keep)* guardar como un tesoro. 3 *(value)* apreciar mucho.

treasurer ['treʒərəʳ] *n* tesorero,-a.

treasury ['treʒərı] *n* tesorería.

treat [triːt] *n* convite *m*. 2 *(present)* regalo. 3 *(pleasure)* placer *m*, deleite *m*. — 4 *t* tratar. 5 *(invite)* convidar, invitar.

treatise ['triːtıs] *n* tratado.

treatment ['triːtmənt] *n* tratamiento. 2 *(behaviour)* trato, conducta.

treaty ['triːtı] *n* tratado.

treble ['trebəl] *adj* triple. 2 MUS de tiple. — 3 *t-i* triplicar(se).

tree [triː] *n* árbol *m*.

trek [trek] *n* viaje *m* (largo y difícil); *(on foot)* caminata. — 2 *i* viajar; *(on foot)* caminar.

trellis ['trelıs] *n* enrejado.

tremble ['trembəl] *n* temblor *m*, estremecimiento. — 2 *i* temblar, estremecerse.

tremendous [trı'mendəs] *adj* tremendo,-a, inmenso,-a. 2 *fam (great)* fantástico,-a, estupendo,-a.

tremor ['treməʳ] *n* temblor *m*.

trench [trentʃ] *n* zanja. 2 MIL trinchera.

trend [trend] *n* tendencia.

trendy ['trendı] *adj fam* moderno,-a.

trepidation [trepı'deıʃən] *n* turbación.

trespass ['trespəs] *n* entrada ilegal. — 2 *i* entrar ilegalmente.

trestle ['tresəl] *n* caballete *m*.

trial ['traıəl] *n* JUR proceso, juicio. 2 *(test)* prueba. 2 *(suffering)* aflicción.

triangle ['traıæŋgəl] *n* triángulo.

triangular [traı'æŋgjuləʳ] *adj* triangular.

tribal ['traıbəl] *adj* tribal.

tribe [traıb] *n* tribu *f*.

tribulation [trıbju'leıʃən] *n* tribulación.

tribunal [traı'bjuːnəl] *n* tribunal *m*.

tributary ['trıbjutərı] *n* afluente *m*.

tribute ['trıbjuːt] *n* homenaje *m*. 2 *(payment)* tributo.

trice [traıs] *n in a ~,* en un santiamén.

trick [trık] *n (skill, magic)* truco. 2 *(deception)* ardid *m*, engaño. 3 *(joke)* broma. 4 *(cards won)* baza. — 5 *t* engañar. 6 *(swindle)* timar, estafar. ●*to play a ~ on,* gastar una broma a.

trickery ['trıkərı] *n* superchería, engaño.

trickle ['trıkəl] *n* goteo, hilo. — 2 *i* gotear.

tricky ['trıkı] *adj* taimado,-a, astuto,-a. 2 *(difficult)* difícil, delicado,-a.

tricycle ['traɪsɪkəl] *n* triciclo.

trident ['traɪdənt] *n* tridente *m*.

trifle ['traɪfəl] *n* fruslería, bagatela, nimiedad. 2 CULIN GB postre *m de bizcocho borracho, fruta, gelatina, crema y nata*. − 3 *i* jugar (*with*, con).

trifling ['traɪfəlɪŋ] *adj* insignificante.

trigger ['trɪgəʳ] *n* disparador *m*. 2 (*of gun*) gatillo. − 3 *t* desencadenar.

trigonometry [trɪgə'nɒmətrɪ] *n* trigonometría.

trill [trɪl] *n* trino. − 2 *t-i* trinar.

trillion ['trɪlɪən] *n* GB trillón *m*. 2 US billón *m*.

trilogy ['trɪlədʒɪ] *n* trilogía.

trim [trɪm] *adj* bien arreglado,-a. 2 (*person*) aseado,-a. − 3 *n* (*cut*) recorte *m*. 4 (*condition*) estado, condiciones *fpl*. − 5 *t* arreglar. 6 (*cut*) recortar. 7 (*decorate*) decorar. ●*in* ~, en forma.

trimmings ['trɪmɪŋs] *npl* adornos *mpl*, decoración *f sing*. 2 CULIN guarnición *f sing*.

trio ['triːəʊ] *n* trío.

trinket ['trɪŋkɪt] *n* baratija.

trip [trɪp] *n* viaje *m*. 2 (*excursion*) excursión. 3 *sl* (*drugs*) viaje. − 4 *i* tropezar. − 5 *t to* ~ (*up*), zancadillear.

tripe [traɪp] *n* CULIN callos *mpl*. 2 *fam* bobadas *fpl*.

triple ['trɪpəl] *adj* triple. − 2 *t-i* triplicar(se).

triplet ['trɪplət] *n* trillizo,-a.

triplicate ['trɪplɪkət] *adj in* ~, por triplicado,-a.

tripod ['traɪpɒd] *n* trípode *m*.

trite [traɪt] *adj* gastado,-a, trillado,-a.

triumph ['traɪəmf] *n* triunfo. 2 (*joy*) júbilo. − 3 *i* triunfar.

triumphal [traɪ'ʌmfəl] *adj* triunfal.

triumphant [traɪ'ʌmfənt] *adj* triunfante.

trivial ['trɪvɪəl] *adj* trivial.

trod [trɒd] *pt & pp* → tread.

trodden ['trɒdən] *pp* → tread.

trolley ['trɒlɪ] *n* carro, carrito.

trombone [trɒm'bəʊn] *n* trombón *m*.

troop [truːp] *n* grupo, banda. 2 MIL tropa. − 3 *i* marchar/ir (en masa).

trooper ['truːpəʳ] *n* soldado de caballería.

trophy ['trəʊfɪ] *n* trofeo.

tropic ['trɒpɪk] *n* trópico.

tropical ['trɒpɪkəl] *adj* tropical.

trot [trɒt] *n* trote *m*. − 2 *i* trotar. ●*on the* ~, seguidos,-as.

trotter ['trɒtəʳ] *n* (*pig's*) mano *f*, pie *m*.

trouble ['trʌbəl] *n* (*problem*) problema *m*, dificultad. 2 (*worry*) preocupación. 3

(*anxiety*) ansiedad, pena. 4 (*inconvenience*) molestia. − 5 *t* (*worry*) preocupar. − 6 *t-i* (*bother*) molestar(se). ●*to be in* ~, estar en un apuro; *it's not worth the* ~, no vale la pena; *fam to get sb. into* ~, dejar embarazada a algn. ■ ~ *spot*, punto conflictivo.

trouble-free ['trʌbəlfriː] *adj* sin problemas.

troublemaker ['trʌbəlmeɪkəʳ] *n* alborotador,-ra.

troubleshooter ['trʌbəlʃuːtəʳ] *n* conciliador,-ra, mediador,-ra.

troublesome ['trʌbəlsəm] *adj* molesto,-a, fastidioso,-a.

trounce [traʊns] *t* zurrar.

trough [trɒf] *n* (*for water*) abrevadero. 2 (*for food*) comedero. 3 METEOR depresión.

troupe [truːp] *n* compañía.

trousers ['traʊzəz] *npl* pantalón *m sing*, pantalones *mpl*.

trousseau ['truːsəʊ] *n* ajuar *m* de novia. ▲ *pl* trousseaus *o* trousseaux.

trout [traʊt] *n* trucha.

trowel ['traʊəl] *n* paleta. 2 (*garden tool*) desplantador *m*.

truant ['truːənt] *n to play* ~, hacer novillos.

truce [truːs] *n* tregua.

truck [trʌk] *n* GB vagón *m*. 2 US camión *m*.

trucker ['trʌkəʳ] *n* US camionero,-a.

truculent ['trʌkjʊləns] *adj* agresivo,-a.

trudge [trʌdʒ] *i* andar penosamente.

true [truː] *adj* verdadero,-a, cierto,-a. 2 (*genuine*) auténtico,-a, genuino,-a. 3 (*faithful*) fiel, leal. 4 (*exact*) exacto,-a. ●*it's* ~, es verdad.

truffle ['trʌfəl] *n* trufa.

truism ['truːɪzəm] *n* perogrullada.

truly ['truːlɪ] *adv* verdaderamente. ●*yours* ~, atentamente.

trump [trʌmp] *n* triunfo. − 2 *t* matar con un triunfo. ●*to* ~ *up* *t* inventar.

trumpet ['trʌmpɪt] *n* trompeta.

truncate [trʌŋ'keɪt] *t* truncar.

truncheon ['trʌntʃən] *n* porra.

trunk [trʌŋk] *n* (*of tree, body*) tronco. 2 (*box*) baúl *m*, mundo. 3 (*elephant's*) trompa. 4 US AUTO maletero. 5 *pl* bañador *m sing*. ■ ~ *call*, conferencia interurbana.

truss [trʌs] *t* atar. − 2 *n* MED braguero.

trust [trʌst] *n* confianza, fe *f*. 2 (*responsibility*) responsabilidad. 3 FIN trust *m*. 4

(care) custodia. **− 5** *t* confiar en, fiarse de. **6** *(hope)* esperar.

trustee [trʌs'tiː] *n* fideicomisario,-a, depositario,-a.

trustful ['trʌstfʊl], **trusting** ['trʌstɪŋ] *adj* confiado,-a.

trustworthy ['trʌstwɜːði] *adj* digno,-a de confianza. **2** *(news etc.)* fidedigno,-a.

truth [truːθ] *n* verdad.

truthful ['truːθfʊl] *adj* verídico,-a. **2** *(person)* veraz.

truthfulness ['truːθfʊlnəs] *n* veracidad.

try [traɪ] *n* intento, tentativa. **2** *(rugby)* ensayo. **− 3** *t-i (attempt)* intentar. **− 4** *t* probar. **5** JUR juzgar. **6** *(test)* probar, poner a prueba. ◆*to* ∼ *on t* probarse. ◆*to* ∼ *out t* probar.

trying ['traɪɪŋ] *adj* molesto,-a.

tsar [zɑːʳ] *n* zar *m*.

tsarina [zɑː'riːnə] *n* zarina.

tsetse fly ['tsetsɪflaɪ] *n* mosca tsetsé.

tub [tʌb] *n* tina. **2** *(bath)* bañera, baño.

tuba ['tjuːbə] *n* tuba.

tubby ['tʌbɪ] *adj* rechoncho,-a.

tube [tjuːb] *n* tubo. **2** ANAT trompa. **3** *(underground)* metro.

tubeless ['tjuːbləs] *adj* sin cámara.

tuber ['tjuːbəʳ] *n* tubérculo.

tuberculosis [tjubɜːkjʊ'ləʊsɪs] *n* tuberculosis *f inv*.

tubular ['tjuːbjʊləʳ] *adj* tubular.

tuck [tʌk] *n* pliegue *m*. **− 2** *t to* ∼ *(in/into etc.)*, meter: *to* ∼ *in the bedclothes*, remeter la ropa de la cama. ◆*to* ∼ *in i* comer con apetito.

Tuesday ['tjuːzdɪ] *n* martes *m inv*.

tuft [tʌft] *n* *(feathers)* copete *m*. **2** *(hair)* mechón *m*. **3** *(grass)* mata.

tug [tʌɡ] *n* tirón *m*, estirón *m*. **2** *(boat)* remolcador *m*. **− 3** *t* tirar de, arrastrar. **4** *(boat)* remolcar.

tugboat ['tʌɡbəʊt] *n* remolcador *m*.

tuition [tjʊ'ɪʃən] *n* enseñanza, instrucción.

tulip ['tjuːlɪp] *n* tulipán *m*.

tumble ['tʌmbəl] *n* caída, tumbo. **− 2** *i* caer(se). **■** ∼ *dryer*, secadora.

tumbledown ['tʌmbəldaʊn] *adj* ruinoso,-a.

tumbler ['tʌmbələʳ] *n* vaso.

tummy ['tʌmɪ] *n* fam barriguita.

tumour ['tjuːməʳ] *n* tumor *m*.

tumult ['tjuːmʌlt] *n* tumulto.

tumultuous [tjuː'mʌltjʊəs] *adj* tumultuoso,-a.

tuna ['tjuːnə] *n inv* atún *m*, bonito.

tundra ['tʌndrə] *n* tundra.

tune [tjuːn] *n* melodía. **− 2** *t* MUS afinar. **3** *(engine)* poner a punto. ◆*to* ∼ *in to t* RAD sintonizar. ●*in* ∼, afinado,-a; *out of* ∼, desafinado,-a; *to sing out of* ∼, desafinar.

tuneful ['tjuːnfʊl] *adj* melodioso,-a.

tuner ['tjuːnəʳ] *n* afinador,-ra. **2** *(radio)* sintonizador *m*.

tungsten ['tʌŋstən] *n* tungsteno.

tunic ['tjuːnɪk] *n* túnica.

tuning fork ['tjuːnɪŋfɔːk] *n* diapasón *m*.

tunnel ['tʌnəl] *n* túnel *m*. **− 2** *t* abrir un túnel.

tunny ['tʌnɪ] *n* atún *m*, bonito.

turban ['tɜːbən] *n* turbante *m*.

turbine ['tɜːbaɪn] *n* turbina.

turbojet ['tɜːbəʊdʒet] *n* turborreactor *m*.

turbot ['tɜːbət] *n inv* rodaballo.

turbulence ['tɜːbjʊləns] *n* turbulencia.

turbulent ['tɜːbjʊlənt] *adj* turbulento,-a.

tureen [təˈriːn] *n* sopera.

turf [tɜːf] *n* césped *m*. ◆*to* ∼ *out t fam* poner de patitas en la calle. **■** *the* ∼, las carreras de caballos.

turkey ['tɜːkɪ] *n* pavo.

turmoil ['tɜːmɔɪl] *n* confusión, alboroto.

turn [tɜːn] *n* vuelta, giro, revolución. **2** *(bend)* recodo. **3** *(in game)* turno. **4** *(favour)* favor *m*. **5** *(turning)* bocacalle *f*. **6** *fam (shock)* susto. **− 7** *t* girar, dar la vuelta a: *to* ∼ *the corner*, doblar la esquina. **8** *(page)* pasar. **9** *(change)* convertir, transformar. **− 10** *i* girar, dar vueltas. **11** *(person)* girarse, dar la vuelta. **12** *(direction)* torcer. **13** *(become)* hacerse, ponerse, volverse. ◆*to* ∼ *away t* rechazar. **− 2** *i* volver la cabeza. ◆*to* ∼ *back t-i* (hacer) retroceder. ◆*to* ∼ *down t (reject)* rechazar. **2** *(radio etc.)* bajar. ◆*to* ∼ *in t* entregar a la policía. **−** *2 i fam* acostarse. ◆*to* ∼ *off t (electricity)* desconectar. **2** *(light, gas)* apagar. **3** *(water)* cerrar. **− 4** *t-i* desviarse (de). ◆*to* ∼ *on t (electricity)* conectar. **2** *(light)* encender. **3** *(gas, tap)* abrir. **4** *(machine)* poner en marcha. **5** *(attack)* atacar. **6** *fam* chiflar. ◆*to* ∼ *out t (gas, light)* apagar. **2** *(produce)* producir. **3** *(empty)* vaciar. **− 4** *i (prove to be)* salir, resultar. **5** *(attend)* acudir. **6** *(crowds)* salir a la calle. ◆*to* ∼ *over t* dar la vuelta a. **2** *(idea)* dar vueltas a. **3** COM facturar. **− 4** *i* darse la vuelta, volcarse. ◆*to* ∼ *to t (person)* acudir a. **2** *(page)* buscar. ◆*to* ∼ *up i* aparecer. **2** *(arrive)* presentarse, llegar. **− 3** *t (light, gas, etc.)* subir.

turncoat ['tɜːnkəʊt] *n* tránsfuga *mf*.

turning ['tɜːnɪŋ] *n* bocacalle *f*, esquina. **■** ∼ *point*, punto decisivo.

turnip ['tɜ:nɪp] *n* nabo.

turnout ['tɜ:naʊt] *n* asistencia, concurrencia.

turnover ['tɜ:nəʊvəʳ] *n* COM facturación.

turnpike ['tɜ:npaɪk] *n* US autopista de peaje.

turnstile ['tɜ:nstaɪl] *n* torniquete *m*.

turntable ['tɜ:nteɪbəl] *n* plato giratorio.

turn-up ['tɜ:nʌp] *n* GB vuelta.

turpentine ['tɜ:pəntaɪn] *n* trementina, aguarrás *m*.

turquoise ['tɜ:kwɔɪz] *n (gem)* turquesa. 2 *(colour)* azul *m* turquesa. – 3 *adj* de color turquesa.

turret ['tʌrət] *n* torrecilla.

turtle ['tɜ:təl] *n* tortuga.

turtleneck ['tɜ:təlnek] *n* cuello cisne/alto.

tusk [tʌsk] *n* colmillo.

tussle ['tʌsəl] *n* pelea. – 2 *i* pelearse.

tutor ['tju:təʳ] *n* profesor,-ra particular. 2 *(at university)* tutor,-ra.

tutorial [tju:'tɔ:rɪəl] *n* clase con grupo reducido.

tuxedo [tʌk'si:dəʊ] *n* US esmoquin *m*.

twaddle ['twɒdəl] *n fam* tonterías *fpl*.

twang [twæŋ] *n* sonido vibrante. 2 *(through nose)* gangueo.

tweak [twi:k] *t* pellizcar.

tweed [twi:d] *n* tweed *m*.

tweet [twi:t] *n* pío. – 2 *i* piar.

tweezers ['twi:zəz] *npl* pinzas *fpl*.

twelfth [twelfθ] *adj-n* duodécimo,-a. – 2 *n (fraction)* duodécimo, duodécima parte. ■ ~ **night,** noche *f* de reyes.

twelve [twelv] *adj-n* doce *(m)*.

twentieth ['twentɪəθ] *adj-n* vigésimo,-a. – 2 *n* vigésimo, vigésima parte.

twenty ['twentɪ] *adj-n* veinte *(m)*.

twice [twaɪs] *adv* dos veces: ~ *as big as this one,* el doble de grande que este.

twiddle ['twɪdəl] *t* dar vueltas a.

twig [twɪg] *n* ramita. – 2 *i* caer en la cuenta.

twilight ['twaɪlaɪt] *n* crepúsculo.

twin [twɪn] *n* gemelo,-a, mellizo,-a. – 2 *t* hermanar.

twine [twaɪn] *n* cordel *m*. – 2 *t* enroscar.

twinge [twɪndʒ] *n* punzada.

twinkle ['twɪŋkəl] *n* centelleo. 2 *(in eye)* brillo. – 3 *i* centellear. 4 *(eyes)* brillar.

twirl [twɜ:l] *n* giro rápido. – 2 *t-i* girar rápidamente. 3 *(spin)* retorcer.

twist [twɪst] *n (in road)* recodo, vuelta. 2 *(action)* torsión. 3 MED torcedura. 4 *(dance)* twist *m*. – 5 *t-i* torcer(se), retorcer(se). – 6 *i (road)* serpentear. 7 *(dance)* bailar el twist.

twit [twɪt] *n fam* tonto,-a.

twitch [twɪtʃ] *n* tirón. 2 *(nervous)* tic *m* nervioso. – 3 *t* tirar de, dar un tirón a. – 4 *i* moverse nerviosamente.

twitter ['twɪtəʳ] *n* gorjeo. – 2 *i* gorjear.

two [tu:] *adj-n* dos *(m)*.

twofaced [tu:'feɪst] *adj* hipócrita.

two-piece ['tu:pi:s] *adj* de dos piezas.

tycoon [taɪ'ku:n] *n* magnate *m*.

type [taɪp] *n* tipo, clase *f*. 2 *(letter)* letra, carácter *m*. – 3 *t* pasar/escribir a máquina, mecanografiar.

typewriter ['taɪpraɪtəʳ] *n* máquina de escribir.

typewritten ['taɪprɪtən] *adj* escrito,-a a máquina.

typhoid ['taɪfɔɪd] *n* fiebre *f* tifoidea.

typhoon [taɪ'fu:n] *n* tifón *m*.

typical ['tɪpɪkəl] *adj* típico,-a.

typify ['tɪpɪfaɪ] *t* tipificar.

typing ['taɪpɪŋ] *n* mecanografía.

typist ['taɪpɪst] *n* mecanógrafo,-a.

tyrannical [tɪ'rænɪkəl] *adj* tiránico,-a.

tyrannize ['tɪrənaɪz] *t* tiranizar.

tyranny ['tɪrənɪ] *n* tiranía.

tyrant ['taɪərənt] *n* tirano,-a.

tyre ['taɪəʳ] *n* neumático.

U

ubiquitous [ju:'bɪkwɪtəs] *adj* ubicuo,-a.
udder ['ʌdəʳ] *n* ubre *f*.
ufo ['ju:fəʊ], **UFO** [ju:ef'əʊ] *n fam* ovni *m*.
ugliness ['ʌglɪnəs] *n* fealdad.
ugly ['ʌglɪ] *adj* feo,-a. 2 *(situation etc.)* desagradable.
ulcer ['ʌlsəʳ] *n* llaga. 2 *(in stomach)* úlcera.
ulcerate ['ʌlsəreɪt] *t-i* ulcerar(se).
ulterior [ʌl'tɪərɪəʳ] *adj* oculto,-a.
ultimate ['ʌltɪmət] *adj* último,-a, final. − **2 ultimately** *adv* finalmente. 3 *(basically)* en el fondo.
ultimatum [ʌltɪ'meɪtəm] *n* ultimátum *m*.
ultraviolet [ʌltrə'vaɪələt] *adj* ultravioleta.
umbilical [ʌm'bɪlɪkəl] *adj* umbilical. ■ ~ **cord,** cordón *m* umbilical.
umbrage ['ʌmbrɪdʒ] *n* **to take** ~, ofenderse.
umbrella [ʌm'brelə] *n* paraguas *m inv.* ■ **beach** ~, sombrilla.
umpire ['ʌmpaɪəʳ] *n* árbitro. − **2** *t* arbitrar.
umpteen [ʌmp'ti:n] *adj fam* la tira de, un montón de.
umpteenth [ʌmp'ti:nθ] *adj* enésimo,-a.
unabashed ['ʌnə'bæʃt] *adj* descarado,-a.
unable [ʌn'eɪbəl] *adj* **to be** ~ **to,** no poder.
unabridged [ʌnə'brɪdʒd] *adj* íntegro,-a.
unacceptable [ʌnək'septəbəl] *adj* inaceptable.
unaccompanied [ʌnə'kʌmpənɪd] *adj* solo,-a. **2** MUS sin acompañamiento.
unaccountable [ʌnə'kaʊntəbəl] *adj* inexplicable.
unadvisable [ʌnəd'vaɪzəbəl] *adj* poco aconsejable.
unadulterated [ʌnə'dʌltəreɪtɪd] *adj* puro,-a.
unaffected [ʌnə'fektɪd] *adj* no afectado,-a. **2** *(natural)* sencillo,-a, natural.
unafraid [ʌnə'freɪd] *adj* impertérrito,-a.

unanimity [ju:nə'nɪmɪtɪ] *n* unanimidad.
unanimous [ju:'nænɪməs] *adj* unánime.
unanswerable [ʌn'ɑ:nsərəbəl] *adj* incontestable.
unapproachable [ʌnə'prəʊtʃəbəl] *adj* inaccesible.
unarmed [ʌn'ɑ:md] *adj* desarmado,-a.
unassailable [ʌnə'seɪləbəl] *adj* inexpugnable.
unassuming [ʌnə'sju:mɪŋ] *adj* modesto,-a.
unattached [ʌnə'tætʃt] *adj* suelto,-a. **2** *(person)* sin compromiso.
unattainable [ʌnə'teɪnəbəl] *adj* inasequible.
unattended [ʌnə'tendɪd] *adj* sin vigilar.
unauthorized [ʌn'ɔ:θəraɪzd] *adj* no autorizado,-a.
unavailable [ʌnə'veɪləbəl] *adj* no disponible.
unavoidable [ʌnə'vɔɪdəbəl] *adj* inevitable, ineludible.
unaware [ʌnə'weəʳ] *adj* ignorante. ●**to be** ~ **of,** ignorar.
unawares [ʌnə'weəz] *adv* desprevenido,-a. **2** *(unintentionally)* inconscientemente, sin darse cuenta.
unbalanced [ʌn'bælənst] *adj* desequilibrado,-a.
unbearable [ʌn'beərəbəl] *adj* insoportable.
unbeatable [ʌn'bi:təbəl] *adj* sin rival/igual.
unbecoming [ʌnbɪ'kʌmɪŋ] *adj* impropio,-a.
unbelievable [ʌnbɪ'li:vəbəl] *adj* increíble.
unbias(s)ed [ʌn'baɪəst] *adj* imparcial.
unborn [ʌn'bɔ:n] *adj* aún no nacido,-a. **2** *fig* nonato,-a.
unbosom [ʌn'bʊzəm] *t* **to** ~ **o.s.,** desahogarse.

unbounded [ʌn'baʊndɪd] *adj* ilimitado,-a, infinito,-a.

unbreakable [ʌn'breɪkəbəl] *adj* irrompible.

unbridled [ʌn'braɪdld] *adj* desenfrenado,-a.

unbroken [ʌn'brəʊkən] *adj* entero,-a, intacto,-a. 2 *(uninterrupted)* ininterrumpido,-a. 3 *(record)* imbatido,-a.

unburden [ʌn'bɜːdən] *t* descargar. ●*to* ~ *o.s.,* desahogarse.

unbutton [ʌn'bʌtən] *t* desabrochar.

uncalled-for [ʌn'kɔːldfɔːʳ] *adj* injustificado,-a.

uncanny [ʌn'kænɪ] *adj* misterioso,-a, extraño,-a.

uncared-for [ʌn'keədfɔː] *adj* descuidado,-a.

unceasing [ʌn'siːsɪŋ] *adj* incesante.

uncertain [ʌn'sɜːtən] *adj* incierto,-a, dudoso,-a. 2 *(indecisive)* indeciso,-a.

uncertainty [ʌn'sɜːtəntɪ] *n* incertidumbre *f.*

unchangeable [ʌn'tʃeɪndʒəbəl] *adj* inmutable.

unchanged [ʌn'tʃeɪndʒd] *adj* igual.

uncharitable [ʌn'tʃærɪtəbəl] *adj* poco caritativo,-a.

unchecked [ʌn'tʃekt] *adj* no comprobado,-a. 2 *(unrestrained)* desenfrenado,-a.

uncivil [ʌn'sɪvəl] *adj* descortés.

uncivilized [ʌn'sɪvɪlaɪzd] *adj* incivilizado,-a.

uncle ['ʌŋkəl] *n* tío.

unclear [ʌn'klɪər] *adj* poco claro,-a.

uncoil [ʌn'kɔɪl] *t-i* desenrollar(se).

uncomfortable [ʌn'kʌmfətəbəl] *adj* incómodo,-a.

uncommon [ʌn'kɒmən] *adj* poco común. 2 *(strange)* insólito,-a. – 3 *uncommonly adv* extraordinariamente.

uncommunicative [ʌnkə'mjuːnɪkətɪv] *adj* poco comunicativo,-a.

uncomplimentary [ʌnkɒmplɪ'mentərɪ] *adj* poco halagüeño,-a.

uncompromising [ʌn'kɒmprəmaɪzɪŋ] *adj* inflexible, intransigente.

unconcerned [ʌnkən'sɜːnd] *adj* indiferente.

unconditional [ʌnkən'dɪʃənəl] *adj* incondicional.

unconscious [ʌn'kɒnʃəs] *adj* inconsciente.

unconsciousness [ʌn'kɒnʃəsnəs] *n* pérdida del conocimiento.

unconstitutional [ʌnkɒnstɪ'tjuːʃənəl] *adj* inconstitucional.

uncontrollable [ʌnkən'trəʊləbəl] *adj* incontrolable.

unconventional [ʌnkən'venʃənəl] *adj* poco convencional.

uncooperative [ʌnkəʊ'ɒpərətɪv] *adj* poco cooperativo,-a.

uncork [ʌn'kɔːk] *t* descorchar.

uncouth [ʌn'kuːθ] *adj* tosco,-a, inculto,-a.

uncover [ʌn'kʌvəʳ] *t* destapar. 2 *(secret)* revelar.

uncultivated [ʌn'kʌltɪveɪtɪd] *adj* (land) yermo,-a, baldío,-a. 2 *(person)* inculto,-a.

uncut [ʌn'kʌt] *adj* sin cortar. 2 *(gem)* sin tallar. 2 *(film)* íntegro,-a.

undaunted [ʌn'dɔːntɪd] *adj* impávido,-a.

undecided [ʌndɪ'saɪdɪd] *adj* indeciso,-a. 2 *(question)* no resuelto,-a.

undecipherable [ʌndɪ'saɪfrəbəl] *adj* indescifrable.

undefeated [ʌndɪ'fiːtɪd] *adj* invicto,-a.

undefended [ʌndɪ'fendɪd] *adj* indefenso,-a.

undefined [ʌndɪ'faɪnd] *adj* indefinido,-a.

undeniable [ʌndɪ'naɪəbəl] *adj* innegable, indiscutible.

under ['ʌndəʳ] *prep* bajo, debajo de. 2 *(less than)* menos de. 3 *(ruler)* bajo: ~ *Cromwell,* bajo Cromwell. 4 *(according to)* conforme a, según. – 5 *adv* abajo, debajo.

underarm ['ʌndərɑːm] *adj-adv* SP por debajo del hombro. – 2 *adj (of the armpit)* axilar.

undercarriage ['ʌndəkærɪdʒ] *n* tren *m* de aterrizaje.

undercharge [ʌndə'tʃɑːdʒ] *t* cobrar menos de lo debido.

underclothes ['ʌndəkləʊðz] *npl* ropa *f* sing interior.

undercoat ['ʌndəkəʊt] *n (of paint)* primera mano *f.*

undercover [ʌndə'kʌvəʳ] *adj* clandestino,-a.

undercurrent ['ʌndəkʌrənt] *n* corriente *f* submarina. 2 *fig* tendencia oculta.

undercut [ʌndə'kʌt] *t* vender más barato que. ▲ *pt & pp* **undercut.**

underdeveloped [ʌndədɪ'veləpt] *adj* subdesarrollado,-a.

underdog ['ʌndədɒg] *n* desvalido,-a, perdedor,-ra.

underdone [ʌndə'dʌn] *adj* CULIN poco hecho,-a.

underestimate [ʌndər'estɪmət] *n* infravaloración. – 2 *t* subestimar. ▲ *En 2 (verbo)* [ʌndər'estɪmeɪt].

underexposure [ˌʌndərɪkˈspəʊʒəʳ] *n (of photo)* subexposición.

undergo [ˌʌndəˈgəʊ] *t* experimentar, sufrir. ▲ *pt* **underwent**; *pp* **undergone** [ˌʌndəˈgɒn].

undergraduate [ˌʌndəˈgrædjʊət] *n* estudiante *mf* universitario,-a no licenciado,-a.

underground [ˈʌndəgraʊnd] *adj* subterráneo. 2 *fig* clandestino,-a. – 3 *n (railway)* metro. 4 *(resistance)* resistencia. – 5 *adv* bajo tierra. 6 *(secretly)* en secreto. ▲ *En 5 y 6 (adverbio)* [ˌʌndəˈgraʊnd].

undergrowth [ˈʌndəgrəʊθ] *n* maleza.

underhand [ˈʌndəhænd] *adj* ilícito,-a, deshonesto,-a.

underline [ˌʌndəˈlaɪn] *t* subrayar.

underlying [ˌʌndəˈlaɪŋ] *adj* subyacente. 2 *fig* fundamental.

undermine [ˌʌndəˈmaɪn] *t* minar, socavar.

underneath [ˌʌndəˈniːθ] *prep* debajo de. – 2 *adv* debajo. – 3 *n* parte *f* inferior.

underpaid [ˌʌndəˈpeɪd] *t* mal pagado,-a.

underpants [ˈʌndəpænts] *npl* calzoncillos *mpl*, eslip *m sing*.

underpass [ˈʌndəpæs] *n* paso subterráneo.

underrate [ˌʌndəˈreɪt] *t* subestimar.

undersigned [ˌʌndəˈsaɪnd] *adj-n* abajo firmante *(mf)*.

underskirt [ˈʌndəskɜːt] *n* combinación.

understaffed [ˌʌndəˈstɑːft] *adj* falto,-a de personal.

understand [ˌʌndəˈstænd] *t* entender, comprender. 2 *(believe)* tener entendido. ●*to give to* ~, dar a entender. ▲ *pt & pp* **understood**.

understandable [ˌʌndəˈstændəbəl] *adj* comprensible.

understanding [ˌʌndəˈstændɪŋ] *n* entendimiento. 2 *(agreement)* acuerdo. 3 *(condition)* condición. 4 *(interpretation)* interpretación. – 5 *adj* comprensivo,-a.

understatement [ˌʌndəˈsteɪtmənt] *n* atenuación; *it's an* ~ *to say that ...*, es quedarse corto decir... .

understood [ˌʌndəˈstʊd] *pt & pp* → **understand**. ●*to make o.s.* ~, hacerse entender.

understudy [ˈʌndəstʌdɪ] *n* THEAT suplente *mf*.

undertake [ˌʌndəˈteɪk] *t* emprender; *(responsibility)* asumir. 2 *(promise)* comprometerse *(to*, a). ▲ *pt* **undertook**; *pp* **undertaken** [ˌʌndəˈteɪkən].

undertaker [ˈʌndəteɪkəʳ] *n* empresario,-a de pompas fúnebres.

undertaking [ˌʌndəˈteɪkɪŋ] *n* empresa. 2 *(promise)* promesa.

undertone [ˈʌndətəʊn] *n* voz *f* baja.

undertook [ˌʌndəˈtʊk] *pt* → **undertake**.

undervalue [ˌʌndəˈvæljuː] *t* infravalorar.

underwater [ˌʌndəˈwɔːtəʳ] *adj* submarino,-a. – 2 *adv* bajo el agua.

underwear [ˈʌndəwɜːəʳ] *n* ropa interior.

underwent [ˌʌndəˈwent] *pt* → **undergo**.

underworld [ˈʌndəwɜːld] *n* hampa, bajos fondos *mpl*. 2 *(Hades)* el Hades.

underwrite [ˌʌndəˈraɪt] *t* asegurar. 2 *fig* garantizar. ▲ *pt* **underwrote** [ˌʌndəˈrəʊt]; *pp* **underwritten** [ˌʌndəˈrɪtən].

underwriter [ˈʌndəraɪtəʳ] *n* asegurador,-ra.

undeserved [ˌʌndɪˈzɜːvd] *adj* inmerecido,-a.

undesirable [ˌʌndɪˈzaɪərəbəl] *adj-n* indeseable *(mf)*.

undeveloped [ˌʌndɪˈveləpt] *adj* sin desarrollar. 2 *(land)* sin edificar.

undid [ʌnˈdɪd] *pt* → **undo**.

undisciplined [ʌnˈdɪsɪplɪnd] *adj* indisciplinado,-a.

undisputed [ˌʌndɪsˈpjuːtɪd] *adj* indiscutible.

undivided [ˌʌndɪˈvaɪdɪd] *adj* entero,-a.

undo [ʌnˈduː] *t* deshacer. 2 *(button)* desabrochar. ●*to leave sth. undone,* dejar algo sin hacer. ▲ *pt* **undid**; *pp* **undone** [ʌnˈdʌn].

undoubted [ʌnˈdaʊtɪd] *adj* indudable.

undreamed-of [ʌnˈdriːmdɒv] *adj* nunca soñado,-a.

undress [ʌnˈdres] *t-i* desnudar(se), desvestir(se).

undue [ʌnˈdjuː] *adj* indebido,-a, excesivo,-a.

undulate [ˈʌndjʊleɪt] *i* ondular, ondear.

unduly [ʌnˈdjuːlɪ] *adv* indebidamente.

undying [ʌnˈdaɪɪŋ] *adj* imperecedero,-a.

unearned [ʌnˈɜːnd] *adj* no ganado,-a. ■ ~ *income,* renta.

unearth [ʌnˈɜːθ] *t* desenterrar.

unearthly [ʌnˈɜːθlɪ] *adj* sobrenatural. 2 *(hour)* intempestivo,-a.

uneasiness [ʌnˈiːzɪnəs] *n* inquietud.

uneasy [ʌnˈiːzɪ] *adj* intranquilo,-a, inquieto,-a.

uneconomic(al) [ˌʌniːkəˈnɒmɪk(əl)] *adj* poco rentable.

uneducated [ʌnˈedjʊkeɪtɪd] *adj* inculto,-a, ignorante.

unemployed [ˌʌnɪmˈplɔɪd] *adj* parado,-a, sin trabajo.

unemployment [ʌnɪm'plɔɪmənt] *n* paro, desempleo. ■ ~ *benefit,* subsidio de desempleo.

unending [ʌn'endɪŋ] *adj* interminable.

unenviable [ʌn'envɪəbəl] *adj* poco enviable.

unequal [ʌn'i:kwəl] *adj* desigual.

unequalled [ʌn'i:kwəld] *adj* sin par.

unequivocal [ʌnɪ'kwɪvəkəl] *adj* inequívoco,-a.

unerring [ʌn'ɜːrɪŋ] *adj* infalible.

uneven [ʌn'iːvən] *adj* desigual. 2 *(varying)* irregular. 3 *(road)* lleno,-a de baches.

unevenness [ʌn'iːvənnəs] *n* desigualdad.

uneventful [ʌnɪ'ventful] *adj* sin acontecimientos, tranquilo,-a.

unexceptional [ʌnɪk'sepʃənəl] *adj* corriente.

unexpected [ʌnɪk'spektɪd] *adj* inesperado,-a.

unexplored [ʌnɪk'splɔːd] *adj* inexplorado,-a.

unexpurgated [ʌn'ekspɡeɪtɪd] *adj* íntegro,-a.

unfailing [ʌn'feɪlɪŋ] *adj* indefectible.

unfair [ʌn'feəʳ] *adj* injusto,-a.

unfaithful [ʌn'feɪθful] *adj* infiel.

unfaithfulness [ʌn'feɪθfulnəs] *n* infidelidad.

unfamiliar [ʌnfə'mɪliəʳ] *adj* desconocido,-a. ●*to be* ~ *with,* desconocer.

unfashionable [ʌn'fæʃənəbəl] *adj* pasado,-a de moda.

unfasten [ʌn'fɑːsən] *t* desabrochar. 2 *(untie)* desatar. 3 *(open)* abrir.

unfavourable [ʌn'feɪvərəbəl] *adj* desfavorable, adverso,-a.

unfeeling [ʌn'fiːlɪŋ] *adj* insensible.

unfinished [ʌn'fɪnɪʃt] *adj* inacabado,-a, incompleto,-a.

unfit [ʌn'fɪt] *adj* no apto,-a. 2 *(physically)* no en forma. 3 *(injured)* lesionado,-a. 4 *(incompetent)* incompetente.

unfold [ʌn'fəʊld] *t-i* desplegar(se), abrir(se).

unforeseeable [ʌnfɔː'siːəbəl] *adj* imprevisible.

unforeseen [ʌnfɔː'siːn] *adj* imprevisto,-a.

unforgettable [ʌnfə'ɡetəbəl] *adj* inolvidable.

unforgivable [ʌnfə'ɡɪvəbəl] *adj* imperdonable.

unforgiving [ʌnfə'ɡɪvɪŋ] *adj* implacable.

unfortunate [ʌn'fɔːtjunət] *adj* desgraciado,-a. 2 *(remark)* desafortunado,-a. – 3 *unfortunately adv* degraciadamente, desafortunadamente.

unfounded [ʌn'faundɪd] *adj* infundado,-a, sin base.

unfrequented [ʌnfrɪ'kwentɪd] *adj* poco frecuentado,-a.

unfriendly [ʌn'frendlɪ] *adj* poco amistoso, antipático,-a.

unfurl [ʌn'fɜːl] *t-i* desplegar(se).

unfurnished [ʌn'fɜːnɪʃt] *adj* sin amueblar.

ungainly [ʌn'ɡeɪnlɪ] *adj* desgarbado,-a, torpe.

ungodly [ʌn'ɡɒdlɪ] *adj* impío,-a. 2 *(hour)* intempestivo,-a.

ungrateful [ʌn'ɡreɪtful] *adj* desagradecido,-a.

unhappily [ʌn'hæpɪlɪ] *adv* desgraciadamente.

unhappiness [ʌn'hæpɪnəs] *n* infelicidad, desdicha.

unhappy [ʌn'hæpɪ] *adj* infeliz, triste. 2 *(unsuitable)* desafortunado,-a.

unharmed [ʌn'hɑːmd] *adj* ileso,-a.

unhealthy [ʌn'helθɪ] *adj* malsano,-a. 2 *(ill)* enfermizo,-a. 3 *(unnatural)* morboso,-a.

unheard [ʌn'hɜːd] *adj* no oído,-a.

unheard-of [ʌn'hɜːdəv] *adj* inaudito,-a.

unheeded [ʌn'hiːdɪd] *adj* desatendido,-a.

unhesitating [ʌn'hezɪteɪtɪŋ] *adj* resuelto,-a. 2 *(answer)* pronto,-a.

unhinge [ʌn'hɪndʒ] *t* desquiciar, sacar de quicio.

unhook [ʌn'huk] *t* desenganchar. 2 *(take down)* descolgar. 3 *(dress)* desabrochar.

unhurt [ʌn'hɜːt] *adj* ileso,-a.

unicorn ['juːnɪkɔːn] *n* unicornio.

unidentified [ʌnaɪ'dentɪfaɪd] *adj* no identificado,-a.

unification [juːnɪfɪ'keɪʃən] *n* unificación.

uniform ['juːnɪfɔːm] *adj-n* uniforme *(m)*.

unify ['juːnɪfaɪ] *t* unificar.

unilateral [juːnɪ'lætərəl] *adj* unilateral.

unimaginable [ʌnɪ'mædʒɪnəbəl] *adj* inimaginable.

unimaginative [ʌnɪ'mædʒɪnətɪv] *adj* poco imaginativo,-a.

unimpaired [ʌnɪm'peəd] *adj* no disminuido,-a.

unimportant [ʌnɪm'pɔːtənt] *adj* insignificante, sin importancia.

uninhabited [ʌnɪ'hæbɪtɪd] *adj* deshabitado,-a.

uninspired [ʌnɪn'spaɪəd] *adj* soso,-a.

unintelligible [ʌnɪn'telɪdʒəbəl] *adj* ininteligible.

unintentional [ʌnɪn'tenʃənəl] *adj* involuntario,-a.

uninterested [ʌn'ɪntrəstɪd] *adj* no interesado,-a.

uninteresting [ʌn'ɪntrəstɪŋ] *adj* sin interés.

uninterrupted [ʌnɪntə'rʌptɪd] *adj* ininterrumpido,-a, continuo,-a.

union ['juːnɪən] *n* unión. 2 *(of workers)* sindicato.

unique [juː'niːk] *adj* único,-a.

unisex ['juːnɪseks] *adj* unisex.

unison ['juːnɪsən] *n in ~*, al unísono.

unit ['juːnɪt] *n* unidad.

unite [juː'naɪt] *t-i* unir(se).

unity ['juːnɪtɪ] *n* unidad.

universal [juːnɪ'vɜːsəl] *adj* universal.

universe ['juːnɪvɜːs] *n* universo.

university [juːnɪ'vɜːsɪtɪ] *n* universidad. – 2 *adj* universitario,-a.

unjust [ʌn'dʒʌst] *adj* injusto,-a.

unjustifiable [ʌndʒʌstɪ'faɪəbəl] *adj* injustificable.

unjustified [ʌn'dʒʌstɪfaɪd] *adj* injustificado,-a.

unkempt [ʌn'kempt] *adj* descuidado,-a. 2 *(hair)* despeinado,-a.

unkind [ʌn'kaɪnd] *adj* poco amable. 2 *(cruel)* cruel.

unkindness [ʌn'kaɪndnəs] *n* falta de amabilidad, antipatía. 2 *(cruelty)* crueldad.

unknown [ʌn'nəʊn] *adj* desconocido,-a. ■ *~ quantity*, incógnita.

unlawful [ʌn'lɔːful] *adj* ilegal.

unleash [ʌn'liːʃ] *t* soltar. 2 *fig* desatar.

unleavened [ʌn'levənd] *adj* ácimo,-a.

unless [ən'les] *conj* a menos que, a no ser que.

unlike [ʌn'laɪk] *adj* diferente. – 2 *prep* a diferencia de.

unlikely [ʌn'laɪklɪ] *adj* improbable.

unlikelihood [ʌn'laɪklɪhʊd] *n* improbabilidad.

unlimited [ʌn'lɪmɪtɪd] *adj* ilimitado,-a.

unlit [ʌn'lɪt] *adj* sin luz.

unload [ʌn'ləʊd] *t* descargar.

unlock [ʌn'lɒk] *t* abrir (con llave).

unlooked-for [ʌn'lʊktfɔː'] *adj* inesperado,-a.

unloosen [ʌn'luːsən] *t* aflojar. 2 *(set free)* soltar.

unlucky [ʌn'lʌkɪ] *adj* desafortunado,-a, desgraciado,-a. ●*to be ~*, tener mala suerte.

unmade [ʌn'meɪd] *adj (bed)* sin hacer. 2 *(road)* sin asfaltar.

unmanageable [ʌn'mænɪdʒəbəl] *adj* ingobernable, indomable.

unmanned [ʌn'mænd] *adj (spacecraft)* no tripulado,-a.

unmarried [ʌn'mærɪd] *adj* soltero,-a.

unmask [ʌn'mɑːsk] *t* desenmascarar.

unmatched [ʌn'mætʃt] *adj* sin par.

unmentionable [ʌn'menʃənəbəl] *adj* que no se debe mencionar.

unmerciful [ʌn'mɜːsɪful] *adj* despiadado,-a.

unmethodical [ʌnme'θɒdɪkəl] *adj* poco metódico,-a.

unmitigated [ʌn'mɪtɪgeɪtɪd] *adj* absoluto,-a, total.

unmistakable [ʌnmɪs'teɪkəbəl] *adj* inconfundible.

unmoved [ʌn'muːvd] *adj* impasible.

unnatural [ʌn'nætʃərəl] *adj* poco natural. 2 *(perverse)* antinatural.

unnecessary [ʌn'nesəsərɪ] *adj* innecesario,-a.

unnerve [ʌn'nɜːv] *t* acobardar.

unnoticed [ʌn'nəʊtɪst] *adj* inadvertido,-a.

unobserved [ʌnəb'zɜːvd] *adj* inadvertido,-a.

unobtainable [ʌnəb'teɪnəbəl] *adj* que no se puede conseguir.

unobtrusive [ʌnɒb'truːsɪv] *adj* discreto,-a.

unoccupied [ʌn'ɒkjʊpaɪd] *adj (house)* deshabitado,-a. 2 *(person)* desocupado,-a. 3 *(post)* vacante.

unofficial [ʌnə'fɪʃəl] *adj* extraoficial, oficioso,-a.

unorthodox [ʌn'ɔːθədɒks] *adj* poco ortodoxo,-a. 2 REL heterodoxo,-a.

unpack [ʌn'pæk] *t* desempaquetar. 2 *(suitcase)* deshacer. – 3 *i* deshacer las maletas.

unpaid [ʌn'peɪd] *adj* sin pagar. 2 *(work)* no retribuido,-a.

unpalatable [ʌn'pælətəbəl] *adj* desagradable.

unparalleled [ʌn'pærəleld] *adj* incomparable.

unpardonable [ʌn'pɑːdənəbəl] *adj* imperdonable.

unperturbed [ʌnpə'tɜːbd] *adj* impertérrito,-a.

unpick [ʌn'pɪk] *t* descoser.

unpleasant [ʌn'plezənt] *adj* desagradable.

unplug [ʌn'plʌg] *t* desenchufar.

unpolluted [ʌnpə'luːtɪd] *adj* no contaminado,-a.

unpopular [ʌn'pɒpjʊləʳ] *adj* impopular.

unprecedented [ʌn'presɪdentɪd] *adj* sin precedente, inaudito,-a.

unpredictable [ʌnprɪ'dɪktəbəl] *adj* imprevisible.

unprejudiced [ʌn'predʒʊdɪst] *adj* imparcial.

unpretentious [ʌnprɪ'tenʃəs] *adj* modesto,-a, sin pretensiones.

unprincipled [ʌn'prɪnsɪpəld] *adj* sin escrúpulos.

unproductive [ʌnprə'dʌktɪv] *adj* improductivo,-a. 2 *fig* infructuoso,-a.

unprofessional [ʌnprə'feʃənəl] *adj* poco profesional, inexperto,-a.

unprofitable [ʌn'prɒfɪtəbəl] *adj* poco rentable.

unprotected [ʌnprə'tektɪd] *adj* indefenso,-a.

unprovoked [ʌnprə'vəʊkt] *adj* no provocado,-a.

unpublished [ʌn'pʌblɪʃt] *adj* inédito,-a.

unpunished [ʌn'pʌnɪʃt] *adj* impune, sin castigo.

unqualified [ʌn'kwɒlɪfaɪd] *adj* sin título. 2 *(absolute)* incondicional.

unquestionable [ʌn'kwestʃənəbəl] *adj* incuestionable, indiscutible.

unravel [ʌn'rævəl] *t-i* desenmarañar(se).

unreadable [ʌn'riːdəbəl] *adj* ilegible.

unreal [ʌn'rɪəl] *adj* irreal.

unreasonable [ʌn'riːzənəbəl] *adj* poco razonable. 2 *(excessive)* desmesurado,-a.

unrecognizable [ʌnrekəg'naɪzəbəl] *adj* irreconocible.

unrefined [ʌnrɪ'faɪnd] *adj* no refinado,-a. 2 *(person)* inculto,-a, rudo,-a.

unrehearsed [ʌnrɪ'hɜːst] *adj* improvisado,-a.

unrelenting [ʌnrɪ'lentɪŋ] *adj* inexorable.

unreliable [ʌnrɪ'laɪəbəl] *adj (person)* de poca confianza. 2 *(machine)* poco fiable. 3 *(news)* poco fidedigno,-a.

unrelieved [ʌnrɪ'liːvd] *adj* absoluto,-a, total.

unremitting [ʌnrɪ'mɪtɪŋ] *adj* incesante.

unrepentant [ʌnrɪ'pentənt] *adj* impenitente.

unrequited [ʌnrɪ'kwaɪtɪd] *adj* no correspondido,-a.

unreserved [ʌnrɪ'zɜːvd] *adj (not booked)* no reservado,-a. 2 *(unconditional)* incondicional.

unrest [ʌn'rest] *n* malestar *m*.

unrewarded [ʌnrɪ'wɔːdɪd] *adj* sin recompensa.

unripe [ʌn'raɪp] *adj* verde, inmaduro,-a.

unrivalled [ʌn'raɪvəld] *adj* sin par/rival.

unroll [ʌn'rəʊl] *t-i* desenrollar(se).

unruly [ʌn'ruːlɪ] *adj* revoltoso,-a. 2 *(hair)* rebelde.

unsafe [ʌn'seɪf] *adj* inseguro,-a. 2 *(dangerous)* peligroso,-a.

unsatisfactory [ʌnsætɪs'fæktərɪ] *adj* insatisfactorio,-a.

unsatisfied [ʌn'sætɪsfaɪd] *adj* insatisfecho,-a.

unsavoury [ʌn'seɪvərɪ] *adj* desagradable.

unscathed [ʌn'skeɪðd] *adj* indemne, ileso,-a.

unscrew [ʌn'skruː] *t* destornillar.

unscrupulous [ʌn'skruː'pjuləs] *adj* sin escrúpulos.

unseasonable [ʌn'siː'zənəbəl] *adj* atípico,-a.

unseat [ʌn'siːt] *t* POL quitar el escaño a.

unseemly [ʌn'siːmlɪ] *adj* indecoroso,-a.

unselfish [ʌn'selfɪʃ] *adj* desinteresado,-a.

unselfishness [ʌn'selfɪʃnəs] *n* desinterés *m*.

unsettle [ʌn'setəl] *t* perturbar.

unsettled [ʌn'setəld] *adj (weather)* inestable.

unshak(e)able [ʌn'ʃeɪkəbəl] *adj* firme.

unshaven [ʌn'ʃeɪvən] *adj* sin afeitar.

unsightly [ʌn'saɪtlɪ] *adj* feo,-a.

unskilled [ʌn'skɪld] *adj (worker)* no cualificado,-a. 2 *(job)* no especializado,-a.

unsociable [ʌn'səʊʃəbəl] *adj* insociable.

unsophisticated [ʌnsə'fɪstɪkeɪtɪd] *adj* ingenuo,-a, sencillo,-a.

unsound [ʌn'saʊnd] *adj* defectuoso,-a. 2 *(idea)* erróneo,-a.

unsparing [ʌn'speərɪŋ] *adj* generoso,-a, pródigo,-a.

unspeakable [ʌn'spiːkəbəl] *adj* indecible.

unstable [ʌn'steɪbəl] *adj* inestable.

unsteady [ʌn'stedɪ] *adj* inseguro,-a, inestable.

unstressed [ʌn'strest] *adj* LING átono,-a.

unstuck [ʌn'stʌk] *adj to come* ~, despegarse; *fig* fracasar.

unsuccessful [ʌnsək'sesfʊl] *adj* fracasado,-a, sin éxito. ●*to be* ~, no tener éxito, fracasar.

unsuitable [ʌn'suː'təbəl] *adj (person)* no apto,-a. 2 *(thing)* inapropiado,-a, impropio,-a.

unsuited [ʌn'suːtɪd] *adj* no apto,-a. 2 *(people)* incompatible.

unsure [ʌnˈʃʊəʳ] *adj* inseguro,-a.

unsurmountable [ʌnsəˈmaʊntəbəl] *adj* insuperable.

unsurpassed [ʌnsəˈpɑːst] *adj* no superado,-a.

unsuspected [ʌnsəsˈpektɪd] *adj* insospechado,-a.

unsuspecting [ʌnsəsˈpektɪŋ] *adj* confiado,-a.

unswerving [ʌnˈswɜːvɪŋ] *adj* firme.

untangle [ʌnˈtæŋgəl] *t* desenmarañar.

untapped [ʌnˈtæpt] *adj* sin explotar.

untenable [ʌnˈtenəbəl] *adj* insostenible.

unthinkable [ʌnˈθɪŋkəbəl] *adj* impensable.

untidiness [ʌnˈtaɪdɪnəs] *n* desorden *m*. **2** *(scruffiness)* desaliño, desaseo.

untidy [ʌnˈtaɪdɪ] *adj* desordenado,-a. **2** *(scruffy)* desaliñado,-a, desaseado,-a.

untie [ʌnˈtaɪ] *t* desatar. **2** *(liberate)* soltar.

until [ənˈtɪl] *prep* hasta. – **2** *conj* hasta que.

untimely [ʌnˈtaɪmlɪ] *adj* inoportuno,-a. **2** *(premature)* prematuro,-a.

untiring [ʌnˈtaɪərɪŋ] *adj* incansable.

untold [ʌnˈtəʊld] *adj* *(not told)* no contado,-a. **2** *fig* incalculable; *pej* indecible.

untouchable [ʌnˈtʌtʃəbəl] *adj-n* intocable *(mf)*.

untoward [ʌnˈtəwɔːd] *adj* desafortunado,-a, adverso,-a.

untrained [ʌnˈtreɪnd] *adj* inexperto,-a. **2** *(unskilled)* sin formación (profesional).

untried [ʌnˈtraɪd] *adj* no probado,-a. **2** JUR no procesado,-a; *(case)* no visto,-a.

untrue [ʌnˈtruː] *adj* falso,-a. **2** *(unfaithful)* infiel.

untrustworthy [ʌnˈtrʌstwɜːðɪ] *adj* poco fiable.

untruth [ʌnˈtruːθ] *n* mentira.

untruthful [ʌnˈtruːθfʊl] *adj* mentiroso,-a.

unused [ʌnˈjuːzd] *adj* no usado,-a. **2** *(unaccustomed)* no acostumbrado,-a. ▲ *En 2* [ʌnˈjuːst].

unusual [ʌnˈjuːʒʊəl] *adj* raro,-a, insólito,-a. – **2** *unusually adv* excepcionalmente.

unveil [ʌnˈveɪl] *t* descubrir.

unwanted [ʌnˈwɒntɪd] *adj* indeseado,-a. **2** *(child)* no deseado,-a.

unwarranted [ʌnˈwɒrəntɪd] *adj* injustificado,-a.

unwary [ʌnˈweərɪ] *adj* incauto,-a.

unwelcome [ʌnˈwelkəm] *adj* inoportuno,-a, molesto,-a.

unwell [ʌnˈwel] *adj* indispuesto,-a.

unwieldy [ʌnˈwiːldɪ] *adj* difícil de manejar.

unwilling [ʌnˈwɪlɪŋ] *adj* reacio,-a, poco dispuesto,-a.

unwillingness [ʌnˈwɪlɪŋnəs] *n* desgana.

unwind [ʌnˈwaɪnd] *t-i* desenrollar(se). – **2** *i* *fam (relax)* relajarse. ▲ *pt & pp* **unwound**.

unwise [ʌnˈwaɪz] *adj* imprudente.

unwitting [ʌnˈwɪtɪŋ] *adj* inconsciente. – **2** *unwittingly adv* inconscientemente.

unworthy [ʌnˈwɜːðɪ] *adj* indigno,-a.

unwound [ʌnˈwaʊnd] *pt & pp* → **unwind**.

unwrap [ʌnˈræp] *t* desenvolver.

unyielding [ʌnˈjiːldɪŋ] *adj* inflexible.

up [ʌp] *adv* (hacia) arriba: *to sit ~ in bed,* incorporarse; *to walk ~,* subir andando. **2** *(out of bed)* levantado,-a: *he isn't ~ yet,* aún no se ha levantado. **3** *(towards)* hacia: *he came ~ and ...,* se acercó y ... . **4** *(northwards)* hacia el norte: *we went ~ to Scotland,* fuimos a Escocia. **5** *(louder)* más alto: *turn the radio ~,* sube la radio. **6** *(totally finished)* acabado,-a: *eat it ~,* acábatelo, cómetelo todo. **7** *(into pieces)* a trozos/porciones/raciones: – **8** *prep (movement) to go ~ the stairs,* subir la escalera; *to run ~ the street,* ir corriendo calle arriba. **9** *(position)* en lo alto de: *~ a tree,* en lo alto de un árbol. – **10** *t* *fam* subir, aumentar. ●*close ~,* muy cerca; *to be ~ to sth.,* estar haciendo algo; *pej* estar tramando algo; *to feel ~ to doing sth.,* sentirse con fuerzas de hacer algo; *~ to,* hasta; *well ~ in sth.,* saber mucho de algo; *fam it's not ~ to much,* no vale gran cosa; *fam it's ~ to you,* es cosa tuya; *fam to be on the ~ and ~,* ir cada vez mejor; *fam to ~ and go,* coger e irse; *fam what's ~?,* ¿qué pasa?; *~ yours!*, ¡métetelo por el culo!* ■ *ups and downs,* altibajos *mpl*.

up-and-coming [ʌpənˈkʌmɪŋ] *adj* prometedor,-ra.

upbraid [ʌpˈbreɪd] *t* reprender.

upbringing [ˈʌpbrɪŋɪŋ] *n* educación.

update [ˈʌpdeɪt] *n* actualización. – **2** *t* actualizar. ▲ *En 2 (verbo)* [ʌpˈdeɪt].

upgrade [ʌpˈgreɪd] *t* subir de categoría.

upheaval [ʌpˈhiːvəl] *n* trastorno.

upheld [ʌpˈheld] *pt & pp* ↔ **uphold**.

uphill [ˈʌphɪl] *adj* ascendente. **2** *fig* difícil. – **3** *adv* cuesta arriba. ▲ *En 3 (adverbio)* [ʌpˈhɪl].

uphold [ʌpˈhəʊld] *t (defend)* defender. **2** *(confirm)* confirmar. ▲ *pt & pp* **upheld**.

upholster [ʌpˈhəʊlstəʳ] *t* tapizar.

upholstery [ʌp'həʊlstəri] *n* tapicería, tapizado.

upkeep ['ʌpki:p] *n* mantenimiento.

uplift [ʌp'lɪft] *t* edificar, inspirar.

upon [ə'pɒn] *prep* → **on**.

upper ['ʌpə'] *adj* superior. — 2 *n* (*of shoe*) pala. ■ ~ *case*, caja alta; ~ *class*, clase *f* alta; ~ *house*, cámara alta.

uppermost ['ʌpəməʊst] *adj* más alto,-a. 2 *fig* principal.

upright ['ʌpraɪt] *adj* derecho,-a, vertical. 2 (*honest*) recto,-a, honrado,-a. — 3 *adv* derecho. — 4 *n* SP poste *m*.

uprising [ʌp'raɪzɪŋ] *n* sublevación.

uproar ['ʌprɔ:'] *n* alboroto, tumulto.

uproarious [ʌp'rɔ:rɪəs] *adj* tumultuoso,-a.

uproot [ʌp'ru:t] *t* desarraigar.

upset [ʌp'set] *adj* disgustado,-a, contrariado,-a. 2 (*stomach*) trastornado,-a. — 3 *n* revés *m*, contratiempo. — 4 *t* (*person*) contrariar; (*worry*) preocupar; (*displease*) disgustar. 5 (*stomach*) trastornar. 6 (*plans*) desbaratar. 7 (*overturn*) volcar. 8 (*spill*) derramar. ▲ *En 3* (*sustantivo*) ['ʌpset]; *de 4 a 8 pt & pp* **upset**.

upshot ['ʌpʃɒt] *n* resultado.

upside down [ʌpsaɪd'daʊn] *n* al revés, patas arriba.

upstairs [ʌp'steəz] *adv* al/en el piso de arriba. — 2 *adj* de arriba. — 3 *n* piso de arriba. ▲ *En 2* (*adjetivo*) ['ʌpsteəz].

upstanding [ʌp'stændɪŋ] *adj* honrado,-a.

upstart ['ʌpstɑ:t] *n* advenedizo,-a.

upsurge ['ʌpsɜ:dʒ] *n* subida.

up-to-date [ʌptə'deɪt] *adj* al día. 2 (*modern*) moderno,-a.

upward ['ʌpwəd] *adj* hacia arriba, ascendente.

upward(s) ['ʌpwəd(z)] *adv* hacia arriba.

uranium [jʊ'reɪnɪəm] *n* uranio.

urban ['ɜ:bən] *adj* urbano,-a.

urbane [ɜ:'beɪn] *adj* cortés, urbano,-a.

urbanize ['ɜ:bənaɪz] *t* urbanizar.

urchin ['ɜ:tʃɪn] *n* pilluelo,-a. 2 ZOOL erizo (de mar).

urge [ɜ:dʒ] *n* impulso. — 2 *t* encarecer: *to* ~ *sb. to do sth.*, instar a algn. a hacer algo.

urgency ['ɜ:dʒənsi] *n* urgencia.

urgent ['ɜ:dʒənt] *adj* urgente.

urinate ['jʊərɪneɪt] *i* orinar.

urinal [jʊ'raɪnəl] *n* urinario.

urine ['jʊərɪn] *n* orina.

urn [ɜ:n] *n* urna. 2 (*for tea*) tetera grande.

us [ʌs, *unstressed* əz] *pers pron* nos; (*with preposition*) nosotros,-as; *give* ~ *your gun,* danos tu pistola; *come with* ~, ven con nosotros; *it's* ~, somos nosotros,-as. 2 *fam* me: *give* ~ *a kiss,* dame un beso.

usage ['ju:zɪdʒ] *n* uso.

use [ju:s] *n* uso, empleo. 2 (*usefulness*) utilidad. — 3 *t* usar, utilizar, emplear, hacer servir. 4 (*consume*) gastar. 5 (*exploit unfairly*) aprovecharse de. — 6 *aux* (*past habits*) soler, acostumbrar: *he used to get up early,* solía levantarse temprano; *I used to be fat,* antes estaba gordo,-a. ●*in* ~, en uso; "*not in* ~", "no funciona"; *of* ~, útil; *out of* ~, desusado,-a; *what's the* ~ *of ...?*, ¿de qué sirve ... ? ▲ *En 3, 4 y 5* [ju:z]. *In 6, if no habit is involved, translate using the imperfect.*

used [ju:st] *adj* usado,-a. 2 (*accustomed*) acostumbrado,-a.

useful ['ju:sfʊl] *adj* útil, provechoso,-a.

usefulness ['ju:sfʊlnəs] *n* utilidad.

useless ['ju:sləs] *adj* inútil.

user ['ju:zə'] *n* usuario,-a.

usher ['ʌʃə'] *n* ujier *m*. 2 CINEM THEAT acomodador,-ra. ●*to* ~ *in t* hacer pasar.

usual ['ju:ʒʊəl] *adj* usual, habitual, normal. — 2 *usually adv* normalmente. ●*as* ~, como de costumbre, como siempre.

usurer ['ju:ʒərə'] *n* usurero,-a.

usurp [ju:'zɜ:p] *t* usurpar.

usurpation [ju:zɜ:'peɪʃən] *n* usurpación.

utensil [ju:'tensəl] *n* utensilio.

uterus ['ju:tərəs] *n* útero. ▲ *pl* **uteruses** *o* **uteri** ['ju:təraɪ].

utilitarian [ju:tɪlɪ'teərɪən] *adj* utilitario,-a.

utility [ju:'tɪlɪtɪ] *n* utilidad. 2 (*company*) empresa de servicio público.

utilize ['ju:tɪlaɪz] *t* utilizar.

utmost ['ʌtməʊst] *adj* sumo,-a, extremo,-a. ●*to do one's* ~, hacer todo lo posible.

utopia [ju:'təʊpɪə] *n* utopía.

utter ['ʌtə'] *adj* absoluto,-a, total. — 2 *t* pronunciar, articular. — 3 *utterly adv* totalmente, completamente.

utterance ['ʌtərəns] *n* declaración.

U-turn ['ju:tɜ:n] *n* cambio de sentido.

V

vacancy ['veɪkənsɪ] *n (job)* vacante *f*. 2 *(room)* habitación libre.

vacant ['veɪkənt] *adj* vacío. 2 *(job)* vacante. 3 *(room)* libre.

vacate [vəˈkeɪt] *t (job)* dejar (vacante). 2 *(house)* desocupar.

vacation [vəˈkeɪʃən] *n* vacaciones *fpl*.

vaccinate ['væksɪneɪt] *t* vacunar.

vaccine ['væksiːn] *n* vacuna.

vacillate ['væsɪleɪt] *t* vacilar.

vacuum ['vækjʊəm] *n* vacío. – 2 *t* pasar la aspiradora por. ■ ~ *cleaner,* aspiradora; ~ *flask,* termo.

vacuum-packed ['vækjʊəmpækt] *adj* envasado,-a al vacío.

vagabond ['vægəbɒnd] *n* vagabundo,-a.

vagary ['veɪgərɪ] *n* capricho.

vagina [vəˈdʒaɪnə] *n* vagina.

vaginal [vəˈdʒaɪnəl] *adj* vaginal.

vagrant ['veɪgrənt] *n* vagabundo,-a.

vague [veɪg] *adj* vago,-a, indefinido,-a.

vain [veɪn] *adj* vanidoso,-a. 2 *(useless)* vano,-a, fútil. ●*in* ~, en vano.

vale [veɪl] *n* valle *m*.

valency ['veɪlənɪ] *n* valencia.

valentine ['væləntaɪn] *n* tarjeta *enviada por San Valentín*. 2 *(person)* novio,-a.

valet ['væleɪ] *n* ayuda *m* de cámara.

valiant ['væliənt] *adj* valiente.

valid ['vælɪd] *adj* válido,-a. 2 *(ticket)* valedero,-a.

validity [vəˈlɪdɪtɪ] *n* validez *f*.

valley ['vælɪ] *n* valle *m*.

valour ['vælər] *n* valor *m*, valentía.

valuable ['væljʊəbəl] *adj* valioso,-a. – 2 *npl* objetos *mpl* de valor.

valuation [væljʊˈeɪʃən] *n* valoración.

value ['væljuː] *n* valor *m*. – 2 *t* valorar. ●*it's good* ~ *for money,* bien vale lo que cuesta.

valve [vælv] *n* válvula. 2 RAD lámpara.

vampire ['væmpaɪər] *n* vampiro.

van [væn] *n* camioneta, furgoneta. 2 GB *(on train)* furgón *m*.

vandal ['vændəl] *n* vándalo,-a.

vandalism ['vændəlɪzəm] *n* vandalismo.

vandalize ['vændəlaɪz] *t* destrozar.

vane [veɪn] *n* veleta. 2 *(of fan etc.)* aspa.

vanguard ['vængɑːd] *n* vanguardia.

vanilla [vəˈnɪlə] *n* vainilla.

vanish ['vænɪʃ] *i* desaparecer.

vanity ['vænɪtɪ] *n* vanidad.

vanquish ['væŋkwɪʃ] *t* vencer.

vaporize ['veɪpəraɪz] *t-i* vaporizar(se).

vapour ['veɪpər] *n* vapor *m*, vaho.

variable ['veərɪəbəl] *adj-n* variable *(f)*.

variance ['veərɪəns] *n* discrepancia. ●*to be at* ~, no concordar; *(people)* estar en desacuerdo.

variant ['veərɪənt] *n* variante *f*.

variation [veərɪˈeɪʃən] *n* variación.

varicose ['værɪkəʊs] *adj* ~ *veins,* varices *fpl*.

varied ['veərɪd] *adj* variado,-a.

variegated ['veərɪgeɪtɪd] *adj* abigarrado,-a.

variety [vəˈraɪətɪ] *n* variedad. ■ ~ *show,* (espectáculo de) variedades *(fpl)*.

various ['veərɪəs] *adj (different)* diverso,-a, distinto,-a. 2 *(various)* varios,-as.

varnish ['vɑːnɪʃ] *n* barniz *m*. – 2 *t* barnizar.

vary ['veərɪ] *t-i* variar.

vase [vɑːz] *n* jarrón *m*, florero.

vasectomy [væˈsektəmɪ] *n* vasectomía.

vassal ['væsəl] *n* vasallo,-a.

vast [vɑːst] *adj* vasto,-a, inmenso,-a, enorme.

vastness ['vɑːstnəs] *n* inmensidad.

vat [væt] *n* tina, cuba.

vault [vɔːlt] *n (ceiling)* bóveda. 2 *(in bank)* cámara acorazada. 3 *(for dead)* panteón

vet

m; *(in church)* cripta. 4 *(gymnastisc)* salto. — 5 *t-i* saltar.

vaunt [vɔ:nt] *i* jactarse de.

veal [vi:l] *n* ternera.

vector ['vektəʳ] *n* vector *m*.

veer [vɪəʳ] *i* virar, girar, desviarse.

vegetable ['vedʒɪtəbəl] *adj-n* vegetal *(m)*. — 2 *n (as food)* hortaliza, verdura, legumbre *f*.

vegetarian [vedʒɪ'teərɪən] *adj-n* vegetariano,-a.

vegetate ['vedʒɪteɪt] *i* vegetar.

vegetation [vedʒɪ'teɪʃən] *n* vegetación.

vehemence ['vɪəməns] *n* vehemencia.

vehement ['vɪəmənt] *adj* vehemente.

vehicle ['vi:əkəl] *n* vehículo.

veil [veɪl] *n* velo. — 2 *t* velar.

vein [veɪn] *n* ANAT vena. 2 BOT vena, nervio. 3 *(of mineral)* veta. 4 *(mood)* humor *m*, veta.

velocity [və'lɒsɪtɪ] *n* velocidad.

velvet ['velvɪt] *n* terciopelo.

velvety ['velvɪtɪ] *adj* aterciopelado,-a.

venal ['vi:nəl] *adj* venal.

vendetta [ven'detə] *n* enemistad mortal.

vending machine ['vendɪŋməʃi:n] *n* máquina expendedora.

vendor ['vendəʳ] *n* vendedor,-ra.

veneer [və'nɪəʳ] *n* chapa. 2 *fig* apariencia. — 3 *t* chap(e)ar.

venerable ['venərəbəl] *adj* venerable.

venerate ['venəreɪt] *t* venerar, reverenciar.

veneration [venə'reɪʃən] *n* veneración.

venereal [və'nɪərɪəl] *adj* venéreo,-a.

vengeance ['vendʒəns] *n* venganza. ●*with a* ~, con furia.

vengeful ['vendʒfʊl] *adj* vengativo,-a.

venison ['venɪsən] *n* (carne *f* de) venado.

venom ['venəm] *n* veneno. 2 *fig* odio.

venomous ['venəməs] *adj* venenoso,-a.

vent [vent] *n (opening)* abertura. 2 *(hole)* orificio, respiradero. 3 *(grille)* rejilla de ventilación. — 4 *t* descargar. ●*to give* ~ *to, (feelings)* descargar.

ventilate ['ventɪleɪt] *t* ventilar.

ventilation [ventɪ'leɪʃən] *n* ventilación.

ventilator ['ventɪleɪtəʳ] *n* ventilador *m*.

ventriloquist [ven'trɪləkwɪst] *n* ventrílocuo,-a.

venture ['ventʃəʳ] *n* aventura, empresa arriesgada. — 2 *t* arriesgar, aventurar. — 3 *i* aventurarse.

venue ['venju:] *n* lugar *m*.

veranda(h) [və'rændə] *n* veranda, terraza.

verb [vɜ:b] *n* verbo.

verbal ['vɜ:bəl] *adj* verbal.

verbatim [vɜ:'beɪtɪm] *adj* textual. — 2 *adv* textualmente.

verbiage ['vɜ:bɪɪdʒ] *n* verborrea.

verbose [vɜ:'bəʊs] *adj* verboso,-a.

verbosity [vɜ:'bɒsɪtɪ] *n* verbosidad.

verdict ['vɜ:dɪkt] *n* veredicto. 2 *(opinion)* opinión *f*.

verge [vɜ:dʒ] *n* borde *m*, margen *m*. 2 *(of road)* arcén *m*. ◆*to* ~ *on t* rayar en. ●*on the* ~ *of*, a punto de.

verification [verɪfɪ'keɪʃən] *n* verificación, comprobación.

verify ['verɪfaɪ] *t* verificar, comprobar.

verisimilitude [verɪsɪ'mɪlɪtju:d] *n* verosimilitud.

veritable ['verɪtəbəl] *adj* verdadero,-a.

vermicelli [vɜ:mɪ'selɪ] *n* fideos *mpl*.

vermilion [və'mɪlɪən] *n* bermellón *m*. — 2 *adj* bermejo,-a.

vermin ['vɜ:mɪn] *n inv* alimaña. 2 *(insects)* bichos *mpl*, sabandijas *fpl*.

vernacular [və'nækjʊləʳ] *adj* vernáculo,-a. — 2 *n* lengua vernácula.

verruca [və'ru:kə] *n* verruga.

versatile ['vɜ:sətaɪl] *adj* versátil.

versatility [vɜ:sə'tɪlɪtɪ] *n* versatilidad.

verse [vɜ:s] *n* estrofa. 2 *(in Bible)* versículo. 3 *(genre)* verso, poesía.

versed [vɜ:st] *adj* versado,-a.

version ['vɜ:ʒən] *n* versión.

versus ['vɜ:səs] *prep* contra.

vertebra ['vɜ:tɪbrə] *n* vértebra. ▲ *pl* **vertebrae** ['vɜ:tɪbri:].

vertebrate ['vɜ:tɪbrət] *adj-n* vertebrado,-a *(m)*.

vertical ['vɜ:tɪkəl] *adj* vertical.

vertigo ['vɜ:tɪgəʊ] *n* vértigo.

verve [vɜ:v] *n* brío, empuje *m*.

very ['verɪ] *adv* muy. 2 *(emphatic) at the* ~ *latest*, a más tardar. — 3 *adj* mismo,-a, mismísimo,-a: *at that* ~ *moment*, en aquel mismo instante. 4 *(emphatic) at the* ~ *end*, al final de todo.

vespers ['vespəz] *npl* vísperas.

vessel ['vesəl] *n (ship)* nave *f*, buque *m*. 2 *(container)* recipiente *m*, vasija. 3 ANAT vaso.

vest [vest] *n* camiseta. 2 US chaleco. — 3 *t to* ~ *in*, conferir a. ■ *vested interests*, intereses *mpl* creados.

vestibule ['vestɪbju:l] *n* vestíbulo.

vestige ['vestɪdʒ] *n* vestigio.

vestment ['vestmənt] *n* vestidura.

vestry ['vestrɪ] *n* sacristía.

vet [vet] *n fam* veterinario,-a. — 2 *t* GB investigar, examinar.

veteran ['vetərən] *adj-n* veterano,-a.
veterinarian [vetəri'neəriən] *n* US veterinario,-a.
veterinary ['vetərinəri] *adj* veterinario,-a.
veto ['vi:təʊ] *n* veto. – 2 *t* vetar, prohibir.
vex [veks] *t* molestar, disgustar.
via ['vaiə] *prep* vía, por vía de, por.
viability [vaiə'biliti] *n* viabilidad.
viable ['vaiəbəl] *adj* viable, factible.
viaduct ['vaiədʌkt] *n* viaducto.
vibrant ['vaibrənt] *adj* vibrante.
vibrate [vai'breit] *t-i* (hacer) vibrar.
vibration [vai'breiʃən] *n* vibración.
vicar ['vikəʳ] *n* (Anglican) párroco. 2 (Catholic) vicario.
vicarage ['vikəridʒ] *n* casa del párroco.
vicarious [vi'keəriəs] *adj* experimentado,-a por otro.
vice [vais] *n* vicio. 2 (tool) torno/tornillo de banco. – 3 *pref* vice-: ~ *president,* vicepresidente.
viceroy ['vaisrɔi] *n* virrey *m*.
vice versa [vais'vɜ:sə] *adv* viceversa.
vicinity [vi'siniti] *n* vecindad, inmediaciones *fpl*. ●*in the* ~ *of,* cerca de.
vicious ['viʃəs] *adj* (cruel) cruel. 2 (violent) violento,-a. 3 (dangerous) peligroso,-a. ■ ~ *circle,* círculo vicioso.
victim ['viktim] *n* víctima.
victimize ['viktimaiz] *t* perseguir, tomar represalias contra.
victor ['viktəʳ] *n* vencedor,-ra.
Victorian [vik'tɔ:riən] *adj-n* victoriano,-a.
victorious [vik'tɔ:riəs] *adj* victorioso,-a.
victory ['viktəri] *n* victoria, triunfo.
victuals ['vitəlz] *npl* víveres *mpl*.
video ['vidiəʊ] *n* vídeo. ■ ~ *camera,* videocámara; ~ *cassette,* videocasete *f*; ~ *recorder,* vídeo; ~ *tape,* videocinta, cinta de vídeo.
videotape ['vidiəʊteip] *t* grabar en vídeo.
vie [vai] *i* competir.
view [vju:] *n* vista, panorama *m*. 2 (opinion) parecer *m*, opinión, punto de vista. – 3 *t* (look at) mirar. 4 (see) ver. ●*in* ~ *of,* en vista de; *with a* ~ *to,* con el propósito de; *fam* *to take a dim/poor* ~ *of,* ver con malos ojos.
viewer ['vju:əʳ] *n* telespectador,-ra, televidente *mf*.
viewpoint ['vju:pɔint] *n* punto de vista.
vigil ['vidʒil] *n* vigilia. ●*to keep* ~, velar.
vigilance ['vidʒiləns] *n* vigilancia.
vigilant ['vidʒilənt] *adj* vigilante, atento,-a.

vigilante [vidʒi'lænti] *n* vigilante *mf*.
vigorous ['vigərəs] *adj* vigoroso,-a.
vigour ['vigəʳ] *n* vigor *m*, energía.
vile [vail] *adj* vil. 2 *fam* malísimo,-a.
vilify ['vilifai] *t* vilipendiar.
villa ['vilə] *n* villa. 2 (at coast) chalet *m*.
village ['vilidʒ] *n* pueblo; (small) aldea.
villager ['vilidʒəʳ] *n* aldeano,-a.
villain ['vilən] *n* CINEM malo,-a. 2 GB *fam* criminal *m*, delincuente *mf*.
villainous ['vilənəs] *adj* malvado,-a. 2 *fam* (bad) malísimo,-a.
villainy ['viləni] *n* vileza, maldad.
vinaigrette [vinə'gret] *n* vinagreta.
vindicate ['vindikeit] *t* vindicar, justificar.
vindication [vindi'keiʃən] *n* vindicación.
vindictive [vin'diktiv] *adj* vengativo,-a.
vine [vain] *n* vid *f*. 2 (climbing) parra.
vinegar ['vinigəʳ] *n* vinagre *m*.
vineyard ['vinja:d] *n* viña, viñedo.
vintage ['vintidʒ] *n* cosecha. ■ ~ *car,* coche *m* de época construido entre 1919 y 1930; ~ *wine,* vino añejo.
vinyl ['vainəl] *n* vinilo.
viola [vi'əʊlə] *n* viola.
violate ['vaiəleit] *t* violar.
violation [vaiə'leiʃən] *n* violación.
violence ['vaiələns] *n* violencia.
violent ['vaiələnt] *adj* violento,-a.
violet ['vaiələt] *n* BOT violeta *f*. 2 (colour) violeta *m*. – 3 *adj* (de color) violeta.
violin [vaiə'lin] *n* violín *m*.
violinist [vaiə'linist] *n* violinista *mf*.
violoncello [vaiələn'tʃeləʊ] *n* violoncelo.
viper ['vaipəʳ] *n* víbora.
viral ['vairəl] *adj* viral, vírico,-a.
virgin ['vɜ:dʒin] *adj-n* virgen (*f*).
virginity [vɜ:'dʒiniti] *n* virginidad.
Virgo ['vɜ:gəʊ] *n* Virgo *m inv*.
virile ['virail] *adj* viril, varonil.
virility [vi'riliti] *n* virilidad.
virtual ['vɜ:tjʊəl] *adj* virtual. – 2 *virtually* *adv* casi, prácticamente.
virtue ['vɜ:tju:] *n* virtud. ●*by* ~ *of,* en virtud de.
virtuoso [vɜ:tjʊ'əʊzəʊ] *n* virtuoso,-a.
virtuous ['vɜ:tʃʊəs] *adj* virtuoso,-a.
virulence ['virʊləns] *n* virulencia.
virulent ['virʊlənt] *adj* virulento,-a.
virus ['vaiərəs] *n* virus *m*.
visa ['vi:zə] *n* visado.
visage ['vizidʒ] *n* rostro, semblante *m*.
vis-à-vis [vi:za:'vi:] *prep* respecto a.
viscose ['viskəʊs] *n* viscosa.
viscosity [vis'kɒsiti] *n* viscosidad.

viscount ['vaɪkaunt] *n* vizconde *m*.
viscountess ['vaɪkauntəs] vizcondesa.
viscous ['vɪskəs] *adj* viscoso.
vise [vaɪs] *n* US → **vice 2**.
visibility [vɪzɪ'bɪlɪti] *n* visibilidad.
visible ['vɪzɪbəl] *adj* visible.
vision ['vɪʒən] *n gen* visión. **2** *(eyesight)* vista.
visionary ['vɪʒənərɪ] *n* visionario,-a.
visit ['vɪzɪt] *n* visita. – **2** *t* visitar.
visitor ['vɪzɪtəʳ] *n (at home)* invitado,-a. **2** *(tourist)* visitante *mf*. **3** *(in hotel)* cliente,-a.
visor ['vaɪzəʳ] *n* visera.
vista ['vɪstə] *n* vista, panorama *m*.
visual ['vɪzjuəl] *adj* visual.
visualize ['vɪzjuəlaɪz] *t* imaginar(se).
vital ['vaɪtəl] *adj* vital. **2** *(essential)* esencial, fundamental. – **3** *npl* órganos *mpl* vitales. – **4** *vitally adv* sumamente.
vitality [vaɪ'tælɪti] *n* vitalidad.
vitamin ['vɪtəmɪn] *n* vitamina.
vitreous ['vɪtrɪəs] *adj* vítreo,-a.
vitriol ['vɪtrɪəl] *n* vitriolo.
vitriolic [vɪtrɪ'ɒlɪk] *adj* vitriólico,-a. **2** *fig* virulento,-a.
vivacious [vɪ'veɪʃəs] *adj* vivaz, animado,-a.
vivacity [vɪ'væsɪti] *n* animación, vivacidad.
vivid ['vɪvɪd] *adj* vivo,-a. **2** *(description)* gráfico,-a.
vividness ['vɪvɪdnəs] *n* viveza.
vivisection [vɪvɪ'sekʃən] *n* vivisección.
vixen ['vɪksən] *n* zorra.
viz [vɪz] *adv* a saber.
vocabulary [və'kæbjulərɪ] *n* vocabulario, léxico.
vocal ['vəukəl] *adj* vocal. **2** *(noisy)* ruidoso,-a. ■ ~ **chords,** cuerdas *fpl* vocales.
vocalist ['vəukəlɪst] *n* cantante *mf*, vocalista *mf*.
vocation [vəu'keɪʃən] *n* vocación.
vocational [vəu'keɪʃənəl] *adj* profesional, vocacional.
vociferous [və'sɪfərəs] *adj* vociferante, vocinglero,-a.
vodka ['vɒdkə] *n* vodka *m & f*.
vogue [vəug] *n* boga, moda.
voice [vɔɪs] *n* voz *f*. – **2** *t* expresar.
voiced [vɔɪst] *adj* LING sonoro,-a.
voiceless ['vɔɪsləs] *adj* afónico,-a. **2** LING sordo,-a.

void [vɔɪd] *adj* vacío,-a. **2** JUR nulo,-a, inválido,-a. – **3** *n* vacío.
volatile ['vɒlətaɪl] *adj* volátil.
volcanic [vɒl'kænɪk] *adj* volcánico,-a.
volcano [vɒl'keɪnəu] *n* volcán *m*.
vole [vəul] *n* campañol *m*.
volition [və'lɪʃən] *n* volición, voluntad.
volley ['vɒlɪ] *n* descarga. **2** *(in tennis)* volea. – **3** *i* volear.
volleyball ['vɒlɪbɔ:l] *n* balonvolea *m*, voleibol *m*.
volt [vəult] *n* voltio.
voltage ['vəultɪdʒ] *n* voltaje *m*, tensión.
voluble ['vɒljubəl] *adj* locuaz, hablador,-ra.
volume ['vɒlju:m] *n* volumen *m*. **2** *(book)* tomo.
voluminous [və'lju:mɪnəs] *adj* voluminoso,-a.
voluntary ['vɒləntərɪ] *adj* voluntario,-a.
volunteer [vɒlən'tɪəʳ] *n* voluntario,-a. – **2** *t-i* ofrecer(se) voluntario,-a.
voluptuous [və'lʌptjuəs] *adj* voluptuoso,-a.
voluptuousness [və'lʌptjuəsnəs] *n* voluptuosidad.
vomit ['vɒmɪt] *n* vómito. – **2** *t-i* vomitar.
voodoo ['vu:du:] *n* vudú *m*.
voracious [və'reɪʃəs] *adj* voraz.
voracity [və'ræsɪti] *n* voracidad.
vortex ['vɔ:teks] *n* vórtice *m*. **2** *fig* vorágine *f*. ▲ *pl* **vortexes** o **vortices** ['vɔ:tɪsi:z].
vote [vəut] *n* voto. **2** *(voting)* votación. **3** *(right to ~)* sufragio, derecho al voto. – **4** *t-i* votar [dær su vɒtɒ]. – **5** *t (elect)* elegir. **6** *fam* considerar.
voter ['vəutəʳ] *n* votante *mf*.
vouch [vautʃ] *i to* ~ *for sb./sth.,* responder de algn./algo.
voucher ['vautʃəʳ] *n* vale *m*, bono.
vow [vau] *n* voto, promesa solemne. – **2** *t* jurar, prometer solemnemente.
vowel ['vauəl] *n* vocal *f*.
voyage ['vɔɪɪdʒ] *n* viaje *m*. – **2** *i* viajar.
voyager ['vɔɪɪdʒəʳ] *n* viajero,-a.
vulgar ['vʌlgəʳ] *adj* grosero,-a. **2** *(in bad taste)* de mal gusto. **3** LING vulgar.
vulgarity [vʌl'gærɪti] *n* vulgaridad, ordinariez, grosería. **2** *(bad taste)* mal gusto.
vulnerable ['vʌlnərəbəl] *adj* vulnerable.
vulture ['vʌltʃəʳ] *n* buitre *m*.
vulva ['vʌlvə] *n* vulva. ▲ *pl* **vulvas** or **vulvae** ['vʌlvi:].

W

wad [wɒd] *n* taco, tapón *m*. **2** *(of notes)* fajo.

waddle [ˈwɒdəl] *i* anadear, andar como los patos.

wade [weɪd] *i* andar por el agua: *to ~ across a river,* vadear un río.

wafer [ˈweɪfəʳ] *n* barquillo, oblea. **2** REL hostia.

waffle [ˈwɒfəl] *n* CULIN gofre *m*. **2** GB *fam* palabrería. — **3** *i* GB *fam* hablar mucho sin decir nada.

waft [wɒft] *t* llevar por el aire. — **2** *i* moverse por el aire, flotar.

wag [wæg] *n* *(of tail)* meneo. — **2** *t-i* menear(se).

wage [weɪdʒ] *n* sueldo, salario. ●*to ~ war on,* hacer la guerra a.

wager [ˈweɪdʒəʳ] *n* apuesta. — **2** *t* apostar.

waggle [ˈwægəl] *t-i* menear(se).

wag(g)on [ˈwægən] *n* carro; *(covered)* carromato. **2** *(railway)* vagón *m*.

waif [weɪf] *n* niño,-a abandonado,-a.

wail [weɪl] *n* lamento, gemido. — **2** *i* lamentarse, gemir.

waist [weɪst] *n* cintura.

waistcoat [ˈweɪskəʊt] *n* chaleco.

waistline [ˈweɪstlaɪn] *n* cintura.

wait [weɪt] *n* espera. **2** *(delay)* demora. — **3** *i* esperar. **4** *(at table)* servir.

waiter [ˈweɪtəʳ] *n* camarero.

waiting [ˈweɪtɪŋ] *n* espera. ■ *~ list,* lista de espera; *~ room,* sala de espera.

waitress [ˈweɪtrəs] *n* camarera.

waive [weɪv] *t* renunciar a.

wake [weɪk] *n* *(of ship)* estela. **2** *(for dead)* velatorio. — **3** *t* despertar. ●*to ~ up t-i* despertar(se). ●*in the ~ of,* tras. ▲ *pt* **woke**; *pp* **woken**.

waken [ˈweɪkən] *t-i* despertar(se).

walk [wɔːk] *n* paseo. **2** *(long)* caminata. **3** *(path)* paseo. **4** *(gait)* andares *mpl*. — **5** *i* andar, caminar: *I'll ~ there,* iré andan-

do/a pie. — **6** *t* *(dog)* pasear. **7** *(person)* acompañar. ●*to ~ away/off with t* *(win)* ganar con facilidad. **2** *fam* *(steal)* mangar, birlar. ●*to ~ out i* marcharse. **2** *(strike)* ir a la huelga. ●*to ~ out on t* abandonar a. ●*to go for a ~,* dar un paseo; *to ~ all over sb.,* tratar a algn. a patadas; *to ~ into a trap,* caer en una trampa. ■ *~ of life,* condición social.

walkie-talkie [wɔːkɪˈtɔːkɪ] *n* walkie-talkie *m*.

walking stick [ˈwɔːkɪŋstɪk] *n* bastón *m*.

Walkman® [ˈwɔːkmən] *n* walkman® *m*.

walkout [ˈwɔːkaʊt] *n* huelga.

walkover [ˈwɔːkəʊvəʳ] *n* *fam* paseo.

wall [wɔːl] *n* muro. **2** *(interior)* pared *f*. **3** *(defensive)* muralla. **4** *(in garden)* tapia.

walled [wɔːld] *adj* *(city)* amurallado,-a.

wallet [ˈwɒlɪt] *n* cartera.

wallop [ˈwɒləp] *fam* *n* golpazo. — **2** *t* pegar fuerte.

wallow [ˈwɒləʊ] *i* revolcarse.

wallpaper [ˈwɔːlpeɪpəʳ] *n* papel *m* pintado. — **2** *t* empapelar.

wally [ˈwɒlɪ] *n* *fam* inútil *mf*.

walnut [ˈwɔːlnʌt] *n* nuez *f*. ■ *~ tree,* nogal *m*.

walrus [ˈwɔːlrəs] *n* morsa.

waltz [wɔːls] *n* vals *m*. — **2** *i* valsar.

wan [wɒn] *adj* pálido,-a. **2** *(sad)* triste, apagado,-a.

wand [wɒnd] *n* varita.

wander [ˈwɒndəʳ] *i* vagar, deambular. **2** *(from the point)* desviarse. — **3** *t* vagar por, recorrer.

wanderer [ˈwɒndərəʳ] *n* viajero,-a.

wandering [ˈwɒndərɪŋ] *adj* errante. — **2** *npl* viajes *mpl*.

wane [weɪn] *i* menguar. ●*on the ~,* menguando.

wangle [ˈwæŋgəl] *t* *fam* agenciarse.

wank* [wæŋk] *n* paja*. — 2 *i* hacerse una paja*.

wanker* ['wæŋkəʳ] *n* gilipollas* *mf inv.*

want [wɒnt] *n (necessity)* necesidad. 2 *(lack)* falta, carencia. 3 *(poverty)* miseria. — 4 *t* querer, desear: *I ~ you to come with me,* quiero que me acompañes. 5 *fam (need)* necesitar. ●*for ~ of,* por falta de; *to be in ~,* estar necesitado.

wanted ['wɒntɪd] *adj* necesario,-a: *"boy ~",* "se busca chico". 2 *(by police)* buscado,-a: *"~",* "se busca".

wanton ['wɒntən] *adj* sin motivo. 2 *(wild)* desenfrenado,-a.

war [wɔːʳ] *n* guerra.

warble ['wɔːbəl] *n* gorjeo. — 2 *t-i* gorjear.

ward [wɔːd] *n (in hospital)* sala. 2 GB POL distrito electoral. 3 JUR pupilo,-a. ●*to ~ off t* prevenir, evitar. 2 *(blow)* parar.

warden ['wɔːdən] *n* vigilante *mf,* guardián,-ana. 2 US *(of prison)* alcaide *m.* ■ *traffic ~,* guardia *mf* urbano.

warder ['wɔːdəʳ] *n* carcelero,-a.

wardrobe ['wɔːdrəub] *n* armario (ropero), guardarropa *m.* 2 *(clothes)* vestuario.

warehouse ['weəhaus] *n* almacén *m.*

wares [weəz] *npl* género *m sing,* mercancías *fpl.*

warfare ['wɔːfeəʳ] *n* guerra.

warhead ['wɔːhed] *n (nuclear) ~,* cabeza nuclear.

warily ['weərɪlɪ] *adv* cautamente.

warlike ['wɔːlaɪk] *adj* belicoso,-a.

warm [wɔːm] *adj* caliente; *(tepid)* tibio,-a, templado,-a. 2 *(climate, colour)* cálido,-a. 3 *(day, welcome)* caluroso,-a. 4 *(clothes)* de abrigo. — 5 *t* calentar. 6 *(heart)* alegrar. ●*to ~ up t-i* calentar(se). — 2 *i* SP hacer ejercicios de calentamiento. ●*to ~ to sb.,* coger simpatía a algn.

warm-blooded [wɔːm'blʌdɪd] *adj* de sangre caliente.

warm-hearted [wɔːm'hɑːtɪd] *adj* afectuoso,-a.

warmth [wɔːmθ] *n* calor moderado. 2 *fig* afecto.

warn [wɔːn] *t* avisar, advertir, prevenir: *he warned me not to touch it,* me advirtió que no lo tocara. 2 *(instead of punishing)* amonestar.

warning ['wɔːnɪŋ] *n* aviso, advertencia. 2 *(instead of punishment)* amonestación.

warp [wɔːp] *n (thread)* urdimbre *f.* 2 *(in wood)* alabeo. — 3 *t-i* alabear(se), combar(se).

warped [wɔːpt] *adj* combado,-a. 2 *fig* pervertido,-a, retorcido,-a.

warrant ['wɒrənt] *n* JUR orden *f* judicial. — 2 *t* justificar. ■ *search ~,* orden de registro.

warranty ['wɒrəntɪ] *n* COM garantía.

warren ['wɒrən] *n* madriguera. 2 *fig* laberinto.

warrior ['wɒrɪəʳ] *n* guerrero,-a.

warship ['wɔːʃɪp] *n* buque *m* de guerra.

wart [wɔːt] *n* verruga.

wary ['weərɪ] *adj* cauto,-a, cauteloso,-a.

was [wɒz, *unstressed* wəz] *pt* → **be**.

wash [wɒʃ] *n* lavado. 2 *(dirty clothes)* ropa sucia; *(clean clothes)* colada. 3 *(of ship)* remolinos *mpl.* 4 MED enjuague *m.* — 5 *t-i* lavar(se). ◆*to ~ away t (carry away)* llevar, arrastrar. ◆*to ~ out t (stain)* quitar lavando. ◆*to ~ up t-i* fregar *(los platos).* — 2 US lavarse las manos y la cara. ●*to have a ~,* lavarse. ■ *that won't ~!,* ¡eso no cuela!

washable ['wɒʃəbəl] *adj* lavable.

washbasin ['wɒʃbeɪsən], US **washbowl** ['wɒʃbəul] *n* lavabo.

washed-out [wɒʃt'aut] *adj* agotado,-a.

washer ['wɒʃəʳ] *n (metal)* arandela. 2 *(rubber)* junta. 3 *(machine)* lavadora.

washing ['wɒʃɪŋ] *n (action)* lavado. 2 *(laundry)* colada. ■ *~ line,* tendedero; *~ machine,* lavadora.

washing-up [wɒʃɪŋ'ʌp] *n (action)* fregado. 2 *(dishes)* platos *mpl.* ■ *~ liquid,* lavavajillas *m inv.*

washout ['wɒʃaut] *n fam* fracaso.

washroom ['wɒʃruːm] *n* US servicios *mpl.*

wasp [wɒsp] *n* avispa. ■ *wasp's nest,* avispero.

wastage ['weɪstɪdʒ] *n* desperdicio, pérdidas *fpl.*

waste [weɪst] *n* desperdicio. 2 *(of money)* derroche *m,* despilfarro. 3 *(products)* desechos *mpl,* desperdicios *mpl.* — 4 *adj* desechado,-a. 5 *(land)* yermo,-a, baldío,-a. — 6 *t* desperdiciar, malgastar. 7 *(money)* despilfarrar, derrochar. ●*it's a ~ of time,* es una pérdida de tiempo.

wasteful ['weɪstful] *adj* pródigo,-a.

wastepaper basket [weɪst'peɪpəbɑːskɪt] *n* papelera.

watch [wɒtʃ] *n (timepiece)* reloj *m.* 2 *(vigilance)* vigilancia. 3 MIL MAR cuerpo de guardia. — 4 *t* mirar; *(television)* ver. 5 *(observe)* observar. 6 *(keep an eye on)* vigilar. 7 *(take care with)* tener cuidado con, prestar atención a. ●*~ out!,* ¡ojo!, ¡cuidado!

watchdog ['wɒtʃdɒg] *n* perro guardián. 2 *fig* guardián,-ana.

watchful ['wɔtʃfʊl] *adj* vigilante, atento,-a.

watchfulness ['wɔtʃfʊlnəs] *n* vigilancia.

watchmaker ['wɔtʃmeɪkəʳ] *n* relojero,-a.

watchman ['wɔtʃmən] *n* vigilante *m*. 2 *(on street)* sereno.

watchword ['wɔtʃwɜːd] *n* santo y seña. 2 *(motto)* consigna, lema *m*.

water ['wɔːtəʳ] *n* agua. 2 *(urine)* orina. – 3 *t* regar. 4 *(animals)* abrevar. – 5 *i (eyes)* llorar. ◆*to ~ down* t aguar. 2 *fig* descafeinar. ●*to get into hot ~,* meterse en un buen lío; *to hold ~,* retener el agua; *fig* aguantarse; *to keep one's head above ~,* mantenerse a flote; *to pass ~,* orinar; *under ~,* inundado,-a. ■ *~ polo,* waterpolo.

watercolour ['wɔːtəkʌləʳ] *n* acuarela.

watercress ['wɔːtkres] *n* berro.

waterfall ['wɔːtəfɔːl] *n* cascada, salto de agua.

watering ['wɔːtərɪŋ] *n* riego. ■ *~ can,* regadera.

waterlogged ['wɔːtəlɒgd] *adj* empapado,-a, anegado,-a.

watermark ['wɔːtəmɑːk] *n* filigrana.

watermelon ['wɔːtəmelən] *n* sandía.

watermill ['wɔːtəmɪl] *n* molino de agua.

waterproof ['wɔːtəpruːf] *adj* impermeable. 2 *(watch)* sumergible. – 3 *t* impermeabilizar.

watershed ['wɔːtəʃed] *n* GEOG línea divisoria de aguas. 2 *fig* punto decisivo.

water-ski ['wɔːtəskiː] *n* esquí *m* acuático. – 2 *i* hacer esquí acuático.

water-skiing ['wɔːtəskiːɪŋ] *n* esquí acuático.

watertight ['wɔːtətaɪt] *adj* estanco,-a. 2 *fig* irrecusable.

waterway ['wɔːtəweɪ] *n* vía fluvial.

watery ['wɔːtəri] *adj* acuoso,-a. 2 *(soup, drinks)* aguado,-a.

watt [wɒt] *n* watt *m*, vatio.

wave [weɪv] *n (in sea)* ola. 2 *(in hair)* onda. 3 PHYS onda. 4 *(of hand)* ademán *m*, movimiento. 5 *(of crime etc.)* ola, oleada. – 6 *i (greet)* saludar (con la mano). 7 *(flag)* ondear. – 8 *t* agitar. 9 *(hair)* marcar, ondular.

wavelength ['weɪvleŋθ] *n* longitud de onda. ●*fam to be on different wavelengths,* no estar en la misma onda.

waver ['weɪvəʳ] *i (hesitate)* vacilar.

wavy ['weɪvi] *adj* ondulado,-a.

wax [wæks] *n* cera. – 2 *t* encerar. – 3 *i (grow)* crecer.

waxwork ['wækswɜːks] *n* museo de cera.

way [weɪ] *n (path)* camino: *which ~ did you go?,* ¿por dónde fuisteis? 2 *(direction)* dirección: *on the ~ to work,* yendo al trabajo; *which ~ is the harbour?,* ¿dónde cae el puerto? 3 *(manner, method)* manera, modo. – 4 *adv fam* muy: *~ back,* hace muchísimo. ●*a long ~ from,* lejos de; *by the ~,* a propósito; *by ~ of,* vía, por vía de; *fig* a modo de; *on the ~,* por el camino; *(coming)* en camino; *on the ~ down/up,* bajando/subiendo; *to get out of the ~,* apartarse del camino, quitarse de en medio; *to get under ~,* empezar, ponerse en marcha; *to give ~,* ceder; AUTO ceder el paso; *to lose one's ~,* perderse; *to stand in the ~ of,* obstaculizar; *fam in a bad ~,* mal.

waylay [weɪ'leɪ] *t* abordar. 2 *(attack)* atacar. ▲ *pt & pp* **waylaid** [weɪ'leɪd].

wayside ['weɪsaɪd] *n* borde *m* del camino.

wayward ['weɪwəd] *adj* voluntarioso,-a.

we [wiː, *unstressed* wɪ] *pers pron* nosotros,-as.

weak [wiːk] *adj* débil, flojo,-a.

weaken ['wiːkən] *t-i* debilitar(se).

weakness ['wiːknəs] *n* debilidad. 2 *(fault)* fallo.

weal [wiːl] *n* cardenal *m*.

wealth [welθ] *n* riqueza.

wealthy ['welθi] *adj* rico,-a.

wean [wiːn] *t* destetar.

weapon ['wepən] *n* arma.

wear [weəʳ] *n* ropa. 2 *(use)* uso. 3 *(~ and tear)* desgaste *m*, deterioro. – 4 *t* llevar puesto,-a, vestir. 5 *(shoes)* calzar. – 6 *t-i (erode)* desgastar(se). ◆*to ~ away* t-i erosionar(se). ◆*to ~ off* i desaparecer. ◆*to ~ out* t-i romper(se) con el uso. – 2 *t (person)* agotar. ▲ *pt* **wore**; *pp* **worn**.

weariness ['wɪərɪnəs] *n* cansancio.

weary ['wɪəri] *adj* cansado,-a. – 2 *t-i* cansar(se).

weasel ['wiːzəl] *n* comadreja.

weather ['weðəʳ] *n* tiempo: *what's the ~ like?,* ¿qué tiempo hace? – 2 *t* aguantar. 3 *(rocks)* erosionar. ●*to ~ the storm,* capear el temporal. ■ *~ forecast,* parte *m* meteorológico.

weather-beaten ['weðəbiːtən] *adj* deteriorado,-a por la intemperie. 2 *(person)* curtido,-a.

weathercock ['weðəkɒk] *n* veleta.

weave [wiːv] *n* tejido. – 2 *t-i* tejer. 3 *(zigzag)* serpentear, zigzaguear. – 4 *t fig* *(plot)* tramar. ▲ *En 2 y 4 pt wove; pp wo-ven.*

weaver ['wi:və^r] *n* tejedor,-ra.

web [web] *n* telaraña. **2** *fig* red *f.*

webbed [webd] *adj* palmeado,-a.

wed [wed] *t* casarse con. ▲ *pt & pp wed-ded o wed.*

wedding ['wedɪŋ] *n* boda. ■ ~ *cake,* tarta nupcial; ~ *day,* día *m* de la boda; ~ *dress,* vestido de novia; ~ *present,* regalo de boda; ~ *ring,* alianza, anillo de boda.

wedge [wedʒ] *n* cuña, calce *m.* – **2** *t* acuñar, calzar.

Wednesday ['wenzdɪ] *n* miércoles *m inv.*

wee [wi:] *adj* pequeñito,-a. – **2** *n fam* pipí *m.* – **3** *i* hacer pipí.

weed [wi:d] *n* mala hierba. **2** *fam* canijo,-a. – **3** *t-i* escardar.

weedkiller ['wi:dkɪlə^r] *n* herbicida *m.*

weedy ['wi:dɪ] *adj pej* debilucho,-a.

week [wi:k] *n* semana.

weekday ['wi:kdeɪ] *n* (día *m*) laborable *m.*

weekend ['wi:kend] *n* fin *m* de semana.

weekly ['wi:klɪ] *adj* semanal. – **2** *adv* semanalmente. – **3** *n* semanario.

weep [wi:p] *i* llorar. ▲ *pt & pp wept.*

weft [weft] *n* trama.

weigh [weɪ] *t* pesar. **2** *fig* sopesar. ◆*to ~ down t* sobrecargar. **2** *fig* abrumar, agobiar. ◆*to ~ up t* evaluar. ●*to ~ anchor,* levar anclas.

weight [weɪt] *n* peso. **2** *(piece of metal)* pesa. – **3** *t* cargar con peso. ●*to put on ~,* engordar.

weightless ['weɪtləs] *adj* ingrávido,-a.

weightlessness ['weɪtləsnəs] *n* ingravidez *f.*

weightlifting ['weɪtlɪftɪŋ] *n* halterofilia.

weighty ['weɪtɪ] *adj* pesado,-a. **2** *fig* de peso.

weir [wɪə^r] *n* presa.

weird [wɪəd] *adj* raro,-a, extraño,-a.

weirdo ['wɪədəʊ] *n fam* tipo raro.

welcome ['welkəm] *adj* bienvenido,-a. **2** *(pleasing)* grato,-a, agradable. – **3** *n* bienvenida, acogida. – **4** *t* acoger, recibir, dar la bienvenida a. **5** *(approve of)* aplaudir, acoger con agrado. ●*you're ~,* no hay de qué, de nada.

weld [weld] *n* soldadura. – **2** *t* soldar.

welder ['weldə^r] *n* soldador,-ra.

welfare ['welfeə^r] *n* bienestar *m.*

well [wel] *n* pozo. – **2** *adj-adv* bien. – **3** *i* manar, brotar. – **4** *interj* bueno, pues. **5** *(surprise)* ¡vaya! ●*as ~,* también; *as ~ as,* además de; *it would be as ~ to ...,* no estaría de más + *inf; just as ~,* menos mal; *pretty ~,* casi; *to do ~,* tener éxito, prosperar; *to get ~,* reponerse; ~ *done,* CULIN bien hecho,-a; *(congratulating)* ¡muy bien!

well-being [wel'bi:ɪŋ] *n* bienestar *m.*

well-built [wel'bɪlt] *adj* de construcción sólida. **2** *(person)* fornido,-a.

well-heeled [wel'hi:ld] *adj fam* adinerado,-a.

wellington ['welɪŋtən] *n* bota de goma.

well-intentioned [welɪn'tenʃənd] *adj* bien intencionado,-a.

well-known [wel'nəʊn] *adj* (bien) conocido,-a.

well-meaning [wel'mi:nɪŋ] *adj* bien intencionado,-a.

well-off [wel'ɒf] *adj* rico,-a.

well-timed [wel'taɪmd] *adj* oportuno,-a.

well-to-do [weltə'du:] *adj* acomodado,-a.

welt [welt] *n* verdugón *m.*

welter ['weltə^r] *n* mezcolanza.

wench [wentʃ] *n* moza, mozuela.

wend [wend] *t* to ~ *one's way,* encaminarse a/hacia.

went [went] *pt →* **go.**

wept [wept] *pt & pp →* **weep.**

were [wɜ:^r] *pt →* **be.**

west [west] *n* oeste *m,* occidente *m.* – **2** *adj* occidental, del oeste. – **3** *adv* al/hacia el oeste.

westbound ['westbaʊnd] *adj* en dirección al oeste.

westerly ['westəlɪ] *adj* oeste. **2** *(wind)* del oeste.

westward ['westwəd] *adj* hacia el oeste.

westwards ['westwədz] *adv* hacia el oeste.

wet [wet] *adj* mojado,-a. **2** *(permanently, naturally)* húmedo,-a. **3** *(weather)* lluvioso,-a. **4** *(paint)* fresco,-a. **5** *fam (person)* soso,-a. – **6** *n* humedad. **7** *(rain)* lluvia. – **8** *t* mojar, humedecer. ●*to ~ o.s.,* orinarse. ■ ~ *blanket,* aguafiestas *mf inv.*

wetness ['wetnəs] *n* humedad.

whack [wæk] *n* golpe *m.* **2** *fam* parte *f.* – **3** *t* pegar, golpear.

whacked [wækt] *adj fam* agotado,-a.

whacking ['wækɪŋ] *adj fam* enorme.

whale [weɪl] *n* ballena.

wharf [wɔ:f] *n* muelle *m,* embarcadero.

what [wɒt] *adj (questions)* qué: ~ *time is it?,* ¿qué hora es?; *I don't know ~ time it is,* no sé qué hora es. **2** *(exclamations)* qué: ~ *a (smart) car!,* ¡qué coche (más chulo)! **3** *(all)* ~ *oil we have is here,* todo el aceite que tenemos está aquí. — **4** *pron (questions)* qué: ~ *is it?,* ¿qué es?; *I dont know* ~ *it is,* no sé qué es. **5** lo que: *that's* ~ *he said,* eso es lo que dijo. — **6** *interj* ¡cómo!: ~!, *you've lost it!,* ¡cómo! ¡lo has perdido!

whatever [wɔt'evə^r] *adj* cualquiera que: ~ *colour you like,* el color que tú quieras. **2** *(at all)* en absoluto: *with no money* ~, sin absolutamente nada de dinero. — **3** *pron* (todo) lo que: ~ *you like,* (todo) lo que tú quieras; ~ *you do,* hagas lo que hagas.

whatsoever [wɔtsəʊ'evə^r] *adj* → **whatever** 2.

wheat [wi:t] *n* trigo.

wheedle ['wi:dəl] *t* engatusar.

wheel [wi:l] *n* rueda. **2** *(steering ~)* volante *m.* — **3** *t* empujar. — **4** *i* girar. **5** *(birds)* revolotear.

wheelbarrow ['wi:lbærəʊ] *n* carretilla de mano.

wheelchair ['wi:ltʃeə^r] *n* silla de ruedas.

wheeze [wi:z] *n* resuello. — **2** *i* resollar.

when [wen] *adv* cuándo: ~ *did it happen?,* ¿cuándo pasó?; *tell me* ~, dime cuándo. — **2** *conj* cuando: ~ *I arrived,* cuando llegué yo. — **3** *pron* cuando: *that was* ~ *it broke,* fue entonces cuando se rompió.

whence [wens] *adv* de dónde. **2** *fig* por lo cual.

whenever [wen'evə^r] *conj* cuando quiera que, siempre que. — **2** *adv* cuándo (demonios).

where [weə^r] *adv* dónde; *(direction)* adónde: ~ *is it?,* ¿dónde está?; ~ *did you go?,* ¿adónde fuiste?; *tell me* ~ *it is,* dime dónde está. — **2** *pron* donde: *this is* ~ *it all happened,* es aquí donde pasó todo.

whereabouts ['weərəbaʊts] *n* paradero. — **2** *adv* dónde; *(direction)* adónde. ▲ En 2 *(adverbio)* [weərə'baʊts].

whereas [weər'æz] *conj* mientras que.

whereby [weə'baɪ] *adv* por el/la/lo cual.

whereupon ['weərəpɒn] *adv* con lo cual.

wherever [weər'evə^r] *adv* dónde (diablos/demonios); *(direction)* adónde (diablos/demonios): ~ *did you put it,* ¿dónde diablos lo pusiste? — **2** *conj* dondequiera que.

wherewithal ['weəwɪðɔ:l] *n* medios *mpl,* recursos *mpl.*

whet [wet] *t (appetite)* despertar.

whether ['weðə^r] *conj* si: ~ *it rains or not,* llueva o no llueva.

whey [weɪ] *n* suero.

which [wɪtʃ] *adj* qué: ~ *size do you want?,* ¿qué tamaño quieres?; *tell me* ~ *size you want,* dime qué tamaño quieres. — **2** *pron (questions)* cuál, cuáles: ~ *do you want?,* ¿cuál quieres?; *ask him* ~ *they are,* pregúntale cuáles son. **3** *(defining relative)* que; *(with preposition)* el/la/lo que, el/la/lo cual, los/las que, los/las cuales: *the shoes* ~ *I bought,* los zapatos que compré; *the shop in* ~ ..., la tienda en la que/cual ... . **4** *(non-defining relative)* el/la cual, los/las cuales: *two glasses, one of* ~ *was dirty,* dos copas, una de las cuales estaba sucia. **5** *(referring to a clause)* lo que/cual: *he lost,* ~ *was sad,* perdió, lo cual era triste.

whichever [wɪtʃ'evə^r] *adj* (no importa) el/la/los/las que: ~ *model you choose,* no importa el modelo que elijas. — **2** *pron* cualquiera, el/la/los/las que: *take* ~ *you want,* coge el que quieras.

whiff [wɪf] *n* soplo. **2** *(smell)* olor *m* fugaz.

while [waɪl] *n* rato, tiempo. — **2** *conj* mientras. **3** *(although)* aunque. **4** *(whereas)* mientras que. ●*to be worth one's* ~, valer la pena; *to* ~ *away the time,* pasar el rato.

whilst [waɪlst] *conj* → **while**.

whim [wɪm] *n* antojo, capricho.

whimper ['wɪmpər] *n* gemido. — **2** *i* lloriquear, gemir.

whine [waɪn] *n* quejido; *(dog)* gemido. — **2** *i* quejarse; *(dog)* gemir.

whinny ['wɪnɪ] *n* relincho *m.* — **2** *i* relinchar.

whip [wɪp] *n* látigo. **2** *(for punishment)* azote *m.* **3** POL oficial *mf* encargado,-a de la disciplina de partido. — **4** *t* azotar, zurrar. **5** CULIN batir; *(cream, egg whites)* montar. **6** *fam* birlar. **7** hacer algo de prisa o bruscamente: *to* ~ *off/out/past,* quitar/sacar/pasar de prisa.

whipping ['wɪpɪŋ] *n* azotamiento. ■ ~ *cream,* nata para montar.

whip-round ['wɪpraʊnd] *n fam* colecta.

whirl [wɜ:l] *n* giro, vuelta. **2** *fig* torbellino. — **3** *i* girar, dar vueltas rápidamente. — **4** *t* hacer girar, dar vueltas a.

whirlpool ['wɜ:lpu:l] *n* torbellino, remolino.

whirlwind ['wɜ:lwɪnd] *n* torbellino.

whirr [wɜ:^r] *n* zumbido. — **2** *i* zumbar.

whisk [wɪsk] *n* movimiento brusco. **2** CULIN batidor *m;* *(electric)* batidora. — **3** *t* sacudir. **4** CULIN batir. **5** hacer algo rápidamente: *to* ~ *off/out,* quitar/sacar rápidamente.

whisker ['wɪskəʳ] *n* pelo. **2** *pl* patillas *fpl*. **3** *pl* (*cat's* etc.) bigotes *mpl*.

whisk(e)y ['wɪskɪ] *n* whisky *m*, güisqui *m*.

whisper ['wɪspəʳ] *n* susurro. — **2** *t-i* susurrar.

whistle ['wɪsəl] *n* (*instrument*) silbato, pito. **2** (*noise*) silbido, pitido. — **3** *t-i* silbar.

white [waɪt] *adj-n* blanco,-a (*m*). — **2** *n* (*of egg*) clara. ■ *White House,* Casa Blanca; ~ *lie,* mentira piadosa.

whitebait ['waɪtbeɪt] *n inv* CULIN chanquetes *mpl* (fritos).

white-collar [waɪt'kɒləʳ] *adj* administrativo,-a.

whiten ['waɪtən] *t* blanquear.

whiteness ['waɪtnəs] *n* blancura.

whitewash ['waɪtwɒʃ] *n* jalbegue *m*. — **2** *t* enjalbegar, encalar. **3** *fig* encubrir.

Whitsun(tide) ['wɪtsʌn(taɪd)] *n* Pentecostés *m inv*.

whittle ['wɪtəl] *t* cortar pedazos a. **2** *fig* reducir.

whiz(z) [wɪz] *n* zumbido. — **2** *i* zumbar, silbar. ●*to* ~ *past,* pasar zumbando.

whiz(z)-kid ['wɪzkɪd] *n fam* lince *m*, hacha.

who [huː] *pron* (*questions*) quién, quiénes: ~ *did it?,* ¿quién lo hizo?; *I don't know* ~ *they are,* no sé quiénes son. **2** (*defining relative*) que: *those* ~ *want to go,* los que quieran ir; *fam the boy* ~ *she loves,* el chico que/a quien ama. **3** (*non-defining relative*) quien, quienes, el/la cual, los/las cuales: *the workers,* ~ *were on strike,* ..., los trabajadores, quienes/los cuales estaban en huelga, ...

whoever [huː'evəʳ] *pron* (*questions*) quién (diablos/demonios). **2** (*no matter who*) quienquiera que, cualquiera que.

whole [həʊl] *adj* entero,-a: *the* ~ *day,* todo el día. **2** (*intact*) intacto,-a. — **3** *n* conjunto, todo. ●*as a* ~, en conjunto; *on the* ~, en general; *the* ~ *of,* toda,-a.

wholemeal ['həʊlmiːl] *adj* integral.

wholesale ['həʊlseɪl] *adj-adv* COM al por mayor. — **2** *adv fig* en masa. — **3** *adj* masivo,-a. — **4** *n* venta al por mayor.

wholesaler ['həʊlseɪləʳ] *n* mayorista *mf*.

wholesome ['həʊlsəm] *adj* sano,-a, saludable.

wholly ['həʊlɪ] *adv* enteramente.

whom [huːm] *pron fml* (*questions*) a quién/quiénes: ~ *did he kill?,* ¿a quién mató?; *with* ~?, ¿con quién? **2** (*relative*) a quien/quienes: *pupils* ~ *I have taught,* alumnos a quienes he dado clase; *the man with* ~ *she was seen,* el hombre con quien/con el que la vieron.

whoop [huːp] *n* grito, alarido. — **2** *i* gritar.

whooping cough ['huːpɪŋkɒf] *n* tos *f* ferina.

whopper ['wɒpəʳ] *n fam* cosa enorme. **2** (*lie*) trola, bola.

whopping ['wɒpɪŋ] *adj fam* enorme.

whore [hɔːʳ] *n* puta*.

whose [huːz] *pron* (*questions*) de quién/quiénes: ~ *is this?,* ¿de quién es esto?; *I know* ~ *it is,* yo sé de quién es. — **2** *adj* de quién/quiénes: ~ *dog is this?,* ¿de quién es este perro? **3** (*relative*) cuyo,-a, cuyos,-as: *the woman* ~ *car was stolen,* la mujer cuyo coche fue robado.

why [waɪ] *adv* por qué. — **2** *interj* ¡vaya!, ¡toma! — **3** *n* porqué *m*, causa.

wick [wɪk] *n* mecha.

wicked ['wɪkɪd] *adj* malo,-a.

wickedness ['wɪkɪdnəs] *n* maldad.

wicker ['wɪkəʳ] *n* mimbre *m*. — **2** *adj* de mimbre.

wicket ['wɪkɪt] *n* (*in Cricket*) palos *mpl*. **2** (*pitch*) terreno.

wide [waɪd] *adj* ancho,-a: *two feet* ~, de dos pies de ancho. **2** *fig* amplio,-a, extenso,-a. — **3** *widely adv* extensamente; (*generally*) generalmente. ●~ *open,* abierto,-a de par en par.

widen ['waɪdən] *t-i* ensanchar(se). **2** *fig* extender(se).

widespread ['waɪdspred] *adj* generalizado,-a.

widow ['wɪdəʊ] *n* viuda.

widowed ['wɪdəʊd] *adj* enviudado,-a.

widower ['wɪdəʊəʳ] *n* viudo.

width [wɪdθ] *n* anchura. **2** (*material*) ancho.

wield [wiːld] *t* manejar, empuñar. **2** (*power*) ejercer.

wife [waɪf] *n* esposa, mujer *f*.

wig [wɪg] *n* peluca.

wiggle ['wɪgəl] *t-i* menear(se).

wigwam ['wɪgwæm] *n* tienda india.

wild [waɪld] *adj gen* salvaje. **2** (*plant*) silvestre, campestre. **3** (*country*) agreste. **4** (*angry*) furioso,-a. **5** (*violent*) violento,-a. **6** (*uncontrolled*) incontrolado,-a. **7** (*guess*) al azar. — **8** *n* tierra virgen. ●*in the* ~, en estado salvaje; *to be* ~ *about,* estar loco,-a por.

wildcat ['waɪldkæt] *n* gato,-a montés,-esa. ■ ~ *strike,* huelga salvaje.

wilderness ['wɪldənəs] *n* yermo, desierto.

wildfire ['waɪldfaɪə^r] *n to spread like ~,* correr como la pólvora.

wildfowl ['waɪldfaʊl] *npl* aves *fpl* de caza.

wildlife ['waɪldlaɪf] *n* fauna.

wiles [waɪlz] *npl* artimañas *fpl.*

wilful ['wɪlfʊl] *adj* voluntarioso,-a, terco,-a. 2 JUR premeditado,-a.

will [wɪl] *n* voluntad. 2 JUR testamento. − 3 *t* desear, querer, ordenar, mandar. 4 JUR legar, dejar en testamento. − 5 *aux (future)* she ~ *be here tomorrow,* estará aquí mañana; *we won't finish today,* no acabaremos hoy; *it won't rain, ~ it?,* no lloverá, ¿verdad? 6 *(be disposed to) ~ you help me?,* − no I won't, ¿quieres ayudarme? −no quiero; *he won't open the door,* se niega a abrir la puerta; *the car won't start,* el coche no arranca. 7 *(insistence) he ~ leave the door open,* es que no hay manera de que cierre la puerta. 8 *(can)* poder; *this 'phone ~ accept credit cards,* este teléfono acepta las tarjetas de crédito. 9 *(supposition) that ~ be John's house,* aquélla será/debe de ser la casa de John.

willing ['wɪlɪŋ] *adj* complaciente. − 2 *willingly adv* de buena gana. •~ *to do sth.,* dispuesto,-a a hacer algo.

willingness ['wɪlɪŋnəs] *n* buena voluntad.

willow ['wɪləʊ] *n* sauce *m.*

willowy ['wɪləʊɪ] *adj* esbelto,-a.

willpower ['wɪlpaʊə^r] *n* fuerza de voluntad.

willy-nilly [wɪlɪ'nɪlɪ] *adv* a la fuerza.

wilt [wɪlt] *t-i* marchitar(se).

wily ['waɪlɪ] *adj* astuto,-a.

win [wɪn] *n* victoria, éxito. − 2 *t-i* ganar. ◆*to ~ over/round t* convencer, persuadir. ▲ *pt & pp* **won.**

wince [wɪns] *n* mueca de dolor. − 2 *i* hacer una mueca de dolor.

winch [wɪntʃ] *n* torno, cabrestante *m.*

wind [wɪnd] *n* METEOR viento, aire *m.* 2 *(breath)* aliento. 3 *(flatulence)* gases *mpl,* flato. − 4 *t* dejar sin aliento. 5 *(wrap)* envolver. 6 *(on reel)* arrollar, devanar. 7 *(clock)* dar cuerda a. 8 *(handle)* dar vueltas a. − 9 *i (road)* serpentear. ◆*to ~ down i (clock)* quedarse sin cuerda. 2 *(person)* relajarse. − 3 *t* AUTO *(window)* bajar. ◆*to ~ up t (clock)* dar cuerda a. − 2 *t-i* concluir. − 3 *i fam* acabar: *to ~ up in jail,* dar con los huesos en la cárcel. •*to break ~,* ventosear; *to get ~ of,* olerse; *fam to get the ~ up,* ponerse nervioso,-a. ■ ~ *instrument,* instrumento

de viento. ▲ *De 5 en adelante* [waɪnd]; *pt & pp* **wound.**

windbag ['wɪndbæg] *n* charlatán,-ana.

windbreak ['wɪndbreɪk] *n* abrigadero.

windfall ['wɪndfɔ:l] *n fig* suerte *f* inesperada.

winding ['waɪndɪŋ] *adj* sinuoso,-a, tortuoso,-a.

windmill ['wɪndmɪl] *n* molino de viento.

window ['wɪndəʊ] *n* ventana. 2 *(in vehicle)* ventanilla. 3 *(in bank, office, etc.)* ventanilla. 4 *(of shop)* escaparate *m.* ■ ~ *cleaner,* limpiacristales *mf inv.*

window-shopping ['wɪndəʊʃɒpɪŋ] *n to go ~,* ir a mirar escaparates.

windowsill ['wɪndəʊsɪl] *n* alféizar *m.*

windpipe ['wɪndpaɪp] *n* tráquea.

windscreen ['wɪndskri:n], US **windshield** ['wɪndʃi:ld] *n* AUTO parabrisas *m inv.* ■ ~ *wiper,* limpiaparabrisas *m inv.*

windswept ['wɪndswept] *adj* azotado,-a por el viento.

windy ['wɪndɪ] *adj* ventoso,-a. •*it's ~,* hace viento.

wine [waɪn] *n* vino.

wing [wɪŋ] *n* ala. 2 AUTO aleta. 3 SP banda. 4 *pl* THEAT bastidores *mpl.*

wingspan ['wɪŋspæn] *n* envergadura.

wink [wɪŋk] *n* guiño. − 2 *i* guiñar el ojo.

winkle ['wɪŋkəl] *n* bígaro.

winner ['wɪnə^r] *n* ganador,-ra. 2 *(in battle)* vencedor,-ra.

winning ['wɪnɪŋ] *adj* ganador,-ra. 2 *(ticket etc.)* premiado,-a. 3 *(attractive)* atractivo,-a, encantador,-ra. − 4 *npl* ganancias *fpl.*

winter ['wɪntə^r] *n* invierno. − 2 *i* invernar.

wintry ['wɪntrɪ] *adj* invernal.

wipe [waɪp] *t (clean)* limpiar. 2 *(dry)* enjugar. ◆*to ~ out t (destroy)* aniquilar, exterminar. 2 *(erase)* borrar.

wiper ['waɪpə^r] *n* limpiaparabrisas *m inv.*

wire ['waɪə^r] *n* alambre *m.* 2 *(cable)* cable *m.* 3 US telegrama *m.* − 4 *t (house)* hacer la instalación eléctrica de. 5 US enviar un telegrama a.

wireless ['waɪələs] *n* radio *f.*

wiring ['waɪrɪŋ] *n* cableado.

wiry ['waɪərɪ] *adj (person)* nervudo,-a.

wisdom ['wɪzdəm] *n* sabiduría. 2 *(sense)* prudencia, juicio. ■ ~ *tooth,* muela del juicio.

wise [waɪz] *adj* sabio,-a. 2 *(sensible)* juicioso,-a, prudente. ■ *the Three Wise Men,* los Reyes Magos.

wish [wɪʃ] n deseo. – 2 t-i desear. 3 (want) querer. ■ I ~ that, ojalá; I ~ to ..., quisiera ...; to ~ sb. good luck, desear buena suerte a algn.

wishful ['wɪʃful] adj ~ thinking, ilusiones fpl.

wishy-washy ['wɪʃɪwɒʃɪ] adj fam soso,-a, insípido,-a.

wisp [wɪsp] n (of grass) brizna. 2 (of hair) mechón m. 3 (of smoke) voluta.

wistful ['wɪstful] adj pensativo,-a, melancólico,-a.

wit [wɪt] n agudeza, ingenio. 2 (intelligence) inteligencia. 3 (person) persona aguda/ingeniosa. ●to be at one's wit's end, estar para volverse loco,-a.

witch [wɪtʃ] n bruja. ■ ~ doctor, hechicero.

witchcraft ['wɪtʃkrɑːft] n brujería.

with [wɪð] prep con.

withdraw [wɪð'drɔː] t-i retirar(se). – 2 t (words) retractar. ▲ pt withdrew; pp withdrawn.

withdrawal [wɪð'drɔːəl] n retirada. 2 (of words) retractación.

withdrawn [wɪð'drɔːn] pp → withdraw. – 2 adj introvertido,-a.

withdrew [wɪð'druː] pt → withdraw.

wither ['wɪðəʳ] t marchitar(se).

withering ['wɪðərɪŋ] adj (look) fulminante. 2 (remark) mordaz.

withhold [wɪð'həʊld] t retener. 2 (information) ocultar. ▲ pt & pp → withheld.

within [wɪ'ðɪn] prep dentro de. 2 (in range of) al alcance de: ~ hearing, al alcance del oído. 3 (distance) a menos de: ~ 3 miles of, a menos de tres millas de. – 4 adv dentro, en el interior.

without [wɪ'ðaʊt] prep sin.

withstand [wɪð'stænd] t resistir, aguantar. ▲ pt & pp withstood [wɪð'stʊd].

witness ['wɪtnəs] n testigo mf. – 2 t presenciar. 3 (document) firmar como testigo. ●to bear ~ to, dar fe de, atestiguar. ■ ~ box, barra de los testigos.

witticism ['wɪtɪsɪzəm] n agudeza, ocurrencia.

wittiness ['wɪtɪnəs] n ingenio, agudeza.

witty ['wɪtɪ] adj ingenioso,-a, agudo,-a.

wizard ['wɪzəd] n brujo, hechicero.

wizened ['wɪzənd] adj (skin) arrugado,-a.

wobble ['wɒbəl] n tambaleo, bamboleo. – 2 i tambalearse, bambolear.

woe [wəʊ] n mal m, aflicción, desgracia.

woebegone ['wəʊbɪɡɒn] adj desconsolado,-a.

woeful ['wəʊful] adj triste.

woke [wəʊk] pt → wake.

woken ['wəʊkən] pp → wake.

wolf [wʊlf] n lobo. ●to ~ down t zamparse. ■ ~ cub, lobezno.

woman ['wʊmən] n mujer f. ■ old ~, vieja, anciana; fam women's lib, movimiento feminista. ▲ pl women [wɪmɪn].

womanhood ['wʊmənhʊd] n edad adulta (de mujer).

womanly ['wʊmənlɪ] adj femenino,-a.

womb [wuːm] n útero, matriz f.

won [wʌn] pt & pp → win.

wonder ['wʌndəʳ] n maravilla. 2 (surprise) admiración, asombro. – 3 i preguntarse. – 4 t-i (marvel) asombrarse, maravillarse. ●I shouldn't ~ if ..., no me sorprendería que + subj; it makes you ~, te da en qué pensar; no ~ (that), no es de extrañar que; to ~ about sth, pensar en algo.

wonderful ['wʌndəful] adj maravilloso,-a.

wonky ['wɒŋkɪ] adj GB fam poco firme. 2 (twisted) torcido,-a.

wont [wəʊnt] n costumbre f, hábito. ●to be ~ to, tener la costumbre de.

woo [wuː] t-i cortejar.

wood [wʊd] n madera. 2 (for fire) leña. 3 (forest) bosque m.

woodcut ['wʊdkʌt] n grabado en madera.

woodcutter ['wʊdkʌtəʳ] n leñador,-ra.

wooded ['wʊdɪd] adj arbolado,-a, cubierto,-a de bosques.

wooden ['wʊdən] adj de madera. 2 fig rígido,-a. ■ ~ spoon, cuchara de palo.

woodland ['wʊdlənd] n bosque m, arbolado.

woodpecker ['wʊdpekəʳ] n pájaro carpintero.

woodwork ['wʊdwɜːk] n carpintería. 2 (of building) maderaje m, maderamen m.

woodworm ['wʊdwɜːm] n carcoma.

woody ['wʊdɪ] adj arbolado,-a. 2 (like wood) leñoso,-a.

woof! [wʊf] interj ¡guau!

wool [wʊl] n lana: all ~, pura lana.

woollen, us **woolen** ['wʊlən] adj de lana. 2 COM lanero,-a. – 3 npl géneros mpl de punto.

woolly ['wʊlɪ] adj de lana. 2 (like wool) lanoso,-a. 3 fig confuso,-a.

word [wɜːd] n palabra. – 2 t expresar. ●by ~ of mouth, oralmente; from the ~ go, desde el principio; in other words, o sea; to have a ~ with, hablar con; to *have words with sb.*, discutir con algn.; *to keep one's ~,* cumplir su palabra.

wording ['wɜːdɪŋ] *n* términos *mpl*.

wordy ['wɜːdɪ] *adj* prolijo,-a, verboso,-a.

wore [wɔːʳ] *pt →* **wear**.

work [wɜːk] *n gen* trabajo. 2 *(employment)* empleo, trabajo. 3 *(results)* trabajo. 4 *(literary etc.)* obra. 5 *pl (factory)* fábrica *f sing*. 6 *pl (parts)* mecanismo *m sing*. – 7 *t-i gen* trabajar. – 8 *i (machine, plan etc.)* funcionar. 9 *(medicine)* surtir efecto. ◆*to ~ out t (calculate)* calcular. 2 *(plan)* planear, pensar. 3 *(solve)* solucionar, resolver. – 4 *i (calculation)* salir. 5 *(turn out well)* ir/salir bien. 6 SP hacer ejercicios. ◆*to ~ up t (excite)* exaltar. 2 *(develop)* hacer, desarrollar. ●*at ~,* trabajando; *out of ~,* sin trabajo, parado,-a; *to get worked up,* exaltarse, excitarse; *to have one's ~ cut out to do sth.,* vérselas y deseárselas para hacer algo; *to make short ~ of sth.,* despachar algo deprisa; *to set to ~,* ponerse a trabajar; *to ~ loose,* soltarse, aflojarse; *to ~ to rule,* hacer huelga de celo; *to ~ wonders,* hacer maravillas. ■ *public works,* obras *fpl* públicas.

workable ['wɜːkəbəl] *adj* factible, viable.

workbench ['wɜːkbentʃ] *n* banco de trabajo.

workbook ['wɜːkbʊk] *n* cuaderno/libreta de ejercicios.

workday ['wɜːkdeɪ] *n* día *m* laborable.

worker ['wɜːkəʳ] *n* trabajador,-ra. 2 *(manual)* obrero,-a, operario,-a.

workforce ['wɜːkfɔːs] *n* mano *f* de obra.

working ['wɜːkɪŋ] *adj* de trabajo. 2 *(person)* que trabaja. – 3 *npl* funcionamiento *m sing*. ■ *~ class,* clase obrera; *~ knowledge,* conocimientos *mpl* básicos; *~ model,* modelo que funciona.

workman ['wɜːkmən] *n* trabajador *m*. 2 *(manual)* obrero.

workmanlike ['wɜːkmənlaɪk] bien hecho,-a.

workmanship ['wɜːkmənʃɪp] *n* hechura, ejecución. 2 *(skill)* habilidad.

workmate ['wɜːkmeɪt] *n* compañero,-a de trabajo.

workout ['wɜːkaʊt] *n* entrenamiento.

workshop ['wɜːkʃɒp] *n* taller *m*.

worktop ['wɜːktɒp] *n* encimera.

work-to-rule [wɜːktəˈruːl] *n* huelga de celo.

world [wɜːld] *n* mundo. ●*all over the ~,* en todo el mundo; *it's a small ~,* el mundo es un pañuelo; *out of this ~,* fenomenal, estupendo,-a; *to think the ~ of,* adorar.

world-class [wɜːldˈklɑːs] *adj* de categoría mundial.

worldly ['wɜːldlɪ] *adj* mundano,-a.

worldwide ['wɜːldwaɪd] *adj* mundial, universal.

worm [wɜːm] *n* gusano. 2 *(earth)* ~, lombriz *f*.

worn [wɔːn] *pp →* **wear**.

worn-out [wɔːnˈaʊt] *adj* gastado,-a. 2 *(person)* rendido,-a, agotado,-a.

worried ['wʌrɪd] *adj* inquieto,-a, preocupado,-a.

worry ['wʌrɪ] *n* inquietud, preocupación. – 2 *t-i* inquietar(se), preocupar(se). – 3 *t (dog)* atacar.

worse [wɜːs] *adj-adv comp* peor. – 2 *n* lo peor. ●*to get ~,* empeorarse; *to get ~ and ~,* ir de mal en peor.

worsen ['wɜːsən] *t-i* empeorar(se).

worship ['wɜːʃɪp] *n* adoración. 2 *(ceremony)* culto. – 3 *t* adorar, rendir culto a.

worst [wɜːst] *adj-adv superl* peor. – 2 *n* lo peor. ●*at the ~,* en el peor de los casos.

worsted ['wʊstəd] *n* estambre *m*.

worth [wɜːθ] *n* valor *m*. – 2 *adj* que vale, que tiene un valor de: *it's ~ £10, but I got it for £5,* vale diez libras pero me costó solo cinco; *it's ~ seeing,* vale la pena verlo. ●*to be ~,* valer; *to be ~ the trouble/it,* valer la pena.

worthless ['wɜːθləs] *adj* sin valor. 2 *(useless)* inútil.

worthwhile [wɜːθˈwaɪl] *adj* que vale la pena.

worthy ['wɜːðɪ] *adj* digno,-a, merecedor,-ra.

would [wʊd] *aux (conditional) she ~ tell you if she knew,* te lo diría si lo supiese. 2 *(be disposed to) he wouldn't help me,* se negó a ayudarme, no quiso ayudarme. 3 *(supposition) that ~ have been Jim,* ese debió ser/sería Jim. 4 *(past habit)* soler: *we ~ often go out together,* a menudo salíamos juntos. 5 *(insistence) he ~ go by car,* insistió en que teníamos que ir en coche. ▲ *En 1, 3 y 4 puede contraerse a 'd.*

would-be ['wʊdbiː] *adj* supuesto,-a, aspirante a.

wound [wuːnd] *n* herida. – 2 *t* herir. – 3 *pt & pp →* **wind**. ▲ *En 3* [waʊnd].

wounded ['wuːndɪd] *adj* herido,-a.

wounding ['wuːndɪŋ] *adj* hiriente.

wove [wəʊv] *pt →* **weave**.

woven ['wəʊvən] *pp →* **weave**.

wow [waʊ] *interj fam* ¡caramba!

wrangle ['ræŋgəl] *n* riña. – 2 *i* reñir.

wrap [ræp] *t* envolver. ◆*to ~ up i* abrigarse. ●*fig to be wrapped up in,* estar absorto,-a en.

wrapper ['ræpəʳ] *n* envoltorio.

wrapping ['ræpɪŋ] *n* envoltorio. ■ *~ paper,* papel *m* de envolver; *(fancy)* papel de regalo.

wrath [rɒθ] *n* cólera, ira.

wreak [riːk] *t (havoc)* causar. ●*to ~ vengeance on,* vengarse de.

wreath [riːθ] *n* corona.

wreck [rek] *n* MAR *(action)* naufragio. 2 MAR *(ship)* barco naufragado. 3 *(of car etc.)* restos *mpl.* 4 *(of building)* ruinas *fpl.* 5 *fig (person)* ruina. – 6 *t* MAR hacer naufragar. 7 *(destroy)* destrozar, destruir, arruinar.

wreckage ['rekɪdʒ] *n (of car etc.)* restos *mpl.* 2 *(of building)* ruinas *fpl.*

wrench [rentʃ] *n* tirón *m.* 2 *fig* separación dolorosa. 3 *(tool)* GB llave inglesa; US llave. – 4 *t* arrancar (de un tirón).

wrest [rest] *t* arrancar, arrebatar.

wrestle ['resəl] *i* luchar.

wrestler ['resələʳ] *n* SP luchador,-ra.

wrestling ['resəlɪŋ] *n* lucha.

wretch [retʃ] *n* desgraciado,-a.

wretched ['retʃɪd] *adj* desgraciado,-a. 2 *(unhappy)* infeliz, desdichado,-a. 3 *fam* horrible, malísimo,-a.

wriggle ['rɪgəl] *t-i* retorcer(se), menear(se). ●*to ~ out of sth.,* escaparse de algo.

wring [rɪŋ] *t* torcer, retorcer. 2 *(clothes)* escurrir. ● *to ~ sb.'s neck,* torcer el pescuezo a algn.; *to ~ sth. out of sb.,* arrancarle algo a algn. ▲ *pt & pp* **wrung**.

wringing wet ['rɪŋɪŋwet] *adj* empapado,-a.

wrinkle ['rɪŋkəl] *n* arruga. – 2 *t-i* arrugar(se).

wrist [rɪst] *n* muñeca.

wristwatch ['rɪstwɒtʃ] *n* reloj *m* de pulsera.

writ [rɪt] *n* mandato/orden *f* judicial.

write [raɪt] *t-i* escribir. – 2 *t (cheque)* extender. ◆*to ~ back i* contestar (por carta). ◆*to ~ down t* poner por escrito. 2 *(note)* anotar, apuntar. ◆*to ~ off t (debt)* anular. 2 *fig* dar por perdido,-a. ◆*to ~ off for t* pedir por correo. ◆*to ~ out t* escribir (en su forma completa). 2 *(cheque etc.)* extender. ◆*to ~ up t* escribir. ▲ *pt* **wrote**; *pp* **written**.

write-off ['raɪtɒf] *n* siniestro total.

writer ['raɪtəʳ] *n* escritor,-ra, autor,-ra.

write-up ['raɪtʌp] *n fam* crítica, reseña.

writhe [raɪð] *t* retorcerse.

writing ['raɪtɪŋ] *n* escritura. 2 *(handwriting)* letra. 3 *(professsion)* profesión de autor. 4 *pl* obras *fpl.* ■ *~ desk,* escritorio; *~ paper,* papel *m* de escribir.

written ['rɪtən] *pp* → **write**. – 2 *adj* escrito,-a.

wrong [rɒŋ] *adj* erróneo,-a, equivocado,-a, incorrecto,-a. 2 *(evil)* malo,-a. 3 *(unfair)* injusto,-a. 4 *(unsuitable)* inadecuado,-a; *(time)* inoportuno,-a. – 5 *adv* mal, incorrectamente, equivocadamente. – 6 *n (evil)* mal *m.* 7 *(injustice)* injusticia. – 8 *t* ser injusto,-a con. – 9 *wrongly adv* mal. 10 *(mistakenly)* sin razón, equivocadamente. 12 *(unjustly)* injustamente. ●*to be in the ~,* no tener razón; *(be to blame)* tener la culpa; *to be ~,* estar equivocado,-a; *(person)* equivocarse; *to go ~,* equivocarse; *(machine)* estropearse; *(plan)* fallar.

wrong-doer ['rɒŋdʊəʳ] *n* malhechor,-ra.

wrongful ['rɒŋfʊl] *adj* injusto,-a. 2 *(illegal)* ilegal.

wrote [rəʊt] *pt* → **write**.

wrought [rɔːt] *adj (iron)* forjado,-a.

wrung [rʌŋ] *pt & pp* → **wring**.

wry [raɪ] *adj* irónico,-a.

X

xenophobia [zenə'fəubɪə] *n* xenofobia.
xenophobic [zenə'fəubɪk] *adj* xenófobo,-a.
Xerox® ['zɪərɒks] *n* xerocopia. — **2** *t* xerocopiar.
Xmas ['eksməs, 'krɪsməs] *n* → **Christmas**.

X-ray ['eksreɪ] *n* rayo X. **2** *(photograph)* radiografía. — **3** *t* radiografiar.
xylophone ['zaɪləfəun] *n* xilófono.
xylophonist [zaɪ'lɒfənɪst] *n* xilofonista *mf.*

Y

yacht [jɒt] *n* yate *m*. **2** *(with sails)* velero, yate.

yachting ['jɒtɪŋ] *n* deporte *m* de la vela.

yachtsman ['jɒtsmən] *n* deportista *m* de vela.

yak [jæk] *n* yac *m*, yak *m*.

yam [jæm] *n* ñame *m*.

Yank [jæŋk] *n pej* yanqui *mf*.

yank [jæŋk] *fam n* tirón *m*. **− 2** *t* tirar de.

Yankee ['jæŋkɪ] *adj-n pej* yanqui *(mf)*.

yap [jæp] *n* ladrido (agudo). **− 2** *t* ladrar.

yard [jɑːd] *n* patio. **2** US jardín *m*. **3** *(measure)* yarda. ▲ **3** = *0,914 metros.*

yardstick ['jɑːdstɪk] *n fig* criterio, norma.

yarn [jɑːn] *n* hilo. **2** *(story)* cuento.

yawn [jɔːn] *n* bostezo. **− 2** *i* bostezar.

yeah [jeə] *adv fam* sí.

year [jɪəʳ] *n* año. **2** EDUC curso.

yearling ['jɪəlɪŋ] *adj-n* primal,-la.

yearly ['jɪəlɪ] *adj* anual. **− 2** *adv* anualmente.

yearn [jɜːn] *i* anhelar.

yearning ['jɜːnɪŋ] *n* anhelo.

yeast [jiːst] *n* levadura.

yell [jel] *n* grito, alarido. **− 2** *i* gritar, dar alaridos.

yellow ['jeləʊ] *adj* amarillo,-a. **2** *(cowardly)* cobarde. **− 3** *n* amarillo. **− 4** *t* volver amarillo. **− 5** *i* amarillear.

yelp [jelp] *n* gañido. **− 2** *i* gañir.

yen [jen] *n* deseo. **2** FIN yen *m*.

yeoman ['jəʊmən] *n* HIST labrador *m* rico. ■ ~ *of the guard,* alabardero de la Torre de Londres.

yes [jes] *adv-n* sí *(m)*. **2** *(on 'phone)* ¿dígame? ●*to say* ~, decir que sí.

yes-man ['jesmæn] *n* cobista *mf*.

yesterday ['jestədɪ] *adv-n* ayer *(m)*. ■ *the day before* ~, anteayer.

yet [jet] *adv* todavía, aún. **− 2** *conj* no obstante, sin embargo.

yeti ['jetɪ] *n* yeti *m*.

yew [juː] *n* tejo.

yield [jiːld] *n* rendimiento. **2** AGR cosecha. **3** FIN rédito. **− 4** *t* producir. **5** FIN rendir. **− 6** *i (surrender)* rendirse, ceder. **7** *(break)* ceder.

yippee [jɪ'piː] *interj fam* ¡yupi!

yob(bo) ['jɒb(əʊ)] *n fam* gamberro,-a.

yodel ['jəʊdəl] *i* cantar a la tirolesa.

yoga ['jəʊgə] *n* yoga *m*.

yog(h)urt ['jɒgət] *n* yogur *m*.

yoke [jəʊk] *n* yugo. **− 2** *t* uncir.

yokel ['jəʊkəl] *n* paleto,-a.

yolk [jəʊk] *n* yema.

yon [jɒn], **yonder** ['jɒndəʳ] *adj* aquel, aquella, aquellos,-as. **− 2** *adv* allá.

you [juː] *pers pron (subject) (familiar)* tú; *(plural)* vosotros,-as. **2** *(subject) (polite)* usted; *(plural)* ustedes. **3** *(subject) (impers)* se. **4** *(object) (familiar)* ti; *(before verb)* te; *(plural)* vosotros,-as; *(before verb)* os. **5** *(object) (polite)* usted; *(before verb)* le; *(plural)* ustedes; *(before verb)* les. **6** *(object) (impers): cyanide kills* ~, el cianuro mata.

young [jʌŋ] *adj* joven. ■ *the* ~, los jóvenes.

youngster ['jʌŋstəʳ] *n* joven *mf*.

your [jɔːʳ] *poss adj (familiar)* tu, tus; *(plural)* vuestro,-a, vuestros,-as. **2** *(polite)* su, sus.

yours [jɔːz] *poss pron* (el) tuyo, (la) tuya, (los) tuyos, (las) tuyas; *(plural)* (el) vuestro, (la) vuestra, (los) vuestros, (las) vuestras. **2** *(polite)* (el) suyo, (la) suya, (los) suyos, (las) suyas.

yourself [jɔː'self] *pers pron (familiar)* te; *(emphatic)* tú mismo,-a. **2** *(polite)* se; *(emphatic)* usted mismo,-a.

yourselves [jɔː'selvz] *pers pron pl (familiar)* os; *(emphatic)* vosotros,-as mismos,-as. **2** *(polite)* se; *(emphatic)* ustedes mismos,-as.

youth [ju:θ] *n* juventud. **2** *(young person)* joven *mf*. ■ ~ *hostel,* albergue *m* de juventud.

youthful ['ju:θfʊl] *adj* joven, juvenil.
yo-yo ® ['ɪəʊɪəʊ] *n* yoyo, yoyó.
yucky ['jʌkɪ] *adj fam* asqueroso,-a.
yule [ju:l] *n* Navidad.
yummy ['jʌmɪ] *adj fam* de rechupete.

Z

zany ['zeɪnɪ] *adj fam* estrafalario,-a. **2** *(mad)* chiflado,-a.

zeal [ziːl] *n* celo, entusiasmo.

zealot ['zelət] *n* fanático,-a.

zealous ['zeləs] *adj* celoso,-a, entusiasta.

zebra ['ziːbrə, zebrə] *n* cebra. ■ ~ *crossing,* paso de peatones/cebra.

zenith ['zenɪθ] *n* cenit *m*. **2** *fig* apogeo.

zephyr ['zefəʳ] *n* céfiro.

zeppelin ['zepəlɪn] *n* AV zepelín *m*.

zero ['zɪərəʊ] *n* cero.

zest [zest] *n* entusiasmo.

zigzag ['zɪgzæg] *n* zigzag *m*. – **2** *t* zigzaguear.

zinc [zɪŋk] *n* cinc *m*, zinc *m*.

zip [zɪp] *n* ~ *(fastener),* cremallera. ◆*to* ~ *by/past t-i* pasar como un rayo. ◆*to* ~ *up t* cerrar con cremallera. ■ US ~ *code,* código postal.

zipper ['zɪpəʳ] *n* US cremallera.

zodiac ['zəʊdɪæk] *n* zodiaco, zodíaco.

zombie ['zɒmbɪ] *n* zombi(e) *mf*.

zone [zəʊn] *n* zona.

zoo [zuː] *n* zoo *m*, (parque *m*) zoológico.

zoological [zʊə'lɒdʒɪkəl] *adj* zoológico,-a.

zoology [zʊ'ɒlədʒɪ] *n* zoología.

zoom [zuːm] *n* *(noise)* zumbido. **2** ~ *(lens),* (objetivo) zoom *m*. – **3** *i* zumbar. **4** AER empinarse. ◆*to* ~ *by/past t-i fam* pasar volando.

Geographical names and languages

Adriatic Sea	mar Adriático	Asturias	Asturias
Aegean Sea	mar Egeo	Atlantic Ocean	océano Atlántico
Afghan[3]	afgano	Australia	Australia
Afghanistan	Afganistán	Australian[3]	australiano
Africa	África	Austria	Austria
African[3]	africano	Austrian[3]	austríaco
Albania	Albania	Azerbaijan	Azerbaiján
Albanian[3]	albano	Azerbaijani[3]	azerbaijano
Algeria	Argelia	Azores	Azores
Algerian[3]	argelino		
Algiers	Argel		
Alps	Alpes	Balearic[2]	balear, baleárico
Amazon	Amazonas	Balearic Islands	Islas Baleares
America	América	Balkans	Balcanes
American[3]	estadounidense	Baltic Sea	mar Báltico
Andalusia	Andalucía	Bangladesh	Bangladesh
Andalusian[3]	andaluz	Bangladeshi[3]	bangladesí
Andes	Andes	Basque[3]	vasco
Andorra	Andorra	Basque Country	País Vasco
Andorran[3]	andorrano	Bay of Biscay	Golfo de Vizcaya
Anglosaxon[3]	anglosajón	Belgian[3]	belga
Antarctica	Antártida	Belgium	Bélgica
Apennines	Apeninos	Belize	Belice
Arabia	Arabia	Black Sea	mar Negro
Arabian[4]	árabe	Bolivia	Bolivia
Arabic[5]	árabe	Bolivian[3]	boliviano
Aragon	Aragón	Bosnia-	Bosnia-
Aragonese[3]	aragonés	Herzegovina	Herzegovina
Armenia	Armenia	Bosnian[3]	bosnio
Armenian[3]	armenio	Brazil	Brasil
Arctic Ocean	océano Ártico	Brazilian[3]	brasileño
Argentine	Argentina	Britain	Gran Bretaña
Argentinian[3]	argentino	British[2]	británico
Asia	Asia	Briton[1]	británico
Asian[3]	asiático	Bulgaria	Bulgaria
Asturian[3]	asturiano	Bulgarian[3]	búlgaro

Byelorussia	Bielorrusia
Byelorussian[3]	bielorruso
Cambodia	Camboya
Cambodian[3]	camboyano
Cameroon	Camerún
Cameroonian[3]	camerunés
Canada	Canadá
Canadian[3]	canadiense
Canary Islands	Islas Canarias
Cantabria	Cantabria
Cantabrian[3]	cántabro
Caribbean	Caribe
Caribbean[3]	caribeño
Castile	Castilla
Castilian[3]	castellano
Catalan[3]	catalán
Catalonia	Cataluña
Catalonian[4]	catalán
Celt[1]	celta
Celtic[4]	celta
Ceuta	Ceuta
Ceylon	Ceilán
Ceylonese[2]	ceilanés
Channel Islands	Islas Anglonormandas
Chile	Chile
Chilean[3]	chileno
China	China
Chinese[3]	chino
Colombia	Colombia
Colombian[3]	colombiano
Corsica	Córcega
Corsican[3]	corso
Costa Rica	Costa Rica
Costa Rican[3]	costarricense
Croat[3], Croatian[3]	croata
Croatia	Croacia
Cuba	Cuba
Cuban[3]	cubano
Cypriot(e)[3]	chipriota
Cyprus	Chipre
Czech[3]	checo
Czechoslovak(ian)[3]	checoslovaco
Czechoslovakia	Checoslovaquia
Dane[1]	danés
Danish[2]	danés
Danube	Danubio
Dead Sea	mar Muerto
Denmark	Dinamarca
Dominican[3]	dominicano
Dominican Republic	República Dominicana

Dubliner[1]	dublinés
Dutch[3]	holandés
Earth	Tierra
Ecuador	Ecuador
Ecuadorian[3]	ecuatoriano
Egypt	Egipto
Egyptian[3]	egipcio
Eire	Eire, República de Irlanda
El Salvador	El Salvador
England	Inglaterra
English[2]	inglés
English Channel	Canal de La Mancha
Estonia	Estonia
Estonian[3]	estonio
Estremadura	Extremadura
Estremaduran[3]	extremeño
Ethiopia	Etiopía
Ethiopian[3]	etíope
Europe	Europa
European[3]	europeo
Falkland Islands	Islas Malvinas
Far East	Lejano Oriente
Filipino[2]	filipino
Finland	Finlandia
Finn[1]	finlandés
Finnish[2]	finlandés
France	Francia
French[2]	francés
Fuerteventura	Fuerteventura
Galicia	Galicia
Galician[3]	gallego
Georgia	Georgia
Georgian[3]	georgiano
German[3]	alemán
Germany	Alemania
Gibraltar	Gibraltar
Gibraltarian[3]	gibraltareño
Gran Canaria, Grand Canary	Gran Canaria
Great Britain	Gran Bretaña
Greece	Grecia
Greek[3]	griego
Greenland	Groenlandia
Guatemala	Guatemala
Guatemalan[3]	guatemalteco
Gulf of Lions	Golfo de León

Haiti	Haití	Laos	Laos
Haitian[3]	haitiano	Laotian[3]	laosiano
Hebrew[3]	hebreo	Latin America	América Latina,
Himalayas	Himalaya		Latinoamérica
Holland	Holanda	Latin American[3]	latinoamericano
Honduran[3]	hondureño	Latvia	Letonia
Honduras	Honduras	Latvian[3]	letón
Hungarian[3]	húngaro	Lebanese[3]	libanés
Hungary	Hungría	Lebanon	Líbano
		Libya	Libia
		Libyan[3]	libio
Iberian Peninsula	Península Ibérica	Liechtenstein	Liechtenstein
Ibiza	Ibiza	Liechtensteiner[1]	liechtenstiense
Ibizan[3]	ibicenco	Lithuania	Lituania
Iceland	Islandia	Lithuanian[3]	lituano
Icelander[1]	islandés	Londoner[1]	londinense
Icelandic[2]	islandés	Luxembourg	Luxemburgo
India	India	Luxembourger[1]	luxemburgués
Indian[3]	indio, hindú		
Indian Ocean	océano Índico		
Indochina	Indochina	Macedonia	Macedonia
Indonesia	Indonesia	Macedonian[3]	macedonio
Indonesian[3]	indonesio	Majorca	Mallorca
Irak	Irak	Majorcan[3]	mallorquín
Iran	Irán	Malaysia	Malasia
Iranian[3]	iraní	Malaysian[3]	malayo
Iraq	Irak	Mars	Marte
Iraqi[3]	iraquí	Mediterranean Sea	mar Mediterráneo
Ireland	Irlanda	Melilla	Melilla
Irish[2]	irlandés	Mercury	Mercurio
Israel	Israel	Mexican[3]	mejicano
Israeli[4]	israelí	Mexico	Méjico, México
Israelite[3]	israelita	Middle East	Oriente Medio
Italian[3]	italiano	Minorca	Menorca
Italy	Italia	Minorcan[3]	menorquín
		Mississippi	Misisipí
		Moldavia	Moldavia
Jamaica	Jamaica	Moldavian[3]	moldavo
Jamaican[3]	jamaicano,	Monaco	Mónaco
	jamaiquino	Monegasque[3]	monegasco
Japan	Japón	Montenegro	Montenegro
Japanese[3]	japonés	Montenegrin[3]	montenegrino
Jordan	Jordania	Moroccan[3]	marroquí
Jordanian[3]	jordano	Morocco	Marruecos
Jupiter	Júpiter		
		Navarre	Navarra
Kenya	Kenia, Kenya	Navarrese[3]	navarro
Kenyan[3]	keniano	Nepal	Nepal
Korea	Corea	Nepalese[3]	nepalí
Korean[3]	coreano	Neptune	Neptuno
Kuwait	Kuwait	Netherlands, The	Países Bajos
Kuwaiti[3]	kuwaití	New Yorker[1]	neoyorquino
		New Zealand	Nueva Zelanda
Lanzarote	Lanzarote	New Zealander[1]	neocelandés

Nicaragua	Nicaragua	Russia	Rusia
Nicaraguan[3]	nicaragüense	Russian[3]	ruso
Nigeria	Nigeria		
Nigerian[3]	nigeriano	Salvador(i)an[3]	salvadoreño
Nile	Nilo	Sardinia	Cerdeña
North America	América del Norte	Sardinian[3]	sardo
North American[3]	norteamericano	Saturn	Saturno
Northern Ireland	Irlanda del Norte	Saudi (Arabian)[4]	saudí, saudita
North Pole	Polo Norte	Saudi Arabia	Arabia Saudí
North Sea	mar del Norte	Scandinavia	Escandinavia
Norway	Noruega	Scandinavian[3]	escandinavo
Norwegian[3]	noruego	Scot[1]	escocés
		Scotland	Escocia
		Scots[2], Scottish[2]	escocés
Oceania	Oceanía	Seine	Sena
		Serb[3], Serbian[3]	serbio
		Serbo-Croat[3]	serbocroata
Pacific Ocean	océano Pacífico	Serbo-Croatian[2]	serbocroata
Pakistan	Paquistán, Pakistán	Sicilian[3]	siciliano
Pakistani[3]	paquistaní, pakistaní	Sicily	Sicilia
		Singapore	Singapur
Palestine	Palestina	Slav	eslavo
Palestinian[3]	palestino	Slovene[3]	esloveno
Panama	Panamá	Slovenia	Eslovenia
Panamanian[3]	panameño	Slovenian[3]	esloveno
Paraguay	Paraguay	South Africa	Suráfrica
Paraguayan[3]	paraguayo	South African[3]	surafricano
Persian[3]	pérsico, persa	South America	Sudamérica, América del Sur
Peru	Perú	South American[3]	sudamericano
Peruvian[3]	peruano	South Pole	Polo Sur
Philippine[5]	filipino	Spain	España
Philippines	Filipinas	Spaniard[1]	español
Pluto	Plutón	Spanish[2]	español
Poland	Polonia	Spanish America	Hispanoamérica
Pole[1]	polaco	Spanish American[4]	hispanoamericano
Polish[2]	polaco	Surinam	Suriname
Polynesia	Polinesia	Surinamese[3]	surinamés
Polynesian[3]	polinesio	Swede[1]	sueco
Portugal	Portugal	Sweden	Suecia
Portuguese[3]	portugués, luso	Swedish[2]	sueco
Puerto Rican[3]	puertorriqueño, portorriqueño	Swiss	suizo
		Switzerland	Suiza
Puerto Rico	Puerto Rico	Syria	Siria
Pyrenees	Pirineos	Syrian[3]	sirio
Red Sea	mar Rojo	Taiwan	Taiwan
Rhine	Rin	Tenerife	Tenerife
Rhone	Ródano	Thai[3]	tailandés
Rocky Mountains	Montañas Rocosas	Thailand	Tailandia
Romania, Rumania	Rumanía	Thames	Támesis
Romanian[3], Rumanian[3]	rumano	Tunisia	Túnez
		Tunisian[3]	tunecino
		Turk[1]	turco

| Turkey | Turquía |
| Turkish[2] | turco |

Ukraine	Ucrania
Ukrainian[3]	ucraniano
United Arab Emirates	Emiratos Árabes Unidos
United Kingdom	Reino Unido
United States (of America)	Estados Unidos (de América)
Uranus	Urano
Uruguay	Uruguay
Uruguayan[3]	uruguayo

Valencia	Valencia
Valencian[3]	valenciano
Vatican	Vaticano

Venezuela	Venezuela
Venezuelan[3]	venezolano
Venus	Venus
Vietnam	Vietnam
Vietnamese[3]	vietnamita

Wales	Gales
Welsh[2]	galés
West Indies	Antillas
West Indian[3]	antillano

| Yugoslav(ian)[3] | yugoslavo |
| Yugoslavia | Yugoslavia |

| Zaire | Zaire |
| Zairian[3] | zairense |

ESPAÑOL-INGLÉS

Abreviaturas usadas en este diccionario

abr	abreviatura	*indef*	indefinido
adj	adjetivo	*indic*	indicativo
adv	adverbio, frase adverbial	*inf*	infinitivo
AER	aeronáutica	INFORM	informática
AGR	agricultura	*interj*	interjección
algn.	alguien	*interrog*	interrogativo
AM	América Latina	*inv*	invariable
ANAT	anatomía	*irón*	irónico
arg	argot	*irreg*	irregular
ARQ	arquitectura	JUR	jurisprudencia
art	artículo	LING	lingüística
ART	arte	*lit*	literario
ASTROL	astrología	*loc*	locución
ASTRON	astronomía	*m*	masculino
AUTO	automóvil	*m & f*	género ambiguo
aux	verbo auxiliar	MAR	marítimo
AV	aviación	MAT	matemáticas
BIOL	biología	MED	medicina
BOT	botánica	METEOR	meteorología
CINEM	cinematografía	*mf*	género común
COM	comercio	MIL	militar
comp	comparativo	MUS	música
cond	condicional	*n*	nombre
conj	conjunción	*neut*	neutro
COST	costura	*npr*	nombre propio
CULIN	culinario, cocina	o.s.	oneself
def	definido	*p*	verbo pronominal
DEP	deporte	*pers*	persona, personal
ECON	economía	*pey*	peyorativo
EDUC	educación	*pl*	plural
ELEC	electricidad	POL	política
esp	especialmente	*pos*	posesivo
etc.	etcétera	*pp*	participio pasado
euf	eufemismo	*prep*	preposición
f	femenino	*pres*	presente
fam	familiar	*pron*	pronombre
fig	figurado	*pt*	pasado, pretérito
FIN	finanzas	QUÍM	química
FÍS	física	®	marca registrada
fml	formal	RAD	radio
fut	futuro	*rel*	relativo
GB	Gran Bretaña	REL	religión
gen	generalmente	sb.	somebody
GEOG	geografía	*sing*	singular
GRAM	gramática	sth.	something
HIST	historia	*subj*	subjuntivo
i	verbo intransitivo	*superl*	superlativo
imperat	imperativo	*t*	verbo transitivo
IND	industria	TEAT	teatro

IV

TÉC	técnico	*	tabú
TV	televisión	≈	aproximadamente
US	Estados Unidos		equivalente a
ZOOL	zoología	→	véase

Spanish grammar

Prouanciation

Here is a brief description of the pronunciation of Spanish.

Vowels

Letter	Phonetic symbol	Examples	Approximate British English equivalent
a	[a]	hasta, cama	first element of the diphthongs [aɪ] as in *sigh*, or [aʊ] as in *cow*
e	[e]	estreno, café	first element of the diphthong [eɪ] in *day*
i	[i]	imitar, iris	[i:] as in *tree*, but shorter
o	[ɒ]	ojo, toro	somewhere between [ɒ] as in *dog* and [ɔ:] as in *bought*
u	[u]	urna, tribu	[u:] as in *rude*, but shorter
y	[i]	ley, y	[i:] as in *see*, but shorter

Diphthongs

Spanish diphthongs (as in baile, hay; fauna; peine, ley; feudo; boina, bocoy; and bou) are simply combinations of the pure vowels above.

Semi-consonants

u	[w]	fue, cuanto, huir	[w] as in *wish*
i	[j]	viene, sucio, fiar, ciudad	[j] as in *yellow*
y	[j]	yerro, mayor	[j] as in *yellow*

Consonants

b	[b]	barro, cambio	[b] as in *black*
	[β]	estaba, algarrobo	This voiced bilabial fricative does not exist in English. It is similar to a [b] but is continuous rather than explosive
c	[k]	cazar, saco, frac	[k] as in *cat*, *kayak*, *quiz*
	[θ]	cecina, cielo	
ch	[tʃ]	charla, coche	[tʃ] as in *change*
d	[d]	deber, mando	[d] as in *dog*
	[ð]	seda, ciudad	[ð] as in *there*
f	[f]	fijar, tráfico	[f] as in *foot*

g	[g]	ganso, tango	[g] as in *goat*
	[ɣ]	laguna, según	This velar fricative does not exist in English. It is similar to the noise made when gargling
	[x]	gemir, mágico	Similar to Scottish [x] in *loch*
h	—	hombro, ahínco, alhaja	The Spanish **h** is silent
j	[x]	jubón, tajo, carcaj	Similar to Scottish [x] in *loch*
k	[k]	kilómetro	[k] as in *cat, kayak, quiz*
l	[l]	lengua bedel, pala	[l] as in *land*
ll	[ʎ]	llamar, pollo	Similar to the sound [lj] in *billion*
m	[m]	mesa, domingo, hambre, pum	[m] as in *mother*
n	[n]	nota latón, guantes	[n] as in *next*
ñ	[ɲ]	paño, ñoño	Similar to the sound [nj] in *onion*
p	[p]	pompa, puré	[p] as in *people*
q	[k]	quitar, meñique	[k] as in *cat, kayak, quiz*
r(r)	[r]	mero, bastar, cobre	This single vibrant [r] does not exist in English
	[rr]	rico, sonrisa, carro	
s	[s]	sordo, pasar, palos	Similar to the [s] in *sister* but articulated with the tip of the tongue rather than the blade
t	[t]	tigre, estar, tarot	[t] as in *tinted*
v	[b]	verbo, vástago	See **b** above
	[β]	cava, relevo	See **b** above
w	[b]	wagón, waterpolo	[b] as in *black*
x	[ks]	léxico, examinar, extra	[ks] as in *extreme*
z	[θ]	zurrar, taza, cariz	[θ] as in *think*

Main spelling difficulties

The letters *b* and *v*
These two letters are pronounced in exactly the same way. The letter *b* is used in all words in which this sound is followed by a consonant: *bruma*, *blanco*, *abstenerse*, but the letter *v* is used after *b*, *d* and *n*: *obvio*, *advertir*, *convencer*. Apart from this there are no general rules which govern their use; in case of doubt check in the dictionary.

The letters *c*, *k* and *q*
These three letters are used to represent the sound [k]. Before the vowels *a*, *o*, *u*, before a consonant, and in some cases at the end of a word *c* is used: *casa*, *color*, *cuna*, *frac*. Before the vowels *e* or *i*, *qu* is written: *querer*, *quitar*. The letter *k* is used in words of foreign origin in which the original spelling has been maintained: *kitsch*.

The letters *c* and *z*
These two letters are used to represent the sound [θ]. Before the vowels *e* and *i* the letter *c* is used; before the vowels *a*, *o*, *u* and at the end of a word *z* is used: *cero*, *cima*, *zapato*, *azote*, *zurra*, *pez*. There are a few exceptions to this rule: *zigzag*, *zipizape*, *¡zis, zas!* Some words may also be written with either *c* or *z*: *a(c/z)imo*, *a(c/z)imut*, *(c/z)eda*, *(c/z)eta*, *(c/z)inc*. Note that a final *z* changes to *c* in the plural: *pez - peces*.

The letters g and j

The letter *j* is always pronounced [x] (as in the Scottish 'loch'). The letter *g* is pronounced [x] when it is followed by the vowels *e* and *i*, but [g] (as in 'golf', 'get') when it is followed by the vowels *a*, *o* or *u*. In the group *gu* + *e/i* the *u* is silent and the pronunciation is [g], but when *gu* is followed by *a* or *o* the *u* is pronounced giving the sound [gw]. The group *gü*, with a dieresis over the *u*, is written only before *e* or *i*, and is pronounced [gw]. To summarize:

the sound [x] is written	*j*	before *a, o* and *u*
	j or *g*	before *e* and *i*
the sound [g] is written	*g*	before *a, o, u*
	gu	before *i* and *e*
the sound [gw] is written	*gu*	before *a* and *o*
	gü	before *e* and *i*.

The letters r and rr

The letter *r* is used to represent two different sounds: the one-tap [r] sound when it appears either in the middle of a word or in the final position: *carta, ardor*; and the multiple vibrant [rr] when it appears in initial position or follows the consonants *l, n* or *s: roca, honra*. The double *rr* always represents the multiple vibrant [rr] sound and is written only between vowels: *barro, borrar*.

The writen accent

Words stressed on the final syllable require a written accent on that syllable when they end in a vowel or the consonants *n* or *s: café, tabú, sillón, Tomás*; but *calor, carril, merced, sagaz*.

Words stressed on the penultimate syllable require a written accent on that syllable whenever the word does not end in a vowel or the consonants *n* or *s: árbol, fémur, Gómez*; but *casa, acento, examen, tomas*.

Words stressed on the antepenultimate syllable or earlier always require a written accent on the stressed syllable: *pájaro, carámbano, cómpramelo*.

Generally speaking, monosyllabic words do not require written accents, but in some cases one is used to distinguish two different words with the same spelling: *él* (he, him) - *el* (the); *té* (tea) - *te* (the letter T). These will be found in the dictionary.

Note that in the case of adverbs ending in *-mente* any written accent in the root adjective is retained: *fácil - fácilmente*.

Diphthongs, triphthongs and hiatus

A group of two vowels that make one syllable is called a diphthong; a group of three is called a triphthong. A diphthong is formed by one weak vowel (*i* or *u*) in combination with one strong vowel (*a, e* or *o*). A triphthong is one strong vowel between two weak ones. As far as stress is concerned the general rules apply, with both diphthongs and triphthongs being treated as if they were one syllable. If a stressed dipththong or triphthong requires a written accent (following the rules above), this is placed above the strong vowel: *miércoles, acariciéis*.

Hiatus occurs when groups of consecutive vowels do not form diphthongs or triphthongs. In these cases the group is usually made up of strong vowels; the stressed vowel will carry a written accent or not in accordance with the rules above: *neón, tebeo, traéis*. However, when the stressed vowel is a weak vowel, the normal rules of stress are ignored and it is the weak vowel which carries the written accent in order to distinguish the group from a diphthong or triphthong: *María, reían, frío*.

The combination *ui* is always considered a diphthong whatever its pronunciation: *contribuir, ruin*.

The article

	definite		indefinite	
	masculine	feminine	masculine	feminine
sing	*el*	*la*	*un*	*una*
plural	*los*	*las*	*unos*	*unas*

Observations

With reflexive verbs the definite article is equivalent to an English possessive adjective in sentences such as: *me lavo la cara* (I wash my face). *cámbiate de ropa* (change your clothes).

The definite article may acquire the pronominal value of the English 'the one' or 'the ones': *el del traje azul* (the one in the blue suit).

The masculine article (*el, un*) is used with feminine nouns which begin with a stressed *a-* or *ha-*, when these are used in the singular: *el agua, un hacha*. Note however that the plural forms are regular: *las aguas, unas hachas*. Nouns which behave in this way are marked in the dictionary.

The prepositions *a* and *de* and the article *el* contract to give the forms *al* and *del*.

The noun

Gender indication in the dictionary

Unlike their English counterparts, Spanish nouns have grammatical gender. In this dictionary the gender of every Spanish headword is given, but in the translations on the English-Spanish side, unmarked nouns ending in *-o* are to be taken to be masculine and those ending in *-a, -dad, -tad, -tud* and *-ción* are to be taken to be feminine; gender is marked only in those cases where this does not apply.

Masculine and feminine forms

In many cases gender is shown by the ending which is added to the root. Nouns denoting men or male animals commonly end in *-o* while their counterparts denoting women and female animals end in *-a*: *chico - chica, gato - gata*.

Masculine nouns ending in a consonant add *-a* to form the feminine: *señor, señora*.

Some nouns denoting persons have the same form for both sexes. In these cases the gender is indicated only by the article used: *un pianista* (a male pianist); *una pianista* (a female pianist).

In the case of some nouns denoting animals gender is not indicated by the article but by placing the word *macho* or *hembra* after the noun: *una serpiente* (a snake); *una serpiente macho* (a male snake); *una serpiente hembra* (a female snake).

In some cases a change in gender signifes a change in meaning. For example, *la cólera* means 'anger' and *el cólera*, 'cholera'. Such change of meaning will be found in the dictionary. However there are a very few words which are either masculine or feminine with no change in meaning whatever. Two examples are *mar* and *azúcar*; one may say *el mar está agitado* or *la mar está agitada*. Words of this type are marked *m & f* in the dictionary.

Formation of the plural

Nouns whose plural is formed by adding *-s* are:
- those ending in an unstressed vowel: *pluma, plumas*.
- those ending in a stressed *-é*: *bebé, bebés*.

Nouns whose plural is formed by adding *-es* are:
- the names of vowels: *a, aes; i, íes; o, oes; u, úes*.
- nouns ending in a consonant or stressed *-í*: *color, colores; anís, anises*.

When a compound noun is written as separate elements only the first element indicates the plural: *ojos de buey, patas de gallo*.

All irregular plurals are indicated at the appropriate entries in the dictionary.

The adjective

The adjective usually goes after the noun, and agrees with it in gender and number:

un coche rojo; las chicas guapas.

However, indefinite, interrogative and exclamative adjectives are placed before the noun, as are adjectives expressing cardinal numbers:

¡qué vergüenza!; *¿cuántos leones hay?*; *hay treinta leones.*

Formation of the masculine and feminine

Most adjectives have a double ending, one for the feminine and one for the masculine. The common are those ending in *-o/-a*, *-or/-ora* and those ending in or *-és/-esa* formed from place names: *guapo,-a, trabajador,-ra, barcelonés,-esa.*
Some, however, have a single ending: those which end in *-a, -e, -i, -í, -n, -l, -r, -s, -z* and *-ista*: *alegre, marroquí, común, fiel, familiar, cortés, capaz.*

Formation of the plural

The adjective follows the same rules as are given for the noun above.

Comparative and superlative

The comparative is formed with *más ... que* or *menos ... que*:

Pedro es más listo que Alberto; *los perros corren menos que los tigres.*

When *que* in a comparative expression is followed by a verb, it is replaced by *de lo que*: *esto es más complicado de lo que parece.*

The English comparative phrases 'as ... as' and 'so ... as' are rendered by *tan ... como*: *mi patio es tan grande como el tuyo.*

The superlative is formed with *el más ... de* or *el menos ... de*: *el chico más listo de la clase.*
The absolute superlative is formed by placing *muy* before the adjective or by adding the suffix *-ísimo/-ísima*: *muy preocupado, preocupadísimo.*

Observations

A few adjectives have special forms for the comparative and superlative:

	comparative	superlative
bueno,-a	*mejor*	*óptimo,-a*
malo,-a	*peor*	*pésimo,-a*
grande	*mayor*	*mayor*

Comparative and superlative forms ending in *-or* do not change when forming the feminine singular: *la mejor solución.*

Demonstrative adjectives

		near me	near you	away from both
masculine	sing	*este*	*ese*	*aquel*
	plur	*estos*	*esos*	*aquellos*
feminine	sing	*esta*	*esa*	*aquella*
	plur	*estas*	*esas*	*aquellas*
neuter	sing	*esto*	*eso*	*aquello*

Possessive adjectives

One possessor		yo		tú		él, ella, usted	
masculine	sing	*mi*	*mío*	*tu*	*tuyo*	*su*	*suyo*
possession	plur	*mis*	*míos*	*tus*	*tuyos*	*suyo*	*suyos*
feminine	sing	*mi*	*mía*	*tu*	*tuya*	*su*	*suya*
possession	plur	*mis*	*mías*	*tus*	*tuyas*	*sus*	*suyas*

Note that the forms on the left are those which precede the noun; those on the right follow it:

es mi pariente - es pariente mía
sus problemas - problemas suyos

Several possessors		nosotros,-as	vosotros,-as	ellos,-as, ustedes	
masculine	sing	*nuestro*	*vuestro*	*su*	*suyo*
possession	plur	*nuestros*	*vuestros*	*su*	*suyos*
feminine	sing	*nuestra*	*vuestra*	*su*	*suya*
possession	plur	*nuestras*	*vuestras*	*sus*	*suyas*

The pronoun

Demonstrative pronouns

		near me	near you	away from both
masculine	sing	*éste*	*ése*	*aquél*
	plur	*éstos*	*ésos*	*aquéllos*
feminine	sing	*ésta*	*ésa*	*aquélla*
	plur	*éstas*	*ésas*	*aquéllas*
neuter	sing	*esto*	*eso*	*aquello*

These are used to convey the distance between the person or thing they represent and the speaker or speakers: *no viajaré en este coche, viajaré en áquel*.

Possessive pronouns

One possessor		yo	tú	él, ella, usted
masculine	sing	*mío*	*tuyo*	*suyo*
possession	plur	*míos*	*tuyos*	*suyos*
feminine	sing	*mía*	*tuya*	*suya*
possession	plur	*mías*	*tuyas*	*suyas*

Several possessors		nosotros,-as	vosotros,-as	ellos,-as, ustedes	
masculine	sing	*nuestro*	*vuestro*	*su*	*suyo*
possession	plur	*nuestros*	*vuestros*	*su*	*suyos*
feminine	sing	*nuestra*	*vuestra*	*su*	*suya*
possession	plur	*nuestras*	*vuestras*	*sus*	*suyas*

Like the adjective, the possessive pronoun agrees with the noun denoting the thing possessed: *esta camisa es mía, la tuya está en el armario*.

Personal pronouns
The following table shows recommended use, although in colloquial Spanish variations will be encountered.

subject	strong object	weak object	
		direct	indirect
yo	*mí*	*me*	*me*
tú	*ti*	*te*	*te*

él,	*él*	*lo*	*le*
ella	*ella*	*la*	*le*
usted m	*usted*	*lo*	*le*
usted f	*usted*	*la*	*le*
nosotros,-as	*nosotros,-as*	*nos*	*nos*
vosotros,-as	*vosotros,-as*	*os*	*os*
ellos	*ellos*	*los*	*les*
ellas	*ellas*	*las*	*les*
ustedes mpl	*ustedes*	*los*	*les*
ustedes fpl	*ustedes*	*las*	*les*

Use

The Spanish subject pronoun is used only for emphasis or to prevent ambiguity as the person of the subject is already conveyed by the verb. When neither of these reasons for its use exists, its presence in the sentence renders the style heavy and is to be avoided.

The strong object pronouns are always used as complements or objects preceded by a preposition:

> *esta carta es para ti, aquélla es para mí*
> *¿son de ustedes estos papeles?*

Weak object pronouns precede a verb or are suffixed to an infinitive, imperative or gerund:

> *lo tienes que hacer; tienes que hacerlo; haciéndolo así se gana tiempo; ¡hazlo ya!*

When several weak pronouns accompany the verb, whether preceding or following it, the second and first person pronouns come before the third: *póntelo*; *se lo ha dicho*. The pronoun *se* always precedes the others: *pónselo*.
Note that while it is considered acceptable to use *le* as a weak object pronoun instead of *lo* when a man is being referred to, this is incorrect when referring to women or to objects of either gender, the same is true of *les* instead of *los*:

	direct object	indirect object
(el jarrón)	*lo tiró a la basura*	*le quitó el asa*
(Domingo)	*acabo de conocerlo/le*	*le di mil pesetas*
(María)	*la vimos ayer*	*le dio un abrazo*
(la botella)	*la he descorchado*	*le he sacado el tapón*
(los niños)	*hay que escucharlos/les*	*les compraron muchos juguetes*
(Pepe y Jaime)	*los/les invitó a cenar*	*les concedieron un premio*
(las plantas)	*estaba regándolas*	*tendría que quitarles las hojas secas*
(Ana y Fefa)	*las llamé por teléfono*	*les pediré disculpas*

Se may also be an impersonal subject equivalent to the English 'one', 'you', 'they', 'people' or the passive voice:

> *hay tantos accidentes porque se conduce demasiado rápido.*

When *le* and *les* precede another third person pronoun they are replaced by *se* as in *se lo mandaron*. It is incorrect to say *le lo mandaron*.
Usted and *ustedes* are the second person pronouns used for courtesy. The accompanying verb is in the third person.
Vos is used in several Latin American countries instead of *tú*.

The preposition

General

The most usual Spanish prepositions are: *a, ante, bajo, cabe, con, contra, de, desde, en, entre, hacia, hasta, para, por, según, sin, so, sobre, tras*.

Uses of *por* and *para*

The basic difference between these prepositions is that *por* looks back to the roots, origins or causes of a thing, while *para* looks forwards to the result, aim, goal or destination.

por is used to express:
- cause, reason, motive (usually to say why something has happened): *lo hizo por amor*.
- the period in which the action takes place: *vendrán por la mañana*.
- the place where the action takes place: *pasean por la calle*.
- the means: *lo enviaron por avión*.
- the agent of the passive voice: *la llave fue encontrada por el portero*.
- substitution, equivalence: *aquí comes por mil pesetas*.
- distribution, proportion: *cinco por ciento*.
- multiplication and measurements: *cinco por dos son diez*.
- 'in search of' with verbs of movement (*ir, venir ...*): *voy por pan*.
- *estar + por +* infinitive expresses:
  - an action still to be performed: *la cena está por hacer*.
  - an action on the point of being performed: *estaba por llamarte*.
- *tener/dar + por* expresses opinion: *lo dieron por perdido*.

para is used to express:
- finality, destiny (often in the future): *es para tu padre, compra pescado para la cena*.
- direction of movement, i.e. 'towards': *salen para Valencia*.
- deadlines: *lo quiero para mañana*.
- comparison: *para saber hay que estudiar*.
- convenience: *no es bueno para las matemáticas*.
- *estar + para +* infinitive expresses imminence: *está para llegar*.

The adverb

Position of the adverb

As a rule, when the word to be qualified is an adjective or an adverb, the adverb is placed immediately before it: *un plato bien cocinado*.
When the word to be qualified is a verb, the adverb may be placed before or after it: *hoy iré al mercado*; *iré al mercado hoy*.
Negative adverbs are always placed before the verb: *no lo he visto*, *nunca volverás a verme*.
Adverbs are very rarely placed between the auxiliary verb and the principal verb: *ha llegado felizmente a su destino*.

The verb

Moods

Spanish verbs have three moods, the indicative, subjunctive and imperative.
The indicative is generally used to indicate real actions. It is mainly used in independent statements: *los coches circulan por la calzada*.
The subjunctive is mainly used in subordinate statements where the actions are considered to be potential or doubtful, but not real: *es posible que venga*; or else necessary or desired: *¡ojalá venga!*
The imperative is used to express orders: *¡Ven!*; *¡Venid pronto!*. In negative imperatives the subjunctive is used: *¡No vengas!*

Person

The endings of verbs vary according to whether the subject is the first, second or third person, singular or plural (see **Personal pronouns**). While in English it is not possible to omit the subject, this is quite common in Spanish since the ending of the verb indicates the subject.

Formation of tenses

For the formation of all tenses of both regular and irregular verbs see the Spanish verb conjugation tables at the end of this section.

Pronominal or reflexive verbs

Pronominal or reflexive verbs are those which are conjugated with a personal pronoun functioning as a complement, coinciding in person with the subject: for example the verb *cambiar* has a pronominal form which is *cambiarse*: *cambia moneda; se cambia de ropa*.

The personal pronouns (*me, te, se, nos, os, se*) are placed before the verb in all tenses and persons of the indicative and subjunctive moods, but are suffixed onto the infinitive, gerund and imperative.

In compound tenses the pronoun is placed immediately before the auxiliary verb.

The passive voice

The passive voice in Spanish is formed with the auxiliary verb *ser* and the past participle of the conjugating verb:

el cazador hirió al conejo - el conejo fue herido por el cazador.

The use of this form of passive statement is less frequent than in English. However, another construction the reflexive (or impersonal) passive is quite common:

se vende leña; se alquilan apartamentos.

Uses of *ser* and *estar*

The English verb 'to be' may be rendered in Spanish by two verbs: *ser* and *estar*. When followed by a noun:

ser is used without a preposition to indicate occupation or profession:

Jaime es el director de ventas (Jaime is the sales manager)
Eduardo es médico (Eduardo is a doctor).

ser with the preposition *de* indicates origin or possession:

soy de Salamanca (I am from Salamanca).
es de Alberto (it is Alberto's)

ser with *para* indicates destination:

el disco es para Pilar (the record is for Pilar).

estar always takes a preposition and the meaning is dictated by the preposition. It is worth noting, however, its special use with *de* to indicate that someone is performing a function which thet do not usually perform:

Andrés está de secretario (Andrés is acting as secretary)

Where the verb is followed by an adjective:

ser expresses a permanent or inherent quality:

Jorge es rubio; sus ojos son grandes.

estar expresses a quality which is neither permanent nor inherent:

Mariano está resfriado; el cielo está nublado.

Sometimes both verbs may be used with the same adjective, but there is a change of meaning. For example, *Lorenzo es bueno* means that Lorenzo is a good man but *Lorenzo está bueno* means either that he is no longer ill or, colloquially, that he is good looking.

Finally, *estar* is used to indicate position and geographical location:

   tu cena está en el microondas; Tafalla está en Navarra.

Spanish verb conjugation tables

Models for the conjugation of regular verbs

Simple tenses

1st conjugation - **AMAR** *to love*

Pres Ind	amo, amas, ama, amamos, amáis, aman.
Past Ind	amé, amaste, amó, amamos, amasteis, amaron.
Imperf Ind	amaba, amabas, amaba, amábamos, amabais, amaban.
Fut Ind	amaré, amarás, amará, amaremos, amaréis, amarán.
Cond	amaría, amarías, amaría, amaríamos, amaríais, amarían.
Pres Subj	ame, ames, ame, amemos, améis, amen.
Imperf Subj	amara, amaras, amara, amáramos, amarais, amaran;
	amase, amases, amase, amásemos, amaseis, amasen.
Fut Subj	amare, amares, amare, amáremos, amareis, amaren.
Imperat	ama (tú), ame (él/Vd.), amemos (nos.) amad (vos.) amen (ellos/Vds.).
Gerund	amando.
Past Part	amado,-a.

2nd conjugation - **TEMER** *to fear*

Pres Ind	temo, temes, teme, tememos, teméis, temen.
Past Ind	temí, temiste, temió, temimos, temisteis, temieron.
Imperf Ind	temía, temías, temía, temíamos, temíais, temían.
Fut Ind	temeré, temerás, temerá, temeremos, temeréis, temerán.
Cond	temería, temerías, temería, temeríamos, temeríais, temerían.
Pres Subj	tema, temas, tema, temamos, temáis, teman.
Imperf Subj	temiera, temieras, temiera, temiéramos, temierais, temieran;
	temiese, temieses, temiese, temiésemos, temieseis, temiesen.
Fut Subj	temiere, temieres, temiere, temiéremos, temiereis, temieren.
Imperat	teme (tú), tema (él/Vd.), temamos (nos.) temed (vos.) teman (ellos/Vds.).
Gerund	temiendo.
Past Part	temido,-a.

3rd conjugation - **PARTIR** *to leave*

Pres Ind	parto, partes, parte, partimos, partís, parten.
Past Ind	partí, partiste, partió, partimos, partisteis, partieron.
Imperf Ind	partía, partías, partía, partíamos, partíais, partían.
Fut Ind	partiré, partirás, partirá, partiremos, partiréis, partirán.
Cond	partiría, partirías, partiría, partiríamos, partiríais, partirían.
Pres Subj	parta, partas, parta, partamos, partáis, partan.
Imperf Subj	partiera, partieras, partiera, partiéramos, partierais, partieran;
	partiese, partieses, partiese, partiésemos, partieseis, partiesen.
Fut Subj	partiere, partieres, partiere, partiéremos, partiereis, partieren.
Imperat	parte (tú), parta (él/Vd.), partamos (nos.) partid (vos.) partan (ellos/Vds.).
Gerund	partiendo.
Past Part	partido,-a.

Note that the imperative proper has forms for the second person (*tú* and **vosotros**) only; all other forms are taken from the present subjunctive.

Compound tenses

Pres Perf   he, has, ha, hemos, habeis, han amado/temido/partido
Pluperf   había, habías, había, habíamos, habíais, habían amado/temido/partido
Fut Perf   habré, habrás, habrá, habremos, habreis, habrán amado/temido/partido
Cond Perf   habría, habrías, habría, habríamos, habríais, habrían amado/temido/partido
Past Anterior hube, hubiste, hubo, hubimos, hubisteis, hubieron amado/temido/partido
Pres Perf Subj   haya, hayas, haya, hayamos, hayáis, hayan amado/temido/partido
Pluperf Subj hubiera, hubieras, hubiera, hubiéramos, hubierais, hubieran amado/temido/partido
     hubiese, hubieses, hubiese, hubiésemos, hubieseis, hubiesen amado/temido/partido.

Models for the conjugation of irregular verbs

Only the tenses which present irregularities are given here; other tenses follow the regular models above. Irregularities are shown in bold type.

1. SACAR (*c changes to* **qu** *before* e)
Past Ind   **saqué**, sacaste, sacó, sacamos, sacasteis, sacaron.
Pres Subj   **saque, saques, saque, saquemos, saquéis, saquen.**
Imperat   saca (tú), **saque** (él/Vd.), **saquemos** (nos.), sacad (vos.), **saquen** (ellos/Vds.).

2. MECER (*c changes to* **z** *before* a *and* o)
Pres Ind   **mezo**, meces, mece, mecemos, mecéis, mecen.
Pres Subj   **meza, mezas, meza, mezamos, mezáis, mezan.**
Imperat   mece (tú), **meza** (él/Vd.), **mezamos** (nos.), meced (vos.), **mezan** (ellos/Vds.).

3. ZURCIR (*c changes to* **z** *before* a *and* o)
Pres Ind   **zurzo**, zurces, zurce, zurcimos, zurcís, zurcen.
Pres Subj   **zurza, zurzas, zurza, zurzamos, zurzáis, zurzan.**
Imperat   zurce (tú), **zurza** (él/Vd.), **zurzamos** (nos.), zurcid (vos.), **zurzan** (ellos/Vds.).

4. REALIZAR (*z changes to* **c** *before* e)
Past Ind   **realicé**, realizaste, realizó, realizamos, realizasteis, realizaron.
Pres Subj   **realice, realices, realice, realicemos, realicéis, realicen.**
Imperat   realiza (tú), **realice** (él/Vd.), **realicemos** (nos.), realizad (vos.), **realicen** (ellos/Vds.).

5. PROTEGER (*g changes to* **j** *before* a *and* o)
Pres Ind   **protejo**, proteges, protege, protegemos, protegéis, protegen.
Pres Subj   **proteja, protejas, proteja, protejamos, protejáis, protejan.**
Imperat   protege (tú), **proteja** (él/Vd.), **protejamos** (nos.), proteged (vos.), **protejan** (ellos/Vds.).

6. DIRIGIR (*g changes to* **j** *before* a *and* o)
Pres Ind   **dirijo**, diriges, dirige, dirigimos, dirigís, dirigen.
Pres Subj   **dirija, dirijas, dirija, dirijamos, dirijáis, dirijan.**
Imperat   dirige (tú), **dirija** (él/Vd.), **dirijamos** (nos.), dirigid (vos.), **dirijan** (ellos/Vds.).

7. LLEGAR (*g changes to* **gu** *before* **e**) *to arrive*
Past Ind	llegué, llegaste, llegó, llegamos, llegasteis, llegaron.
Pres Subj	llegue, llegues, llegue, lleguemos, lleguéis, lleguen.
Imperat	llega (tú), llegue (él/Vd.), lleguemos (nos.), llegad (vos.), lleguen (ellos/Vds.).

8. DISTINGUIR (**gu** *changes to* **g** *before* **a** *and* **o**) *distinguish*
Pres Ind	distingo, distingues, distingue, distinguimos, distinguís, distinguen.
Pres Subj	distinga, distingas, distinga, distingamos, distingáis, distingan.
Imperat	distingue (tú), distinga (él/Vd.), distingamos (nos.), distinguid (vos.), distingan (ellos/Vds.).

9. DELINQUIR (**qu** *changes to* **c** *before* **a** *and* **o**)
Pres Ind	delinco, delinques, delinque, delinquimos, delinquís, delinquen.
Pres Subj	delinca, delincas, delinca, delincamos, delincáis, delincan.
Imperat	delinque (tú), delinca (él/Vd.), delincamos (nos.), delinquid (vos.), delincan (ellos/Vds.).

10. ADECUAR* (*unstressed* **u**)
Pres Ind	adecuo, adecuas, adecua, adecuamos, adecuáis, adecuan.
Pres Subj	adecue, adecues, adecue, adecuemos, adecuéis, adecuen.
Imperat	adecua (tú), adecue (él/Vd.), adecuemos (nos.), adecuad (vos.), adecuen (ellos/Vds.).

11. ACTUAR (*stressed* **ú** *in certain persons of certain tenses*) *to act*
Pres Ind	actúo, actúas, actúa, actuamos, actuáis, actúan.
Pres Subj	actúe, actúes, actúe, actuemos, actuéis, actúen.
Imperat	actúa (tú), actúe (él/Vd.), actuemos (nos.), actuad (vos.), actúen (ellos/Vds.).

12. CAMBIAR* (*unstressed* **i**) *to change*
Pres Ind	cambio, cambias, cambia, cambiamos, cambiáis, cambian.
Pres Subj	cambie, cambies, cambie, cambiemos, cambiéis, cambien.
Imperat	cambia (tú), cambie (él/Vd.), cambiemos (nos.), cambiad (vos.), cambien (ellos/Vds.).

13. DESVIAR (*stressed* **í** *in certain persons of certain tenses*)
Pres Ind	desvío, desvías, desvía, desviamos, desviáis, desvían.
Pres Subj	desvíe, desvíes, desvíe, desviemos, desviéis, desvíen.
Imperat	desvía (tú), desvíe (él/Vd.), desviemos (nos.), desviad (vos.), desvíen (ellos/Vds.).

14. AUXILIAR (**i** *can be stressed or unstressed*) *to help*
Pres Ind	auxilío, auxilías, auxilía, auxiliamos, auxiliáis, auxilían.
	auxilio, auxilias, auxilia, auxiliamos, auxiliáis, auxilian.
Pres Subj	auxilíe, auxilíes, auxilíe, auxiliemos, auxiliéis, auxilíen.
	auxilie, auxilies, auxilie, auxiliemos, auxiliéis, auxilien.
Imperat	auxilía (tú), auxilíe (él/Vd.), auxiliemos (nos.), auxiliad, (vos.), auxilíen (ellos/Vds.)
	auxilia (tú), auxilie (él/Vd.), auxiliemos (nos.), auxiliad (vos.), auxilien (ellos/Vds.).

15. AISLAR (*stressed* **í** *in certain persons of certain tenses*)
Pres Ind	aíslo, aíslas, aísla, aislamos, aisláis, aíslan.
Pres Subj	aísle, aísles, aísle, aislemos, aisléis, aíslen.
Imperat	aísla (tú), aísle (él/Vd.), aislemos (nos.), aislad (vos.), aíslen (ellos/Vds.).

16. AUNAR (*stressed* **ú** *in certain persons certain tenses*)
Pres Ind	aúno, aúnas, aúna, aunamos, aunáis, aúnan.
Pres Subj	aúne, aúnes, aúne, aunemos, aunéis, aúnen.

Imperat   **aúna** (tú), **aúne** (él/Vd.), aunemos (nos.), aunad (vos.), **aúnen** (ellos/Vds.).

17. DESCAFEINAR (*stressed í in certain persons of certain tenses*)
Pres Ind   **descafeíno, descafeínas, descafeína,** descafeinamos, descafeináis, **descafeínan.**
Pres Subj **descafeíne, descafeínes, descafeíne,** descafeinemos, descafeinéis, **descafeínen.**
Imperat   **descafeína** (tú), **descafeíne** (él/Vd.), descafeinemos (nos.), descafeinad (vos.), **descafeínen** (ellos/Vds.).

18. REHUSAR (*stressed ú in certain persons of certain tenses*)   *to refuse*
Pres Ind   **rehúso, rehúsas, rehúsa,** rehusamos, rehusáis, **rehúsan.**
Pres Subj **rehúse, rehúses, rehúse,** rehusemos, rehuséis, **rehúsen.**
Imperat   **rehúsa** (tú), **rehúse** (él/Vd.), rehusemos (nos.), rehusad (vos.), **rehúsen** (ellos/Vds.).

19. REUNIR (*stressed ú in certain persons of certain tenses*)   *to reunite*
Pres Ind   **reúno, reúnes, reúne,** reunimos, reunís, **reúnen.**
Pres Subj **reúna, reúnas, reúna,** reunamos, reunáis, **reúnan.**
Imperat   **reúne** (tú), **reúna** (él/Vd.), reunamos (nos.), reunid (vos.), **reúnan** (ellos/Vds.).

20. AMOHINAR (*stressed í in certain persons of certain tenses*)
Pres Ind   **amohíno, amohínas, amohína,** amohinamos, amohináis, **amohínan.**
Pres Subj **amohíne, amohínes, amohíne,** amohinemos, amohinéis, **amohínen.**
Imperat   **amohína** (tú), **amohíne** (él/Vd.), amohinemos (nos.), amohinad (vos.), **amohínen** (ellos/Vds.).

21. PROHIBIR (*stressed í in certain persons of certain tenses*)   *to prohibit*
Pres Ind   **prohíbo, prohíbes, prohíbe,** prohibimos, prohibís, **prohíben.**
Pres Subj **prohíba, prohíbas, prohíba,** prohibamos, prohibáis, **prohíban.**
Imperat   **prohíbe** (tú), **prohíba** (él/Vd.), prohibamos (nos.), prohibid (vos.), **prohíban** (ellos/Vds.).

22. AVERIGUAR (*unstressed u; gu changes to gü before e*)   *to find out*
Past Ind   **averigüé,** averiguaste, averiguó, averiguamos, averiguasteis, averiguaron.
Pres Subj **averigüe, averigües, averigüe, averigüemos, averigüéis, averigüen.**
Imperat   averigua (tú), **averigüe** (él/Vd.), **averigüemos** (nos.), averiguad (vos.), **averigüen** (ellos/Vds.).

23. AHINCAR (*stressed í in certain persons of certain tenses; the c changes to qu before e*)
Pres Ind   **ahínco, ahíncas, ahínca,** ahincamos, ahincáis, **ahíncan.**
Past Ind   **ahinqué,** ahincaste, ahincó, ahincamos, ahincasteis, ahincaron.
Pres Subj **ahínque, ahínques, ahínque, ahinquemos, ahinquéis, ahínquen.**
Imperat   **ahínca** (tú), **ahínque** (él/Vd.), **ahinquemos** (nos.), ahincad (vos.), **ahínquen** (ellos/Vds.).

24. ENRAIZAR (*stressed í in certain persons of certain tenses; the z changes to c before e*)
Pres Ind   **enraízo, enraízas, enraíza,** enraizamos, enraizáis, **enraízan.**
Past Ind   **enraicé,** enraizaste, enraizó, enraizamos, enraizasteis, enraizaron.
Pres Subj **enraíce, enraíces, enraíce, enraicemos, enraicéis, enraícen.**
Imperat   **enraíza** (tú), **enraíce** (él/Vd.), **enraicemos** (nos.), enraizad (vos.), **enraícen** (ellos/Vds.).

25. CABRAHIGAR (*stressed í in certain persons of certain tenses; the g changes to gu before e*)
Pres Ind   **cabrahígo, cabrahígas, cabrahíga,** cabrahigamos, cabrahigáis, **cabrahígan.**
Past Ind   **cabrahigué,** cabrahigaste, cabrahigó, cabrahigamos, cabrahigasteis, cabrahigaron.

Pres Subj   **cabrahígue, cabrahígues, cabrahígue, cabrahiguemos, cabrahiguéis,** **cabrahíguen.**
Imperat   **cabrahíga** (tú), **cabrahígue** (él/Vd.), **cabrahiguemos** (nos.), cabrahigad (vos.), **cabrahíguen** (ellos/Vds.).

26. HOMOGENEIZAR (*stressed í in certain persons of certain tenses, the z changes to c* *before e*)
Pres Ind   **homogeneízo, homogeneízas, homogeneíza,** homogeneizamos, homogeneizáis, **homogeneízan.**
Past Ind   **homogeneicé,** homogeneizaste, homogeneizó, homogeneizamos, homogeneizasteis, homogeneizaron.
Pres Subj   **homogeneíce, homogeneíces, homogeneíce, homogeneicemos,** **homogeneicéis, homogeneícen.**
Imperat   **homogeneíza** (tú), **homogeneíce** (él/Vd.), **homogeneicemos** (nos.), homogeneizad (vos.), **homogeneícen** (ellos/Vds.).

27. ACERTAR (*e changes to ie in stressed syllables*)
Pres Ind   **acierto, aciertas, acierta,** acertamos, acertáis, **aciertan.**
Pres Subj   **acierte, aciertes, acierte,** acertemos, acertéis, **acierten.**
Imperat   **acierta** (tú), **acierte** (él/Vd.), acertemos (nos.), acertad (vos.), **acierten** (ellos/Vds.).

28. ENTENDER (*e changes to ie in stressed syllables*) to understand
Pres Ind   **entiendo, entiendes, entiende,** entendemos, entendéis, **entienden.**
Pres Subj   **entienda, entiendas, entienda,** entendamos, entendáis, **entiendan.**
Imperat   **entiende** (tú), **entienda** (él/Vd.), entendamos (nos.), entended (vos.), **entiendan** (ellos/Vds.).

29. DISCERNIR (*e changes to ie in stressed syllables*)
Pres Ind   **discierno, disciernes, discierne,** discernimos, discernís, **disciernen.**
Pres Subj   **discierna, disciernas, discierna,** discernamos, discernáis, **disciernan.**
Imperat   **discierne** (tú), **discierna** (él/Vd.), discernamos (nos.), discernid (vos.), **disciernan** (ellos/Vds.).

30. ADQUIRIR (*i changes to ie in stressed syllables*) to aquire
Pres Ind   **adquiero, adquieres, adquiere,** adquirimos, adquirís, **adquieren.**
Pres Subj   **adquiera, adquieras, adquiera,** adquiramos, adquiráis, **adquieran.**
Imperat   **adquiere** (tú), **adquiera** (él/Vd.), adquiramos (nos.), adquirid (vos.), **adquieran** (ellos/Vds.).

31. CONTAR (*o changes to ue in stressed syllables*) to count
Pres Ind   **cuento, cuentas, cuenta,** contamos, contáis, **cuentan.**
Pres Subj   **cuente, cuentes, cuente,** contemos, contéis, **cuenten.**
Imperat   **cuenta** (tú), **cuente** (él/Vd.), contemos (nos.), contad (vos.), **cuenten** (ellos/Vds.).

32. MOVER (*o changes to ue in stressed syllables*) to move
Pres Ind   **muevo, mueves, mueve,** movemos, movéis, **mueven.**
Pres Subj   **mueva, muevas, mueva,** movamos, mováis, **muevan.**
Imperat   **mueve** (tú), **mueva** (él/Vd.), movamos (nos.), moved (vos.), **muevan** (ellos/Vds.).

33. DORMIR (*o changes to ue in stressed syllables or to u in certain persons of certain* *tenses*) to sleep
Pres Ind   **duermo, duermes, duerme,** dormimos, dormís, **duermen.**
Past Ind   dormí, dormiste, **durmió,** dormimos, dormisteis, **durmieron.**
Pres Subj   **duerma, duermas, duerma, durmamos, durmáis, duerman.**
Imperf Subj   **durmiera, durmieras, durmiera, durmiéramos, durmierais,** **durmieran;**
    durmiese, durmieses, durmiese, durmiésemos, durmieseis, **durmiesen.**

| Fut Subj | **durmiere, durmieres, durmiere, durmiéremos, durmiereis, durmieren.** |
| Imperat | **duerme** (tú), **duerma** (él/Vd.), **durmamos** (nos.), dormid (vos.), **duerman** (ellos/Vds.). |

34. SERVIR (*e weakens to* i *in certain persons of certain tenses*) to serve

Pres Ind	**sirvo, sirves, sirve,** servimos, servís, **sirven.**
Past Ind	serví, serviste, **sirvió,** servimos, servisteis, **sirvieron.**
Pres Subj	**sirva, sirvas, sirva, sirvamos, sirváis, sirvan.**
Imperf Subj	**sirviera, sirvieras, sirviera, sirviéramos, sirvierais, sirvieran; sirviese, sirvieses, sirviese, sirviésemos, sirvieseis, sirviesen.**
Fut Subj	**sirviere, sirvieres, sirviere, sirviéremos, sirviereis, sirvieren.**
Imperat	**sirve** (tú), **sirva** (él/Vd.), **sirvamos** (nos.), servid (vos.), **sirvan** (ellos/Vds.).

35. HERVIR (*e changes to* ie *in stressed syllables or to* i *in certain persons of certain tenses*) to boil

Pres Ind	**hiervo, hierves, hierve,** hervimos, hervís, **hierven.**
Past Ind	herví, herviste, **hirvió,** hervimos, hervisteis, **hirvieron.**
Pres Subj	**hierva, hiervas, hierva, hirvamos, hirváis, hiervan.**
Imperf Subj	**hirviera, hirvieras, hirviera, hirviéramos, hirvierais, hirvieran; hirviese, hirvieses, hirviese, hirviésemos, hirvieseis, hirviesen.**
Fut Subj	**hirviere, hirvieres, hirviere, hirviéremos, hirviereis, hirvieren.**
Imperat	**hierve** (tú), **hierva** (él/Vd.), **hirvamos** (nos.), hervid (vos.), **hiervan** (ellos/Vds.).

36. CEÑIR (*the* i *of certain endings is absorbed by* ñ; *the* e *changes to* i *in certain persons of certain tenses*)

Pres Ind	**ciño, ciñes, ciñe,** ceñimos, ceñís, **ciñen.**
Past Ind	ceñí, ceñiste, **ciñó,** ceñimos, ceñisteis, **ciñeron.**
Pres Subj	**ciña, ciñas, ciña, ciñamos, ciñáis, ciñan.**
Imperf Subj	**ciñera, ciñeras, ciñera, ciñéramos, ciñerais, ciñeran; ciñese, ciñeses, ciñese, ciñésemos, ciñeseis, ciñesen.**
Fut Subj	**ciñere, ciñeres, ciñere, ciñéremos, ciñereis, ciñeren.**
Imperat	**ciñe** (tú), **ciña** (él/Vd.), **ciñamos** (nos.), ceñid (vos.), **ciñan** (ellos/Vds.).

37. REÍR (*like* ceñir, *but the loss of* i *is not due to the influence of any consonant*) to smile

Pres Ind	**río, ríes, ríe,** reímos, reís, **ríen.**
Past Ind	reí, reíste, **rió,** reímos, reísteis, **rieron.**
Pres Subj	**ría, rías, ría, riamos, riáis, rían.**
Imperf Subj	**riera, rieras, riera, riéramos, rierais, rieran; riese, rieses, riese, riésemos, rieseis, riesen.**
Fut Subj	**riere, rieres, riere, riéremos, riereis, rieren.**
Imperat	**ríe** (tú), **ría** (él/Vd.), **riamos** (nos.), reíd (vos.), **rían** (ellos/Vds.).

38. TAÑER (*the* i *ending is absorbed by* ñ *in certain persons of certain tenses*)

Past Ind	tañí, tañiste, **tañó,** tañimos, tañisteis, **tañeron.**
Imperf Subj	**tañera, tañeras, tañera, tañéramos, tañerais, tañeran; tañese, tañeses, tañese, tañésemos, tañeseis, tañesen.**
Fut Subj	**tañere, tañeres, tañere, tañéremos, tañereis, tañeren.**

39. EMPELLER (*the* i *ending is absorbed by* ll *in certain persons of certain tenses*)

Past Ind	empellí, empelliste, **empelló,** empellimos, empellisteis, **empelleron.**
Imperf Subj	**empellera, empelleras, empellera, empelléramos, empellerais, empelleran; empellese, empelleses, empellese, empellésemos, empelleseis, empellesen.**
Fut Subj	**empellere, empelleres, empellere, empelléremos, empellereis, empelleren.**

40. MUÑIR (*the i ending is absorbed by ñ in certain persons of certain tenses*)
Past Ind   muñí, muñiste, **muñó**, muñimos, muñisteis, **muñeron**.
Imperf Subj   **muñera, muñeras, muñera, muñéramos, muñerais, muñeran; muñese, muñeses, muñese, muñésemos, muñeseis, muñesen.**
Fut Subj   **muñere, muñeres, muñere, muñéremos, muñereis, muñeren.**

41. MULLIR (*the i ending is absorbed by the ll in certain persons of certain tenses*)
Past Ind   mullí, mulliste, **mulló**, mullimos, mullisteis, **mulleron**.
Imperf Subj   **mullera, mulleras, mullera, mulléramos, mullerais, mulleran; mullese, mulleses, mullese, mullésemos, mulleseis, mullesen.**
Fut Subj   **mullere, mulleres, mullere, mulléremos, mullereis, mulleren.**

42. NACER (*c changes to zc before a and o*) to be born
Pres Ind   **nazco**, naces, nace, nacemos, nacéis, nacen.
Pres Subj   **nazca, nazcas, nazca, nazcamos, nazcáis, nazcan.**
Imperat   nace (tú), **nazca** (él/Vd.), **nazcamos** (nos.), naced (vos.), **nazcan** (ellos/Vds.).

43. AGRADECER (*c changes to zc before a and o*) to be grateful
Pres Ind   **agradezco**, agradeces, agradece, agradecemos, agradecéis, agradecen.
Pres Subj   **agradezca, agradezcas, agradezca, agradezcamos, agradezcáis, agradezcan.**
Imperat   agradece (tú), **agradezca** (él/Vd.), **agradezcamos** (nos.), agradeced (vos.), **agradezcan** (ellos/Vds.).

44. CONOCER (*c changes to zc before a and o*) to know
Pres Ind   **conozco**, conoces, conoce, conocemos, conocéis, conocen.
Pres Subj   **conozca, conozcas, conozca, conozcamos, conozcáis, conozcan.**
Imperat   conoce (tú), **conozca** (él/Vd.), **conozcamos** (nos.), conoced (vos.), **conozcan** (ellos/Vds.).

45. LUCIR (*c changes to zc before a and o*)
Pres Ind   **luzco**, luces, luce, lucimos, lucís, lucen.
Pres Subj   **luzca, luzcas, luzca, luzcamos, luzcáis, luzcan.**
Imperat   luce (tú), **luzca** (él/Vd.), **luzcamos** (nos.), lucid (vos.), **luzcan** (ellos/Vds.).

46. CONDUCIR (*c changes to zc before a and o; the Preterite is irregular*) to drive
Pres Ind   **conduzco**, conduces, conduce, conducimos, conducís, conducen.
Past Ind   **conduje, condujiste, condujo, condujimos, condujisteis, condujeron.**
Pres Subj   **conduzca, conduzcas, conduzca, conduzcamos, conduzcáis, conduzcan.**
Imperf Subj   **condujera, condujeras, condujera, condujéramos, condujerais, condujeran; condujese, condujeses, condujese, condujésemos, condujeseis, condujesen.**
Fut Subj   **condujere, condujeres, condujere, condujéremos, condujereis, condujeren.**
Imperat   conduce (tú), **conduzca** (él/Vd.), **conduzcamos** (nos.), conducid (vos.), **conduzcan** (ellos/Vds.).

47. EMPEZAR (*e changes to ie in stressed syllables and z changes to c before e*) to begin
Pres Ind   **empiezo, empiezas, empieza**, empezamos, empezáis, **empiezan**.
Past ind   **empecé**, empezaste, empezó, empezamos, empezasteis, empezaron.
Pres Subj   **empiece, empieces, empiece, empecemos, empecéis, empiecen.**
Imperat   **empieza** (tú), **empiece** (él/Vd.), **empecemos** (nos.), empezad (vos.), **empiecen** (ellos/Vds.).

48. REGAR (*e changes to ie in stressed syllables; g changes to gu before e*)
Pres Ind   **riego, riegas, riega**, regamos, regáis, **riegan**.
Past Ind   **regué**, regaste, regó, regamos, regasteis, regaron.

Pres Subj	**riegue, riegues, riegue, reguemos, reguéis, rieguen.**
Imperat	**riega** (tú), **riegue** (él/Vd.), **reguemos** (nos.), regad (vos.), **rieguen** (ellos/Vds.).

49. TROCAR (*o changes to ue in stressed syllables; c changes to qu before e*)

Pres Ind	**trueco, truecas, trueca,** trocamos, trocáis, **truecan.**
Past Ind	**troqué,** trocaste, trocó, trocamos, trocasteis, trocaron.
Pres Subj	**trueque, trueques, trueque, troquemos, troquéis, truequen.**
Imperat	**trueca** (tú), **trueque** (él/Vd.), **troquemos** (nos.), trocad (vos.), **truequen** (ellos/Vds.).

50. FORZAR (*o changes to ue in stressed syllables; z changes to c before e*) *to force*

Pres Ind	**fuerzo, fuerzas, fuerza,** forzamos, forzáis, **fuerzan.**
Past Ind	**forcé,** forzaste, forzó, forzamos, forzasteis, forzaron.
Pres Subj	**fuerce, fuerces, fuerce, forcemos, forcéis, fuercen.**
Imperat	**fuerza** (tú), **fuerce** (él/Vds.), **forcemos** (nos.), forzad (vos.), **fuercen** (ellos/Vds.).

to be embarasse

51. AVERGONZAR (*in stressed syllables o changes to ue and g to gu; z changes to c before e*)

Pres Ind	**avergüenzo, avergüenzas, avergüenza,** avergonzamos, avergonzáis, **avergüenzan.**
Past Ind	**avergoncé,** avergonzaste, avergonzó, avergonzamos, avergonzasteis, avergonzaron.
Pres Subj	**avergüence, avergüences, avergüence, avergoncemos, avergoncéis, avergüencen.**
Imperat	**avergüenza** (tú), **avergüence** (él/Vd.), **avergoncemos** (nos.), avergonzad (vos.), **avergüencen** (ellos/Vds.).

52. COLGAR (*o changes to ue in stressed syllables; g changes to gu before e*) *to hang*

Pres Ind	**cuelgo, cuelgas, cuelga,** colgamos, colgáis, **cuelgan.**
Past Ind	**colgué,** colgaste, colgó, colgamos, colgasteis, colgaron.
Pres Subj	**cuelgue, cuelgues, cuelgue, colguemos, colguéis, cuelguen.**
Imperat	**cuelga** (tú), **cuelgue** (él/Vd.), **colguemos** (nos.), colgad (vos.), **cuelguen** (ellos/Vds.).

53. JUGAR (*u changes to ue in stressed syllables and g changes to gu before e*) *to play*

Pres Ind	**juego, juegas, juega,** jugamos, jugáis, **juegan.**
Past Ind	**jugué,** jugaste, jugó, jugamos, jugasteis, jugaron.
Pres Subj	**juegue, juegues, juegue, juguemos, juguéis, jueguen.**
Imperat	**juega** (tú), **juegue** (él/Vd.), **juguemos** (nos.), jugad (vos.), **jueguen** (ellos/Vds.).

54. COCER (*o changes to ue in stressed syllables and c changes to z before a and o*) *to boil*

Pres Ind	**cuezo, cueces, cuece,** cocemos, cocéis, **cuecen.**
Pres Subj	**cueza, cuezas, cueza, cozamos, cozáis, cuezan.**
Imperat	**cuece** (tú), **cueza** (él/Vd.), **cozamos** (nos.), coced (vos.), **cuezan** (ellos/Vds.).

55. ELEGIR (*e changes to i in certain persons of certain tenses; g changes to j before a and o*) *to elect*

Pres Ind	**elijo, eliges, elige,** elegimos, elegís, **eligen.**
Past Ind	elegí, elegiste, **eligió,** elegimos, elegisteis, **eligieron.**
Pres Subj	**elija, elijas, elija, elijamos, elijáis, elijan.**
Imperf Subj	**eligiera, eligieras, eligiera, eligiéramos, eligierais, eligieran; eligiese, eligieses, eligiese, eligiésemos, eligieseis, eligiesen.**
Fut Subj	**eligiere, eligieres, eligiere, eligiéremos, eligiereis, eligieren.**
Imperat	**elige** (tú), **elija** (él/Vd.), **elijamos** (nos.), elegid (vos.), **elijan** (ellos/Vds.).

56. SEGUIR (*e changes to i in certain persons of certain tenses; gu changes to g before a and o*)

Pres Ind	sigo, sigues, sigue, seguimos, seguís, siguen.
Past Ind	seguí, seguiste, siguió, seguimos, seguisteis, siguieron.
Pres Subj	siga, sigas, siga, sigamos, sigáis, sigan.
Imperf Subj	siguiera, siguieras, siguiera, siguiéramos, siguierais, siguieran;
	siguiese, siguieses, siguiese, siguiésemos, siguieseis, siguiesen.
Fut Subj	siguiere, siguieres, siguiere, siguiéremos, siguiereis, siguieren.
Imperat	sigue (tú), siga (él/Vd.), sigamos (nos.), seguid (vos.), sigan (ellos/Vds.).

57. ERRAR (*e changes to ye in stressed syllables*)

Pres Ind	yerro, yerras, yerra, erramos, erráis, yerran.
Pres Subj	yerre, yerres, yerre, erremos, erréis, yerren.
Imperat	yerra (tú), yerre (él/Vd.), erremos (nos.), errad (vos.), yerren (ellos/Vds.).

58. AGORAR (*o changes to ue in stressed syllables and g changes to gü before e*)

Pres Ind	agüero, agüeras, agüera, agoramos, agoráis, agüeran.
Pres Subj	agüere, agüeres, agüere, agoramos, agoréis, agüeren.
Imperat	agüera (tú), agüere (él/Vd.), agoremos (nos.), agorad (vos.), agüeren (ellos/Vds.).

59. DESOSAR (*o changes to hue in stressed syllables*)

Pres Ind	deshueso, deshuesas, deshuesa, desosamos, desosáis, deshuesan.
Pres Subj	deshuese, deshueses, deshuese, desosemos, desoséis, deshuesen.
Imperat	deshuesa (tú), deshuese (él/Vd.), desosemos (nos.), desosad (vos.), deshuesen (ellos/Vds.).

60. OLER (*o changes to hue in stressed syllables*)

Pres Ind	huelo, hueles, huele, olemos, oléis, huelen.
Pres Subj	huela, huelas, huela, olamos, oláis, huelan.
Imperat	huele (tú), huela (él/Vd.), olamos (nos.), oled (vos.), huelan (ellos/Vds.).

61. LEER (*the i ending changes to y before o and e*)

Past Ind	leí, leíste, leyó, leímos, leísteis, leyeron.
Imperf Subj	leyera, leyeras, leyera, leyéramos, leyerais, leyeran;
	leyese, leyeses, leyese, leyésemos, leyeseis, leyesen.
Fut Subj	leyere, leyeres, leyere, leyéremos, leyereis, leyeren.

62. HUIR (*i changes to y before a, e, and o*)

Pres Ind	huyo, huyes, huye, huimos, huís, huyen.
Past Ind	huí, huiste, huyó, huimos, huisteis, huyeron.
Pres Subj	huya, huyas, huya, huyamos, huyáis, huyan.
Imperf Subj	huyera, huyeras, huyera, huyéramos, huyerais, huyeran;
	huyese, huyeses, huyese, huyésemos, huyeseis, huyesen.
Fut Subj	huyere, huyeres, huyere, huyéremos, huyereis, huyeren.
Imperat	huye (tú), huya (él/Vd.), huyamos (nos.), huid (vos.), huyan (ellos/Vds.).

63. ARGÜIR (*i changes to y before a, e, and o; gü becomes gu before y*)

Pres Ind	arguyo, arguyes, arguye, argüimos, argüís, arguyen.
Past Ind	argüí, argüiste, arguyó, argüimos, argüisteis, arguyeron.
Pres Subj	arguya, arguyas, arguya, arguyamos, arguyáis, arguyan.
Imperf Subj	arguyera, arguyeras, arguyera, arguyéramos, arguyerais, arguyeran;
	arguyese, arguyeses, arguyese, arguyésemos, arguyeseis, arguyesen.
Fut Subj	arguyere, arguyeres, arguyere, arguyéremos, arguyereis, arguyeren.
Imperat	arguye (tú), arguya (él/Vd.), arguyamos (nos.), argüid (vos.), arguyan (ellos/Vds.).

64. ANDAR *to walk*

Past Ind	**anduve, anduviste, anduvo, anduvimos, anduvisteis, anduvieron.**
Imperf Subj	**anduviera, anduvieras, anduviera, anduviéramos, anduvierais, anduvieran;**
	anduviese, anduvieses, anduviese, anduviésemos, anduvieseis, anduviesen.
Fut Subj	**anduviere, anduvieres, anduviere, anduviéremos, anduviereis, anduvieren.**

65. ASIR

Pres Ind	**asgo,** ases, ase, asimos, asís, asen.
Pres Subj	**asga, asgas, asga, asgamos, asgáis, asgan.**
Imperat	ase (tú), **asga** (él/Vd.), **asgamos** (nos.), asid (vos.), **asgan** (ellos/Vds.).

66. CABER *to fit*

Pres Ind	**quepo,** cabes, cabe, cabemos, cabéis, caben.
Past Ind	**cupe, cupiste, cupo, cupimos, cupisteis, cupieron.**
Fut Ind	**cabré, cabrás, cabrá, cabremos, cabréis, cabrán.**
Cond	**cabría, cabrías, cabría, cabríamos, cabríais, cabrían.**
Pres Subj	**quepa, quepas, quepa, quepamos, quepáis, quepan.**
Imperf Subj	**cupiera, cupieras, cupiera, cupiéramos, cupierais, cupieran;**
	cupiese, cupieses, cupiese, cupiésemos, cupieseis, cupiesen.
Fut Subj	**cupiere, cupieres, cupiere, cupiéremos, cupiereis, cupieren.**
Imperat	cabe (tú), **quepa** (él/Vd.), **quepamos** (nos.), cabed (vos.), **quepan** (ellos/Vds.).

67. CAER *to fall*

Pres Ind	**caigo,** caes, cae, caemos, caéis, caen.
Past Ind	caí, caíste, **cayó,** caímos, caísteis, **cayeron.**
Pres Subj	**caiga, caigas, caiga, caigamos, caigáis, caigan.**
Imperf Subj	**cayera, cayeras, cayera, cayéramos, cayerais, cayeran;**
	cayese, cayeses, cayese, cayésemos, cayeseis, cayesen.
Fut Subj	**cayere, cayeres, cayere, cayéremos, cayereis, cayeren.**
Imperat	cae (tú), **caiga** (él/Vd.), **caigamos** (nos.), caed (vos.), **caigan** (ellos/Vds.).

68. DAR *to give*

Pres Ind	**doy,** das, da, damos, dais, dan.
Past Ind	**di, diste, dio, dimos, disteis, dieron.**
Pres Subj	**dé,** des, **dé,** demos, deis, den.
Imperf Subj	**diera, dieras, diera, diéramos, dierais, dieran;**
	diese, dieses, diese, diésemos, dieseis, diesen.
Fut Subj	**diere, dieres, diere, diéremos, diereis, dieren.**
Imperat	da (tú), **dé** (él/Vd.), demos (nos.), dad (vos.), den (ellos/Vds.).

69. DECIR *to say*

Pres Ind	**digo, dices, dice,** decimos, decís, **dicen.**
Past Ind	**dije, dijiste, dijo, dijimos, dijisteis, dijeron.**
Fut Ind	**diré, dirás, dirá, diremos, diréis, dirán.**
Cond	**diría, dirías, diría, diríamos, diríais, dirían.**
Pres Subj	**diga, digas, diga, digamos, digáis, digan.**
Imperf Subj	**dijera, dijeras, dijera, dijéramos, dijerais, dijeran;**
	dijese, dijeses, dijese, dijésemos, dijeseis, dijesen.
Fut Subj	**dijere, dijeres, dijere, dijéremos, dijereis, dijeren.**
Imperat	**di (tú), diga** (él/Vd.), **digamos** (nos.), decid (vos.), **digan** (ellos/Vds.).
Past Part	**dicho,-a.**

70. ERGUIR

Pres Ind	**irgo, irgues, irgue,** erguimos, erguís, **irgen;**
	yergo, yergues, yergue, erguimos, erguís, **yergen.**
Past Ind	erguí, erguiste, **irguió,** erguimos, erguisteis, **irguieron.**

Pres Subj	**irga, irgas, irga, irgamos, irgáis, irgan;**
	yerga, yergas, yerga, irgamos, irgáis, yergan.
Imperf Subj	**irguiera, irguieras, irguiera, irguiéramos, irguierais, irguieran;**
	irguiese, irguieses, irguiese, irguiésemos, irguieseis, irguiesen.
Fut Subj	**irguiere, irguieres, irguiere, irguiéremos, irguiereis, irguieren.**
Imperat	**irgue, yergue** (tú), **irga, yerga** (él/Vd.), **erguid** (vos.),
	irgan, yergan (ellos/Vds.).

71. ESTAR ~~to be~~

Pres Ind	**estoy,** estás, está, estamos, estáis, están.
Imperf	estaba, estabas, estaba, estábamos, estabais, estaban.
Past Ind	**estuve, estuviste, estuvo, estuvimos, estuvisteis, estuvieron.**
Fut Ind	estaré, estarás, estará, estaremos, estaréis, estarán.
Cond	estaría, estarías, estaría, estaríamos, estaríais, estarían.
Pres Subj	**esté, estés, esté, estemos, estéis, estén.**
Imperf Subj	**estuviera, estuvieras, estuviera, estuviéramos, estuvierais, estuvieran;**
	estuviese, estuvieses, estuviese, estuviésemos, estuvieseis,
	estuviesen.
Fut Subj	**estuviere, estuvieres, estuviere, estuviéremos, estuviereis, estuvieren.**
Imperat	está (tú), esté (él/Vd.), estemos (nos.), estad (vos.), estén (ellos/Vds.).

72. HABER ~~and~~ use when conjugating in the past

Pres Ind	**he, has, ha, hemos,** habéis, **han.**
Imperf Subj	había, habías, había, habíamos, habíais, habían.
Past Ind	**hube, hubiste, hubo, hubimos, hubisteis, hubieron.**
Fut Ind	habré, habrás, habrá, habremos, habréis, habrán.
Cond	habría, habrías, habría, habríamos, habríais, habrían.
Pres Subj	**haya, hayas, haya, hayamos, hayáis, hayan.**
Imperf Subj	**hubiera, hubieras, hubiera, hubiéramos, hubierais, hubieran;**
	hubiese, hubieses, hubiese, hubiésemos, hubieseis, hubiesen.
Fut Subj	**hubiere, hubieres, hubiere, hubiéremos, hubiereis, hubieren.**
Imperat	**he** (tú), **haya** (él/Vd.), **hayamos** (nos.), habed (vos.), **hayan** (ellos/Vds.).

73. HACER ~~to do~~

Pres Ind	**hago,** haces, hace, hacemos, hacéis, hacen.
Past Ind	**hice, hiciste, hizo, hicimos, hicisteis, hicieron.**
Fut Ind	haré, harás, hará, haremos, haréis, harán.
Cond	haría, harías, haría, haríamos, haríais, harían.
Pres Subj	**haga, hagas, haga, hagamos, hagáis, hagan.**
Imperf Subj	**hiciera, hicieras, hiciera, hiciéramos, hicierais, hicieran;**
	hiciese, hicieses, hiciese, hiciésemos, hicieseis, hiciesen.
Fut Subj	**hiciere, hicieres, hiciere, hiciéremos, hiciereis, hicieren.**
Imperat	**haz** (tú), **haga** (él/Vd.), **hagamos** (nos.), haced (vos.), **hagan** (ellos/Vds.).
Past Part	**hecho,-a.**

74. IR ~~to go~~

Pres Ind	**voy, vas, va, vamos, vais, van.**
Imperf Subj	iba, ibas, iba, íbamos, ibais, iban.
Past Ind	**fui, fuiste, fue, fuimos, fuisteis, fueron.**
Pres Subj	**vaya, vayas, vaya, vayamos, vayáis, vayan.**
Imperf Subj	**fuera, fueras, fuera, fuéramos, fuerais, fueran;**
	fuese, fueses, fuese, fuésemos, fueseis, fuesen.
Fut Subj	**fuere, fueres, fuere, fuéremos, fuereis, fueren.**
Imperat	**ve** (tú), **vaya** (él/Vd.), **vayamos** (nos.), id (vos.), **vayan** (ellos/Vds.).

75. OÍR ~~to hear~~

Pres Ind	**oigo, oyes, oye,** oímos, oís, **oyen.**
Past Ind	oí, oíste, **oyó,** oímos, oísteis, **oyeron.**
Pres Subj	**oiga, oigas, oiga, oigamos, oigáis, oigan.**

Imperf Subj	**oyera, oyeras, oyera, oyéramos, oyerais, oyeran;** **oyese, oyeses, oyese, oyésemos, oyeseis, oyesen.**
Fut Subj	**oyere, oyeres, oyere, oyéremos, oyereis, oyeren.**
Imperat	**oye** (tú), **oiga** (él/Vd.), **oigamos** (nos.), **oíd** (vos.), **oigan** (ellos/Vds.).

76. PLACER   to please

Pres Ind	**plazco,** places, place, placemos, placéis, **placen.**
Past Ind	plací, placiste, plació or **plugo,** placimos, placisteis, placieron or **pluguieron.**
Pres Subj	**plazca, plazcas, plazca, plegue, plazcamos, plazcáis, plazcan.**
Imperf Subj	placiera, placieras, placiera or **pluguiera,** placiéramos, placierais, placieran placiese, placieses, placiese or **pluguiese,** placiésemos, placieseis, placiesen.
Fut Subj	placiere, placieres, placiere or **pluguiere,** placiéremos, placiereis, placieren.
Imperat	place (tú), **plazca** (él/Vd.), **plazcamos** (nos.), placed (vos.), **plazcan** (ellos/Vds.).

77. PODER   to be able

Pres Ind	**puedo, puedes, puede,** podemos, podéis, **pueden.**
Past Ind	**pude, pudiste, pudo, pudimos, pudisteis, pudieron.**
Fut Ind	**podré, podrás, podrá, podremos, podréis, podrán.**
Cond	**podría, podrías, podría, podríamos, podríais, podrían.**
Pres Subj	**pueda, puedas, pueda,** podamos, podáis, **puedan.**
Imperf Subj	**pudiera, pudieras, pudiera, pudiéramos, pudierais, pudieran;** **pudiese, pudieses, pudiese, pudiésemos, pudieseis, pudiesen.**
Fut Subj	**pudiere, pudieres, pudiere, pudiéremos, pudiereis, pudieren.**
Imperat	**puede** (tú), **pueda** (él/Vd.), podamos (nos.), poded (vos.), **puedan** (ellos/Vds.).

78. PONER   to put

Pres Ind	**pongo,** pones, pone, ponemos, ponéis, ponen.
Past Ind	**puse, pusiste, puso, pusimos, pusisteis, pusieron.**
Fut Ind	**pondré, pondrás, pondrá, pondremos, pondréis, pondrán.**
Cond	**pondría, pondrías, pondría, pondríamos, pondríais, pondrían.**
Pres Subj	**ponga, pongas, ponga, pongamos, pongáis, pongan.**
Imperf Subj	**pusiera, pusieras, pusiera, pusiéramos, pusierais, pusieran;** **pusiese, pusieses, pusiese, pusiésemos, pusieseis, pusiesen.**
Fut Subj	**pusiere, pusieres, pusiere, pusiéremos, pusiereis, pusieren.**
Imperat	**pon** (tú), **ponga** (él/Vd.), **pongamos** (nos.), poned (vos.), **pongan** (ellos/Vds.).
Past Part	**puesto,-a.**

79. PREDECIR   to predict

Pres Ind	**predigo, predices, predice,** predecimos, predecís, **predicen.**
Past Ind	**predije, predijiste, predijo, predijimos, predijisteis, predijeron.**
Pres Subj	**prediga, predigas, prediga, predigamos, predigáis, predigan.**
Imperf Subj	**predijera, predijeras, predijera, predijéramos, predijerais, predijeran;** **predijese, predijeses, predijese, predijésemos, predijeseis, predijesen.**
Fut Subj	**predijere, predijeres, predijere, predijéremos, predijereis, predijeren.**
Imperat	**predice** (tú), **prediga** (él/Vd.), **predigamos** (nos.), predecid (vos.), **predigan** (ellos/Vds.).

80. QUERER   to want

Pres Ind	**quiero, quieres, quiere,** queremos, queréis, **quieren.**
Past Ind	**quise, quisiste, quiso, quisimos, quisisteis, quisieron.**
Fut Ind	**querré, querrás, querrá, querremos, querréis, querrán.**
Cond	**querría, querrías, querría, querríamos, querríais, querrían.**
Pres Subj	**quiera, quieras, quiera,** queramos, queráis, **quieran.**

Imperf Subj	quisiera, quisieras, quisiera, quisiéramos, quisierais, quisieran;
	quisiese, quisieses, quisiese, quisiésemos, quisieseis, quisiesen.
Fut Subj	quisiere, quisieres, quisiere, quisiéremos, quisiereis, quisieren.
Imperat	quiere (tú), quiera (él/Vd.), queramos (nos.), quered (vos.), quieran (ellos/Vds.).

81. RAER

Pres Ind	rao, raigo, rayo, raes, rae, raemos, raéis, raen.
Past Ind	raí, raíste, rayó, raímos, raísteis, rayeron.
Pres Subj	raiga, raigas, raiga, raigamos, raigáis, raigan;
	raya, rayas, raya, rayamos, rayáis, rayan.
Imperf Subj	rayera, rayeras, rayera, rayéramos, rayerais, rayeran;
	rayese, rayeses, rayese, rayésemos, rayeseis, rayesen.
Fut Subj	rayere, rayeres, rayere, rayéremos, rayereis, rayeren.
Imperat	rae (tú), raiga, raya (él/Vd.), raigamos, rayamos (nos.), raed (vos.), raigan, rayan (ellos/Vds.).

82. ROER

Pres Ind	roo, roigo, royo, roes, roe, roemos, roéis, roen.
Past Ind	roí, roiste, royó, roímos, roísteis, royeron.
Pres Subj	roa, roas, roa, roamos, roáis, roan;
	roiga, roigas, roiga, roigamos, roigáis, roigan;
	roya, royas, roya, royamos, royáis, royan.
Imperf Subj	royera, royeras, royera, royéramos, royerais, royeran;
	royese, royeses, royese, royésemos, royeseis, royesen.
Fut Subj	royere, royeres, royere, royéremos, royereis, royeren.
Imperat	roe (tú), roa, roiga, roya (él/Vd.), roamos, roigamos, royamos (nos.), roed (vos.), roan, roigan, royan (ellos/Vds.).

83. SABER   *to know*

Pres Ind	sé, sabes, sabe, sabemos, sabéis, saben.
Past Ind	supe, supiste, supo, supimos, supisteis, supieron.
Fut Ind	sabré, sabrás, sabrá, sabremos, sabréis, sabrán.
Cond	sabría, sabrías, sabría, sabríamos, sabríais, sabrían.
Pres Subj	sepa, sepas, sepa, sepamos, sepáis, sepan.
Imperf Subj	supiera, supieras, supiera, supiéramos, supierais, supieran;
	supiese, supieses, supiese, supiésemos, supieseis, supiesen.
Fut Subj	supiere, supieres, supiere, supiéremos, supiereis, supieren.
Imperat	sabe (tú), sepa (él/Vd.), sepamos (nos.), sabed (vos.), sepan (ellos/Vds.).

84. SALIR   *to go out*

Pres Ind	salgo, sales, sale, salimos, salís, salen.
Fut Ind	saldré, saldrás, saldrá, saldremos, saldréis, saldrán.
Cond	saldría, saldrías, saldría, saldríamos, saldríais, saldrían.
Pres Subj	salga, salgas, salga, salgamos, salgáis, salgan.
Imperat	sal (tú), salga (él/Vd.), salgamos (nos.), salid (vos.), salgan (ellos/Vds.).

85. SATISFACER   *to satisfy*

Pres Ind	satisfago, satisfaces, satisface, satisfacemos, satisfacéis, satisfacen.
Past Ind	satisfice, satisficiste, satisfizo, satisficimos, satisficisteis, satisficieron.
Fut Ind	satisfaré, satisfarás, satisfará, satisfaremos, satisfaréis, satisfarán.
Cond	satisfaría, satisfarías, satisfaría, satisfaríamos, satisfaríais, satisfarían.
Pres Subj	satisfaga, satisfagas, satisfaga, satisfagamos, satisfagáis, satisfagan.
Imperf Subj	satisficiera, satisficieras, satisficiera, satisficiéramos, satisficierais, satisficieran;
	satisficiese, satisficieses, satisficiese, satisficiésemos, satisficieseis, satisficiesen.
Fut Subj	satisficiere, satisficieres, satisficiere, satisficiéremos, satisficiereis, satisficieren.

| *Imperat* | **satisfaz**, satisface (tú), **satisfaga** (él/Vd.), **satisfagamos** (nos.), satisfaced (vos.), **satisfagan** (ellos/Vds.). |
| *Past Part* | **satisfecho,-a.** |

to be

86. SER

Pres Ind	**soy, eres, es, somos, sois, son.**
Imperf Subj	**era, eras, era, éramos, erais, eran.**
Past Ind	**fui, fuiste, fue, fuimos, fuisteis, fueron.**
Fut Ind	seré, serás, será, seremos, seréis, serán.
Cond	sería, serías, sería, seríamos, seríais, serían.
Pres Subj	sea, seas, sea, seamos, seáis, sean.
Imperf Subj	**fuera, fueras, fuera, fuéramos, fuerais, fueran;** **fuese, fueses, fuese, fuésemos, fueseis, fuesen.**
Fut Subj	**fuere, fueres, fuere, fuéremos, fuereis, fueren.**
Imperat	**sé** (tú), sea (él/Vd.), seamos (nos.), **sed** (vos.), sean (ellos/Vds.).
Past Part	**sido.**

to have

87. TENER

Pres Ind	**tengo, tienes, tiene,** tenemos, tenéis, **tienen.**
Past Ind	**tuve, tuviste, tuvo, tuvimos, tuvisteis, tuvieron.**
Fut Ind	**tendré, tendrás, tendrá, tendremos, tendréis, tendrán.**
Cond	**tendría, tendrías, tendría, tendríamos, tendríais, tendrían.**
Pres Subj	**tenga, tengas, tenga, tengamos, tengáis, tengan.**
Imperf Subj	**tuviera, tuvieras, tuviera, tuviéramos, tuvierais, tuvieran;** **tuviese, tuvieses, tuviese, tuviésemos, tuvieseis, tuviesen.**
Fut Subj	**tuviere, tuvieres, tuviere, tuviéremos, tuviereis, tuvieren.**
Imperat	**ten** (tú), **tenga** (él/Vd.), **tengamos** (nos.), tened (vos.), **tengan** (ellos/ Vds.).

to bring

88. TRAER

Pres Ind	**traigo,** traes, trae, traemos, traéis, traen.
Past Ind	**traje, trajiste, trajo, trajimos, trajisteis, trajeron.**
Pres Subj	**traiga, traigas, traiga, traigamos, traigáis, traigan.**
Imperf Subj	**trajera, trajeras, trajera, trajéramos, trajerais, trajeran;** **trajese, trajeses, trajese, trajésemos, trajeseis, trajesen.**
Fut Subj	**trajere, trajeres, trajere, trajéremos, trajereis, trajeren.**
Imperat	trae (tú), **traiga** (él/Vd.), **traigamos** (nos.), traed (vos.), **traigan** (ellos/ Vds.).

89. VALER

Pres Ind	**valgo,** vales, vale, valemos, valéis, valen.
Fut Ind	**valdré, valdrás, valdrá, valdremos, valdréis, valdrán.**
Cond	**valdría, valdrías, valdría, valdríamos, valdríais, valdrían.**
Pres Subj	**valga, valgas, valga, valgamos, valgáis, valgan.**
Imperat	vale (tú), **valga** (él/Vd.), **valgamos** (nos.), valed (vos.), **valgan** (ellos/ Vds.).

to come

90. VENIR

Pres Ind	**vengo, vienes, viene,** venimos, venís, **vienen.**
Past Ind	**vine, viniste, vino, vinimos, vinisteis, vinieron.**
Fut Ind	**vendré, vendrás, vendrá, vendremos, vendréis, vendrán.**
Cond	**vendría, vendrías, vendría, vendríamos, vendríais, vendrían.**
Pres Subj	**venga, vengas, venga, vengamos, vengáis, vengan.**
Imperf Subj	**viniera, vinieras, viniera, viniéramos, vinierais, vinieran;** **viniese, vinieses, viniese, viniésemos, vinieseis, viniesen.**
Fut Subj	**viniere, vinieres, viniere, viniéremos, viniereis, vinieren.**
Imperat	**ven** (tú), **venga** (él/Vd.), **vengamos** (nos.), venid (vos.), **vengan** (ellos/ Vds.).

91. VER *to see*

Pres Ind	veo, **ves**, **ve**, **vemos**, veis, **ven**.
Past Ind	vi, viste, vio, vimos, visteis, vieron.
Imperf Subj	viera, vieras, viera, viéramos, vierais, vieran;
	viese, vieses, viese, viésemos, vieseis, viesen.
Fut Subj	viere, vieres, viere, viéremos, viereis, vieren.
Imperat	ve (tú), vea (él/Vd.), veamos (nos.), ved (vos.), vean (ellos/Vds.).
Past Part	visto,-a.

92. YACER

Pres Ind	yazco, yazgo, yago, yaces, yace, yacemos, yacéis, yacen.
Pres Subj	yazca, yazcas, yazca,
	yazcamos, yazcáis, yazcan;
	yazga, yazgas, yazga, yazgamos, yazgáis, yazgan;
	yaga, yagas, yaga, yagamos, yagáis, yagan.
Imperat	yace, yaz (tú), yazca, yazga, yaga (él/Vd.), yazcamos, yazgamos,
	yagamos (nos.), yaced (vos.), yazcan, yazgan, yagan (ellos/Vds.).

A

a *prep (dirección)* to: *girar ~ la derecha,* to turn (to the) right. **2** *(destino)* to, towards. **3** *(distancia)* away: *~ cien kilometros de casa,* a hundred kilometres (away) from home. **4** *(lugar)* at, on: *~ la entrada,* at the entrance. **5** *(tiempo)* at: *~ las once,* at eleven; *~ los tres días,* three days later; *~ tiempo,* in time. **6** *(modo, manera) ~ ciegas,* blindly; *~ pie,* on foot. **7** *(instrumento) escrito ~ mano/ máquina,* handwritten/typewritten. **8** *(precio)* a: *~ 100 pesetas el kilo,* a hundred pesetas a kilo. **9** *(medida)* at: *~ 90 kilómetros por hora,* at 90 kilometres an hour. **10** *(finalidad)* to: *él vino ~ vernos,* he came to see us. **11** *(complemento directo) (no se traduce) vi ~ Juana,* I saw Juana. **12** *(complemento indirecto)* to: *te lo di ~ ti,* I gave it to you. **13** *(verbo + ~ + inf) aprender ~ nadar,* to learn (how) to swim. **14** *(como imperat) ¡~ dormir!,* bedtime! ▲ *a + el =* **al.**

abacería *f* grocer's (shop).

abad *m* abbot.

abadesa *f* abbess.

abadía *f (edificio)* abbey. **2** *(dignidad)* abbacy.

abajo *adv (lugar)* below, down: *ahí ~,* down there. **2** *(en una casa)* downstairs. **3** *(dirección)* down, downward: *calle ~,* down the street. **– 4** *interj* down with!

abalanzarse [4] *p* to rush/spring forward: *~ sobre/contra,* to rush at, pounce on.

abalorio *m (collar)* string of beads. **2** *(cuentecilla)* glass bead.

abandonado,-a *adj* abandoned. **2** *(descuidado)* neglected. **3** *(desaseado)* untidy.

abandonar(se) *t (desamparar)* to abandon, forsake. **2** *(lugar)* to leave, quit. **3** *(actividad)* to give up. **– 4** *p (ceder)* to give in. **5** *(descuidarse)* to neglect o.s.

abanicar(se) [1] *t-p* to fan (o.s.).

abanico *m* fan. **2** *fig* range.

abaratar *t* to cut/reduce the price of.

abarcar [1] *t (englobar)* to cover, embrace. **2** *(abrazar)* to embrace. **3** AM *(acaparar)* to monopolize.

abarrotado,-a *adj* packed *(de,* with).

abarrotar *t* to pack *(de,* with).

abastecer(se) [43] *t* to supply. **– 2** *p* to stock up *(de/con,* with).

abastecimiento *m* supplying, provision.

abasto *m* supply. **2** *(abundancia)* abundance. ●*fam dar ~,* to be sufficient for: *es que no doy ~,* I just can't cope. ▲ *1 often used in pl.*

abatido,-a *adj* dejected, depressed.

abatimiento *m* dejection.

abatir(se) *t (derribar)* to knock down; *(árbol)* to cut down. **2** *(bajar)* to lower. **3** *(desanimar)* to depress. **4** *(humillar)* to humiliate. **– 5** *p (ave, avión)* to swoop *(sobre,* down on). **6** *(humillarse)* to humble o.s. **7** *(desanimarse)* to lose heart.

abdicación *f* abdication.

abdicar [1] *t* to abdicate, renounce.

abdomen *m* abdomen, belly.

abdominal *adj* abdominal. **– 2** *mpl (ejercicios)* sit-ups.

abecé *m* ABC, alphabet. **2** *fig* rudiments *pl.*

abecedario *m* alphabet. **2** *(libro)* spelling book. **3** *fig* rudiments *pl.*

abedul *m* birch (tree).

abeja *f* bee. ■ *~ reina,* queen bee.

abejorro *m* bumblebee. **2** *(coleóptero)* cockchafer.

aberración *f* aberration.

abertura *f* opening, gap.

abeto *m* fir (tree).

abierto,-a *pp →* **abrir. – 2** *adj* open. **3** *(grifo) (turned)* on. **4** *(sincero)* frank. **5**

(tolerante) open-minded. ●*fig* **con los brazos abiertos,** with open arms.

abigarrado,-a *adj* gaudy.

abismar(se) *t* to confuse. – 2 *p* to become absorbed (*en,* in).

abismo *m* abyss.

abjurar *t* to abjure, forswear.

ablandar(se) *t* to soften. 2 *fig (calmar)* to soothe. – 3 *p* to soften (up), go soft/softer.

ablución *f* ablution.

abnegación *f* abnegation, self-denial.

abnegado,-a *adj* selfless, self-sacrificing.

abobado,-a *adj* stupid. 2 *(pasmado)* bewildered.

abochornado,-a *adj* ashamed.

abochornar(se) *t* to shame. 2 *(acalorar)* to make flushed. – 3 *p* to be ashamed.

abofetear *t* to slap.

abogacía *f* legal profession.

abogado,-a *m,f* lawyer, solicitor. ■ ~ **defensor,** counsel for the defense; ~ **laborista,** union lawyer.

abogar [7] *i* to plead. 2 *fig* to intercede.

abolengo *m* ancestry, lineage.

abolición *f* abolition.

abolir *t* to abolish. ▲ *Only used in forms which include the letter i in their endings:* **abolía, aboliré, aboliendo.**

abolladura *f* dent.

abollar *t* to dent.

abombado,-a *adj* convex.

abombar *t* to make convex.

abominable *adj* abominable, loathsome.

abominar *t* to abominate, loathe.

abonable *adj* payable.

abonado,-a *m,f (al teléfono, a revista)* subscriber; *(a teatro, tren, etc.)* season-ticket holder. – 2 *adj* FIN paid. 3 *(tierra)* fertilized.

abonar(se) *t* FIN to pay. 2 *(avalar)* to guarantee, answer for. 3 *(tierra)* to fertilize. 4 *(subscribir)* to subscribe. – 5 *p (a revista)* to subscribe (*a,* to); *(a teatro, tren, etc.)* to buy a season ticket (*a,* to).

abono *m* FIN payment. 2 *(aval)* guarantee. 3 *(para tierra)* fertilizer. 4 *(a revista)* subscription; *(a teatro, tren, etc.)* season-ticket.

abordaje *m* MAR collision.

abordar *t* MAR to run foul of. 2 *fig (persona, tema)* to approach.

aborigen *adj* aboriginal. – 2 *m* aborigine. ▲ *pl* **aborígenes.**

aborrecer [43] *t* to abhor, hate.

aborrecimiento *m* hate, loathing.

abortar *i (voluntariamente)* to abort; *(involuntariamente)* to miscarry. 2 *(fracasar)* to fail.

aborto *m (involuntario)* abortion; *(espontáneo)* miscarriage. 2 *fam (feo)* ugly person.

abotonar(se) *t-p* to button (up). – 2 *i (planta)* to bud.

abovedado,-a *adj* ARQ vaulted.

abovedar *t* ARQ to vault.

abrasador,-ra *adj* burning, scorching.

abrasar(se) *t (quemar)* to burn, scorch. 2 *(calentar)* overheat. – 3 *i-p* to burn (up): ~**se de calor,** to be weltering.

abrasivo,-a *adj-m* abrasive.

abrazadera *f* clamp, brace.

abrazar(se) [4] *t* to embrace. 2 *(ceñir)* to clasp. 3 *(incluir)* to include, comprise. 4 *(adoptar)* to adopt. – 5 *p* to embrace (each other).

abrazo *m* hug, embrace.

abrebotellas *m inv* bottle opener.

abrecartas *m inv* letter-opener, paperknife.

abrelatas *m inv* tin-opener, US can-opener.

abrevadero *m* drinking trough.

abrevar *t (animales)* to water.

abreviación *f* abbreviation.

abreviar [12] *t* to shorten; *(texto)* to abridge; *(palabra)* to abbreviate.

abreviatura *f* abbreviation: **la ~ de etcétera es etc.,** etc. is the abbreviation of et caetera.

abridor *m* opener.

abrigar(se) [7] *t (contra el frío)* to wrap up, keep warm. 2 *(proteger)* to shelter, protect. 3 *(sospechas)* to harbour. – 4 *p (contra el frío)* to wrap o.s. up. 5 *(protegerse)* to take shelter.

abrigo *m (prenda)* coat, overcoat: **ropa de ~,** warm clothing. 2 *(refugio)* shelter. ●*fig* **ser de ~,** to be frightening.

abril *m* April.

abrillantador *m* polish.

abrillantar *t* to polish, burnish.

abrir(se) *t* to open. 2 *(cremallera)* to undo. 3 *(túnel)* to dig. 4 *(luz)* to switch/turn on. 5 *(grifo, gas)* to turn on. 6 *(encabezar)* to head, lead. – 7 *p* to open; *(flores)* to blossom. 8 *fig (sincerarse)* to open out. 9 *arg (largarse)* to clear off. ●~ **el apetito,** to whet one's appetite; ~ **paso,** to make way; *fam* **en un ~ y cerrar de ojos,** in the twinkling of an eye. ▲ *pp* **abierto,-a.**

abrochar(se) *t-p* to button (up): *abróchense los cinturones,* please fasten your seat-belts.

abrogar [7] *t* to abrogate.

abrojo *m* BOT thistle.

abroncar [1] *t* *(reprender)* to give a dressing-down (*a,* to). 2 *(abuchear)* to boo.

abrumador,-ra *adj* overwhelming, crushing.

abrumar *t* to overwhelm, crush: *la abrumó con sus atenciones,* his attentions made her feel uncomfortable.

abrupto,-a *adj (terreno)* rugged. 2 *(persona)* abrupt.

absceso *m* abscess.

absentismo *m* absenteeism.

ábside *m* apse.

absolución *f* absolution.

absoluto,-a *adj* absolute. − 2 *absolutamente adv* absolutely. ●*en* ~, not at all.

absolver [32] *t* to absolve; JUR to acquit. ▲ *pp* ***absuelto,-a***.

absorbente *adj* absorbent. 2 *fig (trabajo)* absorbing, engrossing. − 3 *m* absorbent.

absorber *t* to absorb.

absorción *f* absorption.

absorto,-a *adj (pasmado)* amazed. 2 *(ensimismado)* absorbed/engrossed (*en,* in).

abstemio,-a *adj* abstemious, teetotal. − 2 *m,f* teetotaller.

abstención *f* abstention.

abstenerse [87] *p* to abstain/refrain (*de,* from).

abstinencia *f* abstinence. ■ *síndrome de* ~, withdrawal symptoms *pl*.

abstracción *f* abstraction.

abstracto,-a *adj* abstract: *en* ~, in the abstract.

abstraer(se) [88] *t* to abstract. − 2 *p* to become lost in thought.

absuelto,-a *pp* → **absolver**.

absurdo,-a *adj* absurd. − 2 *m* absurdity, nonsense.

abuchear *t* to boo.

abucheo *m* booing.

abuela *f* grandmother; *fam* grandma, granny. 2 *(vieja)* old woman.

abuelo *m* grandfather; *fam* granddad, grandpa. 2 *(viejo)* old man. 3 *pl* grandparents.

abulia *f* apathy.

abúlico,-a *adj* apathetic.

abultado,-a *adj* bulky, big.

abultamiento *m* swelling, protuberance.

abultar *t* to enlarge, increase. 2 *fig* to exaggerate. − 3 *i* to be bulky.

abundancia *f* abundance, plenty.

abundante *adj* abundant, plentiful.

abundar *i* to abound, be plentiful.

aburguesado,-a *adj* bourgeois.

aburguesarse *p* to become bourgeois.

aburrido,-a *adj (ser* ~*)* boring, tedious. 2 *(estar* ~*)* bored, weary.

aburrimiento *m* boredom.

aburrir(se) *t* to bore. − 2 *p* to get bored.

abusar *i (propasarse)* to go too far, abuse (*de,* -): ~ *de algn.,* to take unfair advantage of sb. 2 *(usar mal)* to misuse (*de,* -): ~ *de la bebida,* to drink too much.

abusivo,-a *adj* excessive, exorbitant.

abuso *m* abuse, misuse. 2 *(injusticia)* injustice. ■ ~ *de confianza,* betrayal of trust.

abusón,-ona *m,f fam (gorrón)* sponger. 2 *(injusto)* unfair person.

abyecto,-a *adj* abject.

acá *adv (lugar)* here, over here: *de* ~ *para allá,* to and fro, up and down. 2 *(tiempo)* until now: *de entonces* ~, since then.

acabado,-a *adj* finished; *(perfecto)* perfect: ~ *de hacer,* freshly made. 2 *(malparado)* worn-out: *una persona acabada,* a has-been. − 3 *m* finish, finishing touch.

acabar(se) *t* to finish (off); *(completar)* to complete: ~ *el trabajo,* to finish the work. 2 *(consumir)* to use up: ~ *las provisiones,* to run out of supplies. − 3 *i* to finish, end: ~ *en punta,* to have a pointed end. 4 *(*~ *+ por)/(*~ *+ gerundio)* to end up: ~ *por comprar/comprando el vestido,* to end up buying the dress. − 5 *p* to end, finish; *(no quedar)* to run out. ●~ *bien,* to have a happy ending; ~ *mal,* to end badly; ~ *con,* to destroy, put an end to; ~ *de,* to have just; *fam* *¡acabáramos!,* at last!

acabose *m fam esto es el* ~, this is the end.

acacia *f* acacia.

academia *f (institución)* academy. 2 *(escuela)* school.

académico,-a *adj* academic: *estudios académicos,* academic qualifications. − 2 *m,f* academician.

acaecer [43] *i* to happen, come to pass.

acalambrarse *p* to get cramps.

acallar *t* to silence, hush. 2 *fig* to pacify.

acalorado,-a *adj* heated. 2 *fig (persona)* excited; *(debate)* heated, angry. — 3 **acaloradamente** *adv* warmly; *fig* excitedly.

acaloramiento *m* heat. 2 *fig* passion.

acalorar(se) *t* to warm up, heat up. 2 *fig* to excite; *(pasiones)* to inflame. — 3 *p* to get warm/hot. 4 *fig* to get excited; *(debate)* to get heated.

acampada *f* camping.

acampanado,-a *adj* bell-shaped; *(prendas)* flared.

acampar *i-t* to camp.

acanalado,-a *adj* grooved. 2 ARQ fluted.

acanalar *t* to groove. 2 ARQ to flute.

acantilado,-a *adj (costa)* rocky. 2 *(fondo del mar)* shelving. — 3 *m* cliff.

acaparador,-ra *adj* hoarding. — 2 *m,f* hoarder. 3 *(monopolizador)* monopolizer.

acaparamiento *m* hoarding. 2 *(monopolio)* monopolizing.

acaparar *t* to hoard; *(mercado)* to corner, buy up. 2 *(monopolizar)* to monopolize: *fig acaparó la atención de todos,* he/she commanded the attention.

acaramelado,-a *adj* spoony, oversweet. 2 *fig (pareja)* lovey-dovey.

acariciar(se) [12] *t* to caress, fondle. 2 *(esperanzas etc.)* to cherish. — 3 *p* to caress each other.

acarrear *t (causar)* to cause, bring. 2 *(transportar)* to carry, transport.

acarreo *m* carriage, transport.

acartonarse *p* to go stiff/hard.

acaso *adv* perhaps, maybe. •*por si ~,* just in case.

acatar *t (leyes etc.)* to obey. 2 *(personas)* to respect. 3 AM to notice.

acatarrarse *p* to catch a cold.

acaudalado,-a *adj* rich, wealthy.

acaudalar *t* to accumulate, amass.

acaudillar *t* to lead.

acceder *i (consentir)* to consent (*a,* to), agree (*a,* to). 2 *(tener entrada)* to enter: *por aquí se accede al jardín,* this leads to the garden. 3 *(alcanzar)* to accede (*a,* to): ~ *al poder,* to come to power.

accesible *adj* accessible.

accésit *m* consolation prize. ▲ *pl* **accésits** or **accesis**.

acceso *m (entrada)* access, entry. 2 *(ataque)* fit, outburst. ■ *carretera de ~,* approach road; *vía de ~,* slip road.

accesorio,-a *adj-m* accessory: *accesorios del automóvil,* car accessories.

accidentado,-a *adj (turbado)* agitated: *vida accidentada,* stormy/troubled life.

2 *(terreno)* uneven, rough. — 3 *m,f* casualty, accident victim.

accidental *adj* accidental.

accidentarse *p* to have an accident.

accidente *m* accident. 2 *(terreno)* unevenness. 3 MED fit. •*por ~,* by chance.

acción *f* action; *(acto)* act, deed. 2 *(efecto)* effect: *la ~ del agua sobre la piel,* the effect of water on the skin. 3 COM share. 4 JUR action, lawsuit. 5 TEAT plot. 6 MIL action. ■ ~ *de gracias,* thanksgiving; *película de ~,* adventure film.

accionar *t (máquina)* to drive, work. — 2 *i* to gesticulate.

accionista *mf* shareholder, stockholder.

acebo *m* holly.

acechar *t* to watch, spy on: *un gran peligro nos acecha,* great danger looms ahead.

acecho *m* watching. •*al ~,* in wait, on the watch.

aceite *m* oil.

aceitoso,-a *adj* oily. 2 *(grasiento)* greasy.

aceituna *f* olive. ■ ~ *rellena,* stuffed olive.

aceitunado,-a *adj* olive-coloured.

acelerado,-a *adj* accelerated, fast, quick. — 2 *f* acceleration.

acelerador *m* AUTO accelerator.

acelerar(se) *t* to accelerate. 2 *(aumentar)* to speed up. — 3 *p (azorarse)* to get upset.

acelga *f* chard.

acento *m (tilde)* accent (mark). 2 *(tónico)* stress. 3 *(pronunciación)* accent: ~ *andaluz,* Andalusian accent. 4 *(énfasis)* emphasis, stress.

acentuación *f* accentuation.

acentuado,-a *adj* accented. 2 *(resaltado)* strong, marked.

acentuar(se) [11] *t* to accent. 2 *(resaltar)* to emphasize, stress. — 3 *p* to stand out.

acepción *f* meaning.

aceptable *adj* acceptable.

aceptación *f* acceptance. 2 *(aprobación)* approval: *tener poca ~,* not to be popular.

aceptar *t* to accept, receive. 2 *(aprobar)* to approve of.

acequia *f* irrigation ditch.

acera *f* pavement, US sidewalk. •*fam ser de la ~ de enfrente,* to be gay/queer.

acerado,-a *adj* steel, steely. 2 *fig (mordaz)* sharp, incisive.

acerbo,-a *adj (al gusto)* bitter, sour. 2 *(cruel)* cruel, bitter.

acerca ~ *de, adv* about, concerning.

acercamiento *m* coming together.

acercar(se) [1] *t* to bring near/nearer. – 2 *p* to approach, come near/nearer.

acero *m* steel. ■ ~ *inoxidable,* stainless, steel.

acérrimo,-a *adj* staunch.

acertado,-a *adj (opinión etc.)* right, correct. 2 *(conveniente)* suitable.

acertante *adj* winning. – 2 *mf* winner.

acertar [27] *t* to get right. 2 *(adivinar)* to guess: ~ *la quiniela,* to win the pools. – 3 *t-i (dar con)* to succeed *(con,* in), be right *(con,* about): *acertó (con) la casa,* he found the right house. – 4 *i (~ + a + inf)* to happen, chance: *yo acertaba a estar allí,* I happened to be there.

acertijo *m* riddle.

acervo *m (montón)* heap. 2 *(haber común)* common property.

acetato *m* acetate.

acetona *f* acetone.

achacar [1] *t* to impute, attribute.

achacoso,-a *adj* ailing, unwell.

achaque *m (indisposición)* ailment. 2 *(excusa)* excuse, pretext.

acharolado,-a *adj* varnished.

achatado,-a *adj* flattened.

achatar *t* to flatten.

achicar(se) [1] *t (amenguar)* to diminish, reduce. 2 *(amilanar)* to intimidate. 3 *(agua)* to drain; *(en barco)* to bale out. – 4 *p (amenguarse)* to get smaller. 5 *(amilanarse)* to lose heart.

achicharrar(se) *t-p* to scorch; *(comida)* to burn: *hace un sol que achicharra,* it's roasting.

achicoria *f* chicory.

achispado,-a *adj* tipsy.

achispar(se) *t* to make tipsy. – 2 *p* to get tipsy.

achuchado,-a *adj fam* difficult.

achuchar *t (estrujar)* to crush. 2 *(empujar)* to push violently.

achuchón *fam m* push, shove. 2 *(indisposición)* indisposition.

acicalarse *p* to dress up.

acicate *m* spur. 2 *fig* incentive.

acidez *f* sourness; QUÍM acidity. ■ ~ *de estómago,* heartburn.

ácido,-a *adj (sabor)* sharp, tart. 2 QUÍM acidic. – 3 *m* acid. 4 *arg* acid, LSD.

acierto *m (adivinación)* correct guess. 2 *(logro)* good shot. 3 *(casualidad)* chance. 4 *(éxito)* success. 5 *(habilidad)* skill.

aclamación *f* acclamation, acclaim.

aclamar *t* to acclaim.

aclaración *f* explanation.

aclarar(se) *t (cabello, color)* to lighten. 2 *(líquido)* to thin. 3 *(enjuagar)* to rinse. 4 *(explicar)* to explain. – 5 *p (entender)* to understand. 6 *(el tiempo)* to clear up. ●~*se la voz,* to clear one's throat.

aclimatación *f* acclimatization, US acclimation.

aclimatar(se) *t* to acclimatize *(a,* to). – 2 *p* to become acclimatized *(a,* to).

acné *f* acne.

acobardar(se) *t* to frighten. – 2 *p* to become frightened.

acodar(se) *t (plantas)* to layer. 2 *(doblar)* to bend. – 3 *p* to lean/rest one's elbow.

acogedor,-ra *adj (persona)* welcoming. 2 *(lugar)* cosy, warm.

acoger(se) [5] *t (recibir)* to receive; *(a invitado)* to welcome. 2 *(proteger)* to shelter, protect. 3 *(ideas etc.)* to accept, take to. – 4 *p (refugiarse)* to take refuge; *fig* to take refuge *(a,* in). 5 *(a una ley etc.)* to have recourse to.

acogida *f* reception, welcome. 2 *fig* shelter. 3 *(aceptación)* popularity.

acojonado,-a* *adj (asustado)* shit-scared*. 2 *(asombrado)* amazed.

acojonante* *adj* bloody great.

acojonar(se)* *t (atemorizar)* to scare (the shit out of)*. 2 *(asombrar)* to amaze. – 3 *p* to shit o.s., get the wind up.

acolchar *t* to quilt. 2 *(rellenar)* to pad.

acometer *t (embestir)* to attack. 2 *(tos etc.)* to be seized by. 3 *(emprender)* to undertake.

acometida *f* attack, assault.

acomodación *f* accommodation, adaptation.

acomodado,-a *adj (conveniente)* suitable. 2 *(rico)* well-to-do. 3 *(precio)* reasonable.

acomodador,-ra *m,f m* usher, *f* usherette.

acomodar(se) *t (colocar)* to arrange. 2 *(adaptar)* to apply, adapt. 3 *(alojar)* to lodge, accommodate. – 4 *p (instalarse)* to make o.s. comfortable. 5 *(avenirse)* to adapt o.s. *(a/con,* to).

acomodaticio,-a *adj* easy-going.

acomodo *m (empleo)* job, employment. 2 *(alojamiento)* lodging.

acompañamiento *m* accompaniment. 2 *(comitiva)* retinue.

acompañanta *f* (female) companion, chaperon(e).

acompañante *adj* accompanying. – 2 *mf* companion. 3 MÚS accompanist.

acompañar(se) *t* to accompany. 2 *(adjuntar)* to enclose. – 3 *p* MÚS to accompany o.s. (*a*, on). ●*fml* ~ *en el senti-miento,* to express one's condolences.

acompasado,-a *adj* rhythmic; (*paso*) measured; (*habla*) slow.

acomplejado,-a *adj* with a complex. − 2 *m,f* person with a complex.

acomplejar(se) *i* to give a complex. − 2 *p* to develop a complex (*por*, about).

acondicionador *m* conditioner. ■ ~ *de aire,* air conditioner; ~ *del cabello,* hair conditioner.

acondicionar *t* to fit up, set up; (*mejorar*) to improve.

acongojado,-a *adj* distressed.

acongojar(se) *t* to distress, grieve. − 2 *p* to be distressed/grieved.

aconsejar(se) *t* to advise. − 2 *p* to seek advice.

acontecer *i* to happen.

acontecimiento *m* event, happening.

acopio *m* storing. ●*hacer* ~ *de,* to store up.

acoplar(se) *t* (*juntar*) to fit (together) to join. 2 TÉC to couple, connect. − 3 *p* to pair, mate.

acoquinar(se) *t* to frighten. − 2 *p* to become frightened.

acorazado,-a *adj* armoured. − 2 *m* battleship.

acordado,-a *adj* agreed.

acordar(se) [31] *t* to agree. 2 (*decidir*) to decide. 3 (*conciliar*) to reconcile. 4 MÚS to attune. − 5 *p* to remember (*de*, -).

acorde *adj* in agreement. − 2 *m* MÚS chord.

acordeón *m* accordion.

acordonar *t* (*atar*) to lace, tie. 2 (*rodear*) to surround, draw a cordon around.

acorralar *t* to corner.

acortar *t* to shorten.

acosar *t* to pursue, chase.

acoso *m* pursuit, chase.

acostar(se) [31] *t* to put to bed. − 2 *p* to go to bed. ●*fam* ~*se con,* to sleep with.

acostumbrado,-a *adj* (*persona*) accustomed, used. 2 (*hecho*) usual, customary.

acostumbrar(se) *t* (*habituar*) to accustom to. 2 (*soler*) to be in the habit of: *no acostumbro a fumar por la mañana,* I don't usually smoke in the morning. − 3 *p* to become accustomed.

acotación *f* (*en escrito*) marginal note. 2 (*topográfica*) elevation mark.

acotar *t* (*área*) to enclose. 2 (*topografía*) to mark with elevations. 3 *fig* to delimit, restrict.

ácrata *adj-mf* anarchist.

acre *adj* acrid. 2 *fig* (*lenguaje*) bitter. − 3 *m* (*medida*) acre.

acrecentar(se) [27], **acrecer(se)** [43] *t-p* to increase.

acreditado,-a *adj* reputable, well-known.

acreditar(se) *t* to give credit to. 2 (*probar*) to prove to be. 3 FIN to credit. − 4 *p* to gain a reputation.

acreedor,-ra *adj* deserving. − 2 *m,f* FIN creditor.

acribillar *t* to riddle. 2 *fig* to harass: ~ *a algn. a preguntas,* to bombard sb. with questions.

acrílico,-a *adj* acrylic.

acrimonia, acritud *f* acrimony.

acrobacia *f* acrobatics.

acróbata *mf* acrobat.

acrónimo *m* acronym.

acta *f* minutes *pl*, record (of proceedings). 2 (*certificado*) certificate. 3 *pl* (*memorias*) transactions. ■ ~ *notarial,* affidavit.

actitud *f* attitude.

activar(se) *t* to activate; (*acelerar*) to expedite. − 2 *p* to become activated.

actividad *f* activity.

activista *adj-mf* POL activist.

activo,-a *adj* active. − 2 *m* FIN assets *pl*. ■ ~ *disponible,* liquid assets *pl*.

acto *m* act. 2 (*ceremonia*) ceremony, meeting, public function. 3 TEAT act. ●~ *seguido,* immediately afterwards; *en el* ~, at once.

actor *m* actor.

actor,-ra *m,f* JUR plaintiff. − 2 *adj parte actora,* prosecution.

actriz *f* actress.

actuación *f* performance. 2 JUR law proceedings *pl*.

actual *adj* present, current. 2 (*actualizado*) up-to-date. − 3 *m fml* this month: *el doce del* ~, the 12th of this month. − 4 *actualmente adv* (*hoy en día*) nowadays; (*ahora*) at present.

actualidad *f* present (time). 2 (*hechos*) current affairs *pl*. ●*en la* ~, at present. ■*temas de* ~, current affairs.

actualizar [11] *t* to bring up to date.

actuar *t* to actuate, work. − 2 *i* to act (*de*, as). 3 CINEM TEAT to perform, act.

acuarela *f* watercolour.

acuario *m* aquarium.

acuartelar *t* MIL (*alojar*) to quarter. 2 (*retener*) to confine to barracks.

acuático,-a *adj* aquatic, water.

acuchillar *t (seres vivos)* to knife, stab. **2** *(prendas)* to slash. **3** *(madera)* to plane (down).

acuciante *adj* pressing, urging.

acuclillarse *p* to squat, crouch (down).

acudir *i (ir)* to go; *(venir)* to come. **2** *(ayudar)* to attend/help. **3** *(recurrir)* to resort.

acueducto *m* aqueduct.

acuerdo *m* agreement. ●*¡de ~!,* all right!, O.K.!; *de ~ con,* in accordance with; *de común ~,* by mutual agreement; *estar de ~,* to agree. ■ ~ *marco,* framework agreement.

acullá *adv fml* far away.

acumulación *f* accumulation.

acumulador,-ra *adj* accumulative. **– 2** *m* FÍS accumulator.

acumular *t* to accumulate.

acunar *t* to rock.

acuñar *t (monedas)* to coin, mint. **2** *(poner cuñas)* to wedge.

acuoso,-a *adj* watery.

acupuntura *f* acupuncture.

acurrucarse [1] *p* to curl up.

acusación *f* accusation; JUR charge.

acusado,-a *adj-m,f* accused.

acusar(se) *t* to accuse; JUR charge *(de,* with). **2** *(manifestar)* to give away. **– 3** *p (confesarse)* to confess. **4** *(acentuarse)* to become more pronounced. ●~ *recibo de,* to acknowledge receipt of.

acusativo *m* accusative.

acuse *m* ~ *de recibo,* acknowledgement of receipt.

acusica *adj-mf,* **acusón,-ona** *adj-m,f fam* telltale.

acústica *f* acoustics.

acústico,-a *adj* acoustic.

adagio *m* proverb. **2** MÚS adagio.

adalid *m* leader.

adamascado,-a *adj* damask.

adaptable *adj* adaptable.

adaptación *f* adaptation.

adaptar(se) *t* to adapt. **2** *(ajustar)* to adjust. **– 3** *p* to adapt o.s. *(a,* to).

adecentar(se) *t-p* to tidy (o.s.) (up).

adecuado,-a *adj* adequate, suitable.

adecuar [10] *t* to adapt, make suitable.

adefesio *m fam (disparate)* nonsense, absurdity. **2** *(persona)* freak.

adelantado,-a *adj (precoz)* precocious. **2** *(aventajado)* advanced. **3** *(desarrollado)* developed. **4** *(reloj)* fast. ●*por ~,* in advance.

adelantamiento *m* AUTO overtaking. ●*hacer un ~,* to overtake.

adelantar(se) *t* to move forward. **2** *(reloj)* to put forward. **3** *(pasar delante)* to pass; AUTO to overtake. **4** *(dinero)* to pay in advance. **– 5** *i (progresar)* to make progress. **6** *(reloj)* to be fast. **– 7** *p (ir delante)* to go ahead. **8** *(llegar temprano)* to be early. **9** *(anticiparse)* to get ahead *(a,* of). **10** *(reloj)* to gain, be fast.

adelante *adv* forward, further. **– 2** *interj* come in! ●*en ~,* henceforth; *más ~,* later on.

adelanto *m* advance: *los adelantos de la ciencia,* the progress of science. **2** COM advanced payment.

adelgazamiento *m* slimming.

adelgazar(se) [4] *t* to make slim. **– 2** *p* to slim.

ademán *m* gesture. **2** *pl* manners. ●*hacer ~ de,* to look as if one is about to.

además *adv* besides. **2** *(también)* also. ●*~ de,* besides.

adentrarse *p* to penetrate. ●*~ en algo,* to go into sth.

adentro *adv* inside. **– 2** *mpl* inward mind *sing: para sus adentros,* in his heart.

adepto *m* follower, supporter.

aderezar [4] *t* CULIN to season; *(ensalada)* to dress. **2** *(adornar) (personas)* to make beautiful; *(cosas)* to embellish. **3** *(preparar)* to prepare.

aderezo *m* CULIN seasoning; *(de ensalada)* dressing. **2** *(preparación)* preparation. **3** *(joyas)* set of jewellery.

adeudar(se) *t* to owe. **2** FIN to debit, charge. **– 3** *p* to get into debt.

adherencia *f* adherence.

adherente *adj* adherent, adhesive.

adherir(se) [35] *i* to stick *(a,* to). **– 2** *p* to follow. **3** *fig* to follow.

adhesión *f* adhesion, adherence. **2** *(apoyo)* support.

adhesivo,-a *adj-m* adhesive.

adición *f* addition.

adicionar *t* to add. **2** *(sumar)* to add up.

adicto,-a *adj (drogas)* addicted *(a,* to). **2** *(dedicado)* fond *(a,* of). **3** *(partidario)* supporting. **– 4** *m,f (drogas)* addict. **5** *(partidario)* supporter.

adiestramiento *m* training, instruction.

adiestrar(se) *t* to train, instruct. **– 2** *p* to train o.s.

adinerado,-a *adj* rich, wealthy.

¡adiós! *interj* goodbye! **2** *(hasta luego)* see you later. ▲ *pl* adioses.

aditivo,-a *adj-m* additive.

adivinador,-ra *m,f* fortune-teller.

adivinanza *f* riddle, puzzle.

adivinar t to guess. 2 *(predecir)* to forecast. 3 *(enigma)* to solve.

adivino,-a m,f fortune-teller.

adjetivar t to use as an adjective. 2 *fig* to label.

adjetivo,-a m adjective. − 2 *adj* adjective, adjectival.

adjudicación f award, awarding.

adjudicar(se) [1] t to award: *¡adjudicado!,* sold! − 2 p to appropriate.

adjunto,-a *adj (en carta)* enclosed. 2 *(asistente)* assistant. − 3 m,f assistant teacher.

administración f administration. 2 *(cargo)* post of administrator. 3 *(oficina)* branch. ■ ~ **de Correos,** Post Office; ~ **de Hacienda,** tax office; ~ **de lotería,** lottery office; ~ **pública,** public administration.

administrador,-a m,f administrator: *es muy buena administradora,* she knows how to stretch money.

administrar(se) t to administer. 2 *(aplicar)* to give: *le administró un antibiótico,* he gave him an antibiotic. − 3 p to manage one's own money.

administrativo,-a *adj* administrative. − 2 m,f *(funcionario)* official; *(de empresa, banco)* office worker.

admirable *adj* admirable.

admiración f admiration. 2 *(signo de)* exclamation mark.

admirar(se) t to admire. 2 *(sorprender)* to amaze, surprise. − 3 p to be astonished.

admisión f admission.

admitir t *(dar entrada, reconocer)* to admit. 2 *(aceptar)* to accept. 3 *(permitir)* to allow.

adobado,-a *adj* marinated.

adobar t to marinate.

adocenado,-a *adj* commonplace, ordinary.

adoctrinar t to indoctrinate.

adolecer [43] i *(sufrir)* to be ill. ●~ **de,** to suffer from.

adolescencia f adolescence.

adolescente *adj-mf* adolescent.

adonde *adv* where.

adónde *adv interr* where.

adondequiera ~ *(que),* *adv* wherever.

adopción f adoption.

adoptar t to adopt.

adoptivo,-a *adj* adoptive.

adoquín m cobble, paving stone.

adoración f adoration, worship.

adorar t to adore, worship.

adormecer(se) [43] t to put to sleep. 2 *(calmar)* to soothe. − 3 p *(dormirse)* to doze off. 4 *(entumecerse)* to go to sleep, go numb.

adormidera f opium poppy.

adormilarse p to doze, drowse.

adornar t to adorn, decorate; *fig* to embellish.

adorno m decoration.

adosado,-a *adj* semidetached: *casas adosadas,* semidetached houses.

adosar t to lean *(a,* against).

adquirir [30] t to acquire; *(comprar)* to buy.

adquisición f acquisition; *(compra)* buy, purchase.

adquisitivo,-a *adj* acquisitive.

adrede *adv* purposely, on purpose.

adrenalina f adrenalin.

adscribir t *(atribuir)* to attribute. 2 *(a un trabajo)* to appoint. ▲ *pp* **adscrito,-a.**

aduana f customs *pl.* ●*pasar por la ~,* to go through customs.

aduanero,-a *adj* customs. − 2 m customs officer.

aducir [46] t to adduce, allege.

adueñarse p ~ **de,** to seize.

adulación f adulation, flattery.

adular t to adulate, flatter.

adulteración f adulteration.

adulterado,-a *adj* adulterated.

adulterar t to adulterate.

adulterio m adultery.

adúltero,-a *adj* adulterous. − 2 m,f m adulterer, f adulteress.

adulto,-a *adj-m,f* adult: *los adultos,* the grown-ups.

adusto,-a *adj* scorched, burnt. 2 *fig (seco)* harsh, stern.

advenedizo,-a *adj-m,f* parvenu.

advenimiento m advent, coming. 2 *(al trono)* accession.

adventismo m Adventism.

adverbio m adverb.

adversario,-a *adj* opposing. − 2 m,f adversary, opponent.

adversidad f adversity.

adverso,-a *adj* adverse. 2 *(opuesto)* opposite.

advertencia f warning. 2 *(consejo)* advice. 3 *(nota)* notice.

advertido,-a *adj* capable, knowledgeable.

advertir [35] t *(darse cuenta)* to notice. 2 *(llamar la atención)* to warn. 3 *(aconsejar)* to advise.

adviento m advent.

adyacente *adj* adjacent.
aéreo,-a *adj* aerial. **2** AV air. ■*tráfico* ~, air traffic.
aereobús *m* airbus.
aerodinámico,-a *adj* aerodynamic. − **2** *f* aerodynamics.
aeródromo *m* aerodrome, US airfield.
aeromodelismo *m* aeroplane modelling.
aeronáutica *f* aeronautics.
aeronave *f* airship.
aeroplano *m* aeroplane, airplane.
aeropuerto *m* airport.
aerosol *m* aerosol, spray.
aerostático,-a *adj* aerostatic. − **2** *f* aerostatics.
afabilidad *f* affability.
afable *adj* affable, kind.
afamado,-a *adj* famous, renowned.
afán *m* (*anhelo*) eagerness: *con* ~, keenly. **2** (*esfuerzo*) hard work.
afanar(se) *t fam* to nick, pinch. − **2** *p* ~*se en*, to work hard at. **3** ~*se por*, to strive to.
afanoso,-a *adj* (*anheloso*) eager. **2** (*tarea*) hard, laborious.
afear *t* to make ugly. **2** *fig* (*vituperar*) to reproach.
afección *f* affection, fondness. **2** MED illness.
afectación *f* affectation.
afectado,-a *adj* affected. **2** (*fingido*) pretended.
afectar(se) *t* to affect. **2** (*impresionar*) to move. − **3** *p* (*impresionarse*) to be affected/moved.
afectividad *f* affectivity.
afecto,-a *adj* affectionate, fond (*a*, of). − **2** *m* affection: *con todo mi* ~, with all my love.
afectuoso,-a *adj* affectionate. − **2** *afectuosamente adv* affectionately; (*en cartas*) yours sincerely.
afeitado *m* shave, shaving.
afeitadora *f* electric shaver/razor.
afeitar(se) *t*-*p* to shave.
afelpado,-a *adj* velvety.
afeminado,-a *adj* effeminate.
aferrado,-a *adj fig* clutching, clinging.
aferrar(se) *i*-*p fig* to cling.
afianzar(se) [4] *t* (*clavar etc.*) to strengthen. **2** *fig* to consolidate: ~ *un régimen*, to consolidate a regime. − **3** *p* to steady o.s.
afición *f* (*inclinación*) liking: *tiene* ~ *por la música*, he's fond of music. ■*la* ~, the fans *pl*.

aficionado,-a *adj* keen, fond. **2** (*no profesional*) amateur. − **3** *m,f* fan, enthusiast. **4** (*no profesional*) amateur.
aficionar(se) *t* to make fond (*a*, of). − **2** *p* to become fond (*a*, of).
afilado,-a *adj* sharp. **2** (*con punta*) pointed.
afilalápices *m inv* pencil sharpener.
afilar *t* to sharpen.
afiliación *f* affiliation.
afiliado,-a *adj-m,f* affiliate, member.
afiliar [12] *t* to affiliate. − **2** *p* to join (*a*, to), become affiliated (*a*, to).
afín *adj* (*semejante*) similar. **2** (*relacionado*) related. **3** (*próximo*) adjacent, next.
afinar *t* to perfect, polish. **2** MÚS to tune. **3** (*puntería*) to sharpen.
afinidad *f* affinity.
afirmación *f* statement, assertion.
afirmar(se) *t* (*afianzar*) to strenghten. **2** (*aseverar*) to state, say. − **3** *p* (*ratificarse*) to steady o.s.
afirmativo,-a *adj* affirmative. − **2** *f* affirmative answer.
aflicción *f* affliction, grief.
afligido,-a *adj* afflicted, grieved.
afligir(se) [6] *t* to afflict, grieve. − **2** *p* to grieve, be distressed.
aflojar(se) *t* (*soltar*) to loosen. **2** *fam fig* (*dinero*) to pay up. − **3** *i* (*disminuir*) to weaken. − **4** *p* to come loose. ●*fam* ~ *la mosca*, to fork out, cough up.
afluencia *f* inflow, influx: ~ *de público*, flow of people. **2** (*abundancia*) affluence.
afluente *m* (*río*) tributary.
afluir [62] *i* to flow (*a*, into).
afonía *f* loss of voice.
afónico,-a *adj* hoarse. ●*estar* ~, to have lost one's voice.
aforismo *m* aphorism.
afortunado,-a *adj* lucky, fortunate. **2** (*dichoso*) happy.
afrenta *f fml* affront, outrage.
afrentar *t* to affront, outrage.
afrodisíaco,-a, afrodisíaco,-a *adj-m* aphrodisiac.
afrontar *t* to face.
afuera *adv* outside: *vengo de* ~ , I've just been outside. − **2** *interj* out of the way! − **3** *fpl* outskirts.
agachar(se) *t* to lower. − **2** *p* (*encogerse*) to cower. **3** (*protegerse*) to duck (down).
agalla *f* (*de pez*) gill. **2** BOT gall. **3** *pl fam* courage *sing*, guts.
agarradero *m* (*asa*) handle. **2** *fig* protection.

agarrado,-a *adj* stingy. • *bailar* ~, to dance cheek to cheek.

agarrar(se) *t (con la mano)* to clutch, seize. 2 *(pillar)* to catch. — 3 *p* to hold on, cling *(a, to).* • *fig* ~ *se a un clavo ardiendo,* to clutch at a straw.

agarrón *m* AM *(altercado)* quarrel, fight.

agarrotado,-a *adj (apretado)* tight. 2 *(músculo)* stiff.

agarrotar(se) *t (oprimir)* to squeeze. — 2 *p (los músculos)* to stiffen.

agasajar *t* to wine and dine.

agasajo *m (acogida)* warm welcome. 2 *(regalo)* gift.

ágata *f* agate. ▲ *Takes el and un in sing.*

agencia *f* agency. ■ ~ *de viajes,* travel agency.

agenciarse [12] *p* to manage: *me las agenciaré como pueda,* I'll manage.

agenda *f (libro)* diary. 2 *(orden del día)* agenda.

agente *mf* agent. ■ ~ *de cambio y bolsa,* stockbroker; ~ *de policía,* policeman.

ágil *adj* agile.

agilidad *f* agility.

agilizar [4] *t* to make agile. 2 *fig* to speed up.

agitación *f* agitation. 2 *fig* excitement.

agitador,-ra *m,f* agitator. — 2 *m* QUÍM agitator.

agitanado,-a *adj* gypsy-like.

agitar(se) *t* to agitate; *(botella)* to shake; *(pañuelo)* to wave. 2 *fig* agitate, excite. — 3 *p (inquietarse)* to become agitated/disturbed. 4 *(mar)* to become rough.

aglomeración *f* agglomeration. 2 *(de gente)* crowd.

aglomerado *m* agglomerate.

aglutinar(se) *t-p* to agglutinate.

agnóstico,-a *adj-m,f* agnostic.

agobiado,-a *adj (doblado)* bent over. 2 *fig (cansado)* exhausted: ~ *de trabajo,* up to one's eyes in work.

agobiar(se) [12] *t (doblar)* to weigh down. 2 *fig* to overwhelm. — 3 *p* to worry too much, get worked up.

agobio *m* burden, fatigue.

agolparse *p* to crowd, throng.

agonía *f* dying breath. 2 *(sufrimiento)* agony, grief. 3 AM *(desazón)* anxiety.

agonizante *adj-mf* dying (person).

agonizar [4] *i* to be dying.

agosto *m* August. • *fig hacer su* ~, to make a packet/pile.

agotado,-a *adj (cansado)* exhausted. 2 *(libros)* out of print; *(mercancías)* sold out.

agotador,-ra *adj* exhausting.

agotamiento *m* exhaustion.

agotar(se) *t* to exhaust. — 2 *p (cansarse)* to become exhausted. 3 *(acabarse)* to run out; COM to be sold out.

agraciado,-a *adj* attractive. 2 *(ganador)* winning.

agraciar [12] *t (embellecer)* to make more attractive. 2 *fml (conceder)* to bestow.

agradable *adj* nice, pleasant.

agradar *i* to please: *esto me agrada,* I like this.

agradecer [43] *t* to thank for, be grateful for: *siempre se agradece un descanso,* a rest is always welcome.

agradecido,-a *adj* grateful, thankful: *le quedaría muy* ~ *si ...,* I should be very much obliged if ... .

agradecimiento *m* gratitude, thankfulness.

agrado *m* pleasure: *no es de su* ~, it isn't to his liking.

agrandar(se) *t* to enlarge. 2 *(exagerar)* to exaggerate. — 3 *p* to enlarge, become larger.

agrario,-a *adj* agrarian.

agravante *m* added difficulty. 2 JUR aggravating circumstance.

agravar(se) *t* to aggravate. — 2 *p* to get worse.

agraviar [12] *t* to offend, insult.

agravio *m* offence, insult.

agredir *t* to attack. ▲ *Used only in forms which include the letter i in their endings: agredía, agrediré, agrediendo.*

agregado,-a *adj* aggregate. — 2 *m,f* EDUC assistant teacher. — 3 *m* attaché.

agregar(se) [7] *t (añadir)* to add. 2 *(unir)* to gather. — 3 *p* to join.

agresión *f* aggression.

agresividad *f* aggressiveness.

agresivo,-a *adj* aggressive.

agresor,-ra *m,f* aggressor.

agreste *adj* rural, country. 2 *(persona)* uncouth, coarse.

agriar(se) [12] *t* to sour. 2 *fig (persona)* to embitter. — 3 *p* to turn sour.

agrícola *adj* agricultural.

agricultor,-ra *m,f* farmer.

agricultura *f* agriculture, farming.

agridulce *adj* bittersweet. 2 CULIN sweet and sour.

agrietar(se) *t-p* to crack.

agrio,-a *adj* sour. — 2 *mpl* citrus fruits.

agronomía *f* agronomy.

agrónomo,-a *m,f* agronomist.

agropecuario,-a *adj* farming, agricultural.

agrumarse *p* to curdle, clot.

agrupación *f* grouping (together). **2** *(asociación)* association.

agrupar(se) *t (congregar)* to gather. — **2** *p* to group together. **3** *(asociarse)* to associate.

agua *f* water. ●*claro como el ~,* obvious; *estar con el ~ en el cuello,* to be up to one's neck in it; *hacérsele la boca ~ a uno,* to make one's mouth water; *nunca digas de esta ~ no beberé,* never say never; *(parturienta) romper aguas,* to break one's water bag. ■ *~ corriente,* running water; *~ de colonia,* (eau de) cologne; *~ dulce,* fresh water; *~ potable,* drinking water; *~ salada,* salt water; *aguas jurisdiccionales,* territorial waters; *aguas residuales,* sewage *sing.* ▲ *Takes el and un in sing.*

aguacate *m* avocado (pear).

aguacero *m* heavy shower, downpour.

aguado,-a *adj* watered down.

aguador,-ra *m,f* water carrier.

aguafiestas *mf inv* killjoy.

aguafuerte *m* ART etching.

aguantar(se) *t (contener)* to hold (back). **2** *(sostener)* to hold. **3** *(soportar)* to tolerate. — **4** *p (contenerse)* to restrain o.s. **5** *(resignarse)* to resign o.s.

aguante *m (paciencia)* patience. **2** *(fuerza)* strength.

aguar [22] *t* to water down. ●*~ la fiesta a algn.,* to spoil sb.'s fun.

aguardar *t-i* to wait (for), await: *no sé lo que me aguarda el futuro,* I don't know what the future will bring me.

aguardiente *m* liquor, brandy.

aguarrás *m* turpentine.

agudeza *f* sharpness. **2** *(viveza)* wit. **3** *(ingenio)* witticism.

agudizar(se) [4] *t-p (afilar)* to sharpen. **2** *(enfermedad)* to worsen.

agudo,-a *adj (afilado)* sharp. **2** *(dolor)* acute. **3** *(ingenioso)* witty. **4** *(voz)* high-pitched. **5** *(palabra)* oxytone.

agüero *m* omen.

aguijón *m* ZOOL sting. **2** BOT thorn, prickle. **3** *fig (estímulo)* sting, spur.

aguijonear *t* to goad. **2** *fig* to spur on.

águila *f* eagle. ▲ *Takes el and un in sing.*

aguileño,-a *adj* aquiline: *nariz aguileña,* hook nose.

aguilucho *m* eaglet.

aguinaldo *m* Christmas bonus.

aguja *f* needle. **2** *(de reloj)* hand. **3** *(de tocadiscos)* stylus. **4** ARQ steeple. **5** *(de tren)* point, US switch. ●*buscar una ~ en un pajar,* to look for a needle in a haystack.

agujerear *t* to pierce, perforate.

agujero *m* hole.

agujetas *fpl* stiffness *sing.*

aguzar [4] *t (afilar)* to sharpen. **2** *(estimular)* to spur on. ●*~ el oído,* to prick up one's ears.

ahí *adv* there, in that place. ●*de ~ que,* hence, therefore; *por ~,* *(lugar)* round there; *(aproximadamente)* more or less.

ahijado,-a *m,f* godchild; *m* godson, *f* goddaughter.

ahijar(se) [15] *t-p* to adopt.

ahínco *m* eagerness: *con ~,* eagerly.

ahíto,-a *adj (de comida)* stuffed. **2** *(harto)* fed up. — **3** *m* indigestion.

ahogado,-a *adj* drowned. **2** *(sitio)* stuffy. — **3** *m,f* drowned person.

ahogar(se) [7] *t* to drown. **2** *(plantas)* to soak. **3** *fig (reprimir)* to stifle: *~ las lágrimas,* to hold back one's tears. — **4** *p* to be drowned. **5** *(sofocarse)* to choke. **6** *(motor)* to be flooded. ●*fig ~se en un vaso de agua,* to make a mountain out of a molehill.

ahogo *m (al respirar)* breathing trouble. **2** *(congoja)* anguish. **3** *(penuria)* financial difficulty.

ahondar *t* to deepen. — **2** *t-i* to go deep: *~ en un problema,* to examine a problem in depth.

ahora *adv* now. **2** *(hace un momento)* a while ago. **3** *(dentro de un momento)* shortly. ●*~ bien,* but, however; *~ o nunca,* now or never; *hasta ~,* until now, so far; *por ~,* for the time being.

ahorcado,-a *m,f* hanged person.

ahorcar(se) [1] *t-p* to hang (o.s.).

ahorrador,-ra *adj* thrifty.

ahorrar *t* to save. **2** *(evitar)* to spare.

ahorros *mpl* savings. ■ *caja de ~,* savings bank.

ahuecar [1] *t* to hollow out. **2** *(descompactar)* to fluff out. **3** *(voz)* to deepen. ●*fam ~ el ala,* to clear off.

ahumado,-a *adj* smoked; *(bacon)* smoky. — **2** *m (proceso)* smoking.

ahumar [16] *t-i* to smoke.

ahuyentar *t* to drive/scare away.

airarse [15] *p* to get angry.

aire *m* air. **2** *(viento)* wind: *hace ~,* it's windy. **3** *(aspecto)* air, appearance. **4** *(estilo)* style. **5** MÚS air, melody. ● *al ~ libre,* in the open air, outdoors; *cam-*

biar de aires, to change one's surroundings; *darse aires,* to put on airs; *saltar por los aires,* to blow up. ■ ~ *acondicionado,* air conditioning.

airear(se) *t (ventilar)* to air. 2 *(un asunto)* to publicize. – 3 *p* to take some fresh air.

airoso,-a *adj (lugar)* windy. 2 *(persona)* graceful. ●*salir* ~, to be successful *(de,* in).

aislado,-a *adj* isolated. 2 TÉC insulated.

aislamiento *m* isolation. 2 TÉC insulation.

aislante *adj* insulating. – 2 *m* insulator.

aislar(se) [15] *t* to isolate. 2 TÉC to insulate. – 3 *p* to isolate o.s. *(de,* from).

¡ajá! *interj* good!

ajar(se) *t* to spoil. – 2 *p (piel)* to become wrinkled.

ajedrez *m* chess.

ajenjo *m* BOT wormwood. 2 *(licor)* absinthe.

ajeno,-a *adj* another's: *jugar en campo* ~, to play away from home. 2 *(distante)* detached: ~ *a la conversación,* not involved in the conversation. 3 *(impropio)* inappropriate.

ajetreado,-a *adj* busy, hectic.

ajetreo *m* activity, bustle.

ají *m* AM red pepper, chili.

ajillo *m al* ~, fried with garlic.

ajo *m* garlic. ●*fig estar en el* ~, to be in on it. ■ *cabeza de* ~, head of garlic; *diente de* ~, clove of garlic.

ajuar *m (de novia)* trousseau. 2 *(de bebé)* layette. 3 *(muebles)* household furniture.

ajustado,-a *adj (justo)* right. 2 *(apretado)* tight, close-fitting.

ajustar(se) *t (adaptar)* to adjust; TÉC to fit. 2 *(ceñir)* to fit tight. 3 *(acordar)* to arrange. – 4 *p (ceñirse)* to fit. 5 *(ponerse de acuerdo)* to come to an agreement. ●COM ~ *cuentas,* to settle up; *fig* to settle an old score.

ajuste *m* adjustment; TÉC assembly. 2 COM settlement. ■ TV *carta de* ~, test card; *fig* ~ *de cuentas,* settling of scores.

ajusticiar [12] *t* to execute.

al *contraction of a + el.*

ala *f* wing. 2 *(de sombrero)* brim. 3 *(de hélice)* blade. 4 DEP winger. ●*cortarle las alas a algn.,* to clip sb.'s wings; *dar alas a,* to encourage.

alabanza *f* praise.

alabar(se) *t* to praise. – 2 *p* to boast.

alabastro *m* alabaster.

alacena *f* cupboard.

alacrán *m* ZOOL scorpion.

alado,-a *adj* winged.

alambicar [1] *t* to distil. 2 *fig (estilo)* to make over-subtle.

alambique *m* still.

alambrado,-a *adj* wire fenced. – 2 *f* wire fence.

alambrar *t* to fence (off) with wire.

alambre *m* wire.

alameda *f* poplar grove. 2 *(paseo)* avenue.

álamo *m* poplar.

alarde *m* display. ●*hacer* ~ *de,* to flaunt, show off.

alardear *i* to boast.

alargado,-a *adj* long.

alargar(se) [7] *t* to lengthen. 2 *(estirar)* to stretch. 3 *(prolongar)* to prolong. 4 *(dar)* to hand, pass. – 5 *p* to lengthen.

alarido *m* screech, yell.

alarma *f* alarm. ■ *falsa* ~, false alarm.

alarmante *adj* alarming.

alarmar(se) *t* to alarm. – 2 *p* to be alarmed.

alarmista *mf* alarmist.

alba *f* dawn, daybreak. 2 REL alb. ▲ Takes *el* and *un* in sing.

albacea *mf* JUR *m* executor, *f* executrix.

albahaca *f* basil.

albañil *m* mason, bricklayer.

albarán *m* COM delivery note.

albaricoque *m* apricot.

albedrío *m* will. ■ *libre* ~, free will.

alberca *f* reservoir.

albergar(se) [7] *t* to lodge, house. 2 *(sentimientos)* to cherish. – 3 *p* to stay.

albergue *m* hostel. 2 *(refugio)* shelter. ■ ~ *juvenil,* youth hostel.

albino,-a *adj-m,f* albino.

albóndiga, albondiguilla *f* meatball.

albor *m (luz)* dawn. 2 *pl (comienzo)* beginning *sing.*

alborada *f* dawn, break of day. 2 MIL reveille.

alborear *i* to dawn.

albornoz *m* bathrobe.

alborotado,-a *adj* agitated, excited. 2 *(desordenado)* untidy. 3 *(irreflexivo)* reckless.

alborotar(se) *t* to agitate, excite. 2 *(desordenar)* to make untidy. 3 *(sublevar)* to incite to rebel. – 4 *i* to make a racket. – 5 *p* to get excited.

alboroto *m (gritería)* din, racket. 2 *(desorden)* uproar, commotion.

alborozar [4] *t* to delight.

alborozo *m* joy, merriment.
¡albricias! *interj* great!
albufera *f* lagoon.
álbum *m* album.
albur *m* chance.
alcachofa *f* artichoke.
alcahuete,-a *m,f m* procurer, *f* procuress.
alcalde *m* mayor.
alcaldesa *f* lady mayor. 2 *(mujer del alcalde)* mayoress.
alcaldía *f (cargo)* mayorship. 2 *(oficina)* mayor's office.
alcalino,-a *adj* alkaline.
alcance *m* reach: **al ~ de uno**, within one's reach. 2 *(de arma)* range. 3 *(trascendencia)* scope, importance. 4 *(inteligencia)* intelligence: **persona de pocos alcances**, person of low intelligence.
alcancía *f* money-box.
alcanfor *m* camphor.
alcantarilla *f* sewer.
alcantarillado *m* sewer system.
alcanzar [4] *t* to reach; *(persona)* to catch up with: **~ a ver**, to see; **~ a oír**, to hear. 2 *(pasar)* to pass, hand over: **alcánzame el pan**, pass me the bread. 3 *(entender)* to understand. 4 *(conseguir)* to attain, achieve. 5 *(ser suficiente)* to be sufficient/enough *(para,* for).
alcaparra *f* caper.
alcatraz *m (ave)* gannet.
alcázar *m (fortaleza)* fortress. 2 *(palacio)* palace.
alce *m* ZOOL elk, moose.
alcista *adj (en bolsa)* bullish. − 2 *mf* bull.
alcoba *f* bedroom.
alcohol *m* alcohol.
alcohólico,-a *adj-m,f* alcoholic.
alcoholímetro *m* breathalyzer®.
alcoholismo *m* alcoholism.
alcoholizar(se) *t-p* [4] to alcoholize. − 2 *p* to become an alcoholic.
alcornoque *m* BOT cork oak. 2 *fig* blockhead.
alcurnia *f* lineage, ancestry.
aldaba *f (llamador)* door knocker. 2 *(pestillo)* bolt, crossbar.
aldea *f* hamlet, village.
aldeano,-a *m,f* villager.
aleación *f* alloy.
aleatorio,-a *adj* random, chance.
aleccionar *t* to teach, instruct.
alegación *f* allegation, plea.
alegar [7] *t* to allege, plead.
alegato *m (argumento)* claim, plea. 2 *(razonamiento)* reasoned allegation.
alegoría *f* allegory.

alegrar(se) *t* to make happy. 2 *(avivar)* to brighten (up). − 3 *p* to be happy. 4 *fam* to get tipsy.
alegre *adj* happy. 2 *(color)* bright. 3 *(música)* lively. 4 *(espacio)* cheerful. 5 *(borracho)* tipsy. ■ *fam* **~ de cascos**, scatterbrained.
alegría *f* happiness. 2 *(irresponsabilidad)* irresponsibility.
alejado,-a *adj* far away, remote.
alejamiento *m (separación)* distance, separation. 2 *(enajenación)* estrangement.
alejar(se) *t* to remove, move away. 2 *(separar)* to separate, estrange. − 3 *p* to go/move away.
¡aleluya! *interj* hallelujah, alleluia.
alentador,-ra *adj* encouraging.
alentar [27] *t* to encourage.
alergia *f* allergy.
alérgico,-a *adj* allergic.
alero *m* ARQ eaves *pl.*
alerta *adv* on the alert. − 2 *f* alert. − 3 *m* alert, warning. − 4 *interj* look out! ●**dar la (voz de) ~**, to give the alert.
alertar *t* to alert *(de,* to).
aleta *f (de pescado)* fin. 2 ANAT wing.
aletargar(se) [7] *t* to make drowsy. − 2 *p* to get drowsy.
aletear *i* to flutter.
alevín *m (pescado)* fry, young fish. 2 *(principiante)* beginner.
alevosía *f* treachery, perfidy.
alfabético,-a *adj* alphabetic(al).
alfabeto *m* alphabet.
alfalfa *f* alfalfa, lucerne.
alfarería *f* pottery.
alfarero,-a *m,f* potter.
alféizar *m* windowsill.
alfeñique *m* CULIN sugar paste. 2 *fig* weakling.
alférez *m* second lieutenant, ensign.
alfil *m (ajedrez)* bishop.
alfiler *m (costura)* pin. 2 *(joya)* brooch. ● **no caber ni un ~**, to be crammed full. ■ **~ de corbata**, tiepin.
alfilerazo *m* pinprick.
alfiletero *m* pin box.
alfombra *f* carpet, rug. 2 *(de baño)* bathmat. 3 *(alfombrilla)* rug, mat.
alfombrar *t* to carpet.
alforjas *fpl* saddlebag *sing.* 2 *fig* provisions.
alga *f* BOT alga; *(marina)* seaweed. ▲ *Takes* **el** *and* **un** *in sing.*
algarabía *f* hubbub.
algarroba *f (fruto)* carob bean. 2 *(planta)* vetch.

álgebra f algebra. ▲ *Takes el and un in sing.*

álgido,-a *adj (frío)* icy. **2** *fig* culminating: *el punto* ~, the height.

algo *pron indef* something; *(negación, interrogación)* anything: *vamos a tomar* ~, let's have something to eat/drink. — **2** *adv (un poco)* quite, somewhat: *te queda* ~ *grande,* it's a bit too big for you.

algodón m cotton. ■ ~ *hidrófilo,* cotton wool.

algodonero,-a *adj* cotton.

algoritmo m algorithm.

alguacil m bailiff.

alguien *pron* somebody, someone; *(interrogativo, negativo)* anybody, anyone.

algún *adj* → **alguno,-a.** ▲ *Before sing masculine nouns.*

alguno,-a *adj* some; *(interrogativo, negativo)* any: *alguna vez,* sometimes; ~ *que otro,* some, a few; *no vino persona alguna,* nobody came. — **2** *pron indef* someone, somebody; *(interrogativo, negativo)* anybody.

alhaja f jewel. **2** *(cosa)* valuable thing. ●*irón menuda* ~, he's a fine one!

alhelí m wallflower. ▲ *pl* **alhelíes.**

aliado,-a *adj* allied. — **2** m,f ally.

alianza f *(pacto)* alliance. **2** *(anillo)* wedding ring.

aliar(se) [13] *t-p* to ally.

alias *adv-m inv* alias.

alicaído,-a *adj fig* weak. **2** *(deprimido)* depressed.

alicates *mpl* pliers.

aliciente m incentive, inducement.

alienación f alienation.

alienar t to alienate.

aliento m breath(ing). **2** *(ánimo)* spirit, courage.

aligerar t *(descargar)* to lighten. **2** *(aliviar)* to alleviate. **3** *(acelerar)* to speed up.

alijo m contraband.

alimaña f vermin.

alimentación f *(acción)* feeding. **2** *(alimento)* food.

alimentar(se) t to feed: *el pescado alimenta mucho,* fish is very nutritious. **2** *fig (pasiones etc.)* to encourage. — **3** *p* ~*se de,* to live on.

alimenticio,-a *adj* nutritious.

alimento m food.

alinear(se) *t-p* to align, line up.

aliñar t to season; *(ensalada)* to dress.

aliño m seasoning; *(ensalada)* dressing.

alisar t to smooth.

alistamiento m MIL enlistment, enrolment.

alistar(se) *t-p* MIL to enlist.

aliviar(se) [12] t *(aligerar)* to lighten. **2** *fig (enfermedad, dolor)* to relieve. **3** *(consolar)* to comfort. **4** *(apresurar)* to hurry. — **5** *p* to get better.

alivio m *(aligeramiento)* lightening. **2** *(mejoría)* relief. **3** *(consuelo)* comfort.

aljibe m cistern.

allá *adv (lugar)* there: *más* ~, further (on). **2** *(tiempo)* back: ~ *por los años sesenta,* back in the sixties. ● ~ *tú/vosotros,* that's your problem. ■ *el más* ~, the beyond.

allanamiento m ~ *de morada,* unlawful entry; *(robo)* housebreaking.

allanar(se) t to level, flatten. **2** *(dificultad etc.)* to overcome. **3** *(pacificar)* to pacify, subdue. — **4** *p (acceder)* to agree.

allegado,-a *adj* close. — **2** m,f relative.

allegar(se) [7] t to gather, collect. — **2** *p (acceder)* to agree.

allende *adv fml* beyond.

allí *adv (lugar)* there: ~ *abajo/arriba,* down/up there. **2** *(tiempo)* then, at that moment.

alma f soul. ●*no había ni un* ~, there was not a soul; *ser el* ~ *de la fiesta,* to be the life and soul of the party. ▲ *Takes el and un in sing.*

almacén m warehouse. **2** *(habitación)* storeroom. **3** *pl* department store *sing.*

almacenaje m storage, warehousing.

almacenar t to store, warehouse. **2** *(acumular)* to store up.

almanaque m almanac.

almeja f clam.

almendra f almond. ■ ~ *garapiñada,* sugared almond.

almendro m almond tree.

almiar m haystack.

almíbar m syrup.

almibarar t to preserve in syrup. **2** *fig* to sweeten.

almidón m starch.

almidonar t to starch.

alminar m minaret.

almirante m admiral.

almizcle m musk.

almohada f pillow. ●*fam consultar algo con la* ~, to sleep on sth.

almohadilla f small cushion. **2** COST sewing cushion. **3** *(tampón)* inkpad.

almohadón m cushion.

almorzar [50] i to (have) lunch. — **2** t to have for lunch.

almuecín, almuédano *m* muezzin.

almuerzo *m* lunch.

alocado,-a *adj* foolish, wild, reckless.

alocución *f* address.

alojamiento *m* lodging, accommodation.

alojar(se) *t* to lodge. − 2 *p* to be lodged, stay.

alondra *f* lark.

alpargata *f* rope-soled sandal, espadrille.

alpinismo *m* mountaineering.

alpinista *mf* mountaineer, mountain climber.

alpiste *m* birdseed.

alquilar *t* to hire; *(casa)* to rent.

alquiler *m* hiring; *(casa)* renting: *de ~,* for hire/rent. 2 *(cuota)* hire; *(casa)* rent.

alquimia *f* alchemy.

alquimista *mf* alchemist.

alquitrán *m* tar.

alrededor *adv (lugar)* (a)round: *mira ~,* look around. − 2 *mpl* surrounding area *sing.* ●*~ de,* around, about.

alta *f (a un enfermo)* discharge: *dar de ~,* to discharge from hospital. 2 *(entrada, admisión)* admission: *darse de ~ en un club,* to join a club. ▲ *Takes* **el** *and* **un** *in sing.*

altanería *f* arrogance.

altanero,-a *adj* arrogant.

altar *m* altar.

altavoz *m* loudspeaker.

alteración *f (cambio)* alteration. 2 *(excitación)* agitation. 3 *(alboroto)* disturbance. ●*~ del orden público,* breach of the peace.

alterar(se) *t (cambiar)* to alter, change. 2 *(enfadar)* to annoy. 3 *(preocupar)* to disturb, upset. − 4 *p (cambiar)* to change. 5 *(deteriorarse)* to go bad/off. 6 *(enfadarse)* to lose one's temper.

altercado *m* argument.

alternar *t-i (sucederse)* to alternate. − 2 *i* to socialize. 3 *(en salas de fiesta, bar)* to entertain.

alternativa *f* alternative, option.

alternativo,-a *adj* alternate.

alterne *m (copeo)* drinking. ■ *bar de ~,* hostess bar.

alteza *f* highness.

altibajos *mpl* ups and downs: *los ~ de la vida,* the ups and downs of life.

altillo *m* ARQ attic. 2 GEOG hillock.

altiplanicie *f,* **altiplano** *m* high plateau.

altísimo,-a *adj* very high. − 2 *m* REL *El Altísimo,* The Almighty.

altisonante *adj* grandiloquent.

altitud *f* height, altitude.

altivez *f* haughtiness, arrogance.

altivo,-a *adj* haughty, arrogant.

alto,-a *adj* high: *tacón ~,* high heel. 2 *(estatura)* tall: *un hombre ~,* a tall man. 3 *(voz, sonido)* loud: *en voz alta,* aloud. − 4 *m (elevación)* height, hillock. 5 *(parada)* halt, stop: *dar el ~,* to call to a halt, stop. − 6 *adv* high (up). 7 *(voz)* loud, loudly. − 8 *interj* halt!, stop! ■ *alta fidelidad,* high fidelity; *alta mar,* high seas; *altas horas,* late at night; *~ horno,* blast furnace; *clase alta,* upper class.

altramuz *m* lupin.

altruismo *m* altruism.

altruista *mf* altruist.

altura *f* height. 2 *(altitud)* altitude. 3 *(nivel)* level. 4 *fig* elevation, excellence. 5 *pl* REL heavens. ●*fig a la ~ de las circunstancias,* worthy of the occasion.

alubia *f* bean.

alucinación *f* hallucination.

alucinado,-a *adj arg* amazed, spaced out.

alucinante *adj* hallucinatory. 2 *arg* mind-blowing.

alucinar *i arg* to be amazed/spaced out.

alucinógeno,-a *adj* hallucinogenic. − 2 *m* hallucinogen.

alud *m* avalanche.

aludir *i* to allude (*a,* to).

alumbrado *m* lighting, lights *pl.* ■ *~ público,* street lighting.

alumbramiento *m fig* childbirth.

alumbrar(se) *t* to give light to, illuminate. 2 *(enseñar)* to enlighten. − 3 *i* to give light. 4 *(parir)* to give birth. − 5 *p fam (embriagarse)* to get tipsy.

aluminio *m* aluminium.

alumnado *m (de colegio)* pupils *pl; (de universidad)* student body.

alumno,-a *m,f (de colegio)* pupil; *(de universidad)* student.

alunizar [4] *i* to land on the moon.

alusión *f* allusion, reference.

alusivo,-a *adj* allusive, referring (*a,* to).

aluvión *m* flood.

alza *f (de precios)* rise, increase. 2 *(de rifle)* backsight. ▲ *Takes* **el** *and* **un** *in sing.*

alzacuello *m* clerical collar.

alzada *f (caballo)* height. 2 JUR appeal to a higher administrative body.

alzamiento *m* raising, lifting. 2 *(rebelión)* uprising, insurrection.

alzaprima *f (palanca)* lever. 2 *(cuña)* wedge.

alzar(se) [4] *t (levantar)* to raise, lift. 2 *(construir)* to build. 3 *(quitar)* to remove: ~ **la mesa,** to clear the table. 4 AM *(refugiar)* to shelter. – 5 *p (levantarse)* to rise, get up. 6 *(sublevarse)* to rise, rebel. 7 ʌM *(refugiarse)* to take shelter. ●~**se con,** to run away with.

ama *f (señora)* lady of the house. 2 *(propietaria)* landlady. ■ ~ **de casa,** housewife; ~ **de llaves,** housekeeper; ~ **de leche,** wet nurse. ▲ *Takes el and un in sing.*

amabilidad *f* kindness, affability.

amable *adj* kind, nice.

amado,-a *m,f* (be)loved.

amadrinar *t* to be the godmother of.

amaestrado,-a *adj* trained: *ratón ~,* performing mouse.

amaestrar *t* to train.

amagar(se) [7] *t (dejar ver)* to show signs of. 2 *(amenazar)* to threaten: *le amaga un gran riesgo,* great danger is in store for him. 3 *(fingir)* to simulate. – 4 *i (ser inminente)* to threaten, be imminent. 5 *(enfermedad)* to show the first signs.

amago *m* hint, symptom.

amainar *i (viento)* to die down. 2 *fig* to calm down.

amalgama *f* amalgam.

amalgamar *t* to amalgamate.

amamantar *t* to breast-feed, suckle.

amanecer [43] *i* to dawn. 2 *(estar, aparecer)* to be/appear at dawn. – 3 *m* dawn, daybreak: *al ~,* at daybreak. ▲ *1 only used in the 3rd pers. It does not take a subject.*

amanerado,-a *adj* affected, mannered.

amansar *t* to tame.

amante *adj* loving, fond *(de,* of). – 2 *mf* lover.

amañar(se) *t (falsear)* to fiddle, cook up. – 2 *p fam* to manage.

amaño *m* skill. 2 *pl* machinations.

amapola *f* poppy.

amar *t* to love.

amarar *t* to land at sea.

amargado,-a *adj* embittered, resentful. – 2 *m,f* bitter person.

amargar [7] *i* to taste bitter. – 2 *t* to make bitter. 3 *fig* to spoil: ~ **la existencia a algn.,** to make sb.'s life a misery.

amargo,-a *adj* bitter. 2 *fig (carácter)* sour.

amargura *f* bitterness. 2 *(dolor)* sorrow, grief.

amariconado,-a * *adj* queer*.

amarillento,-a *adj* yellowish.

amarillo,-a *adj-m* yellow.

amarra *f* mooring cable.

amarrar *t* to tie, fasten. 2 MAR to moor.

amasar *t* CULIN to knead; *(cemento)* to mix. 2 *(reunir)* to amass. 3 *fam fig* to cook up.

amateur *adj-mf* amateur.

amazona *f* Amazon. 2 *(jinete)* horsewoman.

ambages *mpl* **hablar sin ~,** to speak plainly.

ámbar *m* amber.

ambición *f* ambition, aspiration.

ambicionar *t* to want: *siempre ambicionó ser rico,* it was always his ambition to be rich.

ambicioso,-a *adj* ambitious.

ambidextro,-a *adj* ambidextrous.

ambientación *f* setting.

ambiental *adj* environmental.

ambiente *adj* environmental. – 2 *m* environment, atmosphere. ■ *temperatura ~,* room teperature.

ambigüedad *f* ambiguity.

ambiguo,-a *adj* ambiguous.

ámbito *m (espacio)* sphere: *en el ~ nacional,* nationwide. 2 *(marco)* field: *en el ~ de la informática,* in the computer science field.

ambivalencia *f* ambivalence.

ambos,-as *adj-pron pl* both.

ambulancia *f* ambulance.

ambulante *adj* itinerant, travelling.

ambulatorio *m* surgery, clinic.

amedrentar *t* to frighten, scare.

amén *m* amen. ●~ **de,** besides, in addition to.

amenaza *f* threat, menace.

amenazar [4] *t-i* to threaten: *fig el edificio amenaza ruina,* the building is on the verge of collapse.

amenguar [22] *t (disminuir)* to reduce. 2 *(deshonrar)* to dishonour, disgrace.

amenidad *f* amenity, pleasantness.

amenizar [4] *t* to make pleasant, liven up.

ameno,-a *adj* pleasant, entertaining.

americana *f* jacket.

americanismo *m* Spanish-American word/expression.

ametralladora *f* machine gun.

ametrallar *t* to machine-gun.

amianto *m* asbestos *inv.*

amigable *adj* amicable, friendly.

amígdala *f* tonsil.

amigdalitis *f inv* tonsillitis *inv.*

amigo,-a *adj* friendly. 2 *(aficionado)* fond *(de,* of). – 3 *m,f* friend. 4 *(novio)* *m* boyfriend, *f* girlfriend. ●*hacerse* ~ *de*, to make friends with.

amilanar(se) *t* to frighten. − 2 *p* to become depressed.

aminorar *t* to reduce. ●~ *el paso*, to slow down.

amistad *f* friendship. 2 *pl* friends.

amistoso,-a *adj* friendly. − 2 *amistosamente adv* amicably.

amnistía *f* amnesty.

amnistiar [13] *t* to amnesty.

amo *m (señor)* master. 2 *(dueño)* owner.

amodorrarse *p* to become drowsy.

amolar [31] *t* to sharpen. 2 *fam* to bother, annoy.

amoldar(se) *t* to adapt, adjust. − 2 *p* to adapt o.s.

amonestación *f (reprensión)* reproof. 2 *(advertencia)* warning.

amonestar *t (reprender)* to reprove. 2 *(advertir)* to warn.

amoniaco, amoníaco *m* ammonia.

amontonar(se) *t* to heap/pile (up). − 2 *p* to heap/pile (up). 3 *(gente)* to crowd together.

amor *m* love. 2 *(en tarea)* care. 3 *pl (asuntos)* love affair *sing*. ●*con/de mil amores*, willingly; *hacer el* ~, to make love. ■ ~ *propio*, self-esteem.

amoratado,-a *adj (de frío)* blue with cold. 2 *(de un golpe)* black and blue.

amordazar [4] *t (persona)* to gag; *(perro)* to muzzle.

amorío *m* love affair.

amoroso,-a *adj* loving, affectionate.

amortajar *t* to shroud.

amortiguador *m* AUTO shock absorber. 2 TÉC damper.

amortiguar [22] *t* to alleviate. 2 *(golpe etc.)* to deaden. 3 *(sonido)* to muffle.

amortización *f (pago)* redemption. 2 *(recuperación)* amortization.

amortizar [4] *t (pagar)* to redeem. 2 *(recuperar)* to amortize.

amotinado,-a *m, f* mutineer, rioter.

amotinar(se) *t* to incite to rebellion. − 2 *p* to rebel, mutiny.

amparar(se) *t* to protect, shelter. − 2 *p* to take shelter, protect o.s. 3 *(acogerse)* to avail o.s. of the protection *(en,* of).

amparo *m* protection, shelter, support.

amperio *m* ampère.

ampliación *f* enlargement. 2 ARQ extension. ■ ~ *de capital*, increase in capital; ~ *de estudios*, furthering of studies.

ampliar [13] *t* to enlarge, extend. 2 *(estudios)* to further.

amplificación *f* amplification.

amplificar [1] *t* to amplify.

amplio,-a *adj (extenso)* ample. 2 *(espacioso)* roomy. 3 *(ancho)* wide.

amplitud *f (extensión)* extent. 2 *(espacio)* room, space. ■ ~ *de miras*, broadmindedness.

ampolla *f* MED blister. 2 *(burbuja)* bubble. 3 *(para líquidos)* ampoule.

ampuloso,-a *adj* inflated, pompous.

amputación *f* amputation.

amueblar *t* to furnish.

amuermado,-a *adj fam (aburrido)* bored. 2 *(atontado)* dopey.

amuermar *t fam (aburrir)* to bore. 2 *(atontar)* to make feel dopey.

amuleto *m* amulet. ■ ~ *de la suerte*, lucky charm.

amurallar *t* to wall.

anacoreta *mf* anchorite.

anacronismo *m* anachronism.

ánade *m* duck.

anagrama *m* anagram.

anal *adj* anal.

anales *mpl* annals.

analfabetismo *m* illiteracy.

analfabeto,-a *adj-m,f* illiterate.

analgésico,-a *adj-m* analgesic.

análisis *m inv* analysis. ■ ~ *de orina*, urine analysis; ~ *de sangre*, blood test.

analítico,-a *adj* analytic(al).

analizar [4] *t* to analyse.

analogía *f* analogy.

análogo,-a *adj* analogous, similar.

ananá, ananás *f* pineapple. ▲ *The pl of ananá is ananaes and the pl of ananás is ananases*.

anaquel *m* shelf.

anaranjado,-a *adj-m* orange.

anarquía *f* anarchy.

anárquico,-a *adj* anarchic(al).

anarquista *adj-mf* anarchist.

anatomía *f* anatomy.

anca *f* haunch. ■ *ancas de rana*, frogs' legs. ▲ *Takes el and un in sing*.

ancestral *adj* ancestral.

ancho,-a *adj* broad, wide. 2 *(prenda)* loose-fitting. − 3 *m* breadth, width. ●*fam a sus anchas*, comfortable, at one's ease; *fam quedarse tan* ~, to behave as if nothing had happened.

anchoa *f* anchovy.

anchura *f* breadth, width.

anciano,-a *adj* old, aged. − 2 *m, f* old people.

ancla *f* anchor. ▲ *Takes el and un in sing*.

anclar *i* to anchor.

áncora *f* anchor. ▲ *Takes el and un in sing.*

andadas *fpl fam* **volver a las ~,** to go back to one's old tricks.

andaderas *fpl* baby-walker *sing.*

andadura *f* walking.

andamio *m* scaffolding.

andanada *f* MAR broadside. **2** *(reprensión)* reprimand. **3** *(en plaza de toros)* grand stand.

andante *adj* walking. **2** MÚS andante. ■ *caballero ~,* knight errant.

andanza *f* event. **2** *pl* adventures.

andar [64] *i (moverse)* to walk: *andaba por la calle principal,* I was walking along the main street. **2** *(trasladarse algo)* to move: *este coche anda despacio,* this car goes very slowly. **3** *(funcionar)* to work, run, go: *este reloj no anda,* this watch doesn't work. **4** *(estar)* to be: *anda por los cincuenta,* he's around fifty years old. − **8** *m* walk, pace. ●*~ de puntillas,* to tiptoe; *~/~se con cuidado,* to be careful; *fig ~se por las ramas,* to beat about the bush.

andariego,-a *adj* roving, walking. − **2** *m,f* rover, walker.

andarín,-ina *m,f* good walker.

andas *fpl* portable platform *sing.* ●*fig llevar a algn. en ~,* to pamper sb.

andén *m* platform.

andrajo *m* rag, tatter.

andrajoso,-a *adj* ragged, in tatters.

andrógino,-a *adj* androgynous, androgyne.

andurriales *mpl* out-of-the-way place *sing.*

anécdota *f* anecdote.

anegar(se) [7] *t (inundar)* to flood. **2** *(ahogar)* to drown. − **3** *p (inundarse)* to be flooded. **4** *(ahogarse)* to be drowned.

anejo,-a *adj* attached, joined *(a,* to)

anemia *f* an(a)emia.

anestesia *f* an(a)esthesia.

anestesiar *t* [12] to an(a)esthetize.

anestésico,-a *adj-m* an(a)esthetic.

anexar *t* to annex.

anexión *f* annexion, annexation.

anexo,-a *adj* attached, joined *(a,* to). − **2** *m* annex.

anfeta *m arg* → **anfetamina**.

anfetamina *f* amphetamine.

anfibio,-a *adj* amphibious. − **2** *m* amphibian.

anfiteatro *m* amphitheatre.

anfitrión,-ona *m,f m* host, *f* hostess.

ánfora *f* amphora.

ángel *m* angel. ●*tener ~,* to be charming. ■ *~ custodio/de la guarda,* guardian angel; DEP *salto del ~,* swallow dive.

angelical, angélico,-a *adj* angelic(al).

angina *f* angina. ●*tener anginas,* to have a sore throat. ■ *~ de pecho,* angina pectoris.

anglicano,-a *adj-m,f* Anglican.

anglófilo,-a *adj-m,f* Anglophile.

anglosajón,-ona *adj-m,f* Anglo-Saxon.

angosto,-a *adj* narrow.

angostura *f* narrowness.

anguila *f* eel.

angula *f* elver.

angular *adj* angular. ■ *piedra ~,* cornerstone.

ángulo *m* angle. **2** *(rincón)* corner.

angustia *f* anguish, affliction, distress.

angustiar(se) [12] *t* to distress. **2** *(preocupar)* to worry. − **3** *p (afligirse)* to become distressed. **4** *(preocuparse)* to worry.

angustioso,-a *adj* distressing.

anhelante *adj* longing, yearning.

anhelar *i* to long/yearn for.

anhelo *m* longing, yearning.

anheloso,-a *adj* longing.

anidar *i (pájaro)* to nest, nestle. − **2** *t fig* to shelter.

anilla *f (aro)* ring. **2** *pl* DEP rings.

anillar *t (dar forma)* to make into a ring. **2** *(sujetar)* to ring.

anillo *m* ring. ●*venir como ~ al dedo,* to be opportune. ■ *~ de boda,* wedding ring.

ánima *f* soul. ▲ *Takes el and un in sing.*

animación *f (actividad)* activity. **2** *(viveza)* liveliness.

animado,-a *adj (movido)* animated, lively. **2** *(concurrido)* full of people.

animadversión *f* ill feeling.

animal *adj* animal. **2** *fig (persona)* stupid. − **3** *m* animal. **4** *fig (persona)* blockhead. ■ *~ de carga,* beast of burden.

animalada *f* stupidity.

animar(se) *t (alegrar a algn.)* to cheer up. **2** *(alegrar algo)* to brighten up. **3** *(alentar)* to encourage. − **4** *p (persona)* to cheer up. **5** *(fiesta etc.)* to brighten up. **6** *(decidirse)* to make up one's mind.

anímico,-a *adj estado ~,* frame/state of mind.

ánimo *m (espíritu)* spirit; *(mente)* mind. **2** *(intención)* intention, purpose. **3** *(valor)* courage. − **4** *interj* cheer up!

animosidad *f* animosity, ill will.

animoso,-a *adj* brave, courageous.

aniquilación *f* annihilation, destruction.

aniquilar *t* to annihilate, destroy.

anís *m* BOT anise. **2** *(bebida)* anisette.

aniversario *m* anniversary.

ano *m* anus.

anoche *adv* last night.

anochecer [43] *i* to get dark. **2** to be/ reach at nightfall: *anochecimos en Burgos,* we were in Burgos at dusk. − **3** *m* nightfall, dusk, evening. ▲ *1 only used in the 3rd person. It does not take a subject.*

anodino,-a *adj* MED anodyne. **2** *(ineficaz)* ineffective. **3** *(soso)* insipid, dull. − **4** *m* MED anodyne.

anomalía *f* anomaly.

anómalo,-a *adj* anomalous.

anonadar(se) *t* to overwhelm. − **2** *p* to be overwhelmed.

anonimato *m* anonymity.

anónimo,-a *adj* anonymous. − **2** *m (carta)* anonymous letter. **3** *(anonimato)* anonymity. ■ *sociedad anónima,* limited company, US incorporated company.

anorak *m* anorak. ▲ *pl anoraks.*

anorexia *f* anorexia.

anormal *adj* abnormal.

anotación *f (acotación)* annotation. **2** *(nota)* note.

anotar *t (acotar)* to annotate. **2** *(apuntar)* to take down, write.

anquilosado,-a *adj* anchylosed, ankylosed.

anquilosar(se) *t-p* to anchylose, ankylose.

ansia *f (sufrimiento)* anguish. **2** *(deseo)* eagerness, longing. ▲ *Takes el and un in sing.*

ansiar [13] *t* to long/yearn for.

ansiedad *f* anxiety.

ansioso,-a *adj (desasosegado)* anguished. **2** *(deseoso)* eager, longing *(por/de,* to).

antagónico,-a *adj* antagonistic.

antagonista *adj* antagonistic. − **2** *mf* antagonist.

antaño *adv* formerly, in olden times, long ago.

ante *prep* before, in the presence of. **2** *(considerando)* in the face of: ~ *estas circunstancias,* under the circumstances. − **3** *m* ZOOL clk, moose. **4** *(piel)* suede. ●~ *todo, (primero)* first of all; *(por encima de)* above all.

anteanoche *adv* the night before last.

anteayer *adv* the day before yesterday.

antebrazo *m* forearm.

antecámara *f* antechamber.

antecedente *adj-m* antecedent. − **2** *mpl* record *sing*. ■ *antecedentes penales,* criminal record *sing*.

anteceder *t* to antecede, precede.

antecesor,-ra *m,f (en un cargo)* predecessor. **2** *(antepasado)* ancestor.

antedicho,-a *adj* aforesaid, aforementioned.

antelación *f* previousness ●*con* ~, in advance.

antemano *de* ~, *adv* beforehand.

antena *f* RAD TV aerial. **2** ANAT antenna.

anteojo *m* telescope. **2** *pl (binóculos)* binoculars. **3** *(gafas)* glasses, spectacles.

antepasado,-a *adj* foregone. − **2** *m* ancestor.

antepecho *m (pretil)* parapet. **2** *(de ventana)* windowsill.

antepenúltimo,-a *adj* antepenultimate.

anteponer [78] *t* to place before. ▲ *pp antepuesto,-a.*

anterior *adj* anterior, foregoing, former, previous: *el día* ~, the day before. − **2** *anteriormente adv* previously, before.

anterioridad *f* priority. ●*con* ~, prior to, before.

antes *adv (tiempo)* before, earlier. **2** *(lugar)* in front, before. − **3** *conj* ~ **(bien),** on the contrary. − **4** *adj* before. ●*cuanto* ~, as soon as possible.

antesala *f* anteroom, antechamber.

antiadherente *adj* nonstick.

antiaéreo,-a *adj* anti-aircraft.

antibiótico,-a *adj-m* antibiotic.

anticiclón *m* anticyclone, high pressure area.

anticipación *f* anticipation, advance. ●*con* ~, in advance.

anticipar(se) *t* to anticipate, advance, hasten. **2** *(dinero)* to advance. − **3** *p (llegar antes)* to occur before the regular time. **4** *(adelantarse)* to beat to it: *él se me anticipó,* he beat me to it.

anticipo *m* foretaste. **2** *(adelanto)* advance payment.

anticlerical *adj-mf* anticlerical.

anticoncepción *f* contraception.

anticonceptivo,-a *adj-m* contraceptive.

anticongelante *adj-m* antifreeze.

anticuado,-a *adj* antiquated, old-fashioned, obsolete, out-of-date.

anticuario *m* antiquary, antique dealer.

anticuerpo *m* antibody.

antídoto *m* antidote.

antifaz *m* mask.

antigualla *f* antique. **2** *(pasado de moda)* out-of-date object.

antigüedad f (*período*) antiquity. 2 (*en empleo*) seniority. 3 *pl* antiquities, antiques.

antiguo,-a *adj* ancient, old. 2 (*en empleo*) senior. 3 (*pasado*) old-fashioned. – 4 *mpl* the ancients. – 5 *antiguamente adv* anciently, in old times.

antílope *m* antelope.

antiniebla *adj inv* luces ~, foglamps.

antiparras *fpl fam* specs, glasses.

antipatía f antipathy, dislike, aversion.

antipático,-a *adj* disagreeable, unpleasant.

antipirético,-a *adj-m* antipyretic.

antípoda *adj* antipodean, antipodal. – 2 *mf* antipodean. – 3 f (*punto*) antipodes. ▲ Often used in plural.

antirreglamentario,-a *adj* against the rules.

antirrobo *adj inv* antitheft. ■ *alarma ~, (para casa)* burglar alarm; (*para coche*) antitheft device.

antítesis f inv antithesis.

antojadizo,-a *adj* capricious, fanciful.

antojarse *p* (*encapricharse*) to take a fancy to. 2 (*suponer*) to think, imagine. ▲ Only used with the personal pronouns me, te, le, nos and os.

antojo *m* (*capricho*) whim; (*de embarazada*) craving. 2 (*en la piel*) birthmark. ●*a su ~,* arbitrarily.

antología f anthology.

antónimo,-a *adj* antonymous. – 2 *m* antonym.

antorcha f torch.

antro *m* fig dump, hole.

antropología f anthropology.

anual *adj* annual.

anuario *m* yearbook.

anudar *t* to knot, tie. 2 fig to join, bring together.

anulación f annulment, cancellation.

anular *adj* ring-shaped. – 2 *m (dedo)* ~, ring finger. – 3 *t* to annul, cancel.

anunciación f Annunciation.

anunciar(se) [12] *t* (*avisar*) to announce. 2 (*hacer publicidad*) to advertise, advert. – 3 *p* to advertise o.s.

anuncio *m* (*aviso*) announcement. 2 (*publicidad*) advertisement. 3 (*cartel*) poster.

anverso *m* obverse.

anzuelo *m* fish-hook. 2 fig lure. ●*tragar/ morder/picar el ~,* to swallow the bait.

añadido,-a *adj* added. – 2 *m* addition.

añadidura f addition. ●*por ~,* besides, in addition.

añadir *t* to add (*a,* to).

añejo,-a *adj* (*vino*) mature.

añicos *mpl* bits, shatters. ●*hacerse ~,* to be smashed.

año *m* year. 2 *pl* years, age sing: *tengo 20 años,* I'm 20 years old. ■ ~ *bisiesto,* leap year; *años luz,* light years.

añoranza f longing.

añorar *t* to long for, miss. – 2 *i* to pine.

aojar *t* to bewitch.

aorta f aorta.

apabullar *t* (*aplastar*) to crush, flatten. 2 fig to squelch, silence.

apacentar(se) [27] *t-p* to graze.

apacible *adj* gentle, mild.

apaciguamiento *m* pacification, appeasement.

apaciguar(se) [22] *t* to pacify, appease, calm. – 2 *p* to calm down.

apadrinar *t* (*en bautizo*) to act as godfather to. 2 (*en duelo*) to act as second to. 3 (*artista*) to sponsor.

apagado,-a *adj* (*luz etc.*) out, off. 2 (*persona*) spiritless. 3 (*color*) dull.

apagar(se) [7] *t* (*fuego*) to extinguish, put out. 2 (*luz*) to turn out/off. 3 (*desconectar*) to switch off. 4 (*color*) to soften. – 5 *p* (*luz*) to go out.

apagón *m* power cut, blackout.

apalabrar *t* to agree to.

apalancado,-a *adj arg* ensconced.

apalancarse [1] *p arg* to ensconce o.s.: *se apalancaron delante de la tele,* they settled down in front of the telly.

apalear *t* to beat, cane, thrash.

apañado,-a *adj* (*hábil*) skilful. 2 (*apropiado*) suitable. ●*irón estar ~,* to be in for a surprise.

apañar(se) *t* (*recoger*) to take. 2 (*robar*) to steal. 3 (*ataviar*) to smarten up. 3 (*ropa*) to patch, mend. – 4 *p* to manage: *ya se apañará sola,* she'll manage on her own.

apaño *m* (*remiendo*) mend, repair. 2 (*habilidad*) skill.

aparador *m* (*escaparate*) shop window. 2 (*mueble*) sideboard, cupboard, buffet.

aparato *m* apparatus, set. 2 (*dispositivo*) device. 3 (*exageración*) exaggeration. 4 (*ostentación*) pomp, display, show. ■ ~ *de radio,* radio set; ~ *de televisión,* television set; ANAT ~ *digestivo,* digestive system.

aparatoso,-a *adj* (*pomposo*) pompous, showy. 2 (*espectacular*) spectacular.

aparcamiento *m* (*acción*) parking. 2 (*en la calle*) place to park. 3 (*en parking*) car park, US parking lot.

aparcar [1] *t* to park.

aparcero,-a *m,f* sharecropper.

aparear *t (cosas)* to pair, match. 2 *(animales)* to mate.

aparecer(se) [43] *i-p* to appear. 2 *(dejarse ver)* to show/turn up.

aparecido *m* spectre.

aparejador,-ra *m,f (de obras)* clerk of works; *(perito)* quantity surveyor.

aparejar *t (preparar)* to prepare, get ready. 2 *(caballos)* to saddle. 3 MAR to rig out.

aparejo *m (equipo)* gear, equipment. 2 *(arreos)* harness. 3 MAR rigging. 4 *(polea)* block and tackle.

aparentar *t (simular)* to feign, pretend. 2 *(tener aspecto de)* to look like. — 3 *i* to show off.

aparente *adj* apparent. 2 *(conveniente)* suitable. — 3 **aparentemente** *adv* apparently.

aparición *f* appearance. 2 *(visión)* apparition.

apariencia *f* appearance, aspect. ●*fig* **guardar las apariencias,** to keep up appearances.

apartado,-a *adj (lejano)* distant. 2 *(aislado)* isolated, cut off. — 3 *m* post-office box. 4 *(párrafo)* section.

apartamento *m* small flat/apartment. 2 AM flat.

apartar(se) *t-p (alejar)* to move away: ~ **la mirada,** to look away. 2 *(separar)* separate, set apart.

aparte *adv* apart, aside, separately: *eso se paga* ~, you have to pay for that separately. — 2 *adj (distinto)* special: *eso es caso* ~, that's completely different. — 3 *m* TEAT aside. 4 LING paragraph: *punto y* ~, full stop, new paragraph.

apasionado,-a *adj* ardent, passionate.

apasionamiento *m* passion.

apasionante *adj* exciting, fascinating.

apasionar(se) *t* to excite, fascinate. — 2 *p* to get excited, become enthusiastic *(por/de,* about).

apatía *f* apathy.

apático,-a *adj* apathetic.

apeadero *m (de trenes)* halt.

apear(se) *t (desmontar)* to take down. 2 *(terreno)* to survey. 3 ARQ to prop up. 4 *fam* to dissuade. — 5 *p* to dismount, get off.

apechugar [7] *i* ~ *con,* to put up with.

apedrear *t* to throw stones at.

apegado,-a *adj* attached *(a,* to).

apegarse [7] *p* to become very fond *(a, of),* attach o.s. *(a,* to).

apego *m* attachment, affection, liking, fondness.

apelación *f* appeal.

apelar *i* to appeal.

apellidar(se) *t* to call. — 2 *p* to be called (by surname).

apellido *m* family name, surname.

apelmazado,-a *adj* heavy, stodgy.

apelmazar(se) [4] *t* to compress, squeeze together. — 2 *p* to go lumpy.

apelotonar(se) *t* to pile up; *(gente)* to cluster. — 2 *p* to crowd together.

apenado,-a *adj* troubled.

apenar(se) *t* to make sad. — 2 *p* to be grieved.

apenas *adv (casi no)* scarcely, hardly. 2 *(tan pronto como)* as soon as, no sooner. ●~ *si,* hardly.

apéndice *m* appendix.

apendicitis *f inv* appendicitis *inv.*

apercibir(se) *t* to prepare before hand. 2 *(avisar)* to warn, advise. 3 *(ver)* to perceive, see. — 4 *p* to get ready.

aperitivo *m (bebida)* apéritif. 2 *(comida)* appetizer.

apertura *f (comienzo)* opening. 2 POL liberalization.

apesadumbrar *t* to sadden, distress.

apestar *i* to stink. — 2 *t* to infect with the plague.

apetecer [43] *t* to feel like, fancy: *¿te apetece ir al cine?,* do you fancy going to the cinema?

apetecible *adj* desirable. 2 *(comida)* tasty.

apetencia *f* appetite, hunger.

apetito *m* appetite. ●*abrir el* ~, to whet one's appetite.

apetitoso,-a *adj* appetizing, savoury. 2 *(comida)* tasty.

apiadar(se) *t* to inspire pity. — 2 *p* to take pity *(de,* on).

ápice *m (punta)* apex. 2 *fig* tiny piece. ● *ni un* ~, not a bit.

apicultor,-ra *m,f* beekeeper.

apicultura *f* beekeeping.

apilar(se) *t-p* to pile/heap up.

apiñar(se) *t* to pack, press together, jam. — 2 *p* to crowd *(en,* into).

apio *m* celery.

apisonadora *f* steamroller.

apisonar *t* to roll.

aplacar(se) [1] *t* to placate, soothe. — 2 *p* to become appeased.

aplanar(se) *t (igualar)* to smooth, level, make even. 2 *(deprimir)* to depress. — 3 *p* to be depressed.

aplastante *adj* crushing, overwhelming. ■*triunfo ~,* landslide victory.

aplastar(se) *t* to flatten. 2 *fig (vencer)* to crush. — 3 *p* to be crushed.

aplaudir *t* to clap, applaud. 2 *(aprobar)* to approve, praise.

aplauso *m* applause.

aplazamiento *m* adjournment, postponement; *(de pago)* deferment.

aplazar [4] *t* to adjourn, postpone, put off; *(un pago)* to defer.

aplicación *f* application. 2 *(adorno)* appliqué.

aplicado,-a *adj (práctico)* applied. 2 *(estudioso)* studious, diligent. ■ *ciencias aplicadas,* applied sciences.

aplicar(se) [1] *t* to apply. — 2 *p (usar)* to apply. 3 *(esforzarse)* to apply o.s.

aplomo *m* assurance, self-possession.

apocado,-a *adj* spiritless.

apocar [1] *t (intimidar)* to intimidate. 2 *(humillar)* to humiliate.

apócrifo,-a *adj* apocryphal.

apodar(se) *t* to nickname. — 2 *p* to be nicknamed.

apoderado,-a *adj* authorized. — 2 *m,f* agent, representative.

apoderar(se) *t* to authorize. — 2 *p* to take possession *(de,* of).

apodo *m* nickname.

apogeo *m* ASTRON apogee. 2 *fig (punto culminante)* summit, height.

apolillado,-a *adj* moth-eaten.

apolillar(se) *t* to eat, make holes in. — 2 *p* to become moth-eaten.

apolítico,-a *adj* apolitical.

apología *f* apology, defence.

apólogo *m* apologue.

apoltronarse *p* to grow lazy.

apoplejía *f* apoplexy, stroke.

aporrear *t* to beat.

aportación *f* contribution.

aportar *t* to contribute — 2 *i* MAR to reach port. ●*~ su granito de arena,* to chip in one's small contribution.

aposentar(se) *t* to lodge. — 2 *p* to take lodging.

aposento *m (cuarto)* room. 2 *(hospedaje)* lodgings *pl.*

aposición *f* apposition.

aposta *adv* on purpose.

apostar(se) [31] *t-i-p* to bet.

apostasía *f* apostasy.

apostilla *f* note.

apóstol *m* apostle.

apostrofar *t* to apostrophize. 2 *(reñir)* to scold.

apóstrofe *m & f* apostrophe. 2 *(reprimenda)* insult.

apoteosis *f inv* apotheosis.

apoyar(se) *t* to lean. 2 *(fundar)* to base, found. 3 *fig (defender)* to back, support. — 4 *p* to lean *(en,* on). 5 *(basarse)* to be based *(en,* on).

apoyo *m* support.

apreciable *adj* appreciable, noticeable. 2 *(estimable)* valuable.

apreciación *f (valorización)* appraisal. 2 *(juicio)* appreciation.

apreciar(se) [12] *t (valorar)* to appraise. 2 *(sentir aprecio)* to regard highly. 3 *(reconocer valor)* to appreciate. — 4 *p* to be noticeable.

aprecio *m* esteem, regard. ●*sentir ~ por algn.,* to be fond of sb.

aprehender *t (apresar)* to apprehend. 2 *(confiscar)* to seize.

aprehensión *f* apprehension, arrest. 2 *(de contrabando)* seizure.

apremiante *adj* urgent, pressing.

apremiar [12] *t* to urge, press. 2 JUR to compel, constrain.

apremio *m* pressure, urgency. 2 JUR constraint.

aprender *t* to learn.

aprendiz,-za *m,f* apprentice, trainee.

aprendizaje *m* learning.

aprensión *f* apprehension.

aprensivo,-a *adj* apprehensive.

apresar *t (tomar por fuerza)* to seize, capture. 2 *(asir)* to clutch.

aprestar(se) *t-p* to make ready. — 2 *t (tejidos)* to finish.

apresto *m* preparation. 2 *(tejidos)* finish.

apresurado,-a *adj* hasty, hurried. — 2 *apresuradamente adv* hurriedly, in great haste.

apresuramiento *m* hurry.

apresurar(se) *t-p* to hurry up.

apretado,-a *adj* tight. 2 *(ocupado)* busy: *un día muy ~,* a very busy day.

apretar(se) [27] *t (estrechar)* to squeeze, hug. 2 *(tornillo, nudo)* to tighten. 3 *(comprimir)* to compress, press together, pack tight. 4 *(acosar)* to spur, urge. 5 *(activar)* to press: *~ el gatillo,* to pull the trigger. 6 *(aumentar)* to increase. — 7 *i (prendas)* to fit tight: *esta falda me aprieta,* this skirt is to tight on me. — 8 *p (apiñar)* to narrow. 9 *(agolparse)* to crowd together. ●*~ a correr,* to start running; ~ *el paso,* to quicken one's pace; ~*se el cinturón,* to tighten one's belt.

apretón *m* squeeze. ■ ~ *de manos,* handshake.

apretujar(se) *t* to squeeze. – 2 *p* to squeeze together.

aprieto *m* straits *pl,* difficulty, scrape, fix. ●*poner a algn. en un* ~, to put sb. in an awkward situation; *salir del* ~, to get out of trouble.

aprisa *adv* quickly.

aprisco *m* sheepfold.

aprisionar *t* to imprison. 2 *(sujetar)* to hold fast.

aprobación *f* approval.

aprobado,-a *adj* approved, passed. – 2 *m* EDUC pass mark.

aprobar [31] *t* to approve. 2 *(estar de acuerdo)* to approve of. 3 *(examen, ley)* to pass.

apropiación *f* appropriation.

apropiado,-a *adj* fit, proper, appropriate.

apropiar(se) [12] *t (acomodar)* to make suitable. – 2 *p* to appropriate, take possession of.

aprovechado,-a *adj* well used/spent. 2 *(diligente)* diligent, advanced. 3 *(sinvergüenza)* opportunistic. – 4 *m,f* opportunist.

aprovechar(se) *t* to make good use of. 2 *(sacar provecho)* to benefit from: ~ *la oportunidad,* to seize the opportunity. – 3 *i* to be useful. – 4 *p* to take advantage *(de,* of). ●*¡que aproveche!,* enjoy your meal!

aprovisionar *t* to supply, provide.

aproximación *f* approximation.

aproximado,-a *adj* approximate. – 2 *aproximadamente adv* approximately, roughly.

aproximar(se) *t* to bring near. – 2 *p* to draw near.

aproximativo,-a *adj* approximate, rough.

aptitud *f* aptitude, ability.

apto,-a *adj (apropiado)* suitable. 2 *(capaz)* capable, able. ●CINEM ~ *para todos los públicos,* U-certificate film, US rated G; CINEM *no* ~, for adults only.

apuesta *f* bet, wager.

apuesto,-a *adj* good-looking.

apuntador,-ra *m,f* TEAT prompter.

apuntalar *t* to prop (up).

apuntar(se) *t (señalar)* to point at. 2 *(arma)* to aim. 3 *(anotar)* to note down. 4 *(estar encaminado)* to be aimed at. 5 *(insinuar)* to suggest. 6 *(sujetar)* to stitch, pin/tack lightly. 7 TEAT to prompt. – 8 *i* to begin to appear: *cuando apunta el día,* when day breaks. – 9 *p (inscribirse)* to enrol.

apunte *m* note. 2 *(dibujo)* sketch. 3 *pl (de clase)* notes.

apuñalar *t* to stab.

apurado,-a *adj (necesitado)* in need: ~ *de dinero,* hard up for money. 2 *(dificultoso)* awkward. 3 *(exacto)* accurate, precise. ■ *afeitado* ~, close shave.

apurar(se) *t (terminar)* to finish up: ~ *una copa,* to drain a glass. 2 *(apremiar)* to urge. 3 *(purificar)* to purify. 4 *(averiguar)* to investigate minutely. 5 AM *(dar prisa)* to hurry. – 6 *p* to get/be worried. 7 AM *(darse prisa)* to hurry. ●*fig si me apuras ...,* if you insist ... .

apuro *m* fix, tight spot; *(de dinero)* hardship. 2 *(vergüenza)* embarrassment. ● *estar en un* ~, to be in a tight spot.

aquejar *t* to afflict, affect.

aquel,-lla *adj* that. 2 *pl* those. ▲ *pl aquellos,-as.*

aquél,-lla *m,f pron* that one; *(el anterior)* the former. 2 *pl* those; *(los anteriores)* the former. ▲ *pl aquéllos,-as.*

aquello *pron neut* that, that thing.

aquí *adv (lugar)* here: *por* ~ *por favor,* this way please. 2 *(tiempo)* now: *de* ~ *en adelante,* from now on. ●*de* ~ *para allá,* up and down, to and fro; *de* ~ *(que),* hence; *fig hasta* ~ *podíamos llegar,* that's the end of it.

aquiescencia *f* acquiescence.

aquietar(se) *t-p* to calm down.

aquilatar *t* to assay. 2 *fig (evaluar)* to assess.

ara *f* altar. ●*en aras de,* for the sake of.

arado *m* plough, US plow.

arancel *m* tariff, duty.

arancelario,-a *adj* tariff, duty.

arándano *m* bilberry, blueberry.

arandela *f* TÉC washer.

araña *f* ZOOL spider. 2 *(lámpara)* chandelier. ■ *tela de* ~, spider's web.

arañar *t (raspar)* to scratch.

arañazo *m* scratch.

arar *t* to plough, US plow.

arbitraje *m* arbitration. 2 DEP refereeing.

arbitrar *t* to arbitrate. 2 DEP to referee.

arbitrariedad *f (acción)* arbitrary act. 2 *(condición)* arbitrariness.

arbitrario,-a *adj* arbitrary.

arbitrio *m (voluntad)* will. 2 *(decisión)* power, choice. 3 *pl* taxes.

árbitro *m* arbiter, arbitrator. **2** DEP referee.

árbol *m* BOT tree. **2** TÉC axle. **3** MAR mast.

arbolado,-a *adj* wooded. — **2** *m* woodland.

arboleda *f* grove, woodland.

arbotante *m* flying buttress.

arbusto *m* shrub, bush.

arca *f* chest. **2** *(caja de caudales)* strongbox, safe. ■ ~ *de Noé,* Noah's ark; *arcas públicas,* Treasury *sing.* ▲ *Takes el and un in sing.*

arcada *f* ARQ arcade. **2** *(vómitos)* retching.

arcaico,-a *adj* archaic.

arcángel *m* archangel.

arcano,-a *adj* hidden. — **2** *m* secret, mystery.

arce *m* maple tree.

archipiélago *m* archipelago.

archivador,-ra *m,f* archivist. — **2** *m* filing cabinet.

archivar *t (ordenar)* to file. **2** INFORM to save. **3** *(arrinconar)* to shelve.

archivo *m* file. **2** *(documentos)* archives *pl.* **3** *(mueble)* filing cabinet.

arcilla *f* clay.

arcipreste *m* archpriest.

arco *m* ARQ arch. **2** MAT arc. **3** MÚS DEP bow. ■ ~ *iris,* rainbow; ~ *voltaico,* electric arc.

arder *i* to burn. **2** *(resplandecer)* to glow. **3** *fig* to burn: ~ *de pasión,* to burn with passion. ●*fam* **la cosa está que arde,** things are getting pretty hot.

ardid *m* scheme, trick.

ardiente *adj (encendido)* burning, hot. **2** *fig* passionate, fiery.

ardilla *f* squirrel.

ardor *m* burning, heat. **2** *(ansia)* ardour, fervour. ■ ~ *de estómago,* heartburn.

ardoroso,-a *adj* burning. **2** *fig* ardent, passionate.

arduo,-a *adj* arduous.

área *f (zona)* area. **2** *(medida)* are.

arena *f* sand. **2** *(lugar)* arena, circus.

arenal *m* sands *pl,* sandy area.

arenga *f* harangue.

arenisca *f* sandstone.

arenoso,-a *adj* sandy.

arenque *m* herring.

arete *m (anillo)* small ring. **2** *(pendiente)* earring.

argamasa *f* mortar.

argentado,-a *adj* silvery.

argolla *f (aro)* ring.

argot *m (popular)* slang. **2** *(técnico)* jargon.

argucia *f* sophism.

argüir [63] *t (deducir)* to deduce. **2** *(probar)* to prove. — **3** *i (discutir)* to argue.

argumentación *f* argumentation, argument.

argumentar *t (deducir)* to deduce. — **2** *i (discutir)* to argue.

argumento *m* argument. **2** *(de novela, obra, etc.)* plot.

arguyo *pres indic→* **arguir**.

aria *f* aria.

aridez *f* aridity.

árido,-a *adj* arid. **2** *fig* dry. — **3** *mpl* dry goods.

Aries *m* Aries.

arisco,-a *adj* unsociable, unfriendly.

arista *f* edge.

aristocracia *f* aristocracy.

aristócrata *mf* aristocrat.

aritmética *f* arithmetic.

arlequín *m* harlequin.

arma *f* weapon, arm. **2** *pl (profesión)* army. **3** *pl (heráldica)* arms, armorial bearings. ■ ~ *blanca,* knife, steel; ~ *de fuego,* firearm; *licencia de armas,* firearms licence. ▲ *Takes el and un in sing.*

armada *f* navy.

armado,-a *adj* armed: *ir* ~, to be armed.

armador,-ra *m,f* shipowner.

armadura *f (defensa)* armour. **2** *(armazón)* framework.

armamentista *adj* arms. ■ *la carrera* ~, the arms race.

armamento *m* armament.

armar(se) *t* to arm. **2** *(montar)* to assemble, put together. **3** MAR to fit out. **4** *(crear)* to create. — **5** *p* to arm o.s. ●*fig* ~*se de,* to provide o.s. with: ~*se de paciencia,* to summon up one's patience; ~*se de valor,* to pluck up courage; *fam va a* ~*se la gorda,* there's going to be real trouble.

armario *m* cupboard, wardrobe, US closet.

armatoste *m (cosa)* monstrosity. **2** *(persona)* useless great oaf.

armazón *f* frame, framework.

armería *f (tienda)* gunsmith's (shop). **2** *(arte)* gunsmith's craft. **3** *(museo)* armoury.

armiño *m* ermine.

armisticio *m* armistice.

armonía *f* harmony.

armónico,-a *adj* harmonic. — **2** *m* MÚS harmonic. — **3** *f* harmonica, mouth organ.

armonioso,-a *adj* harmonious.

armonizar [4] *t-i* to harmonize.

arnés *m (armadura)* armour. **2** *pl* harness *sing.*

aro *m* hoop, ring. **2** *(juego)* hoop. **3** *(servilletero)* serviette ring.

aroma *m* aroma; *(del vino)* bouquet.

aromático,-a *adj* aromatic.

arpa *f* MÚS harp. ▲ Takes *el* and *un* in *sing.*

arpía *f* harpy. **2** *fam fig* shrew, old witch.

arpillera *f* sackcloth, burlap.

arpón *m* harpoon.

arquear(se) *t-p* to arch, bend.

arqueología *f* archaeology.

arqueólogo,-a *m,f* archaeologist.

arquero *m* archer.

arqueta *f* small chest.

arquetípico,-a *adj* archetypal.

arquitecto,-a *m,f* architect.

arquitectura *f* architecture.

arrabal *m* suburb. **2** *pl* outskirts.

arracimarse *p* to cluster.

arraigado,-a *adj* (deeply) rooted.

arraigar(se) [7] *i-p* to take root. — **2** *t* to establish, strengthen.

arraigo *m* taking root.

arrancar [1] *t* to uproot, pull out. **2** *(plumas, cabello)* to pluck. **3** *(con violencia)* to tear out, snatch. — **4** *i (partir)* to begin. **5** *(coche)* to start; *(tren)* to pull out. **6** *fig (provenir)* to stem *(de, from).* ●~ **a correr,** to break into a run.

arranque *m* starting. **2** *fig* outburst.

arrasar *t (destruir)* to raze, demolish. **2** *(aplanar)* to level.

arrastrado,-a *adj* wretched, miserable.

arrastrar(se) *t* to drag (along), pull (along). **2** *fig* to sway. — **3** *p* to trail (on the ground). **4** *fig (humillarse)* to creep, crawl.

arrastre *m* dragging. ■ **pesca de ~,** trawling.

arrayán *m* myrtle.

arrear *t (animales)* to drive. **2** *(apresurar)* to hurry up. **3** *(pegar)* to hit: ~ **una bofetada a algn.,** to slap sb. in the face. — **4** *i* to move fast.

arrebatado,-a *adj (precipitado)* rash. **2** *(iracundo)* furious. **3** *(ruborizado)* blushing.

arrebatador,-ra *adj fig* captivating, fascinating.

arrebatar(se) *t* to snatch. **2** *fig (atraer)* to captivate. — **3** *p (enfurecerse)* to become furious. **4** CULIN to burn.

arrebato *m* fit, outburst.

arrebol *m (de nubes)* red glow. **2** *(de mejillas)* redness.

arreciar(se) [12] *i-p* to get stronger/worse.

arrecife *m* reef.

arredrar(se) *t* to frighten, intimidate. — **2** *p* to be frightened.

arreglar(se) *t (gen)* to settle, fix up: **el tiempo lo arregla todo,** time heals all wounds. **2** *(ordenar)* to tidy (up). **3** *(reparar)* to mend, fix up. **4** *fam* to sort out: **¡ya te arreglaré!,** I'll teach you! — **5** *p (componerse)* to get ready, dress up; *(cabello)* to do. **6** *fam* to manage: **arréglatelas como puedas,** do as best you can.

arreglo *m (regla)* rule, order. **2** *(de una disputa)* arrangement. **3** *(reparación)* mending, repair. ●**con ~ a,** according to.

arrellanarse *p* to sit back.

arremangar(se) [7] *t-p* to roll up (one's sleeves).

arremeter *i* to attack.

arremetida *f* attack, assault.

arremolinarse *p* to whirl. **2** *(gente)* to crowd/press together.

arrendamiento *m* renting, leasing, letting. **2** *(precio)* rent.

arrendar [27] *t* to rent, lease.

arrendatario,-a *m,f* lessee. **2** *(inquilino)* tenant.

arreos *mpl* harness *sing.*

arrepentido,-a *adj* regretful.

arrepentimiento *m* regret, repentance.

arrepentirse [35] *p* to regret *(de, -).*

arrestado,-a *adj* arrested.

arrestar *t* to arrest. **2** *(poner en prisión)* to imprison, jail.

arresto *m* arrest. **2** *pl* daring *sing.*

arriar [13] *t (velas)* to lower. **2** *(bandera)* to strike.

arriba *adv* up; *(encima)* on (the) top. **2** *(piso)* upstairs: **vive ~,** he/she lives upstairs. **3** *(en escritos)* above: **véase más ~,** see above. — **4** *interj* up!: **¡~ la República!,** long live the Republic! ●**cuesta ~,** uphill; **de ~ abajo,** from top to bottom; **hacia ~,** upwards; *fam* **patas ~,** upside down.

arribar *i* to reach port.

arribista *adj* ambitious. — **2** *mf* arriviste, social climber.

arriendo *m* lease. **2** *(de un piso)* renting.

arriero *m* muleteer.

arriesgado,-a *adj (arriesgado)* risky, dangerous. **2** *(atrevido)* bold, rash.

arriesgar(se) [7] *t-p* to risk. ●*fam* ~ **el pellejo,** to risk one's neck.

arrimadero *m (de pared)* wainscot.

arrimar(se) *t* to move closer. — **2** *p* to move/get close. ●*fig* ~ *a algn.,* to seek sb.'s protection; *fig* ~ *al sol que más calienta,* to get on the winning side.

arrimo *m* support, protection.

arrinconar(se) *t* to put in a corner. **2** *(acorralar)* to corner. **3** *fig (desestimar)* to ignore. **4** *(abandonar)* to lay aside. — **5** *p* *(aislarse)* to isolate o.s.

arrobamiento *m* ecstasy, rapture.

arrobar *t* to rapture.

arrobo *m* → arrobamiento.

arrodillado,-a *adj* on one's knees. ●*estar* ~, to be kneeling down.

arrodillarse *p* to kneel down.

arrogancia *f* arrogance.

arrogante *adj* arrogant.

arrogarse [7] *p* to arrogate.

arrojadizo,-a *adj* for throwing.

arrojado,-a *adj* thrown (out). **2** *(osado)* bold, fearless.

arrojar(se) *t (tirar)* to throw, fling: *"prohibido ~ basuras"*, "no dumping". **2** *(echar con violencia)* to throw out. **3** *(cuentas etc.)* to show. — **4** *i* to vomit. — **5** *p* to throw o.s.: *se arrojó sobre él,* he/she jumped on him.

arrojo *m* boldness, dash, bravery.

arrollador,-ra *adj* overwhelming: *un éxito ~,* a resounding success.

arrollar *t (envolver)* to roll (up). **2** *(el viento)* to sweep away. **3** *(al enemigo)* to rout. **4** *(atropellar)* to run over.

arropar(se) *t-p* to wrap (o.s.) up.

arrostrar *t* to face.

arroyo *m (río)* stream. **2** *(en la calle)* gutter.

arroz *m* rice. ■ ~ *con leche,* rice pudding; ~ *integral,* brown rice.

arrozal *m* rice field.

arruga *f* wrinkle.

arrugar(se) [7] *t-p* to wrinkle. ●~ *el ceño/entrecejo,* to frown.

arruinar(se) *t* to bankrupt, ruin. — **2** *p* to be bankrupt/ruined.

arrullar *t (pájaro)* to coo. **2** *(adormecer)* to lull.

arrullo *m (de pájaro)* cooing. **2** *(nana)* lullaby.

arrumaco *m* caress.

arsenal *m* MAR shipyard. **2** *(de armas)* arsenal.

arsénico *m* arsenic.

arte *m* art **2** *(habilidad)* craft, skill. **3** *(astucia)* cunning. **4** *(pesca)* fishing gear. ●*con malas artes,* by evil means. ■ *bellas artes,* fine arts.

artefacto *m* device. ■ ~ *explosivo,* bomb.

arteria *f* artery.

arteriosclerosis *f inv* arteriosclerosis.

artero,-a *adj* artful, crafty.

artesa *f* trough.

artesanía *f* craftsmanship.

artesano,-a *m,f* artisan, craftsman.

artesonado,-a *adj* panelled. — **2** *m* panelled ceiling.

ártico,-a *adj-m* Arctic.

articulación *f* articulation. **2** ANAT TÉC joint.

articulado,-a *adj* articulate. — **2** *m* articles *pl.*

articular(se) *t-p* to articulate.

articulatorio,-a *adj* articulatory.

articulista *mf* columnist.

artículo *m* article. ■ ~ *de fondo,* editorial.

artífice *mf (artista)* craftsman. **2** *(autor)* author: *fig Pepe ha sido el ~ de todo esto,* this is all Pepe's doing.

artificial *adj* artificial.

artificio *m (habilidad)* skill. **2** *(astucia)* artifice. **3** *(mecanismo)* device. ■ *fuegos de ~,* fireworks.

artificioso,-a *adj (hábil)* skilful. **2** *(astuto)* crafty.

artilugio *m* device, gadget. **2** *fig (trampa)* trick.

artillería *f* artillery.

artillero *m* artilleryman.

artimaña *f* trick.

artista *mf* artist. ■ ~ *de cine,* film star.

artístico,-a *adj* artistic.

artritis *f inv* arthritis *inv.*

artrosis *f inv* arthrosis *inv.*

arveja *f*, **arvejo** *m* AM chickpea.

arzobispo *m* archbishop.

as *m* ace.

asa *f* handle. ▲ *Takes el and un in sing.*

asado,-a *adj* roast(ed). — **2** *m* roast.

asador *m* roaster.

asalariado,-a *adj* salaried. — **2** *m,f* wage earner.

asalariar [12] *t* to employ.

asalmonado,-a *adj* salmon-coloured.

asaltante *adj* assaulting. — **2** *mf* attacker.

asaltar *t* to assault, attack.

asalto *m* assault, attack. **2** *(boxeo)* round. ●*tomar por ~,* to take by storm.

asamblea *f* assembly, meeting.

asar(se) *t-p* to roast.

ascendencia *f* ancestry.

ascendente *adj* ascending, ascendant. − **2** *m* ascendant.

ascender [28] *t* to promote. − **2** *i (subir)* to climb. **3** *(de categoría)* to be promoted. **4** *(sumar)* to amount *(a,* to).

ascendiente *adj* ascending, ascendant. − **2** *mf* ancestor.

ascensión *f* ascension.

ascenso *m* rise, promotion.

ascensor *m* lift, US elevator.

asceta *mf* ascetic.

ascético,-a *adj* ascetic.

asco *m* disgust. ●*dar* ∼, to be disgusting; *estar hecho un* ∼, to be filthy.

ascua *f* red hot coal. ●*estar en ascuas,* to be on tenterhooks. ▲ *Takes el and un in sing.*

aseado,-a *adj* clean, neat, tidy.

asear *t* to clean, tidy.

asediar [12] *t* to besiege. **2** *fig* to importunate.

asedio *m* siege.

asegurado,-a *adj* insured.

asegurador,-ra *m,f* insuring.

asegurar(se) *t (fijar)* to secure. **2** COM to insure. **3** *(garantizar)* to assure, guarantee. − **4** *p (cerciorarse)* to make sure. **5** COM to insure o.s.

asemejar(se) *t* to make alike. − **2** *p* to look like.

asenso *m* assent, consent.

asentar(se) [27] *t* to place. **2** *(fijar)* to fix, set. **3** *(afirmar)* to affirm, assume. **4** *(anotar)* to enter, note down. **5** *(golpes)* to give. − **6** *p (establecerse)* to settle (down). **7** *(aves)* to perch.

asentimiento *m* assent, consent, acquiescence.

asentir [35] *i* to assent, agree; *(con la cabeza)* to nod.

aseo *m* cleaning, tidying up. ■ *(cuarto de)* ∼, bathroom.

asepsia *f* asepsis.

aséptico,-a *adj* aseptic. **2** *fig* cool.

asequible *adj* accesible: *a un precio* ∼, at a reasonable price.

aserción *f* assertion, statement.

aserradero *m* sawmill.

aserrar [27] *t* to saw.

aserrín *m* sawdust.

aserto *m* → **aserción.**

asesinar *t* to kill, murder.

asesinato *m* killing, murder.

asesino,-a *adj* murderous. − **2** *m,f* killer.

asesor,-ra *m,f* adviser, consultant.

asesoramiento *m (acción)* advising. **2** *(consejo)* advice.

asesorar(se) *t* to advise, give advice. − **2** *p* to consult.

asestar *t (arma)* to aim. **2** *(golpe)* to deal. **3** *(tiro)* to fire.

aseveración *f* asseveration, assertion.

aseverar *t* to asseverate, affirm.

asfaltado *m (acción)* asphalting. **2** *(pavimento)* asphalt, Tarmac®.

asfaltar *t* to asphalt.

asfalto *m* asphalt.

asfixia *f* asphyxia, suffocation.

asfixiar(se) [12] *t-p* to asphyxiate, suffocate.

así *adv (de esta manera)* thus, (in) this way. **2** *(de esa manera)* (in) that way: *por decirlo* ∼, so to speak; *y* ∼ *sucesivamente,* and so on. **3** *(tanto)* as: ∼ *usted como yo,* both you and I. **4** *(por tanto)* therefore: *llovía,* ∼ *que cogimos el paraguas,* it was raining, so we took our umbrella. **5** *(tan pronto como)* as soon as: ∼ *que lo sepa,* as soon as I know. − **6** *adj* such: *un hombre* ∼, a man like that. ●∼ ∼, so-so; ∼ *sea,* so be it; *aun* ∼, even so.

asidero *m* handle. **2** *fig* excuse, pretext.

asiduidad *f* assiduity.

asiduo,-a *adj* assiduous, frequent.

asiento *m (silla etc.)* seat. **2** *(emplazamiento)* site. **3** *(sedimento)* sediment. **4** *fig (orden)* establishment. **5** COM entry. **6** *(de vasija)* bottom.

asignación *f* assignment. **2** *(remuneración)* allocation, allowance.

asignar *t* to assign, allot. **2** *(nombrar)* to appoint.

asignatura *f* EDUC subject. ■ ∼ *pendiente,* failed subject.

asilar *t (recoger)* to give shelter. **2** POL to give political asylum.

asilo *m* asylum. ■ ∼ *de ancianos,* old people's home; POL ∼ *político,* political asylum.

asimetría *f* asymmetry.

asimétrico,-a *adj* asymmetric.

asimilación *f* assimilation.

asimilar(se) *t* to assimilate. − **2** *p* to be assimilated.

asimismo *adv (también)* also. **2** *(de esta manera)* likewise.

asir(se) [65] *t* to seize, grasp. − **2** *p* to hold on *(a,* to).

asistencia *f (presencia)* attendance, presence. **2** *(público)* audience, public. **3** *(ayuda)* assistance.

asistenta *f* cleaning lady.

asistente *adj* attending. – **2** *mf* assistant. – **3** *m* MIL batman. ■ ~ *social,* social worker.

asistir *i* to attend, be present: ~ *a la escuela,* to attend school. – **2** *t* to assist, help.

asma *f* asthma. ▲ *Takes el and un in sing.*

asmático,-a *adj-m,f* asthmatic.

asno *m* ass, donkey.

asociación *f* association.

asociado,-a *adj* associated. – **2** *m,f* associate, partner.

asociar(se) [12] *t* to associate. – **2** *p* to be associated.

asolador,-ra *adj* razing, ravaging, devastating.

asolar [31] *t* (*destruir*) to devastate.

asomar(se) *i* to appear. – **2** *t* to show, put out. – **3** *p* to lean out; (*balcón*) to come out (*a,* on).

asombrado,-a *adj* amazed, astonished.

asombrar(se) *t* to amaze, astonish. – **2** *p* to be astonished/amazed.

asombro *m* amazement, astonishment.

asombroso,-a *adj* amazing, astonishing.

asomo *m* sign, indication. ●*ni por ~,* by no means.

asonancia *f* assonance.

aspa *f* X-shaped figure or cross. **2** (*de molino*) arm; (*de ventilador*) blade.

aspaviento *m* fuss. ●*hacer aspavientos,* to make a fuss.

aspecto *m* aspect. **2** (*apariencia*) look, appearance.

aspereza *f* roughness, coarseness.

asperjar *t* to sprinkle.

áspero,-a *adj* rough, coarse.

aspersión *f* sprinkling.

áspid(e) *m* asp.

aspillera *f* MIL loophole.

aspiración *f* (*al respirar*) inhalation. **2** *fig* (*ambición*) aspiration, ambition.

aspirador *m,* **aspiradora** *f* vacuum cleaner.

aspirante *adj* sucking. – **2** *mf* candidate.

aspirar *t* (*al respirar*) to inhale, breathe in. **2** (*absorber*) to suck/draw in. **3** LING to aspirate. – **4** *i* to aspire (*a,* to).

aspirina® *f* aspirin®.

asqueroso,-a *adj* (*sucio*) dirty, filthy. **2** (*desagradable*) disgusting.

asta *f* (*de bandera*) staff. **2** (*de lanza*) haft. **3** (*cuerno*) horn. ● *bandera a media ~,* flag at half-mast. ▲ *Takes el and un in sing.*

astenia *f* asthenia.

asterisco *m* asterisk.

asteroide *adj-m* asteroid.

astilla *f* splinter.

astillar *t* to splinter.

astillero *m* shipyard, dockyard.

astringente *adj-m* astringent.

astro *m* star.

astrología *f* astrology.

astrólogo,-a *m,f* astrologer.

astronauta *mf* astronaut.

astronomía *f* astronomy.

astrónomo,-a *m,f* astronomer.

astucia *f* astuteness, cunning.

astuto,-a *adj* astute, cunning.

asueto *m* short holiday.

asumir *t* to assume.

asunción *f* assumption.

asunto *m* matter, subject. **2** (*negocio*) affair, business. ■ POL *asuntos exteriores,* Foreign Affairs.

asustadizo,-a *adj* easily frightened.

asustar(se) *t* to frighten. – **2** *p* to be frightened.

atacar [1] *t* to attack. **2** (*criticar*) to criticize. **3** (*armas*) to tamp down.

atado,-a *adj* (*tímido*) shy. – **2** *m* bundle.

atadura *f* tying. **2** *fig* (*enlace*) tie. **3** *fig* (*impedimento*) hindrance.

atajar *i* to take a shortcut. – **2** *t* (*interrumpir*) to interrupt. **3** (*entorpecer el paso*) to halt.

atajo *m* shortcut.

atalaya *f* watchtower. – **2** *m* watcher, lookout.

atañer [38] *i* to concern (*a,* to).

ataque *m* attack. **2** MED fit. ■ ~ *aéreo,* air raid.

atar *t* to tie, fasten. ●*fig* ~ *cabos,* to put two and two together.

atardecer [43] *i* to get/grow dark. – **2** *m* evening, dusk. ▲ *1 only used in the 3rd pers. It does not take a subject.*

atareado,-a *adj* busy.

atarear(se) *t* to keep busy. – **2** *p* to be busy.

atascadero *m* obstacle.

atascar(se) [1] *t* (*bloquear*) to block, obstruct. **2** *fig* to hamper. – **3** *p* (*bloquearse*) to be obstructed. **4** *fig* (*estancarse*) to get tangled up.

atasco *m* obstruction. **2** (*de tráfico*) traffic jam.

ataúd *m* coffin.

ataviar(se) [13] *t* to dress (up). **2** (*adornar*) to adorn. – **3** *p* to get dressed up.

atavío *m* (*adorno*) decoration. **2** (*vestido*) dress.

atavismo *m* atavism.

ateísmo *m* atheism.

atemorizar(se) [4] *t* to frighten. − 2 *p* to become frightened.

atención *f* attention. 2 *(cortesía)* courtesy. ●**llamar la ~,** to attract attention.

atender [28] *t* to pay attention/attend to. 2 *(cuidar)* to take care of. 3 *(tener en cuenta)* to bear in mind. − 4 *i* to pay attention *(a,* to).

ateneo *m* athenaeum.

atenerse [87] *p (ajustarse)* to abide *(a,* by). 2 *(acogerse)* to rely *(a,* on).

atentado *m* attack, assault. ■ ~ **terrorista,** terrorist attack.

atentar [27] *i* ~ *a/contra,* to commit a crime against.

atento,-a *adj* attentive. 2 *(amable)* polite, courteous. − 3 **atentamente** *adv* attentively. 4 *(amablemente)* politely; *(en carta)* **le saluda atentamente,** your sincerely/faithfully.

atenuante *adj* attenuating.

atenuar [11] *t* to attenuate.

ateo,-a *adj-m,f* atheist.

aterciopelado,-a *adj* velvety.

aterido,-a *adj* stiff with cold.

aterrador,-ra *adj* terrifying.

aterrar(se) *t (asustar)* to terrify. 2 *(derribar)* to pull down, demolish. − 3 *p* to be terrified. ▲ 2 *follows conjugation model* [27].

aterrizaje *m* landing.

aterrizar [4] *t* to land.

aterrorizar(se) [4] *t* to terrify. − 2 *p* to be terrified.

atesorar *t* to hoard. 2 *fig* to possess.

atestación *f* attestation, testimony.

atestar *t* JUR to testify. 2 *(atiborrar)* to cram, pack *(de,* with). ▲ 2 *follows conjugation model* [27].

atestiguar [22] *t* to attest.

atiborrar(se) *t* to pack, cram, stuff *(de,* with). − 2 *p* to stuff o.s *(de,* with).

ático *m* penthouse.

atinado,-a *adj* right, accurate.

atinar *i-t* to guess right.

atisbar *t* to peep at, spy on, observe.

atisbo *m (indicio)* inkling.

atizador *m* poker.

atizar [4] *t (fuego)* to poke, stir. 2 *fig (pasiones)* to rouse.

atlas *m inv* atlas.

atleta *mf* athlete.

atlético,-a *adj* athletic.

atletismo *m* athletics.

atmósfera *f* atmosphere.

atmosférico,-a *adj* atmospheric.

atolladero *m* bog. 2 *fig* fix, jam.

atollar(se) *i-p* to get stuck in the mud.

atolondrado,-a *adj* stunned.

atolondrar(se) *t* to confuse. − 2 *p* to become confused.

atómico,-a *adj* atomic.

átomo *m* atom.

atónito,-a *adj* astonished, amazed.

átono,-a *adj* atonic, unstressed.

atontado,-a *adj* stunned, confused. 2 *(tonto)* stupid, silly.

atontar *t* to stun, stupefy. 2 *(confundir)* to confuse, bewilder.

atorar(se) *t* to obstruct, choke. − 2 *p* to be blocked/choked.

atormentar(se) *t-p* to torment (o.s.).

atornillar *t* to screw.

atosigar [4] *t (envenenar)* to poison. 2 *(apremiar)* to harass, pester.

atrabiliario,-a *adj* bad-tempered.

atracador,-ra *m,f (de banco)* (bank) robber; *(en la calle)* attacker, mugger.

atracar(se) [1] *t (robar)* to hold up, rob. 2 *(de comida)* to gorge. − 3 *i* MAR to come alongside. − 4 *p (de comida)* to gorge o.s. *(de,* on).

atracción *f* attraction. ■ *parque de atracciones,* funfair.

atraco *m* hold-up, robbery.

atracón *m fam* binge.

atractivo,-a *adj* attractive. − 2 *m* attraction, charm.

atraer [88] *t* to attract. 2 *(captivar)* to captivate, charm.

atragantarse *p* to choke *(con,* on).

atrancar [1] *t (puerta)* to bar, bolt. 2 *(obstruir)* to obstruct.

atrapar *t* to seize, capture, catch.

atrás *adv* back. 2 *(tiempo)* ago: *días ~,* several days ago. − 3 *interj* stand/move back! ●*ir hacia ~,* to go backwards; *volverse ~,* to change one's mind, back out.

atrasado,-a *adj* late. 2 *(pago)* overdue. 3 *(reloj)* slow. 4 *(país)* backward, underdeveloped.

atrasar(se) *t* to delay. − 2 *i (reloj)* to be slow. − 3 *p (tren etc.)* to be late. 4 *(quedarse atrás)* to stay behind.

atraso *m* delay. 2 *(reloj)* slowness. 3 *pl* COM arrears.

atravesar(se) [27] *t* to cross (over). 2 *(poner obliquamente)* to put/lay across. 3 *(bala etc.)* to pierce, run through. − 4 *p* to be in the way. ●*fam ~se algn. a uno,* not to be able to bear/stand sb.

atrayente *adj* attractive.

atreverse *p* to dare, venture.

atrevido,-a *adj (osado)* daring, bold. **2** *(indecoroso)* risqué.

atrevimiento *m* daring, boldness. **2** *(insolencia)* effrontery, insolence.

atribución *f* power, authority.

atribuir(se) [62] *t* to attribute, ascribe. – **2** *p* to assume.

atribular(se) *t* to grieve, afflict. – **2** *p* to be grieved/afflicted.

atributo *m* attribute, quality.

atril *m* lectern.

atrincherar(se) *t-p* to entrench (o.s.).

atrio *m (patio)* atrium. **2** *(vestíbulo)* vestibule.

atrocidad *f* atrocity. **2** *(disparate)* silly remark.

atrofia *f* atrophy.

atrofiarse [12] *p* to atrophy.

atropellado,-a *adj* hasty, precipitate.

atropellar(se) *t* to trample. **2** AUTO to knock down. **3** *fig (oprimir)* to hurry over; *(sentimientos)* to outrage; *(derechos)* to disregard. – **4** *p* to speak/act hastily.

atropello *m (accidente)* running over. **2** *fig* outrage, abuse.

atroz *adj (bárbaro)* atrocious. **2** *fam* enormous, huge, awful.

atuendo *m* attire.

atún *m* tunny, tuna.

aturdido,-a *adj (confundido)* stunned. **2** *(atolondrado)* reckless.

aturdimiento *m (confusión)* confusion. **2** *(atolondramiento)* recklessness.

aturdir(se) *t* to stun. **2** *fig* to confuse. – **3** *p* to be confused.

aturrullar *t* to confuse.

atusar *t (recortar)* to trim. **2** *(alisar)* to smooth (down).

audacia *f* audacity.

audaz *adj* audacious, bold.

audición *f (acción)* hearing. **2** TEAT audition. **3** MÚS concert.

audiencia *f (recepción)* audience. **2** JUR high court.

audífono *m* hearing aid.

audiovisual *adj* audio-visual.

auditor *m* auditor.

auditoría *f. (proceso)* auditing. **2** *(empleo)* auditorship.

auditorio *m (público)* audience. **2** *(lugar)* auditory.

auge *m (del mercado)* boom. **2** *(de precios)* boost. **3** *(de fama etc.)* peak. ●*estar en* ~, to be on the increase.

augurar *t* to augur.

augurio *m* augury.

aula *f* classroom; *(en universidad)* lecture room. ▲ *Takes* **el** *and* **un** *in sing.*

aullar [16] *i* to howl.

aullido *m* howl.

aumentar *t* to augment, increase. **2** *(óptica)* to magnify. **3** *(fotos)* to enlarge. – **4** *i* to rise.

aumento *m* increase. **2** *(óptica)* magnification. **3** *(fotos)* enlargement. **4** *(salario)* rise. ●*ir en* ~, to be on the increase.

aun *adv* even. ●~ *cuando,* although, even though.

aún *adv* yet, still.

aunar(se) [16] *t-p* to unite, combine.

aunque *conj* (al)though.

¡aúpa! *interj* up!, get up!

aura *f (aire)* gentle breeze. **2** *(halo)* aura. ▲ *Takes* **el** *and* **un** *in sing.*

áureo,-a *adj* golden.

aureola, auréola *f* aureole, halo.

auricular *m (teléfono)* receiver, earpiece. **2** *(dedo)* little finger.

aurora *f* dawn.

auscultar *t* to sound (with a stethoscope).

ausencia *f* absence.

ausentarse *p* to leave.

ausente *adj* absent. – **2** *mf* absentee.

auspicio *m* auspice.

austeridad *f* austerity.

austero,-a *adj* austere.

austral *adj* austral, southern.

auténtico,-a *adj* authentic, genuine.

auto *m* JUR decree, writ. **2** *fam (coche)* car.

autobús *m* bus.

autocar *m* coach.

autocracia *f* autocracy.

autócrata *mf* autocrat.

autóctono,-a *adj* indigenous.

autodidáctico,-a *adj* self-taught. – **2** *m,f* self-taught person.

autoescuela *f* driving school.

autógrafo,-a *adj* autographic. – **2** *m* autograph.

autómata *m* automaton.

automático,-a *adj* automatic.

automatizar [4] *t* to automate.

automóvil *m* automobile, car.

automovilismo *m* motoring.

automovilista *mf* motorist.

autonomía *f* autonomy.

autónomo,-a *adj* autonomous.

autopista *f* motorway, US highway.

autopsia *f* autopsy.

autor,-ra *m,f* author. **2** *(de crimen)* perpetrator.

autoridad *f* authority.
autorización *f* authorization.
autorizar [4] *t* to authorize.
autostop *m* hitch-hiking. •*hacer* ~, to hitch-hike.
auxiliar [14] *t* to help, assist. – 2 *adj* auxiliary. – 3 *m* assistant.
auxilio *m* help, aid, assistance. ■ *primeros auxilios,* first aid *sing.*
aval *m* guarantee.
avalancha *f* avalanche.
avalar *t* to guarantee.
avance *m* advance. 2 *(pago)* advance payment. ■ TV ~ *informativo,* news preview.
avanzar(se) [4] *i-p* to advance.
avaricia *f* avarice.
avaro,-a *adj* avaricious, miserly. – 2 *m,f* miser.
avasallador,-ra *adj* overwhelming.
avasallar *t* to subjugate, subdue.
ave *f* bird. ■ ~ *de rapiña,* bird of prey. ▲ *Takes* el *and* un *in sing.*
avecinarse *p* to approach (*a,* de).
avejentar *t* to age prematurely.
avellana *f* hazelnut.
avemaría *f* Hail Mary. •*en un* ~, in a twinkle.
avena *f* oats *pl.*
avenencia *f* agreement, accord.
avengo *pres indic* → **avenir**.
avenida *f* avenue. 2 *(de río)* flood.
avenir(se) [90] *t* to reconcile. – 2 *p* to agree.
aventajado,-a *adj (sobresaliente)* outstanding. 2 *(provechoso)* advantageous.
aventajar *t (exceder)* to surpass. 2 *(ir en cabeza)* to lead.
aventar [27] *t* AGR to winnow. 2 *(viento)* to blow.
aventura *f* adventure. 2 *(riesgo)* hazard, risk. 3 *(relación amorosa)* love (affair).
aventurado,-a *adj* venturesome, risky.
aventurar(se) *t* to hazard, risk. – 2 *p* to venture, dare.
aventurero,-a *adj* adventurous. – 2 *m,f* *m* adventurer, *f* adventuress.
avergonzado,-a *adj* ashamed, embarrassed.
avergonzar(se) [51] *t* to shame. – 2 *p* to be ashamed/embarrassed.
avería *f (en productos)* damage. 2 TÉC failure. 3 AUTO breakdown.
averiado,-a *adj (en productos)* damaged. 2 TÉC faulty, not working. 3 AUTO broken down.

averiar(se) [13] *t (productos)* to damage. 2 TÉC to cause to malfunction. 3 AUTO to cause a breakdown to. – 4 *p (productos)* to be damaged. 5 TÉC to malfunction. 6 AUTO to break down.
averiguación *f* inquiry, investigation.
averiguar [22] *t* to inquire, investigate, find out about.
aversión *f* aversion. •*sentir* ~ *por,* to loathe.
avestruz *m* ostrich.
avezar(se) [4] *t-p* to get used (*a,* to).
aviación *f* aviation. 2 MIL air force.
aviador,-ra *m,f* aviator, *m* airman, *f* airwoman.
aviar [13] *t (proveer)* to provide (*de,* with): *con esto me avío,* I'll manage with this. 2 *(arreglar)* to tidy. 3 *(apresurar)* to hurry up. 4 *(preparar)* to prepare.
avícola *adj* poultry.
avicultura *f* aviculture.
avidez *f* avidity.
ávido,-a *adj* avid, eager.
avieso,-a *adj* perverse.
avinagrado,-a *adj* vinegary.
avinagrar(se) *t-p* to turn sour.
avío *m* preparation. 2 *pl* gear *sing,* tackle *sing.*
avión *m* (air)plane. •*por* ~, airmail.
avioneta *f* light plane.
avisar *t (informar)* to inform. 2 *(advertir)* to warn. 3 *(mandar llamar)* to call for: ~ *al médico,* to send for the doctor.
aviso *m (información)* notice. 2 *(advertencia)* warning. •*estar sobre* ~, to be on the alert.
avispa *f* wasp.
avispado,-a *adj* clever, smart.
avispar(se) *t-p* to smarten up.
avispero *m* wasps' nest. 2 MED carbuncle.
avistar *t* to see, sight.
avituallamento *m* provisioning.
avituallar *t* to provision (*de,* with).
avivar(se) *t (anhelos)* to enliven. 2 *(pasiones)* to intensify. 3 *(paso)* to quicken. 4 *(colores)* to brighten. – 5 *i-p* to become brighter/livelier.
avizor *adj* alert, watchful. • *estar ojo* ~, to be on the alert.
avizorar *t* to watch, spy on.
axioma *m* axiom.
axila *f.* armpit, axilla.
¡ay! *interj (dolor)* ouch!, ow! 2 *(pena)* alas!: *¡* ~ *de mí!,* woe is me!

ayer *adv* yesterday. 2 *(pasado)* past. — 3 *m* past. •*antes de* ~, the day before yesterday.

ayuda *f* help, aid, assistance. ■ ~ *de cámara,* valet.

ayudante *mf* aid, assistant. 2 MIL adjutant.

ayudar(se) *t* to help, aid, assist. — 2 *p* *(apoyarse)* to make use *(de/con,* of). 3 *(unos a otros)* to help (one another).

ayunar *i* to fast.

ayunas *fpl en* ~, without having eaten breakfast.

ayuno *m* fast(ing).

ayuntamiento *m (corporación)* town council. 2 *(edificio)* town hall.

azabache *m* jet.

azada *f* hoe.

azafata *f (de avión)* air hostess. 2 *(de congresos)* hostess.

azafrán *m* saffron.

azahar *m (de naranjo)* orange blossom; *(de limonero)* lemon blossom.

azar *m* chance. •*al* ~, at random. ■ *juegos de* ~, games of chance.

azararse *p* to be embarrassed.

azaroso,-a *adj* risky, hazardous.

azor *m* goshawk.

azoramiento *m* embarrassment.

azorar *t* to embarrass. — 2 *p* to be embarrassed.

azotaina *f fam* spanking.

azotar *t (con látigo)* to whip. 2 *(golpear)* to beat.

azote *m (instrumento)* whip. 2 *(golpe)* lash. 3 *(manotada)* smack. 4 *fig* scourge.

azotea *f* flat roof. •*fam estar mal de la* ~, to have a screw loose.

azúcar *m & f* sugar. ■ *terrón de* ~, lump of sugar.

azucarar *t* to sugar, sweeten. 2 *(bañar)* to coat/ice with sugar.

azucarero,-a *adj* sugar. — 2 *m & f* sugar bowl.

azucena *f* white lily.

azufre *m* sulphur.

azul *adj-m* blue. ■ ~ *celeste,* sky blue; ~ *marino,* navy blue; *príncipe* ~, Prince Charming.

azulado,-a *adj* blue, bluish.

azulejo *m* glazed tile.

azulgrana *adj* blue and scarlet. 2 DEP related to Barcelona Football Club.

azuzar [4] *t fam* to egg on. •~ *los perros a algn.,* to set the dogs on sb.

B

baba *f (saliva)* spittle. **2** *(de caracol)* slime. ●*fam* **caérsele a uno la ~**, to be delighted.

babear *i* to drool.

babel *m & f* bedlam.

babero *m* bib.

bable *m* Asturian dialect.

babor *m* port (side).

babosa *f* ZOOL slug.

babosear *t* to slobber, dribble.

baboso,-a *adj* drooling. **2** *fam fig* sloppy.

baca *f* roof rack.

bacalao *m* cod.

bache *m (en carretera)* pothole. **2** *(de aire)* air pocket. **3** *fig* bad patch.

bachiller *mf* one who has the Spanish certificate of secondary education.

bachillerato *m* **~ unificado polivalente**, Spanish certificate of secondary education.

bacilo *m* bacillus.

bacon *m* bacon.

bacteria *f* bacterium.

báculo *m (palo)* staff. **2** *(de obispo)* crosier. **3** *fig* support, relief.

bádminton *m* badminton.

baf(f)le *m* loudspeaker.

bagaje *m* baggage. **2** *fig* experience, background.

bagatela *f* bagatelle, trifle.

bahía *f* bay.

bailador,-ra *adj* dancing. − **2** *m,f* dancer.

bailar [15] *t-i* to dance. **2** *(girar)* to spin. **3** *(ser grande)* to be too big.

bailarín,-ina *adj* dancing. − **2** *m,f* dancer.

baile *m* dance. **2** *(de etiqueta)* ball. ■ **~ de disfraces**, masked ball.

baja *f* fall, drop. **2** MIL casualty. **3** *(por enfermedad)* sick leave. ●*darse de ~*, *(de un club)* to resign *(de,* from); *(en una sus-*

cripción) to cancel *(de,* -); *(por enfermedad)* to take sick leave.

bajada *f* descent: **subidas y bajadas**, ups and downs. **2** *(en carretera etc.)* slope.

bajamar *f* low tide.

bajar(se) *t* to bring/get down. **2** *(recorrer de arriba abajo)* to come/go down. **3** *(inclinar)* to lower; *(cabeza)* to bow. **4** *(voz)* to lower. **5** *(precios)* to reduce. − **6** *i* to go/come down. **7** *(apearse)* to get off *(de,* -). − **8** *p* to come/go down. **9** *(apearse)* to get off *(de,* -). **10** *(agacharse)* to bend down.

bajeza *f (acción)* vile deed. **2** *fig* lowliness.

bajo *adv (abajo)* below. **2** *(voz)* softly, in a low voice. − **3** *prep* under: **~ ningún concepto**, under no circumstances. **4** *(temperatura)* below.

bajo,-a *adj* low. **2** *(persona)* short. **3** *(inclinado)* bent down. **4** *(ojos)* downcast. **5** *(tosco)* vulgar. **6** *(territorio, río)* lower. **7** *(inferior)* poor, low: **la clase baja**, the lower classes. − **8** *m* lowland. **9** MAR sandbank. **10** MÚS bass. ■ **bajos/planta baja**, ground floor.

bajón *m fig* fall. **2** *(de salud)* relapse.

bala *f* bullet. ●*fam* **como una ~**, like a shot. ■ **~ de cañón**, cannonball; **~ perdida**, stray bullet; *fam fig* madcap.

balada *f* ballad.

baladí *adj* trivial. ▲ *pl* **baladíes**.

balance *m* oscillation, rocking. **2** COM balance (sheet). **3** *(cálculo)* total.

balancear(se) *i-p (mecerse)* to rock; *(en columpio)* to swing; *(barco)* to roll. − **2** *i fig* to hesitate, waver.

balanceo *m* swinging, rocking, rolling.

balancín *m* rocking chair.

balanza *f (aparato)* scales *pl*. **2** COM balance. ■ **~ de pagos**, balance of payments.

balar *i* to bleat.

balaustrada f balustrade, banisters pl.
balazo m shot. 2 (herida) bullet wound.
balbucear i to stutter. 2 (niño) to babble.
balbuceo m stammering. 2 (niño) babbling.
balbucir i → balbucear.
balcón m balcony.
baldado,-a adj (inválido) crippled. 2 fam (cansado) shattered.
baldar t (lisiar) to cripple. 2 fam (cansar) to wear out.
balde m bucket, pail. ●de ~, free, for nothing; en ~, in vain.
baldío,-a adj (tierra) uncultivated. 2 (vano) vain. − 3 m wasteland.
baldón m insult, affront.
baldosa f floor tile.
balido m bleating.
baliza f MAR buoy. 2 AER beacon.
ballena f whale.
ballesta f HIST crossbow. 2 AUTO spring.
ballet m ballet.
balneario m spa, health resort.
balompié m football.
balón m DEP ball, football. 2 (para gas) bag. ■ ~ de oxígeno, oxygen cylinder.
baloncesto m basketball.
balsa f pool, pond. 2 MAR raft. ●como una ~ de aceite, (mar) like a millpond; fig very peaceful.
balsámico,-a adj balsamic, balmy.
bálsamo m balsam, balm.
baluarte m bastion.
bambolear(se) i to swing.
bambolla f pretence.
bambú m bamboo. ▲ pl bambúes.
banal adj trivial.
banalidad f triviality.
banana f banana.
banca f COM banking; (bancos) (the) banks pl. 2 (asiento) bench.
bancario,-a adj banking.
bancarrota f bankruptcy. ●hacer ~, to go bankrupt.
banco m bank. 2 (asiento) bench; (de iglesia) pew. 3 (mesa) bench. ■ ~ de carpintero, workbench; ~ de datos, data bank; ~ de peces, shoal of fish; ~ de sangre, blood bank.
banda f (faja) sash. 2 (gente armada) gang. 3 (musical) band. 4 (de pájaros) flock. 5 (lado) side. ●cerrarse en ~, to stand firm. ■ RAD ~ de frecuencia, radio band; CINEM ~ sonora, sound track; DEP saque de ~, throw-in; ~ transportadora, conveyor belt.
bandada f flock.

bandazo m lurch, heavy roll.
bandeja f tray. ●fig poner/dar en ~, to give on a silver platter.
bandera f flag. ●arriar la ~, to strike one's colours, surrender.
bandería f faction, party.
banderín m pennant, small flag.
banderita f little flag. ●el día de la ~, flag day.
bandido,-a m,f bandit.
bando m (facción) faction, party. 2 (edicto) edict, proclamation.
bandolera f bandolier.
bandolerismo m banditry.
bandolero m bandit.
banquero,-a m,f banker.
banqueta f (taburete) (foot)stool. 2 (banco) little bench.
banquete m banquet, feast.
banquillo m JUR dock. 2 DEP bench.
bañador m (mujer) bathing/swimming costume; (hombre) swimming trunks pl.
bañar(se) t to bathe. 2 (cubrir) to coat. − 3 p to bathe; (nadar) to swim.
bañera f bath(tub).
bañista mf bather, swimmer.
baño m bath. 2 (bañera) bath(tub). 3 (capa) coat(ing). 4 (aseo) bathroom. 5 pl (balneario) spa sing. ■ ~ (de) María, bain-marie.
baptisterio m baptistry.
baqueta f (armas) ramrod. 2 pl MÚS drumsticks.
bar m (cafetería) café, snack bar; (de bebidas alcohólicas) bar. ▲ pl bares.
barahúnda f uproar.
baraja f pack, deck.
barajar t (naipes) to shuffle. 2 fig (nombres) to juggle.
baranda, barandilla f handrail, banister.
baratija f trinket, knick-knack.
baratillo m piece of junk.
barato,-a adj cheap. − 2 adv cheap(ly).
baratura f cheapness.
baraúnda f → barahúnda.
barba f ANAT chin. 2 (pelo) beard. ●hacer la ~, to shave; (molestar) to annoy; (adular) to fawn on; por ~, a head. ■ ~ cerrada, thick beard.
barbaridad f (crueldad) cruelty. 2 (disparate) piece of nonsense: ¡qué ~!, how awful!
barbarie f (rusticidad) ignorance. 2 (crueldad) cruelty, brutality.
barbarismo m barbarism.

bárbaro,-a *adj* HIST barbarian. 2 *(cruel)* cruel. 3 *(temerario)* daring. 4 *fam (grande)* enormous. 5 *fam (esplendido)* tremendous, terrific.
barbecho *m* fallow land.
barbería *f* barber's (shop).
barbero *m* barber.
barbilla *f* chin.
barbudo,-a *adj* bearded.
barca *f* small boat.
barcaza *f* lighter.
barco *m* boat, vessel, ship. ■ ~ *cisterna,* tanker; ~ *de vapor,* steamer.
baremo *m* ready reckoner. 2 *(tarifas)* scale, table.
barítono *m* baritone.
barlovento *m* windward.
barman *m* barman. ▲ *pl* **bármanes.**
barniz *m* varnish.
barnizado,-a *adj* varnished.
barnizar [4] *t* to varnish.
barómetro *m* barometer.
barón *m* baron.
baronesa *f* baroness.
barquero,-a *m,f m* boatman, *f* boatwoman.
barquillo *m* wafer.
barra *f* bar. 2 MEC lever, bar. 3 *(de pan)* loaf. 4 *(en tribunal)* bar, rail. 5 *(de arena)* sandbank. ■ ~ *de labios,* lipstick; DEP ~ *fija,* horizontal bar.
barrabasada *f* mischief.
barraca *f* hut, shanty. 2 *(de feria)* stall.
barranco *m (precipicio)* precipice. 2 *(torrentera)* gully.
barrena *f* drill; *(para madera)* bit.
barrenar *t* to drill, bore. 2 *(desbaratar)* to foil, thwart.
barrendero,-a *m,f* street sweeper.
barreño *m* large bowl.
barrer *t* to sweep. ●*fig* ~ *para adentro,* to look after number one.
barrera *f* barrier. ■ ~ *del sonido,* sound barrier.
barriada *f* suburb.
barrica *f* (medium-sized) barrel.
barricada *f* barricade.
barrido *m* sweeping.
barriga *f* belly.
barrigón,-ona, barrigudo,-a *adj* big-bellied.
barril *m* barrel, keg.
barrilete *m* keg. 2 *(carpintería)* clamp.
barrio *m* neighbourhood; *(zona)* district. ●*fam irse al otro* ~, to kick the bucket. ■ ~ *histórico,* old town; *barrios bajos,* slums.

barrizal *m* mire.
barro *m (lodo)* mud. 2 *(arcilla)* clay: *objetos de* ~, earthenware *sing.*
barroco,-a *adj-m* baroque.
barrote *m* thick bar. 2 *(de escalera, silla)* rung.
barruntar *t* to conjecture.
bartola *a la* ~ *adv,* carelessly: *tumbarse a la* ~, to lie back lazily.
bártulos *mpl* things, stuff *sing.* ●*liar los* ~, to pack up.
barullo *m* noise, din.
basa *f* base, foundation. 2 ARQ base.
basalto *m* basalt.
basar(se) *t* to base *(en, on). –* 2 *p* to be based *(en,* on).
basca *f* nausea. 2 *fam (pandilla)* crowd.
báscula *f* scale; *(de baño)* scales *pl.*
basculante *adj* tilting. 2 *(camión)* tip-up.
bascular *t* to tilt.
base *f* base. 2 *fig* basis. ●*a* ~ *de,* on the basis of. ■ ~ *aérea,* air base; ~ *de operaciones,* field headquarters *pl.*
básico,-a *adj* basic.
basílica *f* basilica.
básquet *m* basketball.
basta *f* basting stitch. *–* 2 *interj* enough!, stop it!
bastante *adj* enough, sufficient. 2 *(abundante)* quite a lot. *–* 3 *adv* enough. 4 *(un poco)* fairly, quite.
bastar(se) *i* to be sufficient/enough. *–* 2 *p ~se a sí mismo,* to be self-sufficient.
bastardilla *adj* italics *pl.*
bastardo,-a *adj* bastard. 2 *(despreciable)* base, mean.
bastidor *m* frame. 2 *(de coche)* chassis. 3 TEAT wing. ●*fig entre bastidores,* behind the scenes.
bastilla *f* hem.
bastimento *m* supply of provisions. 2 MAR vessel.
bastión *m* bastion.
basto,-a *adj (grosero)* coarse, rough. 2 *(sin pulimentar)* rough, unpolished. *–* 3 *mpl (baraja española)* clubs.
bastón *m* stick, walking stick. 2 *(insignia)* baton.
basura *f* rubbish, US garbage. ■ *cubo de la* ~, dustbin.
basurero *m* dustman, US garbage man.
bata *f* dressing gown. 2 *(de trabajo)* overall; *(médicos etc.)* white coat.
batacazo *m* violent bump/crash.
batalla *f* battle. ●*fam de* ~, ordinary, everyday: *zapatos de* ~, everyday shoes. ■ ~ *campal,* pitched battle.

batallar *i* to battle.
batallón *m* battalion.
batata *f* BOT sweet potato.
bate *m* bat.
batería *f* MIL battery. 2 TEAT footlights *pl.* 3 *(de orquesta)* percussion; *(de conjunto)* drums *pl.* – 4 *mf* drummer. ■ ~ *de cocina,* pots and pans *pl.*
batiborrillo, batiburrillo *m* jumble.
batido,-a *adj (camino)* beaten. 2 *(seda)* shot. 3 *(huevos)* beaten. – 4 *m* CULIN milk shake.
batidor,-ra *adj* beating. – 2 *f* CULIN *(manual)* whisk; *(automática)* blender.
batiente *adj* beating. – 2 *m (marco)* jamb. 3 *(hoja)* leaf. ●*reírse a mandíbula ~,* to laugh one's head off.
batín *m* short dressing gown.
batir(se) *t (huevos)* to beat; *(nata, claras)* to whip. 2 *(palmas)* to clap. 3 *(metales)* to hammer. 4 *(alas)* to flap. 5 *(derribar)* to knock down. 6 *(atacar)* to beat, defeat. 7 DEP to break: ~ *la marca,* to break the record. 8 MIL to range, reconnoitre. – 9 *p* to fight.
batista *f* cambric, batiste.
baturrillo *m* hodge-podge.
batuta *f* baton. ●*llevar la ~,* to lead.
baúl *m* trunk.
bautismo *m* baptism, christening.
bautizar [4] *t* to baptize, christen. 2 *(poner nombre a)* to name. 3 *(el vino)* to water down.
bautizo *m* baptism, christening.
baya *f* berry.
bayeta *f* baize. 2 *(paño)* cloth.
bayo,-a *adj* bay, whitish yellow. – 2 *m (caballo)* bay.
bayoneta *f* bayonet.
baza *f (naipes)* trick. 2 *(ocasión)* chance. ●*fig meter ~,* to butt in.
bazar *m* bazaar.
bazo *m* spleen.
bazofia *f (de comida)* scraps *pl,* leftovers *pl.* 2 *(basura)* rubbish.
beatería *f* sanctimoniousness.
beatificar [1] *t* to beatify.
beatitud *f* beatitude.
beato,-a *adj (feliz)* happy. 2 *(devoto)* devout. – 3 *m,f* lay brother.
bebé *m* baby. ■ ~ *probeta,* test-tube baby.
bebedero,-a *adj* drinkable. – 2 *m (abrevadero)* water trough. 3 *(pico de vasija)* spout. 3 *(vasija)* drinking dish.
bebedizo,-a *adj* drinkable. – 2 *m* potion.

bebedor,-ra *adj* drinking. – 2 *m,f* hard drinker.
beber *t* to drink. ●~ *a la salud de algn.,* to toast sb.; *fig* ~ *los vientos por,* to long for.
bebida *f* drink, beverage. ●*darse a la ~,* to take to drink.
bebido,-a *adj* half-drunk, tipsy.
beca *f* grant, scholarship, award.
becar [1] *t* to award a grant/scholarship to.
becario,-a *m,f* grant/scholarship holder.
becerro *m* calf.
bedel *m* beadle, head porter.
befa *f* jeer, scoff.
begonia *f* begonia.
béisbol *m* baseball.
bejuco *m* liana, reed.
beldad *f* beauty.
belén *m* REL nativity scene, crib. 2 *fig* mess, chaos.
bélico,-a *adj* warlike, bellicose.
beligerante *adj-mf* belligerent (person).
bellaco,-a *adj (malo)* wicked. 2 *(astuto)* cunning, sly. – 3 *m,f* knave, scoundrel.
belleza *f* beauty.
bello,-a *adj* beautiful. 2 *(bueno)* fine, noble. ■ *bellas artes,* fine arts.
bellota *f* acorn.
bemol *adj-m* MÚS flat.
benceno *m* benzene.
bencina *f* benzine.
bendecir [79] *t* to bless.
bendición *f* blessing. 2 *pl* wedding ceremony *sing.*
bendito,-a *adj (bienaventurado)* blessed. 2 *(feliz)* happy. – 3 *m,f* simple person.
beneficencia *f* beneficence, charity.
beneficiar(se) [12] *t* to benefit, favour. 2 *(mina)* to work. 3 COM to sell at a discount. 5 COM to profit.
beneficio *m (ganancia)* profit. 2 *(bien)* benefit. ■ ~ *neto,* clear profit.
beneficioso,-a *adj* beneficial, useful.
benéfico,-a *adj* charitable: *función benéfica,* charity performance.
benemérito,-a *adj* well-deserving, worthy.
beneplácito *m* approval, consent.
benevolencia *f* benevolence, kindness.
benévolo,-a *adj* benevolent, kind.
bengala *f* flare.
benigno,-a *adj* benign, gentle.
benjamín,-ina *m,f* youngest child.
berberecho *m* cockle.

berbiquí *m* brace: ~ *y barrena,* brace and bit. ▲ *pl* **berbiquíes**.

berenjena *f* aubergine, US eggplant.

bergante *m* scoundrel, rascal.

bergantín *m* brig.

berlina *f (carruaje)* berlin. 2 AUTO saloon.

bermejo,-a *adj* bright red.

bermellón *m* vermilion.

bermudas *fpl* Bermuda shorts.

berrear *i (becerro)* to bellow. 2 *(gritar)* to howl, bawl.

berrido *m (becerro)* bellowing. 2 *(grito)* howl, shriek.

berrinche *m* rage, tantrum, anger.

berro *m* (water)cress.

berza *f* cabbage.

besamel *adj-f* bechamel. ■ *salsa* ~, white sauce.

besar(se) *t* to kiss. − 2 *p* to kiss one another. 3 *fam (chocar)* to collide.

beso *m* kiss. 2 *fam (choque)* bump.

bestia *f* beast. − 2 *mf* brute. − 3 *adj* brutish.

bestial *adj* beastly, bestial. 2 *fam* enormous. 3 *fam (extraordinario)* great, fantastic.

bestialidad *f* bestiality, brutality. 2 *(tontería)* stupidity. 3 *fam (gran cantidad)* tons *pl*: *una* ~ *de comida,* tons of food.

bestiario *m* bestiary.

besugo *m* sea bream. ●*fig sostener un diálogo para besugos,* to talk at cross purposes.

besuquear *t* to kiss again and again.

betún *m (para zapatos)* shoe polish. 2 QUÍM bitumen.

biberón *m* baby bottle.

Biblia *f* Bible.

bíblico,-a *adj* biblical.

bibliografía *f* bibliography.

biblioteca *f* library. 2 *(mueble)* bookcase, bookshelf.

bibliotecario,-a *m,f* librarian.

bicarbonato *m* bicarbonate.

bíceps *m inv* biceps *inv*.

bicha *f* snake.

bicho *m* bug, insect. 2 *fig* odd character. ■ ~ *raro,* oddball.

bici *f fam* bike.

bicicleta *f* bicycle.

bicoca *f fam* bargain.

bidé *m* bidet.

bidón *m* can, drum.

biela *f* AUTO connecting rod.

bien *adv* well. 2 *(acertadamente)* right, correctly. 3 *(con éxito)* successfully. 4 *(de acuerdo)* O.K., all right. 5 *{de buena gana}* willingly. 6 *(mucho)* very; *(bastante)* quite. 7 *(fácilmente)* easily: ~ *se ve que* ...*,* it is easy to see that ... . − 8 *m* good: *hombre de* ~, honest man. 9 *(da bienestar)* benefit: *hacer* ~, to do good; *en* ~ *de,* for the sake of. 10 *pl* property *sing*, possessions. ●*ahora* ~, now then; ~ *que,* although; *más* ~, rather; *no* ~, as soon as; *si* ~, although. ■ *bienes inmuebles,* real estate *sing*; *bienes muebles,* movables, personal property *sing*; *fam gente* ~, the upper classes *pl*.

bienal *adj* biennial.

bienaventurado,-a *adj* REL blessed. 2 *(afortunado)* fortunate.

bienaventuranza *f* happiness, bliss.

bienestar *m* well-being, comfort.

bienhechor,-ra *adj* beneficent, beneficial. − 2 *m,f m* benefactor, *f* benefactress.

bienio *m* biennium.

bienvenida *f* welcome. ●*dar la* ~ *a,* to welcome.

bies *m inv* bias.

bifurcación *f* bifurcation. 2 *(de la carretera)* fork.

bifurcarse [1] *p* to fork, branch off.

bigamia *f* bigamy.

bígamo,-a *adj* bigamous. − 2 *m,f* bigamist.

bigote *m* moustache. 2 *(gato)* whiskers *pl*.

bilingüe *adj* bilingual.

bilingüismo *m* bilingualism.

bilioso,-a *adj* bilious.

bilis *f* bile. 2 *fig* spleen. ●*fig descargar la* ~ *contra,* to vent one's spleen on.

billar *m* billiards. 2 *(mesa)* billiard table. 3 *pl* billiard room.

billete *m (moneda)* note. 2 *(de tren, autobús, sorteo, etc.)* ticket. ■ ~ *de ida,* one-way ticket; ~ *de ida y vuelta,* return ticket, US round-trip ticket.

billón *m* billion, US trillion.

bimensual *adj* twice-monthly.

bimestral *adj* every two months.

bimotor *adj* twin-engine.

bingo *m (juego)* bingo. 2 *(sala)* bingo hall.

binoculares *mpl* field glasses, binoculars.

binóculo *m* pince-nez.

biodegradable *adj* biodegradable.

biografía *f* biography.

biología *f* biology.

biólogo,-a *m,f* biologist.

biombo *m* (folding) screen.

bioquímica *f* biochemistry.

biplano *m* biplane.

biquini *m* bikini.

birlar *t fam* to pinch, nick.

birlibirloque *m por arte de ~,* as if by magic.

birria *f fam* monstrosity: *este libro es una ~,* this book is rubbish.

biruji *m fam* chilly wind.

bis *adv* twice; *viven en el 23 ~,* they live at 23A. – **2** *m inv* encore.

bisabuelo,-a *m,f* great-grandparent; *m* great-grandfather, *f* great-grandmother.

bisagra *f* hinge.

bisector,-triz *adj* bisecting. – **2** *f* bisector, bisectrix.

bisel *m* bevel (edge).

bisexual *adj-mf* bisexual.

bisiesto *adj año ~,* leap year.

bisnieto,-a *m,f* great-grandchild; *m* great-grandson, *f* great-granddaughter.

bisonte *m* bison.

bisoñé *m* toupee, hairpiece.

bisoño,-a *adj-m,f* inexperienced (person).

bisté, bistec *m* steak.

bisturí *m* scalpel. ▲ *pl* **bisturíes**.

bisutería *f* imitation jewellery.

bitácora *f* binnacle.

bíter *m* bitters *pl*.

bizantino,-a *adj* Byzantine. **2** *fig (discusión)* idle. **3** *fig (decadente)* decadent.

bizarro,-a *adj (valiente)* courageous. **2** *(generoso)* generous.

bizco,-a *adj-m,f* cross-eyed (person).

bizcocho *m* sponge cake.

bizquear *i* to squint. – **2** *t (guiñar)* to wink.

blanco,-a *adj* white. **2** *(complexión)* fair. **3** *(pálido)* pale. – **4** *m (color)* white. **5** *(objetivo)* target, mark; *fig* aim, goal. **6** *(hueco)* blank, gap; *(en escrito)* blank space. ●*dar en el ~,* to hit the mark; *fig* to hit the nail on the head; *quedarse en ~,* to fail to grasp the point.

blancura *f* whiteness.

blandir *t* to brandish, wave. ▲ *Only used in forms which include the letter i in their endings:* **blandía, blandiré, blandiendo**.

blando,-a *adj (tierno)* soft, bland. **2** *fig (benigno)* gentle, mild. **3** *(cobarde)* cowardly.

blandura *f* softness. **2** *fig (dulzura)* gentleness, sweetness.

blanqueador,-ra *adj* whitening. – **2** *m* whitewash.

blanquear *t* to whiten. **2** *(con cal)* to whitewash. – **3** *i* to whiten, turn white.

blanqueo *m* whitening. **2** *(con cal)* whitewashing.

blasfemar *i (decir palabrotas)* to swear, curse. **2** *(contra Dios)* to blaspheme *(contra,* against).

blasfemia *f (palabrota)* curse. **2** *(contra Dios)* blasphemy.

blasfemo,-a *adj* blasphemous. – **2** *m,f* blasphemer.

blasón *m* heraldry. **2** *(escudo)* coat of arms. **3** *fig* honour, glory.

blasonar *t* to emblazon. – **2** *i* to boast.

bledo *m* common amaranth. ●*fam me importa un ~,* I couldn't care less.

blindado,-a *adj* armoured, armour-plated. ■ *coche ~,* bullet-proof car; *(furgoneta)* security van; *puerta blindada,* reinforced door.

blindaje *m* armour.

blindar *t* to armour.

bloc *m* (note)pad.

blonda *f* blond lace.

bloque *m* block. **2** *(papel)* (note)pad. **3** POL bloc. ■ *~ de pisos,* block of flats.

bloquear(se) *t* MIL to blockade. **2** *(cortar)* to block. **3** *(precios, cuentas)* to freeze. – **4** *p* to freeze.

bloqueo *m* MIL blockade. **2** *(precios, cuenta)* freezing.

blusa *f* blouse.

blusón *m* loose blouse, smock.

boa *f* boa.

boato *m* pomp, ostentation.

bobada *f* silliness, foolishness. ●*decir bobadas,* to talk nonsense.

bobear *i* to talk nonsense, play the fool.

bóbilis *de ~ ~ adv,* for nothing.

bobina *f* real, bobbin. **2** ELEC coil.

bobinar *t* to wind.

bobo,-a *adj* silly, foolish. – **2** *m,f* fool, dunce.

boca *f* mouth. **2** *(abertura)* entrance, opening. ●*andar en ~ de todos,* to be the talk of the town; *no decir esta ~ es mía/no abrir ~,* not to say a word; *se me hace la ~ agua,* it makes my mouth water. ■ *~ a ~,* kiss of life, mouth-to-mouth resucitation; *~ abajo/arriba,* face downwards/upwards; *~ de un río,* mouth of a river; *~ del estómago,* pit of the stomach.

bocacalle *f* entrance to a street. **2** *(calle secundaria)* side street.

bocadillo *m* sandwich. **2** *(en cómics)* (speech) balloon.

bocado *m* mouthful. **2** *(piscolabis)* snack, tidbit. ●*~ de rey,* tidbit, delicacy.

borda

bocamanga *f* cuff.
bocanada *f (de humo)* puff. 2 *(de líquido)* mouthful.
bocata *m arg* sandwich.
bocazas *mf inv* bigmouth.
boceto *m* sketch; *(proyecto)* outline.
bochorno *m* sultry/close weather, stifling heat. 2 *(rubor)* blush. 3 *fig* embarrassment, shame.
bochornoso,-a *adj* hot, sultry. 2 *fig* disgraceful, shameful.
bocina *f* horn. ● *tocar la ~,* to blow/sound one's horn.
boda *f* marriage, wedding. ■ *bodas de plata/oro,* silver/golden wedding *sing.*
bodega *f* (wine) cellar. 2 *(tienda)* wine shop. 3 *(almacén)* pantry. 4 MAR hold.
bodegón *m* still-life painting.
bodrio *m fam* rubbish, trash: *¡vaya ~ de película!,* what a useless film!
bofetada *f,* **bofetón** *m* slap.
bofia *f arg la ~,* the fuzz *pl,* the cops *pl.*
boga *f* vogue. ●*estar en ~,* to be in fashion.
bogar [7] *i* to row. 2 *(navegar)* to sail.
bogavante *m* lobster.
bohemio,-a *adj-m,f* bohemian.
bohío *m am* hut.
boicot *m* boycott. ▲ *pl* **boicots**.
boicotear *t* to boycott.
boina *f* beret.
boite *f* nightclub.
boj *m* box tree. ▲ *pl* **bojes**.
bol *m* bowl.
bola *f* ball. 2 *fam* fib, lie. ■ *~ de nieve,* snowball; *queso de ~,* Edam cheese.
bolero,-a *adj* lying. – 2 *m,f* liar. – 3 *m (baile)* bolero. – 4 *f* bowling alley.
boletín *m* bulletin.
boleto *m* ticket. 2 *(quiniela)* coupon.
boli *m fam* ballpen, Biro®.
boliche *m* bowling, skittles *pl.* 2 *(bolera)* bowling alley.
bólido *m* ASTRON fireball. 2 *fam* racing car.
bolígrafo *m* ball point (pen), Biro®.
bollo *m* CULIN bun, roll. 2 *(abolladura)* dent. 3 *(chichón)* bump. ●*fig no está el horno para bollos,* this is not the right time.
bolo *m* skittle, ninepin. 2 *(necio)* dunce, idiot. 3 *pl* skittles.
bolsa *f* bag. 2 *(de dinero)* purse. 3 *(beca)* grant: *~ de estudios/viaje,* scholarship. 4 *(en prenda)* bag. 5 FIN stock exchange: *jugar a la ~,* to play the market. 6 AM jacket. ●*¡la ~ o la vida!,* your money

or your life! ■ *~de agua caliente,* hot water bottle; *(en periódico) ~ de trabajo,* job section.
bolsillo *m* pocket. ●*fig sacar el dinero de tu/su propio ~,* to pay for it out of one's own pocket.
bolso *m* handbag, US purse.
bomba *f (explosivo)* bomb. 2 TÉC pump. ●*a prueba de ~,* bombproof. ■ *~ aspirante,* suction pump; *~ atómica,* atomic bomb; *fig noticia ~,* bombshell.
bombacho *m (pantalón) ~,* knickerbockers *pl.*
bombardear *t* to bombard, bomb.
bombardeo *m* bombardment, bombing.
bombear *t* MIL to bombard. 2 *(agua)* to pump.
bombero *m* fireman.
bombilla *f* (light) bulb.
bombo *m* MÚS bass drum. 3 *(elogio)* build-up. 4 *(para sorteo)* lottery box. ●*dar ~,* to praise excessively.
bombón *m* chocolate. 2 *fam* knock-out.
bonachón,-ona *adj* kind, good-natured. – 2 *m,f* kind soul.
bonanza *f* calm sea. 2 *fig* prosperity.
bondad *f* goodness. 2 *(afabilidad)* kindness. 3 *(amabilidad)* kindness: *tenga la ~ de contestar,* please write back.
bondadoso,-a *adj* kind, good, good-natured.
bonete *m* REL biretta, cap. 2 EDUC college cap.
boniato *m* sweet potato.
bonificación *f (descuento)* allowance, discount. 2 *(mejoría)* improvement.
bonificar [1] *t* COM to allow, discount. 2 *(mejorar)* to improve.
bonito,-a *adj* pretty, lovely. – 2 *m (pez)* (Atlantic) bonito.
bono *m* FIN bond. 2 *(vale)* voucher. ■ *~ del tesoro/Estado,* Exchequer bill.
boquear *i (inspirar)* to gasp. 2 *(expirar)* to breathe one's last. – 3 *t (pronunciar)* to utter.
boquerón *m (pescado)* anchovy.
boquete *m* narrow opening.
boquiabierto,-a *adj* open-mouthed.
boquilla *f (de pipa, instrumento)* mouthpiece. 2 *(sujeta cigarrillos)* cigarette holder. 3 *(filtro de cigarrillo)* tip.
borbollón *m* bubbling up. ●*a borbollones,* hastily, tumltuously.
borbotar, borbotear *i* to boil over.
borbotón *m →* **borbollón**.
borda *f* MAR gunwale. ●*arrojar por la ~,* to throw overboard.

bordado,-a *adj* embroidered. — **2** *m* embroidering, embroidery.

bordar *t* to embroider. **2** *fig* to perform exquisitely.

borde *adj (tonto)* silly. — **2** *m (extremo)* edge. **3** *(de prenda)* hem.

bordear *t* to skirt. **2** *(aproximarse)* to border, verge.

bordillo *m* kerb.

bordo *m* MAR board. ●*a ~,* on board.

boreal *adj* boreal, northern.

bórico,-a *adj* boric.

borla *f* tassel.

borrachera *f* drunkenness.

borracho,-a *adj* drunk. — **2** *m,f* drunkard. ●*~ como una cuba,* blind drunk.

borrador *m (apunte)* rough copy. **2** *(de pizarra)* duster. **3** *(goma)* eraser. **4** *(libro)* blotter.

borrar *t (con goma etc.)* to erase, rub out. **2** *(tachar)* to cross out/off.

borrasca *f* storm.

borrascoso,-a *adj* stormy.

borrego,-a *m,f* lamb. **2** *(ignorante)* simpleton.

borrico,-a *m* ass, donkey. — **2** *m,f fam* ass, dimwit.

borrón *m (mancha)* ink blot. **2** *fig* blemish.

borroso,-a *adj* blurred, hazy.

boscaje *m* thicket.

bosque *m* forest, wood.

bosquejar *t* to sketch, outline.

bosquejo *m (dibujo)* sketch; *(plan etc.)* outline.

bostezar [4] *i* to yawn.

bostezo *m* yawn.

bota *f* boot. **2** *(de vino)* wineskin. ●*fam fig ponerse las botas,* to stuff o.s.

botánica *f* botany.

botánico,-a *adj* botanical. — **2** *m,f* botanist.

botar *t* to throw. **2** AM *(despedir)* to fire. — **3** *i (pelota)* to bounce. **4** *(saltar)* to jump.

botarate *m* fool, harebrain. **2** AM spendthrift.

bote *m* MAR small boat. **2** *(salto)* bounce. **3** *(recipiente)* tin, can; *(para propinas)* jar/box for tips. ●*de ~ en ~,* jam-packed. ■ *~ salvavidas,* lifeboat.

botella *f* bottle.

botellín *m* small bottle.

boticario *m* chemist, US druggist.

botija *f* earthenware jar.

botijo *m* earthen jar with spout and handle.

botín *m (zapato)* ankle boot. **2** *(cubierta)* gaiter. **3** *(de robo)* booty, loot.

botiquín *m* first-aid kit.

botón *m* button. **2** *(tirador)* knob: *~ de puerta,* doorknob. **3** BOT bud. ■ BOT *~ de oro,* buttercup.

botones *m inv* buttons.

boutique *f* boutique.

bóveda *f* vault. ■ *~ celeste,* vault of heaven; *~ de cañón,* barrel vault.

bovino,-a *adj* bovine.

boxeador *m* boxer.

boxear *i* to box.

boxeo *m* boxing.

boya *f* MAR buoy. **2** *(corcho)* float.

boyante *adj* MAR buoyant. **2** *fig* prosperous, successful.

bozal *m* muzzle.

bozo *m* fuzz.

bracear *i* to move/swing the arms. **2** *(nadar)* to swim. **3** *fig (forcejear)* to struggle.

bracero *m* labourer.

bracete *de ~, adv* arm-in-arm.

bragas *fpl* panties, knickers.

braguero *m* truss.

bragueta *f* fly, flies *pl.*

bramar *i* to bellow, roar.

bramido *m* bellow, roar.

brandi *m* brandy. ▲ *pl* **brandis**.

brasa *f* live coal. ■ *carne a la ~,* barbecued meat.

brasero *m* brazier.

bravata *f* bluster, bragging.

bravío,-a *adj (feroz)* ferocious, wild. **2** *(persona)* uncouth.

bravo,-a *adj (valiente)* brave, courageous. **2** *(bueno)* fine, excellent. **3** *(fiero)* fierce, ferocious. **4** *(mar)* rough. **5** *(enojado)* angry, violent. — **6** *interj* well done!, bravo! ■ *toro ~,* fighting bull.

bravura *f (valentía)* bravery, courage. **2** *(fiereza)* fierceness, ferocity.

braza *f (medida)* fathom. **2** *(natación)* breast stroke.

brazada *f (natación)* stroke.

brazal *m* armband.

brazalete *m* bracelet.

brazo *m* arm; *(de animal)* foreleg; *(río, candelabro, árbol)* branch. **2** *fig* power, might. **3** *pl* hands, workers. ●*a ~ partido, (sin armas)* hand to hand; *(con empeño)* tooth and nail; *asidos del ~,* arm in arm; *cruzarse de brazos,* to fold one's arms; *fig* to remain idle.

brea *f* tar, pitch.

brebaje *m* beverage.

brecha *f* break, opening. **2** *fig* breach.

bregar [7] *i* (*luchar*) to fight, struggle. 2 (*ajetrearse*) to work hard. – 3 *t* (*amasar*) to knead.

breña *f*, **breñal** *m* bushy/craggy ground.

breva *f* (*higo*) early fig. 2 (*cigarro*) flat cigar. 3 *fig* (*ganga*) cushy job/number.

breve *adj* short, brief. – 2 *f* MÚS breve. •**en** ~, soon, shortly.

brevedad *f* brevity, briefness. •**con la mayor** ~, as soon as possible.

breviario *m* REL breviary. 2 (*compendio*) compendium.

brezo *m* heath, heather.

bribón,-ona *adj* roguish. – 2 *m,f* rogue.

brida *f* bridle. 2 TÉC flange.

brigada *f* MIL brigade. 2 (*de policía*) squad.

brillante *adj* brilliant: *fig un alumno* ~, a brilliant student. – 2 *m* (*diamante*) diamond.

brillantez *f* (*resplandor*) dazzle. 2 *fig* success, splendour.

brillantina *f* brilliantine, (hair) grease.

brillar *i* (*resplandecer*) to shine. 2 (*centellear*); (*estrella*) to twinkle. 3 *fig* to be outstanding.

brillo *m* (*resplandor*) shine. 2 (*estrella*) twinkling. • *sacar* ~, to shine.

brincar [1] *i* to jump, hop.

brinco *m* jump, hop.

brindar(se) *i* to toast (*por*, to). – 2 *t* (*ofrecer*) to offer: ~ *a algn. una cosa*, to offer sth. to sb. – 3 *p* offer/volunteer (*a*, to).

brindis *m inv* toast.

brío *m* (*pujanza*) strength. 2 (*resolución*) determination. 3 (*valentía*) courage.

brisa *f* breeze.

brisca *f* Spanish card game.

brizna *f* bit, piece; (*de hierba*) blade.

broca *f* spindle. 2 (*barrena*) drill, bit.

brocado *m* brocade.

brocha *f* paintbrush: *pintor de* ~ *gorda*, house painter. ■ ~ *de afeitar*, shaving brush.

broche *m* COST fastener. 2 (*joya*) brooch.

brocheta *f* skewer.

broma *f* joke. •*gastar una* ~ *a algn.*, to play a joke on sb. ■ ~ *pesada*, practical joke.

bromear *i* to joke.

bromista *adj* fond of joking. – 2 *mf* joker.

bronca *f* row, quarrel. •*armar una* ~, to cause a row/rumpus.

bronce *m* bronze.

bronceado,-a *adj* bronzed. 2 (*piel*) tanned. – 3 *m* (sun)tan.

broncear(se) *t* to bronze. – 2 *p* to get (sun)tan.

bronco,-a *adj* (*tosco*) coarse, rough. 2 (*metal*) brittle. 3 (*voz, sonido*) hoarse, harsh.

bronquio *m* bronchus.

bronquitis *f inv* bronchitis.

brotar *i* to sprout, bud. 2 (*agua*) to spring. 3 (*estallar*) to break out.

brote *m* bud, sprout. 2 (*estallido*) outbreak.

bruces *de* ~, *adv* face downwards. •*caer de* ~, to fall headlong.

bruja *f* witch, sorceress. 2 *fam* old hag.

brujería *f* witchcraft, sorcery.

brujo *m* wizard, sorcerer.

brújula *f* compass.

bruma *f* mist, fog.

brumoso,-a *adj* hazy, misty.

bruno,-a *adj* dark brown.

bruñido,-a *adj* burnished. – 2 *m* burnishing.

bruñir [40] *t* to burnish, polish.

brusco,-a *adj* (*persona*) brusque, abrupt. 2 (*repentino*) sudden.

brusquedad *f* (*carácter*) brusqueness, abruptness. 2 (*rapidez*) suddenness.

brutal *adj* brutal, beastly, savage. 2 *fig* (*enorme*) colossal. 3 *fig* (*magnífico*) great, terrific.

brutalidad *f* (*crueldad*) brutality. 2 (*necedad*) stupidity.

bruto,-a *adj* (*cruel*) brutal. 2 (*necio*) stupid, ignorant. 3 (*tosco*) rough, coarse. 4 FIN gross. 5 (*peso*) gross. 6 (*piedra*) rough. 7 (*petroleo*) crude. – 8 *m* brute, beast.

bucal *adj* oral, mouth.

buceador,-ra *m,f* diver.

bucear *i* to dive.

buche *m* (*de aves*) crow, crop. 2 *fam* (*del hombre*) belly. 3 (*pecho*) bosom.

bucle *m* curl, ringlet.

bucólico,-a *adj* bucolic.

budín *m* pudding.

buen *adj* → **bueno,-a**. ▲ *Used in front of a sing masculine noun: buen chico/chico bueno.*

buenaventura *f* good luck/fortune. •*decirle a algn. la* ~, to tell sb's fortune.

bueno,-a *adj* good. 2 (*amable*) kind. 3 (*agradable*) nice, polite. 4 (*apropiado*) right, suitable. 5 (*de salud*) well. 6 (*grande*) big; (*considerable*) considerable: *un buen número de participantes*, quite a few participants. – 7 *interj* (*sorpresa*) well, very well; (*de acuerdo*) all right!

●*estar* ~, to be in good health; *fam* to be good-looking; *por la buenas,* willingly; *fam de buenas a primeras,* from the very start; *fam ¡ésta sí que es buena!,* that's a good one! ■ *buenos días,* good morning; *buenas noches,* good evening; *buenas tardes,* good afternoon. ▲ → **buen.**

buey *m* ox, bullock. ■ *carne de* ~, beef; ~ *marino,* sea cow.

búfalo *m* buffalo.

bufanda *f* (thick) scarf.

bufar *i* (*toro*) to snort. 2 (*persona*) to be fuming: ~ *de coraje,* to be fuming with rage.

bufé *m* buffet. ■ ~ *libre,* self-service buffet meal.

bufete *m* (*mesa*) writing desk. 2 (*de abogado*) lawyer's office: *abrir* ~, to set up as a lawyer.

bufido *m* angry snort/roar.

bufo,-a *adj* farcical, clownish. ■ *ópera* ~, opera bouffe.

bufón,-ona *adj* buffoon. – 2 *m,f* buffoon, jester.

buharda, buhardilla *f* (*ventana*) dormer window. 2 (*desván*) garret, attic.

búho *m* owl.

buhonero *m* pedlar, hawker.

buitre *m* vulture.

bujía *f* (*vela*) candle. 2 (*candelero*) candlestick. 3 AUTO spark plug.

bula *f* (*documento*) papal bull. 2 (*sello*) bulla.

bulbo *m* bulb.

buldog *m* bulldog.

bulevar *m* boulevard.

bulla *f* (*ruido*) noise, uproar, racket. 2 (*multitud*) crowd.

bullanga *f* tumult, racket.

bullicio *m* (*ruido*) noise, stir. 2 (*tumulto*) uproar.

bullicioso,-a *adj* (*ruidoso*) noisy. 2 (*animado*) busy.

bullir [41] *i* to boil, bubble up. 2 (*animales*) to swarm. 3 *fig* (*moverse*) to bustle about.

bulo *m* hoax, false report.

bulto *m* (*tamaño*) volume, size, bulk. 2 (*forma*) shape, form. 3 (*elevación*) swelling, lump. 4 (*fardo*) bundle, pack. ●*a* ~, broadly, roughly; *fig escurrir el* ~, to dodge the question.

búnker *m* bunker.

buñuelo *m* doughnut. 2 *fig* botch-up, bungle.

buque *m* MAR ship, vessel. ■ ~ *cisterna,* tanker; ~ *de guerra,* warship; ~ *de vapor,* steamer; ~ *de vela,* sailboat; ~ *mercante,* merchant ship.

burbuja *f* bubble.

burbujear *i* to bubble.

burdel *m* brothel.

burdo,-a *adj* coarse.

burgués,-esa *m,f* bourgeois, middle-class.

burguesía *f* bourgeoisie, middle class.

buril *m* burin.

burla *f* (*mofa*) mockery, gibe. 2 (*broma*) joke. 3 (*engaño*) deception, trick.

burlador,-ra *adj* mocking, deceiving. – 2 *m* ladies' man.

burlar(se) *t* to deceive, trick. 2 (*eludir*) to dodge, evade. – 3 *p* to mock. ●~*se de,* to make fun of, laugh at.

burlesco,-a *adj* burlesque, comical.

burlón,-ona *adj* mocking. – 2 *m,f* mocker, joker.

buró *m* writing desk, bureau.

burocracia *f* bureaucracy.

burócrata *mf* bureaucrat.

burrada *f* drove of asses. 2 *fig* foolishness, blunder.

burro,-a *m,f* donkey, ass. 2 *fig* (*trabajador*) drudge. 3 (*ignorante*) ignorant person.

bursátil *adj* stock market/exchange.

busca *f* search, hunt. ●*ir en* ~ *de,* to search for.

buscador,-ra *adj* searching. – 2 *m,f* searcher, seeker. – 3 *m* (*anteojo*) finder.

buscar [1] *t* to look/search for: ~ *una palabra en el diccionario,* to look up a word in the dictionary; *ir a* ~ *algo,* to go and get sth. ●*fam buscársela,* to be looking for trouble; *fam buscarse la vida,* to try and earn one's living.

buscavidas *mf inv* snooper, busybody.

buscón,-ona *m,f* (*ladrón*) petty thief. – 2 *f* prostitute.

búsqueda *f* search, quest.

busto *m* (*arte*) bust. 2 (*pecho*) (*de mujer*) bust; (*de hombre*) chest.

butaca *f* (*sillón*) armchair. 2 TEAT seat. ■ *patio de butacas,* stalls *pl,* US orchestra.

butano *m* butane. ■ *bombona de* ~, (butane) gas cylinder.

butifarra *f* kind of pork sausage.

buzo *m* diver.

buzón *m* letter-box, US mailbox. ●*echar una carta al* ~, to post a letter.

byte *m* INFORM byte.

C

cabal *adj* exact, precise. ●*estar en sus cabales,* to be in one's right mind.

cábala *f* cab(b)ala. **2** *(suposición)* guess, divination. **3** *(superstición)* plot. ▲ **2** usually *pl.*

cabalgadura *f* riding horse. **2** *(bestia de carga)* beast of burden.

cabalgar [7] *i* to ride.

cabalgata *f* cavalcade.

caballa *f* mackerel.

caballar *adj* equine, horse.

caballeresco,-a *adj* chivalrous.

caballería *f* mount, steed. **2** MIL cavalry. **3** HIST knighthood.

caballeriza *f* stable. **2** *(personal)* stable hands *pl.*

caballero,-a *adj* riding. — **2** *m* gentleman. **3** HIST knight. ■ ~ *andante,* knight errant.

caballerosidad *f* gentlemanly behaviour.

caballete *m* *(de pintor)* easel. **2** ARQ ridge. **3** TÉC trestle. **4** *(de nariz)* bridge.

caballito *m* small horse. **2** *pl (tiovivo)* merry-go-round *sing.,* US carousel *sing.* ■ ~ *de mar,* sea horse; ~ *del diablo,* dragonfly.

caballo *m* ZOOL horse. **2** TÉC horsepower. **3** *(ajedrez)* knight. **4** *(naipes)* queen. **5** arg *(heroína)* junk, horse. ●*a* ~, on horseback; *montar a* ~, to ride; *fig a* ~ *entre ...,* halfway between ... .

cabaña *f* cabin, hut, hovel. **2** *(ganado)* cattle.

cabaret *m* cabaret, nightclub. ▲ *pl ca-barets.*

cabecear *i (negar)* to shake one's head. **2** *(dormirse)* to nod. **3** *(animal)* to move the head. **4** NÁUT to pitch. — **5** *t* DEP to head.

cabecera *f* top, head. **2** *(de cama)* bed-head.

cabecilla *mf* leader.

cabellera *f* (head of) hair. **2** *(de cometa)* tail.

cabello *m* hair. **2** *pl* corn silk *sing.* ■ ~ *de ángel,* sweet made of gourd and syrup.

cabelludo,-a *adj* hairy. ■ *cuero* ~, scalp.

caber [66] *i* to fit *(en,* into): *en esta lata caben diez litros,* this can holds ten litres; *no cabe más,* there is no room for more. **2** *(ser posible)* to be possible. ●*no cabe duda,* there is no doubt; *fig no me cabe en la cabeza,* I can't believe it.

cabestrillo *m* sling.

cabestro *m* *(dogal)* halter. **2** *(animal)* leading ox.

cabeza *f* head. **2** *(talento)* brightness. **3** *(persona)* chief, leader. **4** *(de región)* seat: ~ *de partido,* county seat. ●*a la* ~ *de,* at the front/top of; ~ *abajo,* upside down; ~ *arriba,* the right way up; *(diez mil) por* ~, (ten thousand) a head/per person; *volver la* ~, to look round; *fig estar mal de la* ~, to be mad; *fig irse la* ~ -, to feel dizzy; *fig no tener ni pies ni* ~, to be absurd. ■ ~ *de ajo,* bulb of garlic; ~ *de familia,* head of the family; *dolor de* ~, headache; *fam* ~ *de chorlito,* scatterbrain.

cabezada *f* blow on the head, butt. **2** *(saludo)* nod. ●*echar una* ~, to have a snooze.

cabezal *m* TÉC head. **2** *(almohada)* bolster.

cabezón,-ona *adj* bigheaded. **2** *(terco)* pigheaded.

cabezonada *f fam* pigheaded action.

cabezota *adj* pigheaded. — **2** *m,f* bighead. **3** *(terco)* pigheaded person.

cabezudo,-a *adj* bigheaded. **2** *(terco)* pigheaded. — **3** *m* bigheaded dwarf (in a procession).

cabida *f* capacity, room.

cabildo *m* town council.

cabina *f* cabin, booth. ■ ~ *telefónica,* telephone box, US telephone booth.

cabizbajo,-a *adj* crestfallen.

cable *m* cable. ●*fam* **echarle un ~ a algn.,** to give sb. a hand.

cablegrafiar *t* to cable.

cabo *m* end, extremity. **2** *fig* end: **al ~ de un mes,** in a month. **3** *(cuerda)* strand. **4** GEOG cape. **5** MIL corporal. ●*de ~ a rabo,* from head to tail; **llevar a ~,** to carry out.

cabotaje *m* cabotage, coasting trade.

cabra *f* goat. ●*fam* **loco,-a como una ~,** as mad as a hatter.

cabrahigar [25] *t* to hang skewered figs on.

cabré *indic fut* → **caber.**

cabrear(se)* *t* to make angry. — **2** *p* to get worked up.

cabreo* *m* anger: **agarrar/coger/pillar un ~,** to fly off the handle.

cabrero *m* goatherd.

cabrestante *m* capstan.

cabrío,-a *adj* goat(ish). ■ **macho ~,** he-goat.

cabriola *f (brinco)* caper, hop. **2** *(voltereta)* somersault.

cabrito *m* kid.

cabrón,-ona *m* ZOOL billy goat. — **2*** *m,f fig m* bastard*, *f* bitch*.

cabuya *f* AM string, rope.

caca *f fam (excremento)* shit. **2** *(en lenguaje infantil)* poopoo.

cacahuete *m* peanut.

cacao *m* BOT cacao. **2** *(polvo, bebida)* cocoa. **3** *fam (jaleo)* mess, cockup.

cacarear *i* to cackle. **2** *fam* to strut about.

cacareo *m* cackling. **2** *fam* boasting, bragging.

cacatúa *f* cockatoo.

cacería *f* hunt, hunting party.

cacerola *f* saucepan.

cacha *f fam* thigh. ●*estar cachas,* to be hunky.

cachalote *m* cachalot, sperm whale.

cacharro *m (de cocina)* crock, piece of crockery. **2** *fam (cosa)* thing, piece of junk. **3** *fam (coche)* banger.

cachaza *f* slowness, phlegm.

cachear *t* to search, frisk.

cachemir *m,* **cachemira** *f* cashmere.

cachete *m (bofetada)* slap.

cachiporra *f* cudgel.

cachirulos *mpl* thingumabobs.

cacho *m fam* bit, piece.

cachondearse *p* to poke fun *(de,* at).

cachondeo *m fam* laugh. ●*¡vaya ~!,* what a laugh!

cachondo,-a *adj (excitado)* hot, randy, horny. **2** *fam* funny.

cachorro,-a *m,f (de perro)* puppy; *(de otros animales)* cub.

cacique *m (indio)* cacique. **2** *(déspota)* tyrant. ▲ *f* **cacica.**

caciquismo *m* caciquism. **2** *(despotismo)* despotism.

caco *m fam* thief.

cacofonía *f* cacophony.

cacto, cactus *m inv* cactus.

cada *adj* each, every: ~ **cual/uno,** each/every one; **ocho de ~ diez,** eight out of (every) ten. ●*¿ ~ cuánto?,* how often?; ~ **vez más,** more and more.

cadalso *m (patíbulo)* scaffold. **2** *(plataforma)* platform.

cadáver *m* corpse, cadaver.

cadavérico,-a *adj* cadaverous. **2** *fig* deadly, pale.

cadena *f* chain. **2** *(industrial)* line. **3** *(montañosa)* range. **4** *(musical)* music centre. **5** TV channel; RAD chain of stations. **6** *pl* AUTO tyre chains. ●*tirar de la ~ del wáter,* to flush the toilet. ■ ~ *de fabricación,* production line; ~ *de montaje,* assembly line; ~ *perpetua,* life imprisonment.

cadencia *f* cadence, rhythm. **2** MÚS cadenza.

cadencioso,-a *adj* rhythmic(al).

cadera *f* hip.

cadete *m* cadet.

caducar [1] *i* to expire.

caducidad *f* expiry, loss of validity. ■ *fecha de ~,* expiry date.

caduco,-a *adj (pasado)* expired, out-of-date. **2** *(viejo)* decrepit. **3** BOT deciduous.

caer(se) [67] *i* to fall: ~ *de cabeza/espalda,* to fall on one's head/back; ~ *de rodillas,* to fall on one's knees; *dejar ~,* to drop. **2** *(derrumbar)* to fall down. **3** *(hallarse)* to be located: *el camino cae a la derecha,* the road is on the right. **4** *(coincidir fechas)* to be: *el día cuatro cae en jueves,* the fourth is a Thursday. **5** *(el sol)* to go down. — **6** *p* BOT to fall (down). ●~ *bien/mal, (sentar)* to agree/not to agree with; *(prenda)* to suit/not to suit; *(persona)* to like/not to like; ~ *en la cuenta de,* to realize; *fig* ~ *enfermo,-a,* to fall ill.

café *m* coffee. **2** *(cafetería)* café.

cafeína *f* caffeine.

cafetal *m* coffee plantation.

cafetera *f* coffeepot.

cafetería f cafeteria, café.

cafre adj-mf savage.

cagada* f (mierda) shit*. 2 fig (error) fuck-up*, cockup*.

cagar(se)* [7] i to shit*. — 2 p to shit* o.s. ●~ de miedo, to be shit-scared*.

caída f fall: a la ~ del sol, at sunset. 2 (pérdida) loss: la ~ del cabello, hair loss. 3 (de precios) fall, drop. 4 (de tejidos) hang. ■ ~ de ojos, demure look.

caído,-a adj fallen. 2 (desanimado) downhearted. ●~ de hombros, with drooping shoulders; fig ~ del cielo, out of the blue.

caigo indic pres → caer.

caimán m alligator.

caja f box. 2 (de madera) chest; (grande) crate. 3 (de bebidas) case. 4 (en comercio) cash desk; (en banco) cashier's desk. 5 AUTO body. 6 (tipografía) case. ●hacer ~, to take a lot. ■ ~ de ahorros/pensiones, savings bank; AUTO ~ de cambios, gearbox; ~ de caudales, strongbox; ~ fuerte, safe; AV ~ negra, black box; ~ registradora, cash register.

cajero,-a m,f cashier. ■ ~ automático, cash point.

cajetilla f packet (of cigarettes).

cajón m (en mueble) drawer. 2 (caja grande) crate. ■ fig ~ de sastre, jumble.

cal f lime.

cala f cove. 2 (trozo) slice.

calabacín m (pequeño) courgette, US zucchini. 2 (grande) marrow, US squash.

calabaza f gourd, pumpkin. ●fig dar calabazas a algn., to fail sb.

calabozo m (prisión) jail. 2 (celda) cell.

calado,-a adj fam soaked. — 2 m (del agua) depth. 3 COST openwork, embroidery. ●~ hasta los huesos, soaked to the skin.

calafatear t NÁUT to caulk.

calamar m squid. ■ calamares a la romana, squid fried in batter.

calambre m cramp.

calamidad f calamity, disaster.

calamitoso,-a adj calamitous, miserable.

calandria f (ave) lark. 2 TÉC calender.

calaña f pey kind, sort.

calar(se) t (mojar) to soak, drench. 2 (agujerear) to go through, pierce. 3 COST to do openwork on. 4 TÉC to do fretwork on. 5 fam to rumble: ¡te tengo calado,-a!, I've got your number! — 6 i NÁUT to draw. — 7 p to get soaked. 8

(sombrero) to pull down. 9 AUTO to stop, stall.

calavera f skull. — 2 m fig madcap, reckless fellow.

calaverada f reckless escapade.

calcar [1] t fig to trace. 2 fig to copy.

calce m (llanta) rim. 2 (cuña) wedge.

calceta f (prenda) stocking. 2 (punto) knitting. ●hacer ~, to knit.

calcetín m sock.

calcificar(se) [1] to calcify.

calcinar t to calcine; fig to burn.

calcio m calcium.

calco m (de dibujo) tracing. 2 (imitación) copy.

calcomanía f transfer.

calculador,-ra adj calculating. — 2 m,f calculator.

calcular t to calculate.

cálculo m calculation, estimate. 2 (conjetura) conjecture, guess. 3 pl MED gallstones.

caldeamiento m heating, warming.

caldear t to warm, heat. 2 fig (excitar) to heat/warm up.

caldera f boiler.

calderilla f small change.

caldero m small cauldron.

caldo m CULIN stock, broth. 2 pl wines.

calé adj-m gypsy.

calefacción f heating. ■ ~ central, central heating.

calefactor m heater.

calendario m calendar.

calentador m heater.

calentamiento m heating: ejercicios de ~, warming-up exercises.

calentar(se) [27] t to warm up; (agua, horno) to heat. 2 DEP to warm up. 3 (excitar sexualmente) to arouse. 4 (pegar) to beat. — 5 p (escalfarse) to get hot/warm. 6 (enfadarse) to become angry. 7 (excitarse sexualmente) to get horny. ●~se los sesos, to get hot under the collar.

calentura f fever, temperature.

calenturiento,-a adj feverish.

calibrar t (graduar) to calibrate. 2 (medir) to gauge.

calibre m (de arma) calibre. 2 TÉC bore, gauge. 3 fig importance.

calicanto m stonework, masonry.

calidad f quality: vino de ~, good-quality wine. 2 (cualidad) kind, quality: distintas calidades de papel, different types of paper. 3 (condición) rank, capacity: en ~ de ministro, as a Minister.

cálido,-a adj warm.

calidoscopio *m* kaleidoscope.

caliente *adj* warm, hot. 2 *fam (excitado)* hot, randy.

calificable *adj* qualifiable.

calificación *f* qualification. 2 EDUC mark.

calificado,-a *adj (cualificado)* qualified. 2 *(de mérito)* eminent.

calificar [1] *t (etiquetar)* to describe *(de, as)*. 2 EDUC to mark, grade.

calificativo,-a *adj* GRAM qualifying. – 2 *m* qualifier, epithet.

caligrafía *f* calligraphy.

cáliz *m* REL chalice. 2 BOT calyx.

caliza *f* limestone.

callado,-a *adj* silent, quiet.

callar(se) *i-p* to stop talking: ¡cállate!, shut up! – 2 *t (esconder)* to keep to o.s.: *él calló su opinión,* he kept his opinion to himself.

calle *f* street, road. 2 DEP lane. ●*echar/poner a algn. de patitas en la ~,* to throw/kick sb. out; *llevar/traer a algn. por la ~ de la amargura,* to give sb. a tough time. ■ *~ mayor,* high/main street.

callejear *i* to wander the streets.

callejero,-a *adj* (in the) street. 2 *(persona)* fond of going out. – 3 *m* street directory.

callejón *m* back street/alley. ■ *~ sin salida,* cul-de-sac.

callejuela *f* narrow street, lane.

callista *mf* chiropodist.

callo *m* MED callus, corn. 2 *pl* CULIN tripe *sing.*

calma *f* calm. 2 COM slack period. 3 *fam (cachaza)* slowness, phlegm. ●*perder la ~,* to lose one's patience.

calmante *adj* soothing. – 2 *m* painkiller.

calmar(se) *t* to calm (down). 2 *(dolor)* to relieve, soothe. – 3 *i* to fall calm. – 4 *p (persona)* to calm down. 5 *(dolor etc.)* to abate.

calmoso,-a *adj* calm, quiet. 2 *(lento)* slow, sluggish.

caló *m* gypsy language.

calor *m* heat, warmth: *hace ~,* it is hot; *tengo ~,* I feel warm/hot. 2 *fig* enthusiasm, ardour.

caloría *f* calorie.

calumnia *f* calumny, slander.

calumniador,-ra *adj* slanderous. – 2 *m,f* slanderer.

calumniar [12] *t* to calumniate, slander.

calumnioso,-a *adj* slanderous.

caluroso,-a *adj (tiempo)* warm, hot. 2 *fig* warm, enthusiastic.

calva *f* bald patch. 2 *(sitio)* clearing.

calvario *m* Calvary.

calvicie, calvez *f* baldness.

calvo,-a *adj* bald. 2 *(terreno)* bare, barren. – 3 *m,f* bald person.

calzada *f* road(way), US pavement.

calzado *m* footwear, shoes *pl.*

calzador *m* shoehorn.

calzar(se) [4] *t* to put shoes on. 2 *(llevar calzado)* to wear. – 3 *p* to put (one's shoes) on.

calzón *m* trousers *pl.*

calzoncillos *mpl* (under)pants, briefs.

cama *f* bed. ●*guardar ~,* to stay in bed. ■ *~ doble/sencilla,* double/single bed; *~ turca,* couch.

camada *f* brood, litter.

camafeo *m* cameo.

camaleón *m* chameleon.

camandulero,-a *adj-m,f* phoney.

cámara *f* chamber, room. 2 *(institución)* chamber. 3 AGR granary. 4 POL house. 5 *(de rueda)* inner tube. 6 *~ (fotográfica),* camera. ●*a ~ lenta,* in slow motion. ■ POL *~ alta/baja,* upper/lower house; *~ de aire,* air chamber.

camarada *mf* colleague; *(de colegio)* schoolmate. 2 POL comrade.

camaradería *f* companionship.

camarero,-a *m,f m* waiter, *f* waitress. 2 *(en barco, avión) m* steward, *f* stewardess. – 3 *f* maid.

camarilla *f* clique; POL pressure group.

camarón *m* (common) prawn.

camarote *m* cabin.

camastro *m* old bed.

cambalache *m* swap, exchange.

cambiar(se) [12] *t* to change: *~ en,* to change into; *~ por,* to exchange for. 2 *(de sitio)* to shift; *(de casa)* to move. 3 *(moneda extranjera)* to (ex)change. – 4 *i* to change. 5 *(viento)* to veer. – 6 *p* to change: *~se de ropa,* to get changed.

cambio *m* change: *no me has devuelto el ~,* you haven't given me back my change. 2 *(alteración)* alteration. 3 *(de valores, monedas)* price, quotation. 4 *(tren)* switch. 5 AUTO *~ (de marchas)* gear change. ●*a ~ de,* in exchange for; *en ~,* (por otro lado) on the other hand; *(en lugar de)* instead. ■ AUTO *caja de ~,* gearbox; AUTO *~ automático,* automatic transmission; COM *letra de ~,* bill of exchange; COM *libre ~,* free trade.

cambista *mf* moneychanger.

camelar(se) *t-p (cortejar)* to court, flirt with. 2 *(engañar)* to cajole.

camelia *f* camellia.

camello *m* ZOOL camel. **2** *(drogas)* (drug)pusher.

camelo *m (galanteo)* courting, flirting. **2** *fam (chasco)* hoax, sham.

camerino *m* TEAT dressing room.

camilla *f (litera)* stretcher. **2** *(cama)* small bed. ■ *(mesa)* ~, table with a heater underneath.

camillero *m* stretcher-bearer.

caminante *mf* traveller, walker.

caminar *i-t* to walk.

caminata *f* long walk, trek.

camino *m* path, track; *(ruta)* way. **2** *(viaje)* journey. **3** *fig (medio)* way. ●*abrirse* ~, to make a way for o.s.; *ponerse en* ~, to set off (on a journey); *fig ir por (el) buen/mal* ~, to be on the right/ wrong track.

camión *m* lorry, US truck.

camionero,-a *m,f* lorry driver, US truck driver.

camioneta *f* van.

camisa *f* shirt. ●*en mangas de* ~, in one's shirtsleeves; *fig cambiar de* ~, to change sides; *fig meterse en* ~ *de once varas,* to meddle in other people's business. ■ ~ *de dormir,* nightgown, nightdress; ~ *de fuerza,* straitjacket.

camisería *f* shirt shop.

camiseta *f (ropa interior)* vest. **2** *(sudadera)* T-shirt. **3** DEP shirt.

camisón *m* nightdress, nightgown, nightie.

camorra *f* row, quarrel.

camorrista *adj* quarrelsome. – **2** *mf* troublemaker.

campamento *m* camp.

campana *f* bell. **2** *fam (extractora)* hood. ■ ~ *de buzo,* diving bell.

campanada *f* stroke (of a bell). **2** *fig* scandal, sensational event.

campanario *m* belfry.

campanilla *f* small bell. **2** ANAT uvula. **3** BOT bell flower.

campanilleo *m* ringing.

campante *adj* carefree: *se quedó tan* ~, he/she didn't bat an eyelid.

campanudo,-a *adj (forma de campana)* bell-shaped. **2** *(escrito, orador)* pompous.

campaña *f* campaign. **2** *(campo)* countryside. ■ ~ *electoral,* election campaign; *tienda de* ~, tent.

campar *i (sobresalir)* to excel, stand out. **2** *(acampar)* to (en)camp.

campechano,-a *adj* frank, open, good-humoured.

campeón,-ona *m,f* champion.

campeonato *m* championship.

campero,-a *adj* country, rural.

campesino,-a *adj* country, rural. – **2** *m,f* peasant.

campestre *adj* country, rural.

camping *m* camp site. ●*ir de/hacer* ~, to go camping. ▲ *pl* **campings**.

campiña *f* countryside.

campo *m* country, countryside: *vivir en el* ~, to live in the country. **2** *(agricultura)* field: *los campos de maíz,* the cornfields. **3** DEP field. **4** MIL field. **5** *(espacio)* space; *fig* field, scope: *en el* ~ *de la medicina,* in the field of medicine. ●*dejarle a algn. el* ~ *libre,* to leave the field open for sb.; *ir a* ~ *traviesa/través,* to cut across the fields. ■ ~ *de batalla,* battlefield; ~ *de concentración,* concentration camp; ~ *de fútbol,* football pitch; ~ *de golf,* golf links; ~ *visual,* visual field; ~ *magnético,* magnetic field; *casa de* ~, country house.

camuflaje *m* camouflage.

camuflar *t* to camouflage.

can *m lit* dog.

cana *f* grey hair. ●*echar una* ~ *al aire,* to let one's hair down.

canal *m (artificial)* canal. **2** *(marítimo)* channel. – **3** *m & f (de tejado)* gutter. **4** TÉC channel. **5** *(animal)* open carcass. ●*abrir en* ~, to slit open.

canalizar [4] *t (agua, área)* to canalize. **2** *(riego)* to channel. **3** *fig* to direct; *(dinero)* to channel.

canalla *f* riffraff. – **2** *m* rascal, scoundrel, cad.

canallada *f* dirty trick.

canalón *m* downpipe, US downspout.

canapé *m (sofá)* couch, sofa. **2** CULIN canapé. ▲ *pl* **canapés**.

canario,-a *adj-m,f* GEOG Canarian. – **2** *m (pájaro)* canary.

canasta *f* basket.

canastilla *f* small basket. **2** *(de bebé)* layette.

canasto *m* large basket. – **2** *pl interj* good heavens!

cancel *m* storm door.

cancela *f* ironwork gate.

cancelación *f* cancellation.

cancelar *t* to cancel.

cáncer *m* cancer. **2** ASTROL ASTRON Cancer.

cancerígeno,-a *adj* carcinogenic. – **2** *m* carcinogen.

canceroso,-a *adj* cancerous.

cancha *f* sports ground; *(tenis)* court. 2 AM plot of land.

canciller *m* chancellor.

cancillería *f* chancellery.

canción *f* song. ■ ~ *de cuna,* lullaby.

cancionero *m (poemas)* collection of poems. 2 MÚS songbook.

candado *m* padlock.

candela *f* candle, taper. 2 AM *(lumbre)* lit firewood/coal.

candelabro *m* candelabrum.

candelero *m* candlestick. ●*estar en el* ~, to be high in office.

candente *adj* incandescent, red-hot. ■ *cuestión/tema* ~, pressing issue.

candidato,-a *m,f* candidate.

candidatura *f* candidacy. 2 *(conjunta)* list of candidates.

candidez *f* candour, innonce.

cándido,-a *adj* candid, ingenuous.

candil *m* oil lamp.

candilejas *fpl* footlights.

candor *m* candour, innocence.

candoroso,-a *adj* candid, ingenuous.

canela *f* cinnamon.

canelones *mpl* cannelloni.

cangrejo *m (de mar)* crab. 2 ~ *(de río),* freshwater crayfish.

canguro *m* ZOOL kangaroo. ‒ 2 *mf* baby-sitter.

caníbal *adj-mf* cannibal.

canibalismo *m* cannibalism.

canica *f* marble: *jugar a las canicas,* to play marbles.

canícula *f* dog days *pl.*

canijo,-a *adj* weak, sickly.

canilla *f* ANAT long bone. 2 *(de barril)* tap. 3 *(carrete)* reel.

canino,-a *adj-m* canine (tooth).

canje *m* exchange.

canjear *t* to exchange.

cano,-a *adj* grey, grey-haired.

canoa *f* canoe.

canódromo *m* greyhound track.

canon *m* canon.

canonizar [4] *t* to canonize.

canoso,-a *adj* grey-haired.

cansado,-a *adj* tired, weary. 2 *(pesado)* boring, tiring.

cansancio *m* tiredness, weariness.

cansar(se) *t* to tire. 2 *(molestar)* to annoy: *me cansan sus discursos,* I'm fed up with his speeches. ‒ 3 *p* to get tired.

cantamañanas *mf inv fam* bullshitter.

cantante *adj* singing. ‒ 2 *mf* singer.

cantar *t-i* to sing 2 *fam* to squeak, confess. ‒ 3 *i fam (oler mal)* to stink. ‒ 4 *m* song.

cántaro *m* pitcher. 2 *(contenido)* pitcherful. ●*llover a cántaros,* to rain cats and dogs.

cante *m* MÚS singing. 2 *fam* blunder: *¡vaya* ~ *!,* what a clanger! ■ ~ *hondo/ jondo,* flamenco.

cantera *f* quarry. 2 DEP young players *pl.*

cántico *m* canticle.

cantidad *f* quantity, amount. ‒ 2 *adv fam* a lot: *me gusta* ~, I love it. 3 *fam* ~ *de,* lots of: *había* ~ *de comida,* there was lots of food.

cantilena *f (canción)* song, ballad. 2 *fam (repetición)* annoying repetition: *la misma* ~, the same old story.

cantimplora *f* water bottle.

cantina *f* canteen, cafeteria.

cantinero,-a *m,f* canteen keeper.

canto *m (arte)* singing. 2 *(canción)* song. 3 *(extremo)* edge: *de* ~, sideways. 4 *(de cuchillo)* blunt edge. 5 *(esquina)* corner. 6 *(piedra)* stone. ■ ~ *del cisne,* swan-song; ~ *rodado,* boulder.

cantón *m* canton.

cantor,-ra *adj* singing. ‒ 2 *m,f* singer. ●*pájaro* ~, songbird.

canturrear, canturriar [12] *i* to hum, croon.

canutas *fpl fam pasarlas* ~, to have a hard time.

caña *f (planta)* reed. 2 (tallo) cane. 3 ANAT bone marrow. 4 *(de calzado)* leg. 5 *(de pescar)* fishing rod. 6 *(de cerveza)* glass of draught beer. ●*fam dar/meter* ~, *(coche)* to go at full speed; *(persona)* to do sb. over. ■ ~ *de azúcar,* sugar cane.

cañada *f* GEOG glen, dell, hollow. 2 *(sendero)* cattle track.

cañamazo *m (arpillera)* burlap.

cáñamo *m* BOT hemp. 2 *(tela)* hempen cloth.

cañaveral *m* cane plantation.

cañería *f* piping.

cañizal, cañizar *m* → **cañaveral**.

caño *m* tube. 2 *(chorro)* jet. 3 *(galería)* gallery. 4 NÁUT narrow channel.

cañón *m (de artillería)* cannon. 2 *(de arma)* barrel. 3 *(tubo)* tube, pipe. 4 *(de chimenea)* flue. 5 GEOG canyon. 6 *(de pluma)* quill. ●*fig al pie del* ~, without yielding; *fam estar* ~, to be/look terrific.

cañonero,-a *adj* armed.

caoba *f* mahogany.

caos *m inv* chaos.

caótico,-a *adj* chaotic.
capa *f (prenda)* cloak, cape. **2** *(pretexto)* pretence, disguise. **3** *(baño)* coat: *una ~ de pintura,* a coat of paint. **4** GEOG layer. **5** *(estrato social)* stratum. ●*andar de ~ caída,* to be on the decline; *fam so ~ de,* under pretence of.
capacho *m* basket, hamper.
capacidad *f (cabida)* capacity, content. **2** *(habilidad)* capability, ability.
capacitación *f* training.
capacitar *t* to train, qualify.
capar *t* to geld, castrate.
caparazón *m* shell. **2** *fig* shelter.
capataz *mf* foreman, *f* forewoman.
capaz *adj (grande)* spacious, roomy. **2** *(hábil)* capable *(de,* of), able *(de,* to).
capazo *m* large flexible basket.
capcioso,-a *adj* captious, insidious.
capea *f* amateur bullfight.
capear *t (tauromaquia)* to play the bull with the cape. **2** *fig* to dodge. ●*~ la tormenta,* to weather the storm.
capellán *m* chaplain.
caperuza *f (prenda)* hood. **2** *(tapa)* cap.
capicúa *adj-m (número) ~,* palindromic number.
capilar *adj* capillary.
capilla *f* chapel. **2** MÚS choir. ■ *~ ardiente,* funeral chapel.
capirotazo *m* flip, flick.
capirote *m* hood.
capital *adj (principal)* capital. **– 2** *m* FIN capital. **– 3** *f* capital, chief town.
capitalismo *m* capitalism.
capitalista *adj-mf* capitalist.
capitalizar [4] *t* to capitalize.
capitán,-ana *m,f* captain.
capitanear *t* to captain. **2** *(dirigir)* to lead.
capitel *m* capital, chapiter.
capitoste *mf pey* bigwig.
capitulación *f* MIL capitulation. **2** *(acuerdo)* agreement. **3** *pl* marriage settlement *sing.*
capitular *i* MIL to capitulate. **– 2** *t-i (acordar)* to come to an agreement.
capítulo *m* chapter.
capó *m* bonnet, US hood.
capón *m (pollo)* capon. **2** *(golpe)* rap on the head.
caporal *m* head, leader.
capota *f* folding top.
capote *m (prenda)* cloak with sleeves. **2** *(de torero)* bullfighter's cape.
capricho *m* caprice, whim, fancy.
caprichoso,-a *adj* capricious, whimsical, fanciful.

cápsula *f* capsule. **2** *(de arma)* cartridge.
captación *f (de ondas)* reception. **2** *(comprensión)* understanding.
captar(se) *t* to attract. **2** *(ondas, agua)* to pick up. **3** *(comprender)* to understand. **– 4** *p* to draw, attract.
captura *f* capture, seizure.
capturar *t* to capture, seize.
capucha *f* hood.
capuchino,-a *adj-m,f* Capuchin. **– 2** *m (café)* cappuccino, white coffee.
capuchón *m (de estilográfica etc.)* cap.
capullo *m (de insectos)* cocoon. **2** BOT bud. **3*** *fam (estúpido)* silly bugger.
caqui *adj* khaki. **– 2** *m* BOT persimmon.
cara *f* face; *fig* look. **2** *(lado)* side; *(de moneda)* right side. ●*~ o cruz,* heads or tails; *dar la ~,* to face the consequences; *de ~ a,* opposite, facing; *echar en ~,* to reproach for; *tener buena/mala ~,* to look well/bad; *verse las caras,* to come face to face; *fam ~ de pocos amigos,* unfriendly face. ■ *~ a ~,* face to face; *~ dura,* cheeky person.
carabela *f* caravel.
carabina *f* carbine, rifle. **2** *fam* chaperon(e).
carabinero *m* customs guard.
¡caracho! *interj* goodness me!, damn it!
caracol *m* snail. **2** *(de mar)* winkle. **3** *(del oído)* cochlea. ■ *escalera de ~,* winding/spiral staircase.
caracola *f* conch.
carácter *m* character. **2** *(condición)* nature: *asistió en ~ de invitado,* he attended as a guest. **3** *(imprenta)* letter. ●*tener buen/mal ~,* to be good-natured/bad-tempered. ▲ *pl caracteres.*
característico,-a *adj-f* characteristic.
caracterizar(se) [4] *t* to characterize. **– 2** *p (distinguirse)* to be characterized. **3** TEAT to dress up *(de,* as).
caracterología *f* study of character.
carajillo *m fam* coffee with a dash of brandy.
¡carajo!* *interj* shit!*
¡caramba! *interj* good gracious!
carámbano *m* icicle.
carambola *f (billar)* cannon, US carom. ●*por ~,* by chance.
caramelo *m* sweet, US candy. **2** *(azúcar quemado)* caramel. ●*a punto de ~,* syrupy.
carantoñas *fpl* caresses. ●*hacer ~ a algn.,* to butter sb. up.
carátula *f (máscara)* mask. **2** *(cubierta)* cover.

caravana f caravan. 2 (atasco) traffic jam.

¡caray! interj good heavens!

carbón m coal. 2 (lápiz) charcoal. ∎ ~ de leña/vegetal, charcoal; papel ~, carbon paper.

carbonato m carbonate.

carboncillo m charcoal.

carbonería f charcoal shop/store.

carbonero,-a adj coal. – 2 m,f coal dealer. – 3 f coal cellar.

carbónico,-a adj carbonic. ∎ anhídrico ~, carbon dioxide; agua carbónica, mineral water.

carbonizar(se) [4] t-p to carbonize, burn.

carbono m carbon. ∎ dióxido de ~, carbon dioxide.

carburador m carburet(t)or.

carburante m fuel.

carca adj-mf fam square, straight. 2 POL reactionary.

carcajada f burst of laughter, guffaw. •reírse a carcajadas, to laugh one's head off.

carcamal mf pey old fogey.

cárcel f jail, gaol, prison: en la ~, in jail.

carcelero m jailer, gaoler, warder.

carcoma f woodworm.

carcomer(se) t to eat away at. 2 fig to undermine. – 3 p to be consumed (de, with).

carcomido,-a adj worm-eaten.

cardar t to card. 2 (peluquería) to backcomb.

cardenal m REL cardinal. 2 (equimosis) bruise.

cardíaco,-a adj cardiac, heart.

cardinal adj cardinal. ∎ punto/número ~, cardinal point/number.

cardo m BOT thistle. 2 fam (arisco) cutting person. 3 fam (feo) ugly person. ∎ ~ borriquero, cotton thistle; fam fig cutting person.

carear(se) t (comparar) to confront, compare. – 2 p (enfrentarse) to meet face to face.

carecer i [43] ~ de, to lack.

carenar t to careen.

carencia f lack (de, of).

carente ~ de, adv lacking (in).

careo m confrontation.

carestía f (falta) scarcity. 2 (precio alto) high cost.

careta f mask.

carey m (animal) sea turtle. 2 (concha) tortoiseshell.

carga f load. 2 (peso) burden. 3 (flete) cargo, freight. 4 (tributo) tax. 5 fig duty. ∎ ~ eléctrica, electric charge.

cargado,-a adj loaded. 2 (tiempo) sultry, cloudy. 3 (bebida fuerte) strong. 4 fig burdened: ~ de responsabilidades, loaded with responsibility. ∎ ~ de espaldas, round-shouldered.

cargador m loader. 2 AM porter. 3 (instrumento) charger.

cargamento m load, cargo.

cargante adj fam boring, annoying.

cargar(se) [7] t to load (de, with); (llenar) to fill (de, with). 2 COM ELEC MIL to charge. 3 (imputar) to ascribe. 4 fig (con responsabilidad etc.) to burden. 5 fam fig (molestar) to bother, annoy. – 6 i to load. 7 ARQ to rest. 8 (hacerse cargo de) to carry (con, -); fig to shoulder (con, with): yo cargo con toda la responsabilidad, I take full responsibility. – 9 p to load o.s. with. 10 (el cielo) to get cloudy/overcast. 11 EDUC fam to fail. 12 fam (destrozar) to smash, ruin. 13 fam (matar) to knock off. •~ las tintas, to exaggerate; ~se de paciencia, to summon up all one's patience; fam ~se con el muerto, to be left holding the baby; (ser culpado) to get the blame.

cargo m (peso) loading. 2 fig (obligación) burden, weight. 3 (colocación) post, position. 4 (gobierno, custodia) charge, responsibility: tiene dos empleados a su ~, he has two employees. 5 FIN charge, debit. 6 JUR (falta) charge, accusation. •hacerse ~ de, (responsabilizarse de) to take charge of; (entender) to take into consideration, realize.

cariar(se) [12] t to cause to decay. – 2 p to decay.

caricatura f caricature.

caricaturizar [4] t to caricature.

caricia f caress, stroke.

caridad f charity. ∎ obra de ~, charitable deed.

caries f inv caries inv, cavity.

cariño m love, affection, fondness. 2 (querido) darling. •coger ~ a algn./algo, to grow fond of sb./sth.

cariñoso,-a adj loving, affectionate. – 2 cariñosamente adv affectionately.

carisma m charisma.

caritativo,-a adj charitable.

cariz m aspect, look.

carmesí adj-m crimson.

carmín adj-m carmine.

carnada f bait.

carnal *adj* carnal. 2 *(pariente)* first. ■ *primo,-a* ~, first cousin.

carnaval *m* carnival. ■ *martes de* ~, Shrove Tuesday.

carne *f* ANAT flesh. 2 CULIN meat. 3 *(de fruta)* pulp. •*en* ~ *viva*, raw; *ser de* ~ *y hueso*, to be only human; *ser uña y* ~, to be hand in glove. ■ ~ *asada*, roasted meat; ~ *picada*, mincemeat; *fig* ~ *de gallina*, goose flesh/bumps.

carné *m* card. ■ ~ *de conducir*, driving licence; ~ *de identidad*, identity card. ▲ *pl carnés*.

carnero *m* ram. 2 CULIN mutton.

carnet *m* → **carné**.

carnicería *f* butcher's (shop). 2 *fig* carnage, slaughter.

carnicero,-a *adj* carnivorous. 2 *fig* bloodthirsty, sanguinary. – 3 *m,f* butcher.

carnívoro,-a *adj* carnivorous.

carnoso,-a *adj* fleshy.

caro,-a *adj (costoso)* expensive, dear. – 2 *adv* at a high price.

carpa *f (pez)* carp. 2 *(toldo)* marquee. ■ *salto de* ~, jack-knife.

carpeta *f* folder, file.

carpintería *f* carpentry. 2 *(taller)* carpenter's shop.

carpintero *m* carpenter. ■ *pájaro* ~, woodpecker.

carraca *f (instrumento)* rattle. 2 *(ave)* roller. 3 *fam (coche)* banger.

carraspear *i* to clear one's throat.

carraspera *f* hoarseness.

carrasposo,-a *adj* rough, coarse.

carrera *f (paso)* run(ning). 2 *(trayecto)* route. 3 *(camino)* road. 4 DEP race. 5 *(estudios)* university education: *hacer la* ~ *de medicina*, to study medicine. 6 *(profesión)* career. 7 *(de media)* ladder. •*euf (prostitución) hacer la* ~, to walk the streets. ■ ~ *de armamentos/armamentística*, arms race; ~ *de coches/automóviles*, car race.

carreta *f* cart.

carretada *f (carga)* cartload. 2 *fam (montón)* heaps *pl*.

carrete *m* bobbin, reel. 2 ELEC coil. 3 *(de película)* spool.

carretera *f* road. ■ ~ *comarcal*, B road; ~ *nacional*, A/main road; *red de carreteras*, road network.

carretero *m (conductor)* carter. 2 *(constructor)* cartwright.

carretilla *f* wheelbarrow. •*fig saber algo de* ~, to know sth. parrot fashion.

carretón *m* small cart.

carril *m (ferrocarril)* rail. 2 AUTO lane. 3 *(surco)* furrow.

carrillo *m* cheek. •*comer a dos carrillos*, to gulp one's food.

carro *m* cart. 2 AM car. 3 MIL tank. 4 *(de máquina de escribir)* carriage. •*fam ¡para el* ~*!*, hold your horses!

carrocería *f* AUTO body.

carromato *m* long two-wheeled cart with a tilt.

carroña *f* carrion.

carroza *f* coach, carriage. 2 *(de carnaval)* float. – 3 *adj-mf fam* out-of-date (person).

carruaje *m* carriage, coach.

carta *f* letter. 2 *(naipe)* card. 3 *(minuta)* menu. 4 JUR chart. •*echar una* ~, to post a letter; *echar las cartas a algn.*, to tell sb.'s fortune; *fig poner las cartas sobre la mesa*, to put one's cards on the table; *fig tomar cartas en un asunto*, to take part in an affair. ■ ~ *blanca*, carte blanche; ~ *certificada*, registered letter; TV ~ *de ajuste*, test card; ~ *de recomendación*, letter of introduction.

cartabón *m* set square.

cartapacio *m* notebook. 2 *(carpeta)* folder, file.

cartearse *p* to correspond/exchange letters.

cartel *m* poster. 2 *(póster)* placard. •*tener* ~, to be popular.

cartelera *f (para carteles)* hoarding, US billboard. 2 *(en periódicos)* entertainment section.

cárter *m* TÉC housing. 2 AUTO crankcase.

cartera *f (monedero)* wallet. 2 *(de colegial)* satchel, schoolbag. 3 *(de ejecutivo)* briefcase. 4 *fig* portfolio: *ministro sin* ~, Minister without portfolio.

carterista *mf* pickpocket.

cartero,-a *m,f m* postman, *f* postwoman.

cartílago *m* cartilage.

cartilla *f (para aprender)* first reader. 2 *(cuaderno)* book. ■ ~ *de ahorros*, savings book; ~ *del seguro*, social security card.

cartografía *f* cartography.

cartón *m* cardboard. 2 *(de cigarrillos)* carton. 3 ART sketch. ■ ~ *piedra*, papier mâché.

cartuchera *f* cartridge holder/box.

cartucho *m* cartridge. 2 *(de monedas)* roll (of coins). 3 AM *(bolsa)* paper bag. 4 AM *(cono)* paper cone.

cartulina *f* (thin) cardboard.

casa *f (edificio)* house. 2 *(hogar)* home: *vete a* ~, go home. 3 *(linaje)* house: *la*

~ **de los Austria,** the House of Haps-
burg. 4 *(empresa)* firm, company. ●*llevar la* ~, to run the house; *fig como Pedro por su* ~, as if he/she owned the
place; *fig echar/tirar la* ~ *por la ventana,* to go all out. ■ ~ *consistorial,*
town hall; ~ *de huéspedes,* boarding-
house; ~ *de socorro,* first aid post; ~
solariega, manor; *euf* ~ *de citas,* brothel.

casaca *f* long coat.

casado,-a *adj-m,f* married (person): *los
recién casados,* the newlyweds.

casamentero,-a *adj* matchmaking. − 2
m,f matchmaker.

casamiento *m* marriage. 2 *(ceremonia)*
wedding.

casar(se) *t-i* to marry. 2 *(colores)* to go
well (together). − 3 *p* to get married.
●*fam* ~*se de penalty,* to have a shotgun
wedding.

cascabel *m* jingle/tinkle bell. ●*fam ser un*
~, to be a rattlebrain.

cascada *f* cascade, waterfall.

cascado,-a *adj fig* worn-out, aged. 2
(voz) harsh, hoarse.

cascajo *m* gravel. ●*estar hecho,-a un* ~,
to be a wreck.

cascanueces *m inv* nutcracker.

cascar(se) [1] *t (quebrantar)* to crack. 2
(la salud) to harm. 3 *(pegar)* to beat,
thrash. − 4 *i fam (morir)* to peg out. 5
fam (charlar) to chat away. − 6 *p* to
crack.

cáscara *f (de huevo, nuez)* shell. 2 *(de fruta)* skin. 3 *(de grano)* husk.

cascarón *m* eggshell.

cascarrabias *mf inv fam* grumpy, US
crank.

casco *m* helmet. 2 *(cráneo)* skull. 3 *(auricular)* headphone. 4 *(envase)* empty
bottle. 5 MAR hull. 6 *(caballería)* hoof.
●*ser alegre de cascos,* to be scatterbrained. ■ ~ *urbano,* city centre.

cascote *m* piece of rubble/debris.

caserío *m (casa)* country house. 2 *(pueblo)* hamlet.

casero,-a *adj (persona)* home-loving. 2
(productos) home-made. − 3 *m,f (dueño)*
m landlord, *f* landlady. 4 *(administrador)*
keeper.

caseta *f (de feria)* stall. 2 *(de bañistas)* bathing hut, US bath house. 3 DEP chang-
ing room.

casete *m (magnetófono)* cassette player/
recorder. − 2 *f (cinta)* cassette (tape).

casi *adv* almost, nearly: ~ *nunca,* hardly
ever. ●*fam ¡* ~ *nada!,* peanuts!

casilla *f (casa)* hut. 2 *(de casillero)* pigeonhole. 3 *(cuadrícula)* square. ●*fig sacar a
algn. de sus casillas,* to drive sb. mad.

casillero *m* pigeonholes *pl.*

casino *m* casino.

caso *m (ocasión)* case, occasion. 2 *(suceso)*
event, happening. ●*en* ~ *de que,* in
case; *en todo* ~, anyhow, at any rate;
hacer ~ *de/a,* to pay attention to; *ha-
cer/venir al* ~, to be relevant.

caspa *f* dandruff.

¡cáspita! *interj* dear me!

casquete *m (prenda)* skullcap. ■ ~ *esférico,* fragment of a sphere; ~ *polar,* polar cap.

casquillo *m* TÉC ferrule, metal tip. 2 *(de
cartucho)* cap.

casquivano,-a *adj* feather-brained.

cassette *m-f* → **casete.**

casta *f (grupo social)* caste. 2 *(linaje)* lineage, descent. 3 *fig (de cosa)* quality.

castaña *f* BOT chestnut. 2 *(de pelo)* knot,
bun. 3 *fam (bofetada)* slap.

castañal, castañar *m* chestnut grove.

castañeta *f* snap of the fingers.

castañetear *t* to play the castanets to. −
2 *i (dientes)* to chatter. 3 *(los dedos)* to
snap one's fingers.

castaño,-a *adj* chestnut-coloured; *(pelo)*
brown. − 2 *m* BOT chestnut tree.

castañuela *f* castanet.

castellanizar [4] *t* to Hispanicize.

castellano,-a *adj-m,f* Castilian (person).
− 2 *m* Spanish/Castilian (language).

castidad *f* chastity.

castigar [7] *t* to punish. 2 JUR DEP to penalize. 3 *(dañar)* to harm.

castigo *m* punishment. 2 JUR DEP penalty.

castillo *m* castle.

castizo,-a *adj* pure, authentic.

casto,-a *adj* chaste.

castor *m* beaver.

castrar *t* to castrate. 2 *(podar)* to prune.

castrense *adj* military.

casual *adj* accidental, chance. − 2 *m*
chance. − 3 *casualmente adv* by chance.
●*por un* ~, just by chance.

casualidad *f* chance, coincidence. ●*de/
por* ~, by chance.

casulla *f* chasuble.

cataclismo *m* cataclysm.

catacumbas *fpl* catacombs.

catador,-ra *m,f* taster. ■~ *de vinos,* wine
taster.

catalán,-ana *adj-m,f* Catalan, Cataloni-
an. − 2 *m* Catalan.

catalejo m spyglass.

catálisis f inv catalysis inv.

catalogación f cataloguing.

catalogar [7] t to catalog(ue).

catálogo m catalog(ue).

catamarán m catamaran.

cataplasma f poultice.

cataplines* mpl nuts.

catapulta f catapult.

catar t to taste.

catarata f waterfall. 2 MED cataract.

catarro m catarrh, cold.

catastro m cadastre, cadaster.

catástrofe f catastrophe.

catastrófico,-a adj catastrophic.

cate m fam EDUC failed subject, fail.

catear t EDUC to fail, US flunk.

catecismo m catechism.

cátedra f (de universidad) professorship; (de instituto) post of head of department.

catedral adj-f cathedral.

catedrático,-a adj, m, f (de universidad) professor; (de instituto) head of department.

categoría f category, rank. 2 (tipo) type. ●de ~, important, prominent; de primera ~, first-class.

categórico,-a adj categoric(al).

catequizar [4] t to catechize. 2 (persuadir) to persuade.

caterva f pey throng, crowd.

cateto,-a m, f (palurdo) dimwit. 2 m (de triángulo) cathetus.

catolicismo m Catholicism.

católico,-a adj-m, f Catholic.

catorce adj fourteen; (catorceavo) fourteenth. – 2 m fourteen.

catre m cot.

cauce m river bed. 2 (canal) channel.

caucho m rubber.

caudal adj (de la cola) caudal. – 2 m (de río) flow. 3 fig (riqueza) fortune, wealth.

caudaloso,-a adj (río) deep, plentiful. 2 fig (persona) wealthy.

caudillo m chief, leader.

causa f cause. 2 JUR lawsuit. ●a/por ~ de, because of, on account of; hacer ~ común con, to make common cause with.

causante adj causal, causing. – 2 mf cause.

causar t to cause, bring about. 2 (proporcionar) to give: me causa un gran placer ..., it's a pleasure for me to ... .

cáustico,-a adj caustic.

cautela f caution, wariness.

cauteloso,-a adj cautious, wary.

cauterizar [4] t to cauterize, fire.

cautivador,-ra adj captivating. 2 (encantador) charming.

cautivar t to take prisoner, capture. 2 (atraer) to captivate, charm.

cautiverio m, **cautividad** f captivity.

cautivo,-a adj-m, f captive.

cauto,-a adj cautious.

cava f (bebida) cava, champagne. 2 (bodega) wine cellar.

cavar t to dig.

caverna f cavern, cave.

cavernícola adj cave dwelling. – 2 mf cave dweller, caveman.

cavernoso,-a adj cavernous. 2 (voz etc.) hollow, deep.

caviar m caviar.

cavidad f cavity.

cavilación f pondering, musing.

cavilar t to ponder, brood over.

cayado m (de pastor) crook. 2 (de obispo) crozier.

cayo m cay, key.

caza f (acción) hunting. 2 (animales) game. – 3 m AV fighter. ■ ~ mayor/menor, big/small game.

cazador,-ra adj hunting. – 2 m, f hunter. – 3 f (chaqueta) (waist-length) jacket. ■ ~ furtivo, poacher.

cazadotes m inv fortune hunter.

cazar t [4] to hunt. 2 fam (coger) to catch.

cazatorpedero m (torpedo-boat) destroyer.

cazo m (cucharón) ladle. 2 (cacerola) pot, pan.

cazuela f casserole.

cebada f barley.

cebar(se) t (animal) to fatten (up). 2 (pistola) to prime. 3 fig (pasiones etc.) to nourish. – 4 p (dedicarse) to devote o.s. (a, to). 5 (ensañarse) to make prey (en, on).

cebo m (para animales) food. 2 (para pescar) bait.

cebolla f onion.

cebolleta f, **cebollino** m (especia) chives pl. 2 (cebolla) spring onion.

cebra f zebra. ■ paso ~, zebra crossing, US crosswalk.

cecear i to lisp.

ceceo m lisp.

cecina f salted/dried beef.

ceder t (dar) to cede. – 2 i (rendirse) to yield (a, to). 3 (caerse) to fall, give way: cedieron las paredes, the walls caved in. ●AUTO ~ el paso, to give way, US yield way.

cedro *m* cedar.

cédula *f* document. ■ AM ~ *personal,* identity card.

céfiro *m* zephyr.

cegador,-ra *adj* blinding.

cegar(se) [48] *t* to blind: *fig cegado,-a por la ira,* blind with rage. 2 *(puerta, ventana)* to wall up. – 3 *i* to go blind. – 4 *p fig* to become blinded.

cegato,-a *adj-m,f* short-sighted (person).

ceguedad, ceguera *f* blindness.

ceja *f* (eye)brow. ●*tener algo entre ~ y ~,* to have sth. in one's head.

cejar *i* to back up. 2 *fig* to give way.

celada *f* (*emboscada*) ambush. 2 *(casco)* helmet.

celador,-ra *adj* watching. – 2 *m,f* attendant; *(de cárcel)* warden.

celar *t* (*la ley*) to observe. 2 *(vigilar)* to watch over. 3 *(encubrir)* to hide, conceal.

celda *f* cell.

celebración *f* (*fiesta*) celebration. 2 *(de una reunión etc.)* holding. 3 *(aplauso)* praise, applause.

celebrar(se) *t* (*festejar*) to celebrate. 2 *(reunión)* to hold. 3 *(alabar)* to praise. 4 *(estar contento)* to be happy about: *celebro lo de tu ascenso,* I congratulate you on your promotion. 5 REL *(misa)* to say. – 6 *p* to take place, be held.

célebre *adj* well-known, famous.

celebridad *f* celebrity.

celeridad *f* celerity, speed.

celeste *adj* celestial. ■ *azul ~,* sky blue.

celestial *adj* celestial, heavenly. 2 *fig (delicioso)* heavenly.

celestina *f* procuress.

celibato *m* celibacy.

célibe *adj-mf* celibate.

celo *m* (*entusiasmo*) zeal. 2 *(cuidado)* care. 3 *pl* jealousy *sing.* ●*tener celos de algo/ algn.,* to be jealous of sth./sb.

celo® *m* sellotape®, US Scotch tape®.

celosía *f* lattice.

celoso,-a *adj* (*entusiasta, cuidadoso*) zealous. 2 *(envidioso)* jealous. 3 *(receloso)* suspicious.

celta *adj* Celtic. – 2 *mf* Celt.

célula *f* cell.

celular *adj* cell, cellular.

celulitis *f inv* cellulitis.

celuloide *m* celluloid.

celulosa *f* cellulose.

cementerio *m* cemetery, graveyard. ■ ~ *de coches,* scrapyard.

cemento *m* concrete, cement. ■ ~ *armado,* reinforced concrete.

cena *f* supper; *(formal)* dinner. ■ *la Santa Cena,* the Last Supper.

cenagal *m* marsh, swamp.

cenagoso,-a *adj* muddy.

cenar *i* to have supper/dinner. – 2 *t* to have for supper/dinner.

cencerro *m* cowbell. ●*estar como un ~,* to be nuts.

cenefa *f* border, fringe.

cenicero *m* ashtray.

ceniciento,-a *adj* ashen, ash-grey. – 2 *f* Cinderella.

cenit *m* zenith.

ceniza *f* ash, ashes *pl.* 2 *pl (restos)* ashes.

censo *m* census. ■ ~ *electoral,* electoral roll.

censor *m* censor.

censura *f* censorship: *pasar por la ~,* to be censured. 2 *(crítica)* censure.

censurar *t* to censor. 2 *(criticar)* to censure, criticize.

centavo,-a *adj-m* hundredth (part).

centella *f* (*rayo*) lightning. 2 *(chispa)* spark, flash.

centelleante *adj* sparkling, flashing.

centellear *i* to sparkle, flash.

centelleo *m* sparkling, flashing.

centena *f,* **centenar** *m* hundred.

centenario,-a *adj* centennial. – 2 *m,f (persona)* centenarian. – 3 *m (aniversario)* centenary.

centeno *m* rye.

centésimo,-a *adj-m,f* hundredth.

centígrado,-a *adj* centigrade.

centímetro *m* centimetre.

céntimo *m* centime, cent. ●*estar sin un ~,* to be penniless.

centinela *m & f* MIL sentry. 2 *(guardián)* watch.

centolla *f,* **centollo** *m* spider crab.

centrado,-a *adj* centred. 2 *fig (equilibrado)* balanced. 3 *fig (atento)* devoted (*en,* to).

central *adj* central. – 2 *f (oficina principal)* head office, headquarters *pl.* 3 ELEC power station. ■ ~ *telefónica,* telephone exchange.

centralismo *m* centralism.

centralita *f* switchboard.

centralización *f* centralization.

centralizar [4] *t* to centralize.

centrar(se) *t* to centre. – 2 *p* to be centred (*en,* on). 3 *(concentrarse)* to concentrate (*en,* on).

céntrico,-a *adj* in the centre, US downtown: *una calle céntrica,* a street in the centre.

centrifugar [7] to centrifuge. **2** *(ropa)* to spin-dry.

centrífugo,-a *adj* centrifugal.

centro *m* centre, middle. **2** *(asociación)* centre, association. ■ ~ *ciudad,* city centre, US downtown; ~ *comercial,* shopping centre; ~ *de mesa,* centrepiece; ~ *docente,* school; DEP *delantero* ~, centre forward; DEP *medio* ~, centre half.

centrocampista *mf* midfield player.

centuplicar [1] *t* multiply a hundredfold.

céntuplo,-a *adj-m* centuple, hundredfold.

centuria *f* century.

ceñido,-a *adj* close-fitting.

ceñir(se) [36] *t (estrechar)* to cling to, fit tight. **2** *(rodear)* to hug around the waist. – **3** *p (concentrarse)* to limit o.s. *(a,* to): ~*se al tema,* to keep to the subject. **4** *(moderarse)* to adjust o.s.

ceño *m* frown. ●*fruncir/arrugar el* ~, to frown.

ceñudo,-a *adj* frowning.

cepa *f (de vid)* vine. **2** *(tronco)* stump; *(de vid)* rootstalk. **3** *fig (origen)* origin. ●*de buena* ~, of good quality.

cepillar(se) *t* to brush. **2** *(madera)* to plane. – **3** *p* to brush. **4** *fam (matar)* to do in. **5** *fam (acabarse)* to finish: *se cepilló todo el pastel,* he/she gobbled up the whole cake. **6*** *(tirarse a)* to lay.

cepillo *m* brush. **2** *(de madera)* plane. **3** *(para limosnas)* alms box. ■ ~ *de dientes,* toothbrush; ~ *del pelo,* hairbrush; ~ *de ropa,* clothes brush; ~ *de uñas,* nailbrush.

cepo *m (rama)* bough. **2** *(de yunque)* stock. **3** *(de reo)* pillory. **4** *(trampa)* trap. **5** AUTO clamp.

cera *f* wax; *(de abeja)* beeswax. **2** *(de la oreja)* earwax.

cerámica *f* ceramics, pottery: *una* ~, a piece of pottery.

cerca *adv* near, close: *aquí* ~, near here. – **2** *f (valla)* fence. ●~ *de, (cercano a)* near; *(casi)* nearly, about: ~ *de un año,* nearly a year; *de* ~, closely: *lo vi de* ~, I saw it close up.

cercado,-a *adj* fenced in. – **2** *m* enclosure.

cercanía *f* proximity, nearness.

cercano,-a *adj* near(by).

cercar [1] *t* to fence in. **2** *(rodear)* to surround. **3** MIL to besiege.

cercenar *t* to clip, cut off the edges of. **2** *(acortar)* to curtail.

cerciorar(se) *t* to assure, affirm. – **2** *p* to make sure *(de,* of).

cerco *m* circle. **2** *(marco)* frame. **3** MIL siege.

cerda *f (de caballo)* horsehair; *(de cerdo)* bristle. **2** *(animal)* sow.

cerdo *m (animal)* pig. **2** *(carne)* pork.

cereal *adj-m* cereal.

cerebral *adj* cerebral, brain. **2** *(frío)* calculating.

cerebro *m* ANAT brain. **2** *fig* brains *pl.*

ceremonia *f* ceremony.

ceremonial *adj-m* ceremonial.

ceremonioso,-a *adj* ceremonious, formal.

cereza *f* cherry.

cerezo *m* cherry tree.

cerilla *f* match.

cerner(se) [28], **cernir(se)** [29] *t (harina)* to sift. **2** *fig* to observe. – **3** *i (plantas)* to bud, blossom. **4** *(llover)* to drizzle. – **5** *p (pájaro)* to hover. **6** *(amenazar)* to threaten.

cero *m* zero: *ganar dos a* ~, to win two nil. **2** *(cifra)* naught, nought. ●*bajo* ~, below zero; *ser un* ~ *a la izquierda,* to be useless.

cerrado,-a *adj* shut, closed. **2** *(oculto)* obscure. **3** *(persona)* uncommunicative.

cerradura *f* lock. ■ ~ *de seguridad,* security lock.

cerrajería *f (oficio)* locksmith's trade. **2** *(negocio)* locksmith's (shop).

cerrajero *m* locksmith.

cerrar(se) [27] *t* to close, shut. **2** *(grifo, gas)* to turn off. **3** *(luz)* to switch off. **4** *(cremallera)* to zip (up). **5** *(un negocio definitivamente)* to close down. **6** *(carta)* to seal. – **7** *i* to shut. – **8** *p* to close, shut. **9** *(obstinarse)* to stand fast. ●~ *la boca,* to shut up.

cerrazón *f* obstinacy. **2** *(estupidez)* dimness. **3** METEOR stormy sky.

cerro *m* hill. ●*fig irse por los cerros de Úbeda,* to beat around the bush.

cerrojo *m* bolt. ●*echar/correr el* ~, to bolt.

certamen *m* competition, *(literario)* literary contest.

certero,-a *adj (disparo)* accurate, good. **2** *(seguro)* certain, sure.

certeza, certidumbre *f* certainty.

certificación *f* certificate. **2** *(de envío etc.)* registration.

certificado,-a *adj* certified. 2 *(envío)* registered. — **3** *m (documento)* certificate. 4 *(carta)* registered letter; *(paquete)* registered package.

certificar [1] *t* to certify. 2 *(carta, paquete)* to register.

cerumen *m* earwax.

cervecería *f (bar)* pub, bar. 2 *(destilería)* brewery.

cerveza *f* beer, ale.

cervical *adj* cervical, neck.

cerviz *f* cervix. ●*doblar la ~,* to humble o.s.

cesante *adj* ceasing. — **2** *mf* civil servant out of office.

cesar *i* to cease, stop. 2 *(en un empleo)* to leave. ●*sin ~,* incessantly.

cese *m* cessation. 2 *(despido)* dismissal.

cesión *f* cession.

césped *m* lawn, grass: *cortar el ~,* to mow the lawn.

cesta *f* basket. 2 DEP pelota/jai-alai basket. ■ *~ de la compra,* shopping basket.

cesto *m* basket. ■ *~ de los papeles,* wastepaper basket.

cetáceo *m* cetacean.

cetrino,-a *adj (color)* sallow, greenish yellow. 2 *fig* melancholic.

cetro *m* sceptre.

chabacanería *f* coarseness, vulgarity.

chabacano,-a *adj* coarse, vulgar.

chabola *f* shack.

chacal *m* jackal.

chacha *f fam pey* nurse(maid).

cháchara *f fam* prattle, idle talk. 2 *pl* trinkets.

chachi *adj arg* great, terrific.

chafar(se) *t (aplastar)* to flatten. 2 *(arrugar)* to crumple. 3 *fam (interrumpir)* to butt in on. — **4** *p* to be flattened.

chaflán *m* chamfer.

chal *m* shawl.

chalado,-a *adj (loco)* mad. ●*estar ~ por,* to be mad about.

chalán,-ana *adj-m,f* horse-dealer.

chalé, chalet, *m* chalet. ▲ *pl chalés.*

chaleco *m* waistcoat, US vest. ■ *~ salvavidas,* life jacket.

chalupa *f* boat.

chamarilero,-a *m,f* second-hand dealer.

chambelán *m* chamberlain.

chambón,-ona *adj (torpe)* clumsy. 2 *(con suerte)* lucky. — **3** *m,f* clumsy person.

champán, champaña *m* champagne.

champú *m* shampoo. ▲ *pl champúes or champús.*

chamuscar(se) [1] *t* to singe, scorch. — **2** *p* to be singed.

chamusquina *f* scorching. 2 *fig* quarrel.

chancear(se) *i-p* to joke, jest.

chanchi *adj arg* → **chachi.**

chancho *m* AM pig.

chanchullo *m fam* fiddle, wangle.

chancla *f (zapato viejo)* old shoe. 2 *(chancleta)* backless shoe/slipper.

chancleta *f* slipper.

chanclo *m (zueco)* clog. 2 *(elástico)* galosh.

chándal *m* track/jogging suit.

chanfaina *f (vegetal)* stewed vegetables *pl.* 2 *(de carne)* meat stew.

chanquete *m* transparent goby.

chantaje *m* blackmail. ●*hacer ~,* to blackmail.

chantajista *mf* blackmailer.

chanza *f* joke.

chapa *f (de metal, madera)* sheet. 2 *(tapón)* bottle top. 3 *(medalla)* badge, disc: MIL *~ de identificación,* identity disc. 4 AM *(cerradura)* lock. 5 AUTO bodywork. 6 *pl* game of tossing up coins.

chapado,-a *adj* plated: *~ en plata,* silver-plated. ●*fig ~ a la antigua,* old-fashioned.

chapar *t (metal)* to plate. 2 *(madera)* to veneer, finish. 3 *fig (encajar)* to come out with.

chaparrón *m* downpour, heavy shower.

chapotear *i* to splash. — **2** *t (humedecer)* to moisten.

chapoteo *m* splashing. 2 *(humidificación)* moistening.

chapucería *f (tosquedad)* shoddiness. 2 *(chapuza)* botched job.

chapucero,-a *adj (trabajo)* botched; *(persona)* bungling. — **2** *m,f (patoso)* bungler. 3 *(embustero)* liar.

chapurr(e)ar *t* to speak badly: *~ el francés,* to have a smattering of French.

chapuza *f* botch, botch-up. ●*hacer una ~,* to botch up.

chapuzar(se) [4] *t-i* to duck. — **2** *p* to dive in.

chapuzón *m* duck, dive. ●*darse un ~,* to have a dip.

chaqué *m* morning coat. ▲ *pl chaqués.*

chaqueta *f* jacket. ●*fam fig cambiar de ~,* to change sides.

chaquetón *m* winter jacket.

charada *f* charade.

charanga *f* brass band.

charca *f* pool, pond.

charco *m* puddle, pond. ●*pasar el ~,* to cross the pond.

charcutería f pork butcher's shop, delicatessen.

charla f (conversación) talk. 2 (conferencia) talk, lecture.

charlar i to chat, talk.

charlatán,-ana adj (hablador) talkative. 2 (chismoso) gossipy. – 3 m,f (parlanchín) chatterbox. 4 (embaucador) charlatan.

charlatanería f verbosity.

charol m (barniz) varnish. 2 (cuero) patent leather.

charola f AM tray.

charrán m rogue.

charretera f epaulette.

charro,-a adj (tosco) coarse. 2 (hortera) cheap, flashy.

chárter adj-m inv charter.

chascar [1] t (lengua) to click; (dedos) to snap. – 2 i (madera) to crack.

chascarrillo m crack, joke.

chasco m (broma) trick. 2 (decepción) disappointment.

chasis m inv chassis.

chasquear t (bromear) to play a trick on. 2 (engañar) to deceive. 3 (decepcionar) to disappoint. – 4 i (madera, látigo) to crack, snap. 5 (decepcionarse) to be disappointed.

chasquido m (de látigo, madera) crack; (de la lengua) click.

chatarra f scrap iron, iron slag. 2 fam (monedas) small change.

chatarrero,-a m,f scrap dealer.

chato,-a adj (nariz) snub; (persona) snubnosed. 2 (objeto) flat. – 3 m (vaso) small glass. – 4 m,f (persona) snub-nosed person. 5 fam (cariño) love, dear.

chauvinismo m chauvinism.

chaval,-la fam adj young. – 2 m,f kid, youngster; m lad, f lass.

chaveta f cotter (pin). ●**perder la ~,** to go off one's rocker.

che f name of the digraph **ch.** ▲ pl **ches.**

chelín m shilling.

cheque m cheque, US check. ●**extender un ~,** to issue a cheque. ■ ~ **abierto/ cruzado/en blanco,** open/crossed/blank cheque; ~ **al portador,** cheque payable to bearer; ~ **de viaje/viajero,** traveler's cheque; **talonario de cheques,** cheque book.

chequeo m checkup.

chicha f (lenguaje infantil) meat. 2 AM liquor. ■MAR **calma** ~, dead calm.

chícharo m AM chickpea.

chicharra f cicada.

chicharrón m CULIN pork crackling. 2 fig (moreno) sunburnt person.

chichón m bump, lump.

chicle m chewing gum.

chico,-a adj small, little. – 2 m,f kid, youngster. – 3 m (aprendiz) office boy. – 4 f (criada) maid.

chicote m AM whip.

chiflado,-a adj mad, crazy.

chifladura f craziness, madness.

chiflar(se) i (silbar) to hiss, whistle. – 2 p to go mad/crazy.

chilaba f jellabah.

chillar i to scream. 2 fig to shout. 3 (colores) to be loud/gaudy.

chillido m shriek, screech, scream.

chillón,-ona adj screaming. 2 (color) loud, garish.

chimenea f chimney. 2 (hogar) fireplace. 3 (de barco) funnel.

chimpancé m chimpanzee. ▲ pl **chimpancés.**

china f (piedra) pebble. 2 (seda) China silk. 3 (porcelana) china. 4 arg (droga) deal.

chinchar(se) fam t to annoy, pester. – 2 p to grin and bear it. ●**¡chínchate!,** so there!

chinche m & f ZOOL bedbug. 2 fig bore, nuisance.

chincheta f drawing pin, US thumbtack.

chinchilla f ZOOL chinchilla.

chinela f slipper.

chingado,-a adj AM unsuccessful, vain.

chip m INFORM chip. 2 pl fam crisps.

chipirón m baby squid.

chiquero m pigsty.

chiquillada f childish prank.

chiquillo,-a m,f kid, youngster.

chiquito,-a adj tiny, very small. – 2 m small glass of wine. ●**no andarse con chiquitas,** not to beat about the bush.

chiringuito m fam (en playa) refreshment stall; (en carretera) roadside snack bar.

chirinola f (fruslería) trifle. ●**estar de ~,** to be in good spirits.

chiripa f fluke, stroke of luck.

chirlo m (herida) wound on the face. 2 (cicatriz) scar on the face.

chirriar [13] i (al freír comida etc.) to sizzle. 2 (rueda, frenos) to screech; (puerta) to creak. 3 (aves) to squawk. 4 fig (persona) to sing badly.

chirrido m (de rueda, frenos) screech. 2 (de aves) squawk.

chisme m (comentario) piece of gossip. 2 (trasto) knick-knack; (de cocina etc.)

gadget: *¿cómo funciona este ~?,* how does this thing work?
chismear *i* to gossip.
chismorreo *m* gossip(ing).
chismoso,-a *adj* gossipy. – 2 *m,f* gossip.
chispa *f* spark(le). 2 *(un poco)* bit. 3 METEOR droplet. 4 *fig (ingenio)* wit. ●*fig echar chispas,* to be raging; *fig tener ~,* to be witty/funny. ■ *~ eléctrica,* spark.
chispazo *m* spark, flash.
chispeante *adj* sparkling.
chispear *i* to spark. 2 METEOR to drizzle lightly. 3 *fig (relucir)* to sparkle. ▲ 2 *only used in the 3rd pers. It does not take a subject.*
chisporrotear *i* to spark, splutter.
chisporroteo *m* sparkling, spluttering.
chistar *i* to speak. ●*no ~,* not to say a word.
chiste *m* joke. ●*explicar/contar un ~,* to tell a joke. ■ *~ verde,* blue/dirty joke.
chistera *f (sombrero)* top hat. 2 *(de pescador)* fish basket.
chistoso,-a *adj* witty, funny.
chita *f* ANAT anklebone. 2 *(juego)* jacks *pl.* ●*a la ~ callando,* quietly; *(con disimulo)* on the quiet.
¡chitón! *interj* hush!, silence!
chivar(se) *t fam (molestar)* to annoy, pester. 2 *(delatar)* to denounce, give away. – 3 *p* to tell: *~se a la policía,* to inform the police.
chivatazo *m fam* informing. ●*dar el ~,* to inform, squeal.
chivato,-a *m,f fam (delator)* informer. – 2 *m (dispositivo)* gadget. 3 ZOOL kid.
chivo,-a *m,f* male kid. ●*fam estar como una chiva,* to be crazy. ■ *~ expiatorio,* scapegoat.
choc *m* shock.
chocante *adj (divertido)* funny. 2 *(sorprendente)* surprising. 3 *(raro)* strange.
chocar [1] *i (colisionar)* to collide *(contra/ con,* with), crash *(contra/con,* into). 2 *(pelear)* to fight. 3 *fig (sorprender)* to surprise: *esto me choca,* I am surprised at this. – 4 *t (las manos)* to shake. 5 *(copas)* to clink. ●*¡chócala!/¡choca esos cinco!,* put it there!
chocarrería *f* coarse humour.
chocarrero,-a *adj* coarse, vulgar.
chochear *i* to dodder. 2 *(de cariño)* to be tender.
chochera, chochez *f* dotage. 2 *(cariño)* tenderness.
chocho,-a *adj* doting. 2 *(de cariño)* tender. – 3* *m* cunt*.

choclo *m* AM tender maiz, corn on the cob. 2 *(guisado)* stew made with tender maize/corn.
chocolate *m* chocolate. 2 *arg (hachís)* dope, hash. ●*fam fig las cosas claras y el ~ espeso,* let's get things clear. ■ *~ a la taza,* drinking chocolate; *~ con leche,* milk chocolate; *tableta de ~,* bar of chocolate.
chocolatina *f* small bar of chocolate.
chófer, chofer *m (particular)* chauffeur; *(de autocar etc.)* driver. ▲ *pl chóferes.*
chollo *m fam* bargain, snip.
chopo *m* poplar.
choque *m* collision, crash. 2 *(enfrentamiento),* clash; MIL skirmish. 3 *(discusión)* dispute, quarrel. 4 MED shock.
chorizar *t fam* to pinch, nick.
chorizo *m* highly-seasoned pork sausage. 2 *fam (ratero)* thief, pickpocket.
chorlito *m (ave)* plover.
chorrada *f fam (necedad)* piece of nonsense: *decir chorradas,* to talk rubbish. 2 *(regalito)* little something.
chorrear *i (a chorros)* to spout, gush. 2 *(gotear)* to drip. 3 AM to steal.
chorro *m* jet, spout. ●*a chorros,* in abundance: *hablar a chorros,* to talk nineteen to the dozen. ■ *avión a ~,* jet plane; *~ de voz,* loud voice.
chotear(se) *t-p fam* to make fun *(de,* of).
choteo *m fam* fun, joking.
choza *f* hut.
christmas *m inv* Christmas card.
chubasco *m* heavy shower.
chubasquero *m* raincoat.
chuchería *f (trasto)* trinket, knick-knack. 2 *(bocado)* tidbit, delicacy.
chucho *m fam* dog.
chueca *f (del tronco)* stump. 2 *(de hueso)* head.
chufa *f* chufa, groundnut. ■ *horchata de ~,* drink made from chufas.
chulear(se) *t-p (burlar)* to make fun of. – 2 *i (presumir)* to brag *(de,* about).
chulería *f (jactancia)* bragging. 2 *(gracia)* wit.
chuleta *f* chop, cutlet. 2 *fam* EDUC crib (note), US trot.
chulo,-a *adj (engreído)* cocky. 2 *fam (bonito)* nice: *¡qué vestido tan ~!,* what a nice dress! – 3 *m,f (presuntuoso)* show-off. – 4 *m (proxeneta)* pimp.
chumbera *f* prickly pear.
chunga *f* fun, joke. ●*estar de ~,* to be joking; *tomar a ~,* to make fun of.

chungo,-a *adj fam* naff: *lo tenemos ~,* we've got problems.

chunguearse *p* to joke, make fun of.

chupachup® *m inv* lollipop.

chupado,-a *adj* skinny, emaciated. – 2 *f (a caramelo)* suck; *(a cigarro)* puff.

chupar(se) *t* to suck, draw. 2 *(absorber)* to absorb, soak up. 3 *(hacienda)* to drain, sponge on. 4 *fam (aprovecharse)* to milk. – 5 *i* to suck. – 6 *i-t* AM *(pitar)* to blow. – 7 *p* to grow thin. •*~se el dedo,* to suck one's thumb; *~se los dedos,* to lick one's fingers; *fam ~ del bote,* to scrounge; *fam ¡chúpate ésa!,* stick that in your pipe and smoke it!

chupatintas *m inv fam* office drudge.

chupete *m* dummy, soother, US pacifier.

chupón,-ona *adj* sucking. 2 *(gorrón)* sponging. – 3 *m* BOT sucker. – 4 *m,f (gorrón)* sponger.

churra *f fam* fluke, good luck.

churrasco *m* barbecued meat.

churrería *f* fritter shop.

churro *m* fritter, US cruller. 2 *fam (chapuza)* botch.

churumbel *m fam* kid.

chusco,-a *adj* funny, witty. – 2 *m (de pan)* chunk of bread.

chusma *f* riffraff.

chut *m* DEP shot, kick.

chutar(se) *i* DEP to shoot. – 2 *p arg* to fix, shoot up. •*... y va que chuta,* ... and no problem.

chuzo *m* short pike. •*fig llover chuzos,* to rain pitchforks.

cianuro *m* cyanide.

ciático,-a *adj* sciatic. – 2 *f* sciatica.

cibernética *f* cybernetics.

cicatería *f* stinginess, niggardliness.

cicatero,-a *adj* stingy, niggardly.

cicatriz *f* scar.

cicatrizar(se) [4] *t-p* to heal.

cíclico,-a *adj* cyclic(al).

ciclismo *m* cycling.

ciclista *adj* cycle, cycling. – 2 *mf* cyclist.

ciclo *m* cycle.

ciclocross *m inv* cyclo-cross.

ciclomotor *m* moped.

ciclón *m* cyclone.

ciclostil *m* cyclostyle.

ciego,-a *adj* blind. 2 *(conducto)* blocked up. – 3 *m,f (persona)* blind person. – 4 *m* ANAT caecum, blind gut. •*a ciegas,* blindly.

cielo *m* sky. 2 *fig* heaven. 3 METEOR climate, weather. •*a ~ raso,* in the open (air); *como caído del ~,* out of the blue;

despejarse el ~, to clear up; *poner a algo/algn. por los cielos,* to praise sth./sb.; *poner el grito en el ~,* to hit the ceiling. ■ *~ raso,* ceiling.

ciempiés *m inv* centipede.

cien *adj* (one) hundred: *~ libras,* one hundred pounds. •*~ por ~,* a hundred per cent; *fam fig ponerse a ~,* to be up to a hundred. ▲ *Only used in front of pl nouns.* → **ciento.**

ciénaga *f* marsh, bog.

ciencia *f* science. 2 *(saber)* knowledge, learning. •*a ~ cierta,* with certainty. ■ *~ ficción,* science fiction; *ciencias empresariales,* business studies; *ciencias exactas,* mathematics *sing.*

cieno *m* mud, slime.

científico,-a *adj* scientific. – 2 *m,f* scientist.

ciento *adj-m* (one) hundred. •*por ~,* per cent; *fam ~ y la madre,* a crowd. ▲ → **cien.**

ciernes en ~, *adv* blossoming: *la política urbanística está en ~,* the town-planning policy is in its early stages.

cierre *m (acción)* closing, shutting. 2 *(de prenda)* fastener. 3 *(mecanismo)* catch. 4 *(de fábrica)* lockout; *(de tienda)* closedown.

cierto,-a *adj (seguro)* certain, sure. 2 *(verdadero)* true. 3 *(algún)* (a) certain, some: *~ día,* one day. – 4 *adv* certainly. •*estar en lo ~,* to be right; *por ~,* by the way.

ciervo *m* deer.

cierzo *m* north wind.

cifra *f (número)* figure, number. 2 *(cantidad)* amount. 3 *(código)* cipher, code.

cifrar *t (codificar)* to encode. 2 *(compendiar)* to summarize. 3 *fig (poner)* to place *(en, -).*

cigala *f* Dublin Bay prawn.

cigarra *f* cicada.

cigarrillo *m* cigarette.

cigarro *m* cigar.

cigüeña *f (ave)* stork. 2 TÉC crank.

cigüeñal *m* crankshaft.

cilindrada *f* cylinder capacity.

cilíndrico,-a *adj* cylindric(al).

cilindro *m* cylinder.

cima *f* summit. •*dar ~ a,* to carry out, complete.

címbalo *m* cymbal.

cimbr(e)ar(se) *t (hacer vibrar)* to make quiver. 2 *(zarandearse)* to sway. – 3 *p* to sway.

cimbreo *m* quiver. 2 *(de persona)* sway.

cimentar [27] *t* ARQ to lay the foundations of. **2** *fig* to found, establish.
cimiento *f* ARQ foundation. **2** *fig* basis.
cinc *m* zinc. ▲ *pl* **cines.**
cincel *m* chisel.
cincelado *m* chiselling.
cincelar *t* to chisel, engrave.
cinco *adj* five; *(quinto)* fifth. − **2** *m* five.
cincuenta *adj* fifty; *(cincuentavo)* fiftieth. − **2** *m* fifty.
cincuentena *f* (group of) fifty.
cincuentenario *m* fiftieth anniversary.
cine *m* *(lugar)* cinema, US movie theatre: *ir al* ~, to go to the cinema, US go to the movies. **2** *(arte)* cinema.
cineclub *m* small film society. ▲ *pl* **cineclubs.**
cinema *m* → **cine.**
cinematografía *f* film making, cinematography.
cinética *f* kinetics.
cíngaro,-a *adj-m,f* gypsy.
cínico,-a *adj* cynical. − **2** *m,f* cynic.
cinismo *m* cynicism.
cinta *f* band; *(decorativa)* ribbon. **2** TÉC tape. **3** CINEM film. **4** *(casete)* tape. ■ ~ *magnética,* magnetic tape; ~ *magnetofónica,* recording tape; ~ *métrica,* tape measure; ~ *transportadora,* conveyor belt.
cinto *m* belt, girdle.
cintura *f* waist.
cinturón *m* belt. ●*fig apretarse el* ~, to tighten one's belt. ■ ~ *de seguridad,* safety belt.
ciprés *m* cypress.
circo *m* circus. **2** GEOG cirque.
circuito *m* circuit.
circulación *f* circulation. **2** *(de vehículos)* traffic. ●*poner en/retirar de (la)* ~, to put into/withdraw from circulation. ■ *código de (la)* ~, highway code.
circular *adj* circular. − **2** *f* *(carta)* circular letter. − **3** *t-i* to circulate, go round; *(trenes etc.)* to run; *(coches)* to drive.
círculo *m* circle. **2** *(asociación)* club. ■ ~ *vicioso,* vicious circle.
circuncidar *t* to circumcise.
circuncisión *f* circumcision.
circundar *t* to surround.
circunferencia *f* circumference.
circunflejo,-a *adj* circumflex.
circunlocución *f*, **circunloquio** *m* circumlocution.
circunscribir(se) *t* to circumscribe. − **2** *p* to confine o.s. (*a,* to). ▲ *pp* **circunscrito,-a.**

circunscripción *f* district, territory.
circunscrito,-a *pp* → **circunscribir.**
circunspección *f* circumspection.
circunspecto,-a *adj* circumspect, cautious.
circunstancia *f* circumstance. ●*fam poner cara de circunstancias,* to look grave.
circunstancial *adj* circumstantial.
circunvalación *f* *carretera de* ~, ring road, US belt(way); *(autobús)* *línea de* ~, circular route.
circunvalar *t* to surround, encircle.
cirio *m* wax candle. ●*fam armar un* ~, to kick up a rumpus.
cirro *m* cirrus.
cirrosis *f inv* cirrhosis.
ciruela *f* plum. ■ ~ *claudia,* greengage; ~ *pasa,* prune.
ciruelo *m* plum tree.
cirugía *f* surgery.
cirujano,-a *m,f* surgeon.
cisco *m* *(carbón)* coal dust, slack. **2** *(bullicio)* row. ●*hacer* ~, to shatter; *meter* ~, to kick up a stink.
cisma *m & f* REL schism. **2** *(desacuerdo)* discord, split.
cismático,-a *adj-m,f* schismatic.
cisne *m* swan. ■ *canto del* ~, swan song.
cisterna *f* cistern, tank. ■ *camión* ~, tanker.
cistitis *f inv* cystitis.
cita *f* *(para negocios, médico, etc.)* appointment. **2** *(compromiso)* engagement, date. **3** *(mención)* quotation. ●*darse* ~, to meet; *tener una* ~, to have an appointment/engagement.
citación *f* *(mención)* quotation. **2** JUR citation, summons.
citar(se) *t* to make an appointment/date with. **2** *(mencionar)* to quote. **3** JUR to summon. − **4** *p* to arrange to meet (*con,* -).
cítara *f* zither, sitar.
cítrico,-a *adj* citric. − **2** *mpl* citrus fruits.
ciudad *f* city, town.
ciudadanía *f* citizenship.
ciudadano,-a *adj* civic. − **2** *m,f* citizen.
ciudadela *f* citadel, fortress.
cívico,-a *adj* civil, polite.
civil *adj* civil. ■ *(guardia)* ~, civil guard.
civilización *f* civilization.
civilizado,-a *adj* civilized.
civilizar(se) [4] *t* to civilize. − **2** *p* to become civilized.
civismo *m* civility.

cizaña f BOT bearded darnel. ●*fig meter* ~, to sow discord.

clamar i to clamour. — 2 t to cry out for: ~ *venganza,* to cry out for revenge.

clamor m clamour.

clamoroso,-a adj clamorous.

clan m clan. ▲ *pl* **clanes.**

clandestino,-a adj clandestine, underground, secret.

clara f (egg) white. 2 (bebida) shandy.

claraboya f skylight.

clarear(se) t to make clear. — 2 i to dawn. 3 METEOR to clear up. — 4 p to become transparent. ▲ *2 only used in the 3rd pers. It does not take a subject.*

clarete m claret (wine).

claridad f clarity; (luz) light. 2 (inteligibilidad) clearness.

clarificar [1] t to clarify.

clarín m bugle. — 2 mf bugler.

clarinete m clarinet. — 2 mf clarinettist.

clarividencia f (percepción paranormal) clairvoyance. 2 (comprensión) lucidity.

clarividente mf clairvoyant. 2 (perspicaz) lucid.

claro,-a adj clear. 2 (color) light. 3 (salsa etc.) thin. 4 (evidente) clear. — 5 adv clearly. — 6 m gap, space; (de bosque) clearing. — 7 interj of course! ●*estar* ~, to be clear; *poner en* ~, to make plain, clear up; *fam más* ~ *que el agua,* as clear as daylight.

claroscuro m chiaroscuro.

clase f (grupo) class. 2 (aula) classroom. 3 (tipo) type, sort. ●*asistir a* ~, to attend class; *dar* ~, to teach; *toda* ~ *de,* all sorts of. ■ ~ *alta/media/baja,* upper/middle/lower class; ~ *de conducir,* driving lesson; ~ *obrera,* working class.

clasicismo m classicism.

clásico,-a adj classic(al). — 2 m classic.

clasificación f classification. 2 (distribución) sorting, filing. 3 DEP league, table.

clasificar(se) [1] t to class, classify. 2 (distribuir) to sort, file. — 3 p DEP to qualify.

clasista adj-mf class-conscious (person).

claudicación f submission, yielding.

claudicar [1] i to yield, give in.

claustro m ARQ cloister. 2 EDUC (profesores) staff; (junta) staff meeting.

claustrofobia f claustrophobia.

cláusula f clause.

clausura f (cierre) closure. 2 REL enclosure.

clausurar t (terminar) to close. 2 (cerrar) to close (down): ~ *un local,* to close down a bar.

clavado,-a adj (con clavos) nailed, nail-studded. 2 fam (preciso) exact, precise. 3 (fijo) firmly fixed. ●*dejar* ~ *(a algn.),* to leave (sb.) dumbfounded.

clavar(se) t (con clavos) to nail. 2 fig to fix: ~ *los ojos en,* to rivet one's eyes on. 3 fam (cobrar caro) to sting. — 4 p to get: ~*se una astilla (en el dedo),* to get a splinter (in one's finger).

clave f (de un enigma etc.) key. 2 (de signos) code. 3 MÚS key: *en* ~ *de sol,* in the key of G. — 4 m (instrumento) harpsichord. ■ *palabra* ~, key word; *hombre* ~, key man. ▲ *1 is inv.*

clavel m carnation.

clavetear t to stud with nails.

clavicordio m clavichord.

clavícula f clavicle, collarbone.

clavija f TÉC peg. 2 ELEC plug.

clavo m nail. 2 BOT clove. ●*dar en el* ~, to hit the nail on the head.

claxon m horn, hooter. ▲ *pl* **cláxones.**

clemencia f clemency, mercy.

clemente adj clement, merciful.

cleptomanía f kleptomania.

clerical adj clerical.

clérigo m clergyman, priest.

clero m clergy.

cliché m (imprenta) plate. 2 (fotografía) negative. 3 fig cliché.

cliente mf client, customer.

clientela f customers pl, clientele.

clima m climate. 2 fig atmosphere.

climatizado,-a adj air-conditioned.

climatizar [4] t to air-condition.

clímax m inv climax.

clínica f clinic. 2 (hospital) private hospital.

clínico,-a adj clinical.

clip m (para papel) clip. 2 (para pelo) hairgrip, US bobby pin. ▲ *pl* **clips.**

clítoris m inv clitoris.

cloaca f sewer.

cloquear i to cluck.

clorhídrico,-a adj hydrochloric.

cloro m chlorine.

clorofila f chlorophyll.

cloroformizar t to chloroform.

cloroformo m chloroform.

club m club, society. ▲ *pl* **clubs** or **clubes.**

clueco,-a adj-m,f broody (hen).

coacción f coercion.

coaccionar t to coerce.

coactivo,-a adj coercive.

coagular(se) *t-p* to coagulate, clot.
coágulo *m* coagulum, clot.
coalición *f* coalition.
coartada *f* alibi.
coartar *t* to limit, restrict.
coba *f fam* soft soap. ●*dar ~ a algn.,* to soft-soap sb.
cobalto *m* cobalt. ■ *bomba de ~,* cobalt bomb.
cobarde *adj* cowardly. – 2 *mf* coward.
cobardía *f* cowardice.
cobertizo *m* shed.
cobertor *m (colcha)* bedspread. 2 *(manta)* blanket.
cobertura *f* cover(ing).
cobijar(se) *t* to cover. 2 *fig* to shelter. – 3 *p* to take shelter.
cobra *f* cobra.
cobrador,-ra *m,f* collector. 2 *(de autobús)* *m* conductor, *f* conductress.
cobrar *t (fijar precio por)* to charge; *(cheques)* to cash; *(salario)* to earn. 2 *(caza)* to retrieve. 3 *(adquirir)* to gain; get: ~ *cariño,* to take a liking; ~ *fuerzas,* to gather strength. ●*¡vas a ~!,* you're in for it!
cobre *m* copper.
cobrizo,-a *adj* copper.
cobro *m* cashing, collection.
coca *f arg* cocaine. 2 *fam (bebida)* Coke®.
cocaína *f* cocaine.
cocción *f* cooking; *(en agua)* boiling; *(en horno)* baking.
cocear *i* to kick.
cocer(se) *[54] t-p* to cook; *(hervir)* to boil; *(en horno)* to bake.
coche *m* car, automobile. 2 *(de tren, de caballos)* carriage, coach. ■ ~ *cama,* sleeping car; ~ *de alquiler,* hired car; ~ *de carreras,* racing car; ~ *de época,* vintage car; ~ *fúnebre,* hearse; ~ *restaurante,* dining car.
cochera *f* depot.
cochero *m* coachman.
cochinada *f (porquería)* dirty thing. 2 *fig* dirty trick.
cochinería *f (suciedad)* dirt, filth. 2 *fig* dirty trick.
cochinilla *f* cochineal.
cochinillo *m* sucking pig.
cochino,-a *adj (sucio)* filthy. 2 *(miserable)* bloody: *¡~ trabajo!,* damn work! – 3 *m,f* zool *m* pig, *f* sow. 4 *fam (persona)* dirty person.
cocido,-a *adj* cooked; *(en agua)* boiled. – 2 *m* culin stew.
cociente *m* quotient.

cocina *f* kitchen. 2 *(gastronomía)* cooking: ~ *española,* Spanish cooking/cuisine. 3 *(aparato)* cooker, us stove. ■ ~ *casera,* home cooking; ~ *de mercado,* food in season; ~ *económica,* cooking range.
cocinar *t* to cook. 2 am to bake.
cocinero,-a *m,f* cook.
coco *m* bot *(árbol)* coconut palm. 2 *(fruta)* coconut. 3 *fam (fantasma)* bogeyman. 4 *arg (cabeza)* hard nut. ●*fam comer el ~ a algn.,* to brainwash sb; *fam comerse el ~,* to get worked up.
cocodrilo *m* crocodile.
cocotero *m* bot coconut palm.
cóctel *m* cocktail. 2 *(fiesta)* cocktail party.
codazo *m* poke with the elbow.
codear(se) *i (empujar)* to elbow. – 2 *p* ~*se con,* to rub shoulders with.
codicia *f* greed.
codiciar *[12] t* to covet, long for.
codicioso,-a *adj* covetous, greedy.
código *m* code.
codo *m* anat elbow. 2 téc bend. ●*alzar/ empinar el ~,* to knock them back; *hablar por los codos,* to talk too much.
codorniz *f* quail.
coeficiente *m* coefficient. ■ ~ *de inteligencia,* intelligence quotient.
coerción *f* coertion, restraint.
coercitivo,-a *adj* coercive.
coetáneo,-a *adj-m,f* contemporary.
coexistencia *f* coexistence.
coexistir *i* to coexist.
cofia *f* bonnet.
cofradía *f* brotherhood.
cofre *m* trunk, chest.
cogedor *m* dustpan.
coger *[5] t (asir)* to seize, take hold of. 2 *(apresar)* to capture. 3 *(tomar)* to take: ~ *un empleo,* to take a job. 4 *(tren etc.)* to catch. 5 *(tomar prestado)* to borrow. 6 *(recolectar frutos etc.)* to pick. 7 *(enfermedad)* to catch. 8* am to fuck*. ●*fig ~ algo por los pelos,* to just make up sth; ~ *por sorpresa,* to catch by surprise; *(de media, etc.)* ~ *puntos,* to pick up stitches.
cognición *f* cognition.
cogollo *m (de lechuga etc.)* heart. 2 *(brote)* shoot. ●*fig el ~,* the cream, the best.
cogote *m* back of the neck, nape.
cohabitar *i* to cohabit.
cohechar *t* to bribe, suborn.
cohecho *m* bribery, subornation.
coherencia *f* coherence, coherency.
coherente *adj* coherent, connected.
cohesión *f* cohesion.

cohete *m* rocket.

cohibido,-a *adj* restrained.

cohibir(se) [21] *t* to restrain. − 2 *p* to feel embarrassed.

cohombro *m* cucumber.

coincidencia *f* coincidence.

coincidir *i* to coincide.

coito *m* coitus, intercourse.

cojear *i* to limp, hobble. 2 *(muebles)* to be rickety.

cojera *f* limp, lameness.

cojín *m* cushion.

cojinete *m* TÉC bearing. ■ ~ *de bolas,* ball bearing.

cojo,-a *adj* lame, crippled. 2 *(mueble)* wobbly. − 3 *m,f* lame person, cripple.

cojón* *m* ANAT ball*, bollock*. − 2 *interj* fuck it!* ●*por cojones,* like it or not; *tener cojones,* to have guts/balls*.

cojonudo,-a* *adj* fucking great*.

col *f* cabbage. ■ ~ *de Bruselas,* Brussels sprout.

cola *f* tail. 2 *(de vestido)* train. 3 *(fila)* queue, US line. 4 *(pegamento)* glue. ●*hacer* ~, to queue up; *fig tener/traer* ~, to have serious consequences. ■ ~ *de caballo,* BOT horsetail; *(peinado)* ponytail.

colaboración *f* collaboration. 2 *(prensa)* contribution.

colaboracionista *mf* collaborationist.

colaborador,-ra *m,f* collaborator. 2 *(prensa)* contributor.

colaborar *i* to collaborate. 2 *(prensa)* to contribute.

colación *f* *(comparación)* collation. 2 *(refrigerio)* light meal. ●*sacar a* ~, to mention, bring up.

colada *f* wash, laundry. 2 *(con lejía)* bleaching. 3 TÉC tapping. 4 *(volcánica)* outflow.

colador *m* *(de té, café)* strainer. 2 *(de caldo, alimentos)* colander.

colapso *m* MED collapse. 2 *fig* breakdown.

colar(se) [31] *t* to strain, filter. 2 *(con lejía)* to bleach. 3 *(lavar)* to wash. − 4 *fam p* to slip/sneak in. 5 *(equivocarse)* to slip up. 6 *(enamorarse)* to fall *(por,* for).

colcha *f* bedspread.

colchón *m* mattress.

colchoneta *f* small mattress.

colear *i* to wag the tail. 2 *fam* to drag on: *el asunto aún colea,* we haven't heard the last of it yet.

colección *f* collection.

coleccionar *t* to collect, make a collection of.

coleccionista *mf* collector.

colecta *f* collection.

colectividad *f* community.

colectivo,-a *adj* collective.

colector,-ra *adj* collecting. − 2 *m (caño)* water pipe. 3 *(cloaca)* main sewer.

colega *mf* colleague.

colegiado,-a *adj* collegiate. − 2 *m,f* collegiate. − 3 *m* DEP referee.

colegial,-la *adj* school. − 2 *m,f m* schoolboy, *f* schoolgirl.

colegiarse [12] *p* to join/form a professional association.

colegio *m* *(escuela)* school. 2 *(asociación)* college, body, association. ■ ~ *electoral,* polling station; ~ *mayor,* hall of residence; ~ *privado/de pago,* public school; ~ *público/estatal,* state school.

colegir [55] *t* to infer, conclude.

cólera *f* anger, rage. − 2 *m* MED cholera. ●*montar en* ~, to fly into a temper.

colérico,-a *adj* choleric, irascible.

coleta *f* pigtail.

colgador *m* (coat) hanger.

colgadura *f* hangings *pl,* drapery.

colgante *adj* hanging.

colgar(se) [52] *t* to hang (up). 2 *(abandonar)* to give up: ~ *los libros,* to give up studying. − 3 *i* to hang *(de,* from). 4 *(teléfono)* to put down, hang up: *¡no cuelgue!,* hold on!

colibrí *m* humming bird.

cólico *m* colic.

coliflor *f* cauliflower.

colilla *f* cigarette end/butt.

colina *f* hill(ock).

colindante *adj* adjacent, neighbouring.

colindar *i* to be adjacent *(con,* to).

colirio *m* eyewash, collyrium.

colisión *f* collision, crash.

colisionar *i* to collide, crash, clash.

collado *m* hill(ock). 2 *(paso entre montañas)* wide mountain pass.

collar *m* necklace. 2 *(cuello)* collar.

colmado,-a *adj* full, abundant. − 2 *m* grocer's (shop).

colmar *t* *(vaso, copa)* to fill to the brim. 2 *fig (ambiciones etc.)* to fulfil. ●~ *de,* to fill/to stuff with.

colmena *f* beehive.

colmenar *m* apiary.

colmillo *m* eye/canine tooth.

colmo *m* height, limit. ●*¡esto es el* ~*!,* this is too much!

colocación *f* *(acto)* location. 2 *(situación)* situation. 3 *(empleo)* employment.

colocado,-a *adj (empleado)* employed. 2 *arg (embriagado)* sozzled; *(drogado)* stoned, high.

colocar(se) [1] *t* to place, put. 2 *(emplear)* to give work to. 3 FIN to invest. 4 *(mercancías)* to sell well. – 5 *p (situarse)* to place o.s. 6 *(trabajar)* to get a job *(de, as)*. 7 *arg (embriagarse)* to get sozzled; *(drogarse)* to get stoned.

colofón *m (apéndice)* colophon. 2 fig *(remate)* crowning, climax.

colon *m* colon.

colonia *f (grupo)* colony. 2 *(vacaciones infantiles)* summer camp. 3 *(perfume)* cologne.

colonial *adj* colonial. – 2 *mpl* imported foodstuffs.

colonización *f* colonization.

colonizador,-ra *adj* colonizing. – 2 *m,f* colonizer, colonist.

colonizar [4] *t* to colonize.

colono *m (habitante)* colonist, settler. 2 AGR tenant farmer.

coloquial *adj* colloquial.

coloquio *m* talk, discussion.

color *m* colour. 2 fig *(carácter)* character. ●*fig verlo todo de ~ de rosa,* to see life through rose-coloured spectacles.

colorado,-a *adj* coloured. 2 *(color)* red(dish). ●*ponerse ~,* to blush.

colorante *adj* colouring. – 2 *m* colouring, dye.

color(e)ar *t* to colour.

colorete *m* rouge.

colorido *m* colour.

colorín *m* bright colour. ●*... y ~ colorado este cuento se ha acabado,* ... and that's the end of the story.

colosal *adj* colossal, giant, huge.

columbrar *t (vislumbrar)* to glimpse. 2 *(conjeturar)* to guess, conjecture.

columna *f* column. ■ *~ vertebral,* vertebral/spinal column.

columnata *f* colonnade.

columpiar(se) *t-p* to swing.

columpio *m* swing.

coma *f* GRAM MÚS comma. 2 *(matemáticas)* point. – 3 *m* MED coma.

comadre *f (partera)* midwife. 2 *(madrina)* godmother. 3 fam *(vecina)* neighbour. 4 *(amiga)* (female) friend.

comadrear *i* to gossip, chat.

comadreja *f* weasel.

comadreo *m* gossiping, chatting.

comadrona *f* midwife.

comandancia *f (grado)* command. 2 *(edificio)* headquarters *inv.*

comandante *m (oficial)* commander. 2 *(graduación)* major.

comandar *t* to command.

comandita *f* COM silent partnership.

comando *m* commando.

comarca *f* area, region.

comba *f (curvatura)* bend. 2 *(cuerda)* skipping rope. ●*saltar a la ~,* to skip (rope).

combar(se) *t-p* to bend.

combate *m* combat, battle. 2 *(boxeo)* fight.

combatiente *adj* fighting. – 2 *mf* fighter.

combatir *i* to fight, struggle *(contra, against)*. – 2 *t (luchar contra)* to fight.

combinación *f* combination. 2 *(prenda)* slip.

combinar(se) *t-p* to combine.

combustible *adj* combustible. – 2 *m* fuel.

combustión *f* combustion, burning.

comecocos *m inv arg (de tragaperras)* pacman. 2 *(asunto, libro, etc.)* soul-destroyer.

comedero *m* feeding trough.

comedia *f* TEAT comedy, play. 2 fig farce, pretence.

comediante,-a *m,f m* actor, *f* actress. 2 fig hypocrite.

comedido,-a *adj (educado)* courteous, polite. 2 *(moderado)* moderate.

comedirse [34] *p* to restrain o.s.

comedor,-ra *adj* heavy-eating: *ser (muy) ~,* to eat a lot. – 2 *m* dining room. 3 *(muebles)* dining-room suite.

comendador *m* commander.

comensal *mf* table companion.

comentar *t (por escrito)* to comment on; *(oralmente)* to talk about.

comentario *m (observación)* remark, comment. 2 *pl* gossip *sing.*

comentarista *mf* commentator.

comenzar [47] *t-i* to begin, start.

comer(se) *t* to eat. 2 *(color)* to fade. 3 *(corroer)* to corrode. 4 fig *(gastar)* to eat away. – 5 *i* to eat. 6 *(comida principal)* to have a meal. – 7 *p* fig *(saltarse)* to omit; *(párrafo)* to skip; *(palabra)* to swallow: *se come las palabras,* he/she slurs. ●*~se las uñas,* to bite one's nails; *dar de ~,* to feed; fam *~se algo con los ojos,* to devour sth. with one's eyes.

comercial *adj* commercial.

comercializar [4] *t* to commercialize, market.

comerciante *mf* merchant. 2 *(interesado)* moneymaker.

comerciar [12] *i (comprar y vender)* to trade, deal. **2** *(hacer negocios)* to do business *(con,* with).

comercio *m (ocupación)* commerce, trade. **2** AM *(tienda)* shop, store. ■ *libre ~,* free trade.

comestible *adj* edible. — **2** *mpl* groceries, food *sing.* ■ *tienda de comestibles,* grocer's (shop).

cometa *m* ASTRON comet. — **2** *f* kite.

cometer *t (crimen)* to commit; *(falta, error)* to make.

cometido *m (encargo)* task. **2** *(deber)* duty.

comezón *f* itch(ing).

cómic *m* comic.

comicios *mpl* POL elections.

cómico,-a *adj* comic. — **2** *mf* comedian, comic.

comida *f* food. **2** *(desayuno etc.)* meal. **3** *(almuerzo)* lunch.

comidilla *f* gossip, talk.

comience *pres subj/imperat* → **comenzar.**

comienzo *m* start, beginning.

comillas *fpl* inverted commas.

comilón,-ona *adj-m,f* big eater, glutton. — **2** *f* big meal.

comino *m* BOT cu(m)min. ●*no valer un ~,* not to be worth tuppence.

comisaría *f ~ (de policía),* police station.

comisario *m ~ (de policía),* police inspector.

comiscar [1] *t-i fam* to nibble (on).

comisión *f (retribución)* commission. **2** *(comité)* committee. **3** *(encargo)* assignment.

comisionado,-a *adj* commissioned. — **2** *m,f* commissioner, US constable.

comisionar *t* to commission.

comisura *f* corner, angle.

comité *m* committee.

comitiva *f* suite, retinue.

como *adv (lo mismo que)* as: *negro ~ la noche,* as dark as night. **2** *(de tal modo)* like: *hablas ~ un político,* you talk like a politician. **3** *(según)* as: *~ dice tu amigo,* as your friend says. **4** *(en calidad de)* as: *~ invitado,* as a guest. — **5** *conj (así que)* as soon as. **6** *(si)* if: *~ lo vuelvas a hacer,* if you do it again. **7** *(porque)* as, since: *~ llegamos tarde no pudimos entrar,* since we arrived late we couldn't get in. ●*~ quiera que,* since, as, inasmuch; *~ no sea,* unless it is; *~ si nada/ tal cosa,* as if nothing had happened; *fam tanto ~,* as much as.

cómo *adv interrog* how: *¿~ está usted?,* how do you do? **2** *(por qué)* why: *¿~ no viniste?,* why didn't you come? **3** *(admiración)* how: *¡~ corre el tiempo!,* time flies!

cómoda *f* chest of drawers.

comodidad *f* comfort. **2** *(facilidad)* convenience.

comodín *m (carta)* joker. **2** *fig* excuse.

cómodo,-a *adj* comfortable, cosy. **2** *(útil)* convenient, handy.

comodón,-ona *adj* comfort loving. — **2** *m,f* comfort lover.

compacto *adj* compact, dense.

compadecer(se) [43] *t* to pity, feel sorry for. — **2** *p* to have pity *(de,* on).

compadre *m (padrino)* godfather. **2** *(amigo)* mate, pal.

compaginar(se) *t* to arrange. — **2** *p* to go together, match.

compañerismo *m* companionship, fellowship.

compañero,-a *m,f* companion, fellow, mate.

compañía *f* company. ●*hacer ~ a algn.,* to keep sb. company. ■ *~ de seguros/ teatro,* insurance/theatre company.

comparación *f* comparison.

comparar *t* to compare.

comparativo,-a *adj* comparative.

comparecer [43] *i* JUR to appear.

comparsa *f (teatro)* extras *pl.* **2** *(de carnaval)* masquerade. — **3** *mf* walk-on, extra.

compartim(i)ento *m* compartment.

compartir *t (dividir)* to divide up, split. **2** *(poseer en común)* to share.

compás *m* (pair of) compasses. **2** MÚS time. ●*llevar el ~,* to keep/beat time.

compasión *f* compassion, pity. ●*tener ~ (de algn.),* to feel sorry (for sb.).

compasivo,-a *adj* compassionate, sympathetic.

compatibilidad *f* compatibility.

compatible *adj* compatible.

compatriota *mf* compatriot; *m* fellow countryman, *f* fellow countrywoman.

compeler *t* to compel, force.

compendiar [12] *t* to summarize, abridge, sum up.

compendio *m* summary, digest.

compenetración *f fig* mutual understanding. **2** FÍS interpenetration.

compenetrarse *p* to understand each other. **2** FÍS to interpenetrate.

compensación *f* compensation.

compensar t (indemnizar) to compensate. 2 (resarcir) to make up for. 3 fam to be worthwhile: **este trabajo no me compensa,** this job's not worth my time.

competencia f (rivalidad) competition. 2 (competidores) competitors pl. 3 (habilidad) competence, ability. 4 (incumbencia) field, scope; **no es de mi ~,** it's not within my province.

competente adj (capaz) competent, capable. 2 (adecuado) adequate.

competer i (corresponder) to be up to. 2 (incumbir) to be the duty/business of.

competición f competition.

competidor,-ra adj competing. — 2 m,f competitor.

competir [34] i to compete (**con,** with/ against; **en,** in; **por,** for).

competitivo,-a adj competitive.

compilar t to compile.

compinche mf fam chum, pal.

complacencia f pleasure, satisfaction.

complacer(se) [76] t to please. — 2 p to take pleasure (**en/de/por,** in). 3 fml to be pleased to: **me complace anunciar ...,** it gives me great pleasure to announce...

complaciente adj obliging.

complejidad f complexity.

complejo,-a adj-m complex.

complementar(se) t to complement. — 2 p to complement each other.

complementario,-a adj complementary.

complemento m complement. 2 GRAM object.

completar t to complete. 2 (acabar) to finish.

completo,-a adj (terminado) complete. 2 (total) full. — 3 **completamente** adv completely. ●**al ~,** full up, filled to capacity.

complexión f constitution, build.

complicación f complication. ●**buscarse complicaciones,** to make life difficult for o.s.

complicado,-a adj complicated.

complicar(se) [1] t to complicate. 2 (implicar) to involve (**en,** in). — 3 p to become complicated/involved. ●**~se la vida,** to make life difficult for o.s.

cómplice mf accomplice.

complicidad f complicity.

complot m plot, conspiracy.

componenda f shady deal.

componente adj-m component.

componer(se) [78] t (formar) to compose. 2 (reparar) to fix, repair. 3 (ador-

nar) to adorn, trim. 4 (riña) to settle. 5 (ataviar) to dress/make up. — 6 p (consistir) to consist (**de,** of). ●fam **componérselas,** to manage, make do. ▲ pp **compuesto,-a.**

comportamiento m behaviour, conduct.

comportar(se) t to bear, tolerate. — 2 p to behave, act. ●**saber ~se,** to know how to behave.

composición f composition. 2 (acuerdo) agreement. ●**hacer ~ de lugar,** to weigh the pros and cons.

compositor,-ra m,f composer.

compostura f (reparación) repair, mending. 2 (dignidad) composure, dignity. 3 (ajuste) settlement, adjustment. 4 (convenio) agreement.

compota f compote.

compra f purchase, buy. ●**ir de compras,** to go shopping. ■ **~ a crédito,** credit purchase; **~ a plazos,** hire purchase.

comprar t to buy. 2 (sobornar) to bribe, buy off.

compraventa f buying and selling, dealing.

comprender t (entender) to understand. 2 (contener) to comprehend, comprise, embrace.

comprensible adj understandable.

comprensión f understanding.

comprensivo,-a adj (que entiende) understanding. 2 (que contiene) comprehensive.

compresa f (higiénica) sanitary towel. 2 (vendaje) compress.

compresión f compression.

compresor,-ra adj compressing. — 2 m compressor.

comprimido,-a adj compressed. — 2 m tablet.

comprimir t (apretar) to compress. 2 (reprimir) to restrain.

comprobación f verification, check.

comprobante m receipt, voucher.

comprobar [31] t to verify, check.

comprometedor,-ra adj compromising. 2 (persona) troublemaking.

comprometer(se) t (juzgar un tercero) to submit to arbitration. 2 (exponer a riesgo) to compromise, risk. 3 (obligar) to engage. — 4 p (prometer) to commit o.s. ●**~se a hacer algo,** to undertake to do sth.

compromiso m (obligación) commitment. 2 (acuerdo) agreement. 3 (dificultad) difficult situation, bind. ●**poner (a**

algn.) en un ~, to put (sb.) in a tight spot.

compuerta *f* sluice, floodgate.

compuesto,-a *pp* → **componer**. – 2 *adj* compound. 3 *(reparado)* repaired, mended. 4 *(elegante)* dressed up. – 5 *m (químico, farmacéutico, etc.)* compound.

compulsar *t (cotejar)* to collate. 2 JUR *(hacer copia)* to make a certified true copy.

compungido,-a *adj* remorseful.

compungirse [6] *p* to feel remorseful.

compuse *pt indef* → **componer**.

computador,-ra *m,f* computer.

computar *t* to compute, calculate.

cómputo *m* computation, calculation.

comulgar [7] *i* to receive Holy Communion. 2 *fig (compartir ideas etc.)* to share *(con, -)*.

común *adj* common. 2 *(compartido)* shared. – 3 *m* community. – 4 **comúnmente** *adv (normalmente)* commonly, usually, generally; *(frecuentemente)* often. ●*por lo ~*, generally.

comuna *f* commune.

comunal *adj* communal.

comunicación *f* communication. 2 *(comunicado)* communication; *(oficial)* communiqué. 3 *(telefónica)* connection. 4 *pl* communications. ■ *medios de ~*, (news) media.

comunicado *m* communiqué. ■*~ a la prensa*, press release.

comunicar(se) [1] *t-i-p* to communicate. – 2 *i (teléfono)* to be engaged, US be busy. ●*~ con algn.*, to get in touch with sb.

comunicativo,-a *adj* communicative. 2 *(de carácter)* open, unreserved.

comunidad *f* community. ■ *~ de propietarios*, owners' association.

comunión *f* communion. ■ *la Sagrada ~*, the Holy Communion.

comunismo *m* communism.

comunista *adj-mf* communist.

con *prep* with. 2 *(a pesar de)* in spite of: *~ ser tan fuerte ...*, in spite of his being so strong ... . 3 *(dirección)* to, towards. 4 *(relación)* to. ●*~ que*, as long as, if; *~ tal (de) que*, provided that; *~ todo*, nevertheless.

conato *m (intento)* attempt. 2 *(tendencia)* tendency.

concadenar *t* to concatenate, link together.

concavidad *f* concavity.

cóncavo,-a *adj* concave.

concebible *adj* conceivable.

concebir [34] *t-i (engendrar)* to conceive. – 2 *t fig (comprender)* to understand. 3 *(comenzar a sentir)* to experience.

conceder *t* to grant; *(premio)* to award. 2 *(admitir)* to concede, admit.

concejal,-la *m,f* town councillor.

concejalía *f* councillorship.

concenciar(se) [12] *t* to make aware. – 2 *p* to become aware.

concentración *f* concentration. 2 *(de gente)* gathering, rally.

concentrar(se) *t-p* to concentrate.

concéntrico,-a *adj* concentric.

concepción *f* conception.

concepto *m (idea)* concept. 2 *(opinión)* opinion, view. ●*bajo ningún ~*, under no circumstances; *en ~ de*, by way of.

conceptualizar [4] *t* to conceptualize.

conceptuar [11] *t* to deem, judge, think.

concerniente *adj* concerning, relating. ●*fml en lo ~ a*, with regard to.

concernir [29] *i* to concern. ●*por lo que a mí concierne*, as far as I am concerned. ▲ *Used only in indic pres, indic imperf and subj pres and in non-personal forms.*

concertar(se) [27] *t (acuerdo)* to conclude. 2 *(ordenar las partes)* to plan, arrange. 3 MÚS to harmonize. – 4 *i (concordar)* to agree. – 5 *p* to reach an agreement.

concertista *mf* soloist.

concesión *f* concession. 2 *(de premio)* awarding.

concesionario,-a *adj* concessory. – 2 *m,f* concessionaire.

concha *f (caparazón)* shell. 2 *(ostra)* oyster.

conchabar(se) *t (unir)* to blend. – 2 *p (confabularse)* to plot, scheme.

conciencia *f (moral)* conscience. 2 MED consciousness; *(conocimiento)* awareness. ●*a ~*, conscientiously; *con la ~ tranquila*, with a clear conscience; *remorder la ~ a algn.*, to weigh on sb.'s conscience.

concienzudo,-a *adj* conscientious.

concierto *m* MÚS concert. 2 *(acuerdo)* agreement. ●*sin orden ni ~*, any old how.

conciliábulo *m* secret meeting.

conciliación *f* conciliation.

conciliador,-ra *adj* conciliatory.

conciliar(se) [12] *t* to conciliate. 2 *(enemigos)* to reconcile. – 3 *p* to win. ●*~ el sueño*, to get to sleep.

concilio *m* council.

concisión f conciseness.

conciso,-a adj concise, brief.

concitar t to excite, incite, stir up, raise.

conciudadano,-a m,f fellow citizen.

cónclave, conclave m REL conclave. 2 fig (reunión) private meeting.

concluir(se) [62] t-i-p to finish. — 2 t (deducir) to conclude, infer.

conclusión f conclusion, end. ●llegar a una ~, to come to a conclusion.

concluyente adj conclusive, decisive.

concomitancia f concomitance.

concomitante adj concomitant.

concordancia f concordance, agreement.

concordar [31] t to make agree, harmonize. — 2 i to agree, match, tally.

concordato m concordat.

concordia f concord, harmony.

concretar(se) t (precisar) to specify: ~ una hora, to fix/set a time. 2 (resumir) to summarize. — 3 p to limit o.s. (a, to).

concreto,-a adj concrete. 2 (definido) specific, definite. ●en ~, exactly.

concubina f concubine.

conculcar [1] t to infringe.

concupiscencia f concupiscence.

concurrencia f (confluencia) concurrence. 2 (público) audience. 3 (rivalidad) competition. 4 (auxilio) aid.

concurrido,-a adj (lugar público) busy.

concurrir i (gente a un lugar) to converge (en, on). 2 (coincidir) to coincide. 3 (contribuir) to contribute (en, to). 4 (convenir) to concur. 5 (competir) to take part in a competition.

concursante mf (a concurso) contestant, participant. 2 (a empleo) candidate.

concursar i (competir) to compete. 2 (a empleo) to be a candidate.

concurso m competition; (de belleza, deportivo) contest. 2 (concurrencia) concourse.

condado m county.

conde m count.

condecoración f decoration, medal.

condecorar t to decorate.

condena f (castigo) sentence. ●cumplir una ~, to serve a sentence.

condenación f condemnation. 2 REL damnation.

condenado,-a adj-mf convicted. — 2 mf convict. ●trabajar como un ~, to slog one's guts out.

condenar t JUR (castigar) to condemn; (sentenciar) to convict. 2 (desaprobar) to condemn. 3 (tabicar) to wall up.

condensación f (acción) condensing. 2 (efecto) condensation.

condensador,-ra adj condensing. — 2 m ELEC condenser.

condensar(se) t-p to condense.

condesa f countess.

condescendencia f acquiescence, condescension.

condescender [28] i to acquiesce, comply (a, with).

condescendiente adj condescending.

condición f (situación) condition. 2 (naturaleza) nature: de ~ apacible, of an easy-going nature. 3 (circunstancia) circumstance. 4 (estado social, calidad de) status, position: de ~ humilde, of humble origen. ●a ~ de que, provided (that); condiciones de trabajo, work conditions.

condicional adj conditional.

condicionar t to condition.

condimentar t to season, flavouring.

condimento m seasoning, flavouring.

condolerse [32] p to sympathize (with), feel sorry (for).

condón m condom, rubber.

cóndor m condor.

conducción f FÍS conduction. 2 (transporte) transportation. 3 (por tubería) piping; (eléctrica) wiring. 4 AUTO driving.

conducir(se) [46] t (guiar) to lead; (coche, animales) to drive. 2 (negocio) to manage. 3 (transportar) to transport; (líquidos) to convey. — 4 i to lead (a, -): esto no conduce a nada, this leads nowhere. — 5 p (comportarse) to behave, act.

conducta f conduct, behaviour.

conducto m conduit. 2 ANAT duct. 3 fig channel: por conductos oficiales, through official channels. ●por ~ de, through.

conductor,-ra adj conducting. 2 FÍS conductive. — 2 m,f AUTO driver. — 4 m FÍS conductor.

conectar t to connect. 2 (aparato eléctrico) to switch/plug on.

conejo m rabbit. ■ ~/conejillo de Indias, guinea pig.

conexión f TÉC connection. 2 fig relationship.

confabulación f confabulation. 2 (conspiración) plot.

confabular(se) i to confabulate. — 2 p to plot.

confección f COST dressmaking. 2 (realización) making, creation.

confeccionar t to make (up). 2 (plato) to cook.

confederación f confederation, confederacy.

confederar(se) t-p to confederate.

conferencia f (charla) talk, lecture. 2 POL conference. 3 (teléfono) long-distance call. ■ ~ de prensa, press conference.

conferenciante mf lecturer.

conferenciar [12] i to confer (sobre/con, on/with).

conferir [35] t to confer.

confesar(se) [27] t-p to confess. ●~ de plano, to make a clean breast of it.

confesión f confession.

confesonario m confessional.

confesor m confessor.

confeti m confetti inv . ▲ pl confetis.

confiado,-a adj confiding, unsuspecting. 2 (seguro) self-confident.

confianza f (seguridad) confidence. 2 (fe) trust. 3 (familiaridad) familiarity. 4 (ánimo) encouragement. ●de ~, reliable; en ~, confidentially; tomarse (demasiadas/muchas) confianzas, to take liberties.

confiar(se) [13] i to trust (en, -). 2 (secreto) to confide. – 3 t (depositar) to entrust. – 4 p to be trustful. 5 (confesarse) to make confessions.

confidencia f confidence, secret.

confidencial adj confidential.

confidente,-a adj trustworthy, reliable. – 2 m,f m confidant, f confidante. 3 euf (de la policía) informer.

configuración f configuration, shape.

configurar t to form, shape.

confín m limit, boundary.

confinamiento m confinement. 2 (exilio) exile.

confinar(se) i (territorio) to border (on). – 2 t JUR to confine. – 3 p to shut o.s. away.

confirmación f confirmation.

confirmar t to confirm. ●la excepción confirma la regla, the exception proves the rule.

confiscar [1] t to confiscate.

confitar t to candy; (carne) to preserve.

confite m sweet, US candy.

confitería f sweet shop, US candy shop. 2 AM café.

confitero,-a m,f confectioner.

confitura f preserve.

conflagración f conflagration.

conflicto m conflict. ■ ~ laboral, labour dispute.

confluencia f confluence.

confluir [62] i to converge. 2 (ríos, caminos) to meet.

conformación f shape, structure.

conformar(se) t (dar forma) to shape. 2 (concordar) to conform. – 3 i (concordar) to agree (con, with). – 4 p to resign o.s. (con, to), be content (con, with).

conforme adj (concorde) according; estar ~, to agree. 2 (resignado) easy-going. – 3 adv in accordance with. 4 (según) as: ~ lo vi, as I saw it. – 5 m approval.

conformidad f (acuerdo) agreement. 2 (aprobación) approval. 3 (resignación) patience, resignation. ●en ~ con, in conformity with.

conformismo m conformity.

conformista adj-mf conformist.

confort m comfort. ●(en anuncio) "todo ~", "all mod. cons.".

confortable adj comfortable.

confortar t (dar vigor) to invigorate. 2 (consolar) to comfort.

confraternidad f confraternity.

confraternizar [4] i to fraternize.

confrontación f confrontation. 2 (comparación) comparison.

confrontar(se) t (carear) to bring face to face. 2 (cotejar) to compare (con, with). – 3 i (lindar) to border. – 4 p to face.

confundir(se) t (mezclar) to mix up. 2 (equivocar) to confuse (con, with). 3 (no reconocer) to mistake (con, for): le confundí con su hermana, I mistook her for her sister. 4 (turbar) to confound. – 5 p (mezclarse) to mingle. 6 (equivocarse) to be mistaken, make a mistake. 7 (turbarse) to be confounded.

confusión f (desorden) confusion. 2 (equivocación) mistake. 3 (turbación) confusion.

confuso,-a adj confused. 2 (recuerdos) vague. 3 (mezclado) mixed up.

congelación f freezing; MED frostbite.

congelado,-a adj frozen; MED frostbitten. – 2 pl frozen food sing.

congelador m freezer.

congelar(se) t-p to freeze. ●FIN ~ precios, to freeze prices.

congeniar [12] i to get along well.

congénito,-a adj congenital.

congestión f congestion. ■ ~ cerebral, stroke.

congestionar(se) t to congest. – 2 p to become congested.

conglomerado m conglomerate.

conglomerar(se) t-p to conglomerate.

congoja *f (angustia)* anguish. **2** *(pena)* grief.

congraciar(se) [12] *t* to win over. **– 2** *p* to ingratiate o.s. (*con*, with).

congratulación *f fml* congratulation.

congratular(se) *t-p fml* to congratulate (o.s.) (*de/por*, on).

congregación *f* congregation.

congregar(se) [7] *t-p* to congregate.

congresista *mf* member of a congress; *m* congressman, *f* congresswoman.

congreso *m* congress. ■ ~ **de los Diputados**, GB Parliament, US Congress.

congrio *m* conger (eel).

congruencia *f (conveniencia)* congruity. **2** MAT congruence.

congruente *adj (conveniente)* coherent. **2** MAT congruent.

cónico,-a *adj* conical.

conífero,-a *adj* coniferous. **– 2** *f* conifer.

conjetura *f* conjecture, guess.

conjeturar *t* to conjecture, guess.

conjugación *f* conjugation.

conjugar [7] *t* to conjugate.

conjunción *f* conjunction.

conjuntivitis *f inv* conjunctivitis.

conjunto,-a *adj* joint. **– 2** *m (grupo)* group, collection. **3** *(todo)* whole. **4** *(prenda)* outfit. **5** MÚS *(clásico)* ensemble; *(pop)* band. **6** MAT set. **– 7** *conjuntamente adv* jointly. ●*en* ~, as a whole, altogether.

conjura, conjuración *f* plot, conspiracy.

conjurar(se) *t* to exorcise. **– 2** *i-p* to conspire *(contra*, against).

conjuro *m* exorcism.

conllevar *t (implicar)* to imply. **2** *(enfermedad)* to put up with.

conmemoración *f* commemoration.

conmemorar *t* to commemorate.

conmemorativo,-a *adj* commemorative.

conmigo *pron* with/to me: ~ *mismo,-a*, with/to myself; *hablaba* ~, he/she was talking to me.

conmiseración *f* commiseration, pity.

conmoción *f* commotion. **2** MED concussion. **3** *(levantamiento)* riot.

conmocionar *t* to shock. **2** MED to concuss.

conmovedor,-ra *adj* moving, touching.

conmover(se) [32] *t* to move, touch. **2** *(cosa)* to stir. **– 3** *p* to be moved/touched.

conmutación *f* commutation.

conmutador *m* ELEC switch.

conmutar *t* to exchange. **2** JUR to commute. **3** ELEC to commutate.

connotación *f* connotation.

connotar *t* to connote.

cono *m* cone.

conocedor,-ra *adj-m,f* expert *(de,* in).

conocer(se) [44] *t* to know. **2** *(tener noticia de algn.)* to be acquainted with; *(por primera vez)* to meet. **3** *(reconocer)* to recognize. **– 4** *p (a sí mismo)* to know o.s.; *(a otra persona)* to be acquainted with each other. ●~ *al dedillo/palmo a palmo,* to know sth. really well; ~ *de vista,* to know by sight.

conocido,-a *adj* known. **2** *(famoso)* well-known. **– 3** *m,f* acquaintance.

conocimiento *m (saber)* knowledge. **2** *(madurez)* understanding. **3** *(conciencia)* consciousness. ●*perder/recobrar el* ~, to lose/regain consciousness; *tener* ~ *de,* to have an understanding of.

conque *conj* so.

conquista *f* conquest.

conquistador,-ra *adj* conquering. **– 2** *m,f* conqueror. **– 3** *m (ligón)* lady-killer.

conquistar *t (con las armas)* to conquer. **2** *(título)* to win. **3** *(ligar con)* to win over.

consabido,-a *adj fml* usual. **2** *(ya sabido)* well-known.

consagración *f* consecration.

consagrado,-a *adj* REL consecrate(d). **2** *(reconocido)* recognized.

consagrar(se) *t* REL to consecrate. **2** *(palabra)* to authorize. **– 3** *p* to devote o.s. *(a,* to).

consanguíneo,-a *adj* related by blood. **– 2** *m,f* blood relation.

consanguinidad *f* consanguinity.

consciencia *f →* **conciencia**.

consciente *adj* conscious.

consecución *f* attainment.

consecuencia *f* consequence, result. ●*a* ~ *de,* because of, owing/due to; *en/por* ~, consequently, therefore.

consecuente *adj (siguiente)* consequent. **2** *(resultante)* resulting. **3** *(coherente)* consistent.

consecutivo,-a *adj* consecutive.

conseguir [56] *t (cosa)* to obtain; *(objetivo)* to attain, get. **2** *(lograr)* succeed in, manage to: *¡lo conseguí!,* I did it! ▲ **2** *is always* ~ + *inf.*

consejero,-a *m,f* adviser. **2** POL counsellor.

consejo *m (recomendación)* advice: *te daré un* ~, I'll give you a piece of advice. **2** *(junta)* council, board. ■ ~ *de adminis-*

tración, board of directors; ~ *de gue-rra,* courtmartial; ~ *de ministros,* cabinet.

consenso *m (acuerdo)* consensus.

consentido,-a *adj-m,f* spoiled (child).

consentimiento *m* consent.

consentir(se) [35] *t (permitir)* to allow, permit, tolerate. 2 *(a un niño)* to spoil. — 3 *i* to consent *(en,* to), give way. — 4 *p* to crack.

conserje *m* porter.

conserva *f (en lata)* tinned/canned food. 2 *(dulces)* preserves *pl.*

conservación *f* conservation. 2 *(mantenimiento)* maintenance.

conservador,-ra *adj* POL conservative. — 2 *m,f* POL conservative. 3 *(de museos)* curator.

conservadurismo *m* POL conservatism.

conservante *m* preservative.

conservar *t (alimentos)* to preserve. 2 *(mantener)* to keep, maintain.

conservatorio *m* conservatory, conservatoire.

considerable *adj* considerable.

consideración *f* consideration. 2 *(respeto)* regard. ●*de* ~, important: *herido,-a de* ~, seriously injured; *tomar en* ~, to take into consideration.

considerado,-a *adj (atento)* considerate. 2 *(apreciado)* respected. ●*estar bien/mal* ~, to be well/badly thought of.

considerar *t (reflexionar)* to consider, think over. 2 *(respetar)* to treat with consideration. 3 *(juzgar)* to judge.

consigna *f (en estación etc.)* left-luggage office, US check-room. 2 *(señal, lema)* watchword; MIL orders *pl.*

consignación *f (asignación)* allocation. 2 COM consignment.

consignar *t (poner)* to consign. 2 *(destinar dinero etc.)* to allocate; *(cantidad)* to assign. 3 *(por escrito)* to note down.

consignatario *m (depositario)* trustee. 2 COM consignee.

consigo *pron (singular)* with him/her/it: ~ *mismo,-a,* with himself/herself. 2 *(plural) (tercera pers)* with them; *(segunda pers)* with you: ~ *mismos,-as,* with themselves/yourselves. 3 *(usted)* with yourself: ~ *mismo,-a,* with yourself.

consiguiente *adj* consequent. ●*por* ~, therefore.

consistencia *f (dureza)* consistency. 2 *(coherencia)* coherence.

consistente *adj* consistent.

consistir *i* to consist *(en,* of).

consistorial *adj* consistorial.

consistorio *m* town council.

consola *f* console (table).

consolación *f* consolation, comfort.

consolador,-ra *adj* consoling, comforting.

consolar(se) [31] *t* to console, comfort. — 2 *p* to take comfort *(con,* from).

consolidación *f* consolidation.

consolidar(se) *t-p* to consolidate.

consomé *m* clear soup, consommé.

consonancia *f* fig harmony.

consonante *adj-f* consonant.

consorcio *m* consortium, partnership.

consorte *mf (cónyuge)* spouse. 2 *pl* JUR accomplices.

conspicuo,-a *adj (destacable)* conspicuous. 2 *(ilustre)* outstanding.

conspiración *f* conspiracy, plot.

conspirador,-ra *m,f* conspirator.

conspirar *i* to conspire.

constancia *f (perseverancia)* constancy, perseverance. 2 *(evidencia)* evidence.

constante *adj (invariable)* constant, steady. 2 *(persona)* steadfast. ■ *constantes vitales,* vital signs.

constar *i (consistir en)* to consist *(de,* of). 2 *(ser cierto)* to be a fact; *(figurar)* to be, figure: *me consta que ha llegado,* I am absolutely certain that he/she has arrived.

constatación *f* verification.

constatar *t* to verify, confirm.

constelación *f* constellation.

consternación *f* consternation.

consternar(se) *t* to consternate, dismay. — 2 *p* to be dismayed/aghast.

constipado,-a *adj* suffering from a cold. — 2 *m* MED cold, chill.

constiparse *p* to catch a cold.

constitución *f* constitution.

constitucional *adj* constitutional.

constituir(se) [62] *t* to constitute. 2 *(ser)* to be. — 3 *p* to set o.s. up.

constitutivo,-a *adj* constitutive; *(esencial)* essential. — 2 *m* constituent.

constituyente *adj* constituent, component.

constreñimiento *m* constraint.

constreñir [36] *t* to constrain. 2 MED to constipate.

constricción *f* constriction.

construcción *f* construction. 2 *(edificio)* building.

constructor,-ra *adj* construction, building. — 2 *m,f* constructor, builder.

construir [62] *t* to construct, build.

consuegro,-a *m,f m* son-daughter-in-law's father, *f* son-daughter-in-law's mother.

consuelo *m* consolation, comfort.

consuetudinario,-a *adj* habitual, customary.

cónsul *mf* consul.

consulado *m (oficina)* consulate. 2 *(cargo)* consulship.

consular *adj* consular.

consulta *f* consultation. 2 MED surgery; *(despacho)* consulting room: **horas de ~,** surgery hours.

consultar *t* to consult (with); *(un libro)* to look it up in.

consultorio *m* doctor's office. 2 *(en periódicos)* problem page, advice column.

consumación *f* consummation; *(de un crimen)* perpetration.

consumado,-a *adj* consummate(d).

consumar *t (matrimonio)* to consummate.

consumición *f* consumption. 2 *(bebida)* drink.

consumido,-a *adj* thin, emaciated.

consumidor,-ra *adj* consuming. – 2 *m,f* consumer.

consumir(se) *t (gastar, afligir)* to consume. 2 *(destruir)* to destroy. – 3 *p (gastarse, afligirse)* to be consumed. 4 *(destruirse)* to be destroyed.

consumismo *m* consumerism.

consumo *m* consumption. ■ **artículos de ~,** staple commodities.

consunción *f* consumption.

consuno *de ~,* *adv* together, with one accord.

contabilidad *f (profesión)* accounting. 2 *(en empresa etc.)* book-keeping. ●**llevar la ~,** to keep the books.

contabilizar [4] *t* to enter in the books.

contable *adj* countable. – 2 *mf* book-keeper, accountant.

contactar *t* to contact, get in touch *(con,* with).

contacto *m* contact. 2 AUTO ignition. ●**mantenerse en ~ con,** to keep in touch with.

contado,-a *adj (raro)* scarce. ●**al ~,** with cash, cash down.

contador,-ra *adj* counting. – 2 *m,f (contable)* accountant, book-keeper. – 3 *m* meter.

contagiar(se) [17] *t (enfermedad)* to transmit, pass on. – 2 *p* to get infected, catch.

contagio *m* contagion, infection.

contagioso,-a *adj* contagious, infectious.

contaminación *f* contamination; *(atmosférica)* pollution.

contaminar(se) *t* to contaminate; *(agua, aire)* to pollute. – 2 *p* to become contaminated/polluted.

contante *adj* **dinero ~,** (ready) cash.

contar [31] *t (calcular)* to count. 2 *(explicar)* to tell. – 3 *i* to count. ●**a ~ desde,** starting from; **~ con algn.,** to rely on sb.; *(incluirlo)* to count sb. in.

contemplación *f* contemplation. ●**no andarse con contemplaciones,** to make no bones about it.

contemplar *t-i* to contemplate.

contemplativo,-a *adj* contemplative.

contemporáneo,-a *adj-m* contemporary.

contemporizar [4] *i* to compromise.

contención *f* containment. ■ **muro de ~,** retaining wall.

contencioso,-a *adj* contentious. – 2 *m* legal action, case.

contender [28] *i* to contend.

contener [87] *t* to contain, hold. 2 *(reprimir)* to restrain, hold back.

contenido,-a *m* content, contents *pl.* – 2 *adj fig* moderate, temperate.

contentar(se) *t (satisfacer)* to please. – 2 *p* to be pleased.

contento,-a *adj* happy *(con,* with). – 2 *m* happiness.

contestación *f (respuesta)* answer, reply.

contestador *m* **~ *(automático),*** answering machine.

contestar *t* to answer. – 2 *i (replicar)* to answer back.

contexto *m* context. 2 *fig* environment.

contienda *f* contest, dispute.

contigo *pron* with you.

contiguo,-a *adj* contiguous, adjoining.

continencia *f* continence.

continental *adj* continental.

continente *m* continent. 2 *(recipiente)* container.

contingencia *f* contingency. 2 *(riesgo)* risk, hazard.

contingente *adj* contingent. – 2 *m (parte proporcional)* contingent. 3 *(cuota)* quota, share.

continuación *f* continuation. ●**a ~,** next.

continuar [11] *t-i* to continue, carry on: **Pablo continúa en Francia,** Pablo is still in France.

continuidad *f* continuity.

continuo,-a *adj* continuous. – **2** *m* continuum. – **3** *continuamente adv* continuously. ■ AUTO *(línea) continua,* solid white line.

contonearse *p* to strut, swagger.

contoneo *m* strut(ting), swagger(ing).

contorno *m* outline; *(perímetro)* perimeter. **2** *(afueras)* surroundings *pl.* ▲ **2** *usually pl.*

contorsión *f* contortion.

contra *prep* against. – **2** *m* con. – **3** *f fam* drawback. ●*los pros y los contras,* the pros and cons; *llevar la* ~, to contradict *(a, -).*

contraalmirante *m* rear admiral.

contraatacar [1] *t* to counterattack.

contraataque *m* counterattack.

contrabajo *m* *(instrumento)* double bass. **2** *(voz)* low bass.

contrabandista *mf* smuggler.

contrabando *m* smuggling, contraband.

contracción *f* contraction.

contracepción *f* contraception.

contracorriente *f* crosscurrent. ●*ir a* ~, to go against the tide.

contracultura *f* counterculture.

contradecir(se) [69] *t* to contradict. – **2** *p* to contradict o.s. ▲ *pp contradicho,-a.*

contradicción *f* contradiction.

contradicho,-a *pp* → **contradecir.**

contradictorio,-a *adj* contradictory.

contraer [88] *t* *(encoger)* to contract. **2** *(enfermedad)* to catch. ●~ *matrimonio,* to get married.

contrafuerte *m* *(de zapato)* stiffener. **2** *(de montaña)* spur. **3** ARQ buttress.

contrahecho,-a *adj* deformed, hunchbacked.

contraindicación *f* contraindication. ●*(en medicamentos) "contraindicaciones, ninguna",* "may be used safely by anyone".

contralto *mf* contralto.

contraluz *m & f* view against the light.

contramaestre *m* *(capataz)* foreman. **2** MAR boatswain.

contraorden *f* countermand.

contrapartida *f* COM balancing entry. **2** *fig* compensation.

contrapelo *a* ~, *adv* against the grain, the wrong way.

contrapesar *t* to counterbalance, counterpoise. **2** *fig* to balance.

contrapeso *m* counterweight. **2** *fig* counterbalance.

contraponer [78] *(oponer)* to set in opposition *(a,* to). **2** *fig (contrastar)* to contrast. ▲ *pp contrapuesto,-a.*

contraportada *f* back page.

contraposición *f* *(contraste)* contrast. **2** *(oposición)* opposition.

contraproducente *adj* counterproductive.

contrapuesto,-a *pp* → **contraponer.**

contrapunto *m* counterpoint.

contrariar [13] *i* to oppose. **2** *(disgustar)* to annoy. **3** *(dificultar)* to obstruct.

contrariedad *f* *(oposición)* opposition. **2** *(disgusto)* annoyance. **3** *(dificultad)* setback.

contrario,-a *adj* *(opuesto)* contrary, opposite. **2** *(perjudicial)* harmful. – **3** *m,f* opponent, adversary. ●*al* ~, on the contrary; *llevar la contraria,* to oppose.

contrarreloj *adj-f* against the clock. ■ *(etapa)* ~, time trial.

contrarrestar *t* *(hacer frente)* to resist, oppose. **2** *(neutralizar)* counteract, neutralize.

contrarrevolución *f* counter-revolution.

contrasentido *m* contradiction.

contraseña *f* password.

contrastar *t* to contrast. **2** *(pesos y medidas)* to check. **3** *(oro y plata)* to hallmark. – **4** *i* to contrast *(con,* with).

contraste *m* *(oposición)* contrast. **2** *(pesos y medidas)* verification. **3** *(oro y plata)* hallmark.

contrata *f* contract.

contratación *f* *(contrato)* hiring. **2** *(pedido)* total orders *pl.*

contratar *t* *(servicio etc.)* to sign a contract for. **2** *(empleado)* to hire.

contratiempo *m* setback; *(accidente)* mishap.

contratista *mf* contractor.

contrato *m* contract. ■ ~ *de alquiler,* lease, leasing agreement.

contravención *f* contravention, infringement.

contravenir [90] *t* to contravene, infringe.

contraventana *f* *(window)* shutter.

contrayente *adj-mf* contracting (party).

contribución *f* contribution. **2** *(impuesto)* tax. ■ ~ *urbana,* community charge.

contribuir [62] *t-i* to contribute.

contribuyente *adj* taxpaying. – **2** *mf* taxpayer.

contrincante *m* competitor, rival.

contrito,-a *adj* contrite, repentant.

control *m* control. 2 *(sitio)* checkpoint. ■ ~ **a distancia,** remote control; ~ **de natalidad,** birth control; ~ **de pasaportes,** passport control.

controlador,-ra *m,f* air traffic controller.

controlar(se) *t-p* to control (o.s.).

controversia *f* controversy.

controvertido,-a *adj* controversial.

contumaz *adj* obstinate, stubborn.

contundencia *f (fuerza)* force. 2 *fig (convicción)* conviction.

contundente *adj fig (convincente)* forceful, decisive.

contusión *f* contusion, bruise.

contusionar *t* to contuse, bruise.

convalecencia *f* convalescence.

convalecer [43] *i* to convalesce, recover *(de,* from).

convaleciente *adj-mf* convalescent.

convalidación *f* EDUC validation. 2 *(documentos)* ratification.

convalidar *t* EDUC to validate. 2 *(documentos)* to ratify.

convecino,-a *adj* neighbouring. − 2 *m,f* neighbour.

convector *m* convector.

convencer(se) [2] *t* to convince. − 2 *p* to become convinced.

convencimiento *m* conviction.

convención *f* convention.

convencional *adj* conventional.

convencionalismo *m* conventionalism, conventionality.

convenido,-a *adj* agreed, set.

conveniencia *f (comodidad)* convenience. 2 *(ventaja)* advantage. 3 *pl* proprieties.

conveniente *adj (cómodo)* convenient. 2 *(ventajoso)* advantageous. 3 *(aconsejable)* advisable.

convenio *m* agreement.

convenir [90] *i (ser oportuno)* to suit. 2 *(ser aconsejable)* to be advisable: *conviene que te presentes,* you'd better be there. 3 *(opinar igual)* to agree. 4 *(venir juntos)* to come together. ●*a* ~, negotiable.

convento *m (de monjas)* convent; *(de monjes)* monastery.

convergencia *f* convergence.

convergente *adj* convergent, converging.

converger [5], **convergir** [6] *i* to converge, come together.

conversación *f* conversation, talk. ●*dar* ~, to keep sb. chatting.

conversador,-ra *adj* talkative. − 2 *m,f* AM gabber.

conversar *i* to converse, talk.

conversión *f* conversion.

convertir(se) [29] *t* to convert. − 2 *p* ~*se en,* to become.

convexidad *f* convexity.

convexo,-a *adj* convex.

convicción *f* conviction: *tengo la* ~ *de que ...,* I firmly believe that ... .

convicto,-a *adj* convicted.

convidado,-a *m,f* guest.

convidar *t* to invite. 2 *(incitar)* to prompt.

convincente *adj* convincing.

convite *m (invitación)* invitation. 2 *(comida)* banquet.

convivencia *f* living together. 2 *fig* coexistence.

convivir *i* to live together. 2 *fig* to coexist.

convocar [1] *t* to convoke, summon, call together. ■ ~ *oposiciones,* to hold competitive examinations.

convocatoria *f* convocation, summons. 2 EDUC examination, sitting.

convoy *m (escolta)* convoy. 2 *(tren)* train. ▲ *pl* **convoyes.**

convoyar *t* to convoy.

convulsión *f* convulsion. 2 *fig* upheaval.

conyugal *adj* conjugal. ■ *vida* ~, married life.

cónyuge *mf* spouse, consort. 2 *pl* husband and wife.

coñac *m* cognac, brandy. ▲ *pl* **coñacs.**

coño* *m* cunt*. − 2 *interj (sorpresa)* fuck me!*; *(disgusto)* for fuck's sake!*

cooperación *f* cooperation.

cooperar *i* to cooperate *(a/en,* in; *con,* with).

cooperativa *f* cooperative (society).

coordenado,-a *adj* coordinated. − 2 *f* coordinate.

coordinación *f* coordination.

coordinado,-a *adj* coordinated.

coordinador,-ra *adj* coordinating. − 2 *m,f* coordinator. − 3 *f (comité)* coordinating committee.

coordinar *t* to coordinate.

copa *f* glass. 2 *(de árbol)* top. 3 *(trofeo)* cup. ●*ir(se) de copas,* to go (out) drinking; *tomar una* ~, to have a drink.

copar *t* POL to take.

copartícipe *mf* joint partner, collaborator.

copete *m (cabello)* tuft. 2 *(de caballo)* forelock. 3 *(de mueble, montaña)* top. 4 *fig* arrogance. ●*de alto* ~, of high rank.

copia *f* copy. 2 *(abundancia)* abundance.
copiar [12] *t* to copy. 2 EDUC to cheat. 3 *(dictado etc.)* to take down.
copiloto *m* AV copilot; AUTO co-driver.
copión,-ona *fam m,f* cheat. 2 *(imitador)* copycat.
copioso,-a *adj fml* plentiful, abundant.
copista *mf* copyist.
copla *f (verso)* verse. 2 *pl* folk songs.
copo *m* flake; *(de nieve)* snowflake; *(de algodón)* ball (of cotton).
coproductor,-ra *m,f* co-producer.
copropietario,-a *m,f* joint owner, co-owner.
cópula *f (nexo)* link. 2 *(coito)* copulation.
copular *i* to copulate *(con,* with).
copulativo,-a *adj* copulative.
coque *m* coke.
coquetear *i* to flirt.
coquetería *f* coquetry, flirting.
coqueto,-a *adj* flirtatious. – 2 *f* coquette, flirt.
coraje *m (valor)* courage. 2 *(ira)* anger.
coral *adj* choral. – 2 *m* ZOOL coral. 3 MÚS choral(e).
coraza f *(armadura)* armour. 2 *(caparazón)* shell.
corazón *m* ANAT heart. 2 *(de fruta)* core. •*de (todo)* ~, sincerely; *llevar el* ~ *en la mano,* to wear one's heart on one's sleeve; *me dice el* ~ *que ... ,* I have a feeling that ... .
corazonada *f* hunch, feeling. 2 *(impulso)* impulse.
corbata *f* tie.
corbatín *m* bow tie.
corbeta *f* corvette.
corcel *m* steed, charger.
corchea *f* quaver.
corchete *m* COST hook and eye. 2 *(signo impreso)* square bracket.
corcho *m* cork. 2 *(tabla)* cork mat.
¡córcholis! *interj* goodness me!
cordel *m* rope, cord.
cordero,-a *m,f* lamb. – 2 *m* lambskin.
cordial *adj* cordial, friendly. – 2 *m (bebida)* cordial. – 3 *cordialmente adv* heartily, cordially.
cordialidad *f* cordiality, friendliness.
cordillera *f* mountain range.
cordón *m* rope, string; *(de zapatos)* (shoe)lace. 2 *(cadena humana)* cordon. ■ ~ *umbilical,* umbilical cord.
cordoncillo *m (en tela)* rib(bing). 2 *(de moneda)* milling.
cordura *f* good sense.
corear *t* to say in chorus.

coreografía *f* choreography.
corista *f* chorus girl.
cornada *f* thrust with a horn. •*sufrir una* ~, to be gored.
cornamenta *f* horns *pl; (del ciervo)* antlers *pl.* 2 *fam (de marido)* cuckold's horns *pl.*
córnea *f* cornea.
corneja *f* crow.
córner *m* DEP corner.
corneta *f* cornet; MIL bugle. – 2 *mf* cornet player; MIL bugler.
cornisa *f* cornice.
cornucopia *f* cornucopia.
cornudo,-a *adj (animal)* horned, antlered. 2* *(marido)* cuckolded. – 3* *m* cuckold.
coro *m* MÚS choir. 2 TEAT chorus. •*a* ~, all together.
corola *f* corolla.
corolario *m* corollary.
corona *f* crown. 2 *(de flores etc.)* wreath.
coronación *f* coronation.
coronar *t* to crown.
coronel *m* colonel.
coronilla *f* crown (of the head). •*fam estar hasta la* ~, to be fed up *(de,* with).
corpiño *m* bodice.
corporación *f* corporation.
corporal *adj* corporal, body.
corpóreo,-a *adj* corporeal, bodily.
corpulencia *f* corpulence.
corpulento,-a *adj* corpulent, stocky.
corpúsculo *m* corpuscle.
corral *m* yard; *(de granja)* farmyard, US corral.
correa *f (de piel)* strap. 2 *(de perro)* lead. 3 TÉC belt.
correaje *m* straps *pl,* belts *pl.*
corrección *f* correction. 2 *(educación)* courtesy. 3 *(represión)* rebuke.
correccional *m* reformatory.
correctivo,-a *adj-m* corrective.
correcto,-a *adj* correct. 2 *(educado)* polite, courteous.
corrector,-ra *adj* corrective. – 2 *m,f (de pruebas impresas)* proofreader.
corredera *f* TÉC track. ■ *puerta/ventana* ~, sliding door/window.
corredizo,-a *adj* sliding. ■ *nudo* ~, slip knot.
corredor,-ra *adj* running. – 2 *m,f* DEP runner. – 3 *m* broker. ■ ~ *de bolsa,* stockbroker; ~ *de fincas,* estate agent.
corregible *adj* correctable, rectifiable.

corregir(se) [55] *t (amendar)* to correct. 2 *(reprender)* to reprimand. – 3 *p* to mend one's ways.

correlación *f* correlation.

correo *m (servicio, correspondencia)* post, US mail. 2 *(persona)* courier. 3 *pl (oficina)* post office *sing.* •*a vuelta de* ~, by return (of post); *echar al* ~, to post, US mail. ■ *apartado de correos,* (post office) box; ~ *aéreo,* airmail; ~ *certificado,* registered post; *(tren)* ~, mail train.

correoso,-a *adj (flexible)* flexible, pliant. 2 *(comida)* tough, chewy.

correr(se) *i* to run. 2 *(viento)* to blow. 3 *(agua)* to flow. 4 *(tiempo)* to pass. 5 *(noticias)* to spread. 6 *(darse prisa)* to hurry. 7 *(estar en uso)* to be valid. – 8 *t (recorrer)* to travel through. 9 *(carrera)* to run. 10 *(deslizar)* to close; *(cortina)* to draw. 11 *(estar expuesto)* to run. 12 *(avergonzar)* to ashame. 13 AM *(expulsar)* to let off, fire. – 14 *p* to move over; *(objeto)* to shift. 15* *(tener orgasmo)* to come. •~ *con los gastos,* to foot the bill; ~ *la voz,* to pass it on; ~ *prisa,* to be urgent; *dejar* ~ *algo,* to let sth. pass.

correría *f* raid, foray.

correspondencia *f* correspondence. 2 *(cartas)* post, US mail. 3 *(de trenes etc.)* connection.

corresponder(se) *i (equivaler)* to correspond *(a/con,* to/with). 2 *(pertenecer)* to belong, pertain. 3 *(devolver)* to return. – 4 *p (ajustarse)* to correspond. 5 *(cartearse)* to correspond. 6 *(amarse)* to love each other.

correspondiente *adj* corresponding *(a,* to). 2 *(apropiado)* suitable, appropriate. 3 *(respectivo)* own.

corresponsal *mf* correspondent.

corretaje *m* brokerage.

corretear *i* to run about.

correve(i)dile *mf inv* tell-tale.

corrida *f (carrera)* race. ■ ~ *de toros,* bullfight.

corrido,-a *adj (peso)* heavy. 2 *(continuo)* full: *balcón* ~, full balcony. 3 *fig (avergonzado)* abashed. •*de* ~, without stopping.

corriente *adj (común)* ordinary. 2 *(agua)* running. 3 *(fecha)* current, present: *el cinco del* ~, the tenth of the present month. – 4 *f (masa de agua)* current, stream. 5 *(de aire)* draught, US draft. 6 ELEC current. 7 *(de arte etc.)* current, trend. •*al* ~, up to date; *estar al* ~, to be in the know; *llevar/seguir la* ~ *a algn.,* to humour sb.; *salirse de lo* ~, to

be out of the ordinary. ■ *Corriente del Golfo,* Gulf Stream.

corrimiento *m* slipping. ■ ~ *de tierras,* landslide.

corro *m* circle, ring. 2 *(juego)* ring-a-ring-a-roses.

corroboración *f* corroboration.

corroborar *t* to corroborate.

corroer(se) [82] *t* to corrode. 2 *fig* to eat away/up. – 3 *p* to become corroded. 4 *fig* to be eaten up *(de,* with).

corromper(se) *t (estropear)* to spoil; *(pudrir)* to turn bad. 2 *(pervertir)* to corrupt. 3 *(sobornar)* to bribe. – 4 *p (pudrirse)* to go bad. 5 *(pervertirse)* to become corrupted.

corrosivo,-a *adj-m* corrosive. 2 *fig* caustic.

corrupción *f* corruption. 2 *(putefracción)* rot, decay. ■ ~ *de menores,* corruption of minors.

corruptor,-ra *adj* corrupting. – 2 *m,f* corrupter.

corsario *m* corsair, pirate.

corsé *m* corset.

corsetería *f* ladies' underwear shop.

corta *f* felling (of trees).

cortacésped *m & f* lawnmower.

cortacircuito *m* circuit breaker.

cortado,-a *adj* cut; *(en lonchas)* sliced. 2 *(estilo)* concise, clipped. 3 *fam (aturdido)* dumbfounded. – 4 *m* coffee with a dash of milk.

cortadura *f* cut.

cortafuego *m* firebreak.

cortante *adj* cutting, sharp. 2 *(aire)* biting.

cortapisa *f* condition, restriction.

cortaplumas *m inv* penknife.

cortar(se) *t* to cut; *(carne)* to carve; *(árbol)* to cut down. 2 *(dividir)* to divide. 3 COST to cut out. 4 *(interrumpir)* to cut off, interrupt: *nos han cortado el teléfono,* our telephone has been disconnected. – 5 *p (herirse)* to cut. 6 *(el pelo) (por otro)* to have one's hair cut; *(uno mismo)* to cut one's hair. 7 *(leche)* to sour, curdle. 8 *(aturdirse)* to be dumbfounded. •*fam* ~ *por lo sano,* to take drastic measures.

cortaúñas *m inv* nail clipper.

corte *f (del rey etc.)* court. 2 *(séquito)* retenue. 3 AM JUR court. – 4 *m* cut. 5 *(filo)* edge. 6 COST cross section. 7 *fam (respuesta brusca)* rebuff. •*hacer la* ~ *a,* to court, pay court to. ■ ~ *y confección,* dressmaking; *las Cortes,* (Spanish) Parliament *sing.*

cortedad *f* shortness.

cortejar *t* to court.

cortejo *m (acompañantes)* entourage. 2 *(galanteo)* courting.

cortés *adj* courteous, polite.

cortesía *f* courtesy, politeness.

corteza *f (de árbol)* bark. 2 *(de pan)* crust. 3 *(de fruta)* peel, skin. 4 *(de queso)* rind. ■ ~ **terrestre,** the earth's crust.

cortijo *m* farm(house).

cortina *f* curtain. ●*fig* ~ **de humo,** smoke screen.

cortinaje *m* drapery.

cortisona *f* cortisone.

corto,-a *adj* short. 2 *fig (tonto)* thick. ●*fam* **quedarse** ~, to underestimate. ■ ~ **de vista,** short-sighted.

cortocircuito *m* short circuit.

cortometraje *m* short (film).

corvo,-a *adj* arched, curved.

corzo,-a *m,f m* roe buck, *f* roe deer.

cosa *f* thing. 2 *(asunto)* matter. 3 *pl fam (manías)* hang-ups. ●*como si tal* ~, as if nothing had happened; ~ **de,** about; *fam (persona)* **ser poquita** ~, to be a weedy person.

coscorrón *m* blow on the head.

cosecha *f* harvest, crop. 2 *(tiempo)* harvest time. 3 *(año del vino)* vintage. ●*de su propia* ~, of his own invention.

cosechadora *f* combine harvester.

cosechar *t-i* to harvest, gather. 2 *fig (éxitos etc.)* to reap.

coser *t* to sew. 2 MED to stitch up. 3 *fig (atravesar)* to pierce: ~ **a balazos,** to riddle with bullets. ■ **máquina de** ~, sewing machine.

cosmético,-a *adj-m* cosmetic.

cosmonauta *mf* cosmonaut.

cosmopolita *adj-mf* cosmopolitan.

cosmos *m inv* cosmos.

cosquillas *fpl* tickles, tickling *sing.* ●*hacer* ~ *a* , to tickle.

cosquillear *t* to tickle.

cosquilleo *m* tickling.

costa *f* coast; *(playa)* seaside. 2 FIN cost, price. 3 *pl* JUR costs. ●*a* ~ *de,* at the expense of; *a toda* ~, at all costs.

costado *m* side. 2 MIL flank.

costal *m* sack. ●*ser harina de otro* ~, to be another kettle of fish.

costar [31] *i* to cost. 2 *(ser difícil)* to be difficult: *me cuesta el italiano,* I find Italian difficult. ●*cueste lo que cueste,* at any cost; *fam* ~ *un ojo de la cara,* to cost an arm and a leg.

coste *m* cost, price. ■ ~ *de (la) vida,* cost of living.

costear(se) *t* MAR to coast. 2 COM to pay for. – 3 *p* to pay one's way.

costero,-a *adj* coastal.

costilla *f* rib. 2 CULIN cutlet.

costo *m* cost, price. 2 *arg (hachís)* dope.

costoso,-a *adj* costly, expensive. 2 *(difícil)* hard.

costra *f* crust. 2 MED scab.

costumbre *f (hábito)* habit: *tengo la* ~ *de comer temprano,* it is my habit to have lunch early. 2 *(tradición)* custom: *es una* ~ *rusa,* it's a Russian custom. 3 *pl* ways.

costura *f (cosido)* sewing. 2 *(línea de puntadas)* seam. ■ **alta** ~, haute couture.

costurera *f* seamstress.

costurero *m* sewing basket.

cotejar *t* to collate, compare.

cotejo *m* collation, comparison.

cotidiano,-a *adj* daily, everyday.

cotilla *f (faja)* corset. – 2 *mf* busybody.

cotillear *i fam* to gossip.

cotilleo *m fam* gossip(ing).

cotización *f* COM quotation.

cotizar(se) [4] *t* COM to quote. – 2 *p* to sell at.

coto *m* reserve. 2 *(poste)* boundary mark. 3 *(límite)* restriction. ■ ~ *de caza,* game preserve.

cotorra *f* (small) parrot. 2 *fam fig* chatterbox.

cotorrear *i* to chatter, gossip.

covacha *f* small cave. 2 AM hovel.

coyote *m* coyote.

coyuntura *f* ANAT joint, articulation. 2 *(circunstancia)* juncture. ■ ~ *económica/política/social,* economic/political/social situation.

coz *f* kick. ●*dar coces/una* ~, to kick.

crac *m (quiebra)* crash.

cráneo *m* cranium, skull.

crápula *f (borrachera)* drunkenness. 2 *(disipación)* dissipation.

cráter *m* crater.

creación *f* creation.

creador,-ra *adj* creative. – 2 *m,f* creator, maker.

crear *t* to create. 2 *(fundar)* to found, establish. 3 *(inventar)* to invent.

creatividad *f* creativity.

crecer(se) [43] *i (persona, planta)* to grow. 2 *(incrementar)* to increase. 3 *(corriente, marea)* to rise. – 4 *p* to become conceited.

creces *fpl* increase *sing.* ●*con* ~, fully, in full.

crecido,-a *adj* large; *(persona)* grown. 2 *(marea)* swollen. − 3 *f* spate.

crecimiento *m* growth, increase.

credencial *adj* credential. − 2 *fpl* credentials.

crédito *m* COM credit. 2 *(asenso)* credence. 3 *(fama)* reputation. ●*dar* ~ *a,* to believe.

credo *m* REL creed. 2 *(creencias)* credo.

credulidad *f* credulity.

crédulo,-a *adj* credulous, gullible.

creencia *f* belief.

creer [61] *t* to believe (*en,* in). 2 *(suponer, opinar)* to think, suppose.

creíble *adj* credible, believable.

creído,-a *adj* arrogant. ●*ser un* ~, to be full of o.s.

crema *f* cream. 2 *(natillas)* custard. − 3 *adj* cream, cream-coloured.

cremación *f* cremation.

cremallera *f (de vestido)* zipper, zip (fastener). 2 TÉC rack.

crematorio *m* crematorium.

cremoso,-a *adj* creamy.

crepitar *i* to crackle.

crepuscular *adj* twilight.

crepúsculo *m* twilight.

crespo,-a *adj (pelo)* frizzy. 2 *(estilo)* obscure.

crespón *m* crepe.

cresta *f* crest. 2 *(de gallo)* comb.

creta *f* chalk.

cretino,-a *m,f* cretin.

cretona *f* cretonne.

creyente *adj* believing. − 2 *mf* believer.

cría *f (acto de criar)* nursing; *(de animal)* breeding. 2 *(cachorro)* young. 3 *(camada)* brood.

criadero *m (de plantas)* nursery; *(de animales)* breeding ground/farm; *(minero)* seam.

criado,-a *adj (animal)* reared; *(persona)* bred. − 2 *m,f* servant. ●*bien* ~, well-bred; *mal* ~, ill-bred.

crianza *f (de animales)* breeding. 2 *(lactancia)* nursing.

criar [13] *t (educar niños)* to bring up. 2 *(nutrir)* to nurse. 3 *(animales)* to breed. 4 *(producir)* to have, grow; *(vinos)* to make.

criatura *f* creature. 2 *(niño)* baby, child.

criba *f* sieve. ●*fig pasar por la* ~, to screen.

cribar *t (colar)* to sift. 2 *fig* to screen.

cric *m* jack.

cricquet *m* cricket.

crimen *m (delito)* crime. 2 *(asesinato)* murder. ▲ *pl* **crímenes**.

criminal *adj-mf* criminal.

criminalista *mf (abogado)* criminal lawyer. 2 *(estudioso)* criminologist.

crin *f* mane.

crío,-a *m,f fam* kid.

cripta *f* crypt.

crisálida *f* chrysalis.

crisantemo *m* chrysanthemum.

crisis *f inv* crisis. 2 *(ataque)* fit, attack: ~ *de asma,* asthma attack.

crisma *m & f* chrism. 2 *fam* head.

crisol *m* crucible. 2 *fig* melting pot.

crispar(se) *t* ANAT to contract. 2 *(irritar)* to annoy. − 3 *p* to get annoyed.

cristal *m* crystal. 2 *(vidrio)* glass. 3 *(de ventana)* (window) pane. ■ ~ *de aumento,* magnifying glass.

cristalería *f (fábrica)* glassworks. 2 *(tienda)* glassware shop. 3 *(conjunto)* glassware.

cristalino,-a *adj* transparent, clear. − 2 *m* crystalline lens.

cristalizar(se) [4] *t-i-p* to crystallize.

cristiandad *f* Christendom.

cristianismo *m* Christianity.

cristianizar [4] *t* to convert to Christianity.

cristiano,-a *adj-m,f* Christian.

Cristo *m npr* Christ.

criterio *m* criterion. 2 *(juicio)* judgement. 3 *(opinión)* opinion.

crítica *f (juicio, censura)* criticism. 2 *(prensa)* review: *escribir una* ~, to write a review. 3 *(conjunto de críticos)* critics *pl*.

criticar [1] *t* to criticize. − 2 *i (murmurar)* to gossip.

crítico,-a *adj* critical. − 2 *m,f* critic.

criticón,-ona *fam adj* fault-finding. − 2 *m,f* fault-finder.

croar *i* to croak.

croissant *m* croissant. ▲ *pl* **croissants**.

crol *m* crawl.

cromar *t* to chrome.

cromático,-a *adj* chromatic.

cromo *m (metal)* chromium. 2 *(estampa)* picture card, transfer. ●*fam ir hecho,-a un* ~, to look a real sight.

cromosoma *m* chromosome.

crónica *f* chronicle. 2 *(en periódico)* article.

crónico,-a *adj* chronic.

cronista *mf* chronicler. 2 *(periodista)* reporter.

cronología *f* chronology.

cronológico,-a *adj* chronological.

cronometrar *t* to time.
cronómetro *m* chronometer.
croqueta *f* croquette.
croquis *m inv* sketch, outline.
cruce *m* cross(ing). 2 AUTO crossroads. 3 *(de razas)* crossbreeding. 4 *(interferencia telefónica etc.)* crossed line.
crucero *m (buque)* cruiser. 2 *(viaje)* cruise. 3 ARQ transept.
crucial *adj* crucial.
crucificar [1] *t* to crucify. 2 *fig* to torture.
crucifijo *m* crucifix.
crucigrama *m* crossword (puzzle).
crudeza *f (sin cocer)* rawness. 2 *(crueldad)* crudeness.
crudo,-a *adj (sin cocer)* raw; *(poco hecho)* underdone. 2 *(cruel)* crude. 3 *(color)* off-white. 4 *(clima)* harsh. − 5 *m (petróleo)* crude (oil).
cruel *adj* cruel. 2 *(duro)* harsh.
crueldad *f* cruelty. 2 *(dureza)* harshness.
cruento,-a *adj* bloody.
crujido *m (de puerta)* creak. 2 *(seda, papel)* rustle. 3 *(de dientes)* grinding.
crujiente *adj (alimentos)* crunchy. 2 *(seda)* rustling.
crujir *i (puerta)* to creak. 2 *(seda, hojas)* to rustle. 3 *(dientes)* to grind.
crustáceo *m* crustacean.
cruz *f* cross. 2 *(de moneda)* tails *pl.* ●*hacerse cruces de,* to be astonished at. ■ *Cruz Roja,* Red Cross.
cruzado,-a *adj* crossed. 2 *(animal)* crossbred. 3 *(prenda)* double-breasted. − 4 *f* HIST Crusade. − 5 *m* HIST crusader.
cruzamiento *m* crossing. 2 *(de animales)* cross-breeding.
cruzar(se) [4] *t* to cross. 2 GEOM to intersect. 3 *(animales)* to cross. 4 *(miradas, palabras)* to exchange. − 5 *p* to cross, pass each other. ●*~ los brazos/~se de brazos,* to fold one's arms.
cuadernillo *m* booklet.
cuaderno *m* notebook, exercise book.
cuadra *f (establo)* stable. 2 AM *(manzana)* block.
cuadrado,-a *adj-m* square. ●*elevar (un número) al ~,* to square (a number).
cuadragésimo,-a *adj-m,f* fortieth.
cuadrangular *adj* quadrangular.
cuadrante *m (reloj)* sundial. 2 *(instrumento)* quadrant.
cuadrar(se) *t* to square. − 2 *i (ajustarse)* to suit *(con, -).* 3 COM to balance. − 4 *p* MIL to stand at attention. 5 *fig* to stand fast.
cuadriculado,-a *adj* squared.

cuadricular *t* to divide into squares.
cuadrilla *f* party. 2 *(de bandidos etc.)* gang.
cuadro *m (cuadrado)* square. 2 *(pintura)* painting. 3 *(descripción)* description. 4 *(escena, paisaje)* sketch. 5 *(personal)* staff. 6 *(gráfico)* chart. 7 *(bancal)* bed, patch. ●*a cuadros,* checkered. ■ *~ de mandos,* control panel; *~ facultativo,* medical staff; *~ sinóptico,* diagram.
cuadrúpedo,-a *adj-m* quadruped.
cuádruple *adj* quadruple, fourfold.
cuajar(se) *t* to coagulate; *(leche)* to curdle; *(sangre)* to clot. 2 *(adornar)* to fill with. − 3 *i (lograrse)* to be a success: *la cosa no cuajó,* it didn't come off. − 4 *p* to coagulate; *(leche)* to curdle.
cuajo *m* rennet. ●*de ~,* by the roots.
cual *pron rel (persona)* who; *(cosa)* which. − 2 *adv fml* as, like. ▲ *pl* **cuales**.
cuál *pron-adj interrog* which (one). 2 *(valor distributivo)* some. ▲ *pl* **cuáles**.
cualidad *f* quality.
cualificar [1] *t* to qualify.
cualquier *adj indef* → **cualquiera**. ▲ Used in front of a noun *(but an adjective may be used between it and the noun).* ▲ *pl* **cualesquier**.
cualquiera *adj indef* any: *una dificultad ~,* any difficulty. − 2 *pron indef* anybody: *~ te lo puede decir,* anybody can tell you. − 3 *pron rel (persona)* whoever; *(cosa)* whatever; *(negativo)* nobody. − 4 *mf pey* nobody: *ser un ~,* to be a nobody. ●*~ que,* whatever, whichever. ▲ *pl* **cualesquiera**.
cuan *adv* as.
cúan *adv* how.
cuando *adv* when. − 2 *conj* when. 3 *(condicional)* provided if. ●*aun ~,* even though; *de (vez en) ~,* now and then.
cuándo *adv interrog* when.
cuantía *f* amount.
cuantioso,-a *adj* large.
cuanto *m* quantum.
cuanto,-a *adj-pron* as much as: *gasta ~ gana,* he/she spends every penny he earns. − 2 *adv ~ antes,* as soon as possible; *~ más,* the more; *en ~,* as soon as; *en ~ a,* as far as; *por ~,* insofar as. ●*unos,-as cuantos,-as,* some, a few. ▲ *pl* **cuantos,-as**.
cuánto,-a *adj-pron interrog* how much; *(para plural)* how many: *¿~ cuesta?,* how much does it cost?; *¿cuántos hay?,* how many are there? − 2 *adv* how: *¡~ me alegro!,* I'm so glad! ▲ *pl* **cuántos,-as**.
cuáquero,-ra *adj-m,f* Quaker.

cuarenta *adj* forty; *(cuadragésimo)* for-tieth. − 2 *m* forty. ●*cantarle las ∼ a algn.,* to give sb. a piece of one's mind.

cuarentena *f (cuarenta)* forty. 2 MED quarantine.

cuarentón,-ona *adj-m,f* forty-year-old (person).

cuaresma *f* Lent.

cuartear *t (dividir en cuatro)* to quarter. 2 *(rajar)* to crack.

cuartel *m* MIL barracks. ●*no dar ∼,* to show no mercy. ■ *∼ general,* head-quarters *inv.*

cuartelillo *m* post, station.

cuarteto *m* quartet.

cuartilla *f* sheet of paper.

cuarto,-a *adj-m,f* fourth. − 2 *m (parte)* quarter: *un ∼ de hora,* a quarter of an hour. 3 *(habitación)* room. 4 *pl fam (dinero)* money. ■ *(de luna) ∼ creciente/menguante,* first/last quarter; *∼ de baño,* bathroom; *∼ de estar,* living room.

cuarzo *m* quartz.

cuatrero *m* cattle thief, rustler.

cuatro *adj inv* four; *(cuarto)* fourth. − 2 *m* four. ●*decir ∼ cosas a algn.,* to say a few things to sb.

cuatrocientos,-as *adj-m* four hundred.

cuba *f* cask, barrel. ●*estar como una ∼,* to be (as) drunk as a lord.

cubalibre *m* rum/gin and coke.

cubata *m fam* → **cubalibre.**

cubertería *f* cutlery.

cubeta *f (recipiente)* tray. 2 *(cubo)* bucket.

cúbico,-a *adj* cubic.

cubierta *f* cover(ing). 2 *(de libro)* jacket. 3 ARQ roof. 4 *(de neumático)* outer tyre. 5 AV MAR deck.

cubierto,-a *pp* → **cubrir.** − 2 *m (techumbre)* cover. 3 *(en la mesa)* place setting. 4 *(menú)* meal at a fixed price. ●*estar a ∼,* to be under cover; *ponerse a ∼,* to take cover.

cubilete *m (molde)* mould. 2 *(de dados)* dice cup.

cubismo *m* cubism.

cubito *m ∼ (de hielo),* ice cube.

cubo *m* bucket. 2 *(figura)* cube. 3 *(de rueda)* hub. ■ *∼ de la basura,* rubbish bin, US garbage can.

cubrecama *m* bedspread.

cubrir(se) *t* to cover. 2 *(esconder)* to hide. 3 ARQ to put a roof on. 4 *(llenar)* to fill. 5 *(montar)* to mount. − 6 *p (abrigarse)* to cover o.s. 7 *(protegerse)* to protect o.s. 8

(cielo) to become overcast. ▲ *pp* **cubierto,-a.**

cucaña *f* greasy pole. 2 *fam* easy-pickings *pl.*

cucaracha *f* cockroach.

cuchara *f* spoon.

cucharada *f* spoonful. ■ *∼ (sopera),* tablespoonful.

cucharilla *f* teaspoon. ■ *∼ de café,* coffee spoon.

cucharón *m* ladle.

cuchichear *i* to whisper.

cuchicheo *m* whispering.

cuchilla *f (hoja)* blade. ■ *∼ de afeitar,* razor blade.

cuchillada *f* stab, slash.

cuchillo *m* knife. ■ *∼ de pan,* breadknife.

cuchitril *m (establo)* pigsty. 2 *fam* hovel.

cuclillas *en ∼, adv* crouching.

cuclillo *m* cuckoo.

cuco,-a *adj fam* cute. 2 *(taimado)* shrewd.

cucurucho *m* paper cone. 4 *(helado)* cornet, cone.

cuello *m* neck. 2 *(de prenda)* collar. 3 *(de botella)* bottleneck. ●*fam fig estar metido,-a hasta el ∼,* to be up to one's neck in it.

cuenca *f (escudilla)* wooden bowl. 2 ANAT *(eye)* socket. 3 GEOG basin.

cuenco *m* earthenware bowl.

cuenta *f (bancaria)* account. 2 *(factura)* bill. 3 *(cálculo)* count(ing). 4 *(de collar etc.)* bead. ●*en resumidas cuentas,* in short; *por ∼ de,* for account of; *tener en ∼,* to take into account. ■ *∼ atrás,* countdown; *∼ corriente,* current account.

cuentagotas *m inv* dropper.

cuentakilómetros *m inv* speedometer.

cuentista *adj-mf fam* over-dramatic (person).

cuento *m* story, tale. ●*el ∼ de la lechera,* counting one's chickens before they are hatched; *venir a ∼,* to be pertinent; *fam vivir del ∼,* to live by one's wits. ■ *∼ chino,* tall story; *∼ de hadas,* fairy tale.

cuerda *f* rope, string. 2 MÚS string. 3 *(de reloj)* spring: *dar ∼ a un reloj,* to wind up a watch. ■ *∼ floja,* tightrope; *cuerdas vocales,* vocal chords.

cuerdo,-a *adj-m,f* sane (person).

cuerno *m* horn; *(de antena)* antlers *pl.* 2 MIL wing. ●*fam poner cuernos a algn.,* to be unfaithful to sb.; *fam romperse los cuernos,* to break one's back.

cuero *m (de animal)* skin, hide. 2 *(curtido)* leather. ●*fam en cueros,* starkers. ■ *∼ cabelludo,* scalp.

cuerpo m body. 2 *(constitución)* build. 3 *(figura)* figure. 4 *(tronco)* trunk. 5 *(grupo)* body; MIL corps: *el ~ de bomberos,* the fire brigade. 6 *(cadáver)* corpse. 7 *(parte principal)* main part: *el ~ del libro,* the main body of the book. ●*de ~ entero,* full-length; *estar de ~ presente,* to lie in state.

cuervo m raven. ■ *~ marino,* cormorant.

cuesta f slope. ●*a cuestas,* on one's back/shoulders; *fig la ~ de enero,* the January squeeze. ■ *~ abajo/arriba,* downhill/uphill.

cuestación f charity collection.

cuestión f *(pregunta)* question. 2 *(asunto)* business. 3 *(discusión)* dispute, quarrel. ●*fig ser ~ de vida o muerte,* to be a matter of life or death.

cuestionar t to question.

cuestionario m questionnaire.

cueva f cave.

cuévano m hamper.

cuidado m *(atención)* care, carefulness. 2 *(recelo)* worry. – 3 *interj* look out! ●*al ~ de,* in care of; *tener ~,* to be careful. ■ *cuidados intensivos,* intensive care *sing.*

cuidadoso,-a adj *(atento)* careful. 2 *(celoso)* cautious.

cuidar(se) t-i to look after, care for, mind. – 2 p to take care of o.s.

cuita f trouble, sorrow.

culata f *(de arma)* butt. 2 AUTO head. 3 *(carne)* haunch, hindquarters *pl.*

culatazo m kick, recoil.

culebra f snake.

culebrear i to twist, wriggle.

culebrón m television serial, soap opera.

culinario,-a adj culinary, cooking.

culminación f culmination, climax.

culminante adj culminating, climatic; *(punto)* highest.

culminar i to climax. – 2 t to finish.

culo m bottom, arse*. 2 *(ano)* anus. 3 *(de recipiente)* bottom. ●*fam caer de ~,* to fall flat on one's bottom; *fam fig ir de ~,* to be rushed off one's feet; *¡vete a tomar por el ~!*,* fuck off!*

culpa f *(culpabilidad)* guilt, blame. 2 *(falta)* fault: *esto es ~ mía,* it's my fault. ●*echar la ~ a,* to blame; *tener la ~,* to be to blame for.

culpabilidad f guilt, culpability.

culpable adj guilty. – 2 mf offender, culprit.

culpar(se) t-p to blame (o.s.).

cultismo m cultism.

cultivado,-a adj cultivated. 2 *fig (con cultura)* cultured, refined.

cultivar t to cultivate, farm. 2 *(ejercitar facultades)* to work at: *~ la memoria,* to improve one's memory. ●*fig ~ las amistades,* to cultivate friendships.

cultivo m cultivation, farming. 2 BIOL culture.

culto,-a adj cultured, learned. 2 *(estilo)* refined. – 3 m worship. ●*rendir ~ a,* to pay homage to, worship.

cultura f culture.

cultural adj cultural.

cumbre f *(de montaña)* summit, top. 2 *(culminación)* pinnacle. 3 *(reunión)* summit.

cumpleaños m inv birthday.

cumplido,-a adj completed. 2 *(abundante)* large, ample. 3 *(educado)* polite. – 4 m compliment.

cumplidor,-ra adj dependable.

cumplimentar t *(felicitar)* to congratulate. 2 *(ejecutar)* to carry out.

cumplimiento m fulfilment. 2 *(cumplido)* compliment. ■*~ de la ley,* observance of the law.

cumplir(se) t *(llevar a cabo)* to carry out. 2 *(promesa)* to keep. 3 *(años)* to be: *mañana cumplo veinte años,* I'll be twenty tomorrow. – 4 i to do one's duty. – 5 p *(realizarse)* to be fulfilled.

cúmulo m heap, pile. 2 METEOR cumulus.

cuna f cradle. 2 *(linaje)* birth, lineage. 3 *fig (origen)* cradle, beginning.

cundir i *(extenderse)* to spread: *cundió el pánico,* panic spread. 2 *(dar de sí)* to increase in volume.

cuneta f *(de carretera)* verge. 2 *(zanja)* ditch.

cuña f wedge. ●*hacer ~,* to be wedged in.

cuñado,-a m,f m brother-in-law, f sister-in-law.

cuño m *(troquel)* die. 2 *(sello)* stamp.

cuota f *(pago)* membership fee, dues *pl.* 2 *(porción)* quota, share.

cupe pret indic → **caber.**

cupé m coupé.

cuplé m popular lyric song.

cupo m quota.

cupón m coupon.

cúpula f cupola, dome.

cura m priest. – 2 f cure, healing. ■ *primeras curas,* first aid *sing.*

curación f cure, healing.

curado,-a adj cured. 2 *(curtido)* cured, salted; *(piel)* tanned.

curandero,-a *m,f* quack.
curar(se) *t (sanar)* to cure. 2 *(herida)* to dress; *(enfermedad)* to treat. 3 *(carne, pescado)* to cure; *(piel)* to tan; *(madera)* to season. – 4 *i (cuidar)* to take care *(de,* of). – 5 *p (recuperarse)* to recover *(de,* from), get well. 6 *(herida)* to heal up.
curativo,-a *adj* curative.
curia *f* curia.
curiosear *i-t* to pry (into).
curiosidad *f* curiosity. 2 *(aseo)* cleanliness.
curioso,-a *adj (indiscreto)* curious, inquisitive. 2 *(aseado)* clean, tidy. 3 *(extraño)* strange. – 4 *m,f* busybody.
currante *mf arg* worker.
currar *i arg* to grind, slave.
curre *m arg* job.
currículo, currículum *m* curriculum (vitae). ▲ *pl* **currículos** *or* **currícula**.
curry *m* curry.
cursar *t (estudiar)* to study. 2 *(enviar)* to send, dispatch. 3 *(tramitar)* to make an application.
cursi *adj-mf* affected (person).
cursilería *f* bad taste.
cursillo *m* short course.
curso *m (dirección)* course, direction. 2 EDUC course: ~ *académico,* academic/school year. 3 *(río)* flow, current. ●*estar en ~,* to be under way; *fig* **dejar que las cosas sigan su ~,** to let things take their course. ■*año/mes en ~,* current year/month.
cursor *m* INFORM cursor. 2 TÉC slide.
curtido,-a *adj* tanned. – 2 *m (operación)* tanning. 4 *mpl* tanned leather.
curtidor,-ra *m,f* tanner.
curtir(se) *t (piel)* to tan. 2 *(acostumbrar)* to harden. – 3 *p (por el sol)* to get tanned. 4 *(acostumbrarse)* to become hardened.
curva *f* curve. 2 *(de carretera)* bend. ■ ~ *cerrada,* sharp bend.
curvatura *f* curvature.
curvo,-a *adj* curved, bent.
cuscurro *m* crust of bread.
cúspide *f* summit. 2 *fig* peak.
custodia *f* custody, care. 2 REL monstrance.
custodiar [12] *t* to keep, take care of.
custodio *m* custodian, guard.
cutáneo,-a *adj* cutaneous, skin.
cutícula *f* cuticle.
cutis *m inv* skin, complexion.
cuyo,-a *pron* whose, of which. ●*en ~ caso,* in which case. ▲ *pl* **cuyos,-as.**

D

dabute(n) *adj arg* great, terrific.
dactilografía *f* typing, typewriting.
dádiva *f* gift, present.
dadivoso,-a *adj* generous, open-handed.
dado,-a *adj* given: *en un momento ~,* at a given moment, at a certain point. — 2 *m* die. ●*~ que,* given that; *ser ~ a,* to be keen on, be fond of.
daga *f* dagger.
dalia *f* dahlia.
daltonismo *m* colour blindness.
dama *f* lady. 2 *(en damas)* king; *(en ajedrez)* queen. 3 *pl* draughts, US checkers. ■ *~ de honor,* bridesmaid; *primera ~,* first lady.
damasco *m* damask.
damisela *f* young lady, damsel.
damnificado,-a *adj* injured. — 2 *m,f* victim.
damnificar [1] *t* to injure, harm.
danza *f* dance.
danzar [4] *t-i* to dance *(con,* with).
danzarín,-ina *m,f* dancer.
dañado,-a *adj* damaged, spoiled.
dañar(se) *t (cosa)* to damage; *(persona)* to hurt, harm. — 2 *p (cosa)* to become damaged; *(persona)* to get hurt. 3 *(estropearse)* to spoil, go bad.
dañino,-a *adj* harmful, damaging.
daño *m* damage, harm, injury. ●*hacer ~,* *(doler)* to hurt; *(lastimar)* to harm, injure: *hacerse ~,* to hurt o.s. ■ *daños y perjuicios,* damages.
dar(se) [68] *t* to give; *(entregar)* to deliver, hand over. 2 *(luz, gas)* to turn on. 3 *(producir)* to produce, bear. 4 *(reloj)* to strike. 5 *(película)* to show; *(teatro)* to perform. 6 *(pegar)* to hit. 7 *(considerar)* to assume *(por, -),* consider *(por, -).* 8 *(pintura, barniz)* to apply, put on. — 9 *i (caer)* to fall *(de,* on, *en, -).* 10 *(mirar a)* to overlook *(a, -).* — 11 *p (entregarse)* to

give in, surrender. 12 *(chocar)* to crash *(contra/con,* into). ●*da lo mismo,* it's all the same; *~ a luz,* to give birth; *~ algo por bueno,* to consider sth. valid; *~ con algn./algo,* to find sb./sth.; *~ de comer,* to feed; *~ de sí,* to give, stretch; *~ que hacer,* to give trouble; *~ un paseo,* to take a walk; *~se por vencido,-a,* to give in.
dardo *m* dart.
dársena *f* inner harbour, dock.
datar *t* to date, put a date on. — 2 *i* to date back *(de,* to/from).
dátil *m* date.
dato *m* fact, piece of information. 2 *pl* data; *(información)* information *sing.* ■ *datos personales,* personal details.
de *prep (posesión)* of, 's, s': *el libro de Juan,* Juan's book. 2 *(tema)* of, on, about. 3 *(materia)* of, out of. 4 *(origen, procedencia)* from. 5 *(modo)* on, in, as: *~ pie,* standing up. 6 *(tiempo)* at, by: *~ día,* by day: *~ noche,* at night. 7 *~ + inf,* if. ▲ → *del.*
deambular *i* to wander, stroll.
debacle *f* disaster.
debajo *adv* underneath, below. ●*~ de,* under, beneath.
debate *m* debate, discussion.
debatir(se) *t* to debate, discuss. — 2 *p* to struggle.
debe *m* debit.
deber(se) *m* duty, obligation. 2 *pl* homework *sing.* — 3 *t (dinero)* to owe. 4 *(obligación)* must, to have to; *(recomendación)* should: *deberías ir al médico,* you should see the doctor. — 5 *aux (conjetura)* *~ de,* must: *deben de ser las seis,* it must be six o'clock; *no deben de haber llegado,* they can't have arrived. — 6 *p* to be due.
debido,-a *adj* owed. 2 *(apropiado)* due, just, proper. — 3 *debidamente adv* duly,

properly. •*como es* ~, right, properly; ~ *a,* due/owing to.

débil *adj* weak, feeble. 2 *(ruido)* faint. 3 *(luz)* dim.

debilidad *f* weakness. •*tener* ~ *por,* to have a weakness for.

debilitación *f,* **debilitamiento** *m* weakening.

debilitar(se) *t-p* to weaken.

débito *m* debt.

debut *m* debut.

debutar *i* to make one's debut.

década *f* decade.

decadencia *f* decadence, decline.

decadente *adj* decadent.

decaer [67] *i* to decline, decay, fall.

decaído,-a *adj (débil)* weak. 2 *(triste)* sad, depressed.

decaimiento *m (debilidad)* weakness. 2 *(tristeza)* sadness.

decálogo *m* decalogue.

decano,-a *m,f* dean.

decantar(se) *t (vasija)* to decant. – 2 *p (preferir)* to prefer *(hacia/por,* -).

decapitar *t* to behead, decapitate.

decena *f* (group of) ten.

decencia *f (decoro)* decency, propriety. 2 *(honestidad)* honesty.

decente *adj (decoroso)* decent, proper. 2 *(honesto)* honest. 3 *(limpio)* tidy, proper.

decepción *f* disappointment.

decepcionante *adj* disappointing.

decepcionar *t* to disappoint, let down.

decidir(se) *t (asunto)* to decide, settle. 2 *(convencer)* to persuade. – 3 *p* to make up one's mind.

decimal *adj-m* decimal.

décimo,-a *adj-m,f* tenth. – 2 *m* (tenth part of a) lottery ticket.

decimoctavo,-a *adj-m,f* eighteenth.

décimocuarto,-a *adj-m,f* fourteenth.

decimonono,-a *adj-m,f* nineteenth.

decimoquinto,-a *adj-m,f* fifteenth.

decimoséptimo,-a *adj-m,f* seventeenth.

decimosexto,-a *adj-m,f* sixteenth.

decimotercero,-a *adj-m,f* thirteenth.

decir(se) [69] *t* to say; *(contar)* to tell. – 2 *p* to say to o.s. – 3 *m* saying. •*como quien dice/si dijéramos,* so to speak; ~ *para sí,* to say to o.s.; *es* ~, that is to say; *querer* ~, to mean; *se dice ...,* they say ..., it is said ... . ▲ *pp dicho,-a.*

decisión *f (resolución)* decision. 2 *(firmeza)* determination, resolution.

decisivo,-a *adj* decisive, final.

declamar *i-t* to declaim, recite.

declaración *f* declaration, statement. 2 JUR evidence.

declarar(se) *t* to declare, state. 2 JUR to find. – 3 *i* to declare. 4 JUR to testify. – 5 *p* to declare o.s. 6 *(a una mujer)* to propose. 7 *(fuego, guerra)* to start, break out.

declinación *adj* GRAM declension. 2 ASTRON declination.

declinar *i* to decline. 2 *(decaer)* to decay, fall off. – 3 *t* to decline.

declive *m* slope. 2 *fig* decline. •*en* ~, on the decline.

decolorar *t* to discolour, bleach.

decomisar *t* to confiscate.

decoración *f,* **decorado** *m* decoration. 2 TEAT scenery, set.

decorador,-ra *m,f* decorator.

decorar *t* to decorate, adorn, embellish.

decorativo,-a *adj* decorative, ornamental.

decoro *m* decorum, decency. 2 *(respeto)* respect, honour.

decoroso,-a *adj* decorous, decent. 2 *(respetable)* respectable, honourable.

decrecer [43] *i* to decrease, diminish.

decreciente *adj* decreasing, diminishing.

decrépito,-a *adj* decrepit.

decretar *t* to decree, order.

decreto *m* decree.

dedal *m* thimble.

decidido,-a *adj* decided. 2 *(audaz)* determined. – 3 *decididamente adv* decidedly.

dedicación *f* dedication.

dedicar(se) [1] *t* to dedicate. – 2 *p* to devote o.s. *(a,* to).

dedicatoria *f* dedication.

dedo *m (de la mano)* finger; *(del pie)* toe. ■ ~ *anular,* ring finger; ~ *del corazón,* middle finger; ~ *gordo,* thumb; ~ *índice,* forefinger, index finger; ~ *meñique,* little finger.

deducción *f* deduction.

deducir [46] *t* to deduce. 2 *(dinero)* to deduct.

deductivo,-a *adj* deductive.

defecar [1] *t-i* to defecate.

defectivo,-a *adj* defective.

defecto *m* defect, fault.

defectuoso,-a *adj* defective, faulty.

defender(se) [28] *t* to defend. 2 *(afirmar)* to assert, maintain. – 3 *p (espabilarse)* to manage.

defendido,-a *adj* defended. – 2 *m,f* JUR defendant.

defensa f defence. − 2 mf DEP back. ●*en ~ propia,* in self-defence.

defensivo,-a adj defensive. ●*estar a la ~,* to be on the defensive.

defensor,-ra adj defending. − 2 m,f defender.

deferencia f deference.

deficiencia f deficiency.

deficiente adj deficient, faulty. − 2 mf ~ *(mental),* mentally retarded person.

déficit m inv deficit. 2 fig shortage.

definición f definition.

definido,-a adj defined, definite.

definir t to define.

definitivo,-a adj definitive, final.

deformación f deformation, distortion.

deformar(se) t to deform, distort. − 2 p to become deformed.

deforme adj deformed, misshapen.

deformidad f deformity.

defraudación f *(estafa)* fraud, cheating. 2 *(decepción)* disappointment.

defraudar t *(estafar)* to defraud, cheat. 2 *(decepcionar)* to disappoint, deceive.

defunción f death, decease.

degeneración f degeneration.

degenerado,-a adj-m,f degenerate.

degenerar i to degenerate.

deglutir t-i to swallow.

degollar [31] t to slit the throat of.

degradación f degradation, debasement. 2 MIL demotion.

degradar(se) t to degrade, debase. 2 MIL to demote. − 3 p to demean o.s.

degüello m throat cutting.

degustación f tasting.

degustar t to taste, sample.

dehesa f pasture.

deidad f deity, divinity.

deificar [1] t to deify. 2 fig glorify.

dejadez f neglect, slovenliness; *(negligencia)* negligence. 2 *(pereza)* laziness.

dejado,-a adj untidy, slovenly; *(negligente)* negligent. 2 *(perezoso)* lazy.

dejar(se) t to leave; *(persona)* to abandon; *(lugar, trabajo)* to quit; *(hábito)* to give up. 2 *(permitir)* to allow, let. 3 *(prestar)* to lend. 4 *(legar)* to bequeath. 5 *(~ de + inf),* to stop: *~ de llover,* to stop raining. − 6 *aux (no ~ de + inf),* not to fail to: *no dejes de hacerlo,* don't forget to do it. − 7 p *(abandonarse)* to neglect o.s. 8 *(olvidar)* to forget: *me he dejado las llaves en casa,* I left my keys at home. 9 *(cesar)* to stop *(de, -).* ●*~ caer,* to drop; *~ en paz,* to leave alone; *~ mal,* to let down; *~ plantado,*

-a, to stand up; *~se llevar (por algo),* to get carried away (with sth.).

deje m accent. 2 fig aftertaste.

del *contraction of de + el → de.*

delantal m apron.

delante adv *(enfrente)* in front of, before, facing, opposite: *la casa de ~,* the house across the street; *~ de mis ojos,* before my eyes. ●*~ de,* in front of; *por ~,* ahead.

delantero,-a adj front, fore. − 2 m DEP forward. − 3 f *(frente)* front. 4 DEP forward line. 5 *(ventaja)* lead, advantage. ●*coger/tomar la delantera,* to get ahead, overtake.

delatar t to denounce, inform on. 2 *(revelar)* to reveal.

delator,-ra adj accusing, denouncing. − 2 m,f accuser, denouncer.

delco m AUTO distributor.

delegación f delegation. 2 COM branch.

delegado,-a adj delegated. − 2 m,f delegate, deputy.

delegar [7] t to delegate.

deleitar(se) t to delight, please. − 2 p to take delight *(con,* in).

deleite m pleasure, delight.

deletrear t to spell (out).

deletreo m spelling (out).

delfín m HIST dauphin. 2 ZOOL dolphin.

delgadez f thinness, slenderness.

delgado,-a adj thin, slender.

deliberación f deliberation.

deliberado,-a adj deliberate, intentional.

deliberar t to decide. − 2 i to deliberate, consider.

delicadeza f delicacy. 2 *(tacto)* thoughtfulness. ●*tener la ~ de,* to be thoughtful enough to.

delicado,-a adj delicate. 2 *(con tacto)* considerate, toughtful. 3 *(difícil)* difficult. 4 *(frágil)* fragile. 5 *(enfermizo)* frail.

delicia f delight, pleasure.

delicioso,-a adj delicious, delightful.

delictivo,-a adj criminal. ■ *hecho ~,* crime.

delimitar t to delimit, mark off/out.

delincuencia f delinquency.

delincuente adj-mf delinquent.

delineante mf m draughtsman, f draughtswoman.

delinear t to delineate, outline.

delinquir [9] i to break the law.

delirante adj delirious, raving.

delirar i to rave, be delirious. 2 fig to talk nonsense.

delirio m delirium. 2 fig nonsense. ■ **delirios de grandeza,** delusions of grandeur.

delito m offence, crime.

delta m delta.

demacrado,-a adj emaciated, thin, scrawny.

demacrarse p to waste away, become emaciated.

demagogia f demagogy.

demagógico,-a adj demagogic(al).

demagogo,-a m,f demagogue.

demanda f petition, request. 2 COM demand. 3 JUR lawsuit. ●**presentar una ~ contra algn.,** to take legal action against sb.

demandado,-a m,f defendant.

demandante mf claimant.

demandar t JUR to sue. 2 (pedir) to demand, ask for.

demarcación f demarcation, boundary line.

demás adj-pron other, rest (of the): los ~ libros, the other books. − 2 adv besides. ●lo ~, the rest; los ~, the others, the other people; por lo ~, for the rest; y ~, and so on.

demasía f excess. ●en ~, too much, excessively.

demasiado,-a adj too much; (plural) too many. − 2 adv too (much).

demencia f insanity, madness.

demente adj mad, insane. − 2 mf lunatic, maniac.

democracia f democracy.

demócrata adj democratic. − 2 mf democrat.

democrático,-a adj democratic.

democratización f democratization.

democratizar [4] t to democratize.

demografía f demography.

demoledor,-ra adj demolishing, devastating.

demoler [32] t to demolish, pull/tear down.

demolición f demolition.

demonio m demon, devil. ●fam de mil demonios, horrific; fam ¡qué ~!, what the devil!; fam ser un ~, to be a devil.

demora f delay.

demorar(se) t (retardar) to delay, hold up. − 2 i (detenerse) to stay, remain. − 3 i-p AM to delay.

demostración f demonstration. 2 (ostentación) show. 3 (prueba) proof.

demostrar [31] t to demonstrate. 2 (ostentar) to show. 3 (probar) to prove.

demostrativo,-a adj-m demonstrative.

demudar(se) t to change, alter. − 2 p (palidecer) to turn pale. 3 (alterarse) to look upset.

denegación f denial, refusal.

denegar [48] t to deny, refuse.

denigrante adj insulting.

denigrar t to denigrate, disparage. 2 (insultar) to insult, revile.

denodado,-a adj bold, brave.

denominación f denomination.

denominador m denominator.

denominar t to denominate, name.

denostar [31] t to insult, abuse.

denotar t to denote, mean.

densidad f density.

denso,-a adj dense, compact, thick.

dentado,-a adj toothed; (cuchillo) serrated. ■ **rueda dentada,** cog wheel.

dentadura f (set of) teeth pl. ■ ~ **postiza,** false teeth.

dental adj dental.

dentellada f bite. 2 (señal) toothmark.

dentera f fig envy. ●dar ~ a algn., to set sb.'s teeth on edge.

dentición f teething.

dentífrico,-a adj tooth. − 2 m toothpaste. ■ **pasta dentífrica,** toothpaste.

dentista mf dentist.

dentro adv inside, within, in; (de edificio) indoors. ●~ de lo posible, as far as possible; ~ de poco, shortly; por ~, (on the) inside.

denuesto m insult, affront.

denuncia f denunciation, accusation. ●presentar una ~, to lodge a complaint.

denunciar [12] t to denounce, condemn; (delito) to report.

deparar t to provide, offer.

departamento m (sección) department, section. 2 (provincia) district, province. 3 (de tren) compartment. 4 AM (piso) apartment.

departir i fml to chat, talk.

depauperar(se) t to impoverish. 2 (organismo) to weaken. − 3 p to become impoverished.

dependencia f dependence, dependency. 2 (de servicios) outbuildings pl.

depender i to depend/rely (de, on): depende de ti, it's up to you.

dependiente,-a adj depending, dependent. − 2 m,f shop assistant.

depilación f depilation, hair removal.

depilar(se) t-p to depilate.

depilatorio,-a *adj-m* depilatory. ■ *crema depilatoria,* hair-removing cream.

deplorable *adj* deplorable.

deplorar *t* to deplore, lament, regret.

deponer [78] *t* to lay down, set aside. 2 *(destituir)* to depose, remove from office. 3 JUR to declare, testify. ●~ *las armas,* to lay down arms. ▲ *pp* **depuesto,-a.**

deportación *f* deportation.

deportar *t* to deport.

deporte *m* sport. 2 *(pasatiempo)* recreation. ●*por* ~, as a hobby.

deportista *mf m* sportsman, *f* sportswoman.

deportividad *f* sportsmanship.

deportivo,-a *adj* sports, sporting. 2 *(imparcial)* sportsmanlike.

deposición *f* deposition. 2 JUR testimony. 3 *(defecación)* defecation.

depositar(se) *t* to deposit. – 2 *p (poso)* to settle.

depositario,-a *m,f* depositary, trustee. 2 *(tesorero)* treasurer.

depósito *m* deposit, trust. 2 *(poso)* sediment, deposit. 3 *(almacén)* depot, store, warehouse. 4 *(tanque)* tank. ■ ~ *de cadáveres,* mortuary; ~ *de gasolina,* petrol tank.

depravación *f* depravity.

depravado,-a *adj-m,f* depraved (person).

depre *f fam* depression.

deprecar [1] *t* to beg.

depreciar [12] *t* to depreciate.

depredador,-ra *adj* pillaging. – 2 *m,f* pillager.

depresión *f* depression. ■ ~ *nerviosa,* nervous breakdown.

depresivo,-a *adj* depressive.

deprimente *adj* depressing.

deprimido,-a *adj* depressed.

deprimir(se) *t* to depress. – 2 *p* to become depressed.

deprisa *adv* quickly.

depuesto,-a *pp* → **deponer.**

depurador *m* purifier.

depurar *t* to purify. 2 POL to purge.

derecho,-a *adj* right(-hand): *a la derecha,* to the right. 2 *(recto)* straight. 3 *(de pie)* standing, upright. – 4 *f* right (side). 5 *(mano)* right hand. 6 POL right wing. – 7 *m (poder, oportunidad)* right. 8 *(ley)* law. 9 EDUC law. 10 *pl* fees, taxes, duties. ■ ~ *civil,* civil law; *derechos humanos,* human rights.

deriva *f* drift. ●*ir a la* ~, to drift.

derivación *f* derivation. 2 ELEC shunt.

derivado,-a *adj* derived. – 2 *m* derivative. – 3 *f* MAT derivative.

derivar(se) *t* to lead, direct. – 2 *i-p* to derive. 3 MAR to drift.

dermatología *f* dermatology.

derogación *f* abolition, repeal.

derogar [7] *t* to abolish, repeal.

derramamiento *m* spilling. ■ ~ *de sangre,* bloodshed.

derramar(se) *t* to pour out, spill. 2 *(sangre, lágrimas)* to shed – 3 *p* to spill.

derrame *m* pouring out, spilling. 2 *(de sangre, lágrimas)* shedding. ■ MED ~ *cerebral,* cerebral hemorrhage.

derretir(se) *t-p* to melt. – 2 *p fig (de amor)* to burn *(de,* with).

derribar *t (edificio)* to pull down, demolish. 2 *(persona)* to fell, knock down. 3 MIL to shoot down. 4 *fig (gobierno)* to overthrow.

derribo *m (acción)* demolition. 2 *(material)* debris.

derrocar [1] *t (derribar)* to pull down, demolish. 2 *(gobierno)* to overthrow.

derrochador,-ra *adj* wasteful. – 2 *m,f* squanderer.

derrochar *t* to waste, squander. 2 *fig* to be full of.

derroche *m* waste, squandering.

derrota *f* defeat, rout. 2 *(camino)* path, road. 3 MAR ship's route/course.

derrotado,-a *adj* defeated. 2 *fam (cansado)* tired.

derrotar *t* to defeat.

derrotero *m* MAR course. 2 *fig* path, course of action.

derrotista *adj-mf* defeatist.

derruir [62] *t* to pull down, demolish.

derrumbamiento *m* falling down, collapse. 2 *(techo)* caving in. 3 *(de tierras)* landslide.

derrumbar(se) *t* to pull down, demolish. – 2 *p* to collapse. 3 *(techo)* to cave in.

desaborido,-a *adj* tasteless, insipid. 2 *fig (persona)* dull. – 3 *m,f* dull person.

desabrido,-a *adj* tasteless, insipid. 2 *(persona)* gruff, surly, rude. 3 *(tiempo)* unpleasant.

desabrigado,-a *adj* unsheltered.

desabrochar(se) *t-p* to undo, unfasten.

desacatar *t* to show disrespect towards. 2 *(desobedecer)* to disobey.

desacato *m* disrespect. 2 *(desobediencia)* disobedience.

desacertado,-a *adj* wrong, mistaken.

desacierto *m* mistake, blunder.

desaconsejar *t* to advise against.

desacostumbrar(se) *t* to break of the habit of. – **2** *p* to lose a habit.

desacreditar *t* to discredit, bring discredit on.

desactivar *t* to defuse.

desacuerdo *m* disagreement.

desafiante *adj* challenging, defiant.

desafiar [13] *t* to challenge.

desafinado,-a *adj* out of tune.

desafinar(se) *i* to be out of tune. – **2** *p* to get out of tune.

desafío *m* challenge. **2** *(duelo)* duel.

desaforado,-a *adj* violent, lawless. **2** *fig* huge, enormous.

desafortunado,-a *adj* unlucky, unfortunate.

desagradable *adj* disagreeable, unpleasant.

desagradar *t* to displease.

desagradecido,-a *adj* ungrateful.

desagradecimiento *m* ingratitude.

desagrado *m* displeasure, discontent. ●*con* ~, reluctantly.

desagravio *m* ammends *pl*, compensation.

desagüe *m* drain.

desaguisado *m* offence. **2** *fig (destrozo)* damage.

desahogado,-a *adj (espacioso)* roomy, spacious. ■ *posición desahogada,* comfortable circumstances.

desahogar(se) [7] *t* to vent. – **2** *p* relieve one's feelings, pour one's heart out, let off steam: *¡desahógate!,* don't bottle it up!

desahogo *m* relief. **2** *(comodidad)* comfort, ease.

desahuciar [12] *t* to take away all hope from. **2** JUR *(inquilino)* to evict.

desahucio *m* eviction.

desairar *t (desatender)* to slight, snub. **2** *(desestimar)* to reject.

desaire *m* slight, snub.

desajustar *t* to disarrange.

desajuste *m* disarrangement. **2** *(desacuerdo)* disagreement.

desalentador,-ra *adj* discouraging.

desalentar [27] *t* to discourage. – **2** *p* to lose heart.

desaliento *m* discouragement.

desaliñado,-a *adj* untidy, unkempt.

desaliño *m* untidiness.

desalmado,-a *adj (malvado)* wicked. **2** *(cruel)* cruel, heartless.

desalojar *t (persona)* to eject, remove. **2** *(inquilino)* to evict. **3** *(ciudad)* to evac-

uate. **4** *(edificio)* to clear. – **5** *i* to move out.

desalojo *m (de persona)* ejection, removal. **2** *(de inquilino)* eviction. **3** *(de lugar)* evacuation, clearing.

desamparado,-a *adj (niño)* helpless, defenceless. **2** *(lugar)* exposed. **3** *(casa etc.)* abandoned.

desamparar *t* to abandon, desert, leave helpless.

desamparo *m* abandonment, desertion. **2** *(estado)* defencelessness, helplessness.

desamueblado,-a *adj* unfurnished.

desandar [64] *t* to go back over. ●~ *lo andado,* to retrace one's steps.

desangrarse(se) *t* to bleed. – **2** *p* to bleed heavily, lose blood.

desanimado,-a *adj* despondent, downhearted. **2** *(aburrido)* dull.

desanimar(se) *t* to discourage, dishearten. – **2** *p* to become discouraged, disheartened.

desánimo *m* despondency, downheartedness.

desapacible *adj* unpleasant, disagreeable.

desaparecer(se) [43] *t* to make disappear. – **2** *i-p* to disappear, vanish.

desaparición *f* disappearance.

desapego *m* aloofness, indifference, detachment.

desapercibido,-a *adj* unprepared, unready. ●*pasar* ~, to go unnoticed.

desaplicado,-a *adj* lazy. – **2** *m,f* lazybones *inv*.

desaprensivo,-a *adj* unscrupulous.

desaprobación *f* disapproval.

desaprobar [31] *t* to disapprove of.

desaprovechar *t* to waste, not take advantage of. – **2** *i* to lose ground, fall back. ●~ *una ocasión,* to miss an opportunity.

desarmado,-a *adj* unarmed. **2** *(desmontado)* dismantled, taken to pieces.

desarmar *t* to disarm. **2** *(desmontar)* to dismantle, take apart.

desarme *m* disarmament. ■ ~ *nuclear,* nuclear disarmament.

desarraigado,-a *adj* uprooted.

desarraigar(se) [7] *t* to uproot. **2** *(hábito)* to eradicate. – **3** *p* to become uprooted.

desarraigo *m* uprooting. **2** *(de hábito etc.)* eradication.

desarrapado,-a *adj-m,f* → **desharrapado,-a**.

descansar

desarreglar *t* make untidy, mess up, upset.

desarreglo *m* mess, untidiness, disorder.

desarrollado,-a *adj* developed.

desarrollar(se) *t (gen)* to develop. 2 *(rollo)* to unroll, unwind. 3 *(realizar)* to carry out. — 4 *p (crecer)* to develop, grow. 5 *(ocurrir)* to take place.

desarrollo *m* development.

desarticular *t* MED to disarticulate, put out of joint. 2 *fig (organización)* to break up.

desaseado,-a *adj (desordenado)* untidy. 2 *(sucio)* dirty. 3 *(dejado)* slovenly, unkempt.

desasir(se) [65] *t* to release, let go. — 2 *p* to rid o.s. *(de,* of).

desasnar *t fam* to teach good manners to.

desasosiego *m* disquiet, uneasiness, anxiety.

desastrado,-a *adj (desordenado)* untidy. 2 *(sucio)* dirty. 3 *(dejado)* slovenly, unkempt.

desastre *m* disaster.

desastroso,-a *adj* disastrous.

desatado,-a *adj* loose, untied. 2 *fig* wild, violent.

desatar(se) *t* to untie, undo. — 2 *p* to come untied/undone. 3 *fig (desmadrarse)* to lose all restraint. 4 *(tormenta)* to break.

desatascar *t* to unblock.

desatender [28] *t* to pay no attention to. 2 *(no hacer caso)* to neglect, disregard.

desatento,-a *adj* inattentive. 2 *(descortés)* discourteous, impolite.

desatinado,-a *adj* rash, reckless. 2 *(tonto)* foolish.

desatino *m (error)* mistake, blunder. 2 *(locura)* folly. 3 *(tontería)* nonsense.

desatornillar *t* to unscrew.

desatrancar *t* to unbar.

desautorización *f* withdrawal of authority, disavowal.

desautorizado,-a *adj* unauthorized, discredited.

desautorizar [4] *t* to deprive of authority.

desavenencia *f* disagreement, quarrel.

desavenirse *p* to disagree, quarrel.

desayunar(se) *t-i-p* to (have) breakfast.

desayuno *m* breakfast.

desazón *f fig* anxiety, uneasiness.

desazonado,-a *adj fig* anxious, uneasy.

desbancar [1] *t* to break, bust. 2 *fig* to supplant, replace.

desbandada *f* scattering. ● *a la* ~, helter-skelter, in disorder.

desbandarse *p* to scatter, disband.

desbarajuste *m* disorder, confusion.

desbaratar *t* to destroy, ruin. 2 *(malgastar)* to waste, squander.

desbarrar *i fig (hablar)* to talk nonsense. 2 *(actuar)* act foolishly.

desbloquear *t* to unblock. 2 FIN to unfreeze.

desbocado,-a *adj (arma)* wide-mouthed. 2 *(jarra)* with a chipped mouth. 3 *(caballo)* runaway.

desbocar(se) [1] *t (jarra)* to break the mouth of. — 2 *p (caballo)* to run away. 3 *(persona)* to let out a stream of abuse.

desbordamiento *m* overflow, flooding.

desbordante *adj* overflowing.

desbordar(se) *t fig* to surpass, go beyond. — 2 *i-p* to overflow. — 3 *p* to lose one's self-control.

desbravar *t (caballo)* to tame, break in. — 2 *i-p* to become less wild/fierce. 3 *(licor)* to go flat.

desbrozar [4] *t* to clear of rubbish/undergrowth.

descabalgar [7] *i* to dismount.

descabellado,-a *adj* wild, crazy.

descabezar [7] *t* to behead. 2 *(planta)* to top, cut the top off. ● ~ *un sueño,* to take a nap.

descafeinado,-a *adj* decaffeinated. 2 *fam* watered-down. ■ *café* ~, decaffeinated coffee.

descalabrado,-a *adj* wounded/injured in the head.

descalabrar(se) *t* to wound in the head. 2 *(herir)* to hurt. — 3 *p* to hurt one's head.

descalabro *m* misfortune, damage, loss.

descalificar [1] *t* to disqualify.

descalzar(se) [4] *t* to take off sb.'s shoes. — 2 *p* to take off one's shoes.

descalzo,-a *adj* barefoot(ed).

descamisado,-a *adj* shirtless, ragged. — 2 *m,f* wretch.

descampado,-a *adj* open. — 2 *m* piece of open land.

descansado,-a *adj* rested, refreshed. 2 *(tranquilo)* easy.

descansar *i* to (have a) rest, take a break. 2 *(dormir)* to sleep. 3 *(confiar)* to rely *(sobre,* on), put trust *(sobre,* in). 4 *(apoyarse)* to rest *(sobre,* on), be supported *(sobre,* by). — 5 *t* to rest. ● ~ *en paz,* to rest in peace; ¡*descansen armas!,* order arms!

descansillo *m* landing.

descanso *m* rest, break. **2** *(alivio)* relief. **3** TEAT interval.

descapotable *adj-m* convertible.

descarado,-a *adj-m,f* shameless (person), cheeky (person).

descarga *f* unloading. **2** ELEC discharge. **3** *(de fuego)* discharge, volley.

descargador *m* unloader. **2** *(estibador)* docker.

descargar(se) [7] *t* to unload. **2** *fig (conciencia)* to ease. **3** *(de obligaciones)* to free, discharge. **4** *(golpe)* to strike. **5** *(enfado)* to vent. **6** *(arma)* to fire, discharge. **– 7** *p* to unburden o.s.

descargo *m* unloading. **2** COM acquittance. **3** JUR discharge. **4** *(excusa)* excuse. ● *en su ~,* in his defence.

descarnado,-a *adj* blunt.

descaro *m* impudence, effrontery, cheek.

descarriar(se) [13] *t* to send the wrong way. **– 2** *p* to lose one's way. **3** *fig* to go astray.

descarrilamiento *m* derailment.

descarrilar *i* to be derailed, run off the rails.

descarrío *m fig* going astray.

descartar(se) *t* to discard, reject. **– 2** *p* *(de cartas)* to discard.

descastado,-a *adj* unaffectionate. **2** *(desagradecido)* ungrateful.

descendencia *f* offspring.

descender [28] *i* to descend, go/come down. **2** *(temperatura)* to drop, fall. **3** *(derivar)* to derive. **– 4** *t* to take down, bring down.

descendiente *adj* descendent. **– 2** *mf* *(generación)* descendant; *(hijos)* offspring.

descenso *m* descent, coming down. **2** *(de temperatura)* drop, fall. **3** *(declive)* decline, fall.

descentrado,-a *adj* off-centre. **2** *fig* disoriented.

descentralizar [4] *t* to decentralize.

descentrar(se) *t* to put out of centre. **2** *fig* to disorientate. **– 3** *p* to become uncentred. **4** *fig* to become disorientated.

descifrar *t* to decipher, decode.

desclavar *t* to remove the nails from.

descocado,-a *adj fam* bold, brazen.

descojonante* *adj* fucking hilarious*.

descojonarse* *p* to piss o.s. laughing*.

descolgar(se) [52] *t* to unhang, take down. **2** *(bajar)* to lower, let down. **– 3** *p (aparecer)* to show up unexpectedly. **4** *(de una ventana)* to slip/let o.s. down.

descollar [31] *i* to stand out, excel.

descolonización *f* decolonization.

descolorido,-a *adj* discoloured, faded.

descomedido,-a *adj* excessive, immoderate. **2** *(descortés)* rude, impolite.

descomponer(se) [78] *t* to break down. **2** TÉC to break. **3** *(desordenar)* to mess up, upset. **4** FÍS *(fuerza)* to resolve. **– 5** *p* to decompose, rot. **6** TÉC to break down, develop a fault. **7** *(enfermar)* to be indisposed. **8** *(enfadarse)* to lose one's temper. ▲ *pp* **descompuesto,-a.**

descomposición *f* decomposition, decay. **2** TÉC *(de fuerzas)* resolution. **3** MED looseness of bowels.

descompuesto,-a *pp* → **descomponer.** **– 2** *adj* decomposed. **3** *(estropeado)* out of order. **4** *(alterado)* upset.

descomunal *adj* huge, enormous.

desconcertado,-a *adj* disconcerted, upset.

desconcertante *adj* disconcerting, upsetting.

desconcertar(se) [27] *t* to disconcert. **– 2** *p* to be disconcerted/confused.

desconchado *m* chipping/peeling off.

desconchar(se) *t* to scrape off. **– 2** *p* to peel/chip off.

desconchón *m* bare patch.

desconcierto *m* disorder, confusion.

desconectado,-a *adj* disconnected.

desconectar(se) *t* to disconnect. **– 2** *p fam* to stop listening, turn off.

desconexión *f* disconnection.

desconfiado,-a *adj* distrustful, suspicious.

desconfianza *f* mistrust, suspicion.

desconfiar [13] *i* to distrust *(de, -)*.

descongelar *t* to thaw. **2** *(nevera)* to defrost.

descongestión *f* relief of congestion.

descongestionar *t* to relieve of congestion. **2** *fig* to clear.

desconocer [44] *t* not to know.

desconocido,-a *adj* unknown. **2** *(extraño)* strange, unfamiliar. **– 3** *m,f* stranger. ● *estar ~,* to be unrecognizable; *lo ~,* the unknown.

desconocimiento *m* ignorance.

desconsideración *f* lack of consideration.

desconsiderado,-a *adj* inconsiderate, rude, discourteous.

desconsolado,-a *adj* disconsolate, griefstricken, dejected.

desconsolar(se) [31] *t* to distress, grieve. – 2 *p* to become distressed.

desconsuelo *m* affliction, grief.

descontado,-a *adj* discounted. 2 *(excluido)* left out. ●*dar por ~,* to take for granted; *por ~,* needless to say, of course.

descontar [31] *t* to discount, deduct. 2 *(excluir)* to leave out.

descontento,-a *adj* displeased, unhappy. – 2 *m* discontent, displeasure.

descontrol *m fam* lack of control.

descontrolado,-a *adj* out of control.

descontrolarse *p* to lose control.

desconvocar [1] *t* to cancel, call off.

descorazonador,-ra *adj* disheartening.

descorazonar(se) *t* to dishearten, discourage. – 2 *p* to lose heart, become discouraged.

descorchar *t* to uncork.

descorrer *t* to draw back.

descortés *adj* impolite, rude.

descortesía *f* discourtesy, rudeness.

descoser(se) *t* to unstitch, rip. – 2 *p* to become unstitched, rip.

descosido,-a *adj* ripped, unstitched. – 2 *m* open seam. ●*fam como un ~,* like mad.

descoyuntar(se) *t* to dislocate, disjoint. – 2 *p* to get out of joint.

descrédito *m* discredit.

descreído,-a *adj* unbelieving, incredulous. – 2 *m,f* unbeliever.

descremado,-a *adj* skimmed. ■ *leche descremada,* skim(med) milk.

describir *t* to describe. ▲ *pp descrito,-a.*

descripción *f* description.

descrito,-a *pp →* **describir.**

descuartizar [4] *t* to quarter, cut into pieces.

descubierto,-a *pp →* **descubrir.** – 2 *adj* uncovered; *(sin sombrero)* bareheaded. – 3 *m* COM overdraft. ●*al ~,* in the open; COM *en ~,* overdrawn.

descubridor,-ra *m,f* discoverer.

descubrimiento *m* discovery.

descubrir(se) *t* to discover. 2 *(revelar)* to make known. 3 *(averiguar)* to find out. – 4 *p* to take off one's hat. ▲ *pp descubierto,-a.*

descuento *m* discount.

descuidado,-a *adj* careless, negligent. 2 *(desaseado)* slovenly.

descuidar(se) *t* to relieve. 2 *(distraer)* to distract. – 3 *i-p* to be careless.

descuido *m* neglect. 2 *(negligencia)* negligence, carelessness. 3 *(desaliño)* slovenliness. 4 *(despiste)* oversight. 5 *(desliz)* slip, error.

desde *prep* from, since. ●*~ ... hasta,* from ... to; *~ ahora,* from now on; *~ entonces,* since then, ever since; *~ luego,* of course, certainly; *~ que,* since.

desdecir(se) [79] *i* not to live up *(de,* to). – 2 *p* to go back on one's word. ▲ *pp desdicho,-a.*

desdén *m* disdain, scorn.

desdentado,-a *adj* toothless.

desdeñar *t* to disdain, scorn.

desdeñoso,-a *adj* disdainful, contemptuous, scornful.

desdicha *f* misfortune.

desdichado,-a *adj* unfortunate, wretched.

desdicho,-a *pp →* **desdecir(se).**

desdoblar *t* to unfold, spread open.

deseable *adj* desirable.

desear *t* to desire, wish (for), want.

desecar [1] *t* to desiccate, dry (up).

desechable *adj* disposable.

desechar *t* to cast aside. 2 *(rechazar)* to refuse, decline.

desecho *m* refuse, reject, scrap. ●*de ~,* cast-off.

desembalar *t* to unpack.

desembarazar(se) [4] *t* to free. 2 *(habitación)* to evacuate. – 3 *p* to rid o.s. *(de,* of).

desembarcadero *m* landing-stage, wharf, pier.

desembarcar [1] *i* to disembark, land, go ashore.

desembarco *m* landing.

desembargar [7] *t* to raise an embargo from.

desembocadura *f (de río)* mouth. 2 *(salida)* outlet, exit.

desembocar [1] *i (río)* to flow *(en,* into). 2 *(calle)* to end *(en,* at), lead *(en,* into). 3 *fig* to lead *(en,* to).

desembolsar *t* to disburse, pay out.

desembolso *m* disbursement, payment. 2 *(gasto)* expenditure.

desembragar [7] *t* to disengage.

desembuchar *t fam* to let/blurt out.

desempaquetar *t* to unpack.

desempatar *t* to break a tie between; DEP to play off.

desempate *m* breaking the tie; DEP play-off.

desempeñar *t* to redeem, take out of pawn. 2 *(obligación)* to discharge, fulfil. 3 *(cargo)* to fill, hold. 4 *(papel)* to play.

desempleado,-a *adj-m,f* unemployed (person).

desempleo *m* unemployment. ●*cobrar el ~*, to be on the dole.

desempolvar *t* to dust. **2** *fig* to unearth.

desencadenar(se) *t* to unchain. **2** *(desatar)* to free, unleash. − **3** *p (desatarse)* to break loose. **4** *(tormenta, guerra)* to break out. **5** *(acontecimientos)* to start.

desencajar(se) *t* to take apart. − **2** *p (cara)* to become distorted/twisted.

desencaminar *t* to mislead.

desencantar *t* to disenchant. **2** *(desilusionar)* to disillusion.

desencanto *m* disenchantment. **2** *(desilusión)* disillusionment, disappointment.

desenchufar *t* to unplug, disconnect.

desenfadado,-a *adj* free and easy, carefree.

desenfado *m (soltura)* confidence. **2** *(facilidad)* ease.

desenfocado,-a *adj* out of focus.

desenfocar *t* to take out of focus.

desenfrenado,-a *adj (caballo)* unbridled. **2** *(persona)* wild. **3** *(conducta)* licentious, wanton.

desenfreno *m* licentiousness.

desenfundar *t* to draw/pull out.

desenganchar *t* to unhook, unfasten. **2** *(caballerías)* to uncouple, unhitch.

desengañar(se) *t* to put wise. **2** *(desilusionar)* to disappoint. − **3** *p* to be disappointed. ●*¡desengáñate!,* (let's) face it!

desengaño *m* disillusion, disappointment.

desengrasar *t* to remove the grease from, clean.

desenlace *m* outcome, end. **2** *(de narración)* ending.

desenmascarar *t* to unmask.

desenredar(se) *t* to untangle, disentangle. − **2** *p* to disentangle o.s.

desenrollar *t* to unroll, unwind.

desenroscar [1] *t* to unscrew, uncoil.

desentenderse [28] *p* to pretend not to understand *(de, -)*. **2** *(despreocuparse)* to take no part *(de, in)*, cease to be interested *(de, in)*.

desenterrar [27] *t* to unearth; *(cadáver)* to disinter, exhume. **2** *fig (recuerdos)* to recall.

desentonar *i* to be out of tune. **2** *fig* not to match.

desentrañar *t fig* to find out, solve, unravel.

desentrenado,-a *adj* out of training.

desentumecer(se) [43] *t* to free from numbness. − **2** *p* to shake off numbness.

desenvainar *t* to unsheathe, draw.

desenvoltura *f* confidence. **2** *(atrevimiento)* boldness.

desenvolver(se) [32] *t* to unwrap. − **2** *p (transcurrir)* to develop, go. **3** *(espabilarse)* to manage. ▲ *pp* **desenvuelto,-a**.

desenvuelto,-a *pp* → **desenvolver(se)**. − **2** *adj* confident, natural.

deseo *m* wish, desire, longing.

deseoso,-a *adj* desirous, eager.

desequilibrado,-a *adj-m,f* unbalanced (person).

desequilibrar(se) *t* to unbalance. − **2** *p* to become unbalanced.

desequilibrio *m* lack of balance, imbalance. ■ *~ mental,* mental disorder.

deserción *f* desertion.

desertar *i* MIL to desert. **2** *(abandonar)* to abandon.

desértico,-a *adj* desert.

desertización *f* desertification.

desertor,-ra *m,f* deserter.

desesperación *f* despair, desperation. **2** *(irritación)* exasperation.

desesperado,-a *adj* hopeless, desperate. **2** *(irritado)* exasperated.

desesperante *adj* despairing. **2** *(irritante)* exasperating.

desesperar(se) *t* to make despair. **2** *(irritar)* to exasperate. − **3** *i-p* to despair. **4** *(irritarse)* to be exasperated.

desestabilizar [4] *t* to destabilize.

desestimar *t* to disregard, undervalue. **2** JUR to reject, refuse.

desfachatez *f* cheek, nerve.

desfalcar [1] *t* to embezzle.

desfalco *m* embezzlement.

desfallecer [43] *i* to faint. **2** *(decaer)* to lose heart.

desfallecido,-a *adj* faint, weak.

desfallecimiento *m* faintness. **2** *(desmayo)* fainting fit.

desfasado,-a *adj* out-dated; *(persona)* old-fashioned.

desfavorable *adj* unfavourable.

desfigurar *t (cara)* to disfigure. **2** *fig* to distort, misrepresent.

desfiladero *m* defile, gorge, narrow pass.

desfilar *t* to march past, parade. **2** *(irse)* to file out.

desfile *m* parade.

desfogar(se) [7] *t* to (give) vent (to). – **2** *p* to let off steam.

desgana *f* lack of appetite. **2** *(indiferencia)* indifference. ●*con* ~, reluctantly.

desganado,-a *adj* not hungry. **2** *(indiferente)* indifferent. ●*estar* ~, to have no appetite.

desgarbado,-a *adj* ungainly, ungraceful, clumsy.

desgarrador,-ra *adj* rending. **2** *fig* heartbreaking.

desgarrar *t* to tear, rend. **2** *fig (corazón)* to break.

desgarrón *m* tear, rip.

desgastar(se) *t* to wear out/away; *(tacones)* to wear down. **2** *(debilitar)* to weaken. – **3** *p (persona)* to wear o.s. out.

desgaste *m* wear (and tear); *(metal)* corrosion. **2** *(debilitamiento)* weakening.

desgracia *f* misfortune. **2** *(mala suerte)* bad luck, mischance. **3** *(pérdida de favor)* disfavour. **4** *(accidente)* mishap, accident. ●*caer en* ~, to lose favour, fall into disgrace; *por* ~, unfortunately; *¡qué* ~*!*, how awful!

desgraciado,-a *adj* unfortunate, unlucky. **2** *(infeliz)* unhappy. – **3** *m,f* wretch, unfortunate person.

desgraciar(se) [12] *t* to spoil. – **2** *p* to be ruined/spoiled. **3** *(fracasar)* to fail.

desgranar *t* to shell.

desgravar *t* to deduct.

desgreñado,-a *adj* dishevelled.

desguazar [4] *t (barco)* to break up; *(coche)* to scrap.

deshabitado,-a *adj* uninhabited.

deshacer(se) [73] *t* to undo, unmake. **2** *(nudo)* to loosen. **3** *(destruir)* to destroy. **4** *(planes)* to upset. **5** *(disolver)* to dissolve; *(fundir)* to melt. – **6** *p* to come undone. **7** *(disolverse)* to dissolve; *(fundirse)* to melt. **8** *(librarse)* to get rid of *(de,* of*)*. ●~ *en elogios*, to be full of praise; ~ *en llanto*, to cry one's eyes out. ▲ *pp* *deshecho,-a.*

desharrapado,-a *adj* ragged, in tatters, shabby.

deshecho,-a *pp* → **deshacer(se)**. – **2** *adj* undone, unmade. **3** *(destruido)* destroyed. **4** *(disuelto)* dissolved; *(fundido)* melted. **5** *fig (cansado)* shattered, exhausted.

desheredar *t* to disinherit.

deshidratar(se) *t* to dehydrate. – **2** *p* to become dehydrated.

deshielo *m* thaw; *(de congelador)* defrosting.

deshilachado,-a *adj* frayed.

deshilvanado,-a *adj fig* disconnected, incoherent.

deshinchar(se) *t* to deflate. **2** *(enfado)* to appease. – **3** *p* to become deflated. **4** *(persona)* to lose heart.

deshojar(se) *t* to strip the petals/leaves of. – **2** *p* to lose its petals/leaves.

deshollinador *m* chimney sweep.

deshollinar *t* to sweep.

deshonesto,-a *adj* dishonest. **2** *(inmoral)* immodest, indecent.

deshonor *m*, **deshonra** *f* dishonour, disgrace.

deshonrar *t* to dishonour, disgrace. **2** *(injuriar)* to insult, defame. **3** *(violar)* to rape.

deshonroso,-a *adj* dishonourable.

deshora *f* inconvenient time. ●*a* ~, inopportunely, at the wrong time.

deshuesar *t* to bone.

deshumanizar [4] *t* to dehumanize.

desidia *f* negligence, idleness.

desierto,-a *adj* uninhabited; *(vacío)* empty, deserted. – **2** *m* desert.

designación *f* designation, appointment.

designar *t (nombrar)* to assign, appoint. **2** *(fijar)* to set.

designio *m* design, plan.

desigual *adj* unequal. **2** *(irregular)* uneven, irregular. **3** *(variable)* changeable.

desigualdad *f* inequality, difference. **2** *(irregularidad)* unevenness. **3** *(inconstancia)* changeability.

desilusión *f* disillusion(ment), disappointment.

desilusionado,-a *adj* disappointed, disillusioned.

desilusionar *t* to disillusion, disappoint.

desinfección *f* disinfection.

desinfectante *adj-m* disinfectant.

desinfectar *t* to disinfect.

desinflar(se) *t-p* to deflate. – **2** *p fam* to cool off.

desintegrar *t* to disintegrate.

desinterés *m* unselfishness. **2** *(indiferencia)* indifference.

desinteresado,-a *adj* unselfish.

desinteresarse *p* to lose interest *(de,* in*)*.

desintoxicar(se) [1] *t-p* to detoxicate (o.s.).

desistir *i* to desist, give up. **2** JUR to waive.

desleal *adj* disloyal.

deslealtad *f* disloyalty.

desleír [37] *t (sólido)* to dissolve; *(líquido)* to dilute.

deslenguado,-a *adj* insolent, foul-mouthed.

desligar(se) [7] *t* to untie, unfasten. 2 *fig* to separate (*de,* from). — 3 *p* to break away.

deslindar *t* to delimit, set out the boundaries of. 2 *fig* to clarify.

desliz *m* slide, slip. 2 *fig (error)* slip, blunder, false step.

deslizante *adj* sliding.

deslizar(se) [4] *t-i* to slide, slip (in). — 2 *p* to slip; *(sobre agua)* to glide. 3 *(salir)* to slip out of; *(entrar)* to slip into. 4 *(río)* to flow.

deslucir [45] *t* to tarnish, dull. 2 *fig* to spoil.

deslumbramiento *m* dazzle, glare.

deslumbrante *adj* dazzling, glaring.

deslumbrar *t* to dazzle, daze.

desmadrarse *p fam* to go wild.

desmadre *m fam* havoc, hullabal(l)oo.

desmán *m* excess, outrage.

desmandarse *p* to go too far, get out of hand.

desmantelar *t* to dismantle. 2 MAR to unmast.

desmañado,-a *adj* clumsy, awkward.

desmaquillador,-ra *adj* cleansing. — 2 *m* make-up remover.

desmaquillar(se) *t-p* to remove one's make-up.

desmayar(se) *i fig* to lose heart. — 2 *p* MED to faint.

desmayo *m* discouragement. 2 MED fainting fit.

desmedido,-a *adj* excessive, disproportionate.

desmejorar(se) *t* to impair, make worse. — 2 *i-p* to get worse. •*estar desmejorado,-a,* to look unwell.

desmelenarse *p fam* to let one's hair down.

desmembrar [3] *t* to dismember. 2 *fig* to split, divide.

desmemoriado,-a *adj-m,f* forgetful/absent-minded (person).

desmentir [35] *t* to deny. 2 *(contradecir)* to contradict. 3 *(desmerecer)* not to live up to.

desmenuzar [4] *t* to crumble, break pieces. 2 *fig* to scrutinize, look into.

desmesurado,-a *adj* excessive, disproportionate.

desmontar *t* to dismantle, take down/apart. 2 *(edificio)* to knock down. 3

(arma) to uncock. — 4 *i (del caballo)* to dismount *(de,* -).

desmoralizar(se) [4] *t* to demoralize. — 2 *p* to become demoralized.

desmoronamiento *m* crumbling, disintegration.

desmoronar(se) *t* to crumble. — 2 *p* to crumble, fall to pieces. 3 *fig* to lose heart.

desnaturalizado,-a *adj* adulterated. 2 QUÍM denatured. 3 *(persona)* unnatural. ■ *alcohol ~,* denatured alcohol.

desnaturalizar [4] *t* to adulterate. 2 QUÍM to denature.

desnivel *m* unevenness. 2 *(cuesta)* slope, drop.

desnivelado,-a *adj* uneven.

desnivelar(se) *t* to make uneven. — 2 *p* to become uneven.

desnucar(se) [1] *t* to break the neck of. — 2 *p* to break one's neck.

desnudar(se) *t* to undress. — 2 *p* to get undressed.

desnudez *f* nudity, nakedness.

desnudo,-a *adj* naked, nude. 2 *fig* plain, bare. — 3 *m* ART nude.

desnutrición *f* malnutrition, undernourishment.

desnutrido,-a *adj* undernourished.

desobedecer [43] *t* to disobey.

desobediencia *f* disobedience.

desobediente *adj* disobedient.

desocupación *f (ociosidad)* leisure. 2 *(desempleo)* unemployment.

desocupado,-a *adj (libre)* free, vacant. 2 *(ocioso)* unoccupied. 3 *(desempleado)* unemployed.

desocupar *t* to vacate, leave, empty.

desodorante *adj-m* deodorant.

desolación *f* desolation. 2 *(tristeza)* affliction, grief.

desolador,-ra *adj* desolating.

desolar(se) [31] *t* to devastate. — 2 *p* to be grieved.

desollar [31] *t* to skin, flay. 2 *fig (persona)* to injure. •*fig ~ vivo,-a,* to tear to pieces.

desorbitado,-a *adj* exorbitant.

desorden *m* disorder, disarray, mess: *en ~,* in disarray. 2 *(alteración)* disturbance, riot.

desordenado,-a *adj* untidy, messy. 2 *(desaseado)* slovenly. 3 *(vida)* licentious.

desordenar *t* to untidy, disarrange, mess up; *(alterar)* to disturb.

desorganización *f* disorganization.

desorganizar [4] *t* to disorganize, disrupt.

desorientado,-a *adj* disoriented. 2 *fig* confused.

desorientar(se) *t* to disorientate. – 2 *p* to lose one's bearings.

despabilado,-a *adj (despierto)* wide awake. 2 *(listo)* smart, sharp.

despabilar(se) *t* to smarten, enliven. – 2 *p (despertarse)* to wake up. 3 *(animarse)* to liven up.

despachar(se) *t (terminar)* to finish, *(completar)* to complete. 2 *(resolver)* to resolve, get through. 3 *(enviar)* to send, dispatch. 4 *(despedir)* to fire. 5 *(en tienda)* to serve; *(vender)* to sell. 6 *(asunto)* to deal with. 7 *fam fig (matar)* to kill. – 8 *p fam* to speak one's mind. ●~*se a gusto,* to get a load off one's mind.

despacho *m (envío)* sending, dispatch. 2 *(oficina)* office; *(estudio)* study. 3 *(venta)* sale. 4 *(tienda)* shop, office. 5 *(comunicación)* message, dispatch. ■ ~ *de localidades,* box office; *mesa de ~,* desk.

despachurrar(se) *t fam* to crush, squash. – 2 *p* to get crushed/squashed.

despacio *adv* slowly. – 2 *interj* easy there!

despampanante *adj* astounding.

desparejado,-a *adj* without a partner, odd.

desparpajo *m* ease. 2 *(descaro)* nerve, impudence.

desparramar(se) *t-p* to spread, scatter, spill.

despatarrar(se) *t* to astonish. – 2 *p* to open one's legs wide. 3 *(caer)* to fall with one's legs apart.

despavorido,-a *adj* terrified.

despecho *m* spite. ●*a ~ de,* in spite of, despite.

despechugarse [7] *p fam* to show one's chest.

despectivo,-a *adj* contemptuous. 2 GRAM pejorative.

despedazar [4] *t* to tear/cut into pieces.

despedida *f* farewell, goodbye. ■ ~ *de soltero/soltera,* stag night/hen party.

despedir(se) [34] *t (lanzar)* to throw. 2 *(emitir)* to emit, give off. 3 *(del trabajo)* to dismiss, fire. 4 *(decir adiós)* to say goodbye to. – 5 *p (decirse adiós)* to say goodbye *(de,* to). 6 *fig* to forget, give up *(de,* -). ●~*se a la francesa,* to take French leave; *salir despedido,-a,* to shoot off.

despegado,-a *adj* detached, unglued. 2 *fig* cool, indifferent.

despegar(se) [7] *t* to unstick, unglue. – 2 *i (avión)* to take off. – 3 *p* to come unstuck/unglued.

despego *m* coolness, indifference.

despegue *m* takeoff.

despeinado,-a *adj* dishevelled, unkempt.

despeinar(se) *t* to ruffle the hair of. – 2 *p* to ruffle one's hair.

despejado,-a *adj* assured, self-confident. 2 *(espacioso)* wide, spacious. 3 METEOR cloudless, clear.

despejar(se) *t* to clear, remove. 2 *(despertar)* to wake up. – 3 *p* METEOR to clear up. 4 *(persona)* to clear one's head.

despelotarse* *p* to strip off.

despelote* *m* strip. 2 *(de risa)* laugh, guffaw.

despensa *f* pantry, larder. 2 *(víveres)* store of provisions.

despeñadero *m* cliff, precipice.

despeñar(se) *t-p* to throw (o.s.) over a cliff.

desperdiciar [12] *t* to waste, squander.

desperdicio *m* waste. 2 *pl* leavings, refuse *sing.*

desperdigar(se) [7] *t-p* to scatter, disperse.

desperezarse [4] *p* to stretch (o.s.).

desperfecto *m* slight damage. 2 *(defecto)* flaw, defect.

despertador *m* alarm clock.

despertar(se) [27] *t* to wake, awaken. 2 *(apetito)* to excite. – 3 *i-p* to wake up, awake.

despiadado,-a *adj* pitiless, ruthless, merciless.

despido *m* dismissal, sacking.

despierto,-a *adj* awake. 2 *(espabilado)* lively, smart.

despilfarrador,-ra *m,f* squanderer, spendrift.

despilfarrar *t* to waste, squander, spend lavishly.

despilfarro *m* waste, extravagance, lavishness.

despistado,-a *adj-m,f* absent-minded (person). ●*hacerse el ~,* to pretend not to understand.

despistar(se) *t* to throw off one's scent. – 2 *p (perderse)* to get lost. 3 *(distraerse)* to get distracted.

despiste *m* slip, mistake.

desplante *m* impudent remark/act.

desplazamiento *m (traslado)* moving. 2 *(viaje)* trip.

desplazar(se) [4] *t (trasladar)* to move. –
2 *p* to go travel (*a,* to).

desplegar [48] *t* to unfold, spread (out).
2 *(actividad)* to display. 3 MIL to deploy.
4 *(mostrar)* to show, display.

desplomarse *p* to fall down. 2 *(pared)* to
tumble down. 3 *(persona)* to collapse.

desplumar *t* to pluck. 2 *fig* to fleece,
swindle.

despoblación *f* depopulation.

despoblar(se) [31] *t* to depopulate. – 2
p to become depopulated, deserted.

despojar(se) *t* to despoil, deprive (*de,*
of). 2 JUR to dispossess. – 3 *p (de ropa)*
to take off (*de,* -). 4 *fig* to free o.s. (*de,*
of).

despojo *m (botín)* plunder. 2 *pl (de animal)* offal *sing.* 3 *pl (sobras)* leavings,
scraps. 4 *pl (de persona)* mortal remains.

desposado,-a *adj-m,f fml* newly-wed.

desposar(se) *fml t* to marry. – 2 *p* to get
married.

desposeer(se) [61] *t* to dispossess. – 2
p to give up (*de,* -).

desposorios *mpl fml (boda)* marriage
sing. 2 *(compromiso)* betrothal *sing.*

déspota *mf* despot, tyrant.

despotismo *m* despotism. ■ ~ *ilustrado,* enlightened despotism.

despotricar [1] *i* to rave (*contra,* about).

despreciable *adj* despicable, contemptible.

despreciar [12] *t* to despise, scorn. 2 *(desestimar)* to spurn, reject.

desprecio *m* contempt, scorn.

desprender(se) *t* to detach, unfasten. –
2 *p* to withdraw (*de,* from), renounce.
3 *(soltarse)* to come off. 4 *(deducirse)* to
follow, be inferred.

desprendido,-a *adj* generous, disinterested.

desprendimiento *m* generosity, unselfishness. 2 *(de tierra)* landslide.

despreocupación *f* nonchalance. 2 *(negligencia)* negligence, carelessness.

despreocuparse *p* not to care/worry
any more about.

desprestigiar(se) [12] *t* to discredit. – 2
p to lose one's prestige.

desprestigio *m* discredit, loss of prestige.

desprevenido,-a *adj* unprepared. ●*coger a algn.* ~, to take sb. by surprise.

desproporción *f* disproportion.

desproporcionado,-a *adj* disproportionate.

despropósito *m* absurdity, nonsense.

desprovisto,-a *adj* lacking (*de,* -), devoid (*de,* of).

después *adv* afterwards, later: *iremos* ~,
we'll go later. 2 *(entonces)* then: *y* ~ *dijo
que sí,* and then he said yes. 3 *(luego)*
next. ●~ *de (que),* after; ~ *de todo,* after all; *poco* ~, soon after.

despuntar *t* to blunt. – 2 *i (planta)* to
sprout, bud. 3 *fig* to be witty, clever. 4
(destacar) to excel. ●~ *el día,* to dawn.

desquiciar [12] *t* to unhinge. 2 *(descomponer)* to upset, unsettle.

desquitar(se) *t* to compensate. – 2 *p
(vengarse)* to take revenge (*de,* on), get
even (*de,* with).

desquite *m* compensation. 2 *(venganza)*
revenge, retaliation.

destacado,-a *adj* outstanding.

destacamento *m* detachment.

destacar(se) [1] *t* MIL to detach. 2 to
point out. – 3 *p* to stand out.

destajo *m* piecework. ●*a* ~, by the
piece.

destapar *t* to open, uncover. 2 *(botella)*
to uncork. 3 *(quitar la tapa)* to take off
the lid of.

destape *m fam* strip. ●*película de* ~,
blue movie.

destartalado,-a *adj* tumbledown, ramshackle.

destellar *i* to sparkle, gleam.

destello *m* sparkle, gleam, flash.

destemplado,-a *adj* MÚS out of tune. 2
(tiempo) unpleasant. ●*sentirse* ~, not to
feel well.

destemplar(se) *t* to disturb the harmony of. 2 MÚS to put out of tune. – 3
p MED to feel indisposed.

desteñir(se) [36] *t* to discolour. – 2 *i-p*
to lose colour, fade.

desternillarse *p fam* ~ *de risa,* to split
one's sides laughing.

desterrado,-a *adj* exiled, banished. – 2
m,f exile, outcast.

desterrar [27] *t* to exile, banish.

destetar *t* to wean.

destiempo *a* ~, *adv* inopportunely, at
the wrong time.

destierro *m* banishment, exile.

destilación *f* distillation.

destilar *t* to distil. 2 *(filtrar)* to filter. 3 *fig*
to exude, reveal.

destilería *f* distillery.

destinado,-a *adj* destined (*a,* to), bound
(*a,* for).

destinar *t* to assign, allot. 2 *(a un cargo)*
to appoint.

destinatario,-a *m,f (de carta)* addressee. **2** *(de mercancías)* consignee.

destino *m (sino)* destiny, fate. **2** *(lugar)* destination. **3** *(empleo)* employment, post. ●*con ~ a,* bound for, going to.

destitución *f* dismissal.

destituir [62] *t* to dismiss.

destornillador *m* screwdriver.

destornillar(se) *t* to unscrew. − **2** *p fig* to go crazy.

destreza *f* skill, dexterity.

destripar *t (animal)* to gut, disembowel. **2** *(cosa)* to tear/cut open. **3** *fig (despachurrar)* to crush.

destronar *t* to dethrone.

destrozado,-a *adj* smashed, broken, shattered.

destrozar [4] *t* to smash, break in pieces, shatter.

destrozo *m* destruction, damage.

destrucción *f* destruction.

destructivo,-a *adj* destructive.

destructor,-ra *adj* destructive. − **2** *m* MAR destroyer.

destruir [62] *t* to destroy, ruin.

desunir *t* to divide, separate. **2** *fig* to cause discord.

desuso *m* disuse. ●*caer en ~,* to become obsolete.

desvaído,-a *adj (color)* pale, dull. **2** *(borroso)* blurred.

desvalido,-a *adj-m,f* helpless/destitute (person).

desvalijar *t* to rob, hold up.

desvalorización *f* devaluation.

desvalorizar [4] *t* to devalue.

desván *m* loft, attic.

desvanecer(se) [43] *t* to make vanish/disappear. **2** *(nubes etc.)* to dispel. **3** *fig (recuerdo etc.)* to efface. − **4** *p* to vanish, disappear. **5** *(demayarse)* to faint, swoon.

desvanecimiento *m* dizziness, faintness.

desvariar [13] *i* to be delirious, rave, talk nonsense.

desvarío *m (delirio)* delirium. **2** *(locura)* nonsense, raving. **3** *(capricho)* fancy, whim.

desvelar(se) *t* to keep awake. **2** *(revelar)* to reveal. − **3** *p* to be unable to sleep. **4** *(dedicarse)* to devote o.s. *(por,* to).

desvelo *m* sleeplessness, wakefulness. **2** *(dedicación)* devotion, dedication.

desvencijado,-a *adj* rickety, loose.

desventaja *f* disadvantage, drawback.

desventura *f* misfortune, misery.

desventurado,-a *adj-m,f* unfortunate (person).

desvergonzado,-a *adj* shameless, impudent.

desvergüenza *f* shamelessness, impudence.

desvestir(se) [34] *t-p* to undress.

desviación *f* deviation. **2** *(de carretera)* diversion, detour.

desviar(se) [13] *t* to deviate. **2** *(golpe)* to deflect. **3** *(carretera)* to divert. **4** *(tema)* to change. − **5** *p* to go off course; *(coche)* to take a detour.

desvío *m* diversion, detour.

desvirgar [7] *t* to deflower.

desvirtuar [11] *t* to impair, diminish the value/quality of.

desvivirse *p* to do one's utmost *(por,* for). **2** *(desear)* to long *(por,* for).

detallado,-a *adj* detailed.

detallar *t* to detail, give the details of. **2** *(especificar)* to specify. **3** COM to retail, sell at retail prices.

detalle *m* detail, particular. **2** *(delicadeza)* gesture. ●*¡qué ~!,* how nice!; *tener un ~,* to be considerate/thoughtful; *vender al ~,* to sell on retail.

detectar *t* to detect.

detective *mf* detective.

detector *m* detector.

detención *f* stop. **2** JUR detention, arrest.

detener(se) [87] *t* to stop. **2** *(retener)* to keep, retain. **3** *(retrasar)* to delay. **4** JUR to detain, arrest. − **5** *p* to stop, halt.

detenido,-a *adj (minucioso)* careful. **2** JUR under arrest. − **3** *m,f* JUR prisoner.

detenimiento *m* care, thoroughness.

detergente *adj-m* detergent.

deteriorar(se) *t* to damage, spoil. − **2** *p* to get damaged.

deterioro *m* damage, deterioration.

determinación *f (valor)* determination. **2** *(decisión)* decision. **3** *(firmeza)* firmness.

determinado,-a *adj* determinate. **2** *(concreto)* fixed, set. **3** GRAM definite.

determinante *adj-m* determinant.

determinar *t (decidir)* to resolve, decide. **2** *(fijar)* to fix, set, appoint. **3** *(causar)* to bring about.

detestable *adj* detestable, hateful.

detestar *t* to detest, hate, abhor.

detonación *f* detonation.

detonador *m* detonator.

detonante *adj* detonating. − **2** *m* detonator. **3** *fig* trigger.

detractor,-ra *adj-m,f* detractor, slanderer.

detrás *adv* behind, at the back: ~ *de la puerta,* behind the door; *el jardín está* ~, the garden is at the back. 2 *(después)* then, afterwards: *llegaron* ~ *de él,* they arrived after him. ●*ir* ~ *de,* to go after; *fig por* ~, behind one's back.

detrimento *m* detriment. ●*en* ~ *de,* to the detriment of.

deuda *f* debt.

deudor,-ra *m,f* debtor.

devaluación *f* devaluation.

devaluar [11] *t* to devaluate.

devanar(se) *t* to wind, reel. – 2 *p fam* ~*se los sesos,* to rack one's brains.

devaneo *m (delirio)* delirium, nonsense. 2 *(amorío)* flirting.

devastación *f* devastation, destruction.

devastador,-ra *adj* devastating.

devastar *t* to devastate, lay waste, ruin.

devengar [7] *t (sueldo)* to earn. 2 *(interés)* to draw, accrue.

devoción *f* devotion. 2 REL piety, devoutness.

devolución *f* return, restitution. 2 JUR devolution.

devolver [32] *t* to give back, pay back, return. 2 *fam (vomitar)* to vomit. ▲ *pp devuelto,-a.*

devorador,-ra *adj* devouring. – 2 *m,f* devourer. ■ *devoradora de hombres,* man-eater.

devorar *t* to devour.

devoto,-a *adj* devout, pious. 2 *(dedicado)* devoted.

devuelto,-a *pp* → **devolver.**

di *indef indic* → **dar.** – 2 *imperat* → **decir.**

día *m* day. 2 *(con luz)* daylight, daytime. ●*¡buenos días!,* good morning!; *cada* ~*/todos los días,* every day; *del* ~, fresh; ~ *a* ~, day by day; ~ *de año nuevo,* New Year's Day; ~ *de fiesta,* (bank) holiday; ~ *laborable,* workday; ~ *libre,* day off; *días alternos,* every other day; *hoy (en)* ~, today, now, nowadays; *poner al* ~, to bring up to date; *vivir al* ~, not to save a penny.

diabetes *f inv* diabetes.

diablesa *f* she-devil.

diablo *m* devil, demon. 2 *(malvado)* wicked person. ●*¡al* ~ *con ...!,* to hell with ...!; *¡diablos!,* the devil!; *¿qué diablos ...?,* what the hell ...?

diablura *f* mischief.

diabólico,-a *adj* diabolic(al), devilish.

diácono *m* deacon.

diadema *f* diadem. 2 *(adorno)* hairband.

diáfano,-a *adj* diaphanous, see-through.

diafragma *m* diaphragm.

diagnosis *f inv* diagnosis.

diagnosticar [1] *t* to diagnose.

diagnóstico,-a *adj* diagnostic. – 2 *m* diagnosis.

diagonal *adj-f* diagonal.

diagrama *m* diagram.

dialecto *m* dialect.

dialogar [7] *i-t* to dialogue.

diálogo *m* dialogue.

diamante *m* diamond.

diámetro *m* diameter.

diana *f* MIL reveille. 2 *(blanco)* bull's eye.

diapasón *m* diapason, tuning fork.

diapositiva *f* slide.

diario,-a *adj* daily. – 2 *m (prensa)* (daily) newspaper. 3 *(íntimo)* diary, journal. – 4 *diariamente adv* daily, every day. ●*a* ~, daily, every day.

diarrea *f* diarrhoea.

diatriba *f* diatribe.

dibujante *mf* sketcher, drawer. 2 TÉC *m* draughtsman, *f* draughtswoman.

dibujar(se) *t* to draw, sketch. 2 *(describir)* to describe. – 3 *p* to appear, be outlined.

dibujo *m* drawing, sketch. 2 *(modelo)* pattern. ■ *dibujos animados,* cartoons.

diccionario *m* dictionary.

dicha *f* happiness. 2 *(suerte)* fortune, good luck.

dicharachero,-a *adj* talkative.

dicho,-a *pp* → **decir.** – 2 *adj* said, mentioned. – 3 *m* saying, proverb. ●*~ y hecho,* no sooner said than done; *mejor* ~, or rather; *propiamente* ~, strictly speaking.

dichoso,-a *adj* happy. 2 *(con suerte)* lucky. 3 *fam* damn(ed), cursed: *¡este* ~ *calor!,* this damn heat!

diciembre *m* December.

dictado *m* dictation. ●*escribir al* ~, to take dictation.

dictador *m* dictator.

dictadura *f* dictatorship.

dictamen *m (opinión)* opinion. 2 *(informe)* report.

dictaminar *i* to give judgement/an opinion *(sobre,* on).

dictar *t* to dictate. 2 *(inspirar)* to inspire, suggest. 3 *(leyes)* to make.

didáctico,-a *adj* didactic, teaching. – 2 *f* didactics.

diecinueve *adj* nineteen; *(decimonono)* nineteenth. – 2 *m* nineteen.

dieciocho *adj* eighteen; *(decimoctavo)* eighteenth. – 2 *m* eighteen.

dieciséis *adj* sixteen; *(decimosexto)* sixteenth. – 2 *m* sixteen.

diecisiete *adj* seventeen; *(decimoséptimo)* seventeenth. – 2 *m* seventeen.

diente *m* tooth. 2 *(de ajo)* clove. •*apretar los dientes,* to set one's teeth; *hincar el* ~ *en,* to backbite, slander; *fig* to attack. ■ ~ *de leche,* milk tooth; ~ *picado,* decayed tooth.

diestro,-a *adj* right(-hand). 2 *(hábil)* dexterous, skilful. – 3 *f* right(-hand). – 4 *m* bullfighter. – 5 *diestramente adv* skillfully. •*a* ~ *y siniestro,* right, left and centre.

dieta *f* diet. 2 *(asamblea)* assembly. 3 *pl* expenses allowance *sing.* 4 *pl* doctor's fees.

dietario *m* family account book. 2 *(crónica)* chronicle.

dietético,-a *adj* dietetic. – 2 *f* dietetics.

diez *adj* ten; *(décimo)* tenth. – 2 *m* ten.

diezmar *t* to decimate.

diezmo *m* tithe.

difamación *f* defamation, slander.

difamar *t* to defame, slander.

diferencia *f* difference. •*a* ~ *de,* unlike.

diferenciar(se) [12] *t* to differentiate, distinguish *(entre,* between). 2 *(hacer diferente)* to make different. – 3 *p* to differ, be different. 4 *(destacarse)* to distinguish o.s.

diferente *adj* different.

diferido,-a *adj* recorded. ■ *retransmisión en* ~, recorded transmission.

diferir [35] *t* to defer, postpone, put off. – 2 *i* to differ, be different *(de/entre,* from).

difícil *adj* difficult, hard. 2 *(improbable)* unlikely. – 3 *difícilmente adv* with difficulty.

dificultad *f* difficulty. 2 *(obstáculo)* obstacle.

dificultar *t* to make difficult, hinder.

dificultoso,-a *adj* difficult, hard.

difundir(se) *t (luz)* to diffuse. 2 *fig (noticia)* to spread. 3 RAD to broadcast. – 4 *p (luz)* to be diffused. 5 *fig (noticia)* to spread.

difunto,-a *adj* deceased, late. – 2 *m,f* deceased. ■ *Día de los difuntos,* All Souls'/Saint's Day.

difusión *f (de luz)* diffusion. 2 *fig (de noticia)* spreading. 3 RAD broadcast(ing).

difuso,-a *adj* diffuse.

digerir [35] *t* to digest. 2 *fig (sufrir)* to suffer.

digestión *f* digestion.

digestivo,-a *adj* digestive. – 2 *m* digestive drink.

digital *adj* digital. ■ *reloj* ~, digital watch/clock.

dígito *m* digit.

dignarse *p* to deign/condescend *(a,* to).

dignatario,-a *m,f* dignitary.

dignidad *f* dignity. 2 *(cargo)* rank.

dignificar [1] *t* to dignify.

digno,-a *adj (merecedor)* worthy, deserving: ~ *de confianza,* trustworthy. 2 *(adecuado)* fitting, suitable. 3 *(respetable)* respectable.

digo *pres indic* → **decir.**

dije *m* trinket.

dilación *f* delay, postponement.

dilapidar *t* to squander.

dilatación *f* dilatation, expansion.

dilatado,-a *adj* dilated, expanded. 2 *(vasto)* vast, extensive, large.

dilatar(se) *t-p* to dilate, expand. – 2 *t (propagar)* to spread. 3 *(diferir)* to put off, delay.

dilema *m* dilemma.

diligencia *f (cualidad)* diligence, care. 2 *(trámite)* errand, steps *pl*; JUR proceeding. 3 *(carreta)* stagecoach.

diligente *adj* diligent. 2 *(rápido)* quick.

dilucidar *t* to clear up, elucidate.

diluir(se) [62] *t-p* to dilute.

diluviar [12] *i* to pour with rain. ▲ *Only used in the 3rd pers. It does not take a subject.*

diluvio *m* flood.

dimensión *f* dimension, size.

diminutivo,-a *adj-m* diminutive.

diminuto,-a *adj* little, tiny.

dimisión *f* resignation.

dimitir *t* to resign.

dinámica *f* dynamics.

dinámico,-a *adj* dynamic.

dinamismo *m* dynamism.

dinamita *f* dynamite.

dinamo, dínamo *f* dynamo.

dinastía *f* dynasty.

dineral *m* fortune.

dinero *m* money. 2 *(fortuna)* wealth. ■ ~ *al contado/contante (y sonante),* ready money, cash; ~ *suelto,* loose change.

dintel *m* lintel.

diocesano,-a *adj-m* diocesan.

diócesis *f inv* diocese.

dios *m* god. •*a la buena de Dios,* at random, haphazardly; *Dios mediante,* God willing; *¡Dios mío!,* my God!, good heavens!; *fam* **ni Dios,** not a soul; *fam* **todo Dios,** everybody.

diosa *f* goddess.

dióxido *m* dioxide.

diploma *m* diploma.

diplomacia *f* diplomacy.

diplomático,-a *adj* diplomatic, tactful. — 2 *m,f* diplomat.

diptongo *m* diphthong.

diputado,-a *m,f* deputy, representative.

dique *m* dam mole, dike. 2 *fig* barrier. ■ ~ **seco,** dry dock.

dirección *f (rumbo)* direction; *(sentido)* way. 2 *(cargo)* directorship, leadership. 3 *(junta)* board of directors, management. 4 *(domicilio)* address. 5 AUTO steering. ■ AUTO ~ **asistida,** power steering.

directivo,-a *adj* directive, managing. — 2 *m,f* director, manager. — 3 *f* board of directors, management.

directo,-a *adj* direct, straight. — 2 *m* DEP straight hit. — 3 *f* AUTO top gear. ●TV *en* ~, live.

director,-ra *adj* directing, managing. — 2 *m,f* director, manager. 3 *(de colegio) m* headmaster, *f* headmistress. 4 *(universidad)* principal. 5 *(de orquesta)* conductor.

directorio *m* directory.

dirigente *adj* leading, governing. — 2 *m,f* leader.

dirigir(se) [6] *t* to direct. 2 *(negocio)* to manage, run. 3 *(orquesta)* to conduct. 4 *(carta)* to address. — 5 *p (ir)* to go (*a,* to), make one's way (*a,* to), make (*a,* for). 6 *(hablar)* to address (*a,* -), speak (*a,* to).

dirimir *t* to annul, nullify. 2 *(resolver)* to settle.

discernimiento *m* discernment, judgement.

discernir [29] *t* to discern, distinguish.

disciplina *f* discipline. 2 *(doctrina)* doctrine. 3 *(asignatura)* subject.

disciplinado,-a *adj* disciplined.

disciplinar *t* to discipline, train.

discípulo,-a *m,f* disciple, follower. 2 *(alumno)* pupil.

disco *m* disc. 2 DEP discus. 3 *(de música)* record. 4 INFORM disk. ■ ~ **duro,** hard disk.

díscolo,-a *adj* ungovernable, unruly.

disconforme *adj* disagreeing.

discordancia *f* disagreement.

discorde *adj* discordant, in disagreement. 2 MÚS dissonant.

discordia *f* discord, disagreement.

discreción *f* discretion. ●*a* ~, at will.

discrecional *adj* optional. ■ *parada* ~, request stop.

discrepancia *f* discrepancy. 2 *(desacuerdo)* dissent, disagreement.

discreto,-a *adj* discreet, prudent. 2 *(sobrio)* sober. 3 *(moderado)* reasonable, moderate.

discriminación *f* discrimination.

discriminar *t* to discriminate.

disculpa *f* excuse, apology. ●*pedir disculpas a algn.,* to apologize to sb.

disculpar(se) *t* to excuse. — 2 *p* to apologize (*por,* for).

discurrir *i* to wander, roam. 2 *(río)* to flow. 3 *(tiempo)* to pass. 4 *fig (reflexionar)* to reason, meditate. — 5 *t (idear)* to invent, contrive.

discurso *m* speech, discourse. 2 *(razonamiento)* reasoning. 3 *(del tiempo)* course.

discusión *f (charla)* discussion. 2 *(disputa)* argument.

discutir *t-i* to discuss. 2 *(disputar)* to argue.

disecar [1] *t* to dissect. 2 *(animales)* to stuff.

disección *f* dissection, anatomy. 2 *(taxidermia)* taxidermy.

diseminar(se) *t-p* to disseminate, scatter, spread.

disentir [35] *i* to dissent, disagree.

diseñar *t* to design.

diseño *m* design.

disertación *f* dissertation, discourse.

disertar *t* to discourse (*sobre,* on/upon).

disfraz *m* disguise. 2 *(vestido)* fancy dress.

disfrazar(se) [4] *t-p* to disguise (o.s.).

disfrutar *t-p* to enjoy (o.s.).

disgregación *f* disintegration, break-up.

disgregar [7] *t* to disintegrate, break up.

disgustado,-a *adj* displeased, upset.

disgustar(se) *t* to displease, upset, annoy. — 2 *p* to be displeased/upset. 3 *(pelearse)* to quarrel (*con,* with).

disgusto *m* displeasure, annoyance. 2 *(pelea)* argument, quarrel. ●*a* ~, against one's will; **llevarse un** ~, to get upset.

disidente *adj-mf* dissenter.

disimular *t* to disguise, conceal.

disimulo *m* pretence, dissimulation.

disipación *f* dissoluteness, dissipation.

disipado,-a *adj* dissipated, wasted.

disipar(se) *t* to dissipate. 2 *(derrochar)* to squander. 3 *(desvanecer)* to dispel. — 4 *p* *(desaparecer)* to vanish.

dislocación *f* dislocation.

dislocar(se) [1] *t-p* to dislocate.

disminución *f* drop, decrease.

disminuir(se) [62] *t-i-p* to diminish, reduce, decrease.

disociar [12] *t* to dissociate.

disolución *f* dissolution, breaking up. 2 *(anulación)* invalidation. 3 *(disipación)* dissipation.

disoluto,-a *adj-m, f* dissolute (person).

disolver [32] *t-p* to dissolve. ▲ *pp* **disuelto,-a**.

disonancia *f* dissonance.

dispar *adj* unlike, different.

disparador *m (de arma)* trigger. 2 *(de cámara)* release.

disparar(se) *t* to discharge, fire, let off: ~ **un tiro,** to fire a shot. 2 *(lanzar)* to hurl, throw. − 3 *p (precio)* to shoot up. 4 *(correr)* to dash off. 5 *(arma)* to go off.

disparatado,-a *adj* absurd, foolish.

disparate *m* absurdity, nonsense, crazy idea. 2 *(error)* blunder, mistake. 3 *(enormidad)* enormity.

disparo *m* shot.

dispensa *f* dispensation, exemption.

dispensar *t* to dispense, give, grant. 2 *(eximir)* to exempt. 3 *(perdonar)* to forgive, pardon. ●*dispense,* pardon me.

dispensario *m* dispensary.

dispersar(se) *t-p* to disperse, scatter.

dispersión *f* dispersion, scattering.

displicencia *f* coolness, indifference.

disponer(se) [78] *t* to dispose, arrange. 2 *(preparar)* to prepare, get ready. 3 *(ordenar)* to order, decree. − 4 *i* to have *(de, -)*. − 5 *p (prepararse)* to get ready *(a, for)*. ▲ *pp* **dispuesto,-a**.

disponibilidad *f* resources *pl*, money on hand.

disponible *adj* ready, available. 2 *(sobrante)* spare. 3 *(a mano)* on hand.

disposición *f* disposition, disposal. 2 *(talento)* gift, talent. 3 *(orden)* order. 4 *(colocación)* arrangement. 5 *(estado de ánimo)* frame of mind. ●*a su* ~, at your disposal/service; *estar en* ~ *de,* to be ready to.

dispositivo,-a *adj* preceptive. − 2 *m* TÉC device, contrivance.

dispuesto,-a *pp* → **disponer**. − 2 *adj* disposed. 3 *(preparado)* prepared, ready. 4 *(despabilado)* bright, clever.

disputa *f* dispute, argument.

disputar *t* to dispute. 2 *(discutir)* to argue. 3 *(competir)* to contest. 4 DEP *(partido)* to play.

distancia *f* distance. 2 *fig (diferencia)* difference. ●*guardar las distancias,* to keep one's distance.

distanciar(se) [12] *t* to distance, separate. − 2 *p* to become distant.

distante *adj* distant, far, remote.

distar *i* to be distant *(de,* from). ●~ *mucho de,* to be far from.

distinción *f* distinction. 2 *(elegancia)* refinement.

distinguido,-a *adj* distinguished. 2 *(elegante)* elegant.

distinguir(se) [8] *t* to distinguish. 2 *(ver)* to see. 3 *(preferir)* to single out. − 4 *p (destacar)* to excel, stand out. 5 *(ser visible)* to be visible.

distintivo,-a *adj* distinctive. − 2 *m (insignia)* badge; *(marca)* mark.

distinto,-a *adj* distinct. 2 *(diferente)* different.

distracción *f (divertimiento)* amusement, pastime. 2 *(despiste)* distraction, absent-mindedness. 3 *(error)* oversight.

distraer(se) [88] *t* to amuse, entertain. 2 *(atención)* to distract. 3 *(fondos)* to embezzle. − 4 *p (divertirse)* to amuse o.s. 5 *(despistarse)* to be inattentive/absent-minded.

distraído,-a *adj* absent-minded, inattentive.

distribución *f* distribution. 2 *(colocación)* arrangement.

distribuir [62] *t* to distribute. 2 *(colocar)* to arrange.

distrito *m* district.

disturbio *m* disturbance, riot.

disuadir *t* to dissuade, deter.

disuelto,-a *pp* → **disolver**.

diurno,-a *adj* daily, diurnal.

divagación *f* digression.

divagar [7] *i* to digress, ramble.

diván *m* divan, couch.

divergencia *f* divergence.

diversidad *f* diversity, variety.

diversión *f* fun, amusement, entertainment.

diverso,-a *adj* different. 2 *pl* several, various.

divertido,-a *adj* entertaining, fun.

divertir(se) [35] *t* to amuse, entertain. − 2 *p* to enjoy/amuse o.s., have a good time.

dividir *t* to divide, split (up) *(en,* in).

divinidad *f* divinity, god, deity.

divinizar [4] *t* to deify.

divino,-a *adj* divine, heavenly. 2 *fam (bonito)* beautiful, gorgeous.

divisa f badge, emblem. **2** *(de escudo)* device. **3** *(moneda)* foreign currency.

divisar *t* to perceive, make out.

división f division.

divo,-a *m,f* opera star. — **2** f prima donna.

divorciar(se) [12] *t* to divorce. — **2** *p* to get divorced.

divorcio *m* divorce.

divulgación f spreading. **2** *(de conocimientos)* popularization.

divulgar [7] *t* to divulge, spread. **2** *(conocimiento)* to popularize.

dobladillo *m* hem.

doblar(se) *t* to double. **2** *(plegar)* to fold. **3** *(esquina)* to turn, go round. **4** *(película)* to dub. — **5** *i (girar)* to turn: ~ *a la derecha,* to turn right. **6** *(campana)* to toll. — **7** *p (plegarse)* to fold. **8** *(torcerse)* to bend. **9** *(rendirse)* to give in.

doble *adj* double — **2** *m* double: *gana el ~ que yo,* he/she earns twice as much as I do. — **3** *mf* CINEM double; *m* stunt man, f stunt woman. — **4** *adv* double. ●*ver ~,* to see double.

doblegar(se) [7] *t (doblar)* to bend, fold. **2** *(vencer)* to force to yield, subdue. — **3** *p (inclinarse)* to bend over, stoop. **4** *(rendirse)* to yield, submit.

doblez *m (pliegue)* fold. — **2** *m & f* fig *(duplicidad)* duplicity, deceitfulness.

doce *adj* twelve; *(duodécimo)* twelfth. — **2** *m* twelve.

docena f dozen.

docente *adj* teaching.

dócil *adj* docile, obedient.

docto,-a *adj-m,f* learned (person).

doctor,-ra *m,f* doctor.

doctorado *m* doctorate.

doctrina f doctrine.

documentación f documentation, papers *pl.*

documento *m* document.

dogma *m* dogma.

dogmático,-a *adj* dogmatic.

dólar *m* dollar.

dolencia f ailment, illness.

doler(se) [32] *i* to ache, hurt: *me duele la cabeza,* my head aches. **2** fig to feel hurt. — **3** *p (arrepentirse)* to repent, feel sorry *(de,* for). **4** *(lamentarse)* to complain *(de,* of).

dolido,-a *adj* fig hurt, grieved.

dolor *m* pain, ache. **2** fig pain, sorrow, grief. ■ ~ *de cabeza,* headache.

dolorido,-a *adj* sore, aching. **2** fig sorrowful, grief-stricken.

doloroso,-a *adj* painful.

doma f taming, breaking.

domador,-ra *m,f* tamer, horse-breaker.

domar *t* to tame, break in.

domesticar [1] *t* to domesticate; *(animal)* to tame.

doméstico,-a *adj* domestic. — **2** *m,f* domestic, house servant.

domiciliar [12] *t* to house, lodge. **2** FIN to pay by standing order.

domicilio *m* address. ■ *servicio a ~,* house deliveries *pl.*

dominante *adj* dominant. **2** *(que avasalla)* domineering.

dominar *t* to dominate. **2** *(avasallar)* to domineer. **3** *(controlar)* to control. **4** *(tema)* to master. **5** *(paisaje)* to overlook, command. — **6** *i (destacar)* to stand out.

domingo *m* Sunday. ■ ~ *de Ramos,* Palm Sunday; ~ *de Resurrección,* Easter Sunday.

dominio *m* dominion. **2** *(poder)* domination, control. **3** *(de tema)* mastery. **4** *(terreno)* domain.

don *m* gift, present. **2** *(talento)* talent. **3** *(título)* don. ▲ **3** *is a courtesy title placed before the first names of men.*

donación f donation.

donaire *m* grace, elegance.

donar *t* to donate.

donativo *m* gift, donation.

doncella f maiden, maid. **2** *(criada)* maidservant.

donde *adv-pron* where, in which. ●*de ~,* from where, whence; *hasta ~,* up to where; *fam ¡vaya por ~!,* fancy that!

dónde *pron interrog* where: *¿~ está?,* where is it?

dondequiera *adv* everywhere, wherever.

doña f doña. ▲ *Courtesy title placed before first names of women.*

dorado,-a *adj* gilt, golden. — **2** *m* gilding.

dorar *t* to gild. **2** CULIN to brown.

dormilón,-ona *fam adj* sleepyheaded. — **2** *m,f* sleepyhead.

dormir(se) [33] *i* to sleep. — **2** *p* to fall asleep. ●*fam ~ a pierna suelta,* to sleep like a log.

dormitar *i* to doze, nap.

dormitorio *m* bedroom. **2** *(colectivo)* dormitory.

dorso *m* back, reverse.

dos *adj* two; *(segundo)* second: *las ~,* two o'clock. — **2** *m* two. ●*cada ~ por tres,* every five minutes; *de ~ en ~,* two abreast, in twos.

doscientos,-as *adj-m* two hundred.

duro

dosel *m* canopy.

dosis *f inv* dose.

dotación *f* endowment, funds *pl.* **2** *(tripulación)* complement, crew. **3** *(personal)* staff, personnel.

dotar *t (dar dote)* to give a dowry. **2** *(donar)* to endow, provide.

dote *m & f* dowry. – **2** *f* gift, talent.

doy *pres indic* → **dar**.

dragado *m* dredging.

dragar [7] *t* to dredge.

dragón *m* dragon.

drama *m* drama.

dramático,-a *adj* dramatic.

dramaturgo,-a *m,f* playwright, dramatist.

drástico,-a *adj* drastic.

drenaje *m* drainage.

drenar *t* to drain.

driblar *i* to dribble.

droga *f* drug. **2** AM *(embuste)* lie. ■ *~ blanda/dura,* soft/hard drug.

drogadicción *f* drug addiction.

drogadicto,-a *m,f* drug addict.

drogar(se) [7] *t* to drug. – **2** *p* to take drugs.

drogata *mf arg* junkie.

droguería *f* hardware and household goods shop.

dromedario *m* dromedary.

ducado *m* dukedom.

ducha *f* shower. ●*darse/tomar una ~,* to take/have a shower.

duchar(se) *t* to shower. – **2** *p* to take a shower.

dúctil *adj* ductile.

dudar *i* to be doubtful. **2** *(titubear)* to hesitate. – **3** *t* to doubt: *lo dudo,* I doubt it. ●*~ de algn.,* to suspect sb.

dudoso,-a *adj* doubtful, uncertain. **2** *(vacilante)* hesitant, undecided. **3** *(sospechoso)* suspicious, dubious.

duelo *m* duel. ●*batirse en ~,* to fight a duel.

duende *m* goblin, elf, gnome. **2** *(encanto)* charm: *es una chica con ~,* she's got charm.

dueño,-a *m,f* owner. **2** *(de casa, piso)* *m* landlord, *f* landlady.

dulce *adj* sweet. **2** *fig* soft, gentle. – **3** *m* CULIN sweet. **4** *(pastel)* cake. ■ *agua ~,* fresh water; *~ de membrillo,* quince jelly.

dulcificar [1] *t* to sweeten. **2** *fig* to soften.

dulzura *f* sweetness. **2** *fig* softness, gentleness.

duna *f* dune.

dúo *m* duet.

duodécimo,-a *adj-m,f* twelfth.

dúplex *adj-m inv* duplex.

duplicado,-a *adj-m* duplicate.

duplicar(se) [1] *t gen* to duplicate; *(cantidad)* to double. – **2** *p* to double.

duplicidad *f* duplicity.

duque *m* duke.

duquesa *f* duchess.

duración *f* duration, length.

duradero,-a *adj* durable, lasting.

durante *adv* during, in, for: *viví allí ~ una año,* I lived there for a year.

durar *i* to last, go on: *la película duró tres horas,* the film went on for three hours.

durazno *m* AM peach.

dureza *f* hardness, toughness. **2** *fig (de carácter)* toughness, harshness. **3** MED corn.

durmiente *adj* sleeping. ■ *bella ~,* sleeping beauty.

duro,-a *adj* hard, tough. **2** *(difícil)* hard, difficult. **3** *(cruel)* tough, hardhearted. **4** *(resistente)* strong. – **5** *m* five-peseta coin. **6** *fam* tough guy. – **7** *adv* hard: *dale ~,* hit him/her hard. ●*fam lo que faltaba para el ~,* just what I/we needed!

E

e *conj* and. ▲ *Used instead* **y** *before words beginning with* **i** *or* **hi.**

ebanista *mf* cabinet-maker.

ébano *m* ebony.

ebrio,-a *adj* intoxicated, drunk.

ebullición *f* boiling. ■ *punto de* ~, boiling point.

eccema *m* eczema.

echar(se) *t (lanzar)* to throw. **2** *(del trabajo)* to sack, dismiss. **3** *(despedir de sí)* to throw out. **4** *(correo)* to post. **5** *(brotar)* to grow, sprout. **6** *(poner)* to put. **7** *(emanar)* to give out/off. **8** *fam (en el cine, teatro)* to show. – **9** *i-p* ~*(se) a* + *inf*, to begin to: ~*se a correr*, to run off. – **10** *p (lanzarse)* to throw o.s. **11** *(tenderse)* to lie down. ●~ *cuentas*, to reckon; ~ *de menos*, to miss; ~ *el pestillo/la llave*, to bolt/lock; ~ *en cara*, to blame; ~ *una mano*, to lend a hand; ~ *una mirada*, to have a quick look/glance; ~*(se) a perder*, to spoil.

echarpe *m* shawl.

ecléctico,-a *adj-m,f* eclectic.

eclesiástico,-a *adj* ecclesiastic(al). – **2** *m* clergyman.

eclipsar(se) *t* to eclipse. – **2** *p* to be eclipsed. **3** *fig (desaparecer)* to disappear.

eclipse *m* eclipse.

eco *m* echo. ●*fig tener* ~, to spread, be widely accepted. ■ *ecos de sociedad*, gossip column *sing*.

ecografía *f* scan.

ecología *f* ecology.

ecológico,-a *adj* ecological.

ecologista *adj* ecological. – **2** *mf* ecologist.

economato *m* company store.

economía *f (administración)* economy. **2** *(ciencia)* economics. **3** *pl* savings: *hacer economías,* to save up.

económico,-a *adj* economic. **2** *(barato)* cheap, economical.

economista *mf* economist.

economizar [4] *t* to economize, save.

ecosistema *m* ecosystem.

ecuación *f* equation.

ecuador *m* equator.

ecuánime *adj (temperamento)* calm, placid. **2** *(juicio, opinión)* fair, impartial.

ecuatorial *adj* equatorial.

ecuestre *adj* equestrian.

edad *f* age: *¿qué* ~ *tiene usted?,* how old are you? ■ ~ *media,* Middle Ages *pl; mayor/menor de* ~, of/under age.

edición *f* edition. **2** *(publicación)* publication.

edicto *m* edict.

edificación *f* building, construction.

edificar [1] *t* to build. **2** *fig* to edify, uplift.

edificio *m* building.

editar *t* to publish; *(discos)* to release.

editor,-ra *adj* publishing. – **2** *m,f* publisher.

editorial *adj* publishing. – **2** *m (artículo)* editorial, leading article. – **3** *f* publishing house.

edredón *m* eiderdown, continental quilt.

educación *f* education. **2** *(crianza)* upbringing. **3** *(cortesía)* manners *pl*, politeness.

educado,-a *adj* polite.

educar [1] *t* to educate, teach. **2** *(criar)* to bring up. **3** *(en la cortesía etc.)* to teach manners.

educativo,-a *adj* educational.

edulcorante *m* sweetener.

efectividad *f* effectiveness.

efectivo,-a *adj* real. – **2** *m (dinero)* cash. **3** *(de plantilla)* personnel. – **4** *efectivamente adv* quite!, yes indeed! ●*hacer algo* ~, to carry sth. out. ■ *dinero en* ~, cash.

efecto *m* effect. 2 *(impresión)* impression. 3 *(fin)* aim, object. 4 DEP spin: *dar ~ a la pelota,* to put some spin on the ball. 5 COM bill, draft. 6 *pl* personal belongings. •*en ~,* in fact, indeed; *hacer ~,* to be impressive. ■ *efectos especiales,* special effects.

efectuar(se) [1] *t* to carry out, make. − 2 *p (realizarse)* to be carried out; *(acto etc.)* to take place.

efeméride *m* anniversary. 2 *pl (en periódico etc.)* list of the day's anniversaries.

efervescencia *f* effervescence. 2 *fig* high spirits *pl.*

efervescente *adj* effervescent. 2 *fig* high-spirited.

eficacia *f* effectiveness, efficacy.

eficaz *adj* efficient.

eficiencia *f* efficiency.

eficiente *adj* efficient.

efigie *f* effigy.

efímero,-a *adj* ephemeral, brief.

efusión *f* effusion. 2 *fig* warmth.

efusivo,-a *adj* effusive, warm.

égloga *f* eclogue.

egocéntrico,-a *adj* egocentric, self-centred.

egoísmo *m* selfishness.

egoísta *adj-mf* selfish (person).

egolatría *f* self-worship.

eje *m* axis. 2 TÉC shaft, spindle. 3 AUTO axle.

ejecución *f (de una orden etc.)* carrying out, execution. 2 MÚS performance. 3 *(ajusticiamiento)* execution.

ejecutar *t (una orden etc.)* to carry out. 2 MÚS to perform. 3 *(ajusticiar)* to execute.

ejecutivo,-a *adj* executive. − 2 *m,f* board member, executive. − 3 *f* the executive.

ejemplar *adj* exemplary. − 2 *m (copia)* copy: *~ gratuito,* free copy. 3 *(prototipo)* specimen.

ejemplificar [1] *t* to illustrate, exemplify.

ejemplo *m* example. •*dar ~,* to set an example; *por ~,* for instance.

ejercer [2] *t (profesión etc.)* to practise. 2 *(usar)* to exercise.

ejercicio *m* exercise. 2 FIN year.

ejercitar(se) *t* to practice. 2 *(enseñar)* to train. − 3 *p (aprender)* to train; MIL to exercise.

ejército *m* army.

el *art m sing* the. 2 *~ + de,* the one: *(posesivo) ~ de tu amigo,-a,* your friend's; *(lugar de origen) ~ de Valencia,* the one from Valencia. 3 *~ + que,* the one: *~*

que vino ayer, the one who came yesterday.

él *pron pers m sing (sujeto) (persona)* he: *~ vive,* he lives; *(cosa, animal)* it. 2 *(objeto) (persona)* him; *(cosa, animal)* it. 3 *(posesivo) de ~,* his: *es de ~,* it's his. ▲ *f ella; pl ellos.*

elaboración *f* manufacture, production.

elaborar *t* to make, manufacture.

elasticidad *f* elasticity.

elástico,-a *adj-m* elastic. 2 *pl* braces.

elección *f (nombramiento)* election. 2 *(opción)* choice. 3 *pl* elections. ■ *elecciones generales,* general election *sing.*

electo,-a *adj* elect.

electorado *m* electorate, voters *pl.*

electoral *adj* electoral. ■ *campaña ~,* election campaign; *colegio ~,* polling station.

electricidad *f* electricity.

electricista *mf* electrician.

eléctrico,-a *adj* electric(al).

electrizar [4] *t* to electrify. 2 *fig* to thrill, excite.

electrocardiograma *m* electrocardiogram.

electrocutar(se) *t* to electrocute. − 2 *p* to be electrocuted.

electrodoméstico *m* (home) electrical appliance.

electrónico,-a *adj* electronic. − 2 *f* electronics.

elefante *m* elephant.

elegancia *f* elegance, smartness.

elegante *adj* elegant, stylish.

elegía *f* elegy.

elegido,-a *adj* chosen. 2 POL elected.

elegir [55] *t* to chose. 2 POL to elect.

elemental *adj (del elemento)* elemental. 2 *(obvio)* elementary, obvious. 3 *(primordial)* essential.

elemento *m* element. 2 *(parte)* component, part. 3 *(individuo)* type, sort. 4 *pl (atmosféricos)* elements. 5 *pl (fundamentos)* rudiments. •*fig estar uno en su ~,* to be in one's element.

elenco *m (catálogo)* index, catalogue. 2 TEAT cast.

elepé *m* LP (record).

elevación *f* elevation, rise.

elevado,-a *adj* elevated, raised. 2 *(alto)* tall, high; *(número)* high. 3 *fig* lofty, noble.

elevador,-ra *adj* elevating. − 2 *m* AM lift, US elevator.

elevar *t* to elevate, raise, lift. 2 *(matemáticas)* to raise.

elidir *t* to elide.

eliminación *f* elimination.

eliminar *t* to eliminate.

eliminatorio,-a *adj* eliminatory. — 2 *f* heat, qualifying round.

elite *f* elite.

elixir *m* elixir.

ella *pron pers f sing (sujeto)* she: ~ *vive,* she lives; *(cosa, animal)* it. **2** *(objeto)* her; *el coche de* ~, her car; *(cosa, animal)* it. **3** *(posesivo) de* ~, hers. ▲ *m él; pl ellas.*

ello *pron pers neut sing* it: *¡no se hable más de* ~!, (and) that's final!

ellos,-as *pron pers m,fpl (sujeto)* they. **2** *(complemento)* them. **3** *(posesivo) de* ~, theirs.

elocución *f* elocution.

elocuencia *f* eloquence.

elocuente *adj* eloquent.

elogiar [12] *t* to praise, eulogize.

elogio *m* praise, eulogy.

elucidar *t* to elucidate, explain.

eludir *t* to elude, avoid.

emanar *i* to emanate.

emancipación *f* emancipation.

emancipar(se) *t* to emancipate, free. — **2** *p* to become emancipated/free.

embadurnar *t* to daub, besmear.

embajada *f* embassy. **2** *(mensaje)* message.

embajador,-ra *m,f* ambassador.

embalaje *m* packing.

embalar(se) *t* to pack. — **2** *i-p* to speed up.

embaldosar *t* to tile.

embalsamar *t* to embalm.

embalsar *t* to dam up.

embalse *m* dam, reservoir.

embarazada *adj-f* pregnant (woman).

embarazar [4] *t (dejar preñada)* to make pregnant. **2** *(estorbar)* to hinder. **3** *(turbar)* to embarrass.

embarazo *m (preñez)* pregnancy. **2** *(obstáculo)* obstruction. **3** *(turbación)* embarrassment, constraint.

embarazoso,-a *adj* embarrassing.

embarcación *f* boat, craft.

embarcadero *m* pier, jetty, quay.

embarcar(se) [1] *t-p* to embark. ● *fig* ~*se en un asunto,* to get involved in an affair.

embargar [7] *t* JUR to seize. **2** *(emociones)* to overcome.

embargo *m* JUR seizure of property. **2** COM embargo. ● *sin* ~, nevertheless, however.

embarnizar [4] *t* to varnish.

embarque *m (de personas)* boarding; *(de mercancías)* loading. ■ *tarjeta de* ~, boarding card.

embarrado,-a *adj* muddy.

embarrancar(se) [1] *i-p* MAR to run aground. **2** *fig* to get bogged down.

embarullar(se) *t-p* to muddle, make a mess of.

embastar *t* to baste, tack.

embaucador,-ra *m,f* impostor.

embaucar [1] *t* to deceive.

embebecer(se) [43] *t* to delight. — **2** *p* to be delighted.

embeber(se) *t* to soak up. — **2** *p* to become absorbed.

embelesar *t* to charm, captivate.

embellecer [43] *t* to embellish.

embestida *f* onslaught.

embestir [34] *t* to assault. **2** *(atacar)* to attack *(contra, -).*

emblema *m* emblem.

embocadura *f (de río)* mouth. **2** MÚS mouthpiece. **3** *(de vino)* taste, flavour.

émbolo *m* piston.

embolsar(se) *t-p* to pocket.

emborrachar(se) *t-p* to get drunk.

emboscada *f* ambush.

embotar(se) *t-p* to blunt. **2** *fig* to dull.

embotellado,-a *adj* bottled. — **2** *m* bottling.

embotellar *t* to bottle. **2** *fig* to stop, obstruct.

embozo *m* muffler, mask. **2** *fig* reserve.

embragar [7] *i* to engage the clutch.

embrague *m* clutch.

embravecer(se) [43] *t* to enrage. — **2** *p* to get enraged. **3** *(el mar)* to become rough.

embriagado,-a *adj* intoxicated, drunk.

embriagar(se) [7] *t-p* to get drunk.

embriaguez *f* drunkenness.

embrión *m* embryo.

embrollar(se) *t* to confuse, muddle. — **2** *p* to get confused/muddled.

embrollo *m (confusión)* muddle, mess. **2** *(mentira)* lie. **3** *fig* embarrassing situation.

embromar *t* to play jokes on. **2** AM to annoy.

embrujar *t* to haunt; *(a persona)* to bewitch.

embrujo *m* spell, charm. **2** *(fascinación)* attraction.

embrutecer(se) [43] *t* to make dull. — **2** *p* to become dull.

embudo *m* funnel. **2** *fig* trick.

embuste *m* lie, trick.

embustero,-a *adj* lying. – 2 *m,f* liar.
embutido *m* processed cold meat, cold cut.
emergencia *f (imprevisto)* emergency. 2 *(salida)* emergence.
emerger [5] *i* to emerge.
emigración *f* emigration.
emigrante *adj-mf* emigrant.
emigrar *i* to emigrate; *(aves)* to migrate.
eminencia *f* eminence. 2 *(elevación)* height.
eminente *adj* eminent. 2 *(elevado)* high.
emir *m* emir.
emirato *m* emirate.
emisario,-a *m,f* emissary.
emisión *f* emission. 2 FIN issue: ~ *de bonos,* bond issue. 3 RAD TV transmission, broadcast(ing).
emisor,-ra *adj* emitting. – 2 *m* radio transmitter. – 3 *f* broadcasting station. – 4 *m,f* emitter.
emitir *t* to emit. 2 FIN to issue. 3 RAD TV to broadcast.
emoción *f* emotion, feeling.
emocionante *adj* moving, touching.
emocionar(se) *t* to move, touch. – 2 *p* to be moved/touched.
emotivo,-a *adj* emotional.
empacar [1] *t* to pack. 2 AM to annoy.
empachar(se) *t (comer demasiado)* to give indigestion. 2 *(impedir)* to obstruct. – 3 *p* to have indigestion.
empacho *m (indigestión)* indigestion. 2 *(turbación)* embarrassment.
empadronar(se) *t-p* to register.
empalagar [7] *i (dulces)* to cloy. 2 fig to bother.
empalagoso,-a *adj (dulces)* cloying, oversweet. 2 *(persona)* smarmy.
empalizada *f* fence.
empalmar *t* to join. 2 fig *(planes etc.)* to combine. – 3 *i (enlazar)* to connect.
empalme *m* connection.
empanada *f* pie.
empanadilla *f* pasty.
empanado,-a *adj* breaded.
empañado,-a *adj (cristal)* steamed up. 2 *(voz)* faint.
empañar(se) *t (cristal)* to steam up. 2 *(bebés)* to put a nappy on. 3 fig to taint. – 4 *p (cristal)* to steam up. 5 fig to become tainted.
empapar(se) *t* to soak. – 2 *p* to get soaked.
empapelar *t (envolver)* to wrap up in paper. 2 *(una pared)* to paper.

empaque *m (de paquete)* packing. 2 *(de una persona)* presence.
empaquetar *t (paquetes, personas)* to pack. 2 *(castigar)* to punish.
emparedado,-a *adj* confined. – 2 *m* sandwich.
emparejar *t (cosas)* to match; *(personas)* to pair off. 2 *(nivelar)* to make level. – 3 *i (ser parejo)* to be even. 4 *(alcanzar)* to catch up.
emparentado,-a *adj* related by marriage *(con,* to).
emparentar [3] *i* to become related by marriage *(con,* to).
emparrado *m* vine arbour.
empastar *t* to fill.
empaste *m* filling.
empatar *t* to tie, draw; DEP to equalize: *estar empatados,-as,* to be equal.
empate *m* tie, draw.
empecinado,-a *adj* stubborn.
empedernido,-a *adj* confirmed, inveterate.
empedrado,-a *adj* cobbled. – 2 *m* cobblestones *pl.*
empedrar [27] *t* to cobble.
empeine *m (pubis)* groin. 2 *(pie, calzado)* instep.
empeñar(se) *t* to pawn. 2 *(palabra)* to pledge. – 3 *p (endeudarse)* to get into debt. 4 *(insistir)* to insist *(en,* on).
empeño *m (insistencia)* determination. 2 *(deuda)* pledge. ●*con ~,* eagerly; *tener ~ en,* to be eager to. ■ *casa de empeños,* pawn-shop.
empeorar(se) *i* to worsen. – 2 *t* to make worse. – 3 *p* to get worse.
empequeñecer [43] *t* to diminish, make smaller.
emperador *m* emperor.
emperatriz *f* empress.
emperejilarse, emperifollarse *p* to get dolled up.
empero *conj* lit yet, however.
empezar [47] *t-i* to begin, start.
empinado,-a *adj (alto)* very high. 2 *(inclinado)* steep. 3 *(orgulloso)* stiff.
empinar(se) *t* to raise, lift. – 2 *p (persona)* to stand on tiptoe; *(animal)* to rear. 3 *(alcanzar altura)* to tower. ●*~ el codo,* to drink heavily.
empírico,-a *adj* empiric(al). – 2 *m,f* empiricist.
emplazamiento *m* JUR summons. 2 *(localización)* location.
emplazar [4] *t (citar)* to call together; JUR to summons. 2 *(situar)* to locate, place.

empleado,-a _m,f_ employee, clerk. ■ ~ **de hogar,** servant.

emplear _t_ to employ. **2** _(dinero)_ to spend. **3** _(tiempo)_ to invest. _irón_ ●**le está bien empleado,** it serves him/her right.

empleo _m_ occupation, job. **2** _(uso)_ use.

empobrecer(se) [43] _i_ to impoverish. — **2** _p_ to become poor.

empobrecimiento _m_ impoverishment.

empollar _t_ _(las gallinas)_ to brood, hatch. **2** _fam_ to swot (up).

empollón,-ona _fam pey adj_ swotty. — **2** _m,f_ swot.

empolvar(se) _t_ to cover with dust. — **2** _p_ to powder one's face.

emponzoñar _t_ to poison. **2** _fig_ to corrupt.

empotrar _t_ to embed.

emprendedor,-ra _adj_ enterprising.

emprender _t_ to begin. ●~ **la marcha,** to start out; _fam_ **emprenderla con algn.,** to pick on sb.

empresa _f_ _(compañía)_ firm, company. **2** _(acción)_ enterprise, venture.

empresarial _adj_ managerial.

empresario,-a _m,f_ employer, manager. ■ ~ **de pompas fúnebres,** undertaker; ~ **de teatro,** impresario.

empréstito _m_ loan.

empujar _t_ to push. **2** _fig_ to force.

empuje _m_ push. **2** _(presión)_ pressure. **3** _(energía)_ energy, drive.

empujón _m_ push, shove. ●**a empujones,** by fits and starts.

empuñar _t_ to clutch, grasp.

emular _t_ to emulate.

émulo,-a _adj-m,f_ emulator.

en _prep (lugar, tiempo)_ in, on, at: ~ **casa,** at home; ~ **Valencia,** in Valencia. **2** _(transporte)_ by, in: **ir** ~ **coche/**~ **avión,** to go by car/to fly. **3** _(tema, materia)_ at, in: **experto,-a** ~ **política,** expert in politics. ●~ **seguida,** at once, straight away. ↔ **enseguida.**

enaguas _fpl_ petticoat _sing._

enajenación _f,_ **enajenamiento** _m_ distraction. ■ ~ **mental,** insanity.

enajenar(se) _t_ _(propiedad)_ to alienate. **2** _(turbar)_ to drive mad. – **3** _p_ _(desposeerse)_ to deprive o.s. _(de,_ of). **4** _(de una amistad)_ to alienate. **5** _(enloquecer)_ to go mad.

enaltecer [43] _t_ to praise.

enamorado,-a _adj_ in love. – **2** _m,f_ lover.

enamorar(se) _t_ to win the heart of. – **2** _p_ to fall in love _(de,_ with).

enano,-a _adj-m,f_ dwarf.

enarbolar(se) _t_ _(izar)_ to hoist. – **2** _p (caballo)_ to rear up. **3** _(enojarse)_ to get angry.

enardecer(se) [43] _t_ _(excitar)_ to excite. – **2** _p_ to become excited.

enardecimiento _m_ excitement, passion.

encabezamiento _m_ heading. **2** _(en escritos)_ headline.

encabezar [4] _t_ _(en escrito)_ to head. **2** _(ser líder)_ to lead.

encabritarse _p_ to rear up. **2** _(barco)_ to rise; _(coche, avión)_ to stall. **3** _fig (enojarse)_ to get cross.

encadenamiento _m_ TÉC chaining. **2** _(unión)_ connection.

encadenar _t_ to chain. **2** _(enlazar)_ to connect, link up. **3** _fig (atar)_ to tie down.

encajar(se) _t_ _(ajustar)_ to encase. **2** _(comentario etc.)_ to get in. – **3** _p_ _(vestido)_ to slip into.

encaje _m_ COST lace. **2** _(acto)_ fit(ting).

encajonar(se) _t_ to put in a box, encase. **2** _(en espacio)_ to squeeze. – **3** _p_ _(río)_ to narrow.

encalar _t_ to whitewash.

encallar _i_ MAR to run aground. **2** _fig_ to flounder, fail.

encalmarse _p_ _(viento)_ to drop. **2** _(animal)_ to be overheated.

encaminar(se) _t_ _(guiar, orientar)_ to direct. – **2** _p_ _(dirigirse)_ to head _(a/hacia,_ for/towards).

encandilar _t_ _(deslumbrar)_ to dazzle. **2** _(el fuego)_ to stir. **3** _fig (fascinar)_ to fascinate. **4** _fig (amor etc.)_ to kindle.

encanecer(se) [43] _i-p (pelo)_ to go grey. **2** _fig_ to grow old.

encantado,-a _adj (contento)_ pleased, delighted. **2** _(embrujado)_ haunted. **3** _(distraído)_ absent-minded. ●_fml_ ~ **(de conocerlo/a),** pleased to meet you.

encantador,-ra _adj_ enchanting, charming, delightful. – **2** _m,f_ enchanter, _f_ enchantress.

encantamiento _m_ spell, charm, enchantment.

encantar _t_ _(hechizar)_ to cast a spell on. **2** _fam (gustar)_ to delight: **me encanta la natación,** I love swimming.

encanto _m_ _(hechizo)_ enchantment. **2** _pl_ _(gracias)_ charm _sing,_ delight _sing._ **3** _fam_ dear: **lo que tú digas,** ~, whatever you say, darling.

encapotado,-a _adj_ overcast, cloudy.

encapotarse _p_ _(persona)_ to frown, look grim. **2** METEOR to become overcast/cloudy. ▲ **2** _only used in the 3rd pers. It does not take a subject._

encapricharse *p* to take a fancy (*con, to*).

encapuchado,-a *adj* hooded.

encaramar(se) *t* to raise. 2 *fig* (*elogiar*) to praise. 3 *fig* (*elevar*) to promote. − 4 *p* (*subirse*) to climb up.

encarar(se) *t* (*afrontar*) to face, confront. 2 (*arma*) to point, aim. − 3 *i-p* (*cara a cara*) to face, confront. ●~*se con,* to face up to.

encarcelar *t* to imprison, jail.

encarecer [43] *t* (*precios*) to put up the price of. 2 *fig* (*elogiar*) to praise. 3 *fig* (*recomendar*) to urge, strongly recommend.

encargado,-a *adj* in charge. − 2 *m,f m* manager, *f* manageress.

encargar(se) [7] *t* (*encomendar*) to entrust. 2 (*recomendar*) to recommend. 3 COM (*solicitar*) to order. − 4 *p* to take charge (*de,* of).

encariñado,-a *adj* attached (*con,* to).

encariñarse *p* to become fond (*con,* of).

encarnado,-a *adj* red. ●*ponerse* ~, to blush.

encarnar *i* REL to become incarnate. − 2 *t* (*personificar*) to embody. 3 TEAT to play.

encarnizado,-a *adj* bloody, fierce.

encarnizar(se) [4] *t* to make cruel, infuriate. − 2 *p* to be cruel (*con/en,* to). ●~*se con,* to attack savagely.

encarrilar *t* to direct, guide. 2 (*vehículo*) to put back on the rails.

encasillar *t* (*poner en casillas*) to pigeonhole. 2 (*clasificar*) to classify.

encausar *t* to prosecute.

encauzar [4] *t* to channel. 2 *fig* to direct, guide.

encenagado,-a *adj* muddy. 2 *fig* (*vicioso*) depraved.

encenagarse [7] *p* to get covered in mud. 2 *fig* (*en el vicio*) to wallow.

encendedor *m* lighter.

encender(se) [28] *t* to light, set fire to; (*cerilla*) to strike; (*vela*) to light. 2 (*luz, radio, tv*) to turn/switch on. 3 *fig* (*excitar*) to inflame. − 4 *p* (*incendiarse*) to catch fire. 5 (*luz*) to go/come on. 6 *fig* (*excitarse*) to flare up. 7 (*ruborizarse*) to blush.

encendido,-a *adj* glowing. 2 (*rostro*) red, flushed. − 3 *m* AUTO ignition.

encerado,-a *adj* waxed. − 2 *m* blackboard.

encerar *t* to wax.

encerrar(se) [27] *t* to shut in/up. 2 *fig* (*contener*) to contain. − 3 *p* to shut o.s. in/up; (*con llave*) to lock o.s. in. 4 (*recogerse*) to go into seclusion.

encestar *t* to put in a basket.

encharcado,-a *adj* flooded, swamped.

encharcar(se) [1] *t* to flood, swamp. − 2 *p* to swamp, get flooded.

enchufado,-a *m,f fam* wirepuller. ●*ser un/una* ~, to have good contacts; (*en la escuela*) teacher's pet.

enchufar(se) *t* ELEC to connect, plug in. 2 *fam fig* to pull strings for: *enchufó a su hija en su empresa,* he/she got his daughter a job in his/her company. − 3 *p fam fig* to get a sinecure.

enchufe *m* ELEC (*hembra*) socket; (*macho*) plug. 2 *fam fig* (*cargo*) sinecure, easy job; (*influencias*) contacts *pl*.

encía *f* gum.

enciclopedia *f* encyclop(a)edia.

encierro *m* (*toros*) bullpen. 2 (*prisión*) locking up. 3 (*protesta*) sit-in.

encima *adv* on top, above: *¿llevas cambio* ~?, do you have any change on you? 2 (*además*) in addition, besides. ●~ *de,* on, upon; *estar algn.* ~ *de otro,* to be on sb.'s back; *por* ~, (*a más altura*) above; (*de pasada*) superficially; *por* ~ *de,* over, above; *por* ~ *de todo,* above all; *fig quitarse algo/algn. de* ~, to get rid of sth./sb.

encina *f* evergreen oak.

encinta *adj* pregnant.

enclaustrar *t* to cloister.

enclavar *t* (*clavar*) to nail. 2 (*atravesar*) to pierce, transfix. 3 (*ubicar*) to locate.

enclave *m* enclave.

enclenque *adj* (*flaco*) skinny. − 2 *mf* (*débil*) weak person; (*enfermizo*) sickly person.

encoger(se) [5] *t* (*contraer*) to shrink, contract. − 2 *i-p* (*contraerse*) to contract; (*prenda*) to shrink. ●~*se de hombros,* to shrug one's shoulders.

encogido,-a *adj* awkward, shy.

encolar *t* to glue, stick.

encolerizar(se) [4] *t* to anger, irritate. − 2 *p* to get angry.

encomendar(se) [3] *t-p* to entrust (o.s.) (*a,* to).

encomienda *f* assignment.

enconado,-a *adj* MED inflamed. 2 *fig* angry.

enconarse *p* MED to become inflamed. 2 *fig* to get angry.

encontrar(se) [31] *t* (*hallar*) to find. 2 (*persona*) to come (*a,* across); (*chocar*) to bump (*a*, into). **3** (*creer*) to think: *no lo encuentro justo*, I don't think it's fair. – **4** *p* (*hallarse*) to be. **5** (*persona*) to meet. **6** (*sentirse*) to feel. ●~*se con*, to come across, meet up with.

encontrón, encontronazo *m* collision. **2** (*riña*) quarrel.

encopetado,-a *adj* (*presumido*) presumptuous, stuck-up. **2** *fig* (*de clase alta*) upper-class.

encordonar *t* to tie up with cord.

encorvado,-a *adj* bent.

encorvar(se) *t* to bend, curve. – **2** *p* to bend over.

encrespar(se) *t* (*pelo*) to curl, frizz. **2** (*enfurecer*) to infuriate. – **3** *p* (*pelo*) to stand on end. **4** (*enfurecerse*) to get cross.

encrucijada *f* crossroads *pl*. ●*fig estar en la* ~, to be at crisis point.

encrudecer(se) *i-p* [43] to get colder.

encuadernación *f* bookbinding. **2** (*cubierta*) binding.

encuadernador,-ra *m,f* bookbinder.

encuadernar *t* to bind.

encuadrar *t* (*cuadro*) to frame. **2** *fig* to fit into.

encubierto,-a *pp* → **encubrir**.

encubridor,-ra *m,f* accessory, abettor.

encubrir *t* (*ocultar*) to conceal, hide; (*a un criminal*) to shelter. ▲ *pp encubierto,-a*.

encuentro *m* meeting, encounter. **2** DEP match. **3** (*choque*) collision. ●*salir al* ~ *de algn.*, to go to meet sb.

encuesta *f* poll, survey. **2** (*pesquisa*) inquiry.

encumbrar(se) *t fig* to exalt, elevate. – **2** *p* to rise to a high position.

endeble *adj fml* feeble.

endémico,-a *adj* endemic; *fig* chronic.

endemoniado,-a *adj* (*diabólico*) diabolical. **2** (*poseso*) possessed.

enderezar(se) [4] *t* (*poner derecho*) to straighten out. **2** (*poner vertical*) to set upright. **3** (*guiar*) to direct, guide. – **4** *p* to straighten up.

endeudarse *p* to get into debt.

endiablado,-a *adj* (*maldito*) wretched. **2** (*perverso*) devilish. **3** (*feo*) ugly.

endibia *f* endive.

endilgar [7] *t fam* (*trabajo etc.*) to palm off onto. **2** (*golpe*) to land.

endiosar(se) *t* to deify. – **2** *p fig* to become haughty/proud.

endocrinología *f* endocrinology.

endomingado,-a *adj* in one's Sunday best.

endosar *t* to endorse.

endulzar [4] *t* to sweeten. **2** *fig* (*suavizar*) to alleviate, soften.

endurecer(se) [43] *t-p* to harden.

endurecimiento *m* hardening.

enemigo,-a *adj* enemy. – **2** *m,f* enemy.

enemistar(se) *t* to make enemies of. – **2** *p* to become enemies. ● ~*se con algn.*, to fall out with sb.

energía *f* energy. **2** *fig* vigour. ■ ~ *eléctrica*, electric power.

enérgico,-a *adj* energetic. **2** *fig* vigorous.

energúmeno,-a *m,f fam* *m* madman, *f* mad woman.

enero *m* January.

enervar(se) *t* to enervate. – **2** *p fam* to exasperate.

enésimo,-a *adj* nth. **2** *fam* umpteenth: *te lo digo por* ~ *vez*, this is the umpteenth time I've told you.

enfadado,-a *adj* angry, US mad.

enfadar(se) *t* to make angry. – **2** *p* to get angry (*con*, with).

enfado *m* anger, irritation.

enfadoso,-a *adj* annoying.

enfangar(se) [7] *t* to cover with mud. – **2** *p* to get muddy. **3** *fig* to get involved in dirty business.

énfasis *m & f inv* emphasis.

enfático,-a *adj* emphatic.

enfatizar [4] *t* to emphasize.

enfermar *i* to fall ill, be taken ill.

enfermedad *f* illness, disease.

enfermería *f* infirmary, sick bay.

enfermero,-a *m,f m* male nurse, *f* nurse.

enfermizo,-a *adj* sickly, unhealthy.

enfermo,-a *adj-m,f* sick (person).

enfervorizar [4] *t* to arouse fervour/passions.

enfilar *t* (*poner en fila*) to line up. **2** (*tomar dirección*) to make for: ~ *la calle*, to go down/along the street. **3** (*dirigir*) to direct.

enflaquecer(se) [43] *t* (*poner flaco*) to make thin. **2** *fig* to weaken. – **3** *i-p* to become thin.

enfocar [1] *t* to focus (on). **2** (*luz*) to shine a light on. **3** *fig* (*problema etc.*) to approach.

enfoque *m* focus(ing). **2** *fig* approach, point of view.

enfrascar(se) [1] *t* to bottle. – **2** *p* (*aplicarse*) to become absorbed (*en*, in).

enfrentamiento *m* confrontation.

enfrentar(se) *t* (*afrontar*) to face, confront. **2** (*encarar*) to bring face to face. – **3** *p* (*encararse*) to face (up) (*a*, to).

enfrente *adv* opposite, facing: *la casa de ~,* the house opposite.

enfriamiento *m* cooling. 2 MED cold, chill.

enfriar(se) [13] *t* to cool (down). − 2 *p* *(lo caliente)* to cool down. 3 *(tener frío)* to get cold. 4 MED to get/catch a cold. 5 *fig* to cool off.

enfundar *t* to put in its case; *(espada)* to sheathe.

enfurecer(se) [43] *t* to infuriate, enrage. − 2 *p* to get furious *(con/contra/por,* at). 3 *(el mar)* to become rough.

enfurruñarse *p fam* to get angry.

engalanar(se) *t* to adorn, deck out. − 2 *p* to dress up.

enganchar(se) *t* to hook. 2 *(animales)* to hitch. 3 *(vagones)* to couple. 4 *(a persona)* to attract. − 5 *p* to get caught. 6 MIL to enlist. 7 *arg (a drogas)* to get hooked.

enganche *m* hook. 2 *(vagones)* coupling. 3 MIL enlistment.

engañabobos *mf inv fam* con man, trickster. − 2 *m (trampa)* con trick.

engañar(se) *t* to deceive; *(al marido, a la esposa)* to be unfaithful to. 2 *(estafar)* to cheat. 3 *(mentir)* to lie to. − 4 *p* to deceive o.s. 5 *(equivocarse)* to be wrong. ●*fig ~ el hambre,* to stave off hunger.

engaño *m* deceit. 2 *(estafa)* fraud. 3 *(mentira)* lie. 4 *(error)* mistake.

engarzar(se) [4] *t (trabar)* to string. 2 *(joyas)* to link. 3 *fig (palabras, frases)* to string together.

engaste *m* setting, mounting.

engatusar *t fam* to cajole, coax.

engendrar *t* to engender, beget. 2 *fig* to generate, give rise to.

engendro *m* foetus. 2 *(ser informe)* malformed child. 3 *fig pey* monstrosity.

englobar *t* to include, comprise.

engolfarse *p* to get deeply absorbed *(en,* in).

engomar *t* to gum, glue.

engordar *t* to fatten. − 2 *i (persona)* to put on weight. 3 *(alimento)* to be fattening.

engorro *m* bother, nuisance.

engorroso,-a *adj* bothersome, annoying.

engranaje *m* TÉC gears *pl,* gearing. 2 *fig* machinery.

engranar *i* TÉC to engage. 2 *fig (enlazar)* to connect, link.

engrandecer [43] *t* to increase, enlarge. 2 *fig (exaltar)* to elevate. 3 *fig (alabar)* to laud.

engrasar *t* to grease, oil, lubricate. 2 *fig (sobornar)* to bribe.

engreído,-a *adj* vain, conceited.

engreír(se) [37] *t* to make vain/conceited. − 2 *p* to become vain/conceited.

engrosar [31] *t (hacer grueso)* to thicken. 2 *fig (aumentar)* to increase, enlarge. − 3 *i (engordar)* to get fat.

engullir [41] *t* to gobble up.

enhebrar *t* to thread.

enhiesto,-a *adj* erect, upright.

enhorabuena *f* congratulations *pl.* − 2 *adv* happily. ●*dar la ~ a,* to congratulate.

enigma *m* enigma, puzzle.

enigmático,-a *adj* enigmatic(al).

enjabonar *t* to soap. 2 *fig* to soft-soap.

enjambre *m* swarm.

enjaular *t* to cage. 2 *fam* to put inside/in jail.

enjoyar *t* to adorn with jewels.

enjuagar(se) [7] *t-p* to rinse.

enjuague *m* rinse. 2 *(líquido)* mouthwash. 3 *fig* scheme, plot.

enjuiciar [12] *t* to judge. 2 JUR *(causa)* to sue; *(criminal)* to indict, prosecute.

enjuto,-a *adj* thin, skinny.

enlace *m (conexión)* link, connection. 2 *(boda)* marriage. 3 *(intermediario)* liaison. ■ *~ sindical,* shop steward, US union delegate.

enladrillar *t* to pave with bricks.

enlatar *t* to can, tin.

enlazar [4] *t (unir)* to link, connect. − 2 *i (trenes etc.)* to connect.

enloquecedor,-ra *adj* maddening.

enloquecer(se) [43] *i (volverse loco)* to go mad. 2 *fam (gustar)* to be mad/wild about. − 3 *t (volver loco)* to drive mad. − 4 *p* to go mad.

enlosar *t* to pave (with tiles).

enlutado,-a *adj* (in) mourning.

enmarañar(se) *t (enredar)* to tangle. 2 *fig* to embroil, muddle up. − 3 *p* to get tangled. 4 *fig* to get embroiled. 5 METEOR to become overcast.

enmascarar(se) *t* to mask, disguise. − 2 *p* to put on a mask.

enmendar(se) [27] *t* to correct; *(daño)* to repair. 2 JUR to amend. − 3 *p* to reform, mend one's ways.

enmienda *f* correction; *(de daño)* repair. 2 JUR amendment.

enmohecerse [43] *p* to go mouldy.

enmoquetar *t* to carpet.

enmudecer [43] *i* to become dumb.

ennegrecer(se) [43] *t* to blacken, darken. – **2** *p* to blacken.

ennoblecer(se) [43] *t* to ennoble. **2** *fig (dignificar)* to dignify. – **3** *p* to become noble.

enojado,-a *adj* angry, cross.

enojar(se) *t* to anger, annoy. – **2** *p* to get angry/cross.

enojo *m* anger, annoyance, irritation.

enojoso,-a *adj* annoying, irritating.

enorgullecer(se) [43] *t* to fill with pride. – **2** *p* to be/feel proud. ●*~se de algo,* to pride o.s. on sth.

enorme *adj* enormous, huge.

enormidad *f* enormity. **2** *(desatino)* nonsense.

enrabiar(se) [12] *t* to enrage, infuriate. – **2** *p* to get enraged/infuriated.

enraizar(se) [24] *i-p* BOT to take root. **2** *fig (persona)* to put down roots.

enrarecer(se) [43] *t* to rarefy. – **2** *i-p* to become scarce.

enredadera *f* creeper.

enredar(se) *t (prender)* to catch in a net. **2** *(para cazar)* to set. **3** *(enmarañar)* to tangle up, entangle. **4** *fig (engatusar)* to involve *(en,* in). – **5** *i (travesear)* to be mischievous. – **6** *p (hacerse un lío)* to get tangled up. **7** *(complicarse)* to get complicated/confused; *(en discusión)* to get caught up in. **8** *(amancebarse)* to have an affair.

enredo *m (maraña)* tangle. **2** *(engaño)* deceit. **3** *(confusión)* mix-up, mess. **4** *(amoroso)* love affair. **5** *pl (trastos)* bits and pieces.

enrejado *m* railings *pl.* **2** *(celosía)* trellis.

enrejar *t (puerta, ventana)* to put a grating on. **2** *(vallar)* to fence.

enrevesado,-a *adj* complicated, difficult.

enriquecer(se) [43] *t (hacer rico)* to make rich. **2** *fig* to enrich. – **3** *p* to become rich.

enrojecer(se) [43] *t (volver rojo)* to redden; *(metal)* to make red-hot. – **2** *p (ruborizarse)* to go red, blush. **3** *(volverse rojo)* to turn red; *(metal)* to get red-hot.

enrollado,-a *adj* rolled up. **2** *fam* great: *una tía muy enrollada,* a great woman. ●*fam estar ~ con algn.,* to be deep in conversation with sb.; *(salir juntos)* to go out with sb.

enrollar(se) *t* to roll up. – **2** *p fam (hablar)* to go on and on.

enroscar(se) [1] *t* to coil; *(cable)* to twist. **2** *(tornillo)* to screw. – **3** *p* to coil; *(cable)* to roll up; *(serpiente)* to coil itself.

ensaimada *f type of* pastry.

ensalada *f* salad.

ensaladera *f* salad bowl.

ensaladilla *f ~ rusa,* Russian salad.

ensalmo *m* spell.

ensalzar [4] *t (enaltecer)* to exalt. **2** *(elogiar)* to praise, extol.

ensambladura *f* joint.

ensamblaje *m* assembly.

ensamblar *t* to join, assemble.

ensanchamiento *m* widening, broadening.

ensanchar *t* to widen, enlarge; COST to let out. – **2** *p fig (envanecerse)* to become conceited.

ensanche *m* widening, enlargement. **2** *(de ciudad)* urban development.

ensangrentado,-a *adj* bloodstained, bloody.

ensangrentar(se) [27] *t* to stain with blood. – **2** *p* to be covered with blood.

ensañar(se) *t* to enrage. – **2** *p* to be cruel *(con,* to).

ensartar *t* to string together. **2** *fig* to reel off.

ensayar *t* TEAT to rehearse; MÚS to practise. **2** *(probar)* to try out, test.

ensayo *m* TEAT rehearsal; MÚS practise. **2** *(prueba)* test, experiment. **3** *(literario)* essay. ■ *~ general,* dress rehearsal.

enseguida *adv* at once, straight away. ▲ Also **en seguida.**

ensenada *f* cove, inlet.

enseñanza *f* education, teaching. ■ *~ primaria/secundaria/superior,* primary/secondary/higher education.

enseñar *t (en escuela etc.)* to teach. **2** *(educar)* to educate. **3** *(mostrar)* to show. ●*fig ~ los dientes,* to bare one's teeth.

enseres *mpl* belongings, goods.

ensillar *t* to saddle (up).

ensimismarse *p (absorberse)* to become engrossed. **2** *(abstraerse)* to become lost in thought.

ensoberbecer(se) [43] *t* to make arrogant. – **2** *p* to become arrogant. **3** MAR to get rough.

ensombrecer(se) [43] *t* to cast a shadow over. – **2** *p* to darken.

ensordecedor,-ra *adj* deafening.

ensordecer [43] *t* to deafen. – **2** *i* to go deaf.

ensortijarse *p* to curl.

ensuciar(se) [12] *t* to dirty. **2** *fig (reputación etc.)* to damage. – **3** *p* to get dirty.

ensueño *m* daydream, fantasy.

entablar *t (poner tablas)* to plank, board. 2 *(conversación)* to begin, start; *(amistad)* to strike up. ■ ~ *acción/demanda,* to take legal action.

entallar *t (esculpir)* to carve. 2 COST to take in at the waist: *una camisa entallada,* a fitted shirt.

entarimado *m* parquet floor.

ente *m* being. 2 *(institución)* entity, body.

enteco,-a *adj* weak, puny.

entendederas *fpl fam* brains.

entender(se) [28] *m* understanding, opinion. – 2 *t (comprender)* to understand. 3 *(discurrir)* to think. 4 *(oír)* to hear. – 5 *i* to be an expert *(en/de,* in). – 6 *p (conocerse)* to know what one is doing. 7 *fam (llevarse bien)* to get along well together. 8 *fam (relación amorosa)* to have an affair. ●*dar a* ~ *que ...,* to imply that ...; *fam no entiendo ni jota,* I don't understand a word of it.

entendido,-a *m,f* expert.

entendimiento *m* understanding, comprehension.

enterado,-a *adj* knowledgeable, well-informed. – 2 *m,f fam* expert.

enterar(se) *t* to inform *(de,* about/of); *(poner al corriente)* to acquaint *(de,* with). – 2 *p* to find out *(de,* about).

entereza *f* entirety. 2 *fig (de carácter etc.)* integrity.

enternecedor,-ra *adj* moving, touching.

enternecer(se) [43] *t (ablandar)* to soften. 2 *(conmover)* to move, touch. – 3 *p* to be moved/touched.

entero,-a *adj (completo)* entire, whole. 2 *fig (de carácter etc.)* firm. 3 *(robusto)* robust. – 4 *m* FIN point.

enterrador *m* gravedigger.

enterrar(se) [27] *t* to bury. 2 *fig (olvidar)* to forget. – 3 *p fig* to bury o.s.

entibiar [12] *t* to cool, make lukewarm.

entidad *f* entity. ●*de* ~, important.

entierro *m* burial. 2 *(ceremonia)* funeral.

entoldado *m* awning. 2 *(para fiestas etc.)* marquee.

entonación *f* intonation.

entonar *t (nota)* to pitch; *(canción)* to sing. 2 *(el organismo)* to tone up. 3 *(colores)* to be in harmony.

entonces *adv* then. ●*por (aquel)* ~, at that time.

entontecer(se) [43] *i* to befuddle. – 2 *p* to become confused.

entornar *t (ojos)* to half-close. 2 *(puerta)* to leave ajar.

entorpecer [43] *t* to make numb/dull. 2 *fig* to obstruct.

entorpecimiento *m* dullness. 2 *fig* obstruction.

entrada *f* entrance, entry. 2 *(ingreso)* ticket, admission. 3 *(pago inicial)* down payment. 4 *(en libro cuentas)* entry. 5 INFORM input. 6 *pl (cabellos)* receding hairline *sing.* ●*"prohibida la* ~", "no admittance".

entrante *adj* entering, coming: *el mes* ~, next month. – 2 *m* CULIN starter.

entrañable *adj* beloved.

entrañas *fpl* ANAT entrails. 2 *fig* heart *sing.* ●*no tener* ~, to be heartless.

entrar(se) *i* to come/go in. 2 *(en una sociedad etc.)* to join *(en, -).* 3 *(encajar)* to fit. 4 *(empezar) (año, estación)* to begin; *(período)* to enter. 5 *(venir)* to come over: *me entró dolor de cabeza,* I got a headache. – 6 *p* to get in. ●*fam fig entrado,-a en edad/en años,* well on in years; *fam fig no me entra en la cabeza,* I can't believe it.

entre *prep (dos términos)* between; *(más de dos términos)* among(st). 2 *(sumando)* counting: ~ *niños y adultos somos doce,* there are twelve of us all together. ●*de* ~, among; ~ *tanto,* meanwhile.

entreabrir *t (ojos)* to half open. 2 *(puerta etc.)* to leave ajar. ▲ *pp* **entreabierto,-a.**

entreacto *m* interval.

entrecejo *m* space between the eyebrows; *(ceño)* frown.

entrecot, entrecó *m* fillet steak.

entredicho *m* prohibition, ban.

entredós *m* COST insertion. 2 *(mueble)* cabinet. ▲ *pl* **entredoses.**

entrega *f* handing over; COM delivery. 2 *(de posesiones)* surrender. 3 *(libros etc.)* instalment. 4 *fig (devoción)* selflessness. ■ ~ *contra reembolso,* cash on delivery.

entregar(se) [7] *t* to hand over; *(deberes etc.)* to hand in; COM to deliver. 2 *(posesiones)* to surrender. – 3 *p (rendirse)* to give in, to surrender. 4 *(dedicarse)* to devote o.s. *(a,* to).

entrelazar [4] *t* to entwine, interweave.

entremés *m* CULIN hors d'oeuvres. 2 TEAT interlude.

entremeter(se) *t* to insert, place between. – 2 *p →* **entrometerse.**

entrenador,-ra *m,f* trainer, coach.

entrenamiento *m* training.

entrenar(se) *t-p* to train.

entreoír [75] *t* to hear vaguely.

entrepierna *f* crotch.

entresacar [1] *t* to select.

entresuelo *m* mezzanine; GB first floor, US second floor.

entretanto *adv* meanwhile.

entretejer *t* to interweave, intertwine.

entretela *f* interfacing, interlining. **2** *pl fam* heart *sing*, entrails.

entretener(se) [87] *t (retrasar)* to delay, detain. **2** *(divertir)* to entertain, amuse. **– 3** *p (retrasarse)* to be delayed. **4** *(divertirse)* to amuse o.s., keep o.s. occupied.

entretenido,-a *adj (divertido)* entertaining, amusing. **2** *(complicado)* time-consuming.

entretenimiento *m* entertainment, amusement.

entretiempo *m* period between seasons.

entrever [91] *t* to glimpse. **2** *(conjeturar)* to guess. ▲ *pp* **entrevisto,-a.**

entrevista *f (prensa)* interview. **2** *(reunión)* meeting.

entrevistar(se) *t* to interview. **– 2** *p* to have an interview/meeting *(con,* with).

entrevisto,-a *pp* → **entrever.**

entristecer(se) [43] *t* to sadden. **– 2** *p* to be sad *(por,* about).

entrometerse *p* to meddle, interfere *(en,* in).

entrometido,-a *adj* interfering, nosy. **– 2** *m,f* meddler, busybody.

entromparse *p fam* to get sloshed.

entronizar [4] *t* to enthrone. **2** *fig* to worship.

entuerto *m* wrong, injustice.

entumecer(se) [43] *t* to numb. **– 2** *p* to go numb/dead. **3** *(mar, río)* to swell.

entumecimiento *m* numbness. **2** *(mar, río)* swelling.

enturbiar(se) [12] *t* to make muddy. **2** *fig* to cloud, muddle. **– 3** *p* to get muddy. **4** *fig* to get confused/muddled.

entusiasmar(se) *t* to captivate, excite. **– 2** *p* to get enthusiastic *(con,* about).

entusiasmo *m* enthusiasm. ●*con ~,* keenly, enthusiastically.

entusiasta *mf* lover, fan *(de,* of).

enumerar *t* to enumerate, count.

enunciado *m* enunciation. **2** LING statement.

enunciar [12] *t* to enounce, state.

envainar *t* to sheathe.

envalentonar(se) *t* to make bold/daring. **– 2** *p* to become bold/daring.

envanecer(se) [43] *t* to make vain. **– 2** *p* to get conceited/vain.

envasar *t (paquetes)* to pack; *(botellas)* to bottle; *(latas)* to can, tin. ●*~ al vacío,* to vacuum-pack.

envase *m (acto)* packing; *(botellas)* bottling; *(latas)* canning. **2** *(recipiente)* container. ■ *~ sin retorno,* nonreturnable container.

envejecer [43] *t* to age. **– 2** *i* to grow old.

envejecido,-a *adj* aged, old-looking.

envenenamiento *m* poisoning.

envenenar *t* to poison.

envergadura *f (de pájaro)* spread. **2** *(de avión)* span. **3** *fig* importance.

envés *m (de página)* back. **2** *(de tela)* wrong side. **3** BOT reverse.

enviado,-a *m,f* messenger, envoy. ■ *(prensa) ~ especial,* special correspondent.

enviar [13] *t* to send; COM to dispatch; *(por barco)* to ship.

enviciar(se) [12] *t* to corrupt, vitiate. **– 2** *p* to become addicted.

envidia *f* envy. ●*tener ~ de,* to envy.

envidiable *adj* enviable.

envidiar [12] *t* to envy.

envidioso,-a *adj* envious.

envilecer(se) [43] *t* to debase, degrade. **– 2** *i* to lose value. **– 3** *p* to degrade o.s.

envío *m* sending; COM dispatch, shipment. **2** *(remesa)* consignment; *(paquete)* parcel. ■ *~ contra reembolso,* cash on delivery; *gastos de ~,* postage and packing.

enviudar *i (hombre)* to become a widower; *(mujer)* to become a widow.

envoltorio *m (de caramelo etc.)* wrapper. **2** *(lío)* bundle.

envoltura *f* wrapping.

envolver(se) [32] *t (cubrir)* to cover; *(con papel)* to wrap (up). **2** *fig (implicar)* to involve. **– 3** *p* to wrap o.s. up *(en,* in). **4** *fig (implicarse)* to become involved *(en,* in). ▲ *pp* **envuelto,-a.**

enyesar *t* to plaster. **2** MED to put in plaster.

enzarzar(se) [4] *t fig* to sow discord. **– 2** *p fig* to squabble: *~ en una discusión,* to get into an argument.

épico,-a *adj* epic, heroic. **– 2** *f* epic poetry.

epidemia *f* epidemic.

epidémico,-a *adj* epidemic.

epidermis *f inv* epidermis, skin.

epifanía *f* Epiphany, Twelfth Night.

epígrafe *m (cita)* epigraph. **2** *(título)* title, heading.

epilepsia *f* epilepsy.

epílogo *m* epilogue. **2** *(resumen)* summary.

episcopado *m (obispos)* episcopacy. 2 *(lugar)* bishopric.

episodio *m (literario)* episode. 2 *(suceso)* incident.

epístola *f* epistle, letter.

epitafio *m* epitaph.

epíteto *m* epithet.

epítome *m* abstract, summary.

época *f* time, age. 2 HIST period, epoch. 3 AGR season. ●*por aquella* ~, about that time.

epopeya *f* epic poem.

equidad *f* equity, justice, fairness.

equidistar *i* to be equidistant *(de,* from).

equilibrado,-a *adj* balanced. 2 *(persona)* sensible.

equilibrar(se) *t-p* to balance.

equilibrio *m* balance. ●*perder el* ~, to lose one's balance.

equilibrista *mf* tightrope walker, trapeze artist. 2 AM POL opportunist.

equino,-a *adj* equine, horse.

equinoccio *m* equinox.

equipaje *m* luggage, baggage. 2 *(instrumental)* equipment, outfit. 3 MAR crew. ●*hacer el* ~, to pack, do the packing.

equipar(se) *t* to equip. − 2 *p* to kit o.s. out.

equiparar *t* to compare, liken *(con,* to).

equipo *m (prestaciones)* equipment. 2 *(ropas, utensilios)* outfit, kit. 3 *(de personas)* team. ■ ~ *de alta fidelidad,* hi-fi stereo system; ~ *de salvamento,* rescue team.

equitación *f* horsemanship, horse riding.

equitativo,-a *adj* equitable, fair.

equivalente *adj-m* equivalent.

equivaler [89] *i (ser igual)* to be equivalent/equal *(a,* to). 2 *(significar)* to be tantamount *(a,* to).

equivocación *f* mistake, error.

equivocado,-a *adj* mistaken, wrong. − 2 *equivocadamente adv* by mistake.

equivocar(se) [1] *t* to mistake. − 2 *p* to be mistaken/wrong; *(de dirección, camino etc.)* to go wrong.

equívoco,-a *adj* equivocal, ambiguous. − 2 *m* equivocation, ambiguity.

era *f* era, age. 2 AGR threshing floor. 3 *(cuadro de jardín)* bed, plot. − 4 *imperf indic* → **ser**.

erección *f* erection. 2 *(institución)* foundation, establishment.

erecto,-a *adj* erect.

eremita *m* hermit.

eres *pres indic* → **ser**.

erguir(se) [70] *t* to raise (up straight), erect. − 2 *p (ponerse derecho)* to straighten up. 3 *(engreírse)* to swell with pride.

erigir(se) [6] *t* to erect, build. 2 *(instituir)* to establish. − 3 *p* to establish o.s.

erizado,-a *adj* bristly, prickly.

erizar(se) [4] *t* to make stand on end. − 2 *p* to stand on end.

erizo *m* hedgehog. ■ ~ *marino/de mar,* sea urchin.

ermita *f* hermitage.

ermitaño,-a *m,f* hermit. − 2 *m* ZOOL hermit crab.

erógeno,-a *adj* erogenous.

erosión *f* erosion, wearing away. 2 *fig* wear and tear.

erosionar *t* to erode. 2 *(gastar)* to wear away.

erótico,-a *adj* erotic.

erotismo *m* eroticism.

erradicar [1] *t* to eradicate; *(enfermedad)* to stamp out.

errado,-a *adj* mistaken.

errante *adj* errant, wandering.

errar [57] *t (objetivo)* to miss, get wrong. − 2 *i (vagar)* to wander, rove. 3 *(divagar)* to be mistaken.

errata *f* erratum, misprint. ■ *fe de erratas,* errata *pl.*

erróneo,-a *adj* erroneous, wrong.

error *m* error, mistake.

eructar *i* to belch, burp.

eructo *m* belch, burp.

erudición *f* erudition, learning.

erudito,-a *adj* erudite, learned. − 2 *m,f* scholar.

erupción *f (volcánica)* eruption. 2 *(cutánea)* rash.

es *pres indic* → **ser**.

esbeltez *f* slenderness. 2 *(elegancia)* gracefulness.

esbelto,-a *adj* slim, slender. 2 *(elegante)* graceful.

esbozar [4] *t* to sketch, outline.

esbozo *m* sketch, outline.

escabechar *t* to pickle. 2 *fig (el cabello)* to dye. 3 *fam (matar)* to do in. 4 *fam (suspender)* to fail.

escabeche *m* pickle: *sardinas en* ~, pickled sardines.

escabechina *f* massacre, slaughter.

escabroso,-a *adj (desigual)* uneven. 2 *fig (áspero)* harsh, rude. 3 *(indecente)* indecent.

escabullirse [13] *p (deslizarse)* to slip through. 2 *(persona)* to slip away.

escacharrar(se) *fam* t-p to break. – 2 *p* to be ruined.

escala *f* (*escalera*) ladder, stepladder. 2 (*graduación*) scale. 3 MAR port of call; AV stopover. •*a gran ~,* on a large scale; *hacer ~,* to stop over (*en,* in). ■ *~ móvil,* sliding scale; *~ musical,* scale.

escalada *f* climb(ing). •*fig la ~ del terrorismo,* the rise of terrorism.

escalador,-ra *m,f* climber.

escalafón *m* (*según graduación*) ladder; (*según salarios*) salary/wage scale.

escalar *t* to climb, scale.

escaldado,-a *adj* scalded. 2 *fig* wary, cautious. •*salir ~,* to get one's fingers burnt.

escaldar(se) *t* to scald. – 2 *p* to get scalded.

escalera *f* stair, staircase. 2 (*escala*) ladder. 3 (*naipes*) run, sequence. ■ *~ de caracol,* spiral staircase; *~ mecánica/ automática,* escalator.

escalerilla *f* MAR gangway; AV boarding ramp.

escalfar *t* to poach: *huevos escalfados,* poached eggs.

escalinata *f* stoop.

escalofriante *adj* chilling, blood-curdling.

escalofrío *m* (*de frío*) shiver; (*de miedo*) shudder; (*de fiebre*) chill.

escalón *m* (*peldaño*) step. 2 *fig* degree. 3 MIL echelon.

escalope *m* escalope.

escama *f* scale. 2 (*de jabón*) flake.

escamar(se) *t* to scale. 2 *fig* to make suspicious. – 3 *p* to become suspicious.

escamotear *t* to whisk away. 2 *fam* (*robar*) to lift, pinch.

escamoteo *m* sleight of hand. 2 *fam* (*robo*) pilfering.

escampar *t* to clear out. – 2 *i* METEOR to stop raining, clear up.

escandalizar(se) [4] *t* to scandalize, shock. – 2 *i* to make a racket. – 3 *p* to be shocked (*de/por,* at).

escándalo *m* scandal. 2 (*alboroto*) racket. •*armar un ~,* to kick up a fuss.

escandaloso,-a *adj* scandalous. 2 (*alborotado*) noisy.

escaño *m* bench. 2 POL seat.

escapada *f fam* quick trip. 2 DEP breakaway.

escapar(se) *i-p* to escape, flee, run away. – 2 *p* (*gas etc.*) to leak (out). 3 (*autobús etc.*) to miss. •*fig escapársele a uno algo,* to go unnoticed; *fam ~se por un pelo,* to have a narrow escape.

escaparate *m* shop window. 2 AM (*armario*) wardrobe.

escapatoria *f* escape. 2 (*excusa*) excuse. •*no hay ~,* there is no way out.

escape *m* escape, flight. 2 (*de gas etc.*) leak(age). 3 (*tubo de*) *~,* exhaust pipe.

escaquearse *p fam* to shirk, skive off.

escarabajo *m* beetle.

escaramuza *f* skirmish. 2 (*riña*) dispute.

escarbar *t* (*suelo*) to scratch. 2 (*dientes, orejas*) to clean out. 3 (*fuego*) to poke. 4 *fig* (*inquirir*) to inquire into.

escarceo *m* small wave. 2 (*prueba*) attempt. 3 *pl* (*del caballo*) prancing *sing*.

escarcha *f* rime, frost.

escarchar *i* METEOR to be frosty/freezing. – 2 *t* CULIN to ice; (*frutas*) to crystallize. ▲ *1 used in the 3rd person only. It does not take a subject.*

escarlata *adj-m* scarlet.

escarlatina *f* scarlatina, scarlet fever.

escarmentar(se) [27] *t* to punish. – 2 *i-p* to learn one's lesson: *para que escarmientes,* that'll teach you a lesson.

escarmiento *m* punishment, lesson.

escarnecer [43] *t* to scoff at, mock.

escarnio *m* derision, mockery.

escarola *f* curly endive, US escarole.

escarpado,-a *adj* (*inclinado*) steep. 2 (*abrupto*) rugged.

escasear *i* to be/get scarce. – 2 *t* to be sparing with.

escasez *f* scarcity, lack, shortage.

escaso,-a *adj* scarce, scant: *andar ~ de dinero,* to be short of money. 2 (*mezquino*) miserly.

escatimar *t* to stint, skime on.

escatología *f* REL eschatology. 2 (*de excrementos*) scatology.

escena *f fig* scene. 2 TEAT stage. •*poner en ~,* to stage.

escenario *m* stage. 2 *fig* scene.

escenografía *m* set.

escepticismo *m* scepticism.

escéptico,-a *adj* sceptical. – 2 *m,f* sceptic.

escindir(se) *t* to split, divide. – 2 *p* to split (off).

escisión *f* split, division.

esclarecer [43] *t* to light up. 2 *fig* to clear up, make clear. – 3 *i* (*amanecer*) to dawn.

esclavitud *f* slavery, servitude.

esclavizar [4] *t* to enslave.

esclavo,-a *m,f* slave. •*ser ~ de algo,* to be a slave to sth.

esclusa *f* lock, sluicegate.

escoba f brush, broom.

escobilla f small brush. 2 AUTO windscreen wiper blade.

escocedura f chafe, soreness.

escocer [54] i to smart, sting. 2 fig to hurt. − 3 p (dolerse) to hurt, be sore.

escoger [5] t to choose, select. ●~ del montón, to choose from the pile.

escogido,-a adj chosen, selected.

escolar adj school, scholastic. − 2 mf m schoolboy, f schoolgirl.

escolástico,-a adj scholastic.

escollera f breakwater.

escollo m MAR reef, rock. 2 fig difficulty.

escolta f escort. 2 MAR convoy.

escoltar t to escort. 2 MAR to convoy.

escombros mpl (de derribo etc.) rubble sing.

esconder(se) t to hide, conceal. − 2 p to hide (de, from).

escondite m hiding place. ●jugar al ~, to play hide-and-seek.

escondrijo m hiding place.

escopeta f shotgun. ■ ~ de aire comprimido, airgun.

escoplo m chisel.

escora f (puntal) loadline. 2 (inclinación) list.

escorbuto m scurvy.

escoria f slag, dross. 2 fig dregs pl.

escorpión m scorpion. 2 Escorpión, ASTROL ASTRON Scorpio.

escotado,-a adj low-necked.

escotar t COST to cut a low neckline in. 2 (gastos) to share.

escote m low neckline. 2 (parte a pagar) share.

escotilla f hatchway.

escotillón m TEAT trapdoor. 2 MAR small hatch.

escozor m irritation, smarting. 2 fig pain, grief.

escribano m notary. 2 (pájaro) bunting.

escribiente m (office) clerk.

escribir(se) t-i to write. 2 (deletrear) to spell. − 3 p to hold correspondence, write to each other. ▲ pp escrito,-a.

escrito,-a pp → escribir. − 2 adj written, stated. − 3 m writing, document. ●por ~, in writing.

escritor,-ra m,f writer.

escritorio m writing desk. 2 (oficina) office. ■ objetos de ~, stationery.

escritura f writing. ■ ~ de propiedad, title deed; Sagradas Escrituras, Holy Scriptures.

escrúpulo m (recelo) scruple, doubt. 2 (aprensión) fussiness.

escrupuloso,-a adj scrupulous. 2 (aprensivo) finicky.

escrutar t to scrutinize. 2 (votos) to count.

escrutinio m (examen) scrutiny, examination. 2 (de votos) count.

escuadra f (instrumento) square. 2 MIL squad.

escuadrilla f squadron.

escuadrón m squadron.

escucha f listening. ●estar a la ~ de, to listen out for. ■ escuchas telefónicas, phone tapping sing.

escuchar(se) t (oír) to hear. 2 (atender) to listen to. − 3 p to speak in an affected way.

escudería f racing team.

escudero m squire, page.

escudilla f bowl.

escudo m shield. ■ ~ de armas, coat of arms.

escuela f school. ■ ~ privada, private school; ~ pública, state school.

escueto,-a adj bare, plain, strict. − 2 escuetamente adv simply.

esculpir t to sculpt; (madera) to carve.

escultor,-ra m,f m sculptor, f sculptress.

escultura f sculpture.

escupidera f spittoon.

escupir i to spit. − 2 t to spit out. 3 fam fig (confesar) to come clean. ●~ a algn., to scoff at sb.

escurreplatos m inv plate rack.

escurridizo,-a adj slippery. ■ lazo ~, slipknot.

escurridor m strainer, colander. 2 (de platos) dish rack.

escurrir(se) t (platos) to drain; (ropa) to wring out; (comida) to strain. − 2 i to drip. 3 (deslizar) to slip. − 4 p (escapar) fam to run/slip away. 5 (decir demasiado) to let sth. slip.

ese,-a adj m,f that: ~ coche, that car. ▲ pl esos,-as.

ése,-a pron m,f that one: toma ~, take that one. ▲ pl ésos,-as.

esencia f essence. ■ quinta ~, quintessence.

esencial adj essential.

esfera f sphere. 2 (de reloj) dial.

esférico,-a adj spherical.

esfinge f sphinx.

esforzado,-a adj energetic.

esforzar(se) [50] t (fortalecer) to strengthen. − 2 p to try hard, strive.

esfuerzo m effort. 2 (valor) courage.

esfumarse *p* to fade away. 2 *fam (largarse)* to disappear.

esgrima *f* fencing.

esgrimir *t (arma)* to wield, brandish. 2 *fig (un argumento)* to put forward.

esguince *m* MED sprain. 2 *(gesto)* swerve. 3 *(gesto de disgusto)* frown.

eslabón *m* link. ■ *el ~ perdido,* the missing link.

eslip *m (ropa interior)* men's briefs *pl,* underpants *pl.* 2 *(bañador)* trunks *pl.* ▲ *pl eslips.*

eslogan *m* slogan. ▲ *pl eslóganes.*

eslora *f* length.

esmaltado,-a *adj* enamelled. – 2 *m* enamelling.

esmaltar *t* to enamel.

esmalte *m* enamel. ■ *~ de uñas,* nail polish/varnish.

esmerado,-a *adj* careful.

esmeralda *f* emerald.

esmerar(se) *t* to polish. – 2 *p* to take great care *(en,* over).

esmeril *m* emery.

esmero *m* great care.

esmoquin *f* dinner jacket. ▲ *pl esmóquines.*

esnifar *t arg* to sniff.

esnob *mf* snob. ▲ *pl esnobs.*

esnobismo *m* snobbery, snobbishness.

eso *pron neut* that. ●*(hora) a ~ de las ...,* around ...; *¡~ es!,* that's it!

esófago *m* oesophagus.

esos,-as *adj m,f pl* those.

ésos,-as *pron m,f pl* those ones.

esotérico,-a *adj* esoteric.

espabilarse *p* to wake up.

espaciar(se) [12] *t* to space. – 2 *p* to spread o.s.

espacio *m* space: *necesitamos más ~,* we need more room. 2 *(de tiempo)* length. ■ *~ televisivo/radiofónico,* TV/radio programme.

espacioso,-a *adj* spacious, roomy.

espada *f* sword. 2 *(naipe)* spade. ●*fig entre la ~ y la pared,* between the devil and the deep blue sea.

espadachín *m* swordsman. 2 *pey (presuntuoso)* bully.

espadaña *f* bell gable.

espaguetis *mpl* spaghetti *sing.*

espalda *f* ANAT back, shoulders *pl.* 2 *(natación)* backstroke. ●*de espaldas,* backwards; *fig a espaldas de,* behind one's back; *fig dar la ~a,* to turn one's back on.

espaldar *m (de silla)* back. 2 *(para plantas)* trellis.

espantada *f* stampede.

espantajo, espantapájaros *m* scarecrow. ▲ *espantapájaros is inv.*

espantar(se) *t (asustar)* to frighten, scare. 2 *(ahuyentar)* to frighten away. – 3 *p* to get/feel frightened.

espanto *m (miedo)* fright, dread. 2 *(asombro)* astonishment.

espantoso,-a *adj (terrible)* frightful, dreadful. 2 *(asombroso)* astonishing.

españolada *f pey* something pseudo-Spanish.

esparadrapo *m* sticking plaster.

esparcimiento *m* scattering. 2 *(recreo)* amusement.

esparcir(se) [3] *t (separar)* to scatter. 2 *(divulgar)* to spread. 3 *(divertir)* to recreate. – 4 *p* to amuse o.s.

espárrago *m* asparagus. ■ *~ triguero,* wild asparagus.

esparto *m* esparto grass.

espasmo *m* spasm.

espasmódico,-a *adj* spasmodic.

espátula *f* spatula.

especia *f* spice.

especial *adj* special. ●*en ~,* especially.

especialidad *f* speciality.

especialista *adj-mf* specialist.

especialización *f* specialization.

especializar(se) [4] *i-p* to specialize *(en,* in).

especie *f (de animales, plantas)* species. 2 *(tipo)* kind, sort. 3 *(tema)* matter, notion.

especificar [1] *t* to specify.

específico,-a *adj* specific. – 2 *m* patent medicine.

espécimen *m* specimen. ▲ *pl especímenes.*

espectacular *adj* spectacular.

espectáculo *m* spectacle. 2 *(de TV, radio etc.)* performance. 3 *(escándalo)* scandal. ●*irón dar/montar un ~,* to make a scene.

espectador,-ra *m,f* DEP spectator; TEAT CINEM member of the audience; TV viewer.

espectro *m* FÍS spectre. 2 *(fantasma)* spectrum.

especulación *f* speculation.

especulador,-ra *m,f* speculator.

especular *t (reflexionar)* to speculate about. – 2 *i (comerciar)* to speculate *(en,* on). 3 *(conjeturar)* to guess *(sobre,* about).

espejismo *m* mirage.

espejo *m* mirror.

espeleología f potholing, speleology.

espeluznante adj hair-raising, terrifying.

espera f wait(ing). 2 (paciencia) patience. ●en ~ de ..., waiting for ... . ■ sala de ~, waiting-room.

esperanza f hope. ■ ~ de vida, life expectancy.

esperanzador,-ra adj encouraging.

esperar t (confiar) to hope for, expect: espero que sí, I hope so; espero ganar la carrera, I hope to win the race. 2 (aguardar) to wait for, await: espera un momento, wait a moment.

esperma m sperm.

espermatozoide m spermatozoid.

esperpento m (cosa fea) fright, sight. 2 (absurdo) absurdity.

espesar(se) t-p to thicken.

espeso,-a adj thick, dense.

espesor m thickness, density.

espesura f thickness. 2 (bosque) thicket, dense wood.

espía mf spy.

espiar [13] t to spy.

espiga f spike; (de trigo) ear. 2 (clavija) peg.

espigar(se) [7] t to glean. – 2 p to shoot up.

espigón m breakwater, jetty. 2 (punta) sharp point.

espina f (de planta) thorn. 2 (de pez) fishbone. 3 fig scruple, suspicion. ●dar mala ~, to arouse one's suspicion. ■ ~ (dorsal), spinal column, spine, backbone.

espinacas fpl spinachs.

espinazo m spine, backbone.

espinilla f shinbone. 2 (grano) blackhead.

espinoso,-a adj (planta) thorny. 2 (pez) spiny. 3 fig arduous, difficult.

espionaje m spying, espionage.

espiral adj-f spiral.

espirar t-i to exhale, breathe out.

espiritismo m spiritualism.

espiritista mf spiritualist.

espíritu m spirit; (alma) soul. 2 (fantasma) ghost. 3 (licores) spirits pl. ■ el Espíritu Santo, the Holy Ghost.

espiritual adj spiritual.

espléndido,-a adj splendid, magnificent. 2 (liberal) lavish.

esplendor m fig splendour. 2 (resplandor) radiance.

esplendoroso,-a adj splendid, radiant.

espliego m lavender.

espolvorear t to powder.

esponja f sponge.

esponjar(se) t to make spongy. – 2 p (envanecerse) to swell with pride. 3 (físicamente) to glow with health.

esponjoso,-a adj spongy.

esponsales mpl fml betrothal sing.

espontaneidad f spontaneity.

espontáneo,-a adj (cosa) spontaneous. 2 (persona) natural, unaffected. – 3 m,f spectator who spontaneously joins in.

esporádico,-a adj sporadic.

esposar t to handcuff.

esposas fpl handcuffs.

esposo,-a m,f spouse; m husband, f wife. 2 pl husband and wife.

espuela f spur.

espulgar [7] t to delouse. 2 fig (examinar) to examine closely.

espuma f foam; (de jabón) lather; (de cerveza) froth, head; (olas) surf. 2 (impurezas) scum. ■ ~ de afeitar, shaving foam.

espumadera f spoon for skimming.

espumoso,-a adj foamy, frothy; (jabón) lathery; (vino) sparkling.

esputo m sputum, spit.

esqueje m cutting.

esquela f (carta) short letter. ■ ~ mortuoria, announcement of a death.

esquelético,-a adj skeletal. 2 fam (delgado) skinny.

esqueleto m skeleton. 2 ARQ framework. ●fam mover el ~, to shake it about.

esquema m (plan) outline; (gráfica) diagram.

esquematizar [4] t to outline.

esquí m (tabla) ski. 2 (deporte) skiing. ■ ~ acuático, water-skiing. ▲ pl esquís.

esquiador,-ra m,f skier.

esquiar [13] i to ski.

esquila f small bell.

esquilar t to clip; (ovejas) to shear.

esquimal adj-mf Eskimo.

esquina f corner. ●doblar la ~, to turn the corner.

esquinazo m dar ~ a algn., to give sb. the slip.

esquirol m blackleg, scab.

esquivar t (persona) to avoid, shun. 2 (golpe) to dodge.

esquivez f coldness, aloofness.

esquivo,-a adj cold, aloof.

esquizofrenia f schizophrenia.

esquizofrénico,-a adj schizophrenic.

esta adj → este,-a.

está pres indic → estar.

ésta *pron* → **éste,-a.**

estabilidad *f* stability.

estabilizar(se) [4] *t* to stabilize, make stable/steady. — 2 *p* to become stable.

estable *adj* stable, steady.

establecer(se) [43] *t* to establish. 2 *(ordenar)* to state, decree. — 3 *p* to settle; *(un negocio)* to set up in business.

establecimiento *m (acto)* establishment, founding. 2 *(edificio)* establishment, shop, store. 3 JUR statute.

establo *m* stable.

estaca *f (palo con punta)* stake, picket. 2 *(garrote)* stick, cudgel.

estacada *f* fence. 2 MIL stockade. ●*dejar a algn. en la ~,* to leave sb. in the lurch.

estación *f (del año)* season. 2 *(de tren)* station. ■ ~ *balnearia,* spa, ~ *de esquí,* ski resort; ~ *de servicio,* service station.

estacionar(se) *t* to station. — 2 *p (estancarse)* to be stationary. 3 AUTO to park.

estadio *m* stadium. 2 *(fase)* stage, phase.

estadista *mf m* statesman, *f* stateswoman. 2 MAT statistician.

estadística *f (ciencia)* statistics: *una ~,* a figure/statistic.

estado *m (situación)* state, condition: *su ~ es grave,* his condition is serious. 2 *(en orden social)* status. 3 POL state. 4 *(resumen)* return, summary. ●*estar en ~,* to be pregnant. ■ ~ *civil,* marital status; MIL ~ *mayor,* staff.

estafa *f* fraud.

estafador,-ra *m,f* racketeer, swindler.

estafar *t* to swindle.

estafeta *f* post-office branch.

estalactita *f* stalactite.

estallar *i* to explode. 2 *(rebelión, epidemia)* to break out.

estallido *m* explosion. 2 *fig* outbreak.

estambre *m* COST worsted, woolen yarn. 2 BOT stamen.

estamento *m* class, stratum.

estampa *f (imagen)* picture. 2 *fig* appearance. 3 *(impresión)* print.

estampado,-a *adj* stamped; *(vestido)* printed. — 2 *m (tela)* print.

estampar *t (imprimir)* to print. 2 *(metales)* to stamp. 3 *(dejar huella)* to engrave. 4 *fam (arrojar)* to hurl.

estampida *f* stampede.

estampido *m* bang.

estampilla *f* (rubber) stamp. 2 AM postage stamp.

estancar(se) [1] *t* to hold up. — 2 *p* to stagnate.

estancia *f (permanencia)* stay. 2 *(aposento)* room. 3 AM farm.

estanco *m* tobacconist's (shop).

estándar *adj* standard(ized). — 2 *m* standard. ▲ *pl* **estándares.**

estandarizar [4] *t* to standardize.

estandarte *m* standard, banner.

estanque *m* pool, pond. 2 *(para proveer agua)* reservoir.

estanquero,-a *m,f* tobacconist.

estante *m* shelf; *(para libros)* bookcase.

estantería *f* shelving, shelves *pl.*

estaño *m* tin.

estar(se) [71] *i* to be: *está de profesor pero es ingeniero,* he works as a teacher but he's an engineer; *estamos a dos de noviembre,* it's the second of November. — 2 *aux ~ + gerundio,* to be: ~ *comiendo,* to be eating. — 3 *p (permanecer)* to spend. ●*está bien,* it's all right; ~ *al caer,* to be just round the corner; ~ *de más,* not to be needed; ~ *por hacer,* to remain to be done; *estarle bien a uno,* to be becoming to sb.; *no ~ para bromas,* not to be in the mood for jokes; *fam ~ a matar,* to be at daggers drawn; *fam estoy que no puedo más,* I can't take anymore. ▲ *When followed by an adjective it expresses a quality neither permanent nor inherent:* **Pilar está resfriada.** *If it is followed by a noun it always takes a preposition:* **está sin trabajo.**

estás *pres indic* → **estar.**

estatal *adj* state.

estático,-a *adj* static.

estatua *f* statue.

estatura *f* stature, height.

estatuto *m* statute.

este,-a *adj m,f* this: ~ *libro,* this book. — 2 *m* east. ▲ *pl* 1 *estos,-as.*

éste,-a *pron m,f* this one. ●*éste ... aquél ...,* the former ... the latter ... . ▲ *pl* **éstos,-as.**

esté *pres subj* → **estar.**

estela *f* MAR wake; AV vapour trail. 2 *fig* 10 trail.

estelar *adj (sideral)* stellar. 2 *fig* star: *la figura ~,* the star.

estepa *f* steppe.

estercolar *t* to dung, manure.

estercolero *m* dunghill, manure.

estéreo *m* stereo.

estereofónico,-a *adj* stereo(phonic).

estereotipado,-a *adj* stereotyped, standard.

estéril *adj* sterile.

esterilidad *f* sterility.

esterilizar [4] *t* to sterilize.
esterilla *f* small mat.
esterlina *adj* **libra** ~, sterling pound.
esternón *m* sternum, breastbone.
esteticista *mf* beautician.
estético,-a *adj* aesthetic. − 2 *f* aesthetics.
estetoscopio *m* stethoscope.
estevado,-a *adj* bow-legged.
estibar *t* to stow.
estiércol *m* dung, manure.
estigma *m* stigma.
estilarse *p* to be fashionable.
estilete *m* (*punzón*) stylus. 2 (*cuchillo*) stiletto.
estilista *mf* stylist.
estilizar [4] *t* to stylize.
estilo *m* style. ●*algo por el* ~, something like that. 2 GRAM speech. 3 (*natación*) stroke.
estilográfica *f* fountain pen.
estima *f* esteem.
estimación *f* esteem.
estimado,-a *adj* (*apreciado*) esteemed. 2 (*valorado*) valued. ●(*en carta*) ~ *señor/ señora,* Dear Sir/Madam.
estimar *t* (*apreciar*) to esteem; (*objeto*) to value. 2 (*juzgar*) to consider.
estimulante *adj* stimulating. − 2 *m* stimulant.
estimular *t* to stimulate. 2 *fig* to encourage.
estímulo *m* stimulus. 2 *fig* encouragement.
estío *m* *fml* summer.
estipendio *m* stipend, fee.
estipulación *f* stipulation.
estipular *t* to stipulate.
estirado,-a *adj* stretched; (*brazo etc.*) stretched out; (*pelo*) straight. 2 *fig* stiff, conceited.
estirar(se) *t* to stretch, pull out. − 2 *i* (*crecer*) to shoot up. − 3 *p* (*desperezarse*) to stretch. ●*fam* ~ **las piernas,** to stretch one's legs; *fam* ~ **la pata,** to kick the bucket.
estirpe *f* stock, lineage.
estival *adj* summer.
esto *pron neut* this. ●~ *de ...,* the business about ... .
estocada *f* stab, thrust.
estofa *f* class: *gente de baja* ~, low-class people.
estofado,-a *adj* stewed. − 2 *m* stew.
estofar *t* to stew.
estoico,-a *adj-m,f* stoic.
estomacal *adj* (of the) stomach. − 2 *m* digestive liqueur.

estómago *m* stomach.
estopa *f* (*fibra*) tow. 2 (*tela*) burlap.
estoque *m* sword.
estorbar *t* (*dificultar*) to hinder, obstruct. 2 (*molestar*) to annoy.
estorbo *m* (*obstáculo*) obstruction. 2 (*molestia*) hindrance; (*persona*) nuisance.
estornudar *i* to sneeze.
estornudo *m* sneeze.
estos,-as *adj m,f pl* these.
éstos,-as *pron m,f pl* these (ones). ●*fam en éstas,* just then.
estoy *pres indic* → **estar**.
estrado *m* dais, platform. 2 *pl* law courts.
estrafalario,-a *adj fam* eccentric.
estrago *m* havoc, ruin, ravage. ●*hacer estragos en,* to play havoc with/on.
estragón *m* tarragon.
estrambótico,-a *adj fam* outlandish.
estrangular *t* to strangle.
estraperlista *mf* black marketeer.
estraperlo *m* black market.
estratagema *f* MIL stratagem. 2 *fig* trick.
estrategia *f* strategy.
estratégico,-a *adj* strategic.
estrato *m* stratum.
estraza *f* rag. ■ *papel de* ~, brown paper.
estrechar(se) *t* to narrow; (*vestido*) to take in. 2 (*abrazar*) to embrace. 3 *fig* (*obligar*) to compel. − 4 *p* (*apretarse*) to squeeze. 5 *fig* (*gastos etc.*) to economize. ●~ *la mano,* to shake hands (*de,* with); *fig* ~ *los lazos de amistad,* to tighten the bond of friendship.
estrechez *f* narrowness; (*vestido, zapatos*) tightness. 2 *fig* (*económica*) want, need. 3 *fig* (*rigidez*) strictness. 4 *fig* (*apuro*) tight spot. ■ ~ *de miras,* narrow-mindedness.
estrecho,-a *adj* narrow; (*vestido, zapatos*) tight. 2 *fig* (*amistad etc.*) close. 3 *fig* (*mezquino*) mean. 4 *fig* (*estricto*) narrow. − 5 *m* GEOG straits *pl*: ~ *de Gibraltar,* Straits of Gibraltar.
estregar [48] *t* (*con paño*) to rub; (*con cepillo*) to scrub.
estrella *f* star. ●*fig tener buena/mala* ~, to be lucky/unlucky; *fig ver las estrellas,* to see stars. ■ ~ *de cine,* film star; ~ *de mar,* starfish; ~ *fugaz,* shooting star.
estrellado,-a *adj* (*cielo*) starry, star-spangled. 2 (*forma*) star-shaped. 3 (*hecho pedazos*) smashed.

estrellar(se) *t* to cover with stars. **2** *fam (hacer pedazos)* to smash (to pieces), shatter. – **3** *p* to smash, shatter. **4** *(chocar)* to crash *(contra/en,* into).

estremecer(se) [43] *t* to shake. **2** *fig (asustar)* to startle, frighten. – **3** *p (de miedo, frío)* to tremble.

estremecimiento *m* shake, shudder; *(de miedo, frío)* shiver, trembling.

estrenar(se) *t* to use/wear for the first time. **2** TEAT to perform for the first time; CINEM to release. – **3** *p* to make one's debut.

estreno *m (de algo)* first use. **2** *(persona)* debut. **3** TEAT first performance; CINEM new release, première.

estreñimiento *m* constipation.

estreñir(se) [36] *t* to constipate. – **2** *p* to become constipated.

estrépito *m* din, noise.

estrepitoso,-a *adj* noisy. **2** *(éxito)* resounding.

estrés *m* stress. ▲ *pl estreses.*

estría *f (ranura)* groove. **2** ARQ flute. **3** *(en la piel)* stretch mark.

estriar(se) *t (hacer ranuras)* to groove. **2** ARQ to flute. – **3** *p* to be grooved/fluted.

estribación *f* spur, counterfort.

estribar *i (apoyarse)* to rest *(en,* on). **2** *fig (basarse)* to lie *(en,* in).

estribillo *m* refrain. **2** *(muletilla)* pet phrase.

estribo *m* stirrup. **2** *(de carruaje)* step. **3** AUTO running board, footboard. **4** ARQ buttress. ●*perder los estribos,* to lose one's head.

estribor *m* starboard.

estricto,-a *adj* strict, severe.

estridente *adj* strident, shrill.

estrofa *f* strophe, stanza.

estropajo *m* scourer.

estropear(se) *t (máquina)* to damage. **2** *(plan etc.)* to spoil, ruin. – **3** *p (máquina)* to break down. **4** *(plan, etc.)* to fail.

estropicio *m (rotura)* breakage. **2** *(jaleo)* fuss.

estructura *f* structure.

estructurar *t* to structure, organize.

estruendo *m (ruido)* great noise, din. **2** *(confusión)* uproar.

estrujar *t* to squeeze. **2** *fig (sacar partido)* to drain.

estuario *m* estuary.

estuche *m* case, box

estudiante *mf* student.

estudiar [12] *t-i* to study.

estudio *m* study: *estar en ~,* to be under consideration. **2** *(apartamento)* studio (flat). **3** *pl (conocimientos)* studies, education *sing:* *hacer/realizar sus estudios,* to study. **4** *pl* CINEM studio *sing.*

estudioso,-a *adj* studious.

estufa *f* heater.

estupefacto,-a *adj* astounded, dumbfounded.

estupendo,-a *adj* marvellous, wonderful. – **2** *interj* great!, super!

estupidez *f* stupidity.

estúpido,-a *adj* stupid, silly. – **2** *m,f* berk, idiot.

estupor *m* stupor, amazement, astonishment.

esvástica *f* swastika.

etapa *f* period, stage. **2** DEP leg, stage.

etarra *adj* (of) ETA. – **2** *mf* member of ETA.

etcétera *f* etcetera, and so on.

éter *m* ether. **2** *(celestial)* ether, heavens *pl.* ▲ *pl éteres.*

etéreo,-a *adj* ethereal.

eternidad *f* eternity. **2** *fam* ages *pl:* *tardaste una ~,* you took ages.

eternizar(se) [4] *t* to etern(al)ize. **2** *fam* to prolong endlessly. – **3** *p* to be interminable.

eterno,-a *adj* eternal, everlasting.

ético,-a *adj* ethical. – **2** *f* ethics.

etimología *f* etymology.

etiqueta *f (rótulo)* label. **2** *(formalidad)* etiquette, formality. ■ *traje de ~,* evening/formal dress.

etiquetar *t* to label, put a label on.

étnico,-a *adj* ethnic.

eucalipto *m* eucalyptus.

eucaristía *f* Eucharist.

eufemismo *m* euphemism.

euforia *f* euphoria, elation.

eufórico,-a *adj* euphoric, elated.

eunuco *m* eunuch.

evacuación *f* evacuation.

evacuar [10] *t (lugar)* to evacuate. **2** ANAT to empty.

evadir(se) *t (peligro etc.)* to avoid. **2** *(capital)* to evade. – **3** *p (escaparse)* to escape.

evaluar [11] *t* to evaluate, assess.

evangélico,-a *adj* evangelic(al).

evangelio *m* gospel.

evaporación *f* evaporation.

evaporar(se) *t-p* to evaporate.

evasión *f (fuga)* escape. **2** *fig* evasion. ■ *~ fiscal/de impuestos,* tax evasion.

evasivo,-a *adj* evasive. — **2** *f* evasive answer: *contestar con una* ~, not to give a straight answer.

eventual *adj* (*casual*) chance. **2** (*trabajo*) casual, temporary. — **3** *mf* casual/temporary worker. — **4** *eventualmente adv* by chance.

eventualidad *f* eventuality, contingency.

evidencia *f* obviousness. ●*poner a algn. en* ~, to make a fool of sb.

evidenciar [12] *t* to show, make evident, prove.

evidente *adj* evident, obvious.

evitar *t* to avoid.

evocación *f* evocation, recollection.

evocar [1] *t* to evoke, call up. **2** (*a espíritu*) to invoke.

evolución *f* evolution.

evolucionar *i* to evolve.

exabrupto *m* sharp comment, sudden outburst.

exacerbar(se) *t* (*agravar*) to exacerbate. **2** (*enfadar*) to exasperate, irritate. — **3** *p* (*agravarse*) to become exacerbated. **4** (*enfadarse*) to feel exasperated.

exactitud *f* exactness, accuracy.

exacto,-a *adj* exact, accurate. — **2** *interj* precisely! — **3** *exactamente adv* exactly, precisely.

exageración *f* exaggeration.

exagerado,-a *adj* exaggerated. **2** *pey* (*excesivo*) excessive.

exagerar *t* to exaggerate. **2** *pey* (*exceder*) to overdo.

exaltación *f* exaltation.

exaltado,-a *adj* exalted. **2** (*excitado*) hotheaded.

exaltar(se) *t* (*ascender*) to raise. **2** (*alabar*) to exalt, praise. — **3** *p* (*excitarse*) to get overexcited.

examen *m* examination. **2** (*estudio*) inquiry, investigation. ●*presentarse a un* ~, to take/sit an exam. ■ ~ *de conciencia,* soul searching; ~ *de conducir,* driving test; ~ *médico,* checkup. ▲ *pl* *exámenes.*

examinador,-ra *adj* examining. — **2** *m,f* examiner.

examinar(se) *t* to examine. **2** (*considerar*) to look into, consider. — **3** *p* to take/sit an examination.

exánime *adj fml* lifeless.

exasperación *f* exasperation.

exasperar(se) *t* to exasperate. — **2** *p* to get exasperated.

excavación *f* excavation, digging. **2** (*arqueológica*) dig.

excavador,-ra *adj* excavator, digger. — **2** *f* digger.

excavar *t* to excavate, dig.

excedencia *f* leave (of absence).

exceder(se) *t* to exceed, surpass. — **2** *i-p* to go too far: ~ *en sus funciones,* to exceed one's authority.

excelencia *f* excellence. ●*por* ~, par excellence; *Su Excelencia,* Your Excellency.

excelente *adj* excellent.

excelso,-a *adj* lofty, sublime.

excentricidad *f* eccentricity.

excéntrico,-a *adj* eccentric.

excepción *f* exception. ●*a/con* ~ *de,* with the exception of, except for; *de* ~, exceptional. ■ POL *estado de* ~, state of emergency.

excepcional *adj* exceptional.

excepto *adv* except (for), apart from.

exceptuar [11] *t* to except, leave out.

excesivo,-a *adj* excessive.

exceso *m* excess; COM surplus. ●*con* ~, too much; *en* ~, in excess, excessively.

excitación *f* (*acción*) excitation. **2** (*sentimiento*) excitement.

excitante *adj* exciting. **2** MED stimulating. — **3** *m* stimulant.

excitar(se) *t* to excite. **2** (*emociones*) to stir up. — **3** *p* to get excited.

exclamación *f* exclamation; (*grito*) cry. ■ (*signo de*) ~, exclamation mark.

exclamar *t-i* to exclaim, cry out.

exclamativo,-a, **exclamatorio,-a** *adj* exclamatory.

excluir [62] *t* to exclude, shut out.

exclusión *f* exclusion.

exclusive *adv* exclusive(ly).

exclusivo,-a *adj* exclusive. — **2** *f* COM sole right. **3** (*prensa*) exclusive. — **4** *exclusivamente adv* exclusively.

excombatiente *adj-m* ex-serviceman, US veteran.

excomulgar [7] *t* to excommunicate.

excomunión *f* excommunication.

excremento *f* excrement.

exculpar *t* to exonerate; JUR to acquit.

excursión *f* excursion, trip. ●*ir de* ~, to go on an excursion/a trip.

excursionismo *m* hiking.

excursionista *mf* tripper; (*a pie*) hiker.

excusa *f* excuse.

excusado,-a *adj* (*de pagar*) exempt. **2** (*reservado*) private. — **3** *m* toilet.

excusar(se) *t* to excuse. 2 *(evitar)* to avoid. 3 *(eximir)* to exempt *(de,* from). – 4 *p* to apologize, excuse o.s.

exento,-a *pp* → **eximir.** – 2 *adj* free *(de,* from). 3 JUR exempt.

exequias *fpl* obsequies, funeral rites.

exfoliar [12] *t* to exfoliate.

exhalación *f* exhalation. 2 *(estrella)* shooting star.

exhalar(se) *t (gases, vapores, etc.)* to exhale. 2 *fig (suspiros)* to heave. – 3 *p fig (persona)* to rush.

exhaustivo,-a *adj* exhaustive, thorough.

exhausto,-a *adj* exhausted.

exhibición *f (exposición)* exhibition. 2 CINEM showing.

exhibicionista *mf* exhibitionist.

exhibir(se) *t* to exhibit, show. 2 JUR to produce. – 3 *p* to show off.

exhortar *t* to exhort.

exigencia *f* demand. 2 *(requisito)* requirement.

exigente *adj* demanding, exacting.

exigir [6] *t (a algn.)* to demand; *(cosa)* to require.

exil(i)ado,-a *adj* exiled, in exile. – 2 *m,f* exile.

exil(i)ar(se) [12] *t* to exile, send into exile. – 2 *p* to go into exile.

exilio *m* exile.

eximir(se) *t-p* to exempt/free (o.s.) *(de,* from). ▲ *pp* **exento,-a** or **eximido,-a.**

existencia *f* existence, life. 2 *pl* stock *sing,* stocks. ●*en ~,* in stock.

existencial *adj* existential.

existir *i* to exist, be.

éxito *m* success. ●*tener ~,* to be successful.

éxodo *m* exodus.

exonerar *t* to exonerate. 2 *(despedir)* to dismiss.

exorbitante *adj* exorbitant.

exorcista *mf* exorcist.

exorcizar [4] *t* to exorcise.

exótico,-a *adj* exotic.

expandir(se) *t-p (dilatar)* to expand. 2 *(divulgar)* to spread.

expansión *f (dilatación)* expansion. 2 *(difusión)* spreading. 3 *(recreo)* relaxation, recreation.

expansionarse *p (dilatarse)* to expand. 2 *(divertirse)* to amuse o.s.

expansivo,-a *adj (gas etc.)* expansive. 2 *(franco)* open, frank.

expatriar(se) [14] *t* to expatriate. – 2 *p* to emigrate.

expectación *f* expectation.

expectativa *f* expectation, hope. 2 *(posibilidad)* prospect: *estar a la ~,* to be on the lookout. ■ *~ de vida,* life expectancy.

expectorar *t-i* to expectorate.

expedición *f* expedition; *(personas)* party. 2 *(envío)* dispatch.

expediente *m* JUR proceedings *pl,* action. 2 *(informe)* dossier, record. 3 *(recurso)* expedient. ●*fam cubrir el ~,* to go through the motions.

expedir [34] *t (certificado etc.)* to issue. 2 *(despachar)* to dispatch. 3 *(enviar)* to send off, remit.

expeditivo,-a *adj* expeditious.

expedito,-a *adj* free, clear.

expeler *t* to expel, eject. ▲ *pp* **expulso,-a** or **expelido,-a.**

expendeduría *f* tobacconist's (shop).

expensas *fpl* expenses. ●*a ~ de,* at the expense of.

experiencia *f* experience. 2 *(experimento)* experiment. ●*por ~,* from experience.

experimentación *f* experimentation.

experimentado,-a *adj* experienced. 2 *(método)* tested.

experimentar *t (probar)* to experiment, try. 2 *(sentir)* to experience; *(cambio)* undergo: *~ una mejoría,* to improve.

experimento *m* experiment, test.

experto,-a *adj-m,f* expert.

expiación *f* expiation.

expiar [13] *t* to expiate.

expirar *i* to expire.

explanada *f* esplanade.

explanar *t (allanar)* to level, grade. 2 *(explicar)* to explain.

explayar(se) *t-p* to extend. – 2 *p (confiarse)* to confide *(con,* in). 3 *(divertirse)* to amuse o.s.

explicación *f* explanation.

explicar(se) [1] *t* to explain, expound. – 2 *p (comprender)* to understand: *no me lo explico,* I can't understand it.

explícito,-a *adj* explicit, express.

exploración *f* exploration. 2 MED probe

explorador,-ra *adj* exploring. – 2 *m,f* explorer.

explorar *t* to explore. 2 MED to probe. 3 MIL to reconnoitre.

explosión *f* explosion, blast. 2 *fig* outburst.

explosionar *t-i* to explode.

explosivo,-a *adj-m* explosive.

explotación *f* exploitation. ■ *~ agrícola,* farm; *~ forestal,* forestry.

explotador,-ra *m,f* exploiter.

explotar *t (sacar provecho)* to exploit; *(mina)* to work; *(tierra)* to cultivate. – 2 *i (explosionar)* to explode, go off.

expoliación *f* plundering.

exponente *m* index, exponent.

exponer(se) [78] *t (explicar)* to expound, explain. 2 *(mostrar)* to expose, show, exhibit. 3 *(arriesgar)* to expose, risk. – 4 *p (arriesgarse)* to expose o.s. (*a*, to). ▲ *pp* **expuesto,-a**.

exportación *f* export(ation).

exportador,-ra *adj* exporting. – 2 *m,f* exporter.

exportar *t* to export.

exposición *f (de arte)* exhibition. 2 *(explicación)* account, explanation. 3 *(fotografía)* exposure. 4 *(riesgo)* risk. ■ *sala de exposiciones,* (art) gallery.

expósito,-a *adj-m,f* foundling.

exprés *adj* express. ■ *(café)* ~, expresso (coffee); *olla* ~, pressure cooker; *tren* ~, express (train).

expresar(se) *t-p* to express (o.s.).

expresión *f* expression. ■ ~ *corporal,* free expression.

expresivo,-a *adj (elocuente)* expressive. 2 *(afectuoso)* affectionate, warm.

expreso,-a *adj* express. – 2 *m (tren)* express (train). – 3 *expresamente adv (específicamente)* specifically. 4 *(adrede)* on purpose.

exprimidera *f,* **exprimidor** *m* squeezer.

exprimir *t* to squeeze.

expropiar [12] *t* to expropriate.

expuesto,-a *pp* → **exponer**. – 2 *adj (peligroso)* dangerous.

expulsar *t* to expel. 2 DEP to send off.

expulsión *f* expulsion. 2 *(dep)* sending off.

expulso,-a *pp* → **expeler**.

expurgar [7] *t* to expurgate. 2 *fig* to purge.

exquisito,-a *adj* exquisite.

extasiarse [13] *p* to be in ecstasy, be delighted.

éxtasis *m inv* ecstasy, rapture.

extender(se) [28] *t* to extend. 2 *(agrandar)* to enlarge. 3 *(mapa, papel)* to spread (out). 4 *(brazo etc.)* to stretch (out). 5 *(documento)* to draw up; *(cheque)* to make out; *(pasaporte, certificado)* to issue. – 6 *p (durar)* to extend, last. 7 *(terreno)* to spread out. 8 *fig* to enlarge.

extensión *f gen* extension. 2 *(dimensión)* extent, size.

extensivo,-a *adj* extendable, extensive.

extenso,-a *adj (amplio)* extensive, vast. – 2 *extensamente adv* extensively. 3 *fig* widely.

extenuado,-a *adj* exhausted.

extenuar(se) [11] *t* to exhaust; *(debilitar)* to weaken. – 2 *p* to exhaust o.s.

exterior *adj* exterior, outer. 2 *(extranjero)* foreign: *política* ~, foreign policy. – 3 *m* exterior, outside. 4 *(de una persona)* appearance. 5 *pl* CINEM location *sing.* – 6 *exteriormente adv* outwardly.

exteriorizar [4] *t* to show, reveal, manifest.

exterminar *t* to exterminate.

exterminio *m* extermination.

externo,-a *adj* external, outward: *parte externa,* outside. ●*"de uso* ~", "external· use only".

extinción *f* extinction.

extinguir(se) [8] *t (fuego)* to extinguish, put out. 2 *(especie)* to wipe out. – 3 *p (fuego)* to go out. 4 *(especie)* to become extinct. ▲ *pp* **extinto,-a**.

extinto,-a *pp* → **extinguir**. – 2 *adj* extinguished. – 3 *m,f (muerto)* dead.

extintor *m* fire extinguisher.

extirpación *f* MED removal, extraction. 2 *fig* eradication.

extirpar *t* MED to remove, extract. 2 *fig* to eradicate.

extra *adj* extra. – 2 *mf* CINEM extra. – 3 *m (gasto)* extra expense. 4 *(plus)* bonus. ■ *paga* ~, bonus.

extracción *f* extraction.

extracto *m (substancia)* extract. 2 *(resumen)* summary. ■ ~ *de cuenta,* statement of account.

extractor,-ra *m,f* extractor.

extraer [88] *t* to extract.

extranjero,-a *adj* foreign, alien. – 2 *m,f* foreigner, alien. – 3 *m* foreign countries *pl,* abroad: *viajar al* ~, to travel/go abroad.

extrañar(se) *t (desterrar)* to banish, exile. 2 *(sorprender)* to surprise. 3 AM *(echar de menos)* to miss. – 4 *p (desterrarse)* to go into exile. 5 *(sorprenderse)* to be surprised (*de/por,* at).

extraño,-a *adj (no conocido)* alien, foreign. 2 *(particular)* strange, peculiar. – 3 *m,f* stranger.

extraordinario,-a *adj* extraordinary.

extrarradio *m* outskirts *pl.*

extraterrestre *adj* extraterrestrial, alien. – 2 *mf* alien.

extravagancia *f* extravagance, eccentricity.

extravagante *adj* extravagant, eccentric.

extraviado,-a *adj* missing, lost: *perro ~*, stray dog. 2 *(lugar)* out-of-the-way.

extraviar(se) [13] *t (persona)* to lead astray. 2 *(objeto)* to mislay. – 3 *p (persona)* to get lost. 4 *(objeto)* to get mislaid.

extravío *m (pérdida)* loss, mislaying. 2 *fig* deviation.

extremado,-a *adj* extreme.

extremar(se) *t* to carry to extremes. – 2 *p* to do one's best.

extremaunción *f* extreme unction.

extremidad *f (parte extrema)* extremity; *(punta)* end, tip. 2 *pl* ANAT limbs, extremities.

extremista *adj-mf* extremist.

extremo,-a *adj (superior)* extreme, utmost. 2 *(distante)* far. 3 *fig (intenso)* utmost. – 4 *m* extreme, end. 5 DEP wing. ●*en último ~*, as a last resort; *hasta tal ~*, to such a point.

extrínseco,-a *adj* extrinsic.

extrovertido,-a *adj* extraverted, extroverted. – 2 *m,f* extravert, extrovert.

exuberancia *f* exuberance.

exultar *i* to exult.

exvoto *m* votive offering.

eyaculación *f* ejaculation. ■ *~ precoz*, premature ejaculation.

eyacular *i* to ejaculate.

F

fábrica f *(industria)* factory, plant. **2** *(fabricación)* manufacture. ■ ~ *de cerveza,* brewery; ~ *de conservas,* canning plant; *precio de* ~, factory/ex-works price.

fabricación f manufacture, production. ●*de* ~ *casera,* home-made; *de* ~ *propia,* our own make.

fabricante mf manufacturer.

fabricar [1] t to make, manufacture, produce. **2** *(inventar)* to fabricate, invent. ●~ *en serie,* to mass-produce.

fabuloso,-a adj fabulous, fantastic.

facción f POL faction. **2** pl *(rasgos)* (facial) features.

facha f fam *(aspecto)* appearance, look. **2** *(mamarracho)* mess, sight: *estar hecho una* ~, to look a mess/sight. − **3** adj-mf pey fascist.

fachada f façade, front. **2** fam *(apariencia)* outward show, window dressing.

fácil adj easy. **2** *(probable)* probable, likely. **3** pey *(mujer)* easy, loose.

facilidad f easiness, facility. **2** *(talento)* talent, gift. ■ *facilidades de pago,* easy terms.

facilitar t *(simplificar)* to make easy, facilitate. **2** *(proporcionar)* to provide/supply (-, with).

factible adj feasible, practicable.

factor m factor.

factoría f COM trading post. **2** *(fábrica)* factory, mill.

factura f invoice, bill. ●*pasar/presentar* ~ *a,* to invoice, send a bill to.

facturar t COM to invoice, charge. **2** *(equipaje)* to register, check in.

facultad f *(capacidad)* faculty, ability. **2** *(poder)* faculty, power. **3** *(universitaria)* faculty, school.

facultar t to empower, authorize.

facultativo,-a adj *(opcional)* optional. **2** *(profesional)* professional. − **3** m,f doctor, physician.

faena f *(tarea)* task, job. **2** fam *(mala pasada)* dirty trick. ●*fam estar metido,-a en* ~, to be hard at work. ■ *faenas de la casa,* housework sing.

faenar i *(pesca)* to fish.

faja f *(cinturón)* band, belt. **2** *(de mujer)* girdle. **3** *(banda)* sash. **4** *(correo)* wrapper. **5** *(franja)* strip.

fajo m bundle; *(de billetes)* wad.

falaz adj *(erróneo)* fallacious. **2** *(engañoso)* deceitful, false.

falda f *(prenda)* skirt. **2** *(regazo)* lap. **3** *(ladera)* slope. ■ ~ *escocesa,* kilt; ~ *pantalón,* culottes pl.

fallar i-t JUR to pass, pronounce. **2** *(premio)* to award. − **3** i *(fracasar, no funcionar)* to fail. **4** *(ceder)* to give way, collapse. ●~ *la puntería,* to miss one's aim; ~ *los cálculos,* to be wrong, miscalculate.

fallecer [43] i fml to pass away, die.

fallecimiento m decease, demise.

fallido,-a adj unsuccessful, frustrated.

fallo m *(error)* mistake, blunder; *(fracaso)* failure. **2** *(defecto)* fault, defect. **3** JUR judgement, sentence. **4** *(premio)* awarding.

falsear t *(informe etc.)* to falsify; *(hechos)* to distort. **2** *(falsificar)* to counterfeit, forge.

falsedad f *(hipocresía)* falseness, hypocrisy. **2** *(mentira)* falsehood, lie.

falsificación f falsification, forgery.

falsificador,-ra adj forging; *(de dinero)* counterfeiting. − **2** m,f forger; *(de dinero)* counterfeiter.

falsificar [1] t to falsify. **2** *(cuadro, firma)* to forge; *(dinero)* to counterfeit, forge.

falso,-a *adj* false, untrue. 2 *(persona)* insincere, treacherous.

falta *f (carencia)* lack, shortage, absence. 2 *(error)* mistake: ~ *de ortografía,* spelling mistake. 3 *(defecto)* fault, defect. 4 *(mala acción)* misdeed. 5 MED missed period. 6 JUR misdemeanour. 7 DEP *(fútbol)* foul; *(tenis)* fault. ●*a/por ~ de algo,* for want/lack of sth.; *hacer ~,* to be necessary; *sin ~,* without fail. ■ ~ *de educación,* bad manners *pl.*

faltar *i (no estar) (cosa)* to be missing; *(persona)* to be absent. 2 *(haber poco)* to be lacking/needed. 3 *(no tener)* to lack, not have (enough): *me falta azúcar,* I haven't got enough sugar. 4 *(no acudir)* not to go, miss *(a, -).* 5 *(incumplir)* to break, not keep: ~ *a su palabra/promesa,* to break one's word/promise. 6 *(quedar)* to be left. ●*¡lo que me faltaba!,* that's all I needed!; *¡no faltaba más!,* *(por supuesto)* (but) of course!; *(por supuesto que no)* absolutely not!

falto,-a *adj* lacking, without, short. ●~ *de dinero,* short of money; ~ *de recursos,* without resources.

fama *f (renombre)* fame, renown. 2 *(reputación)* reputation. ●*de ~ mundial,* world-famous; *tener buena/mala ~,* to have a good/bad name.

famélico,-a *adj* starving, famished.

familia *f* family. 2 *(prole)* children *pl.* ●*estar en ~,* to be among friends.

familiar *adj (de la familia)* (of the) family. 2 *(conocido)* familiar, well-known. 3 GRAM colloquial. – 4 *mf* relation, relative.

familiaridad *f* familiarity, informality.

familiarizar(se) [4] *t-p* to familiarize *(con,* with).

famoso,-a *adj* famous, well-known.

fan *mf* fan, admirer. ●*ser un/una ~ de algo,* to be mad on sth.

fanático,-a *adj* fanatic(al). – 2 *m,f* fanatic.

fanatismo *m* fanaticism.

fanfarrón,-ona *adj fam* swanky, boastful. – 2 *m,f* show-off, swank, braggart.

fanfarronear *i fam (chulear)* to show off. 2 *(bravear)* to brag, boast.

fango *m (barro)* mud, mire. 2 *fig* degradation.

fantasear *t* to (day)dream.

fantasía *f* fantasy, fancy. ●*tener mucha ~,* to be too full of imagination.

fantasioso,-a *adj* imaginative.

fantasma *m (espectro)* phantom, ghost. 2 *fam (fanfarrón)* braggart, show-off.

fantástico,-a *adj* fantastic.

fantoche *m (títere)* puppet, marionette. 2 *pey (fanfarrón)* braggart, show-off. 3 *pey (mamarracho)* nincompoop, ninny.

fardar *i arg (presumir)* to show off, swank.

fardo *m (paquete)* bundle, pack. ●*fam estar hecho,-a un ~,* to look like a barrel.

farfullar *t* to gabble, jabber.

farmacéutico,-a *adj* pharmaceutical. – 2 *m,f (licenciado)* pharmacist. 3 *(en una farmacia)* chemist, US druggist, pharmacist.

farmacia *f (estudios)* pharmacology. 2 *(tienda)* chemist's (shop), US drugstore, pharmacy.

fármaco *m* medicine, medication.

faro *m (torre)* lighthouse, beacon. 2 *(coche)* headlight. 3 *fig (guía)* guiding light, guide.

farol *m (luz)* lantern; *(farola)* streetlamp, streetlight. 2 *arg (fardada)* bragging, swank; *(engaño)* bluff. ●*arg marcarse/tirarse un ~,* to brag, boast.

farola *f* streetlight, streetlamp; *(de gas)* gas lamp.

farsa *f* TEAT farce. 2 *(enredo)* sham, farce.

farsante *adj* lying, deceitful. – 2 *mf* fake, impostor.

fascículo *m* fascicle, instalment.

fascinación *f* fascination.

fascinador,-ra *adj* fascinating.

fascinar *t* to fascinate, captivate.

fascista *adj-mf* fascist.

fase *f* phase, stage.

fastidiado,-a *adj (hastiado)* sickened, disgusted. 2 *(molesto)* annoyed. 3 *(dañado)* damaged, in bad condition. 4 *fam (estropeado)* ruined, spoilt.

fastidiar(se) [12] *t (hastiar)* to sicken, disgust. 2 *(molestar)* to annoy, bother. 3 *(partes del cuerpo)* to hurt. 4 *fam (estropear)* to damage, ruin; *(planes)* to spoil, upset, mess up. – 5 *p (aguantarse)* to put up with. 6 *fam (estropearse)* to get damaged, break down: *se ha fastidiado el tocadiscos,* the record-player is bust. 7 *(lastimarse)* to hurt/injure o.s.: *me he fastidiado la mano,* I've hurt my hand. ●*fam ¡que se fastidie!,* that's his/her tough luck!; *fam ¡no fastidies!,* you're kidding!

fastidio *m (molestia)* bother, nuisance. 2 *(aburrimiento)* boredom.

fastidioso,-a *adj (molesto)* annoying, irksome. 2 *(aburrido)* boring, tedious.

fastuoso,-a *adj* splendid, lavish, ostentatious.

fatal adj (inexorable) fateful. 2 (mortal) deadly, fatal. 3 fam (muy malo) awful, horrible, terrible. — 4 adv fam awfully, terribly.

fatalidad f (destino) fate. 2 (desgracia) misfortune.

fatídico,-a adj (desastroso) disastrous. 2 fml (profético) fateful, ominous.

fatiga f (cansancio) fatigue. 2 pl (molestia) troubles, difficulties.

fatigar(se) [7] t (ayudar) to wear out, tire. 2 (molestar) to annoy. — 3 p to tire, get/become tired.

fatuo,-a adj (necio) fatuous. 2 (vano) vain, conceited.

favor m favour. ●a ~ de, in favour of; por ~, please; tener algo a su ~, to have sth. in one's favour.

favorable adj favourable; (condiciones) suitable.

favorecer [43] t (ayudar) to favour, help. 2 (agraciar) to flatter, suit.

favoritismo m favouritism.

favorito,-a adj-m,f favourite.

fe f faith. 2 fml (certificado) certificate. ●de buena/mala ~, with good/dishonest intentions. ■ ~ de erratas, errata.

fealdad f ugliness.

febrero m February.

febril adj MED feverish. 2 (desasosegado) hectic, restless.

fecha f date. 2 (día) day. 3 pl (época) time sing: por esas fechas, at that time. ●con/de ~ ..., dated ...; hasta la ~, so far. ■ ~ límite/tope, deadline.

fechar t to date, put the date on.

fechoría f misdeed, misdemeanour; (de niño) mischief.

fecundación f fertilization. ■ ~ in vitro, in vitro fertilization.

fecundar t to fertilize.

fecundo,-a adj fertile, fecund.

federación f federation.

federar(se) t-p to federate.

fehaciente adj fml authentic, reliable.

felicidad f happiness. ●¡felicidades!, congratulations!

felicitación f (tarjeta) greetings card. 2 pl congratulations.

felicitar t to congratulate (por, on). ●~ a algn. las Navidades/por su santo, to wish sb. merry Christmas/a happy Saint's Day; ¡te/os felicito!, congratulations!

feligrés,-esa m,f parishioner.

felino,-a adj-m feline.

feliz adj happy. 2 (acertado) fortunate. ●¡~ Navidad!, Happy/Merry Christmas!

felpudo,-a adj (textil) plush, plushy. — 2 m (door)mat.

femenino,-a adj feminine; (sexo) female.

feminismo m feminism.

feminista adj-mf feminist.

fenomenal adj phenomenal. 2 fam (fantástico) great, terrific. 3 fam (enorme) colossal, huge. — 4 adv wonderfully, marvellously.

fenómeno m phenomenon. 2 (prodigio) genius. 3 (monstruo) freak. — 4 adj fam fantastic, terrific.

feo,-a adj (desagradable) ugly. 2 (malo) nasty. 3 (indigno) improper, rude, not nice. — 4 m,f ugly person. — 5 m (ofensa) slight, snub: hacerle un ~ a algn., to slight/snub sb.

féretro m coffin.

feria f COM fair. 2 (fiesta) fair, festival. ■ ~ de muestras, trade exhibition/fair.

fermentar i to ferment.

ferocidad f ferocity, fierceness.

feroz adj fierce, ferocious.

férreo,-a adj ferreous. 2 fig (tenaz) iron: voluntad férrea, iron will.

ferretería f (tienda) ironmonger's (shop), hardware store. 2 (género) ironmongery, hardware. 3 (ferrería) forge.

ferrocarril m railway, US railroad.

ferroviario,-a adj rail(way). — 2 m,f (trabajador) railway employee/worker.

fértil adj fertile, rich.

fertilidad f fertility.

fertilizante adj fertilizing. — 2 m (abono) fertilizer.

fertilizar [4] t to fertilize.

ferviente adj fervent, passionate.

fervor m fervour.

fervoroso,-a adj → ferviente.

festejar t (celebrar) to celebrate. 2 (agasajar) to wine and dine, entertain. 3 (cortejar) to court, woo.

festejo m feast, entertainment. 2 (galanteo) courting, courtship. 3 pl festivities.

festín m feast, banquet.

festival m festival.

festividad f (fiesta) festivity, celebration. 2 (día) feast day, holiday.

festivo,-a adj (alegre) festive, merry. 2 (agudo) witty. ■ día ~, holiday.

fétido,-a adj stinking, fetid.

feto m foetus. 2 fam (feo) monster, ugly sod.

fiable adj reliable; (persona) trustworthy.

fiado,-a adj COM on credit. 2 (confiado) trusting.

fiador,-ra m,f guarantor. ●**salir/ser ~ de algn.**, (pagar fianza) to stand bail for sb.; (avalar) to vouch for sb.

fiambre adj (served) cold. 2 irón stale, old. – 3 m cold cut. 4 fam (cadáver) stiff, corpse. ●**dejar ~ a algn.**, to do sb. in.

fiambrera f lunch box.

fianza f (depósito) deposit, security. 2 JUR bail. ■ **bajo ~**, on bail.

fiar(se) [13] t (asegurar) to guarantee. 2 (vender) to sell on credit. 3 (confiar) to confide, entrust. – 4 p (confiarse) to trust (de, -). ●**de ~**, trustworthy; "**no se fía**", "no credit given".

fibra f (filamento) fibre. 2 (de madera) grain. 3 fig (carácter) push, go.

ficción f fiction.

ficha f (tarjeta) index/file card. 2 (teléfono) token. 3 (juegos) counter; (naipes) chip; (ajedrez) piece, man; (dominó) domino. ■ **~ policíaca**, police record; **~ técnica**, specifications pl; CINEM credits pl.

fichaje m signing (up).

fichar t (anotar) to put on an index card, file. 2 fam (conocer) to size up: **lo tengo bien fichado**, I've got him sized up. 3 DEP to sign up. – 4 i (al entrar) to clock in; (al salir) to clock out. ●**estar fichado,-a por la policía**, to have a police record.

fichero m (archivo) card index. 2 (mueble) filing cabinet, file.

ficticio,-a adj fictitious.

fidedigno,-a adj trustworthy, reliable.

fidelidad f (lealtad) fidelity, faithfulness. 2 (exactitud) accuracy. ■ **alta ~**, high fidelity, hi-fi.

fideo m noodle. ●**fam estar como un ~**, to be as thin as a rake.

fiebre f MED fever. 2 (agitación) fever, excitement. ●**tener ~**, to have a temperature.

fiel adj (leal) faithful, loyal. 2 (exacto) accurate. – 3 m (de balanza) needle, pointer. ●**ser ~ a**, to be faithful to.

fieltro m felt.

fiero,-a adj (animal) (salvaje) wild; (feroz) fierce, ferocious. 2 (persona) cruel. 3 AM (feo) ugly. – 4 f (animal) wild animal/beast. 5 fig (persona) beast, brute. 6 fig (genio) wizard. 7 (toro) bull. ●**fam estar hecho,-a una fiera**, to be in a rage; **ser una fiera para algo**, to be brilliant at sth.

fiesta f (vacaciones) holiday. 2 (reunión) party. 3 (festividad) celebration, festivity. 4 REL feast. ●**hacer ~ un día**, to take a day off; **¡tengamos la ~ en paz!**, cut it out!; fig **estar de ~**, to be in a festive mood. ■ **~ de guardar/precepto**, day of obligation; fig **la ~ nacional**, bullfighting.

figura f figure. 2 (forma) shape. 3 CINEM TEAT character. ■ **~ decorativa**, figurehead.

figuración f imagination. ●**son figuraciones mías/tuyas/suyas ...**, it's just my/your/his ... imagination.

figurar(se) t (representar) to represent. 2 (simular) to simulate, pretend. – 3 i (aparecer) to appear, figure. 4 (destacar) to stand out, be important. – 5 p (imaginarse) to imagine, suppose. ●**¡figúrate!**, just imagine!, **ya me lo figuraba**, I thought as much.

figurativo,-a adj figurative.

figurín m (dibujo) sketch. 2 (revista) fashion magazine. 3 pey dandy, fop.

fijador,-ra adj fixing. – 2 m (pelo) hairspray, hair gel; (dibujo etc.) fixative.

fijar(se) t (sujetar) to fix, fasten. 2 (pegar) to stick, post. 3 (establecer) to set, determine. – 4 p (darse cuenta) to notice. 5 (poner atención) to pay attention, watch. ●**~ residencia**, to take up residence; **¡fíjate/fíjese!**, (just) fancy that! ●**~ la vista/los ojos**, to stare (en, at).

fijo,-a adj (sujeto) fixed, fastened. 2 (establecido) set, determined. 3 (firme) steady, stable, firm. 4 (permanente) permanent. 5 (fotografía) fast. – 6 **fijamente** adv fixedly.

fila f file, line. 2 (de local) row. 3 pl MIL ranks. ●**en ~ de uno/~ india**, in single file; **en primera ~**, in the front row; MIL **llamar a algn. a filas**, to call sb. up; **poner en ~**, to line up; MIL **¡rompan filas!**, fall out!, dismiss!

filatelia f philately, stamp collecting.

filete m (de carne, pescado) fillet; (solomillo) sirloin. 2 (encuadernación) fillet. 3 (moldura) fillet. 4 (tornillo) thread.

filiación f (datos personales) particulars pl. 2 POL affiliation.

filial adj filial. – 2 adj-f COM subsidiary, branch.

filigrana f (orfebrería) filigree. 2 (papel) watermark. 3 pl fig intricacy sing, intricate work sing.

film(e) m film, picture, US movie.

filmar t to film, shoot.

filo m (cutting) edge. ●**sacar ~ a algo**, to sharpen sth.; fig **al ~ de la medianoche**, on the stroke of midnight; *fig* *arma de doble* ~, double-edged argument.

filólogo,-a *m,f* philologist.

filón *m (mineral)* seam, vein. **2** *(buen negocio)* gold mine.

filosofía *f* philosophy.

filósofo,-a *m,f* philosopher.

filtración *f* filtration. **2** *(de información)* leak.

filtrar(se) *t-i* to filter. **– 2** *p (información)* to leak (out).

filtro *m* filter. **2** *(poción)* philtre, love potion.

fin *m (final)* end. **2** *(objetivo)* purpose, aim. ●*a ~ de,* in order to, so as to; *a ~ de que,* so that; *al ~ y al cabo,* when all's said and done; *en ~,* anyway; *no tener* ~, to be endless; *¡por/al ~!,* at last! ■ ~ *de fiesta,* grand finale; ~ *de semana,* weekend.

final *adj* final, last. **– 2** *m* end. **– 3** *finalmente adv* finally. ●*al* ~, in the end; *al* ~ *del día,* at the end of the day.

finalidad *f* purpose, aim.

finalista *adj* in the final: *equipo* ~, team in the final. **– 2** *mf* finalist.

finalizar [4] *t-i* to end, finish.

financiación *f* financing.

financiar [12] *t* to finance.

financiero,-a *adj* financial. **– 2** *m,f* financier.

finanzas *fpl* finances.

finca *f* property, estate. ■ ~ *urbana,* building.

fingido,-a *adj* feigned, false.

fingir(se) [6] *t* to feign, pretend. **– 2** *p* to pretend to be.

finiquito *m (acción)* settlement. **2** *(documento)* final discharge.

finito,-a *adj* finite.

fino,-a *adj* fine. **2** *(alimento)* choice, select. **3** *(sentidos)* sharp, acute. **4** *(delgado)* thin. **5** *(educado)* refined, polite. **6** *(sutil)* subtle. **– 7** *m (vino)* dry sherry. ●*fam estar ~,* to be witty/shrewd; *fam irón ir* ~, to be plastered/stoned.

finura *f (calidad)* fineness. **2** *(agudeza)* sharpness, acuteness. **3** *(refinamiento)* refinement. **4** *(sutileza)* finesse.

firma *f (autógrafo)* signature. **2** *(acto)* signing. **3** *(empresa)* firm.

firmamento *m* firmament.

firmante *adj-mf* signatory. ●*el/la abajo* ~, the undersigned.

firmar *t* to sign.

firme *adj* firm, steady. **– 2** *m (terreno)* road surface. **– 3** *adv* hard. ●*MIL ¡firmes!,* attention!; *fig* *mantenerse* ~, to hold one's ground. ■ *sentencia* ~, final judgement; *tierra* ~, terra firma.

firmeza *f* firmness, steadiness.

fiscal *adj* fiscal. **– 2** *mf* JUR public prosecutor, US district attorney. **3** *fig* snooper.

fiscalizar [4] *t* to supervise, inspect.

fisco *m* exchequer, treasury.

fisgar [7] *t fam* to pry, snoop.

fisgón,-ona *adj (espía)* snooper; *(curioso)* busybody.

fisgonear *t* to pry, snoop.

físico,-a *adj* physical. **– 2** *m,f (profesión)* physicist. **– 3** *m (aspecto)* physique. **– 4** *f (ciencia)* physics.

fisiología *f* physiology.

fisión *f* fission.

fisioterapia *f* physiotherapy.

fisonomía *f* physiognomy, appearance.

fisonomista *mf ser buen/mal* ~, to be good/no good at remembering faces.

fisura *f* fissure.

flaccidez, flacidez *f* flaccidity, flabbiness.

fláccido,-a, flácido,-a *adj* flaccid, flabby.

flaco,-a *adj* thin, skinny. **2** *fig* weak, frail. **– 3** *m (defecto)* weak point/spot.

flagrante *adj* flagrant. ●*en* ~ *delito,* red-handed.

flamante *adj (vistoso)* splendid, brilliant. **2** *(nuevo)* brand-new.

flamear *i* to flame, blaze. **2** *(ondear)* to flutter, flap. **– 3** *t* CULIN to flambé.

flan *m* caramel custard. ●*fam estar como un* ~, *(físico)* to feel tired and washed out; *(ánimo)* to be easily upset.

flanco *m* flank, side.

flaquear *i (ceder)* to weaken, give in. **2** *(fallar)* to fail. **3** *(desalentarse)* to lose heart. **4** *(disminuir)* to decrease.

flaqueza *f* weakness, frailty.

flash *m (fotografía)* flash. **2** *(noticia breve)* newsflash.

flato *m* wind, flatulence.

flauta *f* flute. **– 2** *mf* flautist. ■ ~ *de Pan,* pipes *pl* of Pan; ~ *dulce,* recorder; ~ *travesera,* transverse/cross flute.

flautista *mf* flautist.

flecha *f* arrow. ●*salir como una* ~, to go off like a shot.

flechazo *m (disparo)* arrow shot. **2** *(herida)* arrow wound. **3** *fig (enamoramiento)* love at first sight.

fleco *m (adorno)* fringe. **2** *(deshilachado)* frayed edge.

flemón *m* gumboil, abscess.

flequillo *m* fringe, US bangs *pl*.

fletar *t* to charter, freight.

flexible *adj* flexible.

flexión *f* flexion. 2 LING inflection. 3 DEP press-up, US push-up. ▲ 3 *often pl*.

flexionar *t* (*músculo*) to flex; (*cuerpo*) to bend.

flipar(se) *arg t* to fascinate, drive wild. − 2 *p* (*drogas*) to get stoned.

flojear *i* (*disminuir*) to fall off, go down. 2 (*debilitarse*) to weaken, grow weak.

flojera *f fam* weakness, faintness.

flojo,-a *adj* (*suelto*) loose, slack. 2 (*débil*) weak: *un viento muy ~,* a light wind. 3 (*perezoso*) lazy, idle. − 4 *m,f* lazy person, idler. ●*arg me la trae floja,* I couldn't give a toss.

flor *f* flower. 2 (*piropo*) compliment: ●*a ~ de piel,* skin-deep; *en ~,* in blossom; *fig en la ~ de la vida,* in the prime of life; *fig la ~ y nata,* the cream (of society).

floreado,-a *adj* flowered, flowery.

florecer(se) [43] *i* (*plantas*) to flower, bloom; (*árboles*) to blossom. 2 (*prosperar*) to flourish, thrive. − 3 *p* (*pan etc.*) to go mouldy.

floreciente *adj* flourishing, prosperous.

florecimiento *m* (*plantas*) flowering, blooming; (*árboles*) blossoming. 2 (*auge*) flourishing.

florero *m* vase.

florido,-a *adj* (*con flores*) flowery. 2 (*selecto*) choice, select.

florista *mf* florist.

floristería *f* florist's (shop).

flota *f* fleet.

flotador *m* float. 2 (*de niño*) rubber ring.

flotar *i* to float. 2 (*ondear*) to wave, flutter.

flote *m* floating. ●*a ~,* afloat; *fig salir a ~,* to get back on one's feet, get out of difficulty.

fluctuar [11] *i* to fluctuate. 2 (*vacilar*) to hesitate.

fluidez *f* fluidity. 2 *fig* fluency.

fluido,-a *adj* fluid. 2 *fig* fluent. − 3 *m* FÍS fluid. ■ *~ eléctrico,* current.

fluir [62] *i* to flow.

fluorescente *adj* fluorescent. − 2 *m* fluorescent light.

foca *f* seal. 2 *fam* (*persona*) fat lump.

foco *m* centre, focal point. 2 FÍS MAT focus. 3 (*lámpara*) spotlight, floodlight. 4 AM (electric light) bulb. ■ *~ de atención,* focus of attention.

fofo,-a *adj* soft, spongy. 2 (*persona*) flabby.

fogón *m* (*cocina*) kitchen range, stove. 2 (*de máquina de vapor*) firebox.

fogosidad *f* ardour, fire.

fogoso,-a *adj* fiery, spirited.

follaje *m* foliage, leaves *pl*.

follar(se)* *arg i-p* (*copular*) to fuck*, screw*.

folletín *m* (*relato*) newspaper serial. 2 *fig* (*melodrama*) saga. ●*¡menudo ~!,* what a saga!

folleto *m* (*prospecto*) pamphlet, leaflet, brochure; (*explicativo*) instruction leaflet; (*turístico*) brochure.

follón *fam m* (*alboroto*) rumpus, shindy. 2 (*enredo, confusión*) mess, trouble. ●*armar (un) ~,* to kick up a rumpus.

follonero,-a *adj* troublemaking. − 2 *m,f* troublemaker.

fomentar *t* to promote, encourage, foster.

fonda *f* inn, small restaurant.

fondear *t* (*sondear*) to sound. 2 (*registrar*) to search. 3 *fig* (*examinar*) to get to the bottom of, delve into. − 4 *i* to anchor.

fondista *mf* innkeeper. 2 DEP long-distance runner.

fondo *m* (*parte más baja*) bottom. 2 (*parte más lejana*) end, back. 3 (*segundo término*) background. 4 FIN fund. 5 (*de libros etc.*) stock. 6 *pl* (*dinero*) funds, money *sing*. ●*a ~,* thoroughly; *fig en el ~,* deep down, at heart; *fig tocar ~,* to reach rock bottom. ■ *bajos fondos,* dregs of society; *doble ~,* false bottom; *~ común,* kitty; *~ del mar,* sea bed.

fontanería *f* plumbing.

fontanero,-a *m,f* plumber.

footing *m* jogging.

forajido,-a *m,f* outlaw, desperado.

forastero,-a *adj* foreign, alien. − 2 *m,f* stranger, outsider.

forcejear *i* to wrestle, struggle.

forense *adj* forensic, legal. − 2 *mf* (*médico*) *~,* forensic surgeon.

forestal *adj* forest. ■ *repoblación ~,* reafforestation.

forja *f* (*fragua*) forge. 2 (*forjado*) forging. 3 (*ferrería*) ironworks, foundry.

forjar *t* (*metales*) to forge. 2 *fig* (*crear*) to create, make.

forma *f* form, shape. 2 (*manera*) way. 3 DEP form. 4 *pl* (*modales*) manners, social conventions. 5 *pl fam* (*de mujer*) curves. ●*de ~ que,* so that; *de todas formas,* anyway, in any case; *estar en baja ~,* to be off form; *estar en ~,* to be in shape, be fit; *ponerse en* ~, to get fit. ■ ~ *de pago,* method of payment; ~ *física,* physical fitness.

formación *f* formation. 2 *(educación)* upbringing. 3 *(enseñanza)* education, training.

formal *adj (serio)* serious, serious-minded. 2 *(cumplidor)* reliable, dependable. 3 *(cortés)* polite.

formalidad *f* formality. 2 *(seriedad)* seriousness. 3 *(fiabilidad)* reliability. 4 *(trámite)* formality, requisite.

formalizar(se) [4] *t (hacer formal)* to formalize. 2 *(contrato)* to legalize. – 3 *p* to become/grow serious.

formar(se) *t* to form. 2 *(integrar, constituir)* to form, constitute: ~ *parte de algo,* to be a part of sth. 3 *(educar)* to bring up. 4 *(enseñar)* to educate. – 5 *i* MIL *(colocarse)* to form up. – 6 *p (desarrollarse)* to grow, develop. ●MIL *¡a* ~*!,* fall in!

formativo,-a *adj* formative. 2 *(educativo)* educational.

formato *m* format. 2 *(del papel)* size.

formidable *adj (tremendo)* tremendous, formidable. 2 *(maravilloso)* wonderful, terrific. – 3 *interj* great!

fórmula *f* formula. 2 *(receta)* recipe.

formular *t (una teoría)* to formulate. 2 *(quejas, peticiones)* to make. ●~ *un deseo,* to express a desire; ~ *una pregunta,* to ask a question.

formulario,-a *adj* routine: *una visita formularia,* a formal visit. – 2 *m (documento)* form: ~ *de solicitud,* application form.

fornicar [1] *i* to fornicate.

fornido,-a *adj* strapping, hefty.

forrar(se) *t (por dentro)* to line. 2 *(por fuera)* to cover. – 3 *p fam (de dinero)* to make a packet.

forro *m (interior)* lining. 2 *(funda)* cover, case. ●*fam ni por el* ~, not in the slightest.

fortalecer(se) [43] *t* to fortify, strengthen. – 2 *p* to strengthen, become stronger.

fortalecimiento *m* fortification, strengthening.

fortaleza *f (vigor)* strength, vigour. 2 *(de espíritu)* fortitude. 3 MIL fortress, stronghold.

fortuito,-a *adj* chance, fortuitous.

fortuna *f (destino)* fortune, fate. 2 *(suerte)* luck. 3 *(capital)* fortune. ●*por* ~, fortunately.

forzar [50] *t (persona)* to force, compel. 2 *(cosa)* to force/break open. 3 *(violar)* to rape.

forzoso,-a *adj (inevitable)* inevitable, unavoidable. 2 *(obligatorio)* obligatory, compulsory. – 3 *forzosamente adv* inevitably.

forzudo,-a *adj* strong, brawny.

fosa *f (sepultura)* grave. 2 *(hoyo)* pit, hollow. 3 ANAT fossa. ■ *fosas nasales,* nostrils.

fosforecer [10] *i* to phosphoresce, glow.

fosforescente *adj* phosphorescent.

fósforo *m* phosphorus. 2 *(cerilla)* match.

foto *f fam* photo, picture.

fotocomposición *f* typesetting, US photosetting.

fotocopia *f* photoprint.

fotocopiar [12] *t* to photocopy.

fotogénico,-a *adj* photogenic.

fotografía *f (proceso)* photography. 2 *(retrato)* photograph.

fotografiar [13] *t* to photograph, take a photograph of.

fotográfico,-a *adj* photographic.

fotógrafo,-a *m,f* photographer.

fotomatón *m* automatic coin-operated photo machine.

fotomontaje *m* photomontage.

frac *m* dress coat, tails *pl.* ▲ *pl* **fracs** or **fraques.**

fracasado,-a *adj* unsuccessful. – 2 *m,f (persona)* failure.

fracasar *i* to fail, be unsuccessful, fall through.

fracaso *m* failure.

fracción *f* fraction. 2 POL faction.

fraccionar *t* to break/split up.

fractura *f* fracture.

fracturar(se) *t-p* to fracture, break.

fragancia *f* fragrance.

fragante *adj* fragrant, scented.

frágil *adj (quebradizo)* fragile, breakable. 2 *(débil)* frail, weak.

fragilidad *f* fragility. 2 *(debilidad)* frailty, weakness.

fragmentar(se) *t* to fragment, divide up. – 2 *p* to break up.

fragmento *m (pedazo)* fragment, piece. 2 *(literario)* passage.

fraguar [10] *t (metal)* to forge. 2 *fig (plan)* to dream up, fabricate; *(conspiración)* to hatch. – 3 *i (endurecerse)* to set, harden.

fraile *m* friar, monk.

frambuesa *f* raspberry.

franco,-a *adj (persona)* frank, open. 2 *(cosa)* clear, obvious. 3 COM free. – 4 *m* *(moneda)* franc. ●~ *de aduana,* duty-free; ~ *fábrica,* ex-works.

franela *f* flannel.

franja *f (banda)* band, strip. **2** *(de tierra)* strip. **3** cost fringe, border.

franqueable *adj* crossable, which can be crossed. **2** *(obstáculo)* surmountable.

franquear(se) *t (dejar libre)* to free, clear. **2** *(atravesar)* to cross; *fig* to overcome. **3** *(carta)* to frank. — **4** *p* to unbosom o.s., open up one's heart. ●*a ~ en destino,* postage paid.

franqueo *m* postage.

franqueza *f (sinceridad)* frankness, openness. **2** *(confianza)* familiarity, intimacy.

franquicia *f* exemption. **2** com franchise. ■ ~ *arancelaria,* exemption from customs duty.

frasco *m* flask.

frase *f* gram sentence. **2** *(expresión)* phrase. ■ ~ *hecha,* set phrase/expression, idiom.

fraternal *adj* fraternal, brotherly.

fraternidad *f* fraternity, brotherhood.

fraternizar [4] *i* to fraternize.

fraterno,-a *adj* fraternal, brotherly.

fratricida *adj* fratricidal. — **2** *mf* fratricide.

fraude *m* fraud. ■ ~ *fiscal,* tax evasion.

fraudulento,-a *adj* fraudulent.

frecuencia *f* frequency.

frecuentar *t* to frequent, visit.

frecuente *adj (repetido)* frequent. **2** *(usual)* common. — **3 frecuentemente** *adv* frequently, often.

fregadero *m* kitchen sink.

fregar [48] *t (lavar)* to wash. **2** *(frotar)* to scrub. **3** *(el suelo)* to mop. **4** am *(molestar)* to annoy, irritate. ●~ *los platos,* to do the washing up.

fregona *f pey (sirvienta)* skivvy. **2** *(utensilio)* mop.

fregotear *t fam* to give a quick wipe to.

freidora *f* (deep) fryer.

freír [37] *t* to fry. **2** *fig* to annoy. ▲ *pp* *frito,-a.*

frenar *t* to brake. **2** *fig* to restrain, check.

frenazo *m* sudden braking. ●*dar un ~,* to jam on the brakes.

frenesí *m* frenzy. ▲ *pl* **frenesíes.**

frenético,-a *adj (exaltado)* frenzied, frenetic. **2** *(colérico)* wild, mad.

freno *m* brake. **2** *(de caballería)* bit. ●*morder el ~,* to champ at the bit; *poner ~ a algo,* to curb sth.

frente *m & f (parte delantera)* front. — **2** *m* mil front. — **3** *f* anat forehead. — **4** *adv* ~ *a,* in front of, opposite. ●*al ~ de,* at

the head of; ~ *a ~,* face to face; *hacer ~ a algo,* to face sth., stand up to sth.; *no tener dos dedos de ~,* to be as thick as two short planks.

fresa *f (planta)* strawberry plant. **2** *(fruto)* (wild) strawberry. **3** téc milling. **4** *(dentista)* drill. — **5** *adj inv* red.

frescales *mf inv fam* cheeky devil.

fresco,-a *adj* cool, cold: *viento ~,* cool wind; *agua fresca,* cold water. **2** *(tela, vestido)* light, cool. **3** *(aspecto)* healthy, fresh. **4** *(comida)* fresh. **5** *(reciente)* fresh, new: *noticias frescas,* latest news *sing.* **6** *fig (impasible)* cool, calm, unworried. **7** *(desvergonzado)* cheeky, shameless. — **8** *m (frescor)* fresh/cool air. **9** art fresco. — **10** *f (aire fresco)* fresh/cool air. **11** *fam (impertinencia)* cheeky remark. ●*al ~,* in the cool; *decirle cuatro frescas a algn.,* to tell sb. a few home truths; *hacer ~,* to be chilly; *¡qué ~!,* what a nerve!; *quedarse tan ~,* not to bat an eyelid; *¡sí que estamos frescos!,* now we're in a fine mess!; *tomar el fresco/la fresca,* to get some fresh air.

frescor *m* coolness, freshness.

frescura *f (frescor)* freshness, coolness. **2** *(desvergüenza)* cheek, nerve. **3** *(calma)* coolness, calmness. ●*¡qué ~!,* what a nerve!

fresno *m* ash tree.

fresón *m (planta)* strawberry plant. **2** *(fruto)* (large) strawberry.

frialdad *f* coldness.

fricción *f* friction. **2** *(friega)* rub(bing).

friccionar *t* to rub, massage.

friega *f* rub(bing).

frigidez *f* frigidity.

frigorífico,-a *adj* refrigerating. — **2** *m (doméstico)* refrigerator, fridge. **3** *(cámara)* coldstorage room.

frijol, fríjol *m* (kidney) bean.

frío,-a *adj-m* cold. — **2 fríamente** *adv* coldly, coolly. ●*hacer ~,* to be cold; *tener/pasar ~,* to be cold; *fam hace un ~ que pela,* it's freezing cold.

friolero,-a *adj* sensitive to the cold: *es muy ~,* he really feels the cold. — **2** *f* trifle, trinket. **3** *fam (gran cantidad)* fortune: *gastarse la ~ de 30.000 pesetas en unos zapatos,* to spend a mere 30.000 pesetas on a pair of shoes.

frisar *t (refregar)* to rub. — **2** *i (acercarse)* to approach, border *(con/en,* on). ●~ *con/en (una edad),* to be getting on for (an age).

frito,-a *pp* → **freír.** — **2** *adj* culin fried. **3** *fam* exasperated, fed up. — **4** *m* fry, piece of fried food. ●*fam quedarse* ~, *(dormido)* to fall asleep; *(muerto)* to snuff it; *tener a uno* ~ *con algo,* to be sick to death of sth.

frivolidad *f* frivolity.

frívolo,-a *adj* frivolous.

frondoso,-a *adj* leafy, luxuriant.

frontera *f* frontier, border. 2 *fig* limit, bounds *pl,* borderline.

fronterizo,-a *adj* border(line).

frontón *m* DEP *(juego)* pelota. 2 DEP *(edificio)* pelota court. 3 ARQ pediment.

frotar *t* to rub.

fructífero,-a *adj* BOT fruit-bearing. 2 *fig* fruitful.

fructificar [1] *i* BOT to bear fruit, produce a crop. 2 *fig* to be fruitful.

frugal *adj* frugal.

frunce *m* shir, gather. ●*con frunces,* shirred, gathered.

fruncir [3] *t* COST to gather. 2 *(el ceño)* to frown, knit. 3 *(los labios)* to purse, pucker.

frustración *f* frustration.

frustrar(se) *t (cosa)* to frustrate, thwart. 2 *(persona)* to disappoint. – 3 *p (proyectos, planes)* to fail, go awry.

fruta *f* fruit. ■ ~ *del tiempo,* fresh fruit; ~ *escarchada,* candied fruit; ~ *seca,* dried fruit.

frutal *adj* fruit. – 2 *m* fruit tree.

frutería *f* fruit shop.

frutero,-a *adj* fruit. – 2 *m,f* fruiterer. – 3 *m* fruit dish/bowl.

fruto *m* fruit. ●*dar* ~, to bear fruit, *fig* to be fruitful; *sacar* ~ *de algo,* to profit from sth. ■ *frutos secos, (almendras etc.)* nuts; *(pasas etc.)* dried fruit *sing.*

fuego *m* fire. 2 *(lumbre)* light. 3 *(cocina)* burner, ring. 4 *(ardor)* ardour, zeal. ●*a* ~ *lento,* on a low flame; *(al horno)* in a slow oven; *¿me da* ~*?,* have you got a light?; *fig estar entre dos fuegos,* to be caught between two fires. ■ ~ *fatuo,* will-o'-the-wisp, Jack-o'-lantern; *fuegos artificiales,* fireworks.

fuente *f (manantial)* spring. 2 *(artificial)* fountain. 3 *(recipiente)* (serving) dish. 4 *fig* source: *de* ~ *desconocida,* from an unknown source.

fuera *adv* out, outside: *por* ~, on the outside. 2 *(alejado)* away: *estar* ~, to be away; *(en el extranjero)* to be abroad. 3 *(excepto)* except for, apart from. – 4 *m* DEP *(falta)* out. – 5 *pt subj* → **ser.** – 6 *pt subj* → **ir.** – 7 *interj* get out! ●*estar* ~ *de sí,* to be beside o.s.; ~ *de combate,* knocked out; ~ *de duda,* beyond

doubt; ~ *de lo normal,* extraordinary, very unusual. ■ ~ *de juego,* offside.

fuero *m* code of laws. 2 *(privilegio)* privilege. 3 *(jurisdicción)* jurisdiction. ●*en el* ~ *interno,* deep down, in one's heart of hearts.

fuerte *adj* strong. 2 *(intenso)* severe. 3 *(sonido)* loud. 4 *(importante)* main. 5 *(pesado)* heavy. 6 *(sujeto)* stiff. – 7 *m (fortificación)* fort. 8 *(punto fuerte)* forte, strong point. – 9 *adv* a lot, hard: *comer* ~, to eat a lot. ●*¡abrázame* ~*!,* hold me tight!; *estar* ~ *en algo,* to be good at something; *¡habla más* ~*!,* speak up! ■ *comida* ~, heavy meal; *plato* ~, main course; *fam fig* most important event.

fuerza *f* strength, force. – 2 *pl (el poder)* authorities: *las fuerzas vivas de la localidad,* the local authorities. ●*a* ~ *de,* by dint/force of; *a la* ~, by force; *por la* ~, against one's will. ■ ~ *de voluntad,* willpower; ~ *mayor,* force majeure; *fuerzas del orden público,* police force *sing.*

fuese *pt subj* → **ser.** – 2 *pt subj* → **ir.**

fuete *m* AM whip.

fuga *f (escapada)* flight, escape. 2 *(pérdida)* leak. 3 MÚS fugue. ●*darse a la* ~, to take flight; *poner en* ~, to put to flight. ■ ~ *de cerebros,* brain drain; ~ *de divisas,* flight of capital.

fugarse [7] *p* to flee, escape.

fugaz *adj* fleeting, brief.

fugitivo,-a *adj (en fuga)* fleeing. 2 *fig (efímero)* ephemeral, fleeting. – 3 *m,f* fugitive, runaway.

fui *pt indef* → **ser.** – 2 *pt indef* → **ir.**

fulano,-a *m,f* so-and-so; *m* what's his name, *f* what's her name. – 2 *m fam pey* fellow, guy. – 3 *f pey* whore, tart. ●*Don/Doña Fulano,-a de tal,* Mr/Mrs So-and-so; ~, *mengano y zutano,* Tom, Dick and Harry.

fulgor *m (resplandor)* brilliance, glow.

fullero,-a *adj* cheating. – 2 *m,f (naipes)* cheat, cardsharp(er).

fulminante *adj* fulminating. 2 *fig* staggering: *mirada* ~, withering look.

fulminar *t* to strike with lightning. 2 *fig* to strike dead. ●~ *a algn. con la mirada,* to look daggers at sb.

fumador,-ra *adj* smoking. – 2 *m,f* smoker. ●*los no fumadores,* nonsmokers.

fumar(se) *t-i-p* to smoke. ●*fam* ~*se las clases,* to play truant, US play hooky; "*no* ~", "no smoking".

fumigar [7] *t* to fumigate.

función f function. **2** *(cargo)* duties *pl.* **3** *(espectáculo)* performance. ●*en ~ de,* according to; *entrar en ~, (persona)* to take up one's duties; *estar en funciones,* to be in office; *presidente en funciones,* acting president. ■ *~ de noche,* late performance; *~ de tarde,* matinée.

funcionamiento *m* operation, working. ●*poner en ~,* to put into operation.

funcionar *i* to function, work. ●*hacer ~ algo,* to operate sth.; *"no funciona",* "out of order".

funcionario,-a *m,f* civil servant.

funda f *(flexible)* cover. **2** *(rígida)* case. **3** *(de arma blanca)* sheath. ■ *~ de almohada,* pillowcase.

fundación f foundation.

fundador,-ra *m,f* founder.

fundamental *adj* fundamental.

fundamentar *t* *fig* to base *(en,* on). **2** *(construcción)* to lay the foundations of.

fundamento *m* *(base)* basis, grounds *pl.* **2** *(seriedad)* seriousness; *(confianza)* reliability. ― **3** *pl* *(construcción)* foundations. ●*sin ~,* unfounded.

fundar(se) *t* *(crear)* to found; *(erigir)* to raise. **2** *(basar)* to base, found. ― **3** *p* to be founded. **4** *(teoría, afirmación)* to be based *(en,* on); *(persona)* to base o.s. *(en,* on).

fundición f melting. **2** *(de metales)* smelting, casting. **3** *(lugar)* foundry, smelting works *pl.* ■ *~ de acero,* steelworks *pl;* *hierro de ~,* cast iron.

fundidor *m* smelter.

fundir *t* *(un sólido)* to melt. **2** *(metal)* to found, cast; *(hierro)* to smelt. **3** *(bombilla, plomos)* to blow. **4** *(unir)* to unite, join.

fúnebre *adj* *(mortuorio)* funeral. **2** *(lúgubre)* mournful, lugubrious.

funeral *adj* funeral. ― **2** *m(pl)* *(entierro)* funeral *(sing).* **3** *(conmemoración)* memorial service.

funerala MIL *a la ~,* with reversed arms. ●*ojo a la ~,* black eye.

funerario,-a *adj* funerary, funeral. ― **2** f *(establecimiento)* undertaker's shop.

funesto,-a *adj* ill-fated, fatal.

funicular *m* funicular (railway).

furcia f *pey* whore, tart.

furgón *m* AUTO van, wag(g)on. **2** *(tren)* (goods) wag(g)on, US boxcar.

furgoneta f van.

furia f fury, rage. ●*ponerse hecho,-a una ~,* to become furious, fly into a rage.

furibundo,-a *adj* furious, enraged.

furioso,-a *adj* furious. ●*ponerse ~,* to get angry.

furor *m* fury, rage. ●*fig hacer ~,* to be all the rage.

furtivo,-a *adj* furtive. ■ *cazador ~,* poacher.

fusible *adj* fusible. ― **2** *m* fuse.

fusil *m* rifle, gun.

fusilamiento *m* shooting, execution.

fusilar *t* *(ejecutar)* to shoot, execute. **2** *(plagiar)* to plagiarize.

fusión f *(metales)* fusion, melting; *(hielo)* thawing, melting. **2** *(de intereses)* fusion. **3** COM merger, amalgamation.

fusionar(se) *t-p* to fuse. **2** COM to merge.

fustigar [7] *t* *(caballo)* to whip, lash. **2** *fig* to give a dressing-down to.

fútbol, futbol *m* football, US soccer. ■ *~ americano,* American football.

futbolín *m* table football.

futbolista *mf* footballer, football/soccer player.

futilidad f futility, triviality.

futuro,-a *adj* future. ― **2** *m* future.

G

gabacho,-a *adj-m,f pey* French.
gabán *m* overcoat.
gabardina *f (tela)* gabardine. 2 *(impermeable)* raincoat.
gabarra *f* barge, lighter.
gabinete *m (estudio)* study. 2 POL cabinet.
gacela *f* gazelle.
gaceta *f* gazette.
gacha *f (masa)* paste. 2 *pl* porridge *sing.*
gacho,-a *adj* dropping, bent.
gaélico,-a *adj-m* Gaelic.
gafas *fpl* spectacles, glasses. ■ ~ *de sol,* sunglasses.
gafe *adj-mf fam* jinx.
gaita *f* bagpipe. 2 *fam* bother.
gaitero,-a *m,f* piper, bagpipe player.
gaje *m* pay, wages *pl.* ■ *irón gajes del oficio,* occupational hazards.
gajo *m (de naranja)* section. 2 *(de árbol)* branch.
gala *f* best dress. 2 *(espectáculo)* gala. ●*hacer* ~ *de,* to make a show of.
galáctico,-a *adj* galactic.
galán *m* handsome man. 2 TEAT leading man. ■ ~ *de noche,* valet.
galante *adj* courteous, gallant.
galantear *t* to court, woo.
galantería *f* gallantry. 2 *(piropo)* compliment.
galápago *m* turtle.
galardón *m* prize.
galardonar *t* to reward.
galaxia *f* galaxy.
galeón *m* galleon.
galera *f* galley.
galerada *f* galley proof.
galería *f* gallery. 2 *(subterránea)* underground passage. 3 TEAT gallery. ■ *galerías comerciales,* shopping centre *sing.*
galgo *m* greyhound.

galimatías *m inv fam* gibberish.
galón *m* MIL stripe. 2 *(medida)* gallon.
galopar *i* to gallop.
galope *m* gallop.
galvanizar [4] *t* to galvanize.
gallardía *f* elegance, gracefulness. 2 *(valentía)* valour.
gallardo,-a *adj* elegant, graceful. 2 *(valiente)* brave, gallant.
galleta *f* biscuit, US cooky. 2 *fam (bofetada)* slap.
gallina *f* hen. − 2 *mf fam* chicken, coward. ■ *carne de* ~, gooseflesh.
gallinero *m* henhouse. 2 TEAT top gallery. 3 *fam* bedlam, madhouse.
gallo *m* cock, rooster. 2 *fig (canto)* false note. ■ ~ *de pelea,* fighting cock.
gama *f* range. 2 MÚS scale.
gamba *f* prawn.
gamberrada *f* act of hooliganism.
gamberro,-a *adj* loutish. − 2 *m,f* hooligan.
gamo *m* fallow deer.
gamuza *f* chamois.
gana *f* wish, desire. ● *de buena* ~, willingly; *de mala* ~, reluctantly; *tener ganas de,* to wish, feel like.
ganadería *f (cría)* cattle-raising. 2 *(ganado)* livestock. 3 *(marca)* cattle brand.
ganadero,-a *adj* cattle-raising. − 2 *m,f* cattle raiser/dealer.
ganado *m* cattle, livestock.
ganador,-ra *adj* winning. − 2 *m,f* winner.
ganancia *f* gain, profit.
ganar(se) *t (triunfar)* to win. 2 *(dinero)* to earn. − 3 *t-p* to gain. − 4 *i (mejorar)* to improve. ●~*se la vida,* to earn one's living.
ganchillo *m* crochet needle. 2 *(labor)* crochet.

gancho *m* hook. **2** *(de pastor)* crook. ●**tener ~,** to be attractive.

gandul,-la *adj* idle, loafing. – **2** *m,f* idler, loafer.

gandulear *i* to idle, loaf around.

gandulería *f* idleness, laziness.

ganga *f* bargain.

ganglio *m* ganglion.

gangrena *f* gangrene.

gangrenarse *p* to become gangrenous.

ganso,-a *m* ZOOL goose, gander. – **2** *m,f* fig slow/lazy person.

garabatear *t-i* to scribble, scrawl.

garabato *m* *(gancho)* hook. **2** *(dibujo)* scrawl, scribble.

garaje *m* garage.

garante *adj* responsible. – **2** *mf* guarantor.

garantía *f* guarantee. **2** COM warranty, security.

garantizar [4] *t* to guarantee. **2** COM to warrant. **3** *(responder por)* to vouch for.

garbanzo *m* chickpea.

garbeo *m* fam walk. ●**dar(se) un ~,** to go for a walk.

garbo *m* gracefulness, jauntiness.

gardenia *f* gardenia.

garfio *m* hook.

garganta *f* ANAT throat. **2** GEOG gorge. **3** *(voz)* voice. ■ **dolor de ~,** sore throat.

gargantilla *f* necklace.

gárgaras *fpl* gargle *sing*.

gargarizar [4] *i* to gargle.

gárgola *f* gargoyle.

garita *f* sentry box.

garito *m* gambling den.

garra *f* *(de león etc.)* paw, claw; *(de halcón etc.)* talon. **2** pey *(de persona)* clutch. **3** fig force: **este libro no tiene ~,** this book has no bit to it.

garrafa *f* carafe.

garrafal *adj* monumental, enormous: **un error~,** a terrible mistake.

garrapata *f* tick.

garrotazo *m* blow with a stick.

garrote *m* thick stick, cudgel. **2** *(pena capital)* garrotte. ●**dar ~,** to garrotte.

garza *f* heron.

gas *m* gas. **2** *pl* MED flatulence *sing.* ●**tener gases,** to have wind. ■ **agua con ~,** carbonated water.

gasa *f* gauze, chiffon.

gaseoso,-a *adj* gaseous. **2** *(bebida)* carbonated, fizzy. – **3** *f* pop, fizzy lemonade.

gasoil, gasóleo *m* diesel oil.

gasolina *f* petrol, US gas(oline).

gasolinera *f* petrol station.

gastado,-a *adj* spent. **2** *(usado)* used up.

gastar(se) *t* to spend. **2** *(usar)* to use, wear. – **3** *p* to run out, become used up.

gasto *m* expenditure, expense.

gatear *i* to creep, crawl.

gatillo *m* trigger.

gato,-a *m* (tom)cat. **2** *(de coche)* jack. – **3** *f* (she-)cat. ●**a gatas,** on all fours; *fam* **buscar tres pies al ~,** to complicate things; *fam* **dar ~ por liebre,** to take sb. in.

gastritis *f inv* gastritis.

gastronomía *f* gastronomy.

gatuno,-a *adj* catlike, feline.

gaveta *f* drawer.

gavilán *m* sparrow hawk.

gavilla *f* sheaf.

gaviota *f* (sea)gull.

gay *mf* gay.

gazapo *m* ZOOL young rabbit. **2** fig *(mentira)* lie. **3** fig *(error)* blunder, slip.

gazmoñería *f* prudishness, prudery.

gazpacho *m* cold soup *made of tomatoes and other vegetables.*

gel *m* gel. ■ **~ de baño,** shower gel.

gelatina *f* gelatin(e). **2** CULIN jelly.

gema *f* gem, precious stone.

gemelo,-a *adj-m,f* twin. – **2** *mpl (botones)* cuff links. **3** *(anteojos)* binoculars.

gemido *m* groan, wail, moan.

Géminis *m* Gemini.

gemir [34] *i* to moan, groan, wail.

gendarme *m* gendarme.

gene *m* gene.

genealogía *f* genealogy.

genealógico,-a *adj* genealogical.

generación *f* generation.

generador *m* generator.

general *adj* general. **2** *(común)* common, usual. – **3** *m* MIL general.

generalizar(se) [4] *t* to generalize. – **2** *p* to become widespread.

generar *t* to generate.

genérico,-a *adj* generic.

género *m* *(clase)* kind, sort. **2** GRAM gender. **3** BIOL genus. **4** ART genre. **5** *(tela)* cloth. **6** COM article. ■ **géneros de punto,** knitwear *sing.*

generosidad *f* generosity.

generoso,-a *adj* generous.

génesis *f inv* genesis.

genial *adj* brilliant, inspired. **2** *fam* great.

genio *m* *(carácter)* temper, disposition. **2** *(persona)* genius. ●**tener mal ~,** to have a bad temper.

genitales *mpl* genitals.

genocidio *m* genocide.

gente *f* people. **2** *(familia)* family: *mi ~,* my family. ■ *~ bien,* posh people.

gentil *adj-mf* heathen, pagan; *(no judío)* gentile. **– 2** *adj* courteous, graceful. **– 3** *gentilmente adv* gracefully.

gentileza *f* grace. **2** *(cortesía)* politeness.

gentío *m* crowd.

gentuza *f pey* mob, rabble.

genuflexión *f* genuflexion.

genuino,-a *adj* genuine, true.

geografía *f* geography.

geográfico,-a *adj* geographic(al).

geología *f* geology.

geológico,-a *adj* geological.

geometría *f* geometry.

geométrico,-a *adj* geometric(al).

geranio *f* geranium.

gerencia *f* management, administration. **2** *(oficina)* manager's office.

gerente *mf m* manager, *f* manageress.

geriatría *f* geriatrics.

germen *m* germ. ▲ *pl* **gérmenes**.

germinar *i* to germinate.

gerundio *m* gerund.

gestación *f* gestation.

gestar(se) *t* to gestate. **– 2** *p fig (sentimiento)* to grow; *(idea)* to develop; *(plan)* to be under way.

gesticulación *f* gesticulation, gestures *pl.*

gesticular *i* to gesticulate.

gestión *f (negociación)* negotiation. **2** *(de negocio)* administration, management. **3** *(diligencia)* step.

gestionar *t (negociar)* to negotiate. **2** *(negocio)* to run. **3** *(hacer diligencias)* to take steps to.

gesto *m* grimace, gesture.

gestor,-ra *m,f* manager, director. ■ *~ administrativo,* (business) agent.

gestoría *f* management. **2** *(administrativa)* (business) agency.

giba *f* hump, hunch.

gigante,-a *adj* giant, gigantic. **– 2** *m,f* giant.

gigantesco,-a *adj* gigantic.

gilipollas* *adj-mf* arsehole*.

gimnasia *f* gymnastics.

gimnasio *m* gymnasium.

gimnasta *mf* gymnast.

gimotear *i* to whine, whimper.

gimoteo *m* whining, whimpering.

ginebra *f* gin.

ginecología *f* gynaecology.

gira *f (artística)* tour. **2** *(excursión)* trip, excursion.

girar *i* to rotate, whirl, spin. **2** *(torcer)* to turn. **3** *fig (conversación)* to deal with. **– 4** *t-i* COM to draw.

girasol *m* sunflower.

giratorio,-a *adj* revolving.

giro *m* turn(ing). **2** *(dirección)* course, direction. **3** COM draft. **4** *(frase)* turn (of phrase). ■ *~ postal,* money order.

gitano,-a *adj-m,f* gypsy.

glacial *adj* glacial. **2** *(helado)* ice-cold.

glaciar *m* glacier.

glándula *f* gland.

glicerina *f* glycerin.

global *adj* total.

globo *m (esfera)* globe, sphere. **2** *(tierra)* world, earth. **3** *(de aire)* balloon. ■ *~ aerostático,* hot air/gas balloon; *~ ocular,* eyeball; *~ terráqueo,* globe.

glóbulo *m* globule. ■ *~ blanco/rojo,* white/red corpuscle.

gloria *f* glory. **2** *(fama)* fame, honour. **3** *(cielo)* heaven. **4** *(placer)* bliss, delight. **5** *(esplendor)* boast. ●*irón cubrirse de ~,* to make a fool of o.s.

glorieta *f* arbour, bower. **2** *(de calles)* roundabout.

glorificar [1] *t* to glorify.

glorioso,-a *adj* glorious.

glosa *f* gloss, comment.

glosar *t* to gloss, comment on.

glosario *m* glossary.

glotón,-ona *adj* gluttonous. **– 2** *m,f* glutton.

glotonería *f* gluttony.

glucosa *f* glucose.

gobernador,-ra *adj* governing. **– 2** *m,f* governor.

gobernante *adj* governing, ruling. **– 2** *mf* ruler, leader.

gobernar(se) [27] *t gen* to govern. **2** *(país)* to rule. **3** *(dirigir)* to lead, direct. **4** *(barco)* to steer. **5** *(negocio)* to run, handle. **– 6** *p* to manage one's affairs.

gobierno *m* POL government. **2** *(dirección)* direction, control. **3** *(timón)* rudder. ■ *para su ~,* for your own information.

goce *m* enjoyment.

gol *m* goal. ●*marcar un ~,* to score a goal.

golear *t* DEP to hammer.

golf *m* golf.

golfo,-a *adj-m,f (pilluelo)* street urchin. **– 2*** *f* whore*. **– 3** *m* GEOG gulf, large bay.

golondrina *f* swallow.

golosina *f* sweet.

goloso,-a *adj* sweet-toothed.

golpe *m* blow, knock. 2 *(coches)* bump. 3 *fig (desgracia)* blow. 4 *fam (robo)* hold-up. ●*al primer ~ de vista,* at first glance; *de ~ (y porrazo),* suddenly; *de un ~,* all at once. ■ ~ *de Estado,* coup d'état.

golpear *t* to hit, blow.

goma *f* gum, rubber. 2 *(de borrar)* rubber, eraser. 3 *arg (condón)* French letter.

gomaespuma *f* foam rubber.

gomina *f* hair cream.

góndola *f* gondola.

gordo,-a *adj* fat. 2 *(voluminoso)* bulky. 3 *(grueso)* thick. 4 *(grave)* serious. – 5 *m,f* fatty. ■ *el ~,* the first prize.

gordura *f* fatness, obesity.

gorgorito *m* trill.

gorila *m* gorilla.

gorjear *i* to trill.

gorjeo *m* trill.

gorra *f* cap, bonnet. ●*fam vivir de ~,* to live at another's expense.

gorrino,-a *adj* dirty. – 2 *m,f* (little) pig.

gorrión *m* sparrow.

gorro *m* cap. 2 *(de bebé)* bonnet.

gorrón,-ona *adj fam* sponging. – 2 *m,f* sponger, parasite.

gota *f* drop. 2 MED gout.

gotear *i* to dribble, drip, leak. ▲ *Only used in the 3rd pers. It does not take a subject.*

gotera *f* leak.

gótico,-a *adj* Gothic.

gozada *f fam* delight.

gozar(se) [4] *t-i* to enjoy (o.s.). – 2 *p* to take pleasure *(en,* in).

gozne *m* hinge.

gozo *m* joy, delight, pleasure.

grabación *f* recording.

grabado,-a *adj* engraved, stamped. – 2 *m* engraving, print. 3 *(ilustración)* picture.

grabador,-ra *adj* recording. – 2 *f* tape recorder. – 3 *m,f* engraver.

grabar *t* to engrave. 2 *(sonido)* to record.

gracia *f* grace(fulness). 2 *(encanto)* charm. 3 *(elegancia)* elegance. 4 *(chiste)* joke, wittiness. ●*gracias a,* thanks to, owing to; *hacer/tener ~,* to be funny; *¡(muchas) gracias!,* thank you (very much); *¡qué ~!,* how funny!

gracioso,-a *adj* graceful, charming. 2 *(bromista)* witty, facetious. 3 *(divertido)* funny, amusing. – 4 *m,f* TEAT jester, clown, fool.

grada *f* step. 2 *(asiento)* row of seats.

gradación *f* gradation.

gradería *f* rows *pl* of seats.

grado *m* gen degree. 2 *(estado)* stage. 3 EDUC *(clase)* class, grade. 4 EDUC *(título)* degree. 5 *(peldaño)* step. ●*de buen/mal ~,* willingly/unwillingly.

graduable *adj* adjustable.

graduación *f* graduation, grading. 2 *(de licor etc.)* strength. 3 MIL rank, degree of rank. 4 EDUC admission to a degree.

graduado,-a *adj* graduated, graded. – 2 *m,f* EDUC graduate.

gradual *adj* gradual.

graduar(se) [11] *t* gen to graduate. 2 EDUC to give a diploma/degree to. 3 *(medir)* to gauge, measure. – 4 *p* to take a degree.

grafía *f* graphic symbol. 2 *(escritura)* writing.

gráfico,-a *adj* graphic. 2 *fig (vívido)* vivid, lifelike. – 3 *f* graph, diagram. – 4 *m (dibujo)* sketch.

grafología *f* graphology.

gragea *f* pill, tablet.

grajo *m* rook, crow.

grama *f* AM grass.

gramática *f* grammar.

gramo *m* gram(me).

gramófono *m* gramophone.

gran *adj* → **grande.** ▲ *Used in front of a sing masculine noun:* ~ *chico/chico grande.*

grana *f* (small) seed. 2 *(insecto)* cochineal. 3 *(color)* scarlet colour. 4 *(paño)* scarlet cloth.

granada *f* BOT pomegranate. 2 MIL grenade, shell.

granado,-a *adj (ilustre)* illustrious. 2 *(maduro)* mature, expert. 3 *(espigado)* tall, grown.

granar *i* to seed.

granate *adj-m* maroon.

grande *adj* large, big. – 2 *m* grandee, nobleman. ▲ → **gran.**

grandeza *f* bigness, largeness. 2 *(tamaño)* size. 3 *(majestad)* greatness, grandeur.

grandilocuencia *f* grandiloquence.

grandiosidad *f* grandeur, magnificence, grandness.

grandioso,-a *adj* grandiose, grand, magnificent.

granel *(a) ~, adv* loose, in bulk.

granero *m* granary, barn.

granito *m* granite.

granizado *m* iced drink.

granizada *f* hailstorm.

granizar [4] *i* to hail, sleet. ▲ *Only used in the 3rd pers. It does not take a subject.*

granizo *m* hail.

granja *f* farm.

granjear(se) *t-p* to win, obtain, earn.

granjero,-a *m,f* farmer.

grano *m* grain; *(de café)* bean. **2** MED pimple, spot. **3** *pl* cereals. ●*fam ir al ~*, to come to the point.

granuja *m* urchin, rascal.

granulado,-a *adj* granulated.

grapa *f* staple, cramp.

grapadora *f* stapler.

graso,-a *adj* greasy. **2** *(alimentos)* fatty. − **3** *f* grease, fat.

grasiento,-a *adj* greasy, oily.

gratificación *f* gratification. **2** *(recompensa)* recompense, reward.

gratificar [1] *t* to gratify. **2** *(recompensar)* to reward, tip.

gratinar *t* to grill.

gratis *adv* free.

gratitud *f* gratitude, gratefulness.

grato,-a *adj* agreeable, pleasant. − **2** *gratamente adv* pleasantly.

gratuito,-a *adj* free (of charge). **2** *(arbitrario)* arbitrary, gratuitous.

grava *f* *(guijas)* gravel. **2** *(piedra machacada)* broken stone.

gravamen *m* *(carga)* burden, obligation. **2** *(impuesto)* tax, duty. ▲ *pl* **gravámenes**.

gravar *t* to tax.

grave *adj (que pesa)* heavy. **2** *(serio)* grave, serious. **3** *(difícil)* difficult. **4** *(solemne)* solemn. **5** GRAM *(acento)* grave. **6** *(voz)* deep, low.

gravedad *f* gravity. **2** *(importancia)* importance, seriousness. **3** *(de sonido)* depth.

grávido,-a *adj fml (lleno)* full. **2** *(embarazada)* pregnant.

gravitar *i* FÍS to gravitate. **2** *fig (amenazar)* to loom *(sobre,* over).

graznar *i* *(cuervo)* to caw, croak. **2** *(oca)* to cackle, gaggle.

graznido *m* *(de cuervo)* caw, croak. **2** *(de oca)* cackle, gaggle.

gremio *m* guild, corporation.

greña *f* tangled mop of hair.

gresca *f* noise, racket.

grey *f (rebaño)* flock, herd. **2** *(de personas)* group.

grieta *f* crack, crevice. **2** *(en la piel)* chap.

grifo *m* tap.

grillarse *p* to sprout.

grillete *m* fetter, shackle.

grillo *m* ZOOL cricket. **2** *(de patata)* sprout. **3** *(grilletes)* fetters *pl.*

grima *f* displeasure, disgust.

gringo,-a *adj-m,f* AM *pey* North American (person).

gripe *f* flu, influenza.

gris *adj-m* grey, US gray.

grisáceo,-a *adj* greyish.

gritar *i* to shout, cry out, scream.

griterío *m* shouting, uproar.

grito *m* shout, cry, scream. ●*fam a ~ pelado,* at the top of one's voice.

grosella *f* red currant. ■ *~ silvestre,* gooseberry.

grosería *f* coarseness, rudeness.

grosero,-a *adj* coarse, rough. **2** *(maleducado)* rude. − **3** *m,f* boor, churl.

grosor *m* thickness.

grotesco,-a *adj* grotesque, ridiculous.

grúa *f* crane, derrick. **2** AUTO breakdown van, US towtruck.

grueso,-a *adj* thick. **2** *(gordo)* bulky, fat, stout. − **3** *m* bulk, mass. **4** *(parte principal)* main body.

grulla *f* crane.

grumete *m* cabin boy.

grumo *m* *(de sangre)* clot. **2** *(de líquido)* lump. **3** *(de leche)* curd.

gruñido *m* grunt, growl, grumble.

gruñir [40] *i* to grunt. **2** *(chirriar)* to creak.

gruñón,-ona *adj* grumbling, cranky. − **2** *m,f* grumbler.

grupo *m* group.

gruta *f* cavern, grotto, cave.

guadaña *f* scythe.

guante *m* glove.

guantón *m* AM slap.

guapo,-a *adj* handsome, good-looking. **2** *arg (bonito)* nice, smart.

guarda *mf* guard, keeper. − **2** *f* custody, care. **3** *(de la ley etc.)* observance. **4** *(de libro)* flyleaf. **5** AUTO guard plate.

guardabarrera *mf* gatekeeper.

guardabarros *m inv* mudguard.

guardabosque *m* gamekeeper.

guardacostas *m inv* coastguard ship.

guardaespaldas *m inv* bodyguard.

guardagujas *m inv* pointsman.

guardameta *mf* goalkeeper.

guardamuebles *m inv* furniture warehouse.

guardapolvo *m* dust cover. **2** *(mono)* overalls *pl.*

guardar(se) *t (cuidar)* to keep, watch over, guard. **2** *(conservar)* to lay up, store. **3** *(leyes etc.)* to observe, obey. −

4 *p (precaverse)* to keep (*de,* from), guard (*de,* against). **5** *(evitar)* to avoid.

guardarropa *m (armario)* wardrobe. **2** *(local)* cloakroom. — **3** *mf* cloakroom attendant.

guardavía *m* linekeeper.

guardería *f* crèche, nursery.

guardia *mf* guard. — **2** *f (defensa)* defense, protection. **3** *(servicio)* duty. **4** *(tropa)* guard. •*estar de* ~, to be on duty. ■ ~ *civil,* Civil Guard; ~ *urbano,* policeman; *médico de* ~, doctor on duty.

guardián,-ana *m,f* guardian, keeper.

guarecer(se) [43] *t* to shelter, protect. — **2** *p* to take shelter, refuge.

guarida *f* ZOOL haunt, den, lair. **2** *pey (refugio)* den.

guarismo *m* cipher, figure.

guarnecer [43] *t (decorar)* to adorn, decorate, garnish. **2** *(proveer)* to furnish, provide. **3** MIL to garrison. **4** *(joya)* to set. **5** *(caballo)* to harness.

guarnición *f (de joya)* setting. **2** CULIN garnish. **3** MIL garrison.

guarrada *f,* **guarrería** *f* dirty thing. **2** *(mala pasada)* dirty trick.

guarro,-a *adj* dirty, filthy. — **2** *m (cerdo)* hog. — **3** *f (cerda)* saw.

guasa *f* jest, fun. •*estar de* ~, to be in a jesting mood.

guasearse *p* to make fun (*de,* of).

guasón,-ona *adj* funny. — **2** *m,f* jester, mocker.

guateque *m* party.

guay *adj fam* super.

gubernamental, gubernativo,-a *adj* government(al).

guedeja *f* long hair. **2** *(de león)* mane.

guerra *f* war.

guerrear *i* to war.

guerrero,-a *adj* warlike. — **2** *m,f* warrior, soldier.

guerrilla *f (guerra)* guerrilla warfare. **2** *(banda)* guerrilla band.

guerrillero,-a *m,f* guerrilla.

gueto *m* ghetto.

guía *mf* guide, leader. — **2** *f (libro)* guidebook. **3** *(de bicicleta)* handle bar. ■ ~ *de teléfonos,* (telephone) directory.

guiar(se) [13] *t* to guide, lead. **2** *(vehículo)* to drive, steer. **3** *(avión)* to pilot. — **4** *p* to be guided (*por,* by).

guijarro *m* pebble, cobble.

guillotina *f* guillotine.

guinda *f* sour cherry.

guindilla *f* red pepper.

guiñapo *m* rag, tatter.

guiñar *t* to wink.

guiño *m* wink.

guión *m* GRAM hyphen, dash. **2** *(de discurso)* notes *pl.* **3** CINEM script.

guionista *mf* scriptwriter.

guiri *mf arg* foreigner.

guirigay *m (lenguaje)* gibberish. **2** *(griterío)* hubbub, confusion.

guirnalda *f* garland, wreath.

guisa *f fml* manner, way. •*a* ~ *de,* as, like.

guisado,-a *adj* CULIN cooked, prepared. — **2** *m* stew.

guisante *m* pea.

guisar *t* to cook, stew.

guiso *m* stew.

guita *f arg* bread, brass.

guitarra *f* guitar.

guitarrista *mf* guitarist.

gula *f* gluttony.

gusanillo *f* little worm. •*fam matar el* ~, to have a snack.

gusano *m* worm; *(oruga)* caterpillar. **2** *fig (persona)* miserable, wretch. ■ ~ *de (la) seda,* silkworm.

gustar *t (agradar)* to like: *me gusta,* I like it. **2** *(probar)* to taste. •*fml cuando guste,* whenever you want.

gusto *m gen* taste. **2** *(sabor)* flavour. **3** *(placer)* pleasure. **4** *(capricho)* whim, fancy. •*con mucho* ~, with pleasure; *dar* ~, to please, delight; *de buen/mal* ~, in good/bad taste; *tanto* ~, delighted, pleased to meet you.

gustoso,-a *adj (sabroso)* tasty, savoury, palatable. **2** *(agradable)* agreeable, pleasant. **3** *(con gusto)* glad, willing, ready. — **4** *gustosamente adv* with pleasure, gladly, willingly.

gutural *adj* guttural.

H

haba *f* broad bean.

habano *m* Havana cigar.

haber [72] *verbo aux* to have: ~ *hecho*, to have done. 2 *(obligación)* to have *(de, to)*, must: *has de venir hoy*, you must come today. — 3 *t (poseer)* to have. — 4 *i* to be: *hay un puente*, there is a bridge. — 5 *m (cuenta corriente)* credit. 6 *(posesiones)* property. 7 *(sueldo)* salary. ●*habérselas con algn.*, to be up against sb. ▲ 4 *only used in the 3rd person. It does not take a subject.*

habichuela *f* French bean.

hábil *adj (aptitud)* skilful. 2 *(despabilado)* clever. — 3 *hábilmente adv* skilfully. ■ *día* ~, working day.

habilidad *f (aptitud)* skill. 2 *(astucia)* cleverness. 3 *(objeto)* craft.

habilidoso,-a *adj* skilful.

habilitar *t (espacio)* to fit out. 2 *(capacitar)* to entitle. 3 FIN to finance.

habitación *f* room. 2 *(dormitorio)* bedroom.

habitante *mf* inhabitant.

habitar *t* to live in. — 2 *i* to live.

hábito *m (costumbre)* habit, custom. 2 *(vestido)* habit.

habitual *adj* usual, habitual, customary. 2 *(asiduo)* regular.

habituar(se) [11] *t* to accustom *(a, to)*. — 2 *p* to become accustomed *(a, to)*.

habla *f (facultad)* speech. 2 *(idioma)* language: *países de ~ hispana*, Spanish-speaking countries. ●*¡al ~!*, speaking! ▲ *Takes el and un in sing.*

hablado,-a *adj* spoken.

hablador,-ra *adj-m,f (parlanchín)* talkative (person). 2 *(chismoso)* gossip(y).

habladuría *f* piece of gossip.

hablante *mf* speaker.

hablar *i* to speak, talk *(con, to)*. — 2 *t (idioma)* to speak. ●~ *alto/bajo/claro*, to speak loud/softly/plainly; ~ *en broma*, to be joking; *¡ni ~!*, certainly not!; *fam* ~ *por los codos*, to be a chatterbox.

hacendado,-a *m,f* landowner.

hacer(se) [73] *t (producir)* to make; *(comida)* to prepare. 2 *(construir)* to build. 3 *(efectuar, recorrer)* to do. 4 *(causar)* to cause. 5 *(obligar)* to make: *hazle callar*, make him/her shut up. 6 *(creer, suponer)* to think: *le hacía en Roma*, I thought he/she was in Rome. 7 *(aparentar)* to act: ~ *el imbécil*, to act stupid. — 8 *i (representar)* to play *(de, -)*. 9 *(clima)* to be: *hace buen día*, it's a fine day. 10 *(tiempo pasado)* ago: *hace tres años*, three years ago. 11 *(fingirse)* to pretend to be, act as. — 12 *p (volverse)* to become: *-se viejo,-a*, to grow old. 13 *(crecer)* to grow. ●~ *bien/mal*, to do the right/wrong thing; ~ *cola*, to queue up; ~ *conocer/saber*, to make known; ~ *gracia*, to tickle; ~ *la cama*, to make the bed; ~ *la(s) maleta(s)*, to pack; ~ *lugar*, to make room; ~ *pedazos*, to ruin; ~ *recados*, to run errands; ~ *sombra*, to cast a shadow; ~ *tiempo*, to kill time; *~se con*, to get hold of; *~se a un lado*, to step aside; *fam* ~ *se el/la sordo,-a*, to turn a deaf ear; *euf* ~ *de vientre/del cuerpo*, to evacuate one's bowels. ▲ pp *hecho,-a*. *9 and 10 only used in the 3rd person. They do not take a subject.*

hacha *f* axe. ▲ *Takes el and un in sing.*

hachís *m* hashish.

hacia *prep (dirección)* towards, to. 2 *(tiempo)* at about/around. ●~ *abajo*, downward(s); ~ *adelante*, forward(s); ~ *arriba*, upward(s); ~ *atrás*, backward(s).

hacienda *f (bienes)* property. 2 *(finca)* estate, property. ■ ~ *pública*, public funds/finances *pl*.

hacinar *t* to pile up.

hada f fairy. ▲ Takes el and un in sing.

¡hala! interj (dar prisa) go on! 2 (infundir ánimo) come on! 3 (sorpresa) oh dear!

halagar [7] t to flatter.

halago m compliment.

halagüeño,-a adj (adulador) flattering. 2 (promesa, futuro) promising.

halcón m falcon.

¡hale! interj get going!

hallar(se) t (encontrar) to find. 2 (averiguar) to find out. 3 (ver, notar) to see, observe. – 4 p (estar) to be.

hallazgo m (descubrimiento) finding, discovery. 2 (cosa descubierta) find.

halo m halo, aura.

halterofilia f weight-lifting.

hamaca f hammock.

hambre f hunger, starvation. ●tener ~, to be hungry; pey ser un muerto de ~, to be a good-for-nothing. ▲ Takes el and un in sing.

hambriento,-a adj-m,f hungry (person): fig ~ de justicia, longing for justice.

hampa f underworld.

hámster m hamster.

hándicap m handicap.

hangar m hangar.

harapiento,-a adj ragged, tattered.

harapo m rag, tatter.

harem, harén m harem.

harina f flour. ●fig eso es ~ de otro costal, that's another kettle of fish.

hartar(se) t (atiborrar) to satiate, fill up. 2 (fastidiar) to annoy. 3 (causar) to overwhelm (de, with). – 4 p (atiborrarse) to eat one's fill. 5 (cansarse) to get fed up (de, with).

harto,-a adj (repleto) full. 2 fam (cansado) tired of, fed up with.

hasta prep (tiempo) until, till, up to. 2 (lugar) as far as. 3 (cantidad) up to, as many as. – 4 conj ~ (que), until. ●¡~ luego!, see you later!

hastiar(se) [13] t to make sick/tired (de, of). – 2 p to get sick/tired (de, of).

hastío m (repugnancia) disgust. 2 fig boredom.

hay pres indic → haber.

haya f BOT beech. – 2 pres subj → haber.

haz m bundle; (de hierba, leña) sheaf. 2 (de luz) beam. – 3 f (cara) face. – 4 imperat → hacer.

hazaña f deed, exploit.

hazmerreír m laughing stock.

he adv ~ ahí/aquí, there/here you have. – 2 pres indic → haber.

hebilla f buckle.

hebra f (de hilo) (piece of) thread. 2 (de carne) sinew. 3 fig thread.

hebreo,-a adj-m,f Hebrew.

hecatombe f hecatomb. 2 (desgracia) disaster, catastrophe.

hechicería f (arte) sorcery, witchcraft. 2 (hechizo) spell, charm.

hechicero,-a adj bewitching. – 2 m,f sorcerer, wizard, f sorceress, witch.

hechizar [4] t (embrujar) to bewitch. 2 fig (cautivar) to charm.

hechizo m (embrujo) charm, spell. 2 fig (embelesamiento) fascination.

hecho,-a pp → hacer. – 2 adj made: un bistec ~, a well-cooked steak. 3 (persona) mature. – 4 m (realidad) fact. 5 (suceso) event, incident. – 6 interj ¡done! ●¡bien ~!, well done!; dicho y ~, no sooner said than done; ~ a mano/máquina, hand-/machine-made. ■ ~ consumado, fait accompli.

hechura f (forma) shape. 2 COST cut.

hectárea f hectare.

hectolitro m hectolitre.

hectómetro m hectometre.

heder [28] i to stink.

hedor m stink, stench.

hegemonía f hegemony.

helado,-a adj frozen; MED frostbitten. 2 (pasmado) dumbfounded. – 3 m ice cream. – 4 f METEOR frost, freeze. ●fam fig quedarse ~, to be flabbergasted.

helar(se) [27] t-p to freeze; MED to frostbite. – 2 i METEOR to freeze: anoche heló, there was a frost last night. ▲ 2 only used in the 3rd person. It does not take a subject.

helecho m fern.

helénico,-a adj Hellenic, Greek.

hélice f helix. 2 AV MAR propeller.

helicóptero m helicopter.

hematoma m haematoma, bruise.

hembra f female. 2 (mujer) woman. 3 (de tornillo) nut. 4 (de enchufe) socket. 5 (corchete) eye.

hemisferio m hemisphere.

hemorragia f haemorrhage.

henchir(se) [34] t (llenar) to fill. – 2 p (atiborrarse) to stuff o.s.

hender(se) [28] t-p to cleave, split, crack.

hendidura f cleft, crack.

hendir(se) [29] t-p → hender.

heno m hay.

hepático,-a adj hepatic.

hepatitis f inv hepatitis.

heptágono m heptagon.

heráldico,-a *adj* heraldic. – 2 *f* heraldry.
herbaje *m* grass, pasture.
herbario,-a *adj* herbal. – 2 *m* herbarium.
herbicida *m* weedkiller, herbicide.
herbívoro,-a *adj* herbivorous. – 2 *m,f* herbivore.
herbolario,-a *m,f (persona)* herbalist. – 2 *m (tienda)* herbalist's (shop).
herboristería *f* herbalist's (shop).
heredad *f* property, estate.
heredar *t* to inherit.
heredero,-a *m,f* *m* heir, *f* heiress.
hereditario,-a *adj* hereditary.
hereje *mf* heretic.
herejía *f* heresy.
herencia *f* inheritance. 2 *(genética)* heredity.
herida *t* wound.
herido,-a *adj-m,f* wounded (person), injured (person).
herir [35] *t* to wound, injure, hurt.
hermafrodita *adj-mf* hermaphrodite.
hermanar *t* to unite.
hermanastro,-a *m,f* *m* stepbrother, *f* stepsister.
hermandad *f (congregación)* fraternity, brotherhood, sisterhood. 2 *(parentesco)* brotherhood.
hermano,-a *m,f* *m* brother, *f* sister. ■ ~ *político,-a,* brother-/sister-in-law.
hermético,-a *adj* hermetic(al), airtight. 2 *fig* impenetrable.
hermetismo *m* hermetism. 2 *fig* secrecy.
hermoso,-a *adj* beautiful, lovely.
hermosura *adj* beauty.
hernia *f* hernia, rupture.
herniarse [12] *p* to rupture o.s.
héroe *m* hero.
heroico,-a *adj* heroic.
heroína *f (mujer)* heroine. 2 *(droga)* heroin.
heroinómano,-a *m,f* heroin addict.
heroísmo *m* heroism.
herradura *f* horseshoe.
herramienta *f* tool.
herrar [27] *t (caballo)* to shoe. 2 *(ganado)* to brand.
herrería *f (taller)* forge, ironworks. 2 *(tienda)* blacksmith's shop.
herrero *m* blacksmith.
hervidero *m* boiling. 2 *(manantial)* spring of water. 3 *fig (multitud)* swarm.
hervir [35] *t-i* to boil.
hervor *m* boiling, bubbling.
heterodoxo,-a *adj-m,f* heterodox (person).

heterogéneo,-a *adj* heterogeneous.
hexágono *m* hexagon.
hez *f* scum, dregs *pl.* 2 *pl* excrements. ▲ *pl* **heces**.
hibernación *f* hibernation.
hibernar *i* to hibernate.
híbrido,-a *adj* hybrid.
hidalgo,-a *adj* noble. – 2 *m* nobleman, gentleman.
hidratación *f* hydration. 2 *(de la piel)* moisturizing.
hidratante *adj-m* moisturizing.
hidratar *t* to hydrate. 2 *(piel)* to moisturize.
hidrato *m* hydrate. ■ ~ *de carbono,* carbohydrate.
hidráulico,-a *adj* hydraulic.
hidroavión *m* hydroplane, seaplane.
hidrógeno *m* hydrogen.
hiedra *f* ivy.
hiel *f* bile.
hielo *m* ice. ●*romper el ~,* to break the ice.
hiena *f* hy(a)ena.
hierático,-a *adj* REL hieratic(al). 2 *(rígido)* rigid.
hierba *f* grass. 2 *arg (marihuana)* grass. ■ *mala ~,* weed; ~ *mate,* maté.
hierbabuena *f* mint.
hierro *m* iron. ●*fig ser de ~,* to be strong as an ox. ■ ~ *colado/fundido,* cast iron; ~ *forjado,* wrought iron.
hígado *m* liver.
higiene *f* hygiene.
higiénico,-a *adj* hygienic. ■ *papel ~,* toilet paper.
higo *m* fig. ■ ~ *chumbo,* prickly pear.
higuera *f* fig tree.
hijastro,-a *m,f* stepchild; *m* stepson, *f* stepdaughter.
hijo,-a *m,f* child; *m* son, *f* daughter: *hijos,* children. ■ ~ *político,-a,* son-in-law/daughter-in-law; ~ *único,-a,* only child.
hilacha *f,* **hilacho** *m* unravelled thread.
hilado,-a *adj* spun. – 2 *m (operación)* spinning. 3 *(hilo)* thread.
hilador,-ra, hilandero,-a *m,f* spinner.
hilar *t* to spin.
hilaridad *f* *fml* hilarity.
hilera *f* line, row.
hilo *m* thread. 2 *(lino)* linen. 3 *(telefónico)* wire. ●*con un ~ de voz,* in a thin voice; *fig seguir el ~ de la conversación,* to follow a conversation.
hilván *m* tacking, basting.
hilvanar *t* to tack, baste. 2 *fig* to throw.

himno *m* hymn. ■ ~ *nacional,* national anthem.

hincapié *m* *hacer* ~ *en,* to insist on.

hincar [1] *t* to drive (in). ●~ *el diente,* to bite; *fig* to get one's teeth (*a,* into).

hincha *f* *(antipatía)* dislike. — 2 *mf* fan, supporter.

hinchado,-a *adj* inflated. 2 MED swollen. 3 *fig (persona)* vain.

hinchar(se) *t* to inflate, blow up. — 2 *p* MED to swell. 3 *(engreírse)* to get conceited. 4 *fam (comer)* to stuff o.s.

hinchazón *f* swelling, inflation.

hinojo *m* fennel.

hipar *i* to hiccup, have the hiccups.

hipermercado *m* hypermarket.

hípico,-a *adj* horse, equine.

hipnosis *f* *inv* hypnosis.

hipnotizar [4] *t* to hypnotize.

hipo *m* hiccup, hiccough.

hipocondría *f* hypochondria.

hipocondríaco,-a *adj-m,f* hypochondriac.

hipocresía *f* hypocrisy.

hipócrita *adj* hypocritical. — 2 *mf* hypocrite.

hipódromo *m* racetrack, racecourse.

hipoteca *f* mortgage.

hipotecar [1] *t* to mortgage. 2 *fig* to jeopardize.

hipótesis *f* *inv* hypothesis.

hipotético,-a *adj* hypothetic(al).

hippie *adj-mf* hippy.

hirviente *adj* boiling, seething.

hispánico,-a *adj* Hispanic, Spanish.

hispanidad *f* Spanishness. 2 *(mundo hispánico)* Spanish/Hispanic world.

hispano,-a *adj* Spanish, Hispanic. 2 *(de América)* Spanish-American. — 3 *m,f* Spaniard. 4 *(de América)* Spanish American, US Hispanic.

hispanoamericano,-a *adj* Spanish American.

hispanohablante *adj-mf* Spanish-speaking (person).

histeria *f* hysteria. ■ ~ *colectiva,* mass hysteria.

histérico,-a *adj* hysteric(al).

historia *f* *(estudio)* history. 2 *(narración)* story, tale.

historiador,-ra *m,f* historian.

historial *m* MED record. 2 *(currículo)* curriculum (vitae).

historiar [13] *t* to chronicle.

histórico,-a *adj* historical. 2 *(importante)* historic.

historieta *f* *(cuento)* short story, tale. 2 *(viñetas)* comic strip.

hito *m* *(mojón)* milestone. 2 *(blanco)* target. ●*mirar de ~ en ~,* to stare at.

hobby *m* hobby.

hocico *m* snout.

hockey *m* hockey.

hogar *m* *(de chimenea)* hearth. 2 *fig* home.

hogareño,-a *adj (vida)* home, family. 2 *(persona)* home-loving.

hogaza *f* large loaf (of bread).

hoguera *f* bonfire.

hoja *f* *gen* leaf. 2 *(pétalo)* petal. 3 *(de papel)* sheet, leaf; *(impreso)* handout. 4 *(de libro)* leaf, page. 5 *(de metal)* sheet. 6 *(de cuchillo)* blade. ■ ~ *de afeitar,* razor blade; ~ *de ruta,* waybill; ~ *de servicios,* record of service.

hojalata *f* tin(plate).

hojaldre *m & f* puff pastry.

hojarasca *f* fallen/dead leaves *pl.* 2 *(frondosidad)* foliage. 3 *fig* trash; *(palabras)* verbiage.

hojear *t* to leaf/flick through.

hojuela *f* pancake. ●*fig miel sobre hojuelas,* so much the better.

¡hola! *interj* hello!, hullo!, US hi! 2 AM *(al teléfono)* hello.

holgado,-a *adj (desocupado)* idle. 2 *(ropa)* loose, baggy. 3 *(espacio)* roomy. 4 *(de dinero)* comfortable, well-off.

holgar(se) [52] *i* *(descansar)* to rest. 2 *(estar ocioso)* to be idle. — 3 *p* *(alegrarse)* to be pleased *(con/de,* by). 4 *(divertirse)* to enjoy o.s. ●*huelga decir que ...,* needless to say (that) ... .

holgazán,-ana *adj* idle, lazy. — 2 *m,f* lazybones *inv,* layabout.

holgazanear *i* to idle, lounge about.

holgazanería *f* idleness, laziness.

holgorio *m* revelry, meriment.

holgura *f* *(ropa)* looseness. 2 *(espacio)* roominess. 3 *(bienestar)* affluence, comfort.

hollar [31] *t* *(comprimir)* to tread (on), trample down. 2 *(pisar)* to trample on. 3 *fig* to humiliate.

hollín *m* soot.

holocausto *m* holocaust.

hombre *m* man. 2 *(especie)* man(kind). 3 *fam (marido)* husband. — 4 *interj* what a surprise!: *¡~, claro!,* well, of course!, you bet! ■ ~ *anuncio,* sandwich man; ~ *de estado,* statesman; ~ *de negocios,* businessman; *fig* ~ *de paja,* front man; *fam* ~ *del saco,* bogey man.

hombrear *i* to act the man. **2** *(con hombros)* to push with one's shoulders.
hombrera *f* shoulder pad. **2** MIL epaulette.
hombro *m* shoulder. ●*arrimar el ~,* to help out; *encogerse de hombros,* to shrug (one's shoulders).
hombruno,-a *adj* mannish, manly.
homenaje *m* homage, tribute.
homenajear *t* to pay tribute to.
homeopatía *f* homeopathy.
homicida *adj* homicidal: *el arma ~,* the murder weapon. – **2** *mf* killer.
homicidio *m* homicide, murder.
homogeneidad *f* homogeneity, uniformity.
homogeneizar [26] *t* to homogenize.
homogéneo,-a *adj* homogeneous, uniform.
homologar [7] *t* to give official approval to. **2** DEP to ratify.
homólogo,-a *adj* comparable. – **2** *m,f* opposite number.
homónimo *m* homonym.
homosexual *adj-mf* homosexual.
homosexualidad *f* homosexuality.
hondo,-a *adj* deep. – **2** *m* bottom, the depths *pl.* – **3** *f* sling. ■ *cante ~,* flamenco (music).
hondonada *f* hollow, ravine.
hondura *f* depth.
honestidad *f* *(honradez)* honesty. **2** *(recato)* modesty.
honesto,-a *adj* *(honrado)* honest, upright. **2** *(recatado)* modest.
hongo *m* fungus. **2** *(sombrero)* bowler (hat).
honor *m* honour. **2** *pl* title *sing.* **3** *(agasajo)* honours. ●*en ~ a la verdad,* to be fair.
honorable *adj* honourable.
honorario,-a *adj* honorary. – **2** *mpl* fee *sing.*
honra *f* honour, dignity. **2** *(respeto)* respect. ●*¡y a mucha ~!,* and (I'm) proud of it!
honradez *f* honesty.
honrado,-a *adj* honest. **2** *(decente)* upright.
honrar(se) *t* *(respetar)* to honour. **2** *(enaltecer)* to do credit to. – **3** *p* to be honoured.
honroso,-a *adj* *(que honra)* honourable. **2** *(decoroso)* respectable.
hora *f* hour. **2** *(tiempo)* time. **3** *(cita)* appointment. ●*a altas horas,* in the small hours. ■ *~ oficial,* standard time; *~*

punta, rush hour; *horas extras,* overtime (hours); *hora punta,* rush hour.
horadar *t* to perforate.
horario *m* timetable, schedule: *tengo ~ de mañana,* I work mornings.
horca *f* *(patíbulo)* gallows *pl.* **2** AGR hayfork.
horcajadas *a ~, adv* astride.
horchata *f* sweet milky drink *made from chufa nuts or almonds.*
horizontal *adj* horizontal.
horizonte *m* horizon.
horma *f* mould. **2** *(de zapato)* last. ●*encontrar uno la ~ de su zapato,* to meet one's match.
hormiga *f* ant.
hormigón *m* concrete. ■ *~ armado,* reinforced concrete.
hormigonera *f* concrete mixer.
hormigueo *m* itch.
hormiguero *m* anthill.
hormona *f* hormone.
hornada *f* batch.
horno *m* oven. **2** TÉC furnace. **3** *(cerámica, ladrillos)* kiln. ■ *~ alto ~,* blast furnace; *~ (de) microondas,* microwave oven. ●*fam no estar el ~ para bollos,* not to be the right time.
horóscopo *m* horoscope.
horquilla *f* *(alfiler)* hairgrip, hairpin. **2** AGR pitchfork. **3** *(de bicicleta)* fork.
horrendo,-a *adj* awful, frightful.
hórreo *m* granary.
horrible *adj* horrible, dreadful.
horripilante *adj* hair-raising, horrifying.
horror *m* *(repulsión)* horror. **2** *(temor)* hate. **3** *fig (atrocidad)* atrocity. **4** *fam fig* awful lot.
horrorizar(se) [4] *t* to horrify, terrify. – **2** *p* to be horrified.
horroroso,-a *adj* horrible. **2** *(feo)* ugly. **3** *fam (malísimo)* dreadful, awful.
hortalizas *fpl* vegetables, greens.
hortelano,-a *m,f* market gardener, US truck farmer. ●*el perro del ~,* the dog in the manger.
hortensia *f* hydrangea.
hortera *arg adj* common, vulgar, tacky.
horterada *f arg* tacky thing/act.
horticultura *f* horticulture.
hosco,-a *adj* sullen, surly. **2** *(lugar)* gloomy.
hospedaje *m* lodging; *(precio)* cost of lodging.
hospedar(se) *t* to lodge. – **2** *p* to stay *(en,* at).

hospicio *m (de huérfanos)* orphanage. 2 *(de pobres, peregrinos)* hospice.

hospital *m* hospital.

hospitalario,-a *adj (acogedor)* hospitable. 2 MED hospital.

hospitalidad *f* hospitality.

hospitalizar [4] *t* to go/send into hospital, hospitalize.

hostal *m* hostel.

hostelería *f* catering business.

hostia *f* REL host, Eucharistic wafer. 2* *(choque)* bash. — 3* *interj* damn it! ●*ser la* ~*, (fantástico)* to be bloody amazing*; *(penoso)* to be bloody useless*.

hostiar* *t* to bash.

hostigar [7] *t (azotar)* to whip. 2 *(perseguir)* to plague, persecute. 3 *(molestar)* to pester.

hostil *adj* hostile.

hostilidad *f* hostility.

hotel *m* hotel.

hotelero,-a *adj* hotel. — 2 *m,f* hotel keeper.

hoy *adv* today. 2 *(presente)* now. ●*de* ~ *en adelante,* from now on; ~ *(en) día,* nowadays; ~ *por* ~, at the present time.

hoya *f* hole, pit. 2 GEOG valley, dale.

hoyo *m* hole.

hoyuelo *m* dimple.

hoz *f* AGR sickle. 2 GEOG ravine.

hucha *f* moneybox. 2 *fig* savings *pl.*

hueco,-a *adj (vacío)* empty. 2 *(mullido)* spongy, soft. 3 *(presumido)* vain. 4 *(estilo etc.)* affected. — 5 *m (cavidad)* hollow. 6 *(de tiempo)* free time; *(de espacio)* gap. 7 *(vacante)* vacancy.

huelga *f* strike. ■ ~ *de celo,* work-to-rule; ~ *general,* general strike; ~ *de hambre,* hunger strike. ▲ *also* → *holgar.*

huelguista *mf* striker.

huella *f (de pie)* footprint; *(roderas)* track. 2 *fig* trace, sign. ●*dejar* ~, to leave one's mark. ■ ~ *dactilar,* fingerprint.

huérfano,-a *adj-mf* orphan.

huerta *f* market garden, US truck garden.

huerto *m* vegetable/kitchen garden; *(de frutales)* orchard.

hueso *m* ANAT bone. 2 *fig (cosa difícil)* drudgery; *(persona)* pain in the neck. 3 AM job. ●*fig un* ~ *duro de moler/roer,* a hard nut to crack.

huésped,-da *m,f (invitado)* guest. 2 *(en hotel)* lodger, boarder. ■ *casa de huéspedes,* guesthouse.

hueste *f* army, host.

huesudo,-a *adj* bony.

huevo *m* egg. 2* *pl* balls* *pl.* ■ ~ *duro,* hard-boiled egg; ~ *escalfado,* poached egg; ~ *estrellado/frito,* fried egg; ~ *pasado por agua,* soft-boiled egg; *huevos revueltos,* scrambled eggs.

huida *f* flight, escape.

huir [62] *i* to flee, run away *(de,* from). 2 *(evitar)* to avoid *(de,* -). from.

hule *m* oilcloth, oilskin.

hulla *f* coal. ■ ~ *blanca,* water power.

humanidad *f* humanity. 2 *(especie)* mankind. 3 *(benignidad)* benevolence, kindness. 4 *pl* EDUC humanities.

humanista *mf* humanist.

humanitario,-a *adj* humanitarian.

humanizar(se) [4] *t* to humanize. — 2 *p* to become more human.

humano,-a *adj* human. 2 *(benigno)* humane. — 3 *m* human (being).

humareda *f* cloud of smoke.

humeante *adj (de humo)* smoky, smoking. 2 *(de vaho)* steaming.

humear *i (humo)* to smoke. 2 *(vaho)* to steam. — 3 *t* AM *(fumigar)* to fumigate.

humedad *f* humidity. 2 *(de vapor)* moisture. 3 *(sensación)* dampness.

humedecer(se) [43] *t* to moisten, dampen. — 2 *p* to become damp/wet.

húmedo,-a *adj* humid. 2 *(impregnado)* damp, moist.

humildad *f* humility, humbleness.

humilde *adj* humble.

humillación *f* humiliation.

humillante *adj* humiliating.

humillar(se) *t* to humiliate, humble. — 2 *p* to humble o.s.

humo *m* smoke. 2 *(vapor)* steam, vapour. 3 *pl fig* conceit *sing.*

humor *m (ánimo)* mood. 2 *(gracia)* humour. 3 *(líquido)* humour. ●*tener* ~ *para algo,* to feel like (doing) sth. ■ *buen/mal* ~, good/bad humour; ~ *negro,* black comedy; *sentido del* ~, sense of humour.

humorismo *m* humour.

humorístico,-a *adj* humorous, funny, amusing.

hundimiento *m (barco)* sinking. 2 *(tierra)* subsidence. 3 *(edificio)* collapse.

hundir(se) *t (sumir)* to submerge. 2 *(barco)* to sink. 3 *(derrumbar)* to cause to collapse. 4 *fig (abatir)* to demoralize. 5 *(arruinar)* to ruin. — 6 *p (sucumbir)* to be destroyed. 7 *(barco)* to sink. 8 *(derrumbarse)* to collapse. 9 *(arruinarse)* to be ruined.

huracán *m* hurricane.

huraño,-a *adj* sullen, unsociable.

hurgar [7] *t (remover)* to poke. 2 *(fisgar)* to stir up. 3 *(incitar)* to poke at. ●~*se las narices,* to pick one's nose.

hurón *m* ferret.

¡hurra! *interj* hurray!, hurrah!

hurtadillas *a ~, adv* stealthily, on the sly.

hurtar *t (robar)* to steal, pilfer. 2 *(desviar)* to dodge. 3 *(plagiar)* to plagiarize.

hurto *m* petty theft.

husmear *t* to sniff out, scent. 2 *fig* to pry into.

huso *m* spindle.

¡huy! *interj* ouch!, ow!

I

iceberg *m* iceberg.
ida *f* going, departure.
idea *f* idea. 2 *(noción)* notion. 3 *(ingenio)* imagination. ●*fam ni* ~, no idea, not a clue.
ideal *adj-m* ideal.
idealista *adj* idealistic. – 2 *mf* idealist.
idealizar [4] *t* to idealize.
idear *t (concebir)* to imagine, conceive, think. 2 *(inventar)* to design.
idéntico,-a *adj* identical.
identidad *f* identity.
identificación *f* identification.
identificar(se) [1] *t-p* to identify.
ideología *f* ideology.
idílico,-a *adj* idyllic.
idilio *m fig* love affair.
idioma *m* language.
idiota *adj* idiotic, stupid. – 2 *mf* idiot.
idiotez *f* idiocy, stupidity.
idiotizar(se) [4] *t* to daze. – 2 *p* to get dazed.
ido,-a *adj (loco)* mad. 2 *(despistado)* absent-minded.
idólatra *adj* idolatrous. – 2 *mf m* idolater, *f* idolatress.
idolatrar *t* to worship. 2 *fig* to idolize.
ídolo *m* idol.
idóneo,-a *adj* suitable, fit. 2 *(apto)* qualified.
iglesia *f* church.
iglú *m* igloo. ▲ *pl* **iglúes.**
ignición *f* ignition.
ignorancia *f* ignorance.
ignorante *adj* ignorant. – 2 *mf* ignoramus.
ignorar *t* not to know, be ignorant of.
igual *adj* equal: *a partes iguales,* into equal parts. 2 *(lo mismo)* the same: *es* ~ *de alto que tú,* he is as tall as you. 3 *(empatados)* even. – 4 *m* equal. 5 MAT

equal(s) sign. 6 *pl* DEP even. – 7 *adv* probably: ~ *no vienen,* they may not come. 8 **igualmente,** equally. 9 *(también)* also. ●*es* ~, it doesn't matter; *¡igualmente!,* the same to you!
igualar(se) *t* to equalize. 2 *(allanar)* to level; *(pulir)* to smooth. 3 *(comparar)* to match. – 4 *i-p* to be equal.
igualdad *f* equality.
ilegal *adj* illegal.
ilegítimo,-a *adj* illegitimate.
ileso,-a *adj* unharmed, unhurt.
ilícito,-a *adj* illicit, unlawful.
ilimitado,-a *adj* unlimited.
ilógico,-a *adj* illogical.
iluminación *f* illumination.
iluminar *t* to illuminate, light (up). 2 *fig* to enlighten.
ilusión *f (delusión)* illusion. 2 *(esperanza)* hope. 3 *(sueño)* dream. ●*forjarse/hacerse ilusiones,* to build up one's hopes.
ilusionado,-a *adj* excited. ●*estar* ~, to be looking forward to.
ilusionarse *p (esperanzarse)* to build up one's hopes. 2 *(entusiasmarse)* to be excited *(con,* about).
iluso,-a *adj* deluded, deceived. – 2 *m,f* dupe.
ilustración *f (estampa)* illustration. 2 *(instrucción)* learning, erudition.
ilustrado,-a *adj (libro etc.)* illustrated. 2 *(culto)* learned, erudite.
ilustrador,-ra *adj* illustrative. – 2 *m,f* illustrator.
ilustrar(se) *t* to illustrate. 2 *(aclarar)* to explain. 3 *(instruir)* to enlighten. – 4 *p* to learn.
ilustrativo,-a *adj* illustrative.
ilustre *adj* illustrious, distinguished.
imagen *f* image. 2 TV picture.
imaginación *f* imagination, fantasy.

imaginar(se) *t-p* to imagine. **2** *(suponer)* to suppose.

imaginario,-a *adj* imaginary.

imaginativo,-a *adj* imaginative.

imán *m* magnet.

iman(t)ar *t* to magnetize.

imbécil *adj-mf* stupid (person).

imbecilidad *f* stupidity, imbecility.

imitación *f* imitation.

imitador,-ra *adj* imitative. − **2** *m,f* imitator.

imitar *t* to imitate; *(gestos)* to mimic.

impaciencia *f* impatience.

impacientar(se) *t* to make lose patience, exasperate. − **2** *p* to get impatient.

impaciente *adj* impatient.

impacto *m* impact. ■ ~ *de bala,* bullet hole.

impagado,-a *adj* unpaid.

impar *adj-m* odd (number).

imparcial *adj* impartial, fair.

impartir *t* to impart.

impasible *adj* impassive.

impávido,-a *adj* dauntless, fearless.

impecable *adj* impeccable, faultless.

impedido,-a *adj* disabled, handicapped, crippled. − **2** *m,f* cripple, disabled/handicapped person.

impedimento *m* impediment; *(obstáculo)* hindrance, obstacle.

impedir [34] *t (estorbar)* to impede, hinder. **2** *(obstaculizar)* to prevent. ●~ *el paso,* to block the way.

impeler *t* to drive forward, propel. **2** *(incitar)* to impel, incite.

impenetrable *adj* impenetrable. **2** *fig (cosa)* incomprehensible. **3** *(persona)* reserved.

impensable *adj* unthinkable.

imperar *i* to rule, prevail.

imperativo,-a *adj* imperative.

imperceptible *adj* imperceptible.

imperdible *m* safety pin.

imperdonable *adj* unforgivable, inexcusable.

imperecedero,-a *adj fml* everlasting.

imperfección *f* imperfection. **2** *(defecto)* defect, fault.

imperfecto,-a *adj* imperfect.

imperial *adj* imperial.

imperialista *adj-mf* imperialist.

imperio *m* empire. **2** *(altivez)* haughtiness. ●*fam valer un* ~, to be worth a fortune.

imperioso,-a *adj (dominante)* imperious. **2** *(necesario)* urgent, pressing.

impermeabilidad *f* impermeability.

impermeabilizar [4] *t* to waterproof.

impermeable *adj* impervious. **2** *(ropa)* waterproof. − **3** *m* raincoat.

impersonal *adj* impersonal.

impertinencia *f* impertinence. **2** *(palabras)* impertinent remark.

impertinente *adj-mf* impertinent (person).

imperturbable *adj* impassive.

ímpetu *m (impulso)* impetus. **2** *(violencia)* violence.

impetuoso,-a *adj* impetuous.

implacable *adj* implacable, relentless.

implantar *t* to implant; *(reforma)* to introduce.

implicación *f* implication.

implicar [1] *t (involucrar)* to implicate, involve *(en,* in). **2** *(conllevar)* to imply. **3** *(obstar)* to contradict.

implícito,-a *adj* implicit.

implorar *t* to implore, entreat, beg.

imponente *adj* impressive. − **2** *adv fam (muy bien)* terrific.

imponer(se) [78] *t* to impose. **2** *(infundir)* to inspire. **3** *(instruir)* to instruct *(en,* in). **4** FIN to deposit. − **5** *p* to impose one's authority *(a,* on). ▲ *pp* **impuesto,-a**.

imponible *adj* taxable, subject to taxation.

importación *f* import(ation).

importador,-ra *adj* importing. − **2** *m,f* importer.

importancia *f* importance.

importante *adj* important.

importar *i (convenir)* to matter: *no me importa,* I don't care. − **2** *t* COM *(traer de fuera)* to import.

importe *m* price, cost.

importunar *t* to importune, pester, tease.

importuno,-a *adj (inoportuno)* inopportune. **2** *(molesto)* bothersome, troublesome.

imposibilidad *f* impossibility.

imposibilitado,-a *adj (incapaz)* unable. **2** *(inválido)* disabled, crippled.

imposibilitar(se) *t (impedir)* to make impossible, prevent. − **2** *p* to become disabled.

imposible *adj* impossible. ●*hacer lo* ~, to do the impossible, do one's utmost.

imposición *f (carga)* imposition. **2** *(cantidad)* deposit; *(impuesto)* tax.

impostor,-ra *m,f (tramposo) m* impostor, *f* impostress. **2** *(calumniador)* slanderer.

impostura f (trampa) imposture. 2 (calumnia) slander.

impotencia f impotence.

impotente adj impotent.

impracticable adj unfeasible. 2 (camino etc.) impassable.

imprecación f imprecation, curse.

imprecisión f inaccuracy.

impreciso,-a adj vague, indefinite.

impredecible adj unpredictable.

impregnar(se) t to impregnate. – 2 p to be pervaded.

imprenta f (arte) printing. 2 (taller) printer's, printing house. 3 fig press.

imprescindible adj essential, indispensable.

impresión f (huella) impression, imprint. 2 (imprenta) printing. 3 fig (efecto) impression. 4 (opinión) impression.

impresionable adj emotional.

impresionante adj impressive, striking.

impresionar(se) t (afectar) to impress, affect. 2 (conmover) to touch, move. 3 (discos) to cut. 4 (fotografías) to expose. – 5 p (estar afectado) to be impressed. 6 (conmoverse) to be touched/moved.

impreso,-a pp → **imprimir**. – 2 adj printed. – 3 m (formulario) form. 4 pl (en carta etc.) printed matter sing.

impresor,-ra m,f printer. – 2 f (máquina) printer.

imprevisible adj unforeseeable.

imprevisto,-a adj unforeseen. – 2 m (incidente) unforeseen event. 3 pl COM incidental expenses.

imprimir t to print. 2 (dejar huella) to stamp. 3 fig (en el ánimo) to fix. ▲ pp imprimido,-a or impreso,-a.

improbable adj improbable, unlikely.

ímprobo,-a adj (deshonesto) dishonest. 2 (trabajo) arduous, laborious.

improcedente adj unsuitable. 2 JUR inadmissible.

improductivo,-a adj unproductive.

impropio,-a adj (incorrecto) improper. 2 (inadecuado) unsuitable.

improvisación f improvisation.

improvisado,-a adj improvised.

improvisar t-i to improvise.

improviso,-a adj unforeseen, unexpected. ●de ~, suddenly, all of a sudden.

imprudencia f imprudence, rashness.

imprudente adj-mf imprudent/rash (person).

impúdico,-a adj (indecente) immodest. 2 (desvergonzado) shameless.

impuesto,-a pp → **imponer**. – 2 adj imposed. 3 (informado) informed. – 4 m tax, duty. ■ ~ sobre el valor añadido (IVA), value added tax (VAT); ~ sobre la renta, income tax; (tienda) libre de impuestos, duty-free (shop).

impugnación f refutation.

impugnar t to impugn, refute.

impulsar t to impel; TÉC to drive forward.

impulsivo,-a adj impulsive.

impulso m impulse. 2 (fuerza, velocidad) momentum. ●coger ~, to gather momentum.

impune adj unpunished. – 2 impunemente adv with impunity.

impunidad f impunity.

impureza f impurity.

impuro,-a adj impure.

imputar t to impute, ascribe.

inaccesible adj unreachable.

inactividad f inactivity.

inactivo,-a adj inactive.

inadaptado,-a adj maladjusted. – 2 m,f misfit.

inadecuado,-a adj unsuitable. 2 (inapropiado) inappropriate.

inadmisible adj unacceptable.

inadvertido,-a adj (no visto) unseen, unnoticed. 2 (distraído) inattentive.

inagotable adj inexhaustible.

inaguantable adj intolerable, unbearable.

inalterable adj unalterable. 2 (impasible) impassive, imperturbable.

inanimado,-a adj inanimate, lifeless.

inapetencia f lack/loss of appetite.

inapreciable adj (sin poder apreciar) invaluable, priceless. 2 (insignificante) insignificant.

inasequible adj unattainable. 2 (precio) prohibitive. 3 (persona) unapproachable.

inaudito,-a adj (nunca oído) unheard-of. 2 (monstruoso) outrageous.

inauguración f inauguration, opening.

inaugural adj inaugural, opening.

inaugurar t to inaugurate.

incalculable adj incalculable.

incandescente adj incandescent.

incansable adj indefatigable, untiring, tireless.

incapacidad f incapacity. 2 (incompetencia) incompetence. ■ ~ laboral, (industrial) disability.

incapacitar t to incapacitate. 2 (sin aptitud legal) to make unfit (para, for).

incapaz *adj* incapable (*de,* of). 2 *(incompetente)* incompetent.

incautarse *p* JUR to seize, confiscate. 2 *(apoderarse)* to appropriate.

incauto,-a *adj (imprudente)* unwary, reckless, heedless. 2 *(fácil de engañar)* gullible.

incendiar(se) [12] *t* to set on fire, set fire to. − 2 *p* to catch fire.

incendiario,-a *adj* incendiary. − 2 *m,f* arsonist.

incendio *m* fire. ■ ~ *intencionado/provocado,* arson.

incentivo *m* incentive.

incertidumbre *f* uncertainty.

incesante *adj* incessant, unceasing.

incesto *m* incest.

incidencia *f* incidence. 2 *(repercusión)* repercussion, consequence.

incidente *adj* incidental. − 2 *m* incident, event.

incidir *i (incurrir en falta etc.)* to fall (*en,* into). 2 *(proyectil, luz)* to hit (*en,* -). 3 *(causar efecto)* to affect.

incierto,-a *adj (falso)* uncertain, doubtful. 2 *(inconstante)* inconstant, unpredictable. 3 *(desconocido)* unknown.

incineración *f (basuras)* incineration; *(cadáveres)* cremation.

incinerar *t (basura)* to incinerate; *(cadáveres)* to cremate.

incipiente *adj* incipient, nascent.

incisión *f* incision, cut.

incisivo,-a *adj* incisive, cutting. 2 fig sarcastic. ■ *(diente)* ~, incisor.

inciso,-a *adj (estilo)* jerky. − 2 *m* interpolated remark.

incitación *f* incitement, encouragement.

incitante *adj (estimulante)* inciting. 2 *(provocativo)* provocative.

incitar *t* to incite, excite, rouse.

incivilizado,-a *adj* uncivilized.

inclemencia *f* inclemency, harshness. 2 METEOR hard weather.

inclinación *f (pendiente)* slant, slope. 2 *(tendencia)* liking, propension. 3 *(saludo)* bow; *(asentimiento)* nod.

inclinado,-a *adj* inclined, slanted.

inclinar(se) *t* to incline, slant; *(el cuerpo)* to bow; *(la cabeza)* to nod. 2 fig *(persuadir)* to dispose, move. − 3 *p* to lean, slope. 4 fig *(propender a)* to be/feel inclined (*a,* to).

incluido,-a *adj* included.

incluir [62] *t* to include. 2 *(contener)* to contain, comprise: **este precio incluye**

todos los gastos, this is an all-in price. 3 *(en carta etc.)* to enclose.

inclusión *f* inclusion.

inclusive *adv* inclusive.

incluso *adv* inclusive(ly). − 2 *prep* even.

incógnito,-a *adj* unknown. − 2 *m* incognito. − 3 *f* MAT unknown (quantity). 4 fig *(misterio)* mystery. ●*de* ~, incognito.

incoherencia *f* incoherence.

incoherente *adj* incoherent, disconnected.

incoloro,-a *adj* colourless

incombustible *adj* incombustible, fireproof.

incomestible, incomible *adj* uneatable, inedible.

incomodar(se) *t (causar molestia)* to inconvenience. 2 *(fastidiar)* to annoy, bother. 3 *(enojar)* to anger. − 4 *p (enfadarse)* to get annoyed/angry.

incomodidad *f,* **incomodo** *m* discomfort. 2 *(molestia)* inconvenience. 3 *(malestar)* unrest, uneasiness.

incómodo,-a *adj* uncomfortable. ●*sentirse* ~, to feel uncomfortable/awkward.

incomparable *adj* incomparable.

incomparecencia *f* non-appearance.

incompatibilidad *f* incompatibility.

incompatible *adj* incompatible.

incompetencia *f* incompetence.

incompleto,-a *adj* incomplete. 2 *(inacabado)* unfinished.

incomprensible *adj* incomprehensible.

incomprensión *f* lack of understanding.

incomunicar [1] *t (un lugar)* to isolate, cut off. 2 *(una habitación)* to shut off. 3 *(un preso)* to put in solitary confinement.

inconcebible *adj* inconceivable, unthinkable.

incondicional *adj* unconditional. − 2 *mf* staunch supporter.

inconexo,-a *adj* disconnected.

inconformista *adj-mf* nonconformist.

inconfundible *adj* unmistakable.

incongruente *adj* incongruous.

inconsciencia *f* MED unconsciousness. 2 *(irreflexión)* thoughtlessness.

inconsciente *adj* MED unconscious. 2 *(irreflexivo)* thoughtless.

inconsistencia *f* inconsistency.

inconstancia *f* inconstancy, fickleness.

inconstante *adj* inconstant, fickle.

incontable *adj* countless, uncountable.

incontinencia *f* incontinence.

incontrolado,-a *adj* uncontrolled.

inconveniencia f inconvenience. 2 *(grosería)* rude remark. ●*decir/cometer una ~,* to be tactless.

inconveniente *adj* inconvenient. – 2 *m (desventaja)* drawback; *(dificultad)* problem.

incordiar [12] *t* to pester, bother.

incorporación f *(unión)* incorporation. 2 *(el cuerpo)* sitting up.

incorporar(se) *t (unir)* to incorporate. 2 *(levantar cuerpo)* to help to sit up. – 3 *p (levantarse)* to sit up. 4 *(funcionarios etc.)* to join. ●*~se a filas,* to join up.

incorrección f incorrectness.

incorrecto,-a *adj* incorrect.

incorregible *adj* incorrigible.

incorruptible *adj* incorruptible.

incrédulo,-a *adj* incredulous. 2 REL unbelieving. – 3 *m,f* disbeliever. 4 REL unbeliever.

increíble *adj* incredible, unbelievable.

incrementar *t* to increase.

incremento *m* increase, rise.

increpar *t* to rebuke, scold.

incruento,-a *adj* bloodless.

incrustación f incrustation, encrustation. 2 *(artística)* inlaying, inlay.

incrustar(se) *t* to incrust, encrust. 2 *(arte)* to inlay. – 3 *p* to become embedded *(en,* in).

incubadora f incubator.

incubar *t* to incubate.

inculcar [1] *t* to instil.

inculpar *t* to accuse, blame for.

inculto,-a *adj (persona)* uneducated. 2 *(terreno)* uncultivated, untilled.

incultura f lack of culture.

incumbencia f incumbency, duty, concern. ●*no es de mi ~,* it does not concern me.

incumbir *i* to be incumbent *(a,* upon), be the duty *(a,* of).

incumplir *t* not to fulfil.

incurable *adj* incurable.

incurrir *i (merecer)* to incur *(en,* -), become liable to. 2 *(causar)* to bring *(en,* about).

incursión f raid, incursion.

indagación f investigation, inquiry.

indagar [7] *t* to investigate, inquire into.

indecencia f indecency, obscenity.

indecente *adj* indecent, obscene.

indecisión f indecision, irresolution.

indeciso,-a *adj (sin decidir)* undecided. 2 *(dudoso)* hesitant, indecisive.

indecoroso,-a *adj* indecorous.

indefenso,-a *adj* defenceless.

indefinido,-a *adj* undefined, vague.

indelicadeza f tactless act.

indemne *adj (persona)* unharmed, unhurt; *(cosa)* undamaged.

indemnización f *(acción)* indemnification. 2 *(compensación)* indemnity, compensation.

indemnizar [4] *t* to indemnify, compensate *(de/por,* for).

independencia f independence.

independiente *adj* independent. 2 *(individualista)* self-sufficient. – 3 *independientemente* *adv* independently. 4 *(aparte de)* regardless *(de,* of).

independizar(se) [4] *t* to make independent. – 2 *p* to become independent.

indescifrable *adj* indecipherable.

indescriptible *adj* indescribable.

indeterminación f indecision, irresolution.

indeterminado,-a *adj (por determinar)* indeterminate. 2 *(persona)* irresolute.

indicación f indication. 2 *(observación)* hint. 3 *(prescripción)* instruction.

indicador,-ra *adj* indicating. – 2 *m* indicator; TÉC gauge.

indicar [1] *t* to indicate, point out, show. 2 *(aconsejar)* to advise. 3 *(esbozar)* to outline.

indicativo,-a *adj-m* indicative.

índice *m* index. 2 *(dedo)* index finger, forefinger. 3 *(indicio)* sign, indication. ■ *~ de natalidad/mortalidad,* birth/death rate.

indicio *m* sign, indication.

indiferencia f indifference.

indiferente *adj* indifferent.

indígena *adj* indigenous, native. – 2 *mf* native.

indigente *adj fml* indigent. – 2 *mf* poor person: *los indigentes,* the needy.

indigestarse *p* to have/get indigestion. 2 *fam fig (no agradar)* to be disagreeable.

indigestión f indigestion.

indigesto,-a *adj* indigestible.

indignación f indignation.

indignado,-a *adj* indignant *(por,* at/about).

indignante *adj* outrageous, infuriating.

indignar(se) *t* to infuriate, make angry. – 2 *p* to become indignant *(por,* at/about).

indigno,-a *adj* unworthy *(de,* of). 2 *(vil)* low, undignified.

indirecta f hint, insinuation. ●*lanzar/tirar una ~,* to drop a hint.

indirecto,-a *adj* indirect.

indiscreción f indiscretion.
indiscreto,-a adj-m,f indiscreet (person).
indiscriminado,-a adj indiscriminate.
indiscutible adj unquestionable, indisputable.
indispensable adj indispensable, essential.
indisponer(se) [78] t (plan, proyecto) to upset, spoil. 2 (malquitar) to set (contra, against). 3 (físicamente) to make unwell. – 4 p to become ill. •~se con algn., to fall out with sb. ▲ pp indispuesto,-a.
indisposición f MED indisposition, illness. 2 (reticencia) reluctance.
indispuesto,-a pp → **indisponer**. – 2 adj MED indisposed, ill. 3 (enemistado) on bad terms (con, with).
indistinto,-a adj inconsequential.
individual adj individual. ■ habitación/dormitorio ~, single room.
individualizar [4] t to individualize.
individuo,-a adj individual. – 2 m person. 3 pey bloke, guy.
indocumentado,-a adj without identification papers. – 2 m,f arg (persona) dead loss.
índole f (carácter) disposition, nature. 2 (tipo) type, kind.
indolente adj (perezoso) indolent, lazy. 2 (indiferente) indifferent.
indomable adj indomitable, untamable.
inducir [46] t (incitar) to induce, lead. 2 (inferir) to infer, deduce. 3 ELEC to induce.
indudable adj doubtless, unquestionable. – 2 indudablemente adv certainly.
indulgencia f indulgence, leniency.
indulgente adj indulgent, lenient.
indultar t JUR to pardon. 2 (eximir) to exempt.
indulto m pardon, amnesty.
indumentaria f clothing, clothes pl.
industria f industry.
industrial adj industrial. – 2 mf industrialist.
industrializar(se) [4] t to industrialize. – 2 p to become industrialized.
inédito,-a adj (libro) unpublished. 2 (desconocido) unknown. 3 (nuevo) new.
inefable adj ineffable.
ineficacia f inefficiency.
ineficaz adj inefficient.
ineludible adj unavoidable, inevitable.
ineptitud f incompetence.
inepto,-a adj-m,f incompetent (person).
inequívoco,-a adj unmistakable.

inercia f inertia. •hacer algo por ~, to do sth. out of habit.
inerte adj inert.
inesperado,-a adj unexpected, unforeseen.
inestabilidad f instability, unsteadiness. ■ ~ atmosférica, changeable weather.
inestable adj unstable, unsteady.
inestimable adj inestimable, invaluable.
inevitable adj inevitable, unavoidable.
inexactitud f incorrectness, inaccuracy.
inexacto,-a adj inexact, inaccurate.
inexistente adj non-existent, inexistent.
inexperiencia f inexperience.
inexperto,-a adj inexperienced.
inexplicable adj inexplicable.
infalible adj infallible.
infame adj infamous, vile.
infamia f infamy.
infancia f childhood.
infante,-a m,f m prince, f princess.
infantería f infantry.
infantil adj child, children's. 2 (aniñado) childlike; pey childish.
infarto m infarction, infarct. ■ ~ de miocardio, heart attack.
infatigable adj indefatigable, tireless.
infección f infection.
infeccioso,-a adj infectious.
infectar(se) t to infect. – 2 p to become infected.
infeliz adj unhappy. – 2 mf (bondadoso) simpleton.
inferior adj (situado debajo) lower. 2 (cantidad) less, lower: número ~ a diez, a number less than ten. 3 (en calidad) inferior (a, to). – 4 mf subordinate.
inferioridad f inferiority. •en ~ de condiciones, at a disadvantage.
inferir t [35] (deducir) to infer, conclude. 2 (conducir a) to cause.
infernal adj infernal, hellish.
infestar t (invadir animales, plantas) to infest. 2 (infectar) to infect. 3 fig (llenar) to overrun, invade.
infidelidad f infidelity.
infiel adj (desleal) unfaithful (a/con/para, to). 2 (inexacto) inexact. – 3 mf REL infidel.
infierno m hell.
infiltrar(se) t-p to infiltrate.
ínfimo,-a adj (bajo) lowest, smallest. 2 (malo) worst.
infinidad f infinity. 2 (gran cantidad) great number: una ~ de posibilidades, an endless number of possibilities.

infinito,-a *adj* infinite. − **2** *m* infinity. − **3** *adv* *(muchísimo)* infintely.

inflación *f* inflation.

inflamable *adj* inflammable.

inflamación *f* inflammation.

inflamar(se) *t (encender)* to set on fire. **2** *fig (pasiones etc.)* to excite, arouse. − **3** *p* MED to become inflamed.

inflar(se) *t* to inflate, blow up. **2** *fig (hechos, noticias)* to exaggerate. − **3** *p (engreírse)* to get conceited. **4** *fam (hartarse)* to stuff o.s. *(de,* with).

inflexible *adj* inflexible, stiff.

inflexión *f* inflection, inflexion.

infligir [6] *t* to inflict.

influencia *f* influence. ●*tener influencias,* to be influential.

influenciar [12] *t* to influence.

influente *adj* → **influyente**.

influir [62] *i* to influence.

influjo *m* influence.

influyente *adj* influential.

información *f* information. **2** *(noticia)* piece of news.

informal *adj (desenfadado)* informal. **2** *(persona)* unreliable.

informalidad *f (desenfado)* informality. **2** *(en persona)* unreliability.

informar(se) *t (dar noticia)* to report, inform. − **2** *i (dictaminar)* to report *(de,* on). − **3** *p (procurarse noticias)* to find out.

informático,-a *adj* computer, computing. − **2** *f* computer science, computing. − **3** *m,f* (computer) technician.

informativo,-a *adj* informative. − **2** *m* news bulletin.

informatizar [4] *t* to computerize.

informe *adj* shapeless, formless. − **2** *m* report. **3** *pl* references.

infortunio *f (desgracia)* misfortune. **2** *(contratiempo)* mishap, mischance.

infracción *f* offence; *(de ley)* infraction, infringement, breach.

infractor,-ra *m,f* offender.

infraestructura *f* infraestructure.

in fraganti *adv* in the act.

infranqueable *adj* insurmountable.

infrarrojo,-a *adj* infrared.

infravalorar *t* to underestimate.

infringir [6] *t* to infringe; *(ley)* to break.

infructuoso,-a *adj* fruitless, unsuccessful.

ínfulas *fpl* conceit *sing.* ●*darse ~,* to put on airs.

infundado,-a *adj* groundless.

infundir *t* to instil, arouse. ▲ *pp* **infundido,-a** o **infuso,a.**

infusión *f* infusion: *~ de manzanilla/ menta,* camomile/mint tea.

infuso,-a *pp* → **infundir.** − **2** *adj* inspired.

ingeniar(se) [12] *t* to think up. − **2** *p* to manage.

ingeniería *f* engineering.

ingeniero,-a *m,f* engineer.

ingenio *m (talento)* talent; *(chispa)* wit. **2** *(individuo)* genius. **3** *(habilidad)* ingenuity. **4** *(aparato)* device. ●*aguzar el ~,* to sharpen one's wits.

ingenioso,-a *adj* ingenious, clever; *(con chispa)* witty.

ingenuidad *f* ingenuousness, naïveté.

ingenuo,-a *adj-m,f* naïve (person).

ingerir [35] *t (comida)* to eat; *(bebida)* to drink.

ingle *f* groin.

ingratitud *f* ingratitude.

ingrato,-a *adj (desagradecido)* ungrateful, thankless. **2** *(desagradable)* unpleasant.

ingrávido,-a *adj* weightless.

ingrediente *m* ingredient.

ingresar *t (dinero)* to deposit, pay in. − **2** *i (entrar)* to enter; *(club etc.)* to become a member *(en,* of); *(ejército)* to join up. **3** *(en hospital)* to admit.

ingreso *m (entrada)* entry. **2** *(admisión)* admission *(en,* to). **3** *(a cuenta bancaria)* deposit. **4** *pl (sueldo, renta)* income *sing.*

íngrimo,-a *adj* AM alone.

inhabilitar *t (incapacitar)* to disable. **2** JUR to disqualify.

inhalar *t* to inhale, breathe in.

inherente *adj* inherent *(a,* in).

inhibir(se) *t* to inhibit. − **2** *p (abstenerse)* to keep out *(de,* of).

inhóspito,-a *adj* inhospitable.

inhumación *f* burial.

inhumano,-a *adj* inhuman, cruel.

iniciación *f* initiation, introduction *(a,* to).

iniciador,-ra *adj* initiatory. − **2** *m,f* initiator. **3** *(pionero)* pioneer.

inicial *adj-f* initial.

iniciar(se) [12] *t (introducir)* to initiate *(en,* in). **2** *(empezar)* to begin. − **3** *p* to learn.

iniciativa *f* initiative.

inicio *m* beginning, start.

inimaginable *adj* unimaginable.

ininteligible *adj* unintelligible.

ininterrumpido,-a *adj* uninterrupted.

injerir(se) *t* to insert. − **2** *p* to interfere *(en,* in).

injertar *t* to graft.
injuria *f* insult, affront. **2** *(daño)* damage.
injuriar [12] *t* *(insultar)* to insult. **2** *(dañar)* to damage.
injusticia *f* injustice, unfairness.
injustificado,-a *adj* unjustified.
injusto,-a *adj* unjust, unfair.
inmediaciones *fpl* neighbourhood *sing*, environs.
inmediato,-a *adj* *(poco después)* immediate. **2** *(contiguo)* next to, adjoining.
inmejorable *adj* unsurpassable.
inmensidad *f* immensity. **2** *(gran cantidad)* great number.
inmenso,-a *adj* immense, vast.
inmerecido,-a *adj* undeserved.
inmigración *f* immigration.
inmigrante *adj-mf* immigrant.
inmigrar *i* to immigrate.
inminente *adj* imminent, near.
inmiscuirse [62] *p* to interfere, meddle.
inmobiliario,-a *adj* property, real estate. − **2** *f* estate agency.
inmoral *adj* immoral.
inmoralidad *f* immorality.
inmortal *adj-mf* immortal.
inmortalizar(se) [4] *t* to immortalize. − **2** *p* to be immortal.
inmóvil *adj* still, motionless. **2** *fig (constante)* determined, steadfast.
inmovilizar [4] *t* to immobilize.
inmueble *m* building.
inmundo,-a *adj* *(sucio)* dirty, filthy. **2** *fig* nasty.
inmune *adj* MED immune *(a,* to). **2** *(exento)* exempt *(de,* from).
inmunidad *f* immunity.
inmunizar [4] *t* to immunize.
inmutable *adj* unchangeable, immutable.
inmutarse *p* to change one's expression.
innato,-a *adj* innate, inborn.
innecesario,-a *adj* unnecessary.
innegable *adj* undeniable.
innocuo *adj* innocuous, harmless.
innovación *f* innovation.
innovador,-ra *adj* innovatory.
innovar *t* to innovate.
innumerable *adj* innumerable, countless.
inocencia *f* innocence. **2** *(ingenuidad)* naïveté.
inocente *adj-mf* innocent (person). **2** *(ingenuo)* naïve (person).
inodoro,-a *adj* odourless. − **2** *m* toilet.
inofensivo,-a *adj* inoffensive, harmless.

inolvidable *adj* unforgettable.
inoportuno,-a *adj* inopportune, untimely.
inorgánico,-a *adj* inorganic.
inoxidable *adj* rustproof.
inquebrantable *adj* unbreakable. **2** *fig* firm, irrevocable.
inquietante *adj* worrying, disturbing.
inquietar(se) *t-p* to worry.
inquieto,-a *adj* *(agitado)* restless. **2** *(preocupado)* worried, anxious.
inquietud *f* *(agitación)* restlessness. **2** *(preocupación)* worry, anxiety.
inquilino,-a *m,f* tenant.
inquirir [30] *t* to inquire, investigate.
insaciable *adj* insatiable.
insalubre *adj* unhealthy, unwholesome.
insano,-a *adj* insane, mad.
insatisfacción *f* dissatisfaction.
insatisfecho,-a *adj* unsatisfied.
inscribir(se) *t* *(grabar)* to inscribe. **2** *(apuntar)* to register, record. − **3** *p* *(matricularse)* to enrol. ▲ *pp* **inscrito,-a.**
inscripción *f* *(grabado)* inscription. **2** *(registro)* enrolment, registration.
inscrito,-a *pp* → **inscribir(se).**
insecticida *adj-m* insecticide.
insecto *m* insect.
inseguridad *f* insecurity. **2** *(duda)* uncertainty. **3** *(peligro)* unsafety.
inseguro,-a *adj* insecure. **2** *(que duda)* uncertain. **3** *(peligroso)* unsafe.
insensatez *f* stupidity.
insensato,-a *adj* stupid, foolish.
insensible *adj* insensitive. **2** MED insensible, numb.
inseparable *adj-mf* inseparable.
inserción *f* insertion.
insertar *t* to insert, introduce.
insigne *adj* famous, eminent.
insignia *f* badge. **2** MAR pennant.
insignificante *adj* insignificant.
insinuación *f* insinuation, hint.
insinuar(se) [11] *t* to insinuate. − **2** *p* to worm one's way *(en,* into).
insípido,-a *adj* tasteless. **2** *fig* dull, flat.
insistencia *f* insistence, persistence.
insistir *i* to insist *(en,* on), persist *(en,* in).
insociable *adj* unsociable.
insolación *f* sunstroke.
insolencia *f* insolence, cheekiness.
insolente *adj-mf* *(irrespetuoso)* insolent (person). **2** *(arrogante)* haughty (person).
insólito,-a *adj* unusual.
insoluble *adj* insoluble.

insolvente *adj-mf* insolvent, bankrupt.
insomnio *m* insomnia.
insonorizar [4] *t* to soundproof.
insoportable *adj* unbearable, intolerable.
insostenible *adj* untenable, indefensible.
inspección *f* inspection.
inspeccionar *t* to inspect, oversee.
inspector,-ra *m,f* inspector.
inspiración *f* inspiration. 2 *(inhalación)* inhalation.
inspirar(se) *t (aspirar)* to inhale, breathe in. 2 *(infundir)* to inspire. − 3 *p* to be inspired *(en,* by).
instalación *f* installation. 2 *(equipo)* equipment.
instalador,-ra *m,f* installer, fitter.
instalar(se) *t* to install. 2 *(equipar)* to fit up. − 3 *p (establecerse)* to settle.
instancia *f (solicitud)* request; *(escrito)* application form. ●*a ~/instancias de,* at the request of.
instantáneo,-a *adj* instantaneous. − 2 *f (foto)* snapshot. ■ *café ~,* instant coffee.
instante *m* instant, moment. ●*al ~,* immediately.
instar *t (insistir)* to press, urge. − 2 *i (urgir)* to be pressing, urgent.
instaurar *t (restaurar)* to restore, renew. 2 *(establecer)* to establish.
instigar [7] *t* to incite.
instintivo,-a *adj* instinctive.
instinto *m* instinct.
institución *f* institution, establishment. ■ *~ benéfica,* charitable foundation.
instituir [62] *t* to institute.
instituto *m* institute. 2 EDUC state secondary school, US high school. ■ *~ de belleza,* beauty salon.
instrucción *f (educación)* instruction, education. 2 MIL drill. 3 *pl* directions, orders.
instructivo,-a *adj* instructive.
instruir [62] *t* to instruct. 2 *(educar)* to teach.
instrumental *adj* instrumental. − 2 *m* equipment.
instrumento *m* instrument.
insubordinarse *p* to rebel.
insuficiencia *f (falta)* insufficiency. 2 *(no adecuado)* incompetence.
insuficiente *adj* insufficient. 2 EDUC fail.
insulso,-a *adj* insipid.
insultar *t* to insult.
insulto *m* insult.

insuperable *adj* insuperable, unsurpassable.
insurrección *f* insurrection, uprising.
intacto,-a *adj* intact.
intachable *adj* blameless, faultless.
integración *f* integration.
integral *adj-f* integral.
integrar(se) *t* to compose, make up. − 2 *p* to integrate.
integridad *f* integrity. 2 *(honradez)* honesty.
íntegro,-a *adj* whole, entire. 2 *(honrado)* honest, upright.
intelectual *adj-mf* intellectual.
inteligencia *f* intelligence. 2 *(comprensión)* understanding.
inteligente *adj* intelligent, clever.
intemperie *f* bad weather. ●*a la ~,* in the open (air), outdoors.
intempestivo,-a *adj* untimely, inopportune.
intención *f* intention. ●*tener ~ de,* to intend. ■ *buena/mala ~,* good/ill will.
intencionado,-a *adj* intentional, deliberate.
intendente *m* supervisor. 2 MIL quartermaster general.
intensidad *f* intensity; *(de viento)* force.
intensificar [1] *t* to intensify.
intensivo,-a *adj* intensive. ■ *curso ~,* crash course.
intenso,-a *adj* intense; *(dolor)* acute.
intentar *t* to try, attempt.
intento *m* attempt, try.
intercalar *t* to intercalate, insert.
intercambiar [12] *t* to exchange, swap.
intercambio *m* exchange, interchange.
interceder *i* to intercede.
interceptar *t* to intercept; *(tráfico)* to hold up.
intercesión *f* intercession, mediation.
interés *m* interest. ■ *intereses creados,* vested interests.
interesado,-a *adj* interested, concerned. 2 *(egoísta)* selfish, self-interested. − 3 *m,f* interested person.
interesante *adj* interesting.
interesar(se) *t* to interest. − 2 *p ~se en/ por algo,* to be interested in sth. 3 *~se por algn.,* to ask about sb.
interferencia *f* interference. 2 *(radio)* jamming.
interferir [35] *t* to interfere with. 2 *(radio)* to jam.
interino,-a *adj* provisional, temporary. 2 *(cargo)* acting. − 3 *m,f* stand-in.

interior *adj* interior, inner, inside. 2 *(de la nación)* domestic, internal. 3 GEOG inland. − 4 *m* inside, inner part. 5 *(alma)* soul. ■ *habitación ~,* inner room; *Ministerio del Interior,* Home Office, US Department of the Interior.

interiorizar [4] *t* to internalize.

interlocutor,-ra *m,f* speaker, interlocutor.

intermediario,-a *adj* intermediate. − 2 *m,f* COM middleman.

intermedio,-a *adj* intermediate. − 2 *m* intermission, interval.

interminable *adj* interminable, endless.

intermitente *adj* intermittent. − 2 *m* AUTO indicator, blinker.

internacional *adj* international.

internado,-a *adj* interned. − 2 *m* boarding school.

internar(se) *t* to intern. − 2 *p (penetrar)* to penetrate.

interno,-a *adj* internal. 2 *(política)* domestic. − 3 *m,f* boarder.

interponer(se) [78] *t* to interpose. − 2 *p* to intervene. ▲ *pp* **interpuesto,-a**.

interpretación *f* interpretation. 2 MÚS TEAT performance.

interpretar *t* to interpret. 2 *(obra, pieza)* to perform; *(papel)* to play; *(canción)* to sing.

intérprete *mf (traductor)* interpreter. 2 *(actor, músico)* performer.

interpuesto,-a *pp* → **interponer**.

interrogación *f* interrogation, questioning. ■ *(signo de) ~,* question mark.

interrogante *adj* interrogating, questioning. − 2 *m* question mark.

interrogar [7] *t* to question. 2 *(a testigo etc.)* to interrogate.

interrumpir *t* to interrupt.

interrupción *f* interruption.

interruptor *m* switch.

interurbano,-a *adj* inter-city. ■ *conferencia/llamada interurbana,* trunk/long-distance call.

intervalo *m (de tiempo)* interval. 2 *(de espacio)* gap.

intervención *f* intervention. 2 MED operation.

intervenir [90] *i (tomar parte)* to take part *(en,* in). 2 *(interponer)* to intervene. 3 *(mediar)* to mediate. − 3 *t* MED to operate on. 4 *(cuentas)* to audit.

interventor,-ra *m,f* supervisor, inspector. ■ *~ (de cuentas),* auditor.

intestino,-a *adj (interior)* internal. − 2 *m* intestine.

intimar(se) *t (notificar)* to notify. − 2 *i-p* to become close *(con,* to).

intimidad *f* intimacy. 2 *(vida privada)* private life. ●*en la ~,* in private.

intimidar *t* to intimidate, daunt.

íntimo,-a *adj* intimate. 2 *(vida)* private. 3 *(amistad)* close.

intolerable *adj* intolerable, unbearable.

intolerancia *f* intolerance.

intoxicación *f* poisoning; *(alimenticia)* food poisoning.

intoxicar [1] *t* to poison.

intranquilidad *f* restlessness, uneasiness.

intranquilizar(se) [4] *t* to worry, upset. − 2 *p* to get worried.

intranquilo,-a *adj* restless, worried, uneasy.

intransigencia *f* intransigence.

intratable *adj (asunto)* intractable. 2 *(persona)* unsociable.

intrepidez *f* fearlessness, courage.

intrépido,-a *adj* intrepid, bold.

intriga *f* intrigue. 2 *(de película etc.)* plot.

intrigar [7] *t (interesar)* to intrigue. − 2 *i (maquinar)* to plot, scheme.

intrincado,-a *adj* intricate, complicate.

intrínseco,-a *adj* intrinsic.

introducción *f* introduction.

introducir(se) [46] *t* to introduce. 2 *(insertar)* to insert. − 3 *p (entrometerse)* to work one's way *(en,* into).

intromisión *f* interference, meddling.

introspección *f* introspection.

introvertido,-a *adj* introverted. − 2 *m,f* introvert.

intruso,-a *adj* intrusive. − 2 *m,f* intruder.

intuición *f* intuition.

intuir [62] *t* to know by intuition.

intuitivo,-a *adj* intuitive.

inundación *f* flood(ing).

inundar *t* to flood.

inútil *adj* useless. − 2 *mf fam (persona)* good-for-nothing.

inutilizar [4] *t* to make/render useless. 2 *(máquina)* to put out of action.

invadir *t* to invade, overrun.

invalidar *t* to invalidate.

invalidez *f (nulidad)* invalidity. 2 MED disablement, disability.

inválido,-a *adj (nulo)* invalid. 2 *(persona)* disabled, handicapped. − 3 *m,f* disabled/handicapped (person).

invariable *adj* invariable.

invasión *f* invasion.

invasor,-ra *adj* invading. − 2 *m,f* invader.

invencible *adj* insurmountable; *(ejército etc.)* invincible.
invención *f (invento)* invention. 2 *(mentira)* fabrication.
inventar *t (crear)* to invent. 2 *(imaginar)* to imagine. 3 *(mentir)* to make up, fabricate.
inventario *m* inventory. ●*hacer el ~,* to do the stocktaking.
inventiva *f* inventiveness.
invento *m* invention.
inventor,-ra *m,f* inventor.
invernáculo, invernadero *m* greenhouse, hothouse.
invernal *adj* wintry, winter.
invernar [27] *i* to winter. 2 *(animales)* to hibernate.
inverosímil *adj* unlikely.
inversión *f* inversion. 2 FIN investment.
inverso,-a *adj* inverse, opposite. ●*a la inversa, (al contrario)* on the contrary; *(en dirección opuesta)* in the opposite direction.
inversor,-ra *m,f* investor.
invertebrado,-a *adj-m* invertebrate.
invertido,-a *adj* inverted. − 2 *m* homosexual.
invertir [35] *t (orden)* to invert. 2 *(dirección)* to reverse. 3 *(tiempo)* to spend. 4 FIN to invest *(en,* in).
investigación *f* investigation, enquiry. 2 *(científica)* research.
investigador,-ra *adj* investigating. − 2 *m,f (científico)* researcher. 3 *(detective)* investigator.
investigar [7] *t (indagar)* to investigate. 2 *(ciencia)* to do research on.
investir [34] *t* to invest.
inviable *adj* not viable, unfeasible.
invidente *adj-mf* blind (person).
invierno *m* winter.
invisible *adj* invisible.
invitación *f* invitation.
invitado,-a *m,f* guest.
invitar *t* to invite.
invocar [1] *t* to invoke, implore.
involucrar *t* to involve *(en,* in).
involuntario,-a *adj* involuntary.
invulnerable *adj* invulnerable.
inyección *f* injection. ●*poner una ~ a algn.,* to give sb. an injection.
inyectar *t* to inject *(en,* into).
ir(se) [74] *i* to go: *~ de compras,* to go shopping. 2 *(camino etc.)* to lead: *este camino va a la aldea,* this road leads you to the village. 3 *(funcionar)* to work: *el*

ascensor no va, the lift is out of order. 4 *(sentar bien)* to suit: *el rojo te va,* red suits you. − 5 *verbo aux (~ + a + infin)* going to: *voy a salir,* I'm going out. 6 *(~ + gerundio) ~ andando,* to go on foot. 7 *(~ + pp) ~ cansado,-a,* to be tired. − 8 *p (marcharse)* to go away, leave. 9 *(deslizarse)* to slip. 10 *(gastarse)* to go, disappear. ●*~ a pie/en tren/en coche,* to go on foot/by train/by car; *~se de la lengua,* to tell it all; *~se a pique,* to sink; *fig* to fall through; *~se por las ramas,* to get sidetracked; *fam vas que chutas,* you're set.
ira *f* anger, wrath, rage.
iracundo,-a *adj* irritable, angry.
irascible *adj* irascible, irritable.
iris *m inv* iris.
ironía *f* irony.
irónico,-a *adj* ironic(al).
ironizar [4] *t* to ridicule, be ironical about.
irracional *adj* irrational.
irradiar [12] *t* to irradiate, radiate.
irreal *adj* unreal.
irrebatible *adj* irrefutable.
irreflexivo,-a *adj (acto)* rash; *(persona)* impetuous.
irregular *adj* irregular.
irrelevante *adj* irrelevant.
irremediable *adj* irremediable, hopeless.
irremisible *adj* unpardonable, unforgivable.
irreprochable *adj* irreproachable.
irresistible *adj* irresistible. 2 *(insoportable)* unbearable.
irresponsable *adj-mf* irresponsible (person).
irreverente *adj* irreverent.
irreversible *adj* irreversible.
irrisorio,-a *adj* derisory, ridiculous. 2 *(insignificante)* insignificant.
irritable *adj* irritable.
irritación *f* irritation.
irritar(se) *t* to irritate. − 2 *p* to lose one's temper.
irrompible *adj* unbreakable.
irrumpir *i* to burst *(en,* into).
irrupción *f* irruption.
isla *f* island.
isleño,-a *m,f* islander.
itinerante *adj* itinerant.
itinerario *m* itinerary.
izar [4] *t* to hoist.
izquierdo,-a *adj* left. 2 *(zurdo)* left-handed. − 3 *f* left: *mano izquierda,* left hand. ●*a la ~,* to the left.

J

jabalí m wild boar. ▲ pl **jabalíes**.
jabón m soap. ■ ~ **de afeitar/tocador,** shaving/toilet soap.
jabonar t → **enjabonar**.
jabonera f soapdish.
jabonoso,-a adj soapy.
jaca f pony, cob.
jacinto m hyacinth.
jactancia f boastfulness, boasting, bragging.
jactancioso,-a adj boastful. − **2** m,f braggart.
jactarse p to boast, brag (de, about).
jadeante adj panting, breathless.
jadear i to pant, gasp.
jadeo m panting, gasping.
jalar t (tirar de un cabo) to pull, heave. **2** fam (comer) to wolf down.
jalea f jelly.
jalear t (animar) to cheer (on), clap and shout at. **2** (caza) to urge on.
jaleo m (alboroto) din, racket. **2** (escándalo) fuss, commotion. **3** (riña) row. **4** (confusión) muddle.
jalón m (estaca) marker pole. **2** fig (hito) milestone.
jalonar t (señalar con estacas) to stake out. **2** fig (marcar) to mark.
jamás adv never, ever: ~ **he escrito un libro,** I have never written a book; **el mejor libro que ~ se haya escrito,** the best book ever written. ●~ **de los jamases,** never ever, never on your life; **nunca ~,** never ever; **por siempre ~,** for ever (and ever).
jamón m ham. ■ ~ **de York/en dulce,** boiled ham; ~ **serrano,** cured ham.
jaque m check. ●**dar ~ a,** to check. ■ ~ **mate,** checkmate.
jaqueca f migraine, headache. ●fig **dar ~ a algn.,** to bore sb., be a pain in the neck to sb.

jarabe m syrup. ■ ~ **para la tos,** cough syrup/mixture.
jarana f fam (juerga) wild party, spree. **2** (jaleo) racket, din. ●**armar ~,** to make a racket; **ir de ~,** to go on a spree.
jarcia f (naútica) rigging, ropes pl. **2** (pesca) fishing tackle.
jardín m garden. ■ ~ **de infancia,** nursery school.
jardinero,-a m,f gardener. − **2** f (mueble) (para tiestos) planter, flower stand; (en ventana) window box.
jardinería f gardening.
jarra f jug, US pitcher. ●fig **de/en jarras,** arms akimbo, hands on hips. ■ ~ **de cerveza,** beer mug; ~ **de leche,** milkchurn.
jarro m (recipiente) jug. **2** (contenido) jugful.
jarrón m vase. **2** ART urn.
jaspeado,-a adj mottled, speckled.
jaula f (para animales) cage. **2** (embalaje) crate. **3** (niños) playpen.
jauría f pack of hounds. **2** fig gang.
jazmín m jasmine.
jefatura f (cargo, dirección) leadership. **2** (sede) central office; MIL headquarters inv.
jefe,-a m,f head, chief, boss. **2** COM m manager, f manageress. **3** POL leader. **4** MIL officer in command. ■ ~ **de estación,** station master; ~ **de Estado,** Head of State; ~ **de Estado Mayor,** Chief of Staff; ~ **de redacción,** editor-in-chief; ~ **de taller,** foreman.
jerarca m hierarch.
jerarquía f hierarchy. **2** (grado) scale. **3** (categoría) rank.
jerga f (técnica) jargon. **2** (vulgar) slang.
jergón m straw mattress. **2** fig (torpe) country bumpkin.
jerigonza f → **jerga**. **2** (extravagancia) oddness.
jeringuilla f (hypodermic) syringe.

jeroglífico,-a *adj* hieroglyphic. – **2** *m* hieroglyph(ic). **3** *(juego)* rebus.

jersey *m* sweater, pullover, jumper. ▲ *pl* **jerseyes** *or* **jerséis**.

jesuítico,-a *adj* Jesuitic. **2** *fig* cautious.

jeta *f fam (cara)* mug, face. **2** *(hocico)* snout. **3** *(descaro)* cheek. – **4** *mf pl* rogue *sing*. ●*poner ~,* to pull a face; *tener ~,* to be cheeky, have a nerve.

jícara *f* small cup.

jilguero *m* goldfinch.

jilipollas* *mf inv* → **gilipollas***.

jinete *m* rider, horseman.

jira *f (pedazo de tela)* strip of cloth. **2** *(merienda)* picnic.

jirafa *f* giraffe. **2** *fig (alto)* tall person.

jirón *m (trozo desgarrado)* shred, strip. **2** *(pedazo suelto)* bit, scrap. ●*hecho,-a jirones,* in shreds/tatters.

jocosidad *f* humour.

jocoso,-a *adj* funny, humorous, comic.

joder(se)* *arg t (copular)* to fuck*, screw*. **2** *(fastidiar)* to piss off*. **3** *(echar a perder, estropear)* to fuck up*. **4** *(lastimar)* to hurt. – **5** *p (aguantarse)* to put up with it. **6** *(echarse a perder)* to fuck up*, ruin. **7** *(lastimarse)* to hurt, fuck up*. **8** *(estropearse)* to go bust. – **9** *interj* bloody hell!, fuck*! ●*¡hay que ~se!,* you'll just have to grin and bear it!; *¡la jodiste!,* you screwed it up!; *¡no me jodas!,* come on, don't give me that!; *¡que se joda(n)!,* to hell with him/her/them!

jodido,-a* *arg adj (maldito)* bloody, fucking*. **2** *(molesto)* annoying. **3** *(enfermo)* in a bad way; *(cansado)* knackered, exhausted. **4** *(estropeado, roto)* fucked up*, done for, kaput, buggered*. **5** *(difícil)* complicated.

jolgorio *m fam (juerga)* binge. **2** *(algazara)* fun. ●*¡qué ~!,* what fun!

¡jolín!, ¡jolines! *interj fam (sorpresa)* gosh!, good grief! **2** *(enfado)* blast!, damn!

jornada *f (duración de un trabajo, una diversión)* day. **2** *(camino recorrido en un día)* day's journey. **3** MIL expedition. **4** *pl* conference *sing*, congress *sing*. ■*~ completa,* full-time; *media ~,* part-time.

jornal *m* day's wage. ●*trabajar a ~,* to be paid by the day.

jornalero,-a *m,f* day labourer.

joroba *f (deformidad)* curvature, hump. **2** *fam (fastidio)* nuisance, drag. – **3** *interj* drat!

jorobado,-a *adj* hunchbacked, humpbacked. – **2** *m,f* hunchback, humpback.

jorobar(se) *fam t (fastidiar)* to annoy, bother. **2** *(romper)* to smash up, break. **3** *(estropear)* to ruin, wreck. – **4** *p (aguantarse)* to put up with it. ●*me joroba,* it really gets up my nose; *¡no jorobes!, (fastidio)* stop pestering me!; *(incredulidad)* pull the other one!

jota *f* the letter ~ **2** *(cantidad mínima)* jot, scrap. ●*ni ~,* not an iota.

joven *adj* young. – **2** *mf m* youth, young man, *f* girl, young woman.

jovial *adj* jovial, good-humoured.

jovialidad *f* joviality, cheerfulness.

joya *f* jewel, piece of jewellery. ●*fig ser una ~,* to be a real treasure/godsend.

joyería *f (tienda)* jewellery shop, jeweller's (shop). **2** *(comercio)* jewellery trade.

joyero,-a *m,f* jeweller. – **2** *m* jewel case/box.

juanete *m* bunion.

jubilación *f (acción)* retirement. **2** *(dinero)* pension.

jubilado,-a *adj-m,f* retired (person).

jubilar(se) *t-p (retirarse)* to retire. – **2** *t* to pension off; *fam fig* to get rid of, ditch. – **3** *i fml (alegrarse)* to rejoice.

júbilo *m* jubilation, joy.

jubiloso,-a *adj* jubilant, joyful.

judicial *adj* judicial, juridical.

judío,-a *adj* Jewish. **2** *fam* mean, stingy. – **3** *m,f* Jew. – **4** *f (planta)* bean. ■*~ blanca/pinta,* haricot/kidney bean; *~ verde,* French/green bean.

juego *m* game. **2** DEP sport; *(tenis)* game. **3** *(apuestas)* gambling. **4** *(conjunto de piezas)* set. **5** *(movimiento)* play. ●*fig a ~,* matching; *fig descubrirle el ~ a algn.,* to see through sb.; *fig hacer/seguir el ~ a algn.,* to play along with sb.; *fig hacer ~,* to match; *fig poner algo en ~,* to put sth at stake. ■*~ de café/té,* coffee/tea service; *~ de ingenio,* guessing game; *~ de manos,* sleight of hand; *~ de palabras,* play on words, pun; *juegos malabares,* juggling *sing*.

juerga *f fam* binge, rave-up. ●*de ~,* living it up, having a good time; *ir(se) de juerga,* to go on a binge.

juerguista *adj-mf* fun-loving (person).

jueves *m inv* Thursday.

juez *mf* JUR judge. ■*~ de banda/línea,* linesman; *~ de paz,* justice of the peace.

jugada *f* play; *(ajedrez)* move; *(billar)* shot; *(dardos)* throw. **2** FIN speculation. **3** *fam* dirty trick. ●*hacerle una mala ~ a algn.,* to play a dirty trick on sb.

jugador,-ra *m,f* player. 2 *(apostador)* gambler. 3 FIN speculator.

jugar(se) [53] *i* to play. 2 *(burlarse)* to make fun *(con,* of). – 3 *t (hacer uso) (una pieza)* to move; *(una carta)* to play. – 4 *t-p (apostar)* to bet, stake. – 5 *p (arriesgar)* to risk. ●*jugársela a algn.,* take sb. for a ride; *jugársela al marido/a la mujer,* to two-time one's husband/wife; *¿quién juega?,* whose go/turn is it?; *fig ~(se) el todo por el todo,* to stake everything one has.

jugarreta *f fam* dirty trick.

jugo *m* juice. ●*fig sacar el ~ a algo,* to make the most of sth.; *fig sacarle el ~ a algn.,* to exploit sb., bleed sb. dry.

jugoso,-a *adj* juicy. 2 *fig (rentable)* profitable.

juguete *m* toy. ●*fig ser el ~ de algn.,* to be sb.'s plaything.

juguetear *i* to play, frolic.

jugueteo *m* playing, frolicking.

juguetería *f (tienda)* toy shop. 2 *(comercio)* toy business.

juguetón,-ona *adj* playful, frolicsome.

juicio *m* judgement. 2 *(sensatez)* reason, common sense. 3 JUR trial, lawsuit. 4 REL judgement. ●*dejar algo a ~ de algn.,* to leave sth. to sb.'s discretion; *emitir un ~ sobre algo,* to express an opinion about sth.; *en su sano ~,* in one's right mind; *llevar a algn. a ~,* to take legal action against sb., sue sb.; *quitar/trastornar el ~ a algn.,* to drive sb. insane.

juicioso,-a *adj* judicious, sensible, wise.

julio *m* July.

jumento *m* ass, donkey.

junco *m* BOT rush. 2 *(bastón)* walking stick, cane.

jungla *f* jungle.

junio *m* June.

junta *f (reunión)* meeting, assembly, conference. 2 *(conjunto de personas)* board, council, committee. 3 *(sesión)* session, sitting. 4 MIL junta. 5 TÉC joint. ■ *~ administrativa,* administrative board; *~ de empresa,* works council; *~ directiva,* board of directors.

juntar(se) *t (unir)* to join/put together; *(piezas)* to assemble. 2 *(coleccionar)* to collect. 3 *(reunir) (dinero)* to raise; *(gente)* to gather together. – 4 *p (unirse a)* to join, get together; *(ríos, caminos)* to meet. 5 *(amancebarse)* to move in with. ●*fig ~se con algo,* to find o.s. with sth.

junto,-a *adj* together. – 2 *adv* near, close. 3 *(al mismo tiempo)* at the same time. ●*~ a,* near, close to; *~ con,* together with; *todo ~,* all at once.

jura *f (acción)* oath; *(ceremonia)* swearing-in, pledge.

jurado,-a *adj* sworn. – 2 *m* JUR *(tribunal)* jury; *(miembro del tribunal)* juror, member of the jury. 3 *(en un concurso)* panel of judges, jury.

juramentar *t* to swear (in).

juramento *m* JUR oath. 2 *(blasfemia)* swearword, curse(word). ●*tomar ~ a algn.,* to swear sb. in. ■ *~ de fidelidad,* oath of allegiance; *~ falso,* perjury.

jurar(se) *t* to swear, take an oath. – 2 *i (blasfemar)* to curse, swear. ●*~ en falso,* to commit perjury; *~ en vano,* to take the name of the Lord in vain; *~ fidelidad,* to pledge allegiance; *jurársela(s) a algn.,* to have it in for sb.

jurídico,-a *adj* juridical, legal.

jurisconsulto *m* jurist, legal expert.

jurisdicción *f* jurisdiction.

jurisdiccional *adj* jurisdictional. ■ *aguas jurisdiccionales,* territorial waters.

jurisprudencia *f* jurisprudence.

jurista *mf* jurist, lawyer.

justicia *f* justice, fairness.

justiciero,-a *adj* severe.

justificable *adj* justifiable.

justificación *f* justification.

justificante *adj* justifying. – 2 *m* voucher, written proof.

justificar(se) [1] *t-p* to justify (o.s.). ●*~se con algn.,* to apologize to sb. (for sth.).

justo,-a *adj (con justicia)* just, fair, right. 2 *(apretado, escaso)* tight. 3 *(exacto)* right, accurate. – 4 *m,f* just/fair person. – 5 *adv (exactamente)* exactly, precisely. 6 *(suficiente)* just enough. – 7 *justamente adv (con exactitud)* precisely, exactly. 8 *(con justicia)* fairly, justly. ●*ir ~,* *(de dinero/tiempo)* to be tight (for money/time); *ser ~,* *(de inteligencia)* to be dim.

juvenil *adj* youthful, young. – 2 *adj-mf* DEP under 18.

juventud *f (edad)* youth. 2 *(aspecto joven)* youthfulness. 3 *(conjunto de jóvenes)* young people, youth. ●*conservar la ~,* to keep one's youthful look.

juzgado *m* court, tribunal. ●*fam fig ser de ~ de guardia,* to be absolutely scandalous. ■ *~ de guardia,* (police) court.

juzgar [7] *i* to judge. 2 *(considerar)* to consider, think.

K

kárate *m* karate.
kilo *m* kilogram. **2** *arg* million pesetas.
kilogramo *m* kilogram(me).
kilolitro *m* kilolitre.
kilométrico,-a *adj* kilometric. **– 2** *m* run-about ticket.

kilómetro *m* kilometre.
kilovatio *m* kilowatt.
kiosko *m* → **quiosco**.
kiwi *m* kiwi.
kleenex® *m* Kleenex®, tissue.
koala *m* koala.

L

la *art def f sing* the: ~ *casa*, the house. – 2 *pron pers f sing (objeto)* her: ~ *miré*, I looked at her; *(cosa, animal)* it: ~ *cogí*, I took it. – 3 *m* MÚS la(h), A.

laberinto *m* labyrinth, maze.

labia *f fam* glibness.

labio *m* lip.

labor *f (trabajo)* work, task. 2 COST embroidery, needlework; *(punto)* knitting. 3 AGR farmwork.

laboral *adj* labour. ■ *jornada* ~, working day.

laborable *adj* AGR arable. 2 *(de trabajo)* working. ■ *día* ~, workday.

laboratorio *m* laboratory.

laboriosidad *f* diligence, industry.

laborioso,-a *adj* industrious, diligent. 2 *(trabajoso)* arduous.

laborista *adj* Labour. – 2 *mf* Labour (Party) member.

labrador,-ra *m,f* farmer, peasant.

labranza *f* farming.

labrar *t (metal)* to work; *(madera)* to carve; *(piedra)* to cut. 2 AGR to plough.

laca *f (resina)* lacquer. 2 *(barniz)* shellac. 3 *(para pelo)* hair lacquer/spray.

lacayo *m* lackey, footman.

lacerar *t* to lacerate, tear. 2 *fig* to harm, damage.

lacio,-a *adj (marchito)* withered. 2 *(flojo)* languid. 3 *(cabello)* straight; *(sin vingor)* lank.

lacónico,-a *adj* laconic.

lacra *f* trace, mark, scar. 2 *(defecto)* fault, defect.

lacrar *t* to seal.

lacre *m* sealing wax.

lacrimógeno,-a *adj* tearful: *una historia lacrimógena*, a tear jerker. ■ *gas* ~, tear-gas.

lacrimoso,-a *adj* lachrymose, tearful.

lactancia *f* lactation.

lactante *adj* lactational. – 2 *mf* breast-fed baby.

lácteo,-a *adj* milk(y). ■ *Vía Láctea*, Milky way.

ladear(se) *t-p* to tilt.

ladera *f* slope, hillside.

ladino,-a *adj* shrewd, sly.

lado *m* side. 2 *(aspecto)* aspect. ● *al* ~, close by, near by; *al* ~ *de*, beside; *dar de* ~ *a algn.*, to avoid sb.; *dejar a un* ~, to set aside; *hacerse a un* ~, to get out of the way; *por un* ~ ... *por otro...*, on the one hand ... on the other hand...

ladrar *i* to bark.

ladrido *m* bark, barking.

ladrillo *m* brick.

ladrón,-ona *m,f* thief.

lagartija *f* small lizard.

lagarto *m* lizard.

lago *m* lake.

lágrima *f* tear.

lagrimal *m* corner of the eye.

laguna *f* small lake, lagoon. 2 *fig (blanco)* blank, gap.

laico,-a *adj* lay, secular. – 2 *m,f* lay person.

lamentable *adj* lamentable, deplorable, regrettable.

lamentación *f* wail, lamentation.

lamentar(se) *t* to deplore, regret, be sorry for. – 2 *p* to complain, grieve.

lamento *m* wail, moan, cry.

lamer *t* to lick.

lámina *f* sheet. 2 *(ilustración)* (full-page) illustration.

lámpara *f* lamp. 2 RAD valve.

lamparón *m* stain.

lana *f* wool.

lanar *adj* wool-bearing. ■ *ganado* ~, sheep.

lancero *m* lancer.

lancha f launch, (motor)boat.

langosta f *(insecto)* locust. 2 *(crustáceo)* lobster.

langostino m prawn, shrimp.

languidecer [43] i to languish.

languidez f weakness, languor.

lánguido,-a adj weak, languid.

lanza f lance, spear. 2 *(de carro)* shaft.

lanzadera f shuttle.

lanzagranadas m inv grenade launcher.

lanzamiento m cast, throwing. 2 AER launching.

lanzar(se) [4] t to throw, fling, hurl. 2 *(nave)* to launch. 3 *fig (grito)* to let out. 4 *fig (mirada)* to fire. − 5 p to throw o.s.

lapa f ZOOL limpet. 2 *pey (persona)* bore.

lápida f tombstone, slab.

lapidar t to throw stones at, stone to death.

lápiz m pencil. ■ *lápices de colores*, coloured pencils/crayons; ~ *de labios*, lipstick.

lapso m lapse. 2 *(error)* slip.

largar(se) [7] t to let go. 2 *fig (dar)* to give. 3 *(decir)* to let out. − 4 p *fam* to get out, leave. ●*¡lárgate!*, get out!

largo,-a adj long. 2 *(extenso)* large. 3 *(astuto)* shrewd. − 4 m length: *tiene dos metros de* ~, it's two metres long. − 5 *interj* get out! − 6 *largamente* adv at length; long, for a long time. 7 largely. ●*a la larga*, in the long run; *a lo ~ de*, along, throughout; ~ *y tendido*, at length; *pasar de* ~, to pass by; *tener para* ~, to have a long wait ahead.

largometraje m feature film, full-length film.

largura f length.

laringe f larynx.

laringitis f inv laryngitis.

larva f larva.

las art def fpl the: ~ *casas,* the houses. − 2 pron pers fpl *(objeto directo)* them: ~ *vi,* I saw them.

lascivia f lasciviousness, lewdness.

lascivo,-a adj lascivious, lewd.

lasitud f lassitude, weariness.

lástima f pity, compassion, grief. ●*por* ~, out of pity; *¡qué* ~*!,* what a pity!; *tener* ~ *a algn.,* to feel sorry for sb.

lastimar(se) t to hurt, injure. 2 *(ofender)* to offend. − 3 p to get hurt.

lastre m ballast. 2 *fig* dead weight, burden.

lata f *(hojalata)* tinplate. 2 *(envase)* tin, can. 2 *(fastidio)* bore, nuisance. ●*dar la* ~, to annoy; *en* ~, canned, tinned.

latente adj latent.

lateral adj lateral, side. − 2 m AUTO side lane.

latido m beat.

latifundio m large estate.

latigazo m lash. 2 *(sonido)* crack. 3 MED whiplash injury. 4 *fam (trago)* swig.

látigo m whip.

latín m Latin.

latir i to beat, throb.

latitud f latitude.

latón m brass.

latoso,-a adj fam tiresome.

latrocinio m fml theft, robbery.

laúd m lute.

laudable adj laudable, praiseworthy.

laureado,-a adj laureate.

laurel m bay.

lava f lava.

lavabo m washbasin. 2 *(cuarto de baño)* washroom. 3 *(público)* toilet.

lavadero m wash room, laundry.

lavado m wash(ing).

lavadora f washing machine.

lavandera f washerwoman, laundress.

lavandería f laundry.

lavar(se) t *(manos etc.)* to wash. 2 *(platos)* to wash up. 3 *(limpiar)* to clean. − 4 p to wash o.s. ●~ *en seco,* to dry-clean.

lavaplatos m inv → **lavavajillas.**

lavativa f enema.

lavavajillas m inv dishwasher.

laxante adj-m laxative.

laxar t to laxate, loosen.

laxitud f laxity, laxness.

lazada f *(nudo)* knot. 2 *(lazo)* bow.

lazarillo m guide. ■ *perro* ~, guide dog.

lazo m bow. 2 *(nudo)* knot. 3 *fig (vínculo)* tie, bond. 4 *(trampa)* snare, trap. ■ ~ *corredizo,* slip-knot.

le pron pers m *(objeto directo)* him; *(usted)* you. − 2 pron pers mf *(objeto indirecto)* him; *(a ella)* her; *(a cosa, animal)* it; *(a usted)* you.

leal adj loyal, faithful. 2 *(justo)* fair.

lealtad f loyalty, faithfulness.

lección f lesson. ●*fig dar una* ~ *a algn.,* to teach sb. a lesson.

lechal adj sucking. ■ *cordero* ~, sucking lamb.

lechar t AM to milk.

leche f milk. 2 *fam (golpe)* knock. 3 *fam (suerte)* luck. ●*fam tener mala* ~, to have a nasty temper. ■ ~ *condensada,* condensed milk; ~ *descremada,* skim(med) milk.

lechería f dairy.

lechero,-a adj milk. – **2** m,f m milkman, dairyman, f milkmaid, dairymaid.

lecho m bed.

lechón m sucking pig.

lechuga f lettuce.

lechuza f barn owl.

lector,-ra m,f reader. **2** (universitario) lecturer. – **3** m TÉC reader.

lectura f reading. **2** (interpretación) interpretation.

leer [61] t to read.

legado m (herencia) legacy, bequest. **2** (persona) legate, representative.

legajo m dossier.

legal adj legal. **2** fam (persona) honest.

legalidad f legality, lawfulness.

legalizar [4] t to legalize.

legaña f sleep.

legañoso,-a adj bleary-eyed.

legar [7] t to will, bequeath. **2** fig to pass on.

legendario,-a adj legendary.

legión f legion.

legionario m legionary, legionnaire.

legislación f legislation.

legislar t to legislate.

legislativo,-a adj legislative.

legislatura f legislature.

legitimar t to legitimate.

legítimo,-a adj JUR legitimate. **2** (genuino) genuine, real.

lego,-a adj lay, secular. **2** (ignorante) ignorant.

legua f league.

legumbre f legume.

lejanía f distance.

lejano,-a adj distant, remote, far.

lejía f bleach.

lejos adv far, far away/off. ●**a lo ~**, in the distance, far away; **de ~**, from afar.

lelo,-a adj fam stupid, dull.

lema m motto, slogan.

lencería f (ropa blanca) linen (goods). **2** (tienda) linen-draper's shop. **3** (de mujer) underwear, lingerie.

lengua f ANAT tongue. **2** (idioma) language. **3** (de tierra) strip. ●**fig morderse la ~**, to hold one's tongue; fig **no tener pelos en la ~**, not to mince one's words; fig **tener algo en la punta de la ~**, to have sth. on the tip of one's tongue. ■ **~ materna**, mother tongue.

lenguado m sole.

lenguaje m gen language. **2** (habla) speech.

lente m & f lens. – **2** mpl glasses, spectacles. ■ **~ de aumento**, magnifying glass; **lentes de contacto**, contact lenses.

lenteja f lentil.

lentejuela f sequin.

lentitud f slowness.

lento,-a adj slow.

leña f firewood. **2** fam fig (paliza) thrashing. ●fig **echar ~ al fuego**, to add fuel to the fire.

leñador,-ra m,f woodcutter, lumberjack.

leño m log. – **2** fig (lerdo) blockhead. ●**dormir como un ~**, to sleep like a log.

Leo m inv Leo.

león,-ona m,f m lion, f lioness.

leonera f lion 's den. – **2** (cuarto) untidy room.

leopardo m leopard.

lepra f leprosy.

leproso,-a adj leprous. – **2** m,f leper.

lerdo,-a adj clumsy.

les pron pers mf pl (objeto indirecto) them; (a ustedes) you. – **2** pron pers mpl (objeto directo) them; (ustedes) you.

lesbiana f lesbian.

lesión f wound, injury.

lesionar t to wound, injure.

letal adj lethal, deadly.

letargo m lethargy.

letra f (del alfabeto) letter. **2** (de imprenta) printing type, character. **3** (escritura) handwriting. **4** (de canción) words pl. **5** pl EDUC arts; (literatura) letters. ●**al pie de la ~**, literally; ■ COM **~ de cambio**, bill of exchange, draft; **~ mayúscula**, capital letter; **~ minúscula**, small letter.

letrado,-a adj learned, erudite. – **2** m,f lawyer.

letrero m sign, notice.

letrina f letrine.

leucemia f leukaemia.

leva f MIL levy. **2** MAR weighing anchor.

levadizo,-a adj liftable.

levadura f yeast.

levantamiento m (supresión) lifting, raising. **2** (insurrección) insurrection, uprising, revolt.

levantar(se) t to raise, lift, hoist. **2** (construir) to erect, build. **3** (mesa) to clear. – **4** p (ponerse de pie) to rise, stand up. **5** (de la cama) to get up, rise. **6** (sublevarse) to rebel. ●**~ acta**, to draw up a statement; **~ la sesión**, to adjourn; fig **~se con el pie izquierdo**, to get out of bed on the wrong side.

levante m East. **2** (viento) east wing. **3** GEOG east coast of Spain.

levantisco,-a *adj* turbulent, rebellious.
levar *t* to set sail.
leve *adj* light. 2 *fig (poco importante)* slight, trifling.
levita *m* levite.
léxico,-a *adj* lexical. − 2 *m (diccionario)* lexicon. 2 *(vocabulario)* vocabulary.
lexicografía *f* lexicography.
ley *f gen* law; *(del parlamento)* act, bill. 2 *(de metal)* purity. ●*aprobar una ~,* to pass a bill; *fig con todas las de la ~,* properly. ■ *plata de ~,* sterling silver.
leyenda *f* legend. 2 *(inscripción)* inscription.
liar(se) [13] *t (atar)* to tie up; *(envolver)* to wrap up, bind. 2 *(cigarrillo)* to roll. 3 *(engañar)* to muddle up. 4 *(complicar)* to involve. − 5 *p (complicarse)* to get mixed up. 6 *fam (con algn.)* to have an affair *(con,* with).
libelo *m* libel.
libélula *f* dragon-fly.
liberación *f* liberation, freeing, release.
liberal *adj-mf* liberal.
liberar *t* to liberate, free.
libertad *f* liberty, freedom.
libertador,-ra *m,f* liberator.
libertinaje *m* licentiousness.
libertino,-a *adj-m,f* libertine.
libra *f* pound. 2 ASTROL ASTRON *Libra,* Libra. ■ *~ esterlina,* pound sterling.
libramiento *m* order for payment.
librar(se) *t* to free, deliver, save. 2 *(batalla)* to give. − 3 *p* to get rid *(de,* of), escape *(de,* from).
libre *adj* free. 2 *(asiento)* vacant. 3 *(sin ocupación)* disengaged, at leisure. ■ ~ *albedrío,* free will.
librecambio *m* free trade.
librería *f (tienda)* bookshop. 2 *(estantería)* bookshelf.
librero,-a *m,f* bookseller.
libreta *f* notebook.
libro *m* book. ●COM *llevar los libros,* to keep the accounts. ■ POL ~ *blanco,* white paper; ~ *de bolsillo,* paperback; COM ~ *de caja,* cash-book; ~ *de reclamaciones,* complaints book.
licencia *f (permiso)* licence, permission. 2 *(documento)* licence, permit. 3 MIL discharge. ■ ~ *fiscal,* business permit.
licenciado,-a *m,f* graduate. − 2 *m* MIL discharged soldier.
licenciar(se) *t* EDUC to grant a degree to. 2 MIL to discharge. − 3 *p* to graduate.
licenciatura *f* bachelor's degree.
licencioso,-a *adj* licentious, dissolute.

liceo *m* secondary school. 2 *(sociedad)* literary/recreational society.
licitar *t* to bid for.
lícito,-a *adj* licit, lawful.
licor *m (líquido)* liquid. 2 *(alcohólico)* liquor, spirits *pl.*
licuar [10] *t* to liquefy.
lid *f* contest, fight. 2 *fig (controversia)* dispute. ●*experto,-a en estas lides,* experienced in these matters.
líder *mf* leader.
lidia *f* fight. 2 *(de toros)* bullfight.
lidiar [12] *i (pelear)* to fight *(con/contra,* against), struggle *(con/contra,* with/against). 2 *fig* to deal *(con,* with). − 3 *t (toros)* to fight.
liebre *f* hare.
lienzo *m (tela)* linen. 2 ART canvas, painting.
liga *f (para media)* garter. 2 *(mezcla)* mixture. 3 *(alianza)* league, alliance. 4 DEP league.
ligadura *f* tie, bond.
ligamento *m* ligament.
ligar *t (atar)* to tie, bind. 2 *(metales)* to alloy. 3 *(unir)* to join, unite. 4 CULIN to thicken. − 5 *i fam (conquistar)* pick up *(con,* -).
ligereza *f (livianidad)* lightness. 2 *(prontitud)* swiftness. 3 *(agilidad)* agility. 4 *fig (frivolidad)* flippancy, frivolity.
ligero,-a *adj (liviano)* light. 2 *(rápido)* swift. 3 *(ágil)* agile. 4 *fig (frívolo)* flippant, thoughtless. ●*a la ligera,* lightly.
lija *f (papel)* sandpaper.
lila *adj-m-f* lilac.
lima *f (utensilio)* file. 2 *(fruta)* sweet lime.
limadura *f* filing.
limar *t* to file. 2 *fig* to polish up. ● *fig ~ asperezas,* to smooth things off.
limeta *f* AM (round) vase.
limitación *f* limitation, limit.
limitar(se) *t* to limit, cut down, restrict. − 2 *i* to border *(con,* on). − 3 *p* to limit o.s. *(a,* to).
límite *m* limit, bound. 2 *(frontera)* border.
limítrofe *adj* bordering.
limón *m* lemon.
limonada *f* lemonade.
limonero *m* lemon tree.
limosna *f* alms *pl,* charity. ●*pedir ~,* to beg.
limpiacristales *mf inv* window cleaner.
limpiabotas *m inv* bootblack.
limpiar [12] *t* to clean, cleanse. 2 *(con paño)* to wipe. 3 *fig (purificar)* to purify. 4 *fam (robar)* to pinch, nick.

límpido,-a *adj* limpid.

limpieza *f* cleanness, cleanliness. 2 *(acción)* cleaning. 3 *(pureza)* purity. 4 *(honradez)* honesty, fairness. 5 *(precisión)* precision, accuracy.

limpio,-a *adj* clean. 2 *(claro)* neat, tidy. 3 *(puro)* pure. 4 *(honesto)* honest, fair. 5 *(juego)* fair. 6 COM net: *ganó 40.000 limpias,* he/she made 40,000 clear profit. ●*dejar ~,* to leave broke; *poner en ~,* to make a clean copy; *sacar en ~,* to conclude, infer.

linaje *m* lineage. 2 *fig (clase)* kind, sort.

linaza *f* linseed.

lince *m* ZOOL lynx. 2 *fig (persona)* sharp-eyed person.

linchamiento *m* lynching.

linchar *t* to lynch.

lindante *adj* bordering *(con,* on).

lindar *i* to border *(con,* on).

linde *m & f* limit, boundary.

lindero,-a *adj* bordering. – 2 *m* → **linde**.

lindeza *f (belleza)* prettiness. 2 *pl irón* insults.

lindo,-a *adj* pretty, nice, lovely. ●*de lo ~,* a great deal.

línea *f* line. 2 *(tipo)* figure. ●*guardar la ~,* to keep one's figure.

lineal *adj* linear.

lingote *m* ingot.

lingüista *mf* linguist.

lino *m (tela)* linen. 2 BOT flax.

linterna *f* lantern, lamp. ■ *~ (eléctrica),* flashlight.

lío *m (atado)* bundle, parcel. 2 *fig (embrollo)* tangle, muddle, mess. ●*armar un ~,* to make a fuss; *hacerse un ~,* to get tangled up; *meterse en un ~,* to get o.s. into a mess; *¡qué ~!,* what a mess!; *tener un ~ con algn.,* to be having an affair with sb.

liquidación *f* clearance sale.

liquidar *t* COM *(deuda)* to liquidate. 2 COM *(mercancías)* to sell off. 3 *fam (matar)* to kill.

líquido,-a *adj-m* liquid.

lírico,-a *adj* lyric(al). – 2 *m,f* lyric poet. – 3 *f* lyric poetry.

lirio *m* lily.

lirismo *m* lyricism.

lirón *m* dormouse.

lisiado,-a *adj* crippled. – 2 *m,f* cripple.

liso,-a *adj* smooth, even. 2 *(pelo)* straight. 3 *(color)* plain. – 4 *adj-m,f* AM *(sinvergüenza)* cheeky/shameless (person).

lisonja *f* (piece of) flattery.

lisonjear *t* to flatter.

lisonjero,-a *adj* 29flattering.

lista *f (raya)* strip. 2 *(tira)* slip. 3 *(relación)* list, register. ●*pasar ~,* to call the roll. ■ *~ de correos,* poste restante; *~ negra,* blacklist.

listado,-a *adj* striped. – 2 *m (lista)* list.

listo,-a *adj (preparado)* ready, prepared. 2 *(inteligente)* clever, smart. 3 *(diligente)* quick, prompt.

listón *m (de madera)* lath. 2 DEP bar.

litera *f* bunk bed; *(en barco)* bunk; *(tren)* couchette.

literal *adj* literal.

literario,-a *adj* literary.

literato,-a *m,f* writer, man/woman of letters.

literatura *f* literature.

litigar [7] *t* JUR to litigate. – 2 *i (disputar)* to argue, dispute.

litigio *m* JUR litigation, lawsuit. 2 *(disputa)* dispute.

litoral *adj* coastal. – 2 *m* coast.

litro *m* litre.

liturgia *f* liturgy.

liviano,-a *adj (ligero)* light. 2 *fig (inconstante)* frivolous. 3 *fig (lascivo)* lewd.

lívido,-a *adj* livid.

llaga *f* ulcer, sore. ●*poner el dedo en la ~,* to touch a sore spot/point.

llama *f (de fuego)* flame, blaze. 2 ZOOL llama.

llamada *f* call. 2 *(a la puerta)* knock, ring.

llamamiento *m* call, summons, appeal.

llamarada *f* flash, sudden blaze/flame. 2 *fig (sonrojo)* sudden flush, blush.

llamar(se) *t* to call. 2 *(convocar)* to summon. 3 *(dar nombre)* to name. – 4 *i (a la puerta)* to knock. – 5 *p (tener nombre)* to be called/named: *me llamo Juan,* my name is Juan. ●*~ la atención,* to catch the attention; *~ la atención a,* to warn; *~ (por teléfono),* to telephone, ring up.

llamativo,-a *adj* showy, flashy.

llaneza *f (sencillez)* plainness, simplicity. 2 *(franqueza)* frankness.

llano,-a *adj (plano)* flat, even, level. 2 *(franco)* open, frank. 3 *(sencillo)* simple. – 4 *m (llanura)* plain.

llanta *f* (wheel) rim.

llanto *m* crying, weeping.

llanura *f* plain.

llave *f (de puerta etc.)* key. 2 TÉC wrench. ●*bajo ~,* under lock and key; *cerrar con ~,* to lock. ■ *~ de contacto,* ignition key; *~ de paso,* stopcock; *~ inglesa,* monkey wrench; *~ maestra,* master key.

llavero *m* key ring.

llavín *m* latchkey.

llegada *f* arrival. **2** DEP finishing line.

llegar(se) [7] *i* to arrive (*a,* at/in), get (*a,* at), reach (*a, -*): ~ *a casa,* to arrive home. **2** (*alcanzar*) to reach. **3** (*ser suficiente*) to be enough, suffice. **4** (*cifra*) to amount (*a,* to), cost: *este modelo llega a los cuarenta millones,* this model costs forty million. **5** (*suceder*) to come, arrive: *llegó el momento,* the moment arrived/came. **6** (~ *a* + *infin.*) *llegó a decir que no lo quería,* he even said he didn't want it; ~ *a ver,* to manage to see. — **7** *p* (*acercarse*) to approach, come near. **8** (*ir*) to go (*a,* to): *llégate al estanco,* nip to the tobacconist's.

llenar(se) *t* to fill (up); (*formulario*) to fill in; (*tiempo*) to fill, occupy. **2** (*satisfacer*) to fulfil, please. **3** *fig* (*de insultos*) to heap (*de,* on); (*de favores etc.*) to shower (*de,* with). — **4** *p* to fill (up). **5** (*de gente*) to get crowded. **6** (*de comida*) to overeat.

lleno,-a *adj* full (*de,* of), filled (*de,* with). **2** (*de gente*) crowded (*de,* with). — **3** *m* TEAT full house. ●*de* ~, fully; ~ *hasta el borde,* brimful.

llevadero,-a *adj* bearable, tolerable.

llevar(se) *t* (*transportar*) to carry. **2** (*prenda*) to wear, have on. **3** (*conducir*) to take, lead, guide. **4** (*aguantar*) to bear, endure. **5** (*libros, cuentas*) to keep. **6** (*dirigir*) to be in charge of, manage. **7** (*pasar tiempo*) to be: *llevo un mes aquí,* I have been here for a month. **8** (~ + *participio*) to have: *llevo hechas cuatro cartas,* I've done four letters. **9** (*exceder*) to be ahead: *te llevo tres años,* I'm three years older than you. **10** (*paso*) to keep. **11** (*vida*) to lead. — **12** *p* to take off, carry away. **13** (*premio*) to win, carry off. **14** (*recibir*) to get: ~*se un susto,* to get a shock. **15** (*estar de moda*) to be fashionable: *este color ya no se lleva,* this colour is not fashionable anymore. **16** (*entenderse*) to get on (*con,* with). **17** MAT to carry over. ●~ *adelante,* to carry on; ~ *las de perder,* to be at a disadvantage; ~*se un chasco,* to be disappointed.

llorar *i* to cry, weep. **2** *fam* (*quejarse*) to moan. — **3** *t* to mourn. ●~ *a lágrima viva/moco tendido,* to cry one's heart out.

lloro *m* tears *pl,* weeping.

llorón,-ona *adj* weeping. — **2** *m,f* crybaby.

lloroso,-a *adj* tearful, weeping.

llover [32] *i* to rain. ●~ *a cántaros,* to rain cats and dogs. ▲ *Only used in the 3rd pers. It does not take a subject.*

llovizna *f* drizzle, sprinkle.

lloviznar *i* to drizzle, sprinkle. ▲ *Only used in the 3rd pers. It does not take a subject.*

lluvia *f* rain. **2** *fig* shower.

lluvioso,-a *adj* rainy, wet.

lo *art neut* the: ~ *bueno,* the good thing. — **2** *pron pers m & neut* (*objeto directo*) him; (*cosa, animal*) it; (*usted*) you. ●~ *cual,* which; ~ *que,* what.

loa *f* praise.

loable *adj* laudable, praiseworthy.

loar *t* to praise, extol.

lobo,-a *m,f m* wolf, *f* she-wolf. ●*oscuro como la boca de* ~, pitch-dark. ■ *fig* ~ *de mar,* old salt.

lóbrego,-a *adj* dark, gloomy, sad.

lóbulo *m* lobe, lobule.

local *adj* local. — **2** *m* premises *pl.*

localidad *f* (*ciudad*) village, town. **2** TEAT (*asiento*) seat.

localizar *t* (*encontrar*) to locate, find. **2** (*fuego, dolor*) to localize.

loco,-a *adj* mad, crazy, insane. — **2** *m,f* lunatic, insane person. ●*¡ni* ~ *!,* no way!; *volverse* ~, to go crazy. ■ ~ *de remate,* stark mad.

locomotora *f* engine, locomotive.

locuaz *adj* loquacious, talkative.

locución *f* locution, phrase, idiom.

locura *f* madness, insanity, folly.

locutor,-ra *m,f* announcer.

lodo *m* mud, mire.

lógico,-a *adj* logical. — **2** *f* logic. — **3** *m,f* logician.

lograr *t* to get, obtain. **2** (*objetivo*) to attain, achieve. **3** (*tener éxito*) to succeed: *logré hacerlo,* I managed to do it.

logro *m* (*éxito*) success, achievement. **2** (*beneficio*) gain, profit.

loma *f* (hill)ock.

lombriz *f* earthworm.

lomo *m* ANAT back. **2** CULIN loin. ●*ir a* ~ *de,* to ride.

lona *f* canvas, sailcloth.

loncha *f* slice.

longaniza *f* pork sausage.

longevidad *f* longevity, long life.

longitud *f* length. **2** GEOG longitude.

longitudinal *adj* longitudinal.

lonja *f* (*mercado*) exchange, market. **2** ARQ raised porch. **3** (*loncha*) slice, rasher.

lontananza *f* (*fondo*) background. ●*en* ~, in the distance.

loro *m* parrot.

los *art def mpl* the: ~ *niños,* the boys. —
2 *pron pers mpl* them: ~ *vi,* I saw them.

losa *f* flagstone, slab. **2** *(de sepulcro)*
gravestone.

lote *m* *(parte)* share, portion. **2** COM lot.

lotería *f* lottery. ●*tocarle la* ~ *a algn.,* to
win a prize in the lottery; *fig* to be very
lucky.

loza *f* *(cerámica)* pottery. **2** *(cocina)* crockery.

lozanía *f* *(frondosidad)* luxuriance. **2** *(vigor)* bloom, freshness, vigour.

lozano,-a *adj* *(frondoso)* luxuriant. **2** *(vigoroso)* blooming, fresh, vigorous.

lubricante *m* lubricant.

lubricar [1] *t* to lubricate.

lucero *m* (bright) star.

lucha *f* fight, struggle. **2** DEP wrestling.
■ ~ *de clases,* class struggle.

luchador,-ra *m,f* fighter. **2** DEP wrestler.

luchar *i* to fight. **2** DEP to wrestle.

lucidez *f* lucidity.

lúcido,-a *adj* clear, lucid.

luciérnaga *f* glow-worm.

lucimiento *m* brilliance.

lucir(se) [45] *i* to shine, glow. **2** *(sobresalir)* to excel. — **3** *t* *(mostrar) (cualidades)*
to show, display; *(ropa)* to sport. — **4** *p*
(aventajarse) to be brilliant/successful. **5**
(presumir) to show off. **6** *irón (meter la
pata)* to excel as.

lucrarse *p* to (make a) profit.

lucrativo,-a *adj* lucrative, profitable.

lucro *m* gain, profit. ■ *afán de* ~, greed
for profit.

luego *adv* *(después)* afterwards, next. **2**
(más tarde) later. **3** *(prontamente)* presently, immediately. — **4** *conj* therefore,
then. ●*desde* ~, of course; *hasta* ~, so
long, see you later.

lugar *m* place. **2** *(ciudad)* spot, town. **3**
(ocasión) opportunity. **4** *(posición)* position. **5** *(espacio)* space. ●*dar* ~ *a,* to give
rise to; *en* ~ *de,* instead of; *en primer*
~, firstly; *fuera de* ~, out of place; *fig*
irrelevant; *hacer* ~, to make a room; *tener* ~, to take place, happen.

lugareño,-a *m,f* local.

lugarteniente *m* deputy.

lúgubre *adj* lugubrious, gloomy, dismal.

lujo *m* luxury. ●*de* ~, de luxe.

lujoso,-a *adj* luxurious, costly.

lujuria *f* lewdness, lust.

lujurioso,-a *adj* licentious, lustful.

lumbre *f* fire. **2** *(para cigarrillo)* light.

lumbrera *f* luminary. **2** *fig (persona)* eminence.

luminoso,-a *adj* bright, shining.

luna *f* ASTRON moon. **2** *(cristal)* window
pane. **3** *(espejo)* mirror plate. ●*fig estar
en la* ~, to be absent-minded. ■ ~ *llena,* full moon; *fig* ~ *de miel,* honey
moon.

lunar *adj* lunar. — **2** *m (en la piel)* mole,
beauty spot. ●*de lunares,* spotted.

lunes *m inv* Monday.

lupa *f* magnifying glass.

lustrar *t* to polish, shine.

lustre *m (brillo)* polish, shine, lustre. **2** *fig
(esplendor)* glory.

luto *m* mourning. **2** *fig* grief. ●*estar de* ~,
to mourn; *ir de* ~, to be in mourning.

luxación *f* dislocation.

luz *f* light. **2** *pl* knowledge *sing,* enlightenment *sing.* **3** *fam (electricidad)* electricity. ●*a todas luces,* evidently; *dar a*
~, to give birth to; *sacar a la* ~, to
bring to light. ■ AUTO *luces de cruce,*
dipped headlights; AUTO *luces de posición,* sidelights; ~ *del día,* daylight.

M

maca f (en fruta) bruise. 2 (señal) flaw, blemish.

macabro,-a adj macabre.

macanudo,-a adj fam great, terrific.

macarrón m macaroon. ▪ *macarrones al gratén,* macaroni cheese.

macedonia f fruit salad.

macerar t to macerate.

maceta f plant pot, flowerpot.

macetero m flowerpot stand.

machaca mf arg dogsbody.

machacar [1] t to crush. — 2 i fam (insistir en) to harp on. 3 fam (estudiar) to swot.

machete m machete.

machismo m male chauvinism.

machista mf male chauvinist.

macho adj male. 2 (robusto) strong, robust. 3 (viril) manly, viril. — 4 m ZOOL male. 5 TÉC male piece/part; (del corchete) hook. 6 fam mate: ¿qué hay, ~?, how's it going, mate? ▪ ~ cabrío, he-goat.

macizo,-a adj solid. — 2 m (de flores) bed. 3 (de edificios) group. 4 (montañoso) massif, mountain mass.

macramé m macramé.

macrobiótica f macrobiotics.

mácula f (mancha) spot, stain. 2 (defecto) blemish.

macuto m knapsack. ▪ fam radio ~, bush telegraph, grapevine.

madeja f skein, hank. 2 (persona) limp, listless person.

madera f wood; ARQ timber. 2 (de caballerías) horn, rind. 3 fig (talento) talent. ●¡toca ~!, touch wood!

madero m piece of timber. 2 arg (policía) cop.

madrastra f stepmother.

madre f gen mother. 2 (del río) bed. 3 (acequia) main channel. 4 (de vino, café) dregs pl. 5 (alcantarilla) main sewer. ●fam ¡~ mía!, good heavens!; la ~ que te parió/matriculó*, you bastard!*; ¡tu ~!*, up yours!* ▪ futura ~, mother-to-be; ~ alquilada, surrogate mother; ~ política, mother-in-law.

madriguera f (de conejo etc.) hole, burrow. 2 (de gente) den, hideout.

madrina f (de bautizo) godmother. 2 (de boda) bridesmaid.

madroño m strawberry tree.

madrugada f (alba) dawn. 2 (después de medianoche) early morning. ●de ~, at daybreak/dawn.

madrugador,-ra adj early rising. — 2 m,f early riser.

madrugar [7] i to get up early.

madurar t to mature. 2 (fruta) to ripen. 3 fig (plan etc.) to think out. — 4 i to mature.

madurez f maturity. 2 (de la fruta) ripeness.

maduro,-a adj mature. 2 (fruta) ripe.

maestro,-a adj (principal) main. — 2 m,f teacher. — 3 m (perito) master. 4 MÚS (compositor) composer; (director) conductor. ▪ llave maestra, master-key; ~ de obras, foreman; obra maestra, masterpiece; pared maestra, structural wall.

mafia f mafia.

magdalena f bun, cake.

magia f magic. ▪ ~ negra, black magic.

mágico,-a adj magic(al). 2 (maravilloso) wonderful. — 3 m,f magician.

magisterio m teaching.

magistrado,-a m,f judge.

magistral adj EDUC of teaching. 2 (superior) masterly; (tono) magisterial.

magistratura f magistracy.

magnate m magnate.

magnético,-a adj magnetic.

magnetismo m magnetism.

magnetófono m tape recorder.

magnificencia f magnificence, splendour.

magnífico,-a adj magnificent, splendid.

magnitud f magnitude, greatness.

mago,-a m,f magician, wizard. ■ los Reyes Magos, the Three Kings/Wise Men.

magrear t fam to grope.

magro,-a adj (flaco) thin. 2 (sin grasa) lean. − 3 m (de cerdo) lean meat. − 4 f (de jamón) slice of ham.

magulladura f bruise, contusion.

magullar(se) t to bruise. − 2 p to get bruised.

mahometano,-a adj-m,f Mohammedan.

mahonesa f→ mayonesa.

maíz m maize, US corn.

majara, majareta adj-mf fam loony. ●volverse ~, to go crazy.

majestad f majesty.

majestuosidad f majesty.

majestuoso,-a adj majestic, stately.

majo,-a adj pretty, lovely. 2 (simpático) nice. 3 (tratamiento) darling. − 4 f belle.

mal m evil, wrong: el bien y el ~, good and evil. 2 (daño) harm. 3 (enfermedad) illness, disease. − 4 adv badly, wrong: lo hizo ~, he did it wrong. − 5 adj bad. ●encontrarse ~, to feel ill; menos ~ que ..., it's a good job that ...; tomar a ~, to take badly. ▲ 5 (adj) used in front of a sing masculine noun: mal día/día malo.

malabarismo m juggling.

malabarista mf juggler.

malaleche* adj-mf bad-tempered (person). − 2 f bad temper.

malapata fam mf jinx. − 2 f fam bad luck.

malasombra mf clumsy person. − 2 f clumsiness.

malbaratar t (productos) to undersell. 2 (malversar) to squander.

malcarado,-a adj grim-faced.

malcriar [13] t to spoil.

maldad f badness, evil. 2 (acto) evil/wicked thing.

maldecir [79] t-i to curse, damn. ●~ de, to speak ill of.

maldición f curse.

maldito,-a adj cursed, damned. 2 fam (que causa molestia) damned, bloody.

maleante mf delinquent, criminal.

malear(se) t (dañar) to spoil, damage. 2 (pervertir) to corrupt. − 3 p to become corrupted.

maleducado,-a adj-m,f bad mannered (person).

maleficio m spell, charm.

malentendido m misunderstanding.

malestar m (incomodidad) discomfort. 2 fig (inquietud) uneasiness.

maleta f suitcase, case. ●hacer la ~, to pack.

maletero m AUTO boot, US trunk. 2 (mozo) porter.

maletín m briefcase.

malévolo,-a adj malevolent.

maleza f (malas hierbas) weeds pl. 2 (arbustos) thicket.

malformación f malformation.

malgastador,-ra m,f spendthrift, squanderer.

malgastar t to waste, squander.

malhablado,-a adj-m,f foul-mouthed (person).

malhechor,-ra adj criminal. − 2 m,f wrongdoer, criminal.

malherir [35] t to wound seriously.

malhumor m bad temper/mood.

malhumorado,-a adj bad-tempered.

malicia f (mala intención) malice. 2 (maldad) evil, maliciousness. 3 (astucia) slyness, sagacity. 4 (sospecha) suspicion.

malicioso,-a adj-m,f malicious (person).

maligno,-a adj malignant.

malintencionado,-a adj-m,f ill-intentioned (person).

malla f (red) mesh, network. 2 (prenda) leotard. 3 AM swimming costume.

malo,-a adj bad. 2 (malvado) wicked. 3 (travieso) naughty. 4 (nocivo) harmful. 5 (enfermo) ill, sick. 6 (difícil) difficult. ●estar de malas, to be out of luck; estar ~, to be ill; lo malo es que ..., the trouble is that ...; por las malas, by force. ■ mala voluntad, ill will. ▲ → mal.

malogrado,-a adj (desaprovechado) wasted. 2 (difunto) ill-fated.

malograr(se) t to waste. − 2 p to fail, fall through.

malparado,-a adj hurt, injured. ●salir ~, to end up in a sorry state.

malpensado,-a adj-m,f nasty-minded (person).

malsano,-a adj unhealthy, sickly.

malsonante adj ill-sounding. 2 (grosero) offensive.

malta f malt.

maltratar t to ill-treat, mistreat.

maltrecho,-a adj damaged, battered; (persona) injured.

malva adj (color) mauve. − 2 f BOT mallow. ●criar malvas, to be pushing up the daisies.

malvado,-a adj-m,f wicked/evil (person).

malversación *f* misappropriation, embezzlement.

malvivir *i* to live very badly.

mama *f (teta)* breast; *(de animal)* udder. 2 *fam (madre)* mum(my).

mamá *f fam* mum(my).

mamar(se) *t (leche)* to suck. 2 *fig (aprender de pequeño)* to grow up with. — 3 *p fam* to get drunk.

mamarracho *m fam (ridículo)* sight. 2 *(tonto)* stupid.

mamífero,-a *adj* mammalian, mammal. — 2 *m* mammal.

mamón,-ona* *adj* pillock*, prick*.

mamotreto *m (libro de apuntes)* memorandum book. 2 *(armatoste)* monstrosity.

mampara *f* screen.

maná *m* manna.

manada *f (vacas, elefantes)* herd; *(ovejas)* flock; *(lobos, perros)* pack. 2 *(que cabe en la mano)* handful.

manager *mf m* manager, *f* manageress.

manantial *m* spring.

manar *i (salir)* to flow, run. 2 *fig (abundar)* to abound. — 3 *t (salir)* to run with.

manazas *mf inv fam* clumsy person.

mancha *f* stain, spot. 2 *fig* blemish. ■ ~ **solar,** sunspot.

manchar(se) *t* to stain. — 2 *p* to get dirty.

manco,-a *adj* one-handed. 2 *(defectuoso)* faulty. — 3 *m,f* one-handed person.

mancomunidad *f* community, association.

mandado,-a *m (recado)* order, errand. — 2 *m,f* person who carries out an order.

mandamás *mf fam* bigwig, boss.

mandamiento *m* order, command. 2 JUR warrant. ■ *los Diez Mandamientos,* the Ten Commandments.

mandar *t (ordenar)* to order; *(encargarse de)* to be in charge of. 2 *(enviar)* to send. ●~ *recuerdos,* to send regards; *fam* ~ *a algn. a paseo,* to send sb. packing; *fam ¿mande?,* pardon?

mandarina *adj* mandarin (orange), tangerine.

mandato *m (orden)* order, command. 2 JUR writ, warrant. 3 POL mandate, term of office.

mandíbula *f* jaw. ●*reír a ~ batiente,* to laugh one's head off.

mando *m (autoridad)* command; POL authorities *pl.* 2 *(para mecanismos)* control. ●*estar al ~ de,* to be in charge of. ■ ~ *a distancia,* remote control.

mandón,-ona *adj-m,f* bossy (person).

mandril *m* ZOOL mandril. 2 TÉC mandrel.

manecilla *f (de reloj)* hand.

manejable *adj* manageable, easy-to-handle.

manejar *t (manipular)* to handle, operate. 2 *(dirigir)* to run. 3 AM to drive.

manejo *m (uso)* handling. 2 *(funcionamiento)* running. 3 *(de negocio)* management. 4 *(ardid)* trick. 5 AM *(de coche)* driving.

manera *f* way, manner. 2 *pl (educación)* manners. ●*a mi/tu ~,* in my/your way; *de ~ que,* so that; *de ninguna ~,* by no means; *de todas maneras,* at any rate, anyhow; *fam de mala ~,* rudely.

manga *f* sleeve: *en mangas de camisa,* in shirtsleeves. 2 *(manguera)* hose (pipe). 3 *(de pescar)* casting net. 4 CULIN icing/forcing bag. ●*sacarse algo de la ~,* to pull sth. out of one's hat; *ser de/tener ~ ancha,* to be too indulgent.

mangar [7] *t arg* to knock off, pinch.

mango *m* handle. 2 BOT mango.

mangonear *i fam pey (manipular)* to be bossy. 2 *(interferir)* to meddle.

manguera *f* watering/gardening hose. 2 *(de bombero)* fire hose.

manguito *m (de manos)* muff. 2 *(de manga)* oversleeve. 3 TÉC sleeve.

manía *f* MED mania. 2 *(ojeriza)* dislike. 3 *(pasión)* craze. ●*fam cogerle/tomarle ~ a algn.,* to take a dislike to sb.

maniaco,-a, maníaco,-a *adj-m,f* MED manic. 2 *fam* maniac.

maniático,-a *adj-m,f* fussy/cranky (person).

manicomio *m* mental hospital.

manicura *f* manicure.

manifestación *f (de protesta etc.)* demonstration. 2 *(expresión)* manifestation. 3 *(declaración)* statement, declaration.

manifestante *mf* demonstrator.

manifestar(se) [27] *t-p (en la calle etc.)* to demonstrate. 2 *(declarar)* to declare (o.s.). — 3 *t (expresar)* to manifest.

manifiesto,-a *adj* obvious, evident. — 2 *m* manifesto. ●*poner de ~,* to make evident.

manilla *f (grillete)* handcuff. 2 *(de reloj)* hand.

manillar *m* handlebar.

maniobra *f* manoeuvre.

maniobrar *i* to manoeuvre.

manipulación *f* manipulation.

manipular *t* to manipulate. 2 *(mercancías)* to handle. 3 *fig* to interfere with.

marcado

maniquí m (muñeco) dummy. – 2 mf (modelo) mannequin, model. ▲ pl maniquíes.
manitas adj-mf inv fam clever hands inv.
manivela f crank.
manjar m dish, food.
mano f hand. 2 ZOOL forefoot, forepaw. 3 (de reloj) hand. 4 (de pintura etc.) coat. 5 (serie) series. 6 fig (habilidad) skill. ●cogidos,-as de la(s) mano(s), hand in hand; dar/tender la ~ a, (saludar) to shake hands with; (ayudar) to offer one's hand to; de segunda ~, secondhand; echar una ~, to lend a hand; hecho,-a a ~, handmade; tener ~ izquierda, to be tactful; fam coger/pillar a algn. con las manos en la masa, to catch sb. red-handed. ■ apretón de manos, handshake; ~ de obra, labour(er).
manojo m bunch.
manopla f (guante) nitten.
manosear t to finger.
manotazo m cuff, slap.
mansalva a ~, adv safely.
mansarda f attic.
mansedumbre f meekness, gentleness. 2 (animales) tameness.
mansión f mansion.
manso,-a adj (animal) tame. 2 (persona) meek, mild, gentle.
manta f blanket. – 2 mf fam (perezoso) lazybones inv. ●a ~, abundantly. ■ ~ de viaje, travelling rug.
manteca f fat. ■ ~ de cerdo, lard; ~ de vaca, butter.
mantecado m (pastelito) shortcake. 2 (helado) dairy ice cream.
mantecoso,-a adj greasy, buttery.
mantel m tablecloth.
mantelería f table linen.
mantener(se) [87] t (conservar) to keep. 2 (sostener) to support, hold up. 3 (tener lugar, celebrar) to hold. 4 (ideas etc.) to defend, maintain. 5 (sustentar) to support. – 6 p (alimentarse) to support o.s. 7 (continuar) to continue. ●~se en sus trece, to stick to one's guns.
mantenimiento m maintenance. 2 (alimento) sustenance.
mantequilla f butter.
manto m mantle, cloak.
mantón m large shawl. ■ ~ de Manila, embroidered silk shawl.
manual adj-m manual. ■ trabajos manuales, handicrafts.
manufactura f (obra) manufacture. 2 (fábrica) factory.

manufacturar t to manufacture.
manuscrito,-a adj handwritten, manuscript. – 2 m manuscript.
manutención f maintenance. 2 (alimenticia) feeding.
manzana f BOT apple. 2 (de casas) block.
manzanilla f camomile. 2 (infusión) camomile tea.
manzano m apple tree.
maña f skill. 2 (astucia) trick.
mañana f morning. – 2 m tomorrow, future. – 3 adv tomorrow. ●pasado ~, the day after tomorrow; por la ~, in the morning.
mañoso,-a adj dexterous, skilful. 2 (astuto) crafty.
mapa m map. ●fam borrar del ~, to get rid of.
mapamundi m map of the world.
maqueta f scale model. 2 (de libro, disco) dummy.
maquillaje m make-up.
maquillar(se) t-p to make (o.s.) up.
máquina f machine. ■ ~ de afeitar (eléctrica), (electric) razor/shaver; ~ de escribir, typewriter; ~ fotográfica/de fotos, camera; ~ tragaperras, slot machine.
maquinación f machination.
maquinar t to scheme, plot.
maquinaria f machinery.
maquinista mf machinist. 2 (de tren) engine driver.
mar m & f sea. 2 (marejada) swell. 3 fam very, a lot: la ~ de dificultades, a lot of difficulties. ●en alta ~, on the high seas; hacerse a la ~, to put (out) to sea; la ~ de, very; fam ¡pelillos a la ~!, let bygones be bygones! ■ ~ adentro, out to sea; ~ de fondo, groundswell; ~ gruesa, heavy sea.
marabunta f swarm of ants. 2 fam fig mob.
maratón m marathon.
maravilla f wonder, marvel. ●a las mil maravillas, wonderfully well.
maravillar(se) t to astonish, dazzle. – 2 p to wonder, marvel.
maravilloso,-a adj wonderful, marvellous.
marca f (señal) mark, sign. 2 (comestibles, productos del hogar) brand; (otros productos) make. 3 DEP record. ●de ~, topquality. ■ ~ registrada, registered trademark.
marcado,-a adj (señalado) marked. 2 (evidente) distinct, evident.

marcador *m* DEP scoreboard.

marcapasos *m inv* pacemaker.

marcar [1] *t* to mark; *(ganado)* to brand. 2 DEP *(hacer tanto)* to score. 3 DEP *(al contrario)* to mark. 4 *(pelo)* to set. 5 *(aparato)* to indicate. 6 *(teléfono)* to dial. ●~ *el paso*, to mark time.

marcha *f* march. 2 *(progreso)* course, progress. 3 *(partida)* departure. 4 *(velocidad)* speed. 5 AUTO gear. 6 MÚS march. 7 *fam (energía)* go: *tener mucha* ~, to be wild. ●*a marchas forzadas*, against the clock; *a toda* ~, at full speed. ■ AUTO *cambio de marchas*, gearshift; DEP ~ *atlética*, walking race; AUTO ~ *atrás*, reverse (gear).

marchar(se) *i (ir)* to go, walk. 2 *(funcionar)* to work, run. – 3 *p* to leave. ●*¡marchando!*, on your way!

marchitar(se) *t-p* to shrivel, wither.

marchito,-a *adj* shrivelled, withered.

marchoso,-a *arg adj* fun-loving, wild. – 2 *m,f* raver, fun-lover.

marcial *adj* martial.

marciano,-a *adj-m,f* Martian.

marco *m (de cuadro, ventana, etc.)* frame. 2 *fig* framework, setting. 3 *(moneda)* mark.

marea *f* tide. ■ ~ *alta/baja*, high/low tide; ~ *negra*, oil slick.

mareado,-a *adj* sick. 2 *(aturdido)* dizzy, giddy.

marear(se) *t* MAR to sail. – 2 *t-i (molestar)* to annoy, bother. – 3 *p* to get sick.

maremagno, maremágnum *m* mess, confusion.

maremoto *m* seaquake.

mareo *m* sickness. 2 *(aturdimiento)* dizziness.

marfil *m* ivory.

margarina *f* margarine.

margarita *f* BOT daisy. 2 *(de máquina)* daisywheel.

margen *m & f (extremidad)* border, edge. 2 *(de río)* bank. 3 *(papel)* margin. 4 COM margin. ●*dar* ~ *para*, to give scope for.

marginación *f* exclusion.

marginado,-a *adj* excluded. – 2 *m,f* drop-out.

marginar *t* to leave out, exclude.

maría *f fam* EDUC easy subject. 2 *fam* housewife. 3 *arg (marihuana)* marijuana, pot.

marica*, maricón* *m* queer*.

mariconada* *f* dirty trick.

mariconera *f fam* man's clutch bag.

marido *m* husband.

marihuana *f* marijuana.

marimandona *f fam* domineering woman.

marimorena *f fam* row. ●*armarse la* ~, to kick up a racket.

marinero,-a *adj* sea. – 2 *m* sailor. ●*fam* ~ *de agua dulce*, landlubber.

marino,-a *adj* marine. – 2 *m* seaman. – 3 *f (zona)* seacoast. 4 *(pintura)* seascape. 5 *(barcos)* seamanship. ■ *azul* ~, navy blue; *marina de guerra*, navy.

marioneta *f* puppet, marionette.

mariposa *f* butterfly. 2 *(lámpara)* oil lamp. 3* *(marica)* queer*. ●*nadar* ~, to do (the) butterfly.

mariposear *i (ser inconstante)* to be fickle. 2 *(vagar)* to flutter around.

mariquita *f* ZOOL ladybird. – 2* *m (marica)* queer*.

mariscal *m* marshal. ■ ~ *de campo,* field marshal.

marisco *m* shellfish.

marisma *f* salt marsh.

marisquería *f* seafood restaurant.

marítimo,-a *adj* maritime, sea.

marketing *m* marketing.

marmita *f* cooking pot.

mármol *m* marble.

marmota *f* ZOOL marmot. ●*fam dormir como una* ~, to sleep like a log.

marqués,-esa *m,f m* marquis, *f* marchioness.

marquesina *f* canopy.

marquetería *f* marquetry, inlaid work.

marranada *f* filthy thing/act.

marrano,-a *adj (sucio)* dirty. – 2 *m* ZOOL pig. 3 *fam (sucio)* dirty pig.

marrón *adj-m* brown. ■ ~ *glacé,* marron glacé.

marroquinería *f* leather goods.

marta *f* marten; *(piel)* sable.

Marte *m* Mars.

martes *m inv* Tuesday. ●~ *y trece,* Friday the thirteenth.

martillear *t* to hammer.

martillo *m* hammer.

mártir *mf* martyr.

martirio *m* martyrdom. 2 *fig* torture, torment.

martirizar [4] *t* to martyr. 2 *fig* to torment, torture.

marxismo *m* Marxism.

marzo *m* March.

mas *conj* but.

más *adv (comparativo)* more. 2 *(con números o cantidades)* more than: ~ *de tres,* more than three. 3 *(superlativo)* most: *el*

~ *caro,* the most expensive. **4** *(después de pron interrog/indef)* else: *¿algo ~?,* anything else? — **5** *m (signo)* plus. •*a lo ~,* at the most; *como el que ~,* as well as anyone; *de ~,* spare, extra; *estar de ~,* to be unwanted; *es ~,* what's more; *~ bien,* rather; *ni ~ ni menos,* exactly; *por ~ (que),* however much; *sin ~ ni ~,* without reason. ■ *el ~ allá,* the beyond.

masa *f* mass. **2** CULIN dough. **3** *(mortero)* mortar. **4** ELEC ground. **5** *(de cosas)* volume. **6** *(multitud)* crowd of people. **7** AM *(pastel)* cake.

masacre *f* massacre.

masaje *m* massage.

masajista *mf m* masseur, *f* masseuse.

mascar [1] *t-i* to chew, masticate.

máscara *f* mask. **2** *pl* masquerade *sing.*

mascarilla *f* mask. **2** *(cosmética)* face pack. **3** MED face mask.

mascota *f* mascot.

masculino,-a *adj* male. **2** *(para hombres)* men's. **3** GRAM masculine. — **4** *m* masculine.

mascullar *t* to mumble, mutter.

masivo,-a *adj* massive.

masón,-ona *m,f* Mason, Freemason.

masonería *f* Masonry, Freemasonry.

masoquismo *m* masochism.

masoquista *adj* masochistic. — **2** *mf* masochist.

masticar [1] *t* to masticate, chew.

mástil *m (asta)* mast. **2** MAR mast.

masturbación *f* masturbation.

masturbar(se) *t-p* to masturbate.

mata *f (arbusto)* shrub, bush. **2** *(ramita)* sprig. **3** AM *(bosque)* forest. •*a salto de ~,* any old how. ■ *~ de pelo,* head of hair.

matadero *m* slaughterhouse, abattoir.

matador,-ra *adj* killing. — **2** *m* matador, bullfighter.

matanza *f* slaughter.

matarife *m* slaughterer.

matarratas *m inv (raticida)* rat poison. **2** *(aguardiente)* rotgut.

matar(se) *t* to kill; *(asesinar)* to murder. — **2** *p* to kill o.s. •*estar a ~ con,* to be at daggers drawn with; *matarlas callando,* to be a wolf in a sheep's clothing.

matasellos *m inv* postmark.

mate *adj (sin brillo)* matt, dull. — **2** *m (ajedrez)* checkmate. **3** *(hierba)* maté.

matemáticas *fpl* mathematics *sing.*

matemático,-a *adj* mathematical. — **2** *m,f* mathematician.

materia *f* matter. **2** FÍS material, substance. **3** EDUC subject.

material *adj* material. — **2** *m* material, equipment. — **3** *materialmente adv* materially, physically. ■ *~ escolar,* teaching material(s); *~ de oficina,* office equipment.

materialista *adj* materialistic. — **2** *mf* materialist.

materializar(se) [4] *t-p* to materialize.

maternal *adj* maternal, motherly.

maternidad *f* maternity, motherhood.

materno,-a *adj* maternal.

matinal *adj* morning. — **2** *f* matinée.

matiz *m (color)* shade, tint. **2** *fig* nuance.

matización *f fig* nuances *pl.*

matizar [1] *t (colores)* to blend. **2** *fig (palabras etc.)* to tinge. **3** *fig (precisar)* to be more explicit about.

matojo *m* bush, small shrub.

matón,-ona *m,f fam* bully, thug.

matorral *m* bush, thicket.

matraca *f* wooden rattle. **2** *(molestia)* pest, nuisance.

matriarcal *adj* matriarchal.

matrícula *f (lista)* list, roll. **2** *(registro)* registration. **3** AUTO registration number; *(placa)* number plate, US licence plate.

matricular(se) *t-p* to register, enrol.

matrimonio *m (acto)* marriage. **2** *(pareja)* married couple.

matriz *adj* principal. — **2** *f* ANAT womb. **3** TÉC mould. **4** *(original)* original, master copy. **5** *(de talonario)* stub.

matrona *f* matron. **2** *(comadrona)* midwife.

matutino,-a *adj* morning.

maullar [16] *i* to mew, miaow.

maullido *m* mewing, miaow.

mausoleo *m* mausoleum.

máxima *f* maxim.

máxime *adv fml* especially.

máximo,-a *adj-m* maximum. — **2** *f* METEOR maximum temperature.

mayo *m* May. **2** *(palo)* maypole.

mayonesa *f* mayonnaise.

mayor *adj (comparativo)* bigger, greater, larger; *(persona)* older; *(hermanos, hijos)* elder. **2** *(superlativo)* biggest, greatest, largest; *(persona)* oldest; *(hermanos, hijos)* eldest. **3** *(de edad)* mature, elderly. **4** *(adulto)* grown-up. — **5** *mayormente adv* chiefly, principally. •*al por ~,* wholesale; *ser ~ de edad,* to be of age.

■ *calle* ~, high street; *colegio* ~, hall of residence.

mayoral *m (pastor)* head shepherd. 2 *(cochero)* coachman. 3 *(capataz)* foreman.

mayordomo *m* butler.

mayoría *f* majority. ■ ~ *de edad,* (age of) majority.

mayorista *mf* wholesaler.

mayúsculo,-a *adj (enorme)* huge. 2 *(letra)* capital. – 3 *f* capital letter.

maza *f* mace.

mazapán *m* marzipan.

mazmorra *f* dungeon.

mazo *m* mallet.

mazorca *f* spike, cob.

me *pron pers sing* me: *no ~ lo digas,* don't tell me. 2 *(reflexivo)* myself: ~ *veo en el espejo,* I can see myself in the mirror.

meada* *f* piss*, slash*.

mear(se)* *i* to (have a) piss. – 2 *p* to wet o.s.

¡mecachis! *interj fam* darn it!

mecánica *f (ciencia)* mechanics. 2 *(mecanismo)* mechanism.

mecánico,-a *adj* mechanical. – 2 *m,f* mechanic.

mecanismo *m* mechanism.

mecanizar [4] *t* to mechanize.

mecanografía *t* typing.

mecanografiar [13] *t* to type.

mecanógrafo,-a *m,f* typist.

mecedora *f* rocking chair.

mecer(se) [2] *t-p* to rock.

mecha *f (de vela)* wick. 2 MIL fuse. 3 *(de pelo)* lock.

mechero *m (cigarette)* lighter.

mechón *m (de pelo)* lock. 2 *(de hilos)* tuft.

medalla *f* medal.

medallón *m* medallion.

media *f* stocking. 2 *(promedio)* average. 3 MAT mean. ●*hacer* ~, to knit.

mediación *f* mediation.

mediado,-a *adj* half-full. ●*a mediados de,* about the middle of.

mediador,-ra *m,f* mediator.

medianero,-a *adj* dividing. ■ *pared medianera,* party wall.

mediano,-a *adj* average. 2 *(mediocre)* mediocre. 3 *(de tamaño)* middle-sized.

medianoche *f* midnight.

mediante *adj* by means of. ●*fml Dios ~,* God willing.

mediar [12] *i (interponerse)* to mediate, intervene. 2 *(tiempo)* to elapse.

medicación *f* medication, medical treatment.

medicar(se) *t* to medicate. – 2 *p* to take medicine.

medicina *f* medicine.

medición *f* measuring, measurement.

médico,-a *adj* medical. – 2 *m,f* doctor, physician. ■ ~ *de cabecera,* general practitioner.

medida *f* measure. 2 *(acción)* measurement. 3 *(prudencia)* moderation. ●*a (la) ~ de,* according to; *a ~ que,* as; *tomar/adoptar medidas,* to take steps.

medidor *m* AM *(contador)* meter.

medieval *adj* medi(a)eval.

medievo *m* Middle Ages *pl.*

medio,-a *adj (mitad)* half: *las dos y media,* half past two. 2 *(intermedio)* middle: *a media tarde,* in the middle of the afternoon. 3 *(promedio)* average. – 4 *m (mitad)* half. 5 *(centro)* middle. 6 *(contexto)* environment. 7 *pl (recursos)* means. – 8 *adv* half: ~ *terminado,-a,* half-finished. ●*por todos los medios,* by all means; *quitar algo/algn. de en ~,* to get sth./sb. out of the way. ■ ~ *ambiente,* environment; *medios de comunicación,* (mass) media; *término ~,* average.

mediocre *adj* mediocre.

mediodía *m* noon, midday. 2 *(hora del almuerzo)* lunchtime.

medioevo *m* Middle Ages *pl.*

medir(se) [34] *t* to measure. 2 *(comparar)* to gauge. 3 *(moderar)* to weight. 4 *(versos)* to scan. – 5 *p* to measure o.s.

meditabundo,-a *adj* pensive, thoughtful.

meditación *f* meditation.

meditar *t-i* to meditate, think.

médium *mf inv* medium.

medrar *i* to grow. 2 *fig* to flourish.

médula, medula *f* marrow.

medusa *f* jellyfish.

megáfono *m* megaphone.

megalítico,-a *adj* megalithic.

mejilla *f* cheek.

mejillón *m* mussel.

mejor *adj-adv (comparativo)* better: *es ~ no hablar de esto,* it's better not to talk about this. 2 *(superlativo)* best: *mi ~ amigo,-a,* my best friend. ●*a lo ~,* perhaps, maybe; ~ *dicho,* rather; *tanto ~,* so much the better.

mejora *f,* **mejoramiento** *m* improvement.

mejorar(se) *t* to better, improve. – 2 *i-p* to recover, get better. 3 METEOR to clear up.

mejoría *f* improvement.

mejunje *m* unpleasant brew.

melancolía *f* melancholy.

melancólico,-a *adj-m,f* melancholic (person).

melaza *f* molasses.

melena *f (de cabello)* long hair. 2 *(de león, caballo)* mane.

melenudo,-a *adj-m,f* long-haired (person).

melindre *m* CULIN honey fritter. 2 *fig* affectation.

melindroso,-a *adj* finicky, affected.

mella *f (hendedura)* nick, notch. 2 *(hueco)* hollow, gap. ●*hacer ~*, to make an impression.

mellizo,-a *adj-m,f* twin.

melocotón *m* peach.

melodía *f* melody.

melódico,-a *adj* melodic.

melón *m* melon.

meloso,-a *adj* sweet, honeyed.

membrana *f* membrane.

membrete *m* letterhead.

membrillo *m (árbol)* quince tree. 2 *(fruta)* quince. 3 *(dulce)* quince preserve/jelly.

memo,-a *adj fam* silly, foolish. **– 2** *m,f* fool, simpleton.

memorable *adj* memorable.

memorándum *m* notebook. ▲ *pl* **memorándums**.

memoria *f* memory. 2 *(informe)* report. 3 *(inventario)* inventary. 4 *pl (biografía)* memoirs. ●*de ~*, by heart; *hacer ~ de*, to try to remember.

memorial *m* notebook.

menaje *m* household equipment.

mención *f* mention.

mencionar *t* to mention, cite.

mendigar *i* to beg.

mendigo,-a *m,f* beggar.

mendrugo *m* hard crust (of bread).

menear *t* to shake; *(cola)* to wag. 2 *fam (el cuerpo)* to wiggle. **– 3** *p* to move.

menester *m (necesidad)* need. ● *euf* **hacer sus menesteres**, to do one's business.

menestra *f* vegetable stew.

mengano,-a *m,f* so-and-so.

menguar [22] *i* to diminish, decrease. 2 *(luna)* to wane. 3 *(puntos)* to decrease.

menopausia *f* menopause.

menor *adj (comparativo)* smaller, lesser; *(persona)* younger. 2 *(superlativo)* smallest, least; *(persona)* youngest. **– 3** *mf* minor. ●*al por ~*, retail. ■ *~ de edad*, under age.

menos *adv (comparativo)* less, fewer. 2 *(superlativo)* least, fewest. 3 *(para hora)* to: *las tres ~ cuarto*, a quarter to three. **– 4** *m* minus. ●*a ~ que*, unless; *al/a lo/ por lo ~*, at least; *de ~*, missing, wanting; *¡~ mal!*, thank God!

menoscabar *t (mermar)* to reduce. 2 *(deteriorar)* to impair. 3 *fig* to discredit.

menospreciar [12] *t (no valorar)* to undervalue, underrate. 2 *(despreciar)* to despise.

mensaje *m* message.

mensajero,-a *m,f* messenger. ■ *paloma mensajera*, carrier pigeon.

menstruación *f* menstruation.

menstruar [11] *i* to menstruate.

mensual *adj* monthly.

mensualidad *f* monthly salary.

menta *f* mint.

mentado,-a *fml adj (mencionado)* aforementioned. 2 *(famoso)* famous.

mental *adj* mental.

mentalidad *f* mentality.

mentalizar(se) [4] *t* to make aware. **– 2** *p (concienciarse)* to become aware.

mentar [27] *t* to name, mention.

mente *f* mind. ●*tener una cosa en ~*, to have intention of doing sth.

mentecato,-a *adj* idiot. **– 2** *m,f* fool.

mentir [35] *i* to lie, tell lies.

mentira *f* lie. ●*parece ~*, it's unbelievable. ■ *~ piadosa*, white lie.

mentiroso,-a *adj* lying. **– 2** *m,f* liar.

mentís *m inv* denial.

mentón *m* chin.

menú *m* menu. ▲ *pl* **menús**.

menudear *t* to repeat frequently. **– 2** *i* to happen frequently.

menudencia *f (bagatela)* trifle. 2 *(exactitud)* exactness. 3 *pl* pork products.

menudillos *mpl* giblets.

menudo,-a *adj (pequeño)* small, tiny. 2 *irón* fine: *¡ ~ lío!*, what a fine mess! **– 3** *mpl (moneda)* change *sing*. 4 *(de res)* offal *sing*; *(de ave)* giblets. ●*a ~*, often, frequently.

meñique *adj* little. ■ *(dedo) ~*, little finger.

meollo *m (encéfalo)* brains *pl*. 2 *(médula)* marrow. 3 *fig (quid)* substance.

mercado *m* market. ■ *Mercado Común*, Common Market; *~ de valores*, stockmarket; *~ negro*, black market.

mercadotecnia *f* marketing.

mercancía *f* goods *pl*.

mercante *adj* merchant.

mercantil *adj* mercantile, commercial.

merced f favour. ●a ~ de, at the mercy of. ■ fml **Vuestra Merced,** you, sir/madam.

mercenario,-a adj-m,f mercenary.

mercería f (artículos) haberdashery, us notions pl. **2** (tienda) haberdasher's shop, us notions store.

mercurio m quicksilver, mercury.

merecer(se) [41] t-i to deserve.

merecido,-a adj deserved. — **2** m (just) deserts pl.

merendar [27] i to have an afternoon snack, have tea.

merendero m tearoom, snack bar. **2** (en el campo) picnic spot.

merengue m meringue. **2** (alfeñique) weak person.

meridiano,-a adj (de mediodía) meridian. **2** fig (claro) obvious. — **3** m meridian.

merienda f afternoon snack, tea.

mérito m merit, worth.

meritorio,-a adj meritorious, worthy. — **2** m,f unpaid trainee.

merluza f hake. ●fam coger/agarrar una ~, to get pissed.

merma f decrease, reduction.

mermar(se) t-i-p to decrease, diminish.

mermelada f jam; (de agrios) marmalade.

mero,-a adj mere, pure. — **2** m (pez) grouper.

merodear i MIL to maraud. **2** (vagar) to harass.

mes m month.

mesa f table. ●levantar/quitar/recoger/ la ~, to clear the table; poner la ~, to set the table. ■ ~ de trabajo, desk; ~ electoral, electoral college; ~ redonda, round table.

meseta f GEOG tableland, plateau. **2** (descansillo) staircase landing.

mesón m (venta) inn, tavern.

mestizo,-a adj half-breed.

mesurar(se) t to moderate. — **2** p to restrain o.s.

meta f (portería) goal; (de carreras) finish(ing) line. **2** fig aim, purpose.

metabolismo m metabolism.

metafísica f metaphysics.

metáfora f metaphor.

metal m metal. **2** MÚS brass.

metálico,-a adj metallic. — **2** m cash. ●pagar en ~, to pay (in) cash.

metalurgia f metallurgy.

metamorfosis f inv metamorphosis.

meteorito m meteorite.

meteorología f meteorology.

meter(se) t to put (in). **2** (hacer) to make: ~ miedo a, to frighten. **3** fam (dar) to give: me metieron una multa, I got a ticket. **4** COST to take in. — **5** p (entrar) to get/come in. **6** (entrometerse) to meddle with. **7** (dedicarse) to go into: ~se en política, to go into politics.

meticuloso,-a adj meticulous.

metódico,-a adj methodical.

metodista adj-mf Methodist.

método m method.

metraje m length, footage.

metralla f shrapnel.

metralleta f submachine gun.

métrico,-a adj metric(al). — **2** f metrics.

metro m metre. **2** (transporte) underground, tube, us subway.

metrópoli f metropolis.

metropolitano,-a adj metropolitan. — **2** m fml underground, tube, us subway.

mezcla f (acción) mixing, blending. **2** (producto) mixture, blend. **3** (argamasa) mortar.

mezclar(se) t to mix, blend. **2** (desordenar) to mix up. — **3** p (cosas) to get mixed up; (personas) to get involved.

mezcolanza f mixture, hotchpoch.

mezquindad f meanness, stinginess. **2** (acción) mean thing.

mezquino,-a adj (avaro) stingy, niggardly. **2** (bajo) low, base. **3** (infeliz) miserable.

mezquita f mosque.

mi adj pos my. — **2** m MÚS E.

mí pron pers me. **2** (~ mismo) myself.

miaja f crumb. **2** fam fig bit.

miau m miaow, mew.

michelín m fam spare tyre.

mico m (long-tailed) monkey.

microbio m microbe.

micrófono m microphone.

microscopio m microscope.

miedo m fear. ●dar ~, to be scary; dar ~ a algn., to frighten sb.; tener ~, to be afraid; fam de ~, great, terrific.

miedoso,-a adj fearful, afraid.

miel f honey.

miembro m (extremidad) limb. **2** (pene) penis. **3** (socio) member.

mientras adv while. **2** (por el contrario) whereas. ●~ que, while, ~ tanto, meanwhile.

miércoles m inv Wednesday.

mierda f shit. **2** (porquería) dirt, filth.

mies f corn, grain. **2** (cosecha) harvest time. **3** pl cornfields.

miga f crumb. **2** (trocito) bit. **3** fig (substamcia) substance. ●**hacer buenas/malas migas con,** to get along well/badly with.

migaja f crumb. **2** fam fig bit.

migración f migration.

migraña f migraine.

mijo m millet.

mil adj thousand. **2** (milésimo) thousandth. **– 3** m a/one thousand.

milagro m miracle, wonder.

milagroso,-a adj miraculous. **2** (asombroso) marvellous.

milenario,-a adj millenial. **– 2** m millenium.

milenio m millenium.

milésimo,-a adj-m,f thousandth.

mili f fam military service.

milicia f (disciplina) art of warfare. **2** (profesión) militia.

miligramo m milligram.

milímetro m millimetre.

militante adj-mf militant.

militar adj military. **– 2** m military man, soldier. **– 3** i MIL to serve. **4** POL to be a militant.

milla f mile.

millar m thousand.

millón m million.

millonario,-a adj-m,f millionaire.

mimar t to spoil.

mimbre m wicker.

mímica f (arte) mimicry. **2** (representación) pantomime.

mimo m TEAT mime. **2** (cariño) pampering.

mina f mine. **2** (paso subterráneo) underground passage. **3** (de lápiz) lead; (de bolígrafo) refill.

minar t to mine.

mineral adj-m mineral.

minería f mining.

minero,-a adj mining. **– 2** m,f miner.

miniatura f miniature.

minifalda f miniskirt.

mínimo,-a adj minimal, lowest. **– 2** m minimum. **– 3** f minimum temperature. ●**como ~,** at least. ■ **~ común múltiplo,** lowest common multiple.

ministerio m ministry, US department.

ministro,-a m,f minister. ■ **primer,-ra ~,** prime minister.

minoría f minority.

minuciosidad f (detallismo) minuteness.

minucioso,-a adj (detallado) minute, detailed. **2** (persona) meticulous. **– 3** minuciosamente adv in detail.

minúsculo,-a adj small.

minusválido,-a adj-m,f handicapped/disabled (person).

minuta f (borrador) draft. **2** (factura) lawyer's bill. **3** (lista) roll, list. **4** CULIN menu.

minutero m minute hand.

minuto m minute. ●**al ~,** at once.

mío,-a adj pos my, of mine: **un pariente ~,** a relative of mine. **– 2** pron pos mine: **este libro es ~,** that book is mine. ●**fam los míos,** my people/folks.

miope adj-mf shortsighted (person).

miopía f myopia, shortsightedness.

mira f (visual) sight. **– 2** interj look. ●**con miras a,** with a view to.

mirado,-a adj (cauto) cautious. **2** (cuidadoso) careful. **3** (considerado) highly regarded. **– 4** f look. ●**bien ~,** after all; **echar una mirada a,** to have a look at.

mirador m (balcón) bay window. **2** (con vistas) viewpoint.

miramiento m consideration.

mirar(se) i to look at. **2** (considerar) to consider, have in mind. **3** (dar a) to look, face. **– 4** p (reflexionar) to think twice. **5** (a uno mismo) to look o.s. ●**~ con buenos/malos ojos,** to like/dislike; **~ por,** to look after; fam **¡mira quién habla!,** look who's talking!

mirilla f peephole.

mirlo m blackbird.

mirón,-ona adj pey peeping. **2** (espectador) onlooking. **– 3** m,f pey voyeur. **4** (espectador) onlooker.

mirra f myrrh.

misa f mass.

misal m missal.

miscelánea f miscellany.

miserable adj miserable. **2** (canalla) wretched.

miseria f misery. **2** (pobreza) extreme poverty.

misericordia f mercy, pity, compassion.

misil, mísil m missile.

misión f mission.

misionero,-a adj mission. **– 2** m,f missionary.

mismo,-a adj same. **2** (enfático) (propio) own; (uno ~) oneself: **sus mismos amigos no lo entienden,** not even his/her own friends understand; **yo ~,** I myself. **– 3** pron same: **es el ~ que vimos ayer,** it's the same one that we saw yesterday.

misterio m mystery.

misterioso,-a adj mysterious.

misticismo *m* mysticism.
místico,-a *adj-m,f* mystic.
mitad *f* half. 2 *(en medio)* middle. ●*a la/ a ~ de,* halfway through.
mitigar [7] *t* to mitigate, relieve.
mitin *m* meeting, rally. ▲ *pl* **mítines**.
mito *m* myth.
mitología *f* mythology.
mitológico,-a *adj* mythological.
mixto,-a *adj* mixed.
mobiliario *m* furniture.
mocedad *f fml* youth.
mochila *f* rucksack, backpack.
mochuelo *m* ZOOL little owl. 2 *fam fig (fastidio)* bore.
moción *f* motion. ■ *~ de censura,* vote of censure.
moco *m* mucus. 2 *(de vela)* drippings *pl.* ●*fam no es ~ de pavo,* it's not to be taken lightly.
mocoso,-a *adj* with a running nose. – 2 *m,f fam* brat.
moda *f* fashion. ●*estar de ~,* to be in fashion; *pasado de ~,* old-fashioned.
modales *mpl* manners.
modalidad *f* form, category.
modelar *t* to model, shape.
modelo *adj-m* model. – 2 *mf* (fashion) model.
moderación *f* moderation.
moderador,-ra *adj* moderating. – 2 *m,f* chairperson; *m* chairman, *f* chairwoman.
moderar(se) *t* to moderate. – 2 *p* to restrain/control o.s.
modernizar(se) [4] *t-p* to modernize.
moderno,-a *adj* modern.
modestia *f* modesty.
modesto,-a *adj-m,f* modest (person).
módico,-a *adj* moderate. 2 *(precio)* reasonable.
modificación *f* modification.
modificar(se) [1] *t-p* to modify.
modismo *m* idiom.
modista *mf* dressmaker.
modo *m* manner, way. 2 GRAM mood. 3 *pl* manners. ●*de cualquier ~,* anyway; *de ningún ~,* by no means; *de todos modos,* anyhow, at any rate.
modoso,-a *adj* quiet, well-behaved.
modulación *f* modulation.
modular *t-i* to modulate.
mofa *f* mockery.
mofar(se) *i-p* to scoff *(de,* at).
mofeta *f* skunk.
moflete *m* chubby cheek.

mogollón *m fam* load, heap.
moho *m* mould. 2 *(de metales)* rust.
moisés *m* wicker cradle.
mojado,-a *adj* wet.
mojar(se) *t* to wet. – 2 *p* to get wet. 3 *fam (comprometerse)* to commit o.s.
mojón *m* landmark, milestone.
molar *i arg (gustar)* *me mola cantidad,* it's magic, I'm really into it. 2 *(presumir)* to show off.
molde *m* mould.
moldeado,-a *adj* moulded. – 2 *(de pelo)* soft perm.
moldear *t* to mould.
mole *f* mass, bulk.
molécula *f* molecule.
moler [32] *t* to grind, mill. 2 *(cansar)* to wear out. ●*~ a palos,* to beat up.
molestar(se) *t* to disturb, bother. – 2 *p* to bother. 3 *(ofenderse)* to take offence.
molestia *f* nuisance, bother. 2 MED slight pain. ●*tomarse la ~ (de hacer algo),* to take the trouble (to do sth.).
molesto,-a *adj* annoying, troublesome. 2 *(enfadado)* annoyed. 3 *(incómodo)* uncomfortable.
molido,-a *adj* ground, milled. 2 *fam (cansado)* worn-out.
molinero,-a *m,f* miller.
molinillo *m* grinder, mill. ■ *~ de café,* coffee grinder.
molino *m* mill. ■ *~ de viento,* windmill.
mollera *f fam* brains *pl,* sense. ●*duro de ~, (tonto)* thick; *(testarudo)* pigheaded.
molusco *m* mollusc.
momentáneo,-a *adj* momentary.
momento *m* moment, instant. ●*al ~,* at once; *de/por el ~,* for the present.
momia *f* mummy.
mona *f* ZOOL monkey. 2 *fam (imitador)* copycat. ●*fam coger una ~,* to get pissed.
monada *f (gesto)* silly way of acting. 2 *(cosa bonita)* charming thing. 3 *(zalamería)* caress.
monaguillo *m* altar boy.
monarca *m* monarch.
monarquía *f* monarchy.
monárquico,-a *adj* monarchic(al). – 2 *m,f* monarchist.
monasterio *m* monastery.
monda *f (piel)* peel, skin. ●*fam ser la ~,* to be amazing.
mondadientes *m inv* toothpick.
mondar *t (limpiar)* to clean. 2 *(pelar)* to peel.

moneda *f gen* currency, money. 2 *(pieza)* coin. ■ ~ *falsa,* counterfeit money; ~ *suelta,* small change.

monedero *m* purse.

monetario,-a *adj* monetary. – 2 *m* collection of coins and medals.

mongolismo *m* mongolism, Down's syndrome.

monigote *m* rag/paper doll.

monitor,-ra *m* monitor. – 2 *m,f (profesor)* instructor.

monja *f* nun.

monje *m* monk.

mono,-a *adj (bonito)* pretty, cute. – 2 *m* ZOOL monkey. 3 *fig* ugly person. 4 *(prenda)* overalls *pl.* 5 *arg (síndrome abstinencia)* cold turkey.

monóculo *m* monocle.

monogamia *f* monogamy.

monografía *f* monograph.

monolingüe *adj* monolingual.

monólogo *m* monologue.

monopatín *m* skateboard.

monopolio *m* monopoly.

monopolizar [4] *t* to monopolize.

monosílabo,-a *adj* monosyllabic. – 2 *m* monosyllable.

monotonía *f* monotony.

monótono,-a *adj* monotonous.

monserga *fam f (lenguaje)* boring talk. 2 *(pesadez)* gibberish, gabble.

monstruo *m* monster. 2 *fam (genio)* genius.

monstruoso,-a *adj* monstrous. 2 *(grande)* massive, huge.

monta *f* value. ●*de poca* ~, of little value.

montacargas *m inv* goods lift, US freight elevator.

montaje *m* assembling. 2 CINEM mounting. 3 TEAT staging. ■ ~ *fotográfico,* montage.

montaña *f* mountain. ■ ~ *rusa,* big dipper.

montañismo *m* mountaineering, mountain climbing.

montañoso,-a *adj* mountainous.

montar(se) *i (subir)* to mount, get on. 2 *(caballo, bicicleta)* to ride *(en, -).* – 3 *t (cabalgar)* to ride. 4 *(poner encima)* to put on, mount. 5 *(sobreponer)* to overlap. 6 *(nata, claras)* to whip. 7 *(máquinas)* to assemble. 8 *(joyas)* to set. 9 *(negocio)* to set up. 10 CINEM to edit, mount. 11 TEAT to stage. 12 COM to amount to: *el total monta diez mil pesetas,* the total amounts to ten thousand pesetas. – 13

p (subirse) to get on. 14 *fam (armarse)* to break out: *se montó un buen jaleo,* there was a right to-do. ●~ *en cólera,* to fly into a rage; *fam* **montárselo,** to have things nicely worked out.

monte *m* mountain, mount. 2 *(bosque)* woodland. ■ ~ *de piedad,* assistance fund.

montepío *m* assistance fund.

montículo *m* mound, hillock.

montón *m* heap, pile. 2 *fam (gran cantidad)* piles *pl,* great quantity. ●*ser del* ~, to be nothing special.

montura *f (cabalgadura)* mount. 2 *(silla)* saddle. 3 *(armadura)* mounting.

monumento *m* monument.

moño *m* bun. ●*fam* **estar hasta el** ~, to be fed up to the back teeth.

moquear *i* to have a runny nose.

moqueta *f* fitted carpet.

moquillo *m (de perro)* distemper; *(de gallina)* pip.

mora *f* BOT *(de moral)* mulberry. 2 *(zarzamora)* blackberry.

morada *f fml* abode, dwelling.

morado,-a *adj-m* dark purple. ●*fam* **pasarlas moradas,** to have a tough time.

moral *adj* moral. – 2 *f (reglas)* morals *pl.* 3 *(ánimo)* morale, spirits *pl.* – 4 *m* BOT mulberry tree.

moraleja *f* moral.

moralidad *f* morality.

moralizar [4] *t-i* to moralize.

morbidez *f* softness, tenderness.

mórbido,-a *adj* soft, delicate. 2 *(malsano)* morbid.

morbo *m,* **morbosidad** *f* sickness. 2 *fam (interés malsano)* morbidity.

morboso,-a *adj (enfermo)* sick, ill. 2 *(malsano)* morbid, diseased.

morcilla *f* black pudding. ●*que le den* ~*,* he/she can drop dead for all I care.

mordacidad *f* mordacity, sharpness.

mordaz *adj* mordant, sarcastic.

mordaza *f* gag.

mordedura *f* bite.

morder [32] *t* to bite.

mordisco *m* bite.

moreno,-a *adj (pelo)* dark-haired. 2 *(piel)* dark-skinned. 3 *(bronceado)* (sun)tanned. – 4 *m* suntan.

morera *f* white mulberry.

morfema *m* morpheme.

morfina *f* morphine.

morfología *f* morphology.

moribundo,-a *adj-m,f* moribund.

morir(se) [32] *i-p* to die. ●*~se de ham-bre,* to starve; *fig* to be starving. ▲ *pp muerto,-a.*

mormón,-ona *m,f* Mormon.

moro,-a *adj* Moorish. **2** *(musulmán)* Moslim. **– 3** *m* Moor. **4** *(musulmán)* Moslim.

moroso,-a *adj* FIN in arrears. **2** *(lento)* slow.

morral *m (para bestias)* nosebag. **2** *(de cazador)* gamebag. **3** MIL haversack.

morrear(se) *t-i-p fam* to snog, smooch.

morriña *f* homesickness.

morro *m (cosa redonda)* knob, round end. **2** *fam (de persona)* mouth, (thick) lips. **3** *(de animal)* snout, nose. ●*fam ¡vaya ~!,* what a cheek!

morsa *f* walrus.

Morse *m* Morse code.

mortaja *f* shroud.

mortal *adj* mortal. **2** *(mortífero)* fatal, lethal. **– 3** *mf* mortal.

mortalidad *f* mortality. ■ *índice de ~,* death rate.

mortandad *f* massacre, slaughter.

mortero *m* mortar.

mortífero,-a *adj* deadly, fatal, lethal.

mortificación *f* mortification.

mortificar(se) [1] *t-p* to mortify (o.s.).

mortuorio,-a *adj* mortuary.

mosaico *m* mosaic.

mosca *f* fly. ●*fam aflojar/soltar la ~,* to fork out; *fam estar ~,* to be cross. ■ *fig ~ muerta,* hypocrite.

moscardón *m* blowfly.

moscatel *adj-m* muscat(el).

mosquearse *p fam (resentirse)* to get cross. **2** *(sospechar)* to smell a rat.

mosquetón *m* short carbine.

mosquitero *m* mosquito net. **2** *(pájaro)* chiffchaff, warbler.

mosquito *m* mosquito.

mostacho *m* moustache.

mostaza *f* mustard.

mosto *m (del vino)* must. **2** *(bebida)* grape juice.

mostrador *m* counter.

mostrar *t* to show. **2** *(exponer)* to exhibit, display. **3** *(señalar)* to point out.

mota *f (granillo)* mote, speck. **2** *(defecto)* slight defect/fault.

mote *m* nickname.

motín *m* riot, uprising.

motivar *t (causar)* to cause, give rise to. **2** *(estimular)* to motivate.

motivo *m (causa)* motive, reason. **2** *(de dibujo, música)* (leit)motif. ●*con ~ de,*

(debido a) owing to; *(en ocasión de)* on the occassion of.

moto *f fam* motorbike.

motocicleta *f* motorbike.

motociclismo *m* motorcycling.

motor,-ra *adj* motor, motive. **– 2** *m* BIOL motor. **3** TÉC engine. **– 4** *f* small motorboat. ■ *~ de explosión,* internal combustion engine; *~ de reacción,* jet engine.

motorista *mf* motorcyclist.

motorizar(se) [4] *t* to motorize. **– 2** *p* to get o.s a car/motorbike.

motricidad *f* motivity.

motriz *adj* motive. ■ *fuerza ~,* motive power. ▲ *Only with feminine nouns.*

mover(se) [32] *t* to move. **2** *(hacer obrar)* to drive, work. **3** *(suscitar)* to incite. **– 4** *p* to move. **5** *fam (solucionar gestiones etc.)* to take every step.

movida *f arg* action.

móvil *adj* movable, mobile. **– 2** *m* moving body. **3** *(motivo)* motive, inducement.

movilidad *f* mobility.

movilización *f* mobilization.

movilizar [4] *t* to mobilize.

movimiento *m gen* movement; TÉC motion. **2** FIN operations *pl.* ●*en ~,* in motion. ■ *~ de caja,* turnover; *~ sísmico,* earth tremor.

moviola *f* editing projector

mozárabe *adj* Mozarabic. **– 2** *mf* Mozarab.

mozo,-a *adj* young. **2** *(soltero)* unmarried. **– 3** *m* young man. **4** *(camarero)* waiter. **5** *(de hotel)* buttons. **6** *(de estación)* porter. **– 7** *f* girl, lass.

muchacho,-a *m,f* boy, lad, *f* girl, lass.

muchedumbre *f* multitude, crowd.

mucho,-a *adj (abundante)* a lot of, much: *hace ~ calor,* it's very hot. **2** *pl* a lot of, many: *¿tienes muchos libros?,* have you got many books? **– 3** *pron* a lot. **4** *pl* many: *muchos de ellos,* many of them. **– 5** *adv* a lot, much. **6** *(frecuentemente)* often. ●*por ~ que,* however much.

muda *f (de ropa)* change of clothes. **2** *(animal)* moult(ing).

mudanza *f (de residencia)* removal. **2** *(cambio)* change.

mudar(se) *t* to change. **2** *(trasladar)* to change, move. **3** *(plumas)* to moult. **4** *(voz)* to break. **5** *(piel)* to shed. **– 6** *p* to change: *~se de ropa,* to change one's clothes. **7** *(de residencia)* to move.

mudo,-a *adj-m,f* dumb (person).

mueble *adj m* piece of furniture. **2** *pl* furniture.

mueca *f* grimace.

muela *f (para moler)* millstone. **2** *(para afilar)* grindstone. **3** *(diente)* tooth. ■ *dolor de muelas,* toothache; ~ *del juicio,* wisdom tooth.

muelle *adj* soft. – **2** *m* MAR dock. **3** *(elástico)* spring.

muérdago *m* mistletoe.

muerte *f* death. ●*dar* ~, to kill; *de mala* ~, miserable, wretched.

muerto,-a *pp* → **morir**. – **2** *adj* dead. **3** *fam (cansado)* tired. **4** *(marchito)* faded, withered. – **5** *m,f* dead person; *(cadáver)* corpse. **6** *(víctima)* victim. ●*hacer el* ~, to float on one's back. ■ AUTO *punto* ~, neutral.

muesca *f (concavidad)* mortise. **2** *(corte)* nick, notch.

muestra *f (ejemplar)* sample. **2** *(modelo)* model, pattern. **3** *(señal)* proof, sign. **4** *(rótulo)* sign. ●*dar muestras de,* to show signs of.

muestrario *m* collection of samples.

mugido *m (vaca)* moo. **2** *(toro)* bellow.

mugir [6] *i* to moo. **2** *(toro)* to bellow.

mugre *f* grease, filth.

mujer *f* woman. **2** *(esposa)* wife.

mujeriego,-a *adj* woman-chasing.

mulato,-a *adj-m,f* mulatto.

muleta *f* crutch. **2** *fig* support.

muletilla *f (bastón)* cross-handled cane. **2** *(frase repetida)* pet phrase, cliché.

mullir [41] *t (esponjar)* to soften. **2** *(la tierra)* to break up.

mulo,-a *m,f m* mule, *f* she-mule.

multa *f* fine, AUTO ticket.

multar *t* to fine.

multicolor *adj* multicoloured.

multimillonario,-a *adj-m,f* multimillionaire.

múltiple *adj* multiple. **2** *pl* many.

multiplicación *f* multiplication.

multiplicar(se) [1] *t-p* to multiply.

múltiplo,-a *adj-m,f* multiple.

multitud *f* multitude, crowd.

multitudinario,-a *adj* multitudinous.

mundanal, mundano,-a *adj* of the world, mundane.

mundial *adj* worldwide, world. – **2** *m* world championship.

mundo *m* world. **2** *(baúl)* trunk. ●*correr/ ver* ~, to knock around; *todo el* ~, everybody. ■ *el otro* ~, the hereafter.

munición *f* ammunition.

municipal *adj* municipal. – **2** *mf m* policeman, *f* policewoman.

municipio *m* municipality. **2** *(ayuntamiento)* town council.

muñeca *f* ANAT wrist. **2** *(juguete)* doll.

muñeco *m (marioneta)* puppet. **2** *(monigote)* dummy.

muñequera *f* wristband.

muñón *m* ANAT stump. **2** TÉC gudgeon.

mural *adj-m* mural.

muralla *f* wall.

murciélago *m* bat.

murmullo *m* murmur(ing), whisper(ing). **2** *(de hojas etc.)* rustle.

murmuración *f* gossip, backbiting.

murmurar *i (susurrar)* to murmur, whisper. **2** *(hojas etc.)* to rustle. – **3** *t-i (comentar)* to gossip.

muro *m* wall.

musa *f* Muse.

musaraña *f* ZOOL shrew. **2** *(animalito)* small animal. ●*estar pensando en las musarañas,* to be daydreaming.

muscular *adj* muscular.

músculo *m* muscle.

museo *m* museum.

musgo *m* moss.

música *f* music. ■ ~ *de fondo,* background music; *fig* ~ *celestial,* double Dutch.

musical *adj-m* musical.

músico,-a *adj* musical. – **2** *m,f* musician.

musitar *i* to whisper.

muslo *m* thigh.

mustio,-a *adj (plantas)* withered, faded. **2** *(persona)* sad, melancholy.

musulmán,-ana *adj-m,f* Muslim, Moslem.

mutación *f* change. **2** *(biología)* mutation.

mutilado,-a *adj-m,f* mutilated/crippled (person).

mutilar *t* to mutilate.

mutis *m* TEAT exit. ●*hacer* ~, *(salir)* to make o.s. scarce; *(callar)* to say nothing.

mutualidad *f (reciprocidad)* mutuality. **2** *(asociación)* mutual benefit society.

mutuo,-a *adj* mutual, reciprocal.

muy *adv* very. ●*(en carta)* ~ *señor mío,* dear sir; *fam ser* ~ *hombre/mujer,* to be a real man/woman.

N

nacer [42] *i* to be born. **2** *(río)* to rise. **3** *(tener su origen)* to originate, start.

nacido,-a *adj-m,f* born.

naciente *adj (nuevo)* new. **2** *(creciente)* growing. ■ *sol ~,* rising sun.

nacimiento *m* birth. **2** *(de río)* source. **3** *fig* origin, beginning.

nación *f* nation.

nacional *adj* national. **2** *(productos, mercados)* domestic.

nacionalizar(se) [4] *t* to naturalize. **2** ECON to nationalize. — **3** *p* to become naturalized, take up citizenship.

nada *pron* nothing: *no quiero ~,* I want nothing, I don't want anything. — **2** *adv* (not) at all: *no me gusta ~,* I don't like it at all. — **3** *f* nothingness. ●*como si ~,* just like that; *gracias, —de ~,* thanks, —don't mention it.

nadador,-ra *m,f* swimmer.

nadar *i* to swim.

nadie *pron* nobody, not ... anybody.

nalga *f* buttock.

naranja *f* BOT orange. — **2** *adj-m (color)* orange.

naranjada *f* orangeade.

naranjo *m* orange tree.

narcotraficante *mf* drug trafficker.

nariz *f* ANAT nose. **2** *fig (sentido)* sense of smell. — **3** *pl interj fam* not on your life! ●*fam estar hasta las narices de,* to be fed up with to the back teeth with.

narración *f* narration, account.

narrar *t* to narrate.

nata *f* cream. **2** *(de leche hervida)* skin.

natación *f* swimming.

natal *adj* natal. ■ *país ~,* native country; *pueblo/ciudad ~,* home town.

natalidad *f* birth-rate.

nativo,-a *adj-m,f* native.

natural *adj* natural. **2** *(fruta, flor)* fresh. **3** *(sin elaboración)* plain. — **4** *m (tempera-*

mento) nature, disposition. ●*al ~, (en la realidad)* in real life; CULIN in its own juice.

naturaleza *f* nature. **2** *(forma de ser)* nature, character. **3** *(complexión)* physical constitution. ●*en plena ~,* in the wild. ■ ART *~ muerta,* still life.

naturalidad *f (sencillez)* naturalness. **2** *(espontaneidad)* ease, spontaneity.

naufragar [7] *i (barco)* to be wrecked. **2** *(persona)* to be shipwrecked. **3** *fig* to fail.

naufragio *m* shipwreck. **2** *fig* failure.

náufrago,-a *adj (ship)*wrecked. — **2** *m,f* shipwrecked person, castaway.

náusea *f* nausea, sickness. ●*me da ~,* it makes me sick. ▲ *Often pl.*

nauseabundo,-a *adj* nauseating, sickening.

náutico,-a *adj* nautical. — **2** *f* navigation, seamanship.

navaja *f (cuchillo)* penknife, pocketknife. **2** *(molusco)* razor-shell. ■ *~ de afeitar,* razor.

navajazo *m* stab.

nave *f (náutica)* ship, vessel. **2** *(espacial)* spaceship, spacecraft. **3** ARQ nave. ■ *~ lateral,* aisle; *~ industrial,* industrial premises *pl.*

navegación *f* navigation.

navegante *adj* sailing. — **2** *mf* navigator.

navegar [7] *i* to navigate, sail.

Navidad *f* Christmas.

naviero,-a *adj* shipping. — **2** *m,f (propietario)* shipowner.

navío *m* vessel, ship.

neblina *f* mist.

nebuloso,-a *adj* cloudy, hazy. **2** *fig* nebulous, vague. — **3** *f* ASTRON nebula.

necedad *f* stupidity, foolishness.

necesario,-a *adj* necessary. ●*es ~ hacerlo,* it has to be done; *hacerse ~,* *(algo)* to be required; *(persona)* to become vital/essential; *si fuera/es ~,* if need be.

neceser *m (de aseo)* toilet bag. 2 *(de maquillaje)* make-up bag/kit. 3 *(de costura)* sewing kit.

necesidad *f* necessity, need. 2 *(hambre)* hunger. 3 *(pobreza)* poverty, want. •*de ~,* essential; *euf hacer sus necesidades,* to relieve o.s.

necesitado,-a *adj* needy, poor.

necesitar *t* to need. •*"se necesita chico,-a", "boy/girl wanted".*

necio,-a *adj* silly, stupid. − 2 *m,f* fool, idiot.

necrología *f* obituary.

nefasto,-a *adj (desgraciado)* unlucky, ill-fated. 2 *(perjudicial)* harmful, fatal.

negación *f* negation. 2 *(negativa)* refusal.

negado,-a *adj* dull. − 2 *m,f* nohoper. •*ser ~ para algo,* to be hopeless/useless at sth.

negar(se) [48] *t* to deny. 2 *(no conceder)* to refuse. − 3 *p* to refuse *(a, to).* •*~ con la cabeza,* to shake one's head.

negativo,-a *adj-m* negative. − 2 *f* refusal.

negligencia *f* negligence, carelessness.

negligente *adj* negligent, neglectful, careless.

negociación *f* negotiation. ■ *~ colectiva,* collective bargaining.

negociante *mf* dealer.

negociar [12] *i (comerciar)* to do business, deal. − 2 *t* FIN POL to negotiate.

negocio *m gen* business. 2 *(transacción)* deal, transaction. 3 *(asunto)* affair. •*buen ~,* COM profitable deal; *irón* bargain; *hacer ~,* to make a profit.

negro,-a *adj gen* black. 2 *(oscuro)* dark. 3 *(bronceado)* suntanned. − 4 *m,f m* black (man), *f* black (woman). − 5 *m (color)* black. 6 *(escritor)* ghostwriter. − 7 *f* MÚS crotchet, US quarter note. •*fig verlo todo ~,* to be very pessimistic.

negrura *f* blackness.

nene,-a *m,f* baby.

nervio *m* nerve. 2 *(de la carne)* tendon, sinew.

nervioso,-a *adj* nervous. •*poner ~ a algn.,* to get on sb.'s nerves; *ponerse ~,* to get all excited.

neto,-a *adj (peso, cantidad)* net. 2 *(claro)* neat, clear.

neumático,-a *adj* pneumatic, tyre. − 2 *m* tyre.

neura *f fam* depression. − 2 *adj-mf fam* neurotic.

neurólogo,-a *m,f* neurologist.

neurótico,-a *adj-m,f* neurotic.

neutralidad *f* neutrality.

neutro,-a *adj* neutral. 2 GRAM neuter.

nevado,-a *adj gen* covered with snow; *(montaña)* snow-capped. − 2 *f* snowfall.

nevar [27] *i* to snow. ▲ *Only used in the 3rd person. It does not take a subject.*

nevera *f* fridge, refrigerator.

nexo *m* connexion, link.

ni *conj* neither, nor: *no tengo tiempo ~ dinero,* I have got neither time nor money. 2 *(ni siquiera)* not even: *~ por dinero,* not even for money. •*¡~ hablar!,* no way!

nido *m* nest.

niebla *f* fog. •*fig envuelto,-a en ~,* confused, cloudy.

nieto,-a *m,f* grandchild; *m* grandson, *f* granddaughter.

nieve *f* snow.

nimiedad *f (cualidad)* smallness, triviality. 2 *(cosa nimia)* trifle.

ningún *adj →* **ninguno,-a.** •*de ~ modo,* in no way. ▲ *Used before a sing masculine noun.*

ninguno,-a *adj* no, not any. − 2 *pron (persona)* nobody, no one: *~ lo vio,* no one saw it. 3 *(objeto)* not any, none: *~ me gusta,* I don't like any of them. •*en ninguna parte,* nowhere; *ninguna cosa,* nothing; *~ de nosotros/ellos,* none of us/them. ▲ *→* **ningún.**

niñera *f* nursemaid, nanny.

niñería *f (chiquillada)* childishness, childish behaviour. 2 *(cosa nimia)* trifle.

niñez *f* childhood, infancy.

niño,-a *m,f gen* child. 2 *(muchacho) m* (small) boy, *f* (little) girl. 3 *(bebé)* baby. •*de ~,* as a child; *desde ~,* from childhood.

niqui *m* T-shirt.

níspero *m (fruto)* medlar. 2 *(árbol)* medlar tree.

nitidez *f (transparencia)* limpidness, transparency. 2 *(claridad)* accuracy, precision. 3 *(de imagen)* sharpness.

nítido,-a *adj (transparente)* limpid, transparent. 2 *(claro)* accurate, precise. 3 *(imagen)* sharp.

nivel *m (altura)* level, height. 2 *(categoría)* standard, grade. 3 *(instrumento)* level. •*a ~ del mar,* at sea level. ■ *~ de vida,* standard of living.

nivelar *t* to level out/off.

no *adv* no, not: *~, ~ quiero,* no, I don't want. 2 *(prefijo)* non: *la ~ violencia,* nonviolence. − 3 *m* no: *un ~ rotundo,* a definite no. •*¡a que ~!,* I bet you don't; *es rubia, ¿~?,* she's blonde, isn't she?; ~ *obstante,* notwithstanding.

noble *adj* noble. − 2 *mf m* nobleman, *f* noblewoman.

nobleza *f (cualidad)* nobility, honesty, uprightness. 2 *(los nobles)* nobility.

noche *f* night. ●*buenas noches, (saludo)* good evening; *(despedida)* good night; *esta* ~, tonight; *hacerse de* ~, to grow dark; *por la* ~, at night, in the evening; *son las nueve de la* ~, it's nine p.m.; *fig de la* ~ *a la mañana,* overnight.

nochebuena *f* Christmas Eve.

nochevieja *f* New Year's Eve.

noción *f* notion, idea. 2 *pl* smattering *sing,* basic knowledge *sing.*

nocivo,-a *adj* noxious, harmful.

noctámbulo,-a *m,f* sleepwalker. 2 *fam (trasnochador)* nightbird.

nocturno,-a *adj* night, evening. 2 ZOOL nocturnal.

nogal *m* walnut tree.

nombramiento *m* appointment.

nombrar *t* to name, appoint.

nombre *m* name. 2 LING noun. 3 *(reputación)* reputation. ●*a* ~ *de,* addressed to; *en* ~ *de,* on behalf of; *fig llamar a las cosas por su* ~, to call a spade a spade; *fig no tiene* ~, it's unspeakable. ■ ~ *artístico,* stage name; ~ *de pila,* Christian name; ~ *propio,* proper noun.

nómina *f (plantilla)* payroll. 2 *(sueldo)* salary, pay cheque. ●*estar en* ~, to be on the staff.

nominación *f* nomination.

nominar *t* to nominate.

nominativo,-a *adj* nominal.

non *adj (número)* odd. ●*pares y nones,* odds and evens.

nonagenario,-a *adj-m,f* nonagenarian.

nonagésimo,-a *adj-m,f* ninetieth.

nor(d)este *m* northeast.

nórdico,-a *adj (del norte)* northern. 2 *(escandinavo)* Nordic.

noria *f (para agua)* water-wheel. 2 *(de feria)* big wheel.

norma *f* norm, rule.

normal *adj* normal, usual, average.

normalidad *f* normality.

normalizar(se) [4] *t* to normalize, restore to normal. − 2 *p* to return to normal.

normativo,-a *adj* normative. − 2 *f* rules *pl.*

noroeste *m* northwest.

norte *m* north. 2 *fig (guía)* aim, goal. ●*fig sin* ~, aimless(ly).

nos *pron pers pl (complemento)* us: ~ *ha visto,* he/she has seen us. 2 *(reflexivo)* ourselves: ~ *lavamos,* we wash ourselves. 3 *(recíproco)* each other: ~ *queremos mucho,* we love each other very much.

nosotros,-as *pron pers m,f pl (sujeto)* we: ~ *lo vimos,* we saw it. 2 *(complemento)* us: *con* ~, with us.

nostalgia *f* nostalgia. 2 *(morriña)* homesickness.

nostálgico,-a *adj* nostalgic.

nota *f (anotación)* note. 2 *(calificación)* mark, grade. 3 *(cuenta)* bill. 4 *fig (detalle)* element, quality. 5 MÚS note. ●*tener/ sacar buenas notas,* to get good marks; *tomar* ~ *de algo, (apuntar)* to note sth. down; *fig (fijarse)* to take note of sth.

notable *adj (apreciable)* noticeable; *(digno de notar)* outstanding, remarkable.

notar(se) *t (percibir)* to notice, note. 2 *(sentir)* to feel. − 3 *p (percibirse)* to be noticeable/evident, show. 4 *(sentirse)* to feel. ●*hacerse* ~, to draw attention to o.s.; *se nota que ...,* one can see that ...

notaría *f (profesión)* profession of notary (public). 2 *(despacho)* notary's office.

notario,-a *m,f* notary (public), public solicitor.

noticia *f* news *pl: una* ~, a piece of news. ●*dar la* ~, to break the news.

noticiario *m* news (bulletin).

notificación *f* notification. ■ ~ *judicial,* summons *sing.*

notificar [1] *t* to notify, inform.

notorio,-a *adj* well-known.

novato,-a *adj (persona)* inexperienced, green. − 2 *m,f (principiante)* novice, beginner. 3 *(universidad)* fresher.

novecientos,-as *adj* nine hundred; *(ordinal)* nine hundredth. − 2 *m* nine hundred.

novedad *f (cualidad)* newness. 2 *(cosa nueva)* novelty. 3 *(cambio)* change, innovation. 4 *(noticia)* news *pl.*

novela *f* novel. ■ ~ *corta,* short story; ~ *negra/policíaca,* detective story; ~ *rosa,* romance.

novelar *t* to novelize, convert into a novel. − 2 *i* to write novels.

novelista *mf* novelist.

noveno,-a *adj-m,f* ninth.

noventa *adj* ninety; *(nonagésimo)* ninetieth. − 2 *m* ninety.

noviazgo *m* engagement.

noviembre *m* November.

nutritivo

novio,-a *m,f (amigo) m* boyfriend, *f* girlfriend. **2** *(prometido) m* fiancé, *f* fiancée. **3** *(en boda) m* bridegroom, *f* bride.

nubarrón *m* storm cloud.

nube *f* cloud. **2** *fig (multitud)* swarm, crowd. ●*fig poner a algn. por las nubes*, to praise sb. to the skies.

nublado,-a *adj* cloudy, overcast.

nublar(se) *t* to cloud. **– 2** *p* to cloud over.

nubosidad *f* cloudiness.

nuboso,-a *adj* cloudy.

nuca *f* nape of the neck.

núcleo *m* nucleus. **2** *(parte central)* core. **3** *(grupo de gente)* circle, group.

nudillo *m* knuckle. ▲ *Often in pl.*

nudo *m* knot. **2** *fig (vínculo)* link, tie. **3** *(punto principal)* crux, core. **4** *(de comunicaciones)* centre; *(de ferrocaril)* junction. ●*hacer un ~*, to tie a knot; *fig hacérsele a uno un ~ en la garganta*, to get a lump in one's throat.

nuera *f* daughter-in-law.

nuestro,-a *adj pos* our, of ours: *~ amigo,-a*, our friend; *un amigo,-a ~*, a friend of ours. **– 2** *pron pos* ours: *este libro es ~*, this book is ours. ●*fam los nuestros*, our side, our people.

nueve *adj* nine; *(noveno)* ninth. **– 2** *m* nine.

nuevo,-a *adj* new. **2** *(adicional)* further. **– 3** *m,f* newcomer; *(principiante)* beginner; *(universidad)* fresher. **– 4** *nuevamente adv* again. ●*de ~*, again, *estar (como)*

~, (objeto) to be as good as new; *(persona)* to feel like a new man/woman; *fam ¿qué hay de ~?*, what's new?

nuez *f* BOT walnut. ■ *~ (de Adán)*, Adam's apple; *~ moscada*, nutmeg.

nulidad *f (ineptitud)* incompetence. **2** *(persona)* nonentity. **3** JUR nullity.

nulo,-a *adj (inepto)* useless, totally inept. **2** *(sin valor)* null and void, invalid.

numeración *f* numeration. ■ *~ arábiga*, Arabic numerals *pl*; *~ romana*, Roman numerals *pl*.

numerar(se) *t* to number. **– 2** *p* MIL to number off.

numérico,-a *adj* numerical.

número *m* number. **2** *(prensa)* number, issue. **3** *(de zapatos)* size. **4** *(en espectáculo)* sketch, act. ●*en números redondos*, in round figures; *fam montar un ~*, to make a scene. ■ *~ atrasado*, back number; *(prensa) ~ extraordinario*, special edition/issue; *~ fraccionario/ quebrado*, fraction; *~ impar/ordinal/ par/primo*, odd/ordinal/even/prime number.

numeroso,-a *adj* numerous, large.

nunca *adv* never. **2** *(en interrogativa)* ever: *¿has visto ~ cosa igual?*, have you ever seen anything like it? ●*casi ~*, hardly ever; *más que ~*, more than ever; *~ jamás*, never ever; *~ más*, never again.

nupcias *fpl fml* wedding *sing*, nuptials.

nutrición *f* nutrition.

nutrir(se) *t-p* to feed.

nutritivo,-a *adj* nutritious, nourishing.

Ñ

ñame *m* AM yam.
ñandú *m* AM nandu, American ostrich.
ñoñería, ñoñez *f (cosa)* insipidness. **2** *(persona)* fussiness.

ñoño,-a *adj (cosa)* insipid. **2** *(persona)* fussy. **3** AM old.
ñoqui *m* gnocchi *pl*.

O

o *conj* or. ●~ ... ~ ..., either ... or ...; ~
sea que, that is (to say).
oasis *m inv* oasis.
obcecación *f* blindness.
obedecer [43] *t (acatar)* to obey. **2** *(responder)* to respond to. – **3** *i (provenir)* to
be due *(a,* to).
obediencia *f* obedience.
obediente *adj* obedient.
obesidad *f* obesity.
obeso,-a *adj* obese.
obispo *m* bishop.
objeción *f* objection. ●*poner una* ~, to
raise an objection.
objetar *t* to object.
objetividad *f* objectivity.
objetivo,-a *adj* objective. – **2** *m (fin)* objective, aim, goal. **3** MIL target. **4** *(fotografía)* lens.
objeto *m* object. **2** *(fin)* aim, purpose, object. **3** *(tema)* theme, subject, matter.
●*con* ~ *de*, in order to; *tener por* ~, to
be designed to. ■ *objetos perdidos*, lost
property *sing*.
objetor,-ra *adj* objecting, dissenting. – **2**
m,f MIL objector.
oblicuo,-a *adj* oblique.
obligación *f (deber)* obligation. **2** FIN
bond. ●*tener* ~ *de*, to have to.
obligar [7] *t* to oblige, force.
obligatorio,-a *adj* compulsory, obligatory.
obra *f (trabajo)* (piece of) work. **2** ART
work; *(literatura)* book; TEAT play. **3**
(acto) deed. **4** *(institución)* institution,
foundation. **5** *(construcción)* building
site. **6** *pl (arreglos)* repairs. ●*"en obras"*,
"building works". ■ *mano de* ~, la-
bour; ~ *benéfica*, charity; ~ *maestra*,
masterpiece.
obrar *i (proceder)* to act, behave. – **2** *t (trabajar)* to work.

obrero,-a *adj* working. – **2** *m,f* worker,
labourer.
obscenidad *f* obscenity.
obsceno,-a *adj* obscene.
obscurecer(se) [43] *t (ensombrecer)* to
darken. **2** *fig (ofuscar)* to cloud. – **3** *i* to
get dark. – **4** *p (nublarse)* to become
cloudy. ▲ **3** *used only in the 3rd person.
It does not take a subject.*
obscuridad *f* darkness. **2** *fig* obscurity.
obscuro,-a *adj* dark. **2** *fig (origen, idea)*
obscure; *(futuro)* uncertain, gloomy;
(asunto) shady. ●*a obscuras*, in the
dark.
obsequiar [12] *t (dar regalos)* to give. **2**
(agasajar) to entertain.
obsequio *m* gift, present.
observación *f* observation.
observador,-ra *adj* observant. – **2** *m,f*
observer.
observar *t (mirar)* to observe. **2** *(notar)* to
notice. **3** *(cumplir)* to obey.
observatorio *m* observatory. ■ ~ *meteorológico*, weather station.
obsesión *f* obsession.
obsesionar(se) *t* to obsess. – **2** *p* to get
obsessed.
obsesivo,-a *adj* obsessive.
obseso,-a *adj-m,f* obsessed (person).
■ ~ *sexual*, sex maniac.
obstaculizar [4] *t* to obstruct, hinder.
obstáculo *m* obstacle, hindrance.
obstante *no* ~, *adv* nevertheless, all the
same.
obstetricia *f* obstetrics.
obstinación *f* obstinacy, stubbornness.
obstinado,-a *adj* obstinate, stubborn.
obstinarse *p* to persist *(en,* in).
obstruir(se) [62] *t (obstaculizar)* to block,
obstruct. – **2** *p* to get blocked up.
obtención *f* obtaining.

obtener(se) [87] *t (alcanzar)* to obtain, get. – **2** *p (provenir)* to come (*de,* from).

obturador *m (de cámara)* shutter.

obturar *t* to plug, stop.

obtuso,-a *adj* obtuse.

obvio,-a *adj* obvious.

oca *f* goose.

ocasión *f (momento)* occasion. **2** *(oportunidad)* opportunity, chance. **3** COM bargain. •*dar* ~ *a algo,* to give rise to sth.; *de* ~, *(segunda mano)* secondhand; *(barato)* bargain; *en cierta* ~, once.

ocasional *adj (de vez en cuando)* occasional. **2** *(fortuito)* accidental, by chance.

ocasionar *t (causar)* to cause, occasion.

ocaso *m (anochecer)* sunset. **2** *(occidente)* west. **3** *fig (declive)* fall, decline.

occidental *adj* western. – **2** *mf (persona)* westerner.

occidente *m* the West.

océano *m* ocean.

ochenta *adj* eighty; *(octagésimo)* eightieth. – **2** *m* eighty.

ocho *adj* eight; *(octavo)* eighth. – **2** *m* eight. •*a los* ~ *días,* in a week('s time).

ochocientos,-as *adj* eight hundred; *(ordinal)* eight hundredth. – **2** *m* eight hundred.

ocio *m* leisure, idleness.

ocioso,-a *adj (inactivo)* idle. **2** *(inútil)* pointless, useless. – **3** *m,f* idler.

octagésimo,-a *adj-m,f* eightieth.

octavilla *f* leaflet.

octavo,-a *adj-m,f* eighth.

octubre *m* October.

oculista *mf* oculist.

ocultar [62] *t* to conceal/hide (*a,* from).

oculto,-a *adj* concealed, hidden.

ocupación *f* occupation.

ocupado,-a *adj (persona)* busy. **2** *(asiento)* taken; *(aseos, teléfono)* engaged; *(puesto de trabajo)* filled. **3** MIL occupied.

ocupante *mf* occupant.

ocupar *t gen* to occupy, take. **2** *(llenar)* to take up. **3** *(desempeñar)* to hold, fill. **4** *(trabajadores)* to employ. **5** *(habitar)* to live in. – **6** *p (emplearse)* to occupy o.s. (*de/en/con,* with). **7** *(vigilar)* to look after (*de,* -). **8** *(reflexionar)* to look into (*de,* -). •~*se de un asunto,* to deal with a matter.

ocurrencia *f (agudeza)* witty remark. **2** *(idea)* idea.

ocurrente *adj* bright, witty.

ocurrir(se) *i* to happen, occur. – **2** *p* to think, occur to.

odiar [12] *t* to hate, loathe.

odio *m* hatred, loathing.

odioso,-a *adj* hateful, detestable.

odontólogo,-a *m,f* dental surgeon, odontologist.

oeste *m* west.

ofender(se) *t* to offend. – **2** *p* to be offended (*con/por,* by), take offence (*con/por,* at).

ofensa *f* insult.

ofensivo,-a *adj* offensive, rude. – **2** MIL offensive.

oferta *f* offer. **2** FIN IND bid, tender. **3** *(suministro)* supply. •*de* ~, on (special) offer. •~ *y demanda,* supply and demand.

oficial *adj* official. – **2** *m* MIL officer. **3** *(empleado)* clerk. **4** *(obrero)* skilled worker.

oficina *f* office. ■ *horas de* ~, business hours; ~ *de empleo,* job centre, US job office; ~ *pública,* government office.

oficinista *mf* office worker.

oficio *m (ocupación)* job, occupation; *(especializado)* trade. **2** *(función)* role, function. **3** *(comunicación oficial)* official letter/note. **4** REL service. •*de* ~, by trade.

oficioso,-a *adj (noticia, fuente)* unofficial. **2** *(persona)* officious.

ofrecer(se) [43] *t (dar) (premio, amistad)* to offer; *(banquete, fiesta)* to hold; *(regalo)* to give. **2** *(presentar)* to present. – **3** *p (prestarse)* to offer, volunteer.

ofuscación *f* blinding, dazzling.

ofuscar [1] *t (deslumbrar)* to dazzle. **2** *fig (confundir)* to blind.

oídas de oídas, *adv* by hearsay.

oído *m (sentido)* hearing. **2** *(órgano)* ear. •*de* ~, by ear.

oír [75] *t* to hear. •*¡oye!,* hey!; *fam como lo oyes,* believe it or not.

ojal *m* buttonhole.

¡ojalá! *interj* if only, I wish: ~ *fuera rico,-a,* I wish I were rich.

ojeada *f* glance, quick look. •*echar una* ~, *(mirar)* to take a quick look (*a,* at); *(vigilar)* to keep an eye (*a,* on).

ojear *t (mirar)* to have a quick look at.

ojeras *fpl* bags under the eyes.

ojeroso,-a *adj* with rings under the eyes, haggard.

ojo *m* eye. **2** *(agujero)* hole. – **3** *interj* careful, look out. •*fig a* ~, at a rough guess; *fig mirar con buenos ojos,* to look favourably on; *fig saltar a los ojos,* to be evident. ■ ~ *de la cerradura,* keyhole; ~ *morado,* black eye.

ola *f* wave.

¡olé!, ¡ole! *interj* bravo!
oleada *f* wave. **2** *fig* influx.
oleaje *m* swell.
oler [60] *t-i* to smell (*a,* of).
olfatear *t* (*oler*) to sniff, smell. **2** *fig* (*indagar*) to nose/pry into. **3** (*sospechar*) to suspect.
olfato *m* sense of smell. **2** *fig* (*intuición*) a good nose, instinct, flair.
olimpiada *f* Olympiad. ■ *las Olimpiadas,* the Olympic Games.
oliva *adj-f* olive.
olivo *m* olive (tree).
olla *f* saucepan, pot. ■ ~ *exprés/a presión,* pressure cooker.
olor *m* smell. ■ ~ *corporal,* body odour.
oloroso,-a *adj* fragrant, sweet-smelling.
olvidar(se) *t-p* to forget.
olvido *m* (*desmemoria*) oblivion. **2** (*descuido*) forgetfulness, absent-mindedness. **3** (*lapsus*) oversight, lapse.
ombligo *m* navel.
omiso,-a *adj* negligent. •*hacer caso* ~ *de,* to take no notice of.
omitir *t* (*no decir*) to omit, leave out. **2** (*dejar de hacer*) to neglect, overlook.
omnipotente *adj* omnipotent, almighty.
once *adj* eleven; (*undécimo*) eleventh. – **2** *m* eleven.
onda *f* wave. **2** (*en el agua*) ripple. ■ ~ *expansiva,* shock wave.
ondear *i* (*bandera*) to flutter. **2** (*agua*) to ripple. •~ *a media asta,* to be flying at half mast.
ondulación *f* undulation, wave. **2** (*agua*) ripple.
ondular *t* (*el pelo*) to wave. – **2** *i* (*moverse*) to undulate.
opaco,-a *adj* opaque.
opción *f* (*elección*) option, choice. **2** (*derecho*) right; (*posibilidad*) opportunity, chance.
ópera *f* opera.
operación *f* operation. **2** FIN transaction, deal.
operador,-ra *m,f* operator. **2** CINEM (*de la cámara*) *m* cameraman, *f* camerawoman; (*del proyector*) projectionist.
operario,-a *m,f* operator, worker.
operar(se) *t* MED to operate (*a,* on). **2** (*producir*) to bring about. – **3** *i* (*hacer efecto*) to operate, work. **4** FIN to deal, to do business (with). – **5** *p* MED to have an operation (*de,* for).
opinar *i* to think, be of the opinion.
opinión *f* (*juicio*) opinion, (point of) view. •*cambiar de* ~, to change one's mind.

opíparo,-a *adj fml* lavish.
oponente *adj* opposing. – **2** *mf* opponent.
oponer(se) [78] *t* to oppose. **2** (*resistencia*) to offer. – **3** *p* (*estar en contra*) to oppose (*a,* -). **4** (*ser contrario*) to be in opposition (*a,* to), contradict. ▲ *pp* **opuesto,-a.**
oportunidad *f* opportunity, chance. **2** (*ganga*) bargain.
oportunista *adj-mf* opportunist.
oportuno,-a *adj* (*a tiempo*) opportune, timely. **2** (*conveniente*) appropriate.
oposición *f* opposition. **2** (*examen*) competitive examination.
opresión *f* oppression. ■ ~ *en el pecho,* tightness of the chest.
opresor,-ra *adj* oppressive, oppressing. – **2** *m,f* oppressor.
oprimir *t* to squeeze, press. **2** *fig* to oppress.
optar *i* (*elegir*) to choose. **2** (*aspirar*) to apply (*a,* for).
optativo,-a *adj* optional.
óptico,-a *adj* optic(al). – **2** *m,f* optician. – **3** *f* (*tienda*) optician's (shop). **4** FÍS optics.
optimismo *m* optimism.
optimista *adj* optimistic. – **2** *mf* optimist.
óptimo,-a *adj* very best, optimum.
opuesto,-a *pp* → **oponer.** – **2** *adj* (*contrario*) opposed, contrary. **3** (*de enfrente*) opposite.
opulencia *f* opulence, luxury.
opulento,-a *adj* opulent.
oración *f* REL prayer. **2** GRAM clause, sentence. ■ *partes de la* ~, parts of speech.
orador,-ra *m,f* speaker, orator.
oral *adj* oral. •MED *por vía* ~, to be taken orally.
orar *i* to pray.
órbita *f* orbit. **2** (*ojo*) socket.
orden *m* (*arreglo*) order. **2** *fig* (*campo*) sphere. – **3** *f* (*mandato, cuerpo*) order. **4** JUR warrant. •*de primer* ~, first-rate; *por* ~ *de,* by order of. ■ ~ *de arresto/detención,* warrant for arrest; ~ *de pago,* money order; ~ *judicial,* court order; ~ *público,* law and order.
ordenación *f* (*disposición*) arrangement, organizing. **2** REL ordination.
ordenador,-ra *adj* ordering. – **2** *m* INFORM computer. ■ ~ *personal,* personal computer.
ordenar *t* (*arreglar*) to put in order; (*habitación*) to tidy up. **2** (*mandar*) to order

to. 3 REL to ordain. ●*fig* ~ *las ideas,* to collect one's thoughts.

ordeñar *t* to milk.

ordinario,-a *adj (corriente)* ordinary, common. 2 *(grosero)* vulgar, common. ●*de* ~, usually.

orégano *m* oregano.

oreja *f* ear.

orejudo,-a *adj* big-eared.

orfanato *m* orphanage.

organismo *m (ser viviente)* organism. 2 *(entidad pública)* organization, body.

organización *f* organization.

organizador,-ra *adj* organizing. – 2 *m,f* organizer.

organizar(se) [4] *t* to organize. – 2 *p fig* to set up.

órgano *m* organ.

orgasmo *m* orgasm.

orgía *f* orgy.

orgullo *m (propia estima)* pride. 2 *(arrogancia)* arrogance, haughtiness.

orgulloso,-a *adj (satisfecho)* proud. 2 *(arrogante)* arrogant, haughty.

orientación *f (dirección)* orientation. 2 *(enfoque)* approach. 3 *(guía)* guidance. ■ ~ *profesional,* career/vocational guidance.

orientador,-ra *adj* advisory, guiding. – 2 *m,f* guide, adviser, counsellor.

oriental *adj* eastern, oriental.

orientar(se) *t (dirigir)* to orientate, direct. 2 *(guiar)* to guide, give directions. – 3 *p (encontrar el camino)* to get one's bearings, find one's way about. 4 *(dirigirse)* to tend towards.

oriente *m* east, orient.

orificio *m* hole, opening.

origen *m* origin: *de* ~ *español,* of Spanish extraction.

original *adj-mf* original.

originario,-a *adj* original. ●*ser* ~ *de, (persona)* to come from; *(costumbre)* to originate in.

originar(se) *t* to cause, give rise to. – 2 *p* to originate, have its origin.

orilla *f (borde)* edge. 2 *(del río)* bank; *(del mar)* shore. ●*a la* ~ *del mar,* by the sea.

orina *f* urine.

orinar(se) *i* to urinate. – 2 *p* to wet o.s.

oriundo,-a *adj* native of. ●*ser* ~ *de,* to come from, originate from/in.

ornamentar *t* to adorn, embellish.

oro *m* gold. ●*de* ~, gold(en).

orquesta *f* orchestra. 2 *(banda)* dance band.

ortografía *f* spelling, orthography.

oruga *f* caterpillar.

os *pron pers pl (complemento directo)* you: ~ *veo mañana,* I'll see you tomorrow. 2 *(complemento indirecto)* to you: ~ *lo mandaré,* I'll send it to you. 3 *(reflexivo)* yourselves: ~ *hacéis daño,* you're hurting yourselves. 4 *(recíproco)* each other: ~ *queréis mucho,* you love each other very much.

osadía *f (audacia)* daring, boldness. 2 *(desvergüenza)* impudence.

osado,-a *adj (audaz)* daring, bold. 2 *(desvergonzado)* shameless.

osar *i* to dare.

oscilación *f (de precios)* fluctuation. 2 FÍS oscillation.

oscilar *i (variar)* to vary, fluctuate. 2 FÍS to oscillate.

oscurecer(se) *t-p* → **obscurecer(se)**.

oscuridad *f* → **obscuridad**.

oscuro,-a *adj* → **obscuro**.

oso *m* bear.

ostensible *adj* ostensible, obvious.

ostentación *f* ostentation.

ostentar *t (jactarse)* to show off, flaunt. 2 *(poseer)* to hold. ●~ *el cargo de,* to hold the position of.

ostentoso,-a *adj* ostentatious.

ostra *f* oyster. – 2 *pl interj* crikey!, US gee!

otoño *m* autumn, US fall.

otorgar [7] *t (conceder)* to grant, give *(a, to); (premio)* to award *(a, to).* 2 JUR to execute, draw up.

otro,-a *adj-pron indef* another, other. ●*entre otras cosas,* amongst other things; *otra cosa,* something else; ~ *día,* another day; ~ *tanto,* as much.

ovación *f* ovation, cheering, applause.

ovacionar *i* to give an ovation *(a, to),* applaud *(a, –).*

oval, ovalado,-a *adj* oval.

oveja *f* sheep, ewe.

ovillo *m* ball (of wool). ●*fig hacerse un* ~, to curl up into a ball.

OVNI *m* UFO.

oxidado,-a *adj* rusty.

oxidarse *p* to rust, go rusty.

oye *pres indic* → **oír**.

oyente *mf* RAD listener. 2 *pl* audience *sing.*

P

pabellón *m (tienda)* tent. **2** ARQ pavilion. **3** *(dosel)* canopy. **4** *(bandera)* flag. **5** ANAT (external) ear.

pabilo, pábilo *m* wick.

pábulo *m* food, support. ●*dar ~ a,* to encourage.

pacer [42] *i-t* to graze.

pachorra *f fam* phlegm, slowness.

pachucho,-a *adj* overripe. **2** *fig* weak, feeble.

paciencia *f* patience. ●*tener ~,* to be patient.

paciente *adj-mf* patient.

pacificar [1] *t* to pacify. **2** *(calmar)* to appease.

pacífico,-a *adj* peaceful.

pacotilla *f fam de ~ ,* shoddy.

pactar *t* to agree (to).

pacto *m* pact, agreement.

padecer [43] *t-i* to suffer *(de,* from).

padecimiento *m* suffering.

padrastro *m* stepfather.

padre *m* father. **2** *pl* parents. **– 3** *adj fam* terrific. ■ *~ político,* father-in-law.

padrenuestro *m* Lord's Prayer.

padrino *m* godfather. **2** *(de boda)* best man. **3** *(patrocinador)* sponsor.

padrón *m* census.

paella *f* paella.

paga *f (sueldo)* pay.

pagadero,-a *adj* payable.

pagado,-a *adj* pleased, proud. ●*~ de sí mismo,* self-satisfied.

paganismo *m* paganism.

pagano,-a *adj-m,f* pagan. **– 2** *m,f fam* one who pays.

pagar [7] *t* to pay (for). ●*~ al contado,* to pay cash; *fam ¡me las pagarás!,* you'll pay for this!

pagaré *m* promissory note.

página *f* page. ■ *páginas amarillas,* yellow pages.

pago *m* payment. **2** *(recompensa)* reward. ●*en ~ por,* in payment/return for.

país *m* country.

paisaje *m* landscape.

paisano,-a *m,f* countryman, *f* countrywoman. **2** *(compatriota) m* fellow countryman, *f* fellow countrywoman. **– 3** *m* civilian. ●*de ~,* in plain clothes.

paja *f* straw. **2** *fig (relleno)* padding, waffle. **3*** *(masturbación)* wank*.

pajarita *f (prenda)* bow tie. **2** *(de papel)* paper bird.

pájaro *m* ZOOL bird. **2** *fig* slyboots. ●*fam matar dos pájaros de un tiro,* to kill two birds with one stone. ■ *~ bobo,* penguin; *~ carpintero,* woodpecker; *fig ~ de cuenta,* big shot.

paje *m* page.

pala *f* shovel. **2** *(de cocina)* slice. **3** DEP bat. **4** *(de hélice etc.)* blade.

palabra *f* word. ●*dar/empeñar uno su ~,* to give/pledge one's word; *en una ~,* in a word, to sum up; *tener la ~,* to have the floor; *fig ser de pocas palabras,* not to be very talkative.

palabrota *f* swearword. ●*decir palabrotas,* to swear.

palacio *m* palace.

paladar *m* palate. **2** *fig (gusto)* taste, relish.

paladear *t* to savour, relish.

paladín *m* HIST paladin. **2** *fig* champion.

palanca *f* lever. **2** *(manecilla)* handle. ■ *~ de cambio,* gear lever, gearstick.

palangana *f* washbasin.

palco *m* box.

paleta *f (de pintor)* palette. **2** *(de albañil)* trowel. **3** *(de hélice etc.)* blade. **4** DEP bat.

paletilla *f* ANAT shoulder blade. **2** CULIN shoulder.

paleto,-a *m,f pey* country bumpkin.

paliar [12] *t* to palliate, alleviate.

palidecer [43] *i* to turn pale.

palidez *f* paleness, pallor.

pálido,-a *adj* pale,

palillo *m (mondadientes)* toothpick. **2** MÚS drumstick. ■ *palillos (chinos),* chopsticks.

palio *m* canopy.

palique *m fam* chat, small talk.

paliza *f* beating, thrashing. **2** *(derrota)* defeat. **3** *fam (pesadez)* bore. ●*dar/pegar una ~ a algn.,* to beat sb. up; *fam dar la ~ a algn.,* to bore sb.

palizada *f* palisade, stockade.

palma *f* BOT palm (tree). **2** *(de la mano)* palm. **3** *pl (aplausos)* clapping *sing,* applause *sing.* ●*batir palmas,* to clap; *fig llevarse la ~,* to win, triumph.

palmada *f (golpe)* slap, pat. **2** *(aplauso)* clapping. ●*dar palmadas,* to clap.

palmario,-a *adj* obvious, evident.

palmatoria *f* candlestick.

palmera *f* palm (tree).

palmo *m* span. ●*~ a ~,* inch by inch; *fam dejar (a algn.) con un ~ de narices,* to let (sb.) down.

palmotear *t* to clap.

palo *m* stick, pole. **2** MAR mast. **3** *(golpe)* blow. **4** *(de naipes)* suit. **5** AM *(árbol)* tree. ●*dar palos,* to hit, strike; *fig a ~ seco,* on its own; *fig dar palos de ciego,* to grope about in the dark.

paloma *f* dove, pigeon. ■ *~ mensajera,* carrier pigeon.

palomar *m* pigeon loft; *(rústico)* dovecote.

palomitas *fpl* popcorn *sing.*

palpable *adj* palpable. **2** *fig (evidente)* obvious, evident.

palpar *t* to touch, feel.

palpitación *f* palpitation.

palpitante *adj* palpitating, throbbing. **2** *fig* burning.

palpitar *i* to palpitate, throb.

pálpito *m* AM presentiment.

paludismo *m* malaria.

palurdo,-a *adj pey* uncouth, rude. – **2** *m,f* boor, churl.

pampa *f* pampas *pl.*

pamplina *f* nonsense.

pan *m* bread. **2** *(de metal)* leaf, foil. ●*ganarse el ~,* to earn one's living; *fig llamar al ~, ~ y al vino, vino,* to call a spade a spade. ■ *~ de molde,* packet sliced bread; *~ integral,* wholemeal/

wholewheat bread; *~ rallado,* breadcrumbs *pl; fig ~ comido,* a piece of cake.

pana *f* corduroy.

panadería *f* bakery, baker's (shop).

panadero,-a *m,f* baker.

panal *m* honeycomb.

pancarta *f* placard.

pandereta *f* small tambourine.

pandero *m* tambourine.

pandilla *f* gang, band.

panecillo *m* roll.

panegírico,-a *adj* panegyric(al). – **2** *m* panegyric.

pánfilo,-a *adj (lento)* slow. **2** *(tonto)* stupid. – **3** *m,f* fool.

panel *m* panel.

panfleto *m* pamphlet, lampoon.

pánico *m* panic.

panocha *f* corncob; *(de trigo)* ear.

panoplia *f* panoply.

panorama *m* panorama, view.

panqueque *m* AM pancake.

pantalón *m* trousers *pl.* ■ *~ corto,* short (trousers). ▲ *Often pl.*

pantalla *f* screen. **2** *(de lámpara)* shade.

pantano *m* marsh.

pantanoso,-a *adj* marshy.

panteón *m* pantheon. ■ *~ familiar,* family vault.

panteonero *m* AM gravedigger.

pantera *f* panther.

pantomima *f* pantomime.

pantorrilla *f* calf.

pantufla *f* slipper.

panza *f* paunch, belly.

pañal *m* nappy, napkin, US diaper.

paño *m* cloth (material). **2** *(para polvo)* duster. **3** *pl (prendas)* clothes. **4** *(de pared)* panel, stretch. ●*en paños menores,* in one's underwear.

pañuelo *m* handkerchief. **2** *(chal)* shawl.

papa *m* pope.

papá *m fam* dad(dy).

papada *f* double chin.

papagayo *m* parrot. **2** *fig* chatterbox.

papamoscas *m inv* fly-catcher.

papanatas *mf inv* simpleton.

paparrucha *f fam (mentira)* fib. **2** *(tontería)* nonsense.

papel *m* (piece/sheet of) paper. **2** CINEM TEAT role, part. ●*desempeñar el ~ de,* to play the part of; *hacer mal/buen ~,* to do badly/well. ■ *~ de calcar,* tracing-paper; *~ de estado,* government securities *pl; ~ de estaño/plata,* aluminium/tin foil; *~ de lija,* sandpaper; *~ higié-*

nico, toilet paper; ~ *moneda,* paper money; ~ *pintado,* wallpaper; ~ *secante,* blotting-paper.

papeleo *m fam* red tape.

papelera *f* wastepaper basket. **2** *(en la calle)* litter bin.

papelería *f* stationer's.

papeleta *f (de empeño)* ticket. **2** *(para votar)* ballot paper. **3** *(de exámen)* report. **4** *fam (problema)* tricky problem: *¡vaya ~!,* what an awful situation!

paperas *fpl* mumps.

papilla *f* pap. ●*fam echar la primera ~,* to be as sick as a dog; *fam hacer ~ a algn.,* to make mincemeat of sb.

papiro *m* papyrus.

paquebote *m* packet boat.

paquete *m* package; *(caja)* packet. **2** *(conjunto)* set, packet. **3** *fam (torpón)* wally, useless tool. ●*ir de ~,* to ride pillion. ■ ~ *postal,* parcel.

par *adj* equal. **2** MAT even. − **3** *m* pair. **4** *(título)* peer. ●*a la ~, (al mismo tiempo)* at the same time; *(juntos)* together; *de ~ en ~,* wide open; *sin ~,* matchless.

para *prep (finalidad)* for, (in order) to: *es ~ Pepe,* it's for Pepe; ~ *ahorrar dinero,* (in order) to save money. **2** *(dirección)* toward: *¿~ dónde vas?,* where are you going? **3** *(tiempo, fechas límites)* by: ~ *Navidad,* by Christmas. ●*dar ~,* to be sufficient for; *hay ~ rato,* it will be some time before it's over; ~ *entonces,* by then; ~ *que,* in order that, so that; *¿~ qué?,* what for?

parabién *m* congratulations *pl.*

parábola *f* REL parable. **2** MAT parabola.

parabrisas *m inv* windscreen.

paracaídas *m inv* parachute. ●*tirarse en ~,* to parachute.

paracaidista *mf* DEP parachutist. **2** MIL paratrooper.

parachoques *m inv* AUTO bumper, US fender. **2** *(de tren)* buffer.

parada *f* stop, halt. **2** *(de autobús etc.)* stop. **3** *(pausa)* pause. **4** DEP catch. ■ ~ *de taxis,* taxi/cab stand; ~ *discrecional,* request stop.

paradero *m* whereabouts *pl.*

parado,-a *adj* stopped. **2** *(quieto)* still, motionless. **3** *fig (lento)* slow, awkward. **4** *fam (desempleado)* unemployed. − **5** *m,f* unemployed person.

paradoja *f* paradox.

paradójico,-a *adj* paradoxical.

parador *m* state-run hotel.

paráfrasis *f inv* paraphrase.

paraguas *m inv* umbrella.

paraíso *m* paradise.

paraje *m* spot, place.

paralelo,-a *adj-m* parallel. − **2** *fpl* DEP parallel bars.

paralelogramo *m* parallelogram.

parálisis *f inv* paralysis.

paralítico,-a *adj-m,f* paralytic.

paralización *f* paralysation. **2** COM stagnation.

paralizar(se) [1] *t* to paralyse. **2** *(tráfico)* to bring to a standstill. − **3** *p* to be paralysed. **2** *fig* to come to a standstill.

paramento *m (adorno)* ornament, decoration. **2** ARQ face.

parámetro *m* parameter.

páramo *m* moor.

parangón *m fml* comparison.

parangonar *t fml* to compare.

paraninfo *m* assembly hall of a university.

parapetarse *p* to take shelter/cover. **2** *fig* to take refuge.

parapeto *m* ARQ parapet. **2** *(terraplén)* barricade.

parapsicología *f* parapsychogy.

parar(se) *t* to stop. **2** DEP to catch. − **3** *i* to stop. **4** *(llegar)* to lead: *¿adónde iremos a ~?,* what is the world coming to? **5** *(estar)* to be: *nunca paro en casa,* I'm never at home. **6** *(alojarse)* to lodge. − **7** *p* to stop. **8** AM *(levantarse)* to stand up. ●*ir a ~ a,* to end up at/in; *no ~,* to be always on the go; *~se en seco,* to stop dead; *sin ~,* nonstop, without stopping; *fig ~ los pies a algn.,* to put sb. in his/her place.

pararrayos *m inv* lightning conductor.

parasitario,-a *adj* parasitic.

parásito,-a *adj* parasitic. − **2** *m* BIOL parasite. **3** *fam (persona)* hanger-on. **4** *pl* RAD interference *sing.*

parasol *m* parasol, sunshade.

parcela *f (de tierra)* plot. **2** *fig* portion.

parche *m* patch. **2** *(emplasto)* plaster. **3** *fig (chapuza)* botch.

parcial *adj* partial.

parcialidad *f* partiality.

parco,-a *adj (escaso)* frugal, sparing. **2** *(moderado)* moderate, sober.

pardo,-a *adj-m* drab, dark grey.

parecer(se) [43] *i* to seem, look (like): *parece fácil,* it seems/looks easy; *parece un mono,* it looks like a monkey. **2** *(opinar)* to think: *me parece que sí,* I think so; *¿qué te parece?,* what do you think? **3** *(aparentar)* to look as if: *parece que va a llover,* it looks as if it's going to rain. – **4** *p* to be alike, look like: *se parece a su padre,* he/she looks like his/her father. – **5** *m (opinión)* opinion, mind. ●*al ~,* apparently; *según parece,* as it seems. ▲ **3** *used only in the 3rd pers. It does not take a subject.*

parecido,-a *adj* similar. – **2** *m* resemblance, likeness. ■ *bien/mal ~,* good-looking/ugly.

pared *f* wall. ■ *~ maestra/medianera,* main/partition wall.

pareja *f gen* pair. **2** *(de personas)* couple. **3** *(de baile)* partner. ●*hacer buena ~,* to be two of a kind.

parejo,-a *adj (igual)* equal, like. **2** *(liso)* even, smooth.

parentela *f* relatives *pl,* relations *pl.*

parentesco *m* kinship, relationship.

paréntesis *m inv* parenthesis, brackets *pl.* **2** *fig (interrupción)* break, interruption. ●*entre ~,* in parenthesis/brackets.

paria *mf* pariah.

paridad *f* parity, equality.

pariente,-a *m,f* relative, kinsman.

parir *t-i* to give birth to.

parlamentar *i* to talk.

parlamentario,-a *adj* parliamentary. – **2** *m,f* member of parliament.

parlamento *m* parliament. **2** *(discurso)* speech.

parlanchín,-ina *adj* talkative. – **2** *m,f* chatterbox.

parlotear *i fam* to prattle (on).

paro *m* stop(page). **2** *(desempleo)* unemployment. ●*estar en el ~,* to be out of work.

parodia *f* parody.

parodiar [12] *t* to parody.

parpadear *i (ojos)* to blink, wink. **2** *(luz)* to twinkle.

párpado *m* eyelid.

parque *m* park.

parra *f* grapevine.

parrafada *f fam (conversación)* chat. **2** *(discurso)* speech.

párrafo *m* paragraph.

parranda *f fam* spree. ●*ir(se) de ~,* to go out on a spree.

parricida *mf* parricide.

parricidio *m* parricide.

parrilla *f* grill. **2** TÉC grate. ●CULIN *a la ~,* grilled.

parrillada *f* (dish of) grilled fish/seafood/meat.

párroco *m* parish priest.

parroquia *f* parish. **2** *(iglesia)* parish church. **3** *fam (clientela)* customers *pl,* clientele.

parroquiano,-a *m,f (fiel)* parishioner. **2** *fam (cliente)* customer, client.

parsimonia *f (moderación)* parsimony. **2** *(calma)* calmness. **3** *(lentitud)* slowness.

parsimonioso,-a *adj (moderado)* parsimonious. **2** *(calmado)* calm. **3** *(lento)* slow, unhurried.

parte *f gen* part; *(en una partición)* portion, lot. **2** *(en negocio)* share, interest. **3** JUR party. **4** *(lugar)* place, region. – **5** *m (comunicado)* official communication. ●*dar ~,* to report; *de ~ a ~,* through; *de ~ de,* on behalf of, from; *¿de ~ de quién?,* who's calling?; *en ninguna ~,* nowhere; *en ~,* partly; *estar de ~ de,* to support; *llevar la mejor/peor ~,* to have the best/worst of it; *por todas partes,* everywhere; *por una ~, ... por otra,* on the one hand..., on the other hand... .

partera *f* midwife.

parterre *m* flowerbed.

partición *f* partition, division.

participación *f* participation, share. **2** *(comunicado)* announcement.

participante *adj* participating. – **2** *mf* participant.

participar *t (notificar)* to notify, inform. – **2** *i (tomar parte)* to participate, share.

partícipe *adj* participant. – **2** *mf* participant. ●*hacer ~ de algo, (notificar)* to inform about sth.; *(hacer paticipar)* to share sth.

participio *m* participle.

partícula *f* particle.

particular *adj* particular. **2** *(extraordinario)* noteworthy, extraordinary. – **3** *m (individuo)* private, citizen. **4** *(detalle)* particular.

particularidad *f* particularity.

partida *f (salida)* departure, leave. **2** *(documento)* certificate. **3** FIN entry, item. **4** *(remesa)* lot, shipment. **5** *(juego)* game. **6** *(de soldados)* squad, gang. ●*jugar una mala ~,* to play a mean trick.

partidario,-a *adj* supporting. – **2** *m,f* supporter.

partido *m (grupo)* party, group. **2** *(provecho)* profit, advantage. **3** DEP *(equipo)* team; *(partida)* game, match. ●*sacar ~ de,* to profit from; *ser un buen ~,* to be a good catch; *tomar ~,* to take sides.

partir(se) *t* to divide, split **2** *(romper)* to break, crack. **3** *(repartir)* to share, distribute. – **4** *i (irse)* to leave, set out/off.

– 5 *p* to split (up), break (up). ●*a ~ de hoy,* from today onwards; *fig ~ la cara a algn.,* to smash sb.'s face in; *fam ~se de risa,* to split one's sides laughing.

partitura *f* score.

parto *m* childbirth, delivery. ●*estar/ir de ~,* to be in labour.

párvulo,-a *m, f* little child.

pasa *f* raisin. ■ *~ de Corinto,* currant.

pasacalle *m* lively march.

pasada *f* passage. 2 COST long stitch. 3 *(punto)* pick. ●*de ~, (de paso)* in passing; *(rápidamente)* hastily. ■ *mala ~,* mean trick.

pasado,-a *adj* past, gone by. 2 *(año, semana, etc.)* last. 3 *(después)* after: *pasadas las once,* after eleven. 4 *(estropeado)* (gone) bad. – 5 *m* past. ■ *~ de moda,* out of date/fashion; *~ mañana,* the day after tomorrow.

pasador *m (de puerta etc.)* bolt, fastener. 2 *(de pelo)* hair-pin. 3 *(colador)* strainer, colander.

pasaje *m* passage. 2 *(pasajeros)* passengers *pl.* 3 *(calle)* lane, alley.

pasajero,-a *adj* passing. – 2 *m, f* passenger.

pasamano *m* handrail.

pasaporte *m* passport.

pasar(se) *i (ir)* to go/walk past. 2 *(tiempo)* to pass, go by. 3 *(entrar)* to come/go in. 4 *(cesar)* to come to an end. 5 *(límite)* to exceed *(de, -).* 6 *(ocurrir)* to happen. – 7 *t* to pass. 8 *(trasladar)* to carry across. 9 *(mensaje)* to give. 10 *(página)* to turn. 11 *(calle etc.)* to cross. 12 *(límite)* to go beyond. 13 *(aventajar)* to surpass, beat. 14 AUTO to overtake. 15 *(tolerar)* to tolerate, overlook. 16 *(examen)* to pass. 17 *(película)* to show. – 18 *p (desertar)* to pass over *(a, to).* 19 *(excederse)* to go too far *(de, -).* 20 *(pudrirse)* to go off. 21 *(olvidarse)* to forget. 22 *(ir)* to go by, walk past *(por, -).* ●*ir pasando,* to get along; *~ a,* to go on to; *~ por,* to be considered; *pasarlo bien,* to have a good time; *¿qué pasa?,* what is the matter?, what happens?; *~ sin,* to do without. ▲ 6 used only in the 3rd pers. It does not take a subject.

pasarela *f* walkway.

pasatiempo *m* pastime, hobby.

pascua *f (cristiana)* Easter; *(judía)* Passover. 2 *pl* Christmas. ●*felices Pascuas,* merry Christmas; *fam estar alegre como unas pascuas,* to be as happy as a sandboy; *... y santas pascuas, ...* and that's that. ■ *~ de Resurrección,* Easter.

pase *m* pass, permit. 2 CINEM showing.

pasear(se) *i-p* to take a walk. – 2 *t* to (take for a) walk.

paseo *m* walk, stroll. 2 *(en coche)* drive. 3 *(calle)* avenue, promenade. ●*dar un ~,* to go for a walk.

pasillo *m* corridor.

pasión *f* passion.

pasional *adj* passionate.

pasionaria *f* passion flower.

pasivo,-a *adj* passive. – 2 *m* COM liabilities *pl.*

pasmar(se) *t* to astonish, amaze. – 2 *p* to be astonished/amazed.

pasmo *m* amazement, astonishment.

pasmoso,-a *adj* astonishing, amazing.

paso *m* (foot)step, pace. 2 *(distancia)* pace. 3 *(camino)* passage, way. 4 *(avance)* progress, advance. 5 *(trámite)* step, move. ●*abrirse ~,* to force one's way through; *de ~,* by the way; *marcar el ~,* to mark time; *~ a ~,* step by step; "*prohibido el ~*", "no entry"; *fig a dos pasos,* just round the corner; *fig dar un ~ en falso,* to make a wrong move. ■ *~ a nivel,* level crossing.

pasta *f (masa)* paste. 2 CULIN pasta. 3 *(pastelito)* cake. 4 *fam (dinero)* dough, money. ●*fam ser de buena ~,* to be good-natured.

pastar *t-i* to pasture, graze.

pastel *m* pie, cake: *~ de manzana,* apple pie. 2 ART pastel. 3 *fam (conspiración)* plot.

pastelería *f* confectioner's (shop).

pastelero,-a *m, f* pastrycook.

pastilla *f (medicina)* tablet, pill. 2 *(de chocolate)* bar. 3 *(de jabón)* cake, bar. ●*fam a toda ~,* at full tilt.

pasto *m* pasture. 2 AM *(hierba)* grass. ●*ser ~ de las llamas,* to go up in flames.

pastor,-ra *m, f m* shepherd, *f* shepherdess.

pastoso,-a *adj* pasty, doughy. 2 *(voz)* mellow.

pata *f gen* leg. 2 *(garra)* paw. 3 *(pezuña)* hoof. 4 ZOOL female duck. ●*a cuatro patas,* on all fours; *patas arriba,* upside down; *fam a ~,* on foot; *fam estirar la ~,* to die; *fam meter la ~* to put one's foot in it; *fam tener mala ~,* to have bad luck. ■ *~ de gallo,* crow's feet.

patada *f* kick. ●*a patadas,* in abundance; *fam sentar como una ~ en el estómago,* to be like a kick in the teeth.

patalear *i* to stamp one's feet.

pataleo *m* stamping.

pataleta *f fam* tantrum.

patán *m* boor.

patata *f* potato. ▪ *patatas fritas,* chips.

patatús *m fam* fainting fit, swoon.

patear *t* to kick. − 2 *i* to stamp one's feet.

patentar *t* to patent.

patente *adj* patent, evident. − 2 *f* patent.

patentizar *t* to show, reveal, make evident.

paternal *adj* paternal.

paternidad *f* paternity. 2 *(autoría)* authorship.

paterno,-a *adj* paternal.

patético,-a *adj* pathetic.

patíbulo *m* scaffold, gallows.

patidifuso,-a *adj irón* astonished, amazed.

patillas *fpl* sideboards, US sideburns.

patín *m* skate. ▪ ~ *de ruedas,* rollerskate.

patinar *t-i* to skate. − 2 *i (vehículo)* to skid.

patinazo *m* skid. 2 *fam (error)* blunder.

patinete *m* scooter.

patio *m* court(yard). 2 TEAT pit.

patitieso,-a *adj fam* astonished, amazed.

patituerto,-a *adj fam* crook-legged.

patizambo,-a *adj-m,f* knock-kneed (person).

pato *m* duck. ●*fam pagar el* ~, to carry the can.

patología *f* pathology.

patraña *f* hoax.

patria *f* homeland. ▪ ~ *chica,* home town.

patriarca *m* patriarch.

patrimonio *m* heritage, patrimony.

patriota *mf* patriot.

patriotismo *m* patriotism.

patrocinar *t* to sponsor.

patrocinio *m* patronage.

patrón,-ona *m,f* patron. 2 REL patron saint. 3 *(jefe)* employer, boss, *m* master, *f* mistress. − 4 COST pattern. 5 *(modelo)* standard. ▪ ~ *oro,* gold standard.

patronato *m* REL patronage. 2 *(consejo)* board, council.

patrulla *f* patrol. 2 *(banda)* gang, band.

patrullar *i* to patrol.

paulatino,-a *adj* slow, gradual.

pausa *f* pause. 2 MÚS rest.

pausado,-a *adj* slow, calm, deliberate.

pauta *f (norma)* rule, standard. 2 MÚS staff. 3 *(modelo)* model, example.

pava *f* turkey hen. ●*fam pelar la* ~, to court (at a window). ▪ ~ *real,* peahen.

pavimentar *t (calle)* to pave. 2 *(suelo)* to tile.

pavimento *m (calle)* roadway. 2 *(suelo)* flooring.

pavo *m* turkey. ▪ ~ *real,* peacock.

pavonear(se) *i-p* to show off, swagger.

pavor *m* fear.

pavoroso,-a *adj* frightening.

payasada *f* buffoonery, clowning.

payaso *m* clown.

paz *f* peace. ●*dejar en* ~, to leave alone; *estar en* ~, to be even/quits.

peaje *m* toll.

peana *f* pedestal, stand.

peatón *m* pedestrian.

peca *f* freckle.

pecado *m* sin. ▪ ~ *capital,* deadly/capital sin.

pecador,-ra *adj* sinful, sinning. − 2 *m,f* sinner.

pecaminoso,-a *adj* sinful, wicked.

pecar [1] *i* to sin.

pecera *f (redonda)* fishbowl; *(rectangular)* aquarium, fish tank.

pechera *f* shirt front. 2 *(de delantal)* bib.

pecho *m* chest. 2 *(busto)* breast. 3 *(seno)* bosom. ●*dar el* ~, to nurse, suckle; *fig tomar a* ~, to take to heart.

pechuga *f* breast.

pecoso,-a *adj* freckled.

peculiar *adj* peculiar.

peculiaridad *f* peculiarity.

peculio *m* savings *pl.*

pecuniario,-a *adj* pecuniary.

pedagogía *f* pedagogy.

pedagógico,-a *adj* pedagogic(al).

pedal *m* pedal.

pedalear *i* to pedal.

pedante *adj* pedantic. − 2 *mf* pedant.

pedantería *f* pedantry.

pedazo *m* piece, bit. ●*hacer pedazos,* to break to pieces.

pedernal *m* flint.

pedestal *m* pedestal.

pedestre *adj* pedestrian.

pediatra *mf* pediatrician.

pedicuro,-a *m,f* chiropodist.

pedido *m* COM order. 2 *(petición)* request, petition.

pedigüeño,-a *adj* pestering. − 2 *m,f* pest.

pedir [34] *t* to ask (for). 2 *(mendigar)* to beg. 3 COM to order. 4 *(cuenta etc.)* to call to. ●*a* ~ *de boca,* just as desired; ~ *prestado,-a,* to borrow.

pedo *m* fart. 2 *fam (borrachera)* drunkenness. ●*fam estar/ir* ~, to be drunk.

pedrada f blow with a stone.
pedregal m stony ground.
pedregoso,-a adj stony, rocky.
pedrera f quarry.
pedrería f gems pl.
pedrisco m hail(storm).
pedrusco m rough stone.
pega f fam (dificultad) snag. ●de ~, sham, worthless; **poner pegas a todo,** to find fault with everything.
pegadizo,-a adj sticky, adhesive. 2 (canción) catchy.
pegajoso,-a adj sticky, clammy.
pegar(se) [7] t-i (con goma) to glue, stick. 2 (atar) to tie, fasten. 3 (golpear) to hit. – 4 t (fuego) to set. – 5 p to stick (together). 6 (golpearse) to come to blows.
peinado m hair style.
peinar(se) t to comb (one's hair). ●fig ~ canas, to be old.
peine m comb.
peineta f ornamental comb.
peladilla f sugared almond.
pelado,-a adj bald, bare. 2 (cabeza) hairless. 3 (terreno) barren, treeless. 4 fam (sin dinero) penniless. – 5 m fam haircut.
pelagatos m inv fam poor devil.
pelaje m (de animal) coat, fur.
pelar(se) t to cut/shave the hair of. 2 (ave) to pluck. 3 (fruta etc.) to peel. – 4 p (perder pelo) to lose the hair. 5 (cortarse el pelo) to get one's hair cut.
peldaño m step.
pelea f fight, quarrel.
pelear(se) i-p to fight, quarrel; (a golpes) to come to blows.
pelele m straw puppet. 2 fig puppet.
peletería f fur shop, furrier's.
peletero,-a m,f furrier.
peliagudo,-a adj difficult, tricky.
pelícano m pelican.
película f film. ■ ~ del oeste, western; ~ muda, silent movie.
peligrar i to be in danger.
peligro m danger.
peligroso,-a adj dangerous.
pelirrojo,-a adj red-haired. – 2 m,f redhead.
pellejo m (piel) skin. 2 (odre) wineskin. ●salvar el ~, to save one's skin.
pellizcar [1] t to pinch, nip.
pellizco m pinch, nip.
pelo m hair. 2 (de barba) whisker. 3 (de animal) coat, fur. ●fig no tener pelos en la lengua, to be speak one's mind; fig tomar el ~ a algn., to pull sb.'s leg.

pelota f ball. ●fam en pelotas, naked. ■ ~ vasca, pelota.
pelotera f fam dispute, quarrel.
pelotilla f small ball. ●fam hacer la ~, to fawn on.
pelotón m squad.
peltre m pewter.
peluca f wig.
peluche m plush.
peludo,-a adj hairy.
peluquería f (de mujeres) hairdresser's (shop); (de hombres) barber's (shop).
peluquero,-a m,f (de mujeres) hairdresser; (de hombres) barber.
pelusa f fluff.
pelvis f pelvis.
pena f (castigo) penalty, punishment. 2 (tristeza) grief, sorrow. 3 (lástima) pity. 4 (dificultad) hardship, trouble. 5 AM (vergüenza) shame. ●a duras penas, with a great difficulty; dar ~, to arouse pity; valer la ~, to be worth while. ■ ~ capital, capital punishment.
penacho m tuft (of feathers), crest.
penal adj penal. – 2 m penitentiary.
penalidad f trouble, hardship.
penalizar [4] t to penalize.
penar t (castigar) to punish, penalize. – 2 i (padecer) to suffer, grieve.
pendenciero,-a adj quarrelsome.
pender i to hang, dangle. 2 fig to depend (on).
pendiente adj hanging. 2 (por resolver) pending. – 3 f slope, incline. – 4 m earring. ●estar ~ de, to be waiting for.
pendón m banner, standard.
péndulo m pendulum.
pene m penis.
penetración f penetration. 2 (perspicacia) insight.
penetrante adj penetrating. 2 (perspicaz) acute.
penetrar t gen to penetrate. 2 (líquido) to permeate. 3 fig to grasp, understand. – 4 i to penetrate (en, in). 5 (entrar) to get (en, in). 6 fig to break, pierce.
penicilina f penicillin.
península f peninsula.
peninsular adj peninsular.
penique m penny.
penitencia f REL penance. 2 (virtud) penitence. 3 fam (pesadez) pain, bore.
penitenciaría f penitentiary.
penitente adj-mf penitent.
penoso,-a adj (doloroso) painful. 2 (trabajoso) laborious, hard.

pensado,-a *adj* thought-out. •*mal* ~, evil-minded; *tener algo* ~, to have sth. planned/in mind.

pensador,-ra *adj* thinking. – 2 *m,f* thinker.

pensamiento *m* thought. 2 *(mente)* mind. 3 BOT pansy.

pensar [27] *t-i gen* to think (*en,* of/about; *sobre,* over/about). – 2 *t (considerar)* to consider. 3 *(imaginar)* to imagine. 4 *(tener la intención)* to intend.

pensativo,-a *adj* pensive, thoughtful.

pensión *f (dinero)* pension, allowance. 2 *(residencia)* boarding house. ■ *media* ~, half board; ~ *completa,* full board.

pensionado,-a *m,f* pensioner. – 2 *m* boarding school.

pensionista *mf (jubilado etc.)* pensioner. 2 *(residente)* boarder.

pentagrama *m* MÚS stave, staff.

Pentecostés *m* Pentecost.

penúltimo,-a *adj-m,f* penultimate.

penumbra *f* shadow.

penuria *f* shortage. 2 *(pobreza)* penury.

peña *f* rock, boulder. 2 *fam (de amigos)* group (of friends).

peñasco *m* large rock, crag.

peñón *m* craggy rock.

peón *m (trabajador)* unskilled labourer. 2 *(juguete)* spinning-top. 3 *(damas)* man. 4 *(ajedrez)* pawn. ■ ~ *caminero,* roadmender; ~ *de albañil,* hodman.

peonza *f* whipping-top.

peor *adj-adv (comparativo)* worse: *tu coche es* ~ *que el mío,* your car is worse than mine. 2 *(superlativo)* worst. •*en el* ~ *de los casos,* at worst; ~ *es nada,* it's better than nothing.

pepino *m* cucumber. •*fam me importa un* ~, I don't give a damn.

pepita *f (de fruta)* seed, pip. 2 *(de metal)* nugget.

pequeñez *f (de tamaño)* smallness. 2 *(insignificancia)* trifle.

pequeño,-a *adj* little, small. 2 *(joven)* young. – 3 *m,f* child. •*de* ~, as a child; *ser el* ~, to be the youngest.

pera *f* pear.

peral *m* pear tree.

percal *m* percale.

percance *m* mishap.

percatarse *p* to notice (*de,* -).

percepción *f* perception.

perceptible *adj* perceptible, noticeable.

percha *f* perch. 2 *(de ropa)* hanger; *(fijo)* rack.

perchero *m* clothes rack.

percibir *t (notar)* to perceive, notice. 2 *(impuestos)* to collect.

percusión *f* percussion.

percusor, percutor *m* hammer, striker.

perder(se) [28] *t gen* to lose. 2 *(malgastar)* to waste. 3 *(tren etc.)* to miss. 4 *(arruinar)* to be the ruin of. 5 *(empeorar)* to get worse. 6 *fig (color)* to fade. – 7 *p* to go astray, get lost. 8 *(fruta etc.)* to be spoiled. 9 *(arruinarse)* to become ruined. •*echar a* ~, to spoil; ~ *de vista,* to lose sight of; *salir perdiendo,* to come off worst.

perdición *f (moral)* perdition. 2 *(ruina)* loss, ruin.

pérdida *f* loss. 2 *(de tiempo)* waste. •COM *pérdidas y ganancias,* profit and loss.

perdido,-a *adj gen* lost. 2 *(desorientado)* mislaid. 3 *(desperdiciado)* wasted. 4 *(bala)* stray. 5 *(vicioso)* vicious. – 6 *m,f* vicious person. – 7 *perdidamente adv* madly, desperately, hopelessly. •*estar loco,-a* ~ *por,* to be madly in love with.

perdigón *m* pellet. 2 ZOOL young partridge.

perdiz *f* partridge.

perdón *m* pardon, forgiveness. •*con* ~, by your leave; *pedir* ~, to apologize; *¡*~*!,* sorry!

perdonar *t* to pardon, forgive. ■ 2 *(deuda)* to remit. 3 *(excusar)* to excuse.

perdurar *i* to last, endure.

perecedero,-a *adj* perishable.

perecer [43] *i* to perish, die.

peregrinación *f,* **peregrinaje** *m* pilgrimage.

peregrinar *i* to go on a pilgrimage.

peregrino,-a *adj* travelling. 2 *(ave)* migratory. 3 *fig (raro)* strange, rare. – 4 *m,f* REL pilgrim.

perejil *m* parsley.

perenne *adj* perennial, perpetual.

perentorio,-a *adj* peremptory, urgent.

pereza *f* laziness, idleness. •*tener* ~, to be/feel lazy.

perezoso,-a *adj* lazy, idle. – 2 *m,f* lazy person, idler. – 3 *m* ZOOL sloth.

perfección *f* perfection. •*a la* ~, perfectly.

perfeccionar *t* to perfect. 2 *(mejorar)* to improve.

perfecto,-a *adj* perfect.

perfidia *f* perfidy.

pérfido,-a *adj* perfidious. – 2 *m,f* traitor.

perfil *m gen* profile. 2 *(silueta)* outline. •*de* ~, in profile.

perfilar(se) *t* to profile. **2** *(dar forma)* to outline. – **3** *p* fig *(destacarse)* to stand out.

perforación *f* perforation. **2** TÉC drilling, boring. **3** *(agujero)* hole.

perforadora *f* drill.

perforar *t* to perforate. **2** TÉC to drill, bore.

perfumar *t* to perfume, scent.

perfume *m* perfume, scent.

perfumería *f* perfumery.

pergamino *m* parchment.

pericia *f* expertise, skill.

periferia *f gen* periphery. **2** *(afueras)* outskirts *pl.*

perifollo *m* BOT common chervil. **2** *pl fam (adornos)* frills, trimmings.

perilla *f* goatee. ●*fam de ~,* just right.

perímetro *m* perimeter.

periódico,-a *adj* periodic(al). – **2** *m* newspaper.

periodismo *m* journalism.

periodista *mf* journalist.

periodístico,-a *adj* journalistic.

periodo, período *m* period.

peripecia *f* vicissitude, incident.

periquito *m* parakeet.

perito,-a *adj-m* expert.

perjudicar [1] *t (a persona)* to damage; *(a cosa)* to harm.

perjudicial *adj* harmful.

perjuicio *m (moral)* injury; *(material)* damage. ●*en ~ de,* to the detriment to; *sin ~ de,* without prejudice to.

perjurar *i* to commit perjury.

perjurio *m* perjury.

perjuro,-a *adj* perjured. – **2** *m,f* perjurer.

perla *f* pearl. **2** *fig* gem. ●*fam de perlas,* just right.

permanecer [43] *i* to remain, stay.

permanencia *f (estancia)* stay. **2** *(continuidad)* permanence.

permanente *adj* permanent, lasting. – **2** *f (del pelo)* permanent wave.

permeable *adj* permeable, porous.

permiso *m* permission. **2** *(documento)* permit. **3** MIL leave. ●*con su ~,* by your leave. ■ *~ de conducir,* driving licence.

permitir(se) *t* to permit, allow, let. – **2** *p* to take the liberty of. ●*poder ~se,* to be able to afford.

permuta *f* exchange.

permutable *adj* exchangeable.

permutar *t* to exchange. **2** MAT to permute.

pernicioso,-a *adj* pernicious, harmful.

pernil *m* ham.

perno *m* bolt.

pernoctar *i* to spend the night.

pero *conj* but. – **2** *m* objection, fault. ●*poner peros,* to find fault.

perogrullada *f* platitude.

perorar *i* to deliver a speech.

perorata *f* long-winded speech.

perpendicular *adj-f* perpendicular.

perpetrar *t* to perpetrate, commit.

perpetuar(se) [11] *t* to perpetuate. – **2** *p* to be perpetuated.

perpetuidad *f* perpetuity.

perpetuo,-a *adj* perpetual, everlasting.

perplejidad *f* perplexity.

perplejo,-a *adj* perplexed.

perra *f* ZOOL bitch. **2** *fam (pataleta)* tantrum. **3** *pl fam* money *sing.*

perrera *f* kennel.

perrería *f fam* dirty trick.

perro,-a *m,f* ZOOL dog. **2** *fam (persona)* rotter. ●*"cuidado con el ~",* "beware of the dog".

persecución *f* pursuit. **2** *(represión)* persecution.

perseguir [56] *t* to pursue, chase. **2** *fig (seguir)* to follow. **3** *fig (pretender)* to be after.

perseverancia *f* perseverance.

perseverante *adj* persevering.

perseverar *i* to persevere, persist.

persiana *f* Venetian blind.

persignarse *p* to cross o.s.

persistencia *f* persistence.

persistente *adj* persistent.

persistir *i* to persist, persevere.

persona *f* person. ●*en ~,* in person.

personaje *m (estrella)* celebrity. **2** CINEM TEAT character.

personal *adj* personal. – **2** *m* personnel, staff.

personalidad *f* personality.

personarse *p* to go/appear in person.

personificar [1] *t* to personify.

perspectiva *f* perspective. **2** *(apariencia)* appearance. **3** *(vista)* view.

perspicacia *f* perspicacity.

perspicaz *adj* perspicacious.

persuadir(se) *i* to persuade, convince. – **2** *p* to be persuaded/convinced.

persuasión *f* persuasion.

persuasivo,-a *adj* persuasive.

pertenecer [43] *i* to belong (*a,* to). **2** *(concernir)* to concern.

pertenencia *f (bienes)* property. **2** *(afiliación)* membership.

perteneciente *adj* belonging, pertaining.

pértiga *f* pole. ■ *salto de ~,* pole vault.

pertinaz *adj* obstinate, stubborn.

pertinente *adj* pertinent, relevant.

pertrechar *t* to supply (*de,* with).

pertrechos *mpl* equipment *sing.* **2** MIL supplies.

perturbación *f* disturbance. ■ *~ mental,* mental disorder.

perturbado,-a *adj* disturbed. **2** *(loco)* insane.

perturbar *t* to disturb, perturb, upset.

perversidad *f* perversity.

perversión *f* perversion.

perverso,-a *adj* perverse.

pervertir(se) [35] *t* to pervert. — **2** *p* to become perverted.

pesa *f* weight.

pesadez *f* heaviness. **2** *(aburrimiento)* tiresomeness. **3** *(torpeza)* clumsiness.

pesadilla *f* nightmare.

pesado,-a *adj* heavy, weighty. **2** *(aburrido)* dull, tiresome, boring. **3** *(torpe)* clumsy. **4** *(sueño)* deep. ●*ponerse ~,* to be a nuissance.

pesadumbre *f* sorrow, grief.

pésame *m* condolence, expression of sympathy.

pesar *t* to weigh. — **2** *i* to be heavy. **3** *(sentir)* to be sorry, regret. — **4** *m* *(pena)* sorrow, grief. **5** *(arrepentimiento)* regret. ●*a ~ de,* in spite of.

pesaroso,-a *adj* sorry, regretful.

pesca *f* fishing.

pescadería *f* fishmonger's (shop), fish shop.

pescadero,-a *m,f* fishmonger.

pescado *m* CULIN fish.

pescador,-ra *adj* fishing. — **2** *m* fisherman.

pescar [1] *t* to catch. ●*ir a ~,* to go fishing.

pescuezo *m* neck.

pesebre *m* *(para animales)* manger, stall. **2** *(de Navidad)* crib.

peseta *f* peseta.

pesimismo *m* pessimism.

pesimista *adj* pessimistic. — **2** *mf* pessimist.

pésimo,-a *adj* abominable, very bad.

peso *m* weight. **2** *(balanza)* scales *pl,* balance. **3** *fig* load, burden.

pespunte *m* backstitch.

pespuntear *t* to backstitch.

pesquero,-a *adj* fishing. — **2** *m* fishing boat.

pesquisa *f* inquiry, investigation.

pestaña *f* eyelash. **2** TÉC flange.

pestañear *i* to wink, blink.

pestañeo *m* winking, blinking.

peste *f* *(epidemia)* plague. **2** *(mal olor)* stink, stench. **3** *(cosa mala)* pest. ●*echar pestes,* to curse.

pestilencia *f* pestilence. **2** *(mal olor)* stink, stench.

pestillo *m* bolt.

petaca *f* *(de cigarrillos)* cigarette case. **2** *(de tabaco)* tobacco pouch.

pétalo *m* petal.

petardo *m* MIL petard. **2** *(de verbena)* firecracker, banger. **3** *fam* *(persona fea)* ugly person.

petición *f* petition, request. ●*a ~ de,* on/ at request of.

petirrojo *m* robin.

peto *m* HIST breastplate. **2** *(prenda)* bib.

pétreo,-a *adj* stony, rocky.

petrificar(se) [1] *t* to petrify. — **2** *p* to become petrified.

petróleo *m* petroleum, oil.

petrolero *m* oil tanker.

petulancia *f* vanity.

petulante *adj* vain

pez *m* fish. ■ *fig ~ gordo,* big shot.

pezón *m* nipple.

pezuña *f* hoof.

piadoso,-a *adj* pious, devout. **2** *(clemente)* merciful, clement.

piano *m* piano. ■ *~ de cola,* grand piano; *~ vertical,* upright piano.

piar [13] *i* to chirp.

piara *f* herd of pigs.

pica *f* pike. **2** *(de toros)* goad. **3** *(naipes)* spade.

picadero *m* riding school.

picadillo *m* mince.

picado,-a *adj* perforated, pricked. **2** CULIN chopped; *(carne)* minced. **3** *(tabaco)* cut. **4** *(mar)* choppy. **5** *(diente)* decayed. **6** *fam* *(ofendido)* offended. — **7** *m* AER dive. ●*caer en ~,* to plummet.

picador *m* mounted bullfighter.

picadura *f* *(de insecto, serpiente)* bite; *(de abeja, avispa)* sting. **2** *(tabaco)* cut tobacco.

picaflor *m* hummingbird.

picante *adj* *(sabor)* hot, spicy. **2** *fig* *(pícaro)* spicy.

picapedrero *m* stonecutter.

picaporte *m* *(llamador)* door knocker. **2** *(pomo)* door handle.

picardía *f* naughtiness. **2** *(astucia)* slyness.

piropo

pícaro,-a *adj* knavish, roguish. 2 *(malicioso)* mischievous. 3 *(astuto)* sly. — 4 *m,f* slyboots.

picar(se) [1] *t* to prick, pierce. 2 *(toro)* to goad. 3 *(insecto)* to bite; *(abeja, avispa)* to sting. 4 *(algo de comer)* to nibble. 5 CULIN to chop; *(carne)* to mince. — 6 *t-i (sentir escozor)* to itch. — 7 *p (fruta)* to begin to rot. 8 *(diente)* to begin to decay. 9 *(mar)* to get choppy. 10 *fig (enfadarse)* to take offense. ●*fig ~ alto,* to aim high.

picazón *f* itch(ing).

pichón *m* pigeon.

pico *m (aves)* beak. 2 *fam (boca)* mouth. 3 *(punta)* corner. 4 *(de montaña)* peak. 5 *(herramienta)* pick(axe). 6 *(cantidad)* small surplus: *tres mil y ~,* three thousand odd. ●*fam callar el ~,* to keep one's mouth shut.

picotazo *m (de pájaro)* peck. 2 *(de insecto)* bite; *(de abeja, avispa)* sting.

picotear *t-i* to peck (at).

pictórico,-a *adj* pictorial.

pie *m* ANAT foot. 2 *(fondo)* bottom. 3 *(base)* base, stand. ●*a ~,* on foot; *al ~ de la letra,* word for word; *dar ~,* to give occasion for; *en ~,* standing; *fig no tener ni pies ni cabeza,* to be absurd.

piedad *f* piety. 2 *(caridad)* pity, mercy. ●*¡por ~!,* for pity's sake!

piedra *f* stone. 2 METEOR hail(stone). ■ *~ angular,* cornerstone; *~ clave,* keystone; *~ de toque,* touchstone.

piel *f* skin. 2 *(de animal)* hide, pelt. 3 *(cuero)* leather. 4 *(pelaje)* fur. ■ *~ roja,* redskin.

pienso *m* fodder.

pierna *f* leg. ●*fam dormir a ~ suelta,* to sleep like a log.

pieza *f* piece, fragment. 2 TEAT play. 3 *(de ajedrez, damas)* piece, man. 4 AM *(habitación)* room. ■ *fam buena ~,* rogue.

pifia *f* blunder.

pigmentación *f* pigmentation.

pigmento *m* pigment.

pigmeo,-a *adj-m,f* pygmy.

pijama *m* pyjamas.

pila *f (recipiente)* stone trough/basin. 2 *(de bautismo)* font. 3 *fam (montón)* pile, heap. 4 ELEC battery. 5 AM *(fuente)* fountain. ■ *nombre de ~,* first name.

pilar *m* pillar, column.

pilastra *f* pilaster.

píldora *f* pill. ●*fig dorar la ~,* to sugar the pill.

pileta *f* AM swimming pool.

pillaje *m* plunder, sack.

pillar *t (coger)* to catch. 2 *(robar)* to plunder.

pillo,-a *m,f* rogue, rascal.

pilón *m* basin.

piloto *m* pilot.

piltrafa *f* skinny meat. 2 *pl (restos)* scraps.

pimentón *m* red pepper.

pimienta *f (especia)* pepper.

pimiento *m* (green/red) pepper. ■ *~ morrón,* sweet pepper.

pimpollo *m* BOT shoot, sprout. 2 *fig* attractive youth.

pináculo *m* pinnacle.

pinar *m* pine grove.

pincel *m* (artist's) brush.

pincelada *f* brush stroke.

pinchar *t* to puncture.

pinchazo *m* puncture. 2 *(inyección)* jab.

pinche,-a *m,f* kitchen boy/girl.

pincho *m* thorn, prickle.

pineda *f* pine wood.

pingajo *m* pey rag, tatter.

pingüino *m* penguin.

pino *m* pine (tree).

pintalabios *m inv* lipstick.

pintar(se) *t* to paint. 2 *fig (describir)* to describe. — 3 *p* to make up one's face.

pintor,-ra *m,f* painter. ■ *~ de brocha gorda,* house painter.

pintoresco,-a *adj* picturesque.

pintura *f (arte)* painting. 2 *(color, bote)* paint. 3 *(cuadro)* picture.

pinzas *fpl* tweezers, tongs. 2 *(de cangrejo)* claws.

piña *f (fruta)* pineapple. 2 *fig* cluster.

piñón *m* pine nut. 2 TÉC pinion.

pío,-a *adj* pious. 2 *(compasivo)* merciful.

piojo *m* louse.

piojoso,-a *adj* lousy.

pipa *f (de tabaco)* pipe. 2 *(de fruta)* pip, seed.

pipí *m fam* wee-wee.

pique *m* pique, resentment. ●*irse a ~,* to sink; *fig* to fail.

piquete *m* picket.

piragua *f* pirogue, canoe.

pirámide *f* pyramid.

pirarse *p fam* to beat it.

pirata *m* pirate.

piratería *f* piracy.

pirómano,-a *adj* pyromaniacal. — 2 *m,f* pyromaniac.

piropear *t* to compliment.

piropo *m* compliment, piece of flattery. ●*echar un ~ a,* to pay a compliment to.

pirotecnia f pyrotechnics.

pirrarse p arg to long (por, for).

pirueta f pirouette, caper.

pis m fam wee-wee.

pisada f footstep. 2 (huella) footprint.

pisapapeles m inv paperweight.

pisar t to tread on, step on.

piscina f swimming-pool.

Piscis m inv Pisces.

piscolabis m inv snack.

piso m floor. 2 (apartamento) flat, apartment.

pisotear t to trample on.

pisotón m stamp on the foot.

pista f (rastro) trail, track. 2 (indicio) clue. 3 DEP track; (de tenis) court; (de esquí) slope, ski run. 4 (de circo) ring. 5 AER runway, landing field. ●seguir la ~, to be on the trail of. ■ ~ de baile, dance floor.

pistacho m pistachio (nut).

pistola f pistol.

pistolera f holster.

pistolero m gunman, bandit.

pistón m piston.

pitar i to blow a whistle, whistle at. – 2 t (abuchear) to boo at. – 3 t-i AM (fumar) to smoke.

pitillera f cigarette case.

pitillo m cigarette.

pito m whistle. 2 (abucheo) booing. ●fam me importa un ~, I don't give a damn.

pitonisa f fortune teller.

pitorrearse p fam to mock.

pivote m pivot.

pizarra f slate. 2 (de escuela) blackboard.

pizca f bit, jot, whit: no sabe ni ~, he/she hasn't an inkling.

pizpireta adj brisk, lively.

placa f plaque.

placentero,-a adj pleasant.

placer [76] t to please, content. – 2 m pleasure. 2 (voluntad) will.

placidez f placidity.

plácido,-a adj placid, calm.

plaga f plague, pest.

plagar [7] t to plague, infest.

plagiar [12] t to plagiarize.

plagio m plagiarism.

plan m plan, project. 2 (dibujo) drawing.

plana f (de periódico) page. 2 (llanura) plain.

plancha f (de metal) plate, sheet. 2 (para planchar) iron. ●fam hacer una ~, to put one's foot in it.

planchado m ironing.

planchar t to iron, press.

planeador m glider.

planear t to plan. – 2 i AER to glide.

planeta m planet.

planetario,-a adj planetary. – 2 m planetarium.

planicie f plain.

plano,-a adj plane. 2 (llano) flat, even. – 3 m (superficie) plane. 4 (mapa) plan, map. ●levantar un ~, to make a survey; fig de ~, openly. ■ primer ~, (foto) close-up; (terreno) foreground.

planta f BOT plant. 2 (del pie) sole. ■ buena ~, good looks; ~ baja, ground floor.

plantación f planting. 2 (terreno) plantation.

plantar(se) t to plant. 2 (colocar) to set up, place. 3 (persona) to stand up. – 4 p to stand firm. ●dejar a uno plantado, to keep someone waiting indefinitely.

planteamiento m (exposición) exposition. 2 (de problema) statement. 3 (enfoque) approach.

plantear t (planear) to plan, outline. 2 (establecer) to establish. 3 (problema) to state. 4 (pregunta) to pose, raise.

plantilla f (de zapato) insole. 2 (patrón) model, pattern. 3 (personal) staff.

plantón m dar un ~ a algn., to keep sb. waiting.

plañir [40] t to mourn.

plasma m plasma.

plasmar t to make, mould, shape.

plástico,-a adj-m plastic.

plata f silver. 2 AM money. ●fam hablar en ~, to speak frankly.

plataforma f platform.

plátano m banana. 2 (árbol) plane tree.

platea f orchestra stalls pl.

plateado,-a adj silver-plated. 2 (color) silvery.

platear t to silver, silver-plate.

platero,-a m,f silversmith.

plática f chat, talk.

platicar [1] i to chat, talk.

platillo m (plato) saucer. 2 (de balanza) pan. 3 MÚS cymbal. ■ ~ volante, flying saucer.

platino m platinum.

plato m plate, dish. 2 CULIN dish. 3 (en comida) course.

platónico,-a adj platonic.

plausible adj plausible.

playa f beach.

plaza f square. 2 (mercado) market-place. 3 (fortaleza) fortress. 4 (empleo) position.

5 *(ciudad)* town, city. ■ ~ *de toros*, bullring.

plazo *m* term, due date. ●*a plazos*, by instalments.

pleamar *f* high tide/water.

plebe *f* common people.

plebeyo,-a *adj-m,f* plebeian.

plebiscito *m* plebiscite.

plegable *adj* folding.

plegaria *f* prayer.

plegar(se) [48] *t* to fold. — **2** *p* to bend. **3** *fig (rendirse)* to yield, submit.

pleitear *t* to litigate.

pleito *m* litigation, lawsuit. **2** AM *(agarrón)* fight, quarrel.

plenilunio *m* full moon.

plenitud *f* fullness.

pleno,-a *adj* full, complete: *en* ~ *día*, in broad day. — **2** *m* full assembly.

pleuresía *f* pleurisy.

pliego *m* sheet of paper. **2** *(documento)* document. ■ ~ *de condiciones*, specifications (for a contract).

pliegue *m* fold. **2** COST pleat.

plomada *f* plumb line.

plomero *m* plumber.

plomo *m* lead. **2** ELEC fuse. **3** *fig* boring person. ●*a* ~, vertically; *caer a* ~, to fall flat.

pluma *f* feather. **2** *(de escribir)* quill pen; *(estilográfica)* fountain pen.

plumaje *m* plumage.

plumero *m* feather duster. **2** *(cresta)* crest, plume.

plumilla *f* nib.

plural *adj-m* plural.

pluralidad *f* plurality.

plus *m* extra (pay), bonus.

plusvalía *f* appreciation.

población *f* population. **2** *(ciudad)* city, town; *(pueblo)* village.

poblado,-a *adj* populated. **2** *(barba)* thick. — **3** *m* *(pueblo)* village.

poblar(se) *t* to people. **2** *(de árboles)* to plant with. — **3** *p* to become peopled.

pobre *adj-mf* poor (person).

pobreza *f* poverty.

pocilga *f* pigsty.

poco,-a *adj* little. **2** *pl* few: *unos pocos*, a few. — **3** *adv* little, not much. ●*a* ~ *de*, shortly after; *dentro de* ~, soon, presently; ~ *a* ~, little by little; ~ *más o menos*, more or less; *por* ~, nearly; *tener en* ~, to hold cheap.

podar *t* to prune.

poder [77] *t-i* to be able (to), can. — **2** *i* to be possible, may, might: *puede que*

llueva, it may rain. — **3** *m* power. **4** *(fuerza)* force, strength. ●*estar en el* ~, to be in the office; *no* ~ *con*, not to be able to cope with, *no* ~ *más*, to be unable to do more. ▲ **2** *used only in the 3rd pers. It does not take a subject.*

poderío *m* power.

poderoso,-a *adj* powerful.

podredumbre *f* rottenness.

podrido,-a *adj* rotten. **2** *fig* corrupt.

poema *m* poem.

poesía *f* poetry. **2** *(poema)* poem.

poeta *mf* poet.

poético,-a *adj* poetic.

poetisa *f* poetess.

polar *adj* polar. **2** ELEC pole. ■ *estrella* ~, pole star.

polea *f* pulley.

polémico,-a *adj* polemic(al). — **2** *f* polemics, dispute.

polen *m* pollen.

polichinela *m* Punch.

policía *f* police (force). — **2** *mf m* policeman, *f* policewoman. ■ ~ *secreta*, secret police.

policíaco,-a *adj* police. ■ *novela policíaca*, detective story.

poligamia *f* polygamy.

polígamo,-a *adj* polygamous. — **2** *m* polygamist.

políglota,-a *adj-m,f* polyglot.

polilla *f* (clothes) moth.

pólipo *m* polyp.

polisílabo,-a *adj* polysyllabic.

politécnico,-a *adj* polytechnic.

política *f* politics. **2** *(manera)* policy.

político,-a *adj* politic(al). **2** *(cortés)* tactful. **3** *(parentesco)* -in-law: *padre* ~, father-in-law. — **4** *m,f* politician.

póliza *f* COM certificate, policy. ■ ~ *de seguros*, insurance policy.

polla *f* ZOOL young hen. **2*** *(órgano)* prick*.

pollera *f* AM skirt.

pollería *f* poultry shop.

pollo *m* chicken. **2** *fam (joven)* young man.

polo *m* pole. **2** DEP polo.

poltrona *f* easy chair.

polvareda *f* cloud of dust.

polvera *f* powder bowl.

polvo *m* dust. **2** *(para maquillar)* powder. **3*** screw*, fuck*.

pólvora *f* gunpowder.

polvoriento,-a *adj* dusty.

polvorín *m* powder magazine.

pomada *f* ointment.

pomo *m (de puerta)* knob. **2** *(de arma)* pommel.

pompa *f (de jabón)* bubble. **2** *(ostentación)* pomp. ■ *pompas fúnebres,* funeral.

pomposidad *f* pomposity.

pomposo,-a *adj* pompous.

pómulo *m* cheekbone.

ponche *m* punch.

ponderación *f* careful consideration.

ponderado,-a *adj* balanced, steady.

ponderar *t* to ponder, consider, think over. **2** *(alabar)* to praise highly.

poner(se) [78] *t gen* to place, put, set. **2** *(instalar)* to install. **3** *(huevos)* to lay. **4** *(suponer)* to suppose: *pongamos que es así,* let's suppose that it is so. **5** *(dinero)* to place, pay. **6** *(dar nombre)* to name, call. **7** *(~ + adj)* to make: *me pone enfermo,* it makes me sick. **8** CINEM TV to show. **9** *(carta etc.)* to send. **10** *(deber, trabajo)* to give, assign. – **11** *p* to place/put o.s. **12** *(sombrero, prenda)* to put on. **13** *(sol)* to set. **14** *(volverse)* to become, get, turn. **15** *(al teléfono)* to answer. ●~ *a,* to start/begin to; ~ *al corriente,* to get informed; ~ *al día,* to bring up to date; ~ *de manifiesto,* to make evident; ~ *de relieve,* to emphasize; ~ *en libertad,* to set free; ~ *en práctica,* to carry out; ~ *por las nubes,* to praise to the skies; ~ *reparos,* to make objections; ~*se a malas con algn.,* to fall out with sb.; ~*se de acuerdo,* to agree; ~*se perdido,-a,* to get dirty; ~*se en pie,* to stand up; *fam* ~ *como un trapo,* to pull to pieces. ▲ *pp puesto,-a.*

pongo *pres ind →* **poner.**

poniente *m* west. **2** *(viento)* west wind.

pontífice *m* pontiff, pope.

ponzoña *f* poison.

popa *f* poop, stern. ●*en/a ~,* aft.

populacho *m* mob.

popular *adj* popular.

popularidad *f* popularity.

popularizar [4] *t* to popularize.

populoso,-a *adj* populous.

por *prep gen* for. **2** *(causa)* because of. **3** *(tiempo)* at, for. **4** *(lugar)* along, in, on, by. **5** *(medio)* by: *enviar ~ avión,* to send by air. **6** *(autoría)* by: *escrito por él,* written by him. **7** *(distribución)* per: *cinco ~ ciento,* five per cent. **8** *(con pasiva)* by: *comprado por ella,* bought by her. ●*estar ~,* *(a punto de)* to be on the point of; *estar ~ hacer,* to remain to be done, not to have been done; ~ *aquí,* around here; *¡~ Dios!,* for heaven's sake!; ~ *lo*

visto, apparently; ~ *más/mucho que,* however much; ~ *mí,* as I am concerned; *¿~ qué?,* why?; ~ *supuesto,* of course; ~ *(lo) tanto,* therefore.

porcelana *f* porcelain. **2** *(vajilla)* china.

porcentaje *m* percentage.

porche *m* porch.

porción *f* portion, part. **2** *(cuota)* share.

pordiosero,-a *m,f* beggar.

porfía *f* insistence, obstinacy.

porfiar [13] *i* to insist, persist.

pormenor *m* detail.

pornografía *f* pornography.

pornográfico,-a *adj* pornographic.

poroso,-a *adj* porous.

porque *conj (de causa)* because: *no voy ~ no quiero,* I'm not going because I don't want to. **2** *(de finalidad)* in order that.

porqué *m* cause, reason.

porquería *f* dirt, filth.

porra *f* cudgel, club. ●*fam mandar a la ~,* to send packing.

porrazo *m* blow, knock.

porro *m* leek. **2** *arg* joint.

porrón *m* glass flask.

portaaviones *m inv* aircraft carrier.

portada *f* ARQ façade. **2** *(de libro)* cover.

portador,-ra *m,f* carrier, bearer, holder.

portaequipajes *m inv* luggage rack.

portal *m* doorway. **2** ARQ *(porche)* porch; *(zaguán),* entrance hall.

portalámparas *m inv* lamp-holder.

portamonedas *m inv* purse.

portarse *p* to behave, act.

portátil *adj* portable.

portavoz *mf* spokesman.

portazo *m* bang/slam (of a door).

porte *m* portage, carriage. **2** COM freight. **3** *(donaire)* bearing. **4** *(aspecto)* appearance. ■ ~ *pagado,* portage prepaid.

portento *m* wonder.

portentoso,-a *adj* prodigious, portentous.

portería *f* porter's lodge. **2** DEP goal.

portero,-a *mf* doorkeeper, porter. **2** DEP goalkeeper.

pórtico *m* portico.

porvenir *m* future.

pos *en ~ de, adv* after, in pursuit of.

posada *f* lodging-house, inn.

posadero,-a *m,f* innkeeper. – **2** *fpl fam* buttocks.

posar(se) *i* ART to pose. – **2** *p (pájaro)* to alight, perch, sit. **3** *(sedimento)* to settle.

posdata *f* postscript.

poseedor,-ra *m,f* owner, possessor.

poseer [61] *t* to own, possess.

posesión *f* possession.

posesionar(se) *t* to give possession. – 2 *p* to take possession (*de,* of).

posesivo,-a *adj-m* possessive.

posguerra *f* postwar period.

posibilidad *f* possibility. 2 *pl* (*dinero*) means.

posible *adj* possible. 2 *mpl* (*dinero*) means. ●*hacer todo lo* ~, to do one's best.

posición *f* position.

positivo,-a *adj* positive.

poso *m* sediment, dregs *pl*.

posponer [78] *t* to postpone, delay, put off. ▲ *pp* **pospuesto,-a**.

posta *f* (*de caballos*) relay. ●*a* ~, on purpose.

postal *adj* postal. – 2 *f* postcard. ■ *servicio* ~, postal service.

poste *m* post, pillar. ■ ~ *indicador,* signpost.

postergar [7] *t* to delay, postpone. 2 (*perjudicar*) to disregard someone's rights.

posteridad *f* posterity.

posterior *adj* back, rear. 2 (*tiempo*) later. – 3 *posteriormente adv* afterwards, later on.

postigo *m* small door. 2 (*de ventana*) (window) shutter.

postín *m fam* airs *pl,* importance. ●*darse* ~, to put on airs.

postizo,-a *adj* false. – 2 *m* switch (of hair).

postor *m* bidder.

postración *f* prostration.

postrar(se) *t-p* to prostrate (o.s.).

postre *m* dessert. ●*a la* ~, at last, finally.

postrero,-a *adj* last.

postrimerías *fpl* last (few) years *pl*.

postulante *m,f* petitioner, applicant.

postular *t* to postulate. 2 (*suplicar*) to beg, demand.

póstumo,-a *adj* posthumous.

postura *f* posture, position. 2 (*actitud*) bid.

potable *adj* drinkable.

potaje *m* stew.

pote *m* pot, jar.

potencia *f* potency. 2 (*poder*) power. 3 (*fuerza*) strength. 4 (*país*) power.

potencial *adj-m* potential.

potentado *m* potentate.

potente *adj* potent, powerful, mighty. 2 (*fuerte*) strong, vigorous.

potestad *f* power.

potestativo,-a *adj* optional.

potro,-a *m,f* colt, foal. – 2 *m* (*de tortura*) rack. – 3 *f fam* (*suerte*) luck. ●*tener potra,* to be lucky.

pozo *m* well. 2 (*mina*) shaft.

practicable *adj* practicable, feasible.

practicante *adj* practising. – 2 *m,f* doctor's assistant.

practicar [1] *t* to practice 2 (*hacer*) to make. – 3 *i* to practice.

práctico,-a *adj* practical. 2 (*hábil*) skilful, practised. – 3 *m* MAR pilot. – 4 *f* practice. 5 (*habilidad*) skill. 6 *pl* training. ●*poner en práctica,* to put into practice.

pradera *f* prairie, meadow.

prado *f* field, meadow, lawn.

preámbulo *m* preamble, preface.

prebenda *f* REL prebend. 2 (*sinecura*) sinecure.

precario,-a *adj* shaky, precarious.

precaución *f* precaution.

precaver(se) *t* to guard/provide against. – 2 *p* to be on one's guard.

precavido,-a *adj* cautious, wary.

precedente *adj* preceding, prior, foregoing. – 2 *m* precedent.

preceder *t-i* to precede, go ahead (*a,* of).

preceptivo,-a *adj* compulsory.

precepto *m* precept, rule; order. ■ *día de* ~, holiday.

preceptor,-ra *m,f* teacher, tutor.

preciado,-a *adj* valuable, precious.

preciar(se) [12] *t* to value, prize. – 2 *p* to be proud (*de,* of).

precintar *t* to seal with a strap.

precinto *m* strap, band.

precio *m* price. 2 *fig* (*valor*) value, worth. ●*fig no tener* ~, to be priceless.

precioso,-a *adj* precious. 2 (*bello*) beautiful.

precipicio *m* precipice.

precipitación *f* (*prisa*) rush, haste, hurry. 2 METEOR precipitation.

precipitado,-a *adj* hasty.

precipitar(se) *t* to precipitate, hasten, hurry. – 2 QUÍM to precipitate. – 3 *p* to be hasty/rash.

precisar *t* to fix, define. 2 (*necesitar*) to need. – 3 *i* to be necessary

precisión *f* precision, accuracy.

preciso,-a *adj* precise, exact, accurate. 2 (*necesario*) necessary: *es* ~, it is necessary. – 3 *precisamente adv* precisely, exactly. 4 (*justamente*) justo.

precocinado,-a *adj* precooked.

precoz *adj* precocious.

precursor,-ra *m,f* precursor.

predecesor,-ra *m,f* predecessor.

predecir [79] *t* to predict, foretell. ▲ *pp predicho,-a*.

predestinado,-a *adj* predestined.

prédica *f* sermon.

predicado *m* predicate.

predicador,-ra *m,f* preacher.

predicar [1] *t* to preach.

predicho,-a *pp* → **predecir**.

predilección *f* predilection.

predilecto,-a *adj* favourite.

predisponer [78] *t* to predispose. ▲ *pp predispuesto,-a*.

predisposición *f* predisposition.

predispuesto,-a *pp* → **predisponer**.

predominante *adj* predominant.

predominar *t* to predominate, prevail.

predominio *m* predominance.

preescolar *adj* pre-school.

prefabricado,-a *adj* prefabricated.

prefacio *m* preface.

preferencia *f* preference. ●AUTO ~ *(de paso)*, right of way.

preferente *adj* preferential.

preferible *adj* preferable.

preferir [35] *t* to prefer: *yo preferiría no ir*, I'd rather not go.

prefijo *m* prefix. 2 *(telefónico)* code.

pregón *m* public announcement.

pregonar *t* to announce.

pregonero *m* town crier.

pregunta *f* question. ●*hacer una ~ a algn.*, to ask sb. a question.

preguntar(se) *t* to ask. − 2 *p* to wonder. ●~ *por algn.*, to ask after/about sb.

preguntón,-ona *m,f* nosey parker.

prehistórico,-a *adj* prehistoric.

prejuicio *m* prejudice.

prelado *m* prelate.

preliminar *adj-m* preliminary.

preludio *m* prelude.

prematrimonial *adj* premarital.

prematuro,-a *adj-m* premature (baby).

premeditación *f* premeditation. ●*con ~*, deliberately.

premeditado,-a *adj* deliberate.

premiar [12] *t* (*otorgar premio*) to award a prize (*a*, to). 2 *(recompensar)* to reward.

premio *m* prize. 2 *(recompensa)* reward.

premisa *f* premise.

premonición *f* premonition.

prenda *f* *(de vestir)* garment. 2 *(prueba)* token.

prendarse *p* to take a fancy (*de*, to).

prender(se) *t* (*agarrar*) to seize. 2 *(sujetar)* to attach; *(con agujas)* pin. 3 *(arrestar)* to arrest. 4 *(fuego)* to set. 5 AM to turn on the ligth. − 6 *i* *(planta)* to take root. 7 *(fuego etc.)* to catch. − 8 *p* to catch fire.

prensa *f* press.

prensar *t* to press.

preñado,-a *adj* pregnant.

preñar *t* (*mujer*) to make pregnant; *(animal)* to impregnate.

preocupación *f* worry.

preocupado,-a *adj* worried.

preocupar(se) *t-p* to worry.

preparación *f* preparation.

preparado,-a *adj* ready, prepared. − 2 *m* *(medicamento)* preparation.

preparar(se) *t* to prepare, get ready. − 2 *p* to get ready. 3 *(educarse)* to train.

preparativos *mpl* preparations, arrangements.

preponderante *adj* preponderant.

preposición *f* preposition.

prepotencia *f* power, dominance.

prepucio *m* foreskin.

prerrogativa *f* prerogative.

presa *f* *(acción)* capture. 2 *(cosa prendida)* prey. 3 *(embalse)* dam. ●*ser ~ de*, to be a victim of.

presagiar [12] *t* to predict, foretell.

presagio *m* *(señal)* omen. 2 *(adivinación)* premonition.

presbiterio *m* presbytery.

presbítero *m* priest.

prescindir *i* ~ *de*, to do without.

prescribir *t* to prescribe. ▲ *pp prescrito,-a*.

prescripción *f* prescription.

prescrito,-a *pp* → **prescribir**.

presencia *f* presence.

presencial *adj testigo* ~, eyewitness.

presenciar [12] *t* to be present at, witness.

presentación *f* presentation. 2 *(de personas)* introduction.

presentador,-ra *m,f* presenter, host.

presentar(se) *t* to present. 2 *(mostrar)* to display, show. 3 *(personas)* to introduce. − 4 *p* *(comparecer)* to present o.s.; *(candidato)* to stand. 5 *(ofrecerse)* to volunteer.

presente *adj-m* present. ●*hacer ~*, to remind of; *tener ~*, to bear in mind.

presentimiento *m* presentiment.

presentir [35] *t* to have a premonition of.

preservar *t* to preserve.

presidencia *f* presidency. **2** *(en reunión)* chairmanship.

presidente,-a *m,f* president. **2** *(en reunión) m* chairman, *f* chairwoman.

presidiario,-a *m,f* convict, prisoner.

presidio *m* prison, penitentiary.

presidir *t (reunión)* to chair. **2** *(país)* to be president of.

presilla *f* fastener.

presión *f* pressure. ■ ~ *arterial/sanguínea,* blood pressure.

presionar *t* to press. **2** *fig* to put pressure on.

preso,-a *adj* imprisoned. − **2** *m,f* prisoner.

prestación *f* service.

prestamista *mf* moneylender.

préstamo *m* loan.

prestar(se) *t (dejar prestado)* to lend, loan. **2** *(pedir prestado)* to borrow. **3** *(servicio)* to do, render. **4** *(ayuda)* to give. **5** *(atención)* to pay. **6** *(juramento)* to swear. − **7** *p (ofrecerse)* to lend o.s. **8** *(dar motivo)* to cause.

presteza *f* promptness.

prestidigitador,-ra *m,f* conjuror, magician.

prestigio *m* prestige.

prestigioso,-a *adj* prestigious.

presto,-a *adj (dispuesto)* ready. **2** *(rápido)* quick.

presumible *adj* probable.

presumido,-a *adj-m,f* vain (person).

presumir *t (suponer)* to presume, suppose. − **2** *i (vanagloriarse)* to be vain/conceited: *Pepe presume de guapo,* Pepe fancies himself.

presunción *f (suposición)* presumption. **2** *(vanidad)* conceit.

presunto,-a *adj* presumed, supposed.

presuntuoso,-a *adj* conceited, vain.

presuponer [78] *t* to presuppose. ▲ *pp* **presupuesto,-a**.

presupuestar *t* to budget for.

presupuesto,-a *pp* → **presuponer**. − **2** *m* FIN *(cómputo anticipado)* estimate; *(coste)* budget. **3** *(supuesto)* presupposition.

pretencioso,-a *adj-m,f* pretentious (person).

pretender *t (querer)* to want to. **2** *(intentar)* to try to. **3** *(cortejar)* to court.

pretendiente,-a *m,f (enamorado)* suitor. **2** *(a cargo)* applicant.

pretensión *f* aim, aspiration. ●*tener muchas pretensiones,* to be pretentious.

pretérito,-a *adj* past. − **2** *m* preterite, past simple.

pretextar *t* to plead, allege.

pretexto *m* pretext, excuse.

prevalecer [43] *i* to prevail.

prevaler(se) [89] *i* to prevail. − **2** *p* to take advantage (*de,* of).

prevención *f* prevention. **2** *(medida)* precaution. **3** *(antipatía)* prejudice.

prevenir [90] *t (disponer)* to prepare. **2** *(prever)* to prevent. **3** *(advertir)* to warn.

preventivo,-a *adj* preventive.

prever [91] *t* to foresee, forecast. ▲ *pp* **previsto,-a**.

previo,-a *adj* previous, prior.

previsión *f (anticipación)* forecast. **2** *(precaución)* precaution.

previsor,-ra *adj* far-sighted.

previsto,-a *pp* → **prever**.

prieto,-a *adj* tight.

prima *f* bonus. **2** → **primo,-a 3**.

primacía *f* primacy.

primar *t (pagar)* to give a bonus to. − **2** *i* to be most important.

primario,-a *adj* primary.

primavera *f* spring. **2** BOT primrose.

primer *adj* → **primero,-a**. ▲ *Used in front of a sing masculine noun:* **primer día/día primero**.

primero,-a *adj-m,f* first. − **2** *adv* first. − **3** *f (clase)* first class. **4** AUTO first gear. ●*de primera,* great, first-class. ▲ → **primer**.

primicia *f* BOT first fruit. **2** *(noticia)* novelty.

primitivo,-a *adj* HIST primitive. **2** *(tosco)* coarse.

primo,-a *adj (materia)* raw. **2** MAT prime. − **3** *m,f* cousin. − **4** *m* simpleton. ●*hacer el ~,* to be taken for a ride.

primogénito,-a *adj-m,f* first-born, eldest.

primor *m (hermosura)* beauty. **2** *(habilidad)* care, skill.

primordial *adj* essential, fundamental.

princesa *f* princess.

principado *m* principality.

principal *adj* main, chief. − **2** *m (jefe)* chief. **3** *(piso)* first floor.

príncipe *m* prince.

principiante,-a *m,f* beginner.

principio *m (inicio)* beginning, start. 2 *(base)* principle. 3 *pl* rudiments. ●*al ~,* at first.

pringar [7] *i arg (morir)* to kick the bucket. 2 *(trabajar)* to work hard.

pringoso,-a *adj* greasy.

pringue *m* grease. 2 *(suciedad)* dirt.

prior,-ra *m,f m* prior, *f* prioress.

prioridad *f* priority.

prisa *f* hurry. ●*correr ~,* to be urgent; *tener ~,* to be in a hurry.

prisión *f* prison, jail. ● *en ~ preventiva,* remanded in custody.

prisionero,-a *m,f* prisoner.

prisma *m* prism.

prismático,-a *adj* prismatic. – 2 *mpl* binoculars, field glasses.

privación *f* deprivation, privation.

privado,-a *adj* private.

privar *t (despojar)* to deprive *(de,* of). 2 *(prohibir)* to forbid. 3 *fam (gustar)* to like. – 4 *i (estar de moda)* to be in fashion. 5 *fam (beber)* to booze.

privilegiado,-a *adj-m,f* privileged (person).

privilegio *m* privilege.

pro *m & f* advantage. – 2 *prep* in favour of. ●*pro(s) y contra(s),* the pros and cons.

proa *f* prow, bow.

probabilidad *f* probability.

probable *adj* probable, likely.

probador *m* fitting room.

probar [31] *t (demostrar)* to prove. 2 *(comprobar)* to test. 3 *(vino, comida)* to taste, try. 4 *(prendas)* to try on. – 5 *i* to attempt/try *(a,* to).

probeta *f* test-tube.

probidad *f* honesty, integrity.

problema *m* problem.

problemático,-a *adj* problematic.

procacidad *f* impudence, insolence.

procedencia *f* origin, source. 2 *(adecuación)* appropriateness, properness.

procedente *adj* coming *(de,* from). 2 *(adecuado)* appropriate, proper.

proceder *i (ejecutar)* to proceed. 2 *(venir de)* to come *(de,* from). 3 *(actuar)* to behave. 4 *JUR* to take proceedings. 5 *(ser adecuado)* to be proper/suitable/fitting. – 5 *m* behaviour.

procedimiento *m* procedure, method. 2 *JUR* proceedings *pl.*

procesado,-a *adj-m,f* JUR accused.

procesamiento *m* processing. ■ INFORM

~ *de datos/textos,* data/word processing.

procesar *t* to process. 2 JUR to prosecute.

procesión *f* procession.

proceso *m* process. 2 *(en el tiempo)* time. 3 JUR trial.

proclama, proclamación *f* proclamation.

proclamar *t* to proclaim.

procrear *t* to procreate.

procurador,-ra *m,f* JUR attorney, GB solicitor.

procurar *t* to try to, attempt. 2 *(proporcionar)* (to manage) to get.

prodigar(se) [7] *t (gastar)* to lavish. – 2 *p* to bend over backwards to be helpful. 3 *(exhibirse)* to show off.

prodigio *m* prodigy, miracle.

prodigioso,-a *adj* prodigious. 2 *(maravilloso)* marvellous.

pródigo,-a *adj (derrochador)* wasteful. 2 *(generoso)* lavish. – 3 *m,f* spendthrift.

producción *f* production. ■ ~ *en cadena,* mass production.

producir(se) [46] *t* to produce. 2 *(causar)* to cause. – 3 *p* to happen.

productividad *f* productivity.

productivo,-a *adj* productive.

producto *m* product.

productor,-ra *adj* productive. – 2 *m,f* producer. – 3 *f* CINEM production company.

proeza *f* heroic deed.

profanar *t* to profane.

profano,-a *adj* profane, secular. 2 *(no experto)* lay. – 3 *m,f* layman.

profecía *f* prophecy.

proferir [35] *t* to utter.

profesar *t-i* to profess.

profesión *f* profession.

profesional *adj-mf* professional.

profesor,-ra *m,f* teacher; *(de universidad)* lecturer.

profesorado *m* teaching staff.

profeta *m* prophet.

profetizar [4] *t* to prophesy, foretell.

profiláctico *m* condom.

prófugo,-a *adj-m,f* fugitive. – 2 *m* MIL deserter.

profundidad *f* depth.

profundizar [4] *t* to deepen. – 2 *t-i (discurrir)* to go deeply into.

profundo,-a *adj (hondo)* deep. 2 *fig* profound.

profusión *f* profusion.

progenie *f fml* lineage.

progenitor,-ra *m,f* progenitor, ancestor. – 2 *mpl* parents.

programa *m* programme, US program. 2 INFORM program.

programador,-ra *m,f* INFORM programmer.

programar *t* to programme, US to program. 2 INFORM to program.

progre *adj-mf fam* trendy, lefty.

progresar *i* to progress.

progresión *f* progression.

progresivo,-a *adj* progressive. – 2 *progresivamente, adv* progressively.

progreso *m* progress.

prohibición *f* prohibition, ban.

prohibir [21] *t* to forbid.

prohibitivo,-a *adj* prohibitive.

prohijar [20] *t* to adopt.

prohombre *m* outstanding man.

prójimo *m* fellow man. ■ **el** ~, mankind.

prole *f* offspring.

proletariado *m* proletariat.

proletario,-a *adj-m,f* proletarian.

proliferar *i* to proliferate.

prolífico,-a *adj* prolific.

prólogo *m* prologue.

prolongación *f* prolongation.

prolongar(se) [7] *t* to prolong. – 2 *p* to go on.

promediar [12] *t* to average out. – 2 *i* to mediate.

promedio *m* average.

promesa *f* promise.

prometedor,-ra *adj* promising.

prometer(se) *t* to promise. – 2 *i* to be promising. – 3 *p (pareja)* to get engaged. ●~ **el oro y el moro,** to promise the moon.

prometido,-a *m,f m* fiancé, *f* fiancée.

prominencia *f* prominence, knoll.

prominente *adj* prominent, projecting.

promiscuo,-a *adj* promiscuous.

promoción *f* promotion. 2 *(venta)* offer.

promocionar *t* to promote.

promontorio *m* promontory, headland.

promotor,-ra *m,f* promoter.

promover [32] *t* to promote.

promulgar [7] *t* to enact.

pronombre *m* pronoun.

pronosticar [1] *t* to predict, foretell.

pronóstico *m* forecast. 2 MED prognosis.

prontitud *f* quickness, promptness.

pronto,-a *adj* quick, fast. – 2 *m* sudden impulse. – 3 *adv* soon. ●**de** ~, suddenly; **lo más** ~ **posible,** as soon as possible; **por lo** ~, for the present.

pronunciación *f* pronunciation.

pronunciamiento *m* uprising, insurrection.

pronunciar(se) [12] *t* to pronounce. 2 *(discurso)* to make. – 3 *p* to declare o.s.

propagación *f* propagation, spreading.

propaganda *f* POL propaganda. 2 COM advertising.

propagar(se) *t-p* to spread.

propasarse *p* to go too far.

propensión *f* tendency.

propenso,-a *adj* inclined. 2 MED susceptible.

propiciar [12] *t* to favour.

propicio,-a *adj* apt, suitable.

propiedad *f (derecho)* ownership. 2 *(objeto)* property. 3 *(cualidad)* propriety. ●**con** ~, properly, appropriately.

propietario,-a *m,f* owner.

propina *f* tip.

propinar *t* to give.

propio,-a *adj (perteneciente)* own. 2 *(indicado)* proper, appropriate. 3 *(particular)* typical, peculiar: *es muy* ~ *de él,* it's very typical of him. 4 *(mismo) (él)* himself; *(ella)* herself, *(cosa, animal)* itself: *el* ~ *autor,* the author himself.

proponer(se) [78] *t* to propose, put forward. – 2 *p* to intend. ▲ *pp propuesto,-a.*

proporción *f* proportion. 2 *pl* size *sing*.

proporcionado,-a *adj* proportionate. 2 *(facilitado por)* supplied.

proporcionar *t* to proportion. 2 *(facilitar)* to supply, give.

proposición *f* proposition, proposal. 2 GRAM clause.

propósito *m (intención)* intention. 2 *(objetivo)* purpose, aim. ●**a** ~, *(por cierto)* by the way; *(adrede)* on purpose.

propuesto,-a *pp* → **proponer.** – 2 *f* proposal.

propulsar *t* to propel. 2 *fig* to promote.

prórroga *f* extension. 2 MIL deferment.

prorrogar [7] *t* to postpone; MIL to defer.

prorrumpir *i* to burst.

prosa *f* prose.

prosaico,-a *adj* prosaic.

prosapia *f* ancestry, lineage.

proscribir *t (exiliar)* to exile. 2 *(prohibir)* to ban. ▲ *pp proscri(p)to,-a.*

proseguir [56] *t-i* to continue, carry on.

prosista *mf* prose writer.

prospección *f* prospect. 2 COM survey.

prospecto *m* leaflet, prospectus.

prosperar *i* to prosper, thrive.
prosperidad *f* prosperity.
próspero,-a *adj* prosperous. ●~ *año nuevo,* happy New Year.
próstata *f* prostate (gland).
prostíbulo *m* brothel.
prostitución *f* prostitution.
prostituir [62] *t* to prostitute.
prostituta *f* prostitute.
protagonista *mf (de película etc.)* main character, leading role. 2 *fig* centre of attraction.
protagonizar [4] *t* to play the lead in.
protección *f* protection.
protector,-ra *adj* protecting. — 2 *m,f* protector.
proteger [5] *t* to protect, defend.
proteína *f* protein.
protesta *f* protest.
protestante *adj-mf* Protestant.
protestantismo *m* Protestantism.
protestar *t-i* to protest.
protocolo *m* protocol. 2 *(etiqueta)* etiquette.
prototipo *m* prototype.
protuberancia *f* protuberance.
provecho *m* profit, benefit. ●*¡buen ~!,* enjoy your meal!; *sacar ~ de,* to benefit from.
provechoso,-a *adj* profitable.
proveedor,-ra *m,f* supplier, purveyor.
proveer [61] *t* to supply with, provide. ▲ *pp provisto,-a.*
provenir [90] *i* to come.
proverbio *m* proverb, saying.
providencia *f* providence.
providencial *adj* providential.
provincia *f* province. ■ *capital de ~,* provincial capital.
provinciano,-a *adj-m,f pey* provincial.
provisión *f* provision.
provisional *adj* provisional, temporary.
provisto,-a *pp* → **proveer**. — 2 *adj* provided.
provocación *f* provocation.
provocador,-ra *adj* provoking. — 2 *m,f* instigator.
provocar [1] *t* to provoke. ●~ *un incendio (intencionado),* to commit arson.
provocativo,-a *adj* provocative.
proximidad *f* nearness, proximity.
próximo,-a *adj (cerca)* near, close to. 2 *(siguiente)* next: *el mes ~,* next month. — 3 *próximamente adv (pronto)* soon.
proyección *f* projection. 2 CINEM screening.

proyectar *t (luz)* to project. 2 CINEM to show. 3 *(planear)* to plan.
proyectil *m* projectile, missile.
proyecto *m* project. ■ ~ *de ley,* bill.
proyector *m (reflector)* searchlight. 2 CINEM projector.
prudencia *f* prudence, discretion.
prudente *adj* sensible, wise, prudent.
prueba *f* proof. 2 *(examen)* test. 3 COST fitting. 4 TÉC trial. 5 DEP event. 6 JUR evidence. 7 *pl* AM trick *sing.* ●*poner a ~,* to put to the test.
prurito *m* MED itching. 2 *fig* desire.
psicoanálisis *m inv* psychoanalysis.
psicología *f* psychology.
psicológico,-a *adj* psychological.
psicólogo,-a *m,f* psychologist.
psicópata *mf* psychopath.
psiquiatra *mf* psychiatrist.
psiquiatría *f* psychiatry.
psíquico,-a *adj* psychic(al).
púa *f* sharp point. 2 BOT thorn. 3 ZOOL quill. 4 *(de peine)* tooth. 5 MÚS plectrum.
pubertad *f* puberty.
pubis *m inv* pubes *pl.* 2 *(hueso)* pubis.
publicación *f* publication.
publicar [1] *t* to publish.
publicidad *f (hacer público)* publicity. 2 COM advertising.
publicitario,-a *adj* advertising.
público,-a *adj-m* public.
puchero *m* cooking pot. 2 CULIN meat and vegetable stew. ●*hacer pucheros,* to pout.
púdico,-a *adj* chaste, decent.
pudiente *adj-mf* rich (person).
pudor *m* chastity, decency.
pudrir(se) *t-p* to rot, decay.
pueblo *m (población)* village, (small) town. 2 *(gente)* people. 3 *(nación)* nation.
puente *m* bridge. 2 *(fiesta)* long weekend. ■ ~ *aéreo, (pasajeros)* shuttle service; *(emergencia)* airlift; ~ *colgante,* suspension bridge; ~ *levadizo,* drawbridge.
puerco,-a *adj fam* dirty, filthy. — 2 *m,f m* pig, *f* sow. ■ ~ *de mar,* sea cow; ~ *espín,* porcupine.
puericultura *f* paeditriatics.
pueril *adj* puerile, childish.
puerro *m* leek.
puerta *f* door. 2 *(verja)* gate. ●*de ~ a ~,* (from) door to door; *fig por la ~ grande,* in a grand manner. ■ ~ *corredera/giratoria,* sliding/revolving door.
puerto *m* port, harbour. 2 *(de montaña)* (mountain) pass. ■ ~ *deportivo,* marina; ~ *franco,* free port.

pureza

pues *conj (ya que)* since, as. **2** *(por lo tanto)* therefore. **3** *(repetitivo)* then: *digo, ~ ...,* I say then ... . **4** *(enfático) ~ bien,* well then; *¡~ claro!,* of course!; *~ no,* well no.

puesta *f* setting. ■ *~ a punto,* tuning; *~ de sol,* sunset.

puesto,-a *pp* → **poner.** — **2** *adj* set, put. **3** *(ropa)* on. — **4** *m* place. **5** *(de mercado)* stall; *(de feria etc.)* stand. **6** *(empleo)* position, post. **7** MIL post. ●*~ que,* since, as. ■ *~ de socorro,* first-aid station.

púgil *m* boxer.

pugna *f* fight, battle.

pugnar *i* to fight, struggle.

puja *f (acción)* bidding. **2** *(cantidad)* bid.

pujante *adj* thriving.

pujanza *f* power, strength.

pujar *t (pugnar)* to struggle. **2** *(en subasta)* to bid higher.

pulcritud *f* neatness.

pulcro,-a *adj* neat, tidy, clean.

pulga *f* flea. ●*tener malas pulgas,* to have a nasty streak.

pulgada *f* inch.

pulgar *m* thumb.

pulido,-a *adj* neat, clean. **2** TÉC polished.

pulimentar *t* to polish.

pulir *t* to polish. **2** *(perfeccionar)* to refine.

pullover *m* pullover.

pulmón *m* lung.

pulmonía *f* pneumonia.

pulpa *f* pulp, flesh.

púlpito *m* pulpit.

pulpo *m* octopus.

pulsación *f* pulsation. **2** *(de corazón)* beat, throb. **3** *(mecanografía)* stroke.

pulsar *t* to press. **2** *(teclas)* to tap; MÚS to play. **3** MED to feel the pulse of. **4** *fig* to sound out. — **5** *i (corazón etc.)* to beat, throb.

pulsera *f* bracelet. **2** *(de reloj)* watch strap.

pulso *m* pulse. **2** *(seguridad de mano)* steady hand. **3** *fig* care, tact. ●*ganarse algo a ~,* to work hard for sth.

pulular *i* to swarm.

pulverizador *m* spray, atomizer.

pulverizar [4] *t (sólidos)* to pulverize. **2** *(líquidos)* to atomize, spray.

puma *m* puma.

pundonor *m* self-respect.

punta *f* tip; *(extremo afilado)* point. **2** *(pizca)* bit. **3** *pl* needlepoint *sing.* ●*de ~ en*

blanco, dressed up to the nines; *estar de ~ con algn.,* to be at odds with sb.; *sacar ~ a,* to sharpen.

puntada *f* stitch.

puntal *m* prop. **2** *fig* support.

puntapié *m* kick. ●*echar a puntapiés,* to kick out.

puntear *t* to dot. **2** *(guitarra)* to pluck.

puntera *f* toecap.

puntería *f* aim. ●*tener buena/mala ~,* to be a good/bad shot.

puntero *m* pointer.

puntiagudo,-a *adj* pointed.

puntilla *f* COST lace. ●*de puntillas,* on tiptoe.

puntilloso,-a *adj* punctilious.

punto *m* point. **2** *(marca)* dot. **3** *(de puntuación)* full stop, US period. **4** *(lugar)* spot. **5** COST stitch. ●*en ~,* sharp, on the dot; *a ~ de,* to be on the point of; *estar en su ~,* to be just right; *hasta cierto ~,* up to a certain point; *~ por ~,* in detail. ■ *dos puntos,* colon; *~ de vista,* point of view; *~ y coma,* semicolon.

puntuación *f* punctuation. **2** *(en competición)* scoring. **3** EDUC marking.

puntual *adj* punctual. **2** *(exacto)* exact. **3** *(aislado)* specific. — **4** *puntualmente adv* punctually.

puntualidad *f* punctuality.

puntualizar [4] *t* to give full details of. **2** *(especificar)* to point out.

puntuar [11] *t* to punctuate. **2** EDUC to mark.

punzada *f (dolor)* sharp pain.

punzar [4] *t* to prick. **2** *fig* to torment.

punzón *m* punch.

puñado *m* handful. ●*a puñados,* by the score.

puñal *m* dagger.

puñalada *f* stab.

puñeta *f* nuisance. ●*¡puñetas!,* damn!

puñetazo *m* punch.

puño *m (mano)* fist. **2** *(mango)* handle. **3** *(de prenda)* cuff.

pupa *f* cold sore. **2** *fam (daño)* pain.

pupila *f* pupil.

pupilaje *m* AUTO garaging.

pupilo *m fml* pupil.

pupitre *m* desk.

purasangre *adj-mf* thoroughbred.

puré *m* purée. ■ *~ de patatas,* mashed potatoes.

pureza *f* purity. **2** *(castidad)* chastity.

purga f purge.
purgar [7] t to purge.
purgatorio m purgatory.
purificar t to purify.
puritano,-a adj-m,f puritan.
puro,-a adj pure. 2 (mero) sheer, mere. — 3 m cigar.
púrpura f purple.
purpurina f purpurin.
pus m pus.
pusilánime adj faint-hearted.

puta* f whore*, prostitute. ●de ~ madre*, great, terrific.
putada* f dirty trick.
putativo,-a adj putative, supposed.
putear* i to go whoring*. — 2 t to fuck/piss about*.
puto,-a* adj fucking*: no tengo ni un ~ duro, I haven't got a fucking penny.
putrefacción f putrefaction, rotting.
putrefacto,-a, **pútrido,-a** adj putrefied, rotten.

Q

que *pron rel (sujeto) (persona)* who, that: *la chica ~ vino,* the girl who came; *(cosa)* that, which. **2** *(complemento) (persona)* whom, who; *(cosa)* that, which: *el libro ~ me prestaste,* the book (that) you lent me. **3** *(complemento tiempo)* when; *(lugar)* where. — **4** *conj* that: *dice ~ está cansado,* he says (that) he's tired. — **5** *comp* than, that: *es más alto ~ su padre,* he is taller than his father. ●*¡a ~ no?,* I bet you can't; *¡~ te diviertas!,* enjoy yourself!; *~ yo sepa,* as far as I know; *yo ~ tú,* if I were you.

qué *pron interrog* what. **2** *(cuál)* which. **3** *(en exclamativas)* how, what: *¡~ bonito!,* how nice!; *¡~ flor!,* what a flower! ●*no hay de ~,* don't mention it; *¿para ~?,* what for?; *¿por ~?,* why?; *¡ ~ de coches!,* what a lot of cars!; *¡ ~ lástima!,* what a pity!; *¿~ hay/tal?,* how are things?; *¡y ~ !,* so what!

quebrada *f* gorge, ravine.

quebradero *m ~ de cabeza,* worry, headache.

quebradizo,-a *adj* brittle.

quebrado,-a *adj (roto)* broken. **2** FIN bankrupt. **3** *(terreno)* rough. — **4** *m* MAT fraction.

quebrantar(se) *t* to break. **2** *(machacar)* to grind. **3** *(debilitar)* to weaken. — **4** *p* to break. **5** *(salud)* to be shattered.

quebranto *m (pérdida)* loss. **2** *(aflicción)* grief, pain. **3** *(lástima)* pity.

quebrar(se) [27] *t* to break. **2** *fig* to soften. — **3** *i* FIN to go bankrupt. — **4** *p* to break.

quedar(se) *i* to remain, be left: *queda poco,* there's not much left. **2** *(favorecer)* to look: *queda muy bien,* it looks very nice. **3** *(estar situado)* to be: *¿por dónde queda tu casa?,* whereabouts is your house? **4** *(acordar)* to agree *(en,* to). — **5** *p* to remain, stay, be. **6** *(retener)* to keep

(con, -). ●*~ atónito,-a,* to be astonished; *~ bien/mal,* to make a good/bad impression; *~se sin algo,* to run out of sth.; *todo quedó en nada,* it all came to nothing; *fam ~se con algn.,* to make a fool of sb.; *fam ~se sin blanca,* to be broke.

quedo,-a *adj* quiet, still. **2** *(voz)* low.

quehacer *m* task, chore. ■ *quehaceres domésticos,* housework *sing.*

queja *f (descontento)* complaint. **2** *(de dolor)* moan, groan. **3** JUR *presentar una ~,* to lodge a complaint.

quejarse *p (de descontento)* to complain *(de,* about). **2** *(de dolor)* to moan, groan.

quejica *adj-mf fam* grumpy (person).

quejido *m (gemido)* groan, moan. **2** *(grito)* cry.

quejoso,-a *adj* complaining, plaintive.

quema *f (acción, efecto)* burning. **2** *(fuego)* fire. ●*huir de la ~,* to beat it, flee.

quemado,-a *adj* burnt, burned. **2** *fig (resentido)* embittered. **3** *fam (acabado)* spent, burnt-out. **4** *arg (sexualmente)* hot. ●*arg ir ~,* to be dying for it.

quemadura *f* burn.

quemar(se) *t* to burn. **2** *(incendiar)* to set on fire. **3** *fam (acabar)* to burn out. — **4** *i (muy caliente)* to burn. — **5** *p* to be/get burnt.

quemarropa *a ~, adv* point-blank.

quemazón *f (calor)* intense heat. **2** *(comezón)* itch(ing). **3** *(dicho picante)* smarting/cutting word.

quepo *pres indic* → **caber.**

querella *f* JUR charge. **2** *(queja)* complaint. **3** *(pelea)* dispute, quarrel.

querellarse *p* JUR to bring an action, lodge a complaint.

querer [80] *t (amar)* to love. **2** *(desear)* to want: *quiero que vengas,* I want you to come. **3** *(auxiliar)* would: *¿quieres ve-*

nir?, would you like to come? **4** *(ser conveniente)* to need. **5** *(posibilidad)* may: *parece que quiere llover,* it looks like it might rain. ●*lo hice sin ~,* I didn't mean to do it; *quieras o no,* like it or not; ~ *decir,* to mean; *fam está como quiere,* he/she is gorgeous.

querido,-a *adj* dear, beloved. − **2** *m,f (amante)* lover; *(mujer)* mistress. **3** *(apelativo) fam* darling.

queso *m* cheese. ■ ~ *de bola,* Edam; ~ *en lonchas,* cheese slices *pl*; ~ *rallado,* grated cheese.

quevedos *mpl* pince-nez.

quicio *m* hinge. ●*fam estar fuera de ~,* to be beside o.s.; *fam sacar a algn. de ~,* to get on sb.'s nerves.

quid *m* crux. ●*el ~ de la cuestión,* the crux of the matter.

quiebra *f* COM failure, bankruptcy. **2** *(rotura)* break, crack. **3** *(pérdida)* loss. **4** GEOG ravine.

quien *pron rel (sujeto)* who: *fue el jefe ~ me lo dijo,* it was the boss who told me. **2** *(complemento)* who(m): *las personas con quienes trabajo,* the people (who) I work with. **3** *(indefinido)* whoever, anyone who: ~ *quiera venir que venga,* whoever wants to can come. ●~ *más ~ menos,* everybody.

quién *pron interrog (sujeto)* who: *¿~ sabe?,* who knows? **2** *(complemento)* who(m): *¿con ~ hablas?,* who(m) are you talking to? **3** *de ~,* whose: *¿de es esto?,* whose is this?

quienquiera *pron indef* whoever. ●~ *que sea,* whoever it may be. ▲ *pl quienesquiera.*

quieto,-a *adj (sin moverse)* still: *estarse ~,* to keep still. **2** *(sosegado)* quiet, calm.

quietud *f (sin movimiento)* stillness. **2** *(sosiego)* calm(ness).

quijada *f* jawbone.

quijotada *f* quixotic act.

quijotesco,-a *adj* quixotic.

quilate *m* carat. ●*fig de muchos quilates,* of great value.

quilo *m* → **kilo**.

quilla *f* keel.

quimera *f (ilusión)* wild fancy, fantasy, pipe dream. **2** *(riña)* quarrel.

quimérico,-a *adj* unrealistic, fantastic.

química *f* chemistry.

químico,-a *adj* chemical. − **2** *m,f* chemist.

quimono *m* kimono.

quina *f* → **quinina**.

quincalla *f* tinware.

quince *adj* fifteen; *(ordinal)* fifteenth. − **2** *m* fifteen.

quincena *f* fortnight.

quincuagésimo,-a *adj-m,f* fiftieth.

quiniela *f* football pools *pl.* ●*hacer la ~,* to do the pools.

quinientos,-as *adj (cardinal)* five hundred; *(ordinal)* five hundredth. − **2** *m* five hundred. ●*fam a las quinientas,* very late.

quinina *f* quinine.

quinqué *m* oil lamp.

quinqui *mf fam* delinquent, petty criminal.

quinta *f* country house, villa. **2** MIL conscription, US draft.

quintillizo,-a *m,f* quin(tuplet).

quinto,-a *adj-m,f* fifth. − **2** *m* MIL conscript, recruit. **3** *(cerveza)* small beer.

quiosco *m* kiosk. ■ ~ *(de periódicos),* newspaper stand.

quiquiriquí *m* cock-a-doodle-doo. ▲ *pl quiquiriquíes.*

quirófano *m* operating theatre.

quirúrgico,-a *adj* surgical.

quisquilloso,-a *adj* finicky, fussy, touchy.

quiste *m* cyst.

quitaesmaltes *m inv* nail varnish/polish remover.

quitamanchas *m inv* stain remover.

quitanieves *m inv* snowplough, US snowplow.

quitar(se) *t* to remove, take out/off. **2** *(restar)* to subtract. **3** *(robar)* to steal, rob of. **4** *(coger)* to take. **5** *(apartar)* to take away. **6** *(prendas)* to take off. **7** *(dolor)* to relieve. **8** *(mesa)* to clear. **9** *(impedir)* to stop, prevent. − **10** *p (apartarse)* to move away, come/get out. **11** *(desaparecer)* to go away, come out: *se me han quitado las ganas,* I don't feel like it any more. **12** *(prendas)* to take off. **13** *(renunciar)* to give up. ●*de quita y pon,* detachable; *~se algo/a algn. de encima,* to get rid of sth./sb.; *(saludar) ~se el sombrero,* to tip one's hat.

quitasol *m* parasol, sunshade.

quite *m* estar al ~ , to be on the alert.

quizá, quizás *adv* perhaps, maybe.

R

rabadilla *f* ANAT coccyx. 2 *(de ave)* parson's nose.

rábano *m* radish.

rabia *f* MED rabies. 2 *(enfado)* rage, fury. ●*dar* ~, to make furious; *tener* ~ *a algn.,* to hate sb.

rabiar [12] *i* MED to have rabies. 2 *(enfadarse)* to rage, be furious. 3 *(sufrir)* to be in great pain. ●~ *por,* to be dying for.

rabieta *f fam* tantrum.

rabioso,-a *adj* rabid. 2 *(airado)* furious, angry. 3 *(excesivo)* terrible. — 4 *rabiosamente adv* furiously.

rabo *m* tail. ●*con el* ~ *entre piernas,* crestfallen.

racial *adj* racial.

racimo *m* bunch.

raciocinio *m (razón)* reason. 2 *(argumento)* reasoning.

ración *f* ration. 2 *(de comida)* portion.

racional *adj* rational.

racionamiento *m* rationing.

racionar *t* to ration.

racha *f (de viento)* gust. 2 *(período)* spell, patch.

radar *m* radar. ▲ *pl* **radares**.

radiación *f* radiation.

radiactividad *f* radioactivity.

radiactivo,-a *adj* radioactive.

radiador *m* radiator.

radiante *adj* radiant *(de,* with).

radiar [12] *t-i* to radiate. — 2 *t (retransmitir)* to broadcast.

radical *adj* radical. — 2 *m* GRAM root.

radicalizar(se) [4] *t-p (conflicto)* to intensify. 2 *(postura)* to harden.

radicar(se) [1] *i (encontrarse)* to be located *(en,* in); *fig* to lie *(en,* in): *el problema radica en la economía,* the problem lies in the economy. 2 *(arraigar)* to take root. — 3 *p* to settle (down).

radio *m* ANAT radius. 2 QUÍM radium. 3 *(de rueda)* spoke. 4 *(campo)* scope. — 5 *f fam (radiodifusión)* radio, broadcasting. 6 *fam (aparato)* radio.

radiocasete *m* radio-cassette.

radiodifusión *f* broadcasting.

radiofónico,-a *adj* radio.

radiografía *f (técnica)* radiography. 2 *(imagen)* X-ray.

radioyente *mf* listener.

raer [81] *t* to scrape (off).

ráfaga *f (de viento)* gust. 2 *(de disparos)* burst. 3 *(de luz)* flash.

raído,-a *adj* threadbare, worn.

rail, raíl *m* rail.

raíz *f* root. ●*a* ~ *de,* on the occasion of; *de* ~, entirely. ■ ~ *cuadrada,* square root.

raja *f* split, crack. 2 *(tajada)* slice.

rajar(se) *t* to split. 2 *(melón etc.)* to slice. 3 *fam* to cut up. — 4 *i (jactarse)* to show off. 5 *(hablar)* to chatter. — 6 *p (partirse)* to split, crack. 7 *fam (desistir)* to back out, quit.

rajatabla *a* ~, *adv* to the letter, strictly.

rallador *m* grater.

ralladura *f* grating.

rallar *t* to grate.

rama *f* branch. ●*andarse/irse por las ramas,* to beat about the bush.

ramaje *m* foliage, branches *pl.*

ramal *m (de cuerda)* strand. 2 *(de camino etc.)* branch.

rambla *f (lecho de agua)* watercourse. 2 *(paseo)* boulevard, avenue.

ramera *f* whore, prostitute.

ramificación *f* ramification.

ramificarse [1] *p* to ramify, branch (out).

ramillete *m* bouquet.

ramo *m (de flores)* bunch. 2 *(de árbol)* branch.

rampa f (calambre) cramp. 2 (declive) ramp.

rana f frog. ●fam salir ~, to be a disappointment.

rancio,-a adj (comestibles) stale; (mantequilla) rancid. 2 (linaje) old, ancient. ■ vino ~, old/mellow wine.

ranchero,-a m,f (granjero) rancher, farmer. − 2 f AM type of popular song.

rancho m MIL mess. 2 AM (granja) ranch.

rango m rank, class.

ranura f (canal) groove. 2 (para monedas, fichas) slot.

rapapolvo m fam ticking off.

rapar t (afeitar) to shave. 2 (pelo) to crop.

rapaz adj ZOOL predatory, of prey. 2 (persona) rapacious. − 3 f bird of prey.

rapaz,-za m,f m lad, f lass.

rape m (pez) angler fish. 2 (rasura) quick shave. ●al ~, close-cropped.

rapidez f speed.

rápido,-a adj quick, fast. − 2 mpl (del río) rapids.

raptar t to kidnap.

rapto m (secuestro) kidnapping. 2 (impulso) outburst.

raptor,-ra m,f kidnapper.

raqueta f racket. 2 (para nieve) snowshoe. 3 (en casinos) rake.

raquítico,-a adj MED rachitic. 2 (exiguo) meagre. 3 (débil) weak.

rareza f (poco común) rarity, rareness. 2 (peculiaridad) oddity. 3 (extravagancia) eccentricity.

raro,-a adj (poco común) scarce: raras veces, seldom. 2 (peculiar) odd, strange. − 3 raramente adv rarely, seldom.

ras a ~ de, adv (on a) level with.

rasante adj (tiro) grazing; (vuelo) low. − 2 f slope.

rascacielos m inv skyscraper.

rascar(se) [1] t-p to scratch (o.s.).

rasera f spatula.

rasgado,-a adj (luminoso) wide-open. 2 (ojos) almond-shaped.

rasgadura f tear.

rasgar(se) [7] t-p to tear, rip. ●fig ~se las vestiduras, to pull one's hair out.

rasgo m (línea) stroke. 2 (facción) feature. 3 (peculiaridad) characteristic. 4 (acto) act, feat. ●a grandes rasgos, in outline.

rasguear t (guitarra) to strum. − 2 i (al escribir) to scribble.

rasguño m scratch.

raso,-a adj (plano) flat, level; (liso) smooth. 2 (atmósfera) clear. − 3 m (tejido) satin. ●al ~, in the open air.

raspa f (de pescado) bone. 2 (de cereal) beard.

raspadura f scraping.

raspar t (rascar) to scrape (off). 2 (vino etc.) to be sharp. 3 (hurtar) to nick.

rasposo,-a adj (áspero) rough.

rastra f (rastro) trail, track. 2 (sarta) string. 3 (para pescar) trawl (net). ●a rastras, dragging; fig (sin querer) unwillingly.

rastrear t to trail, track, trace. 2 (río) to drag. 3 (zona) to comb, search. − 4 i AGR to rake. 5 AV to fly very low.

rastrero,-a adj creeping, dragging. 2 (de vuelo bajo) flying low. 3 (bajo) vile.

rastrillo m rake.

rastro m (instrumento) rake. 2 (señal) trace, track. 3 (vestigio) vestige. 4 (mercado) flea market.

rata f ZOOL rat. − 2 m fam (ratero) pickpocket. − 3 mf (tacaño) mean/stingy person.

ratero,-a m,f pickpocket.

raticida m rat poison.

ratificación f ratification.

ratificar(se) [1] t to ratify. − 2 p to be ratified.

rato m (momento) time, while, moment. ●a ratos perdidos, in spare time; pasar el ~, to kill time; un buen ~, a long time; (distancia) a long way; (diversión) a pleasant time.

ratón m mouse.

ratonera f (trampa) mousetrap. 2 (agujero) mousehole.

raudal m torrent, flood.

raya f (línea) line. 2 (de color) stripe: a rayas, striped. 3 (del pantalón) crease. 4 (del pelo) parting. 5 (pez) skate. 6 arg (de droga) fix, dose. ●pasarse de la ~, to overstep the mark; tener a ~, to keep within bounds.

rayado,-a adj striped. 2 (papel) ruled.

rayar t (líneas) to draw lines on, line, rule. 2 (superficie) to scratch. 3 (tachar) to cross out. 4 (subrayar) to underline. − 5 i to border (con/en, on) to border. ●al ~ el día/alba, at daybreak/dawn.

rayo m ray, beam. 2 (chispa) (stroke of) lightening. ●~ de sol, sunbeam.

rayuela f hopscotch.

raza f race. 2 (animal) breed.

razón f reason. 2 MAT ratio. ●dar la ~, to agree with; perder la ~, lo lose one's reason; "~ aquí", "enquire within"; tener/no tener ~, to be right/wrong. ■ ~ social, trade name.

razonable adj reasonable.

razonamiento *m* reasoning.
razonar *i (discurrir)* to reason. **2** *(explicar)* to reason out.
re *m* MÚS re, D.
reacción *f* reaction. ■ *avión a ~,* jet.
reaccionario,-a *adj-m,f* reactionary.
reacio,-a *adj* reluctant, unwilling.
reactivar *t* to reactivate.
reactivo *m* reagent.
reactor *m* reactor. **2** AV jet (plane).
readmitir *t* to readmit.
reafirmar *t* to reassert.
reajuste *m* readjustment; POL reshuffle.
real *adj* real. **2** *(regio)* royal. **– 3** *m (de feria)* fairground. **– 4** *realmente adv* really. **5** *(en realidad)* in fact, actually.
realce *m (adorno)* relief. **2** *(lustre)* prestige. ●*dar ~ a,* to enhance.
realeza *f* royalty.
realidad *f* reality. ●*en ~,* really, in fact.
realismo *m* realism.
realista *adj* realistic. **– 2** *mf* realist.
realizable *adj* feasible.
realización *f* achievement, fulfilment.
realizar(se) [4] *t* to realize. **2** *(llevar a cabo)* to accomplish, carry out, do, fulfil. **– 3** *p (persona)* to fulfil o.s.
realzar [4] *t fig* to heighten, enhance. **2** *(pintura)* to highlight.
reanimar(se) *t-p* to revive.
reanudar(se) *t* to renew, resume. **– 2** *p* to be renewed/resumed.
reaparecer [43] *i* to reappear.
rearme *m* rearmament, rearming.
reavivar *t* to revive.
rebaba *f* rough edge.
rebaja *f* reduction. **2** *pl* sales.
rebajar(se) *t (disminuir)* to reduce; *(color)* to tone down. **2** *(bajar nivel)* to lower. **3** *(humillar)* to humiliate. **– 4** *p* to humble o.s. ●*~se a,* to stoop to.
rebanada *f* slice.
rebaño *m* herd; *(de ovejas)* flock.
rebasar *t* to exceed, go beyond.
rebeca *f* cardigan.
rebelarse *p* to rebel, revolt.
rebelde *adj* rebellious. **– 2** *mf* rebel.
rebeldía *f* rebelliousness. **2** JUR default.
rebelión *f* rebellion, revolt.
reblandecer [43] *t* to soften.
rebobinar *t* to rewind.
reborde *m* flange, rim.
rebosar *i* to overflow *(de,* with). **– 2** *t-i (abundar)* to abound.

rebotar *i* to bounce, rebound; *(bala)* to ricochet. **– 2** *t (clavo)* to clinch. **3** *(conturbar)* to put out. **– 4** *p (conturbarse)* to get angry.
rebote *m* (re)bound. ●*fig de ~,* on the rebound.
rebozar [4] *t* to coat (in breadcrumbs/batter).
rebuscado,-a *adj* recherché.
rebuznar *i* to bray.
rebuzno *m* bray(ing).
recabar *t (solicitar)* to ask for. **2** *(obtener)* to attain, obtain.
recadero,-a *m,f* messenger.
recado *m (mensaje)* message. **2** *(encargo)* errand.
recaer [67] *i* to relapse. **2** *(corresponder)* to fall *(sobre,* on).
recaída *f* relapse.
recalcar *f* [1] to emphasize, stress.
recalentar [27] *t (volver a calentar)* to reheat, warm up. **2** *(calentar demasiado)* to overheat.
recambiar [12] *t* to change (over).
recambio *m* spare (part); *(de pluma/bolígrafo)* refill.
recapacitar *t* to think over.
recapitulación *f* recapitulation.
recapitular *t* to recapitulate.
recargable *adj* refillable.
recargado,-a *adj (sobrecargado)* overloaded. **2** *(exagerado)* overelaborate, exaggerated.
recargar [7] *t (volver a cargar)* to reload. **2** *(sobrecargar)* to overload. **3** *(exagerar)* to overelaborate. **4** FIN to increase.
recargo *m* extra charge.
recatado,-a *adj (prudente)* cautious. **2** *(púdico)* modest, shy.
recatar(se) *t* to hide. **– 2** *p* to be cautious.
recato *m (cautela)* caution. **2** *(pudor)* modesty.
recauchutado,-a *adj neumático ~,* retread.
recaudación *f* collection. **2** *(cantidad recaudada)* takings *pl.* **3** *(oficina)* tax collector's office.
recaudador,-ra *m,f* tax collector.
recaudar *t* to collect.
recelar *t* to suspect.
recelo *m* suspicion.
receloso,-a *adj* suspicious.
recensión *f* review.
recepción *f* gen reception. **2** *(de documento, carta etc.)* receipt.
recepcionista *mf* receptionist.
receptáculo *m* receptacle.

receptor,-ra *adj* receiving. — **2** *m,f* receiver.

receso *m* recess.

receta *f* MED prescription. **2** CULIN recipe.

recetar *t* to prescribe.

rechazar [4] *t* to reject, turn down.

rechazo *m* rejection.

rechinar *i* to grate; *(dientes)* to grind.

rechistar *i* to clear one's throat. ●*fam hacer algo sin* ~, to do sth. without complaining.

rechoncho,-a *adj* chubby.

recibidor *m* entrance hall.

recibimiento *m* reception, welcome.

recibir(se) *t gen* receive. **2** *(salir al encuentro)* to meet. — **3** *p* AM *(licenciarse)* to graduate. ●*(en carta)* *recibe un abrazo de,* with best wishes from.

recibo *m (resguardo)* receipt. **2** *(factura)* invoice, bill. ●*acusar* ~ *de,* to acknowledge receipt of.

reciclar *t (materiales)* to recycle. **2** *(profesionales)* to retrain.

recién *adv* recently, newly; *(café, pan)* freshly. **2** AM just: ~ *llegó,* he/she has just arrived. ■ ~ *nacido,* newborn baby; ~ *casados,* newlyweds.

reciente *adj* recent. — **2** *recientemente adv* recently, lately.

recinto *m* enclosure, precinct. ■ ~ *ferial,* fairground.

recio,-a *adj (fuerte)* strong, robust. **2** *(grueso)* thick. **3** *(duro)* hard; *(clima)* harsh.

recipiente *m* vessel, container.

recíproco,-a *adj* reciprocal, mutual.

recital *m* recital, concert.

recitar *t* to recite.

reclamación *f (demanda)* claim, demand. **2** *(queja)* complaint, protest.

reclamar *t (pedir)* to demand. — **2** *i* to protest *(contra,* against).

reclamo *m (para cazar)* decoy. **2** *(silbato)* bird call. **3** *(anuncio)* advertisement. **4** *fig* inducement.

reclinar(se) *t* to lean *(en/sobre,* on). — **2** *p* to lean back.

recluir [62] *t* to shut away. **2** *(encarcelar)* to imprison.

reclusión *f* seclusion. **2** *(encarcelamiento)* imprisonment.

recluso,-a *m,f* prisoner.

recluta *m (voluntario)* recruit. **2** *(obligado)* conscript.

reclutamiento *m (voluntario)* recruitment. **2** *(obligatorio)* conscription.

reclutar *t (voluntarios)* to recruit. **2** *(obligatorio)* conscript.

recobrar(se) *t-p* to recover.

recochinearse *p fam* to make fun *(de,* of).

recodo *m* turn, bend, corner.

recogedor *m* dustpan.

recoger(se) [5] *t (coger)* to pick up. **2** *(juntar)* to gather. **3** *(ordenar)* to clear up. **4** *(ir a buscar)* to fetch, pick up. **5** *(dar asilo)* to take in *(a, -).* — **6** *p (irse a casa)* to go home. **7** *(irse a dormir)* to go to bed. **8** *(para meditar)* to retire. ●~ *la mesa,* to clear the table; ~*se el pelo,* to gather one's hair up.

recogido,-a *adj (apartado)* secluded. **2** *(pelo)* gathered up.

recolección *f (recopilación)* summary. **2** AGR harvest. **3** *(recaudación)* collection.

recolectar *t* to gather. **2** AGR to harvest.

recomendación *f* recommendation.

recomendar [27] *t* to recommend.

recompensa *f* reward, recompense.

recompensar *t (compensar)* to compensate. **2** *(remunerar)* to reward, recompense.

recomponer [78] *t* to repair, mend. ▲ *pp recompuesto,-a.*

reconcentrar(se) *t (concentrar)* to concentrate *(en,* to). **2** *(reunir)* to bring together. — **3** *p (ensimismarse)* to become absorbed in thought.

reconciliación *f* reconciliation.

reconciliar(se) *t* to reconcile. — **2** *p* to be reconciled.

recóndito,-a *adj* recondite.

reconfortar *t* to comfort. **2** *(animar)* to encourage.

reconocer(se) [44] *t gen* to recognize. **2** MIL to reconnoitre. **3** MED to examine. — **4** *p* to recognize each other. **5** *(admitir)* to admit.

reconocimiento *m gen* recognition. **2** MIL reconnaissance. **3** MED examination, check up.

reconquistar *t* to reconquer.

reconstituyente *m* tonic.

reconstruir [62] *t* to reconstruct.

reconvención *f* reproach.

reconvenir [90] *t* to reproach.

reconvertir [35] *t* to reconvert. **2** *(en industria)* to modernize.

recopilación *f (resumen)* summary. **2** *(colección)* compilation, collection.

recopilar *t* to compile, collect.

récord *adj-m* record.

recordar(se) [31] *t* to remember. **2** *(a otra persona)* to remind: ~ *algo a algn.*, to remind sb. of sth. − **3** *i-p* AM *(despertar)* to wake up.

recorrer *t* *(atravesar)* to cover, travel. **2** *(reconocer)* to go over. **3** *(reparar)* to mend, repair.

recorrido *m* *(trayecto)* journey. **2** *(distancia)* distance travelled.

recortar *t* *(muñecos, telas, etc.)* to cut out. **2** *(lo que sobra)* to cut off.

recorte *m* cutting. **2** *(de periódico)* press clipping. **3** *fig* *(reducción)* cut.

recostar(se) [31] *t* to lean. − **2** *p* to lie down.

recreación *f* recreation.

recrear(se) *t* to amuse, entertain. − **2** *p* to amuse o.s.

recreativo,-a *adj* recreational.

recreo *m* recreation, amusement. **2** *(en la escuela)* playtime.

recriminación *f* recrimination.

recriminar *t* to recriminate.

recrudecer(se) [43] *t-p* to worsen, aggravate.

rectangular *adj* rectangular.

rectángulo *m* rectangle.

rectificar [1] *t* to rectify. **2** AUTO to straighten up.

rectilíneo,-a *adj* straight.

rectitud *f* straightness. **2** *fig* uprightness.

recto,-a *adj* straight. **2** *(honesto)* just, honest. − **3** *m* ANAT rectum. − **4** *f* MAT straight line.

rector,-ra *adj* ruling, governing. − **2** *m,f* EDUC head; *(universidad)* vice-chancellor. − **3** *m* REL vicar.

rectoría *f* *(casa)* rectory. **2** *(cargo)* rectorship.

recubrir *t* to cover. ▲ *pp* **recubierto,-a**.

recuento *m* (re)count.

recuerdo *m* memory. **2** *(regalo)* souvenir. **3** *pl* *(saludos)* regards; *(en carta)* best wishes.

recular *i* to go back. **2** *fam* *(ceder)* to back down.

recuperación *f* recovery. **2** EDUC remedial lessons *pl*.

recuperar(se) *t-p* to recover. ●~ *el conocimiento,* to regain consciousness.

recurrir *i* JUR to appeal. **2** *(acogerse)* *(a algo)* to resort *(a,* to); *(a algn.)* to turn *(a,* to).

recurso *m* resort. **2** JUR appeal. **3** *pl* resources, means.

red *f* net. **2** *(sistema)* network. **3** *fig* *(trampa)* trap.

redacción *f* *(escritura)* writing. **2** *(estilo)* wording. **3** *(prensa)* editing. **4** *(oficina)* editorial office. **5** *(redactores)* editorial staff.

redactar *t* to write; *(definitivamente)* to word.

redactor,-ra *m,f* editor.

redada *f* raid.

redención *f* redemption.

redentor,-ra *adj* redeeming. − **2** *m,f* redeemer.

redicho,-a *adj* affected.

redil *m* fold, sheepfold.

redimir *t* to redeem.

rédito *m* interest.

redoblar *t* *(aumentar)* to redouble. **2** *(clavo etc.)* to clinch. − **3** *i* *(tambores)* to roll.

redoble *m* roll.

redonda *f* *(comarca)* region. **2** MÚS semibreve. ●*a la* ~, around.

redondear(se) *t* to (make) round. **2** *(cantidad)* to round off. − **3** *p* *(ponerse redondo)* to become round. **4** *(enriquecerse)* to acquire a fortune.

redondel *m* circle.

redondo,-a *adj* round. **2** *(rotundo)* categorical: *un no* ~, a flat refusal. **3** *(perfecto)* perfect, excellent: *un negocio* ~, an excellent business deal. − **4** *m* *(de carne)* topside.

reducción *f* reduction.

reducido,-a *adj* limited, small.

reducir(se) [46] *t* to reduce. **2** *(vencer)* to subdue. **3** MED to set. − **4** *i* AUTO to change down. − **5** *p* to economize.

reducto *m* redoubt.

redundancia *f* redundancy.

redundar *i* *(rebosar)* to overflow. **2** *(resultar)* to result *(en,* in), lead *(en,* to).

reedición *f* reprint, reissue.

reembolsar *t* *(pagar)* to reimburse; *(devolver)* to refund.

reembolso *m* *(pago)* reimbursement; *(devolución)* refund. ■ *contra* ~, cash on delivery.

reemplazar [4] *t* to replace.

reemplazo *m* replacement. **2** MIL call-up.

reemprender *t* to start again.

reencarnación *f* reincarnation.

reestructurar *t* to restructure, reorganize.

referencia *f* reference. **2** *pl* references. ●*con* ~ *a,* with reference to; *hacer* ~ *a,* to refer to.

referente *adj* concerning *(a, -)*.

referir(se) [35] *t* *(expresar)* to relate, tell. − **2** *p* *(aludir)* to refer *(a,* to).

refilón *de* ~, *adv* obliquely. 2 *(de pasada)* briefly.

refinado,-a *adj* refined.

refinamiento *m* refinement. 2 *(pulcritud)* neatness.

refinar(se) *t (azúcar etc.)* to refine. 2 *(escrito etc.)* to polish. – 3 *p (pulirse)* to polish o.s.

refinería *f* refinery.

reflectar *t* to reflect.

reflector *m (cuerpo)* reflector. 2 ELEC searchlight.

reflejar(se) *t* to reflect. – 2 *p* to be reflected *(en,* in).

reflejo,-a *adj* reflected. 2 GRAM reflexive. 3 *(movimiento)* reflex. – 4 *m (imagen)* reflection. 5 *(destello)* gleam. ●*tener (buenos) reflejos,* to have good reflexes.

reflexión *f* reflection.

reflexionar *t* to reflect *(en/sobre,* on).

reflexivo,-a *adj* reflective. 2 GRAM reflexive.

reflujo *m* ebb tide.

reforma *f* reform. 2 *(mejora)* improvement. 3 *pl* alterations, repairs: *"cerrado por reformas",* "closed for alterations".

reformar(se) *t* to reform. 2 ARQ to renovate. – 3 *p* to reform o.s.

reformatorio *m* reformatory.

reforzar [50] *t* to reinforce, strengthen.

refractar(se) *t-p* to refract.

refractario,-a *adj (cuerpo)* heat-resistant. 2 *(persona)* reluctant.

refrán *m* proverb, saying.

refregar [48] *t* to rub hard.

refrenar(se) *t-p* to restrain (o.s.)

refrescante *adj* refreshing.

refrescar(se) [1] *t* to cool, refresh. 2 *(en la memoria)* to brush up. – 3 *i (el tiempo)* to get cool. – 4 *p (tomar el fresco)* to take a breath of fresh air. 5 *(beber)* to have a drink.

refresco *m (bebida)* refreshment. 2 *(comida)* snack.

refriega *f* scuffle.

refrigeración *f* refrigeration. 2 *(aire acondicionado)* air conditioning.

refrigerador *m* fridge.

refrigerar *t (enfriar)* to refrigerate. 2 *(con aire acondicionado)* to air-condition.

refrigerio *m* refreshments *pl,* snack.

refrito *m fam (cosa rehecha)* rehash.

refuerzo *m* reinforcement, strengthening. 2 *pl* MIL reinforcements.

refugiado,-a *adj-m,f* refugee.

refugiar(se) [12] *t* to shelter. – 2 *p* to take refuge.

refugio *m* shelter, refuge. ■ ~ *atómico,* (nuclear) fallout shelter.

refundir *t* to recast. 2 *(comedia etc.)* to adapt.

refunfuñar *i* to grumble.

refutar *t* to refute, disprove.

regadera *f* watering can. ●*fam estar como una* ~, to be as mad as a hatter.

regadío *m* irrigated land.

regalado,-a *adj (de regalo)* given as a present. 2 *(suave)* delicate. 3 *(agradable)* comfortable.

regalar(se) *t* to give as a present. 2 *(halagar)* to flatter. 3 *(deleitar)* to delight. – 4 *p* to spoil o.s. *(con,* with).

regaliz *m* liquorice.

regalo *m* gift, present. 2 *(comodidad)* comfort. 3 *(exquisitez)* delicacy.

regañadientes *a* ~, *adv* reluctantly, grudgingly.

regañar *t fam* to scold, tell off. – 2 *i* to argue, quarrel.

regañina *f* scolding, telling-off.

regar [48] *t* to water. 2 *(esparcir)* to sprinkle.

regata *f (competición)* regatta. 2 AGR irrigation channel.

regatear *t* to bargain. – 2 *i* DEP to dribble.

regazo *m* lap.

regencia *f* regency.

regenerar *t* to regenerate.

regentar *t* POL to govern. 2 *(cargo)* to hold. 3 *(dirigir)* to manage.

regente *mf* POL regent. 2 JUR magistrate. 3 *(director)* manager.

regidor,-ra *m,f* town councillor. 2 TEAT stage manager.

régimen *m* POL regime. 2 MED diet. 3 *(condiciones)* rules *pl.* ▲ *pl* **regímenes.**

regimiento *m* regiment.

regio,-a *adj* royal. 2 *(magnífico)* magnificent.

región *f* region.

regional *adj* regional.

regir [55] *t (gobernar)* to govern, rule. 2 *(dirigir)* to manage, direct. – 3 *i (ley etc.)* to be in force; *(costumbre)* to prevail. ●*fam no* ~, to have a screw loose.

registrado,-a *adj* registered.

registrador,-ra *adj* registering.

registrar(se) *t (inspeccionar)* to search, inspect. 2 *(inscribir)* to register, record. 3 *(anotar)* to note. – 4 *p (matricularse)* to register, enrol. 5 *(detectarse)* to be recorded.

registro *m (inspección)* search, inspection. **2** *(inscripción)* registration. **3** JUR *(oficina)* registry; *(libro)* register. **4** MÚS register.

regla *f* rule. **2** *(instrumento)* ruler. **3** *(menstruación)* period. ●*en* ~, in order; *por* ~ *general,* as a rule.

reglamentación *f* regulations *pl.* **2** *(acción)* regulation.

reglamentar *t* to regulate.

reglamentario,-a *adj* statutory, prescribed.

reglamento *m* regulations *pl.*

regocijar(se) *t* to delight. − **2** *p* to be delighted.

regocijo *m (placer)* delight. **2** *(júbilo)* merriment.

regodearse *p fam* to delight *(con,* in).

regordete,-a *adj* plump, chubby.

regresar *i* to return, come/go back.

regresión *f* regression.

regreso *m* return. ●*estar de* ~, to be back.

reguero *m* trickle. ■ *como un* ~ *de pólvora,* like wildfire.

regulador,-ra *adj* regulating. − **2** *m* regulator.

regular *adj* regular. **2** *(pasable)* so-so, average. − **3** *t* to regulate.

regularidad *f* regularity.

regularizar [4] *t* to regularize.

regusto *m* aftertaste.

rehabilitar(se) *t* to rehabilitate.

rehacer(se) [73] *t* to do again. **2** *(reconstruir)* to remake, rebuild. **3** *(reparar)* to repair, mend. − **4** *p (reforzarse)* to regain strength. **5** *(serenarse)* to pull o.s. together. ▲ *pp* **rehecho,-a**.

rehén *mf* hostage.

rehogar *t (freír slowly and partially.*

rehuir [62] *t* to avoid, shun.

rehusar [18] *t* to refuse, decline.

reimprimir *t* to reprint. ▲ *pp* **reimpreso,-a** *or* **reimprimido,-a**.

reina *f* queen.

reinado *m* reign.

reinar *i* to reign. **2** *(prevalecer)* to rule, prevail.

reincidir *i* to relapse *(en,* into).

reincorporar(se) *t* to reincorporate; *(a un trabajo)* to reinstate. − **2** *p* to rejoin.

reino *m* kingdom, reign.

reinserción *f* reintegration.

reintegrar(se) *t (restituir)* to reintegrate. **2** *(pago)* to refund. − **3** *p (volver a ejercer)* to return *(a,* to). **4** *(recobrarse)* to recover.

reintegro *m* FIN reimbursement.

reír(se) [37] *i-p* to laugh *(de,* at).

reiterar *t* to reiterate, repeat.

reivindicación *f* claim.

reivindicar [1] *t* to claim.

reja *f* grill, grating, grille. **2** AGR ploughshare.

rejilla *f (celosía)* grill(e). **2** *(de chimenea)* grate. **3** *(de silla)* wickerwork.

rejuvenecer(se) [43] *t* to rejuvenate. − **2** *p* to become rejuvenated.

relación *f* relation. **2** *(conexión)* link. **3** *(lista)* list. **4** *(relato)* account. ●*tener buenas relaciones,* to be well connected. ■ *relaciones públicas,* public relations.

relacionar(se) *t* to relate/connect *(con,* with). **2** *(relatar)* to tell. − **3** *p (tener amistad)* to get acquainted *(con,* with).

relajación *f* relaxation.

relajado,-a *adj* relaxed. **2** *(inmoral)* loose, dissolute.

relajar(se) *t* to relax. **2** *(aflojar)* to loosen, slacken. − **3** *p (descansarse)* to relax. **4** *(en las costumbres)* to let o.s. go. **5** *(dilatarse)* to slacken.

relamer(se) *t* to lick. − **2** *p* to lick one's lips.

relamido,-a *adj pej* affected.

relámpago *m* flash of lightning.

relampaguear *i* to flash. ▲ *Only used in the 3rd pers. It does not take a subject.*

relatar *t* to relate, tell.

relativo,-a *adj-m* relative.

relato *m* story, tale.

relax *m inv* relaxation. **2** *(prostitución)* callgirl service.

releer [61] *t* to reread.

relegar [7] *t* to relegate.

relevante *adj (significativo)* relevant. **2** *(importante)* excellent, outstanding.

relevar *t (sustituir)* to relieve. **2** *(eximir)* to exempt from. **3** *(destituir)* to dismiss. **4** *(engrandecer)* to exaggerate.

relevo *m* MIL relief. **2** DEP relay.

relicario *m* reliquary. **2** *(caja)* locket.

relieve *m* relief. ●*fig poner de* ~, to emphasize.

religión *f* religion.

religioso,-a *adj* religious. − **2** *m,f m* monk, *f* nun.

relinchar *i* to neigh, whinny.

reliquia *f* relic.

rellano *m* landing.

rellenar *t (volver a llenar)* to refill. **2** *(enteramente)* to cram. **3** *(cuestionario)* to fill in. **4** CULIN *(ave)* to stuff; *(pastel)* to fill.

relleno,-a *adj* stuffed. – 2 *m* CULIN *(aves)* stuffing; *(pasteles)* filling. 3 COST padding.

reló, reloj *m* clock; *(de pulsera)* watch. ●*contra* ~, against the clock. ■ ~ *de arena,* hourglass; ~ *de pared,* clock; ~ *de sol,* sundial; ~ *despertador,* alarm clock.

relojería *f (arte)* watchmaking. 2 *(tienda)* watchmaker's shop.

relojero,-a *m,f* watchmaker.

reluciente *adj* bright, shining, gleaming.

relucir [45] *i (brillar)* to shine. 2 *fig (destacar)* to excel. ●*sacar a* ~, to bring up.

relumbrante *adj* shining, dazzling.

remachar *t (clavo etc.)* to clinch. 2 *fig (confirmar)* to drive home.

remanente *m* remainder, residue.

remanso *m* backwater. ●*fig* ~ *de paz,* oasis of peace.

remar *i* to row.

remarcable *adj* remarkable.

remarcar [1] *t* to stress, underline.

rematado,-a *adj* absolute.

rematar *t* to finish off.

remate *m (final)* end. ●*de* ~, totally.

remedar *t* to imitate.

remediar [12] *t* to remedy. 2 *(reparar)* to repair. 3 *(socorrer)* to help, relieve. 4 *(evitar)* to avoid: *no lo puedo* ~, I can't help it.

remedio *m* remedy, cure. 2 *fig (solución)* solution. ●*no tener más* ~ *que ... ,* to have no choice but to ... .

rememorar *t* to remember.

remendar [27] *t* to mend, repair. 2 COST to patch.

remendón,-ona *adj* mended. ■ *zapatero* ~, cobbler.

remero,-a *m,f* rower.

remesa *f (de dinero)* remittance. 2 *(de mercancías)* consignment, shipment.

remiendo *m* mend. 2 COST patch.

remilgado,-a *adj* affected.

remilgo *m* affectation.

reminiscencia *f* reminiscence.

remirado,-a *adj* over-cautious.

remisión *f (remite)* reference. 2 *(envío)* sending.

remite *m* sender's name and address.

remitente *mf* sender.

remitir(se) *t (enviar)* to remit, send. 2 *(referir)* to refer. 3 REL to forgive. 4 *(aplazar)* to postpone. – 5 *p* to refer *(a,* to).

remo *m* oar, paddle. 2 *(deporte)* rowing.

remodelación *f (modificación)* reshaping. 2 *(reorganización)* reorganization.

remojar *t* to soak *(en,* in).

remojo *m* soaking. ●*dejar/poner en* ~, to soak.

remolacha *f* beetroot. ■ ~ *azucarera,* sugar beet.

remolcador *m* MAR tug(boat). 2 AUTO tow truck.

remolcar [1] *t* to tow.

remolino *m* whirl; *(de agua)* whirlpool; *(de aire)* whirlwind. 2 *(de pelo)* cowlick.

remolón,-ona *adj* lazy, slack.

remolque *m (acción)* towing. 2 *(vehículo)* trailer. ●*a* ~, in tow.

remontar(se) *t (elevar)* to raise. 2 *(río)* to go up. 3 *(superar)* to overcome. – 4 *p (al volar)* to soar. 5 *(datar)* to go back *(a,* to).

remorder [32] *t* to cause remorse to.

remordimiento *m* remorse.

remoto,-a *adj* remote.

remover [32] *t (trasladar)* to move. 2 *(mezlar)* to stir. 3 *(conmover)* to disturb. 4 *(destituir)* to remove (from office).

remuneración *f* remuneration.

remunerar *t* to remunerate, reward.

renacer [42] *i* to be reborn. 2 *fig* to revive.

renacimiento *m* rebirth. ■ *el Renacimiento,* the Renaissance.

renacuajo *m* tadpole.

rencilla *f* quarrel.

rencor *m* rancour.

rencoroso,-a *adj* rancorous.

rendición *f* surrender.

rendido,-a *adj (sumiso)* humble. 2 *(cansado)* worn out.

rendija *f* crack, split.

rendimiento *m (trabajo útil)* yield, output. 2 *(sumisión)* submissiveness. 3 *(cansancio)* exhaustion.

rendir(se) [34] *t (vencer)* to defeat. 2 *(cansar)* to exhaust. 3 *(restituir)* to render. 4 *(producir)* to yield, produce. 5 *(dar fruto)* to pay: *este negocio rinde poco,* this business doesn't pay. – 6 *i* AM to go a long way. – 7 *p* to surrender. ●~ *cuentas,* to account for one's actions; *fam* ¡*me rindo!,* I give up!

renegado,-a *adj-m,f* renegade.

renegar [48] *i (blasfemar)* to swear, curse. – 2 *t (negar)* to deny, disown. 3 *(abominar)* to detest.

renglón *m* line. ●*a* ~ *seguido,* right after.

reno *m* reindeer.

renombre *m* renown, fame.

renovación *f (de contrato etc.)* renewal. 2 *(de casa)* renovation.

renovar(se) [31] *t* to renew. **2** *(casa)* to renovate. **– 3** *p* to be renewed.

renquear *i* to limp; *(del pie)* to hobble. **2** *fig* to hardly manage.

renta *f (ingresos)* income. **2** *(beneficio)* interest. **3** *(alquiler)* rent. ■ ~ *per cápita,* per capita income.

rentabilidad *f* profitability.

rentabilizar [4] *t* to make profitable.

rentable *adj* profitable.

rentista *mf (experto)* financial expert. **2** *(que vive de rentas)* person of independent means.

renuncia *f* renouncement. **2** *(dimisión)* resignation.

renunciar [12] *t* to renounce, give up. **2** *(dimitir)* to resign. **3** *(trono)* to relinquish.

reñido,-a *adj (enemistado)* on bad terms. **2** *(de rivalidad)* bitter.

reñir [36] *i (discutir)* to quarrel, argue. **– 2** *t (reprender)* to scold.

reo *mf* offender, culprit.

reojo *mirar de ~,* to look out of the corner of one's eye (at).

repanchigarse, repantigarse [7] *p* to lounge, stretch out.

reparación *f* repair. **2** *(desagravio)* reparation.

reparar *t (arreglar)* to repair, mend. **2** *(desagraviar)* to make amends for. **3** *(reflexionar)* to consider. **4** *(corregir)* to correct. **– 5** *t-i (advertir)* ~ *en,* to notice, see. **6** *(remediar)* to make good.

reparo *m* objection. ●*no tener reparos en,* not to hesitate to; *poner reparos a,* to object to.

repartición *f* distribution.

repartidor,-ra *m,f* distributor.

repartir *t (distribuir)* to distribute. **2** *(entregar)* to give out; *(correo)* to deliver.

reparto *m* distribution. **2** *(distribución)* handing out; COM delivery. **3** TEAT cast.

repasar *t* to revise, go over. **2** *(máquina etc.)* to check. **3** COST to mend. **4** *fam (mirar)* to look over.

repaso *m* revision, check; *(lección)* review. **2** COST mending. **3** *(máquina etc.)* check, overhaul.

repatriar [14] *t* to repatriate.

repecho *m* hill. ●*a ~,* uphill.

repelente *adj* repellent, repulsive. ■ *irón niño,-a ~,* little know-all.

repeler *t (rechazar)* to repel, reject. **2** *(repugnar)* to disgust.

repente *m* sudden impulse. ●*de ~,* suddenly.

repentino,-a *adj* sudden. **– 2** *repentinamente adv* suddenly.

repercusión *f* repercussion.

repercutir *i (trascender)* to have repercussions *(en,* on). **2** *(rebotar)* to rebound. **3** *(sonido)* to echo.

repertorio *m (resumen)* repertory, index. **2** TEAT repertoire.

repesca *f fam* second chance; *(examen)* resit.

repetición *f* repetition.

repetidor *m* TÉC relay, booster station.

repetir [34] *t-i* to repeat.

repicar [1] *t (campanas)* to peal, ring out. **2** *(picar)* to chop, mince.

repique *m* peal, ringing.

repisa *f* ledge, shelf. ■ ~ *de la chimenea,* mantelpiece.

replegarse [48] *p* to fall back.

repleto,-a *adj* full up.

réplica *f* answer; *(objeción)* retort. **2** ART replica.

replicar [1] *t-i* to answer back, reply.

repoblación *f* repopulation. ■ ~ *forestal,* reafforestation.

repoblar [31] *t* to repopulate; *(bosque)* to reafforest.

repollo *m* cabbage.

reponer(se) [78] *t (devolver)* to put back, replace. **2** TEAT to put on again; CINEM to rerun. **3** *(replicar)* to reply. **– 4** *p* to recover. ▲ *pp* **repuesto,-a**.

reportaje *m* report.

reportar *t (ventajas etc.)* to bring. **2** *(refrenar)* to restrain.

reportero,-a *m,f* reporter.

reposado,-a *adj* calm, quiet.

reposapiés *m inv* footrest.

reposar *t-i* to rest.

reposición *f (restitución)* restoration. **2** TEAT revival; CINEM rerun.

reposo *m* rest.

repostar *t (provisiones)* to stock up with; *(combustible)* to fill up.

repostería *f (tienda)* confectioner's shop. **2** *(pastas)* cakes *pl.* **3** *(despensa)* pantry, larder.

reprender *t* to reprimand, scold.

represalia *f* reprisal, retaliation.

representación *f* representation. **2** TEAT performance.

representante *mf* representative.

representar *t* to represent. **2** TEAT to perform. **3** *(edad)* to appear to be. ●*mucho para algn.,* to mean a lot to sb.

representativo,-a *adj* representative.

represión *f* repression.

represivo,-a *adj* repressive.

reprimenda *f* reprimand.

reprimido,-a *adj-m,f* repressed (person).

reprimir(se) *t* to repress. **– 2** *p* to refrain o.s.

reprobar [31] *t (cosa)* to condemn; *(persona)* to reprove, censure.

reprochar *t* to reproach, censure.

reproche *m* reproach, criticism.

reproducción *f* reproduction.

reproducir(se) [46] *t-p* to reproduce.

reproductor,-ra *adj* reproducing. **2** ANAT reproductive.

reptar *i* to crawl. **2** *(adular)* to flatter.

reptil, réptil *m* reptile.

república *f* republic.

republicano,-a *adj-m,f* republican.

repudiar [12] *t* to repudiate.

repuesto,-a *pp* → **reponer**. **– 2** *adj (recuperado)* recovered. **– 3** *m (prevención)* store, supply. **4** *(recambio)* spare (part). **•de ~,** spare, reserve.

repugnancia *f* repugnance.

repugnante *adj* repugnant.

repugnar *i* to disgust, revolt. **– 2** *t (negar)* to conflict.

repulsa *f* rebuff.

repulsión *f* repulsion, repugnance.

repulsivo,-a *adj* repulsive, revolting.

reputación *f* reputation.

reputar *t* to consider, deem.

requemar(se) *t-p* to scorch.

requerimiento *m* request. **2** JUR summons.

requerir [35] *t (necesitar)* to require. **2** *(solicitar)* to request. **3** *(persuadir)* to persuade.

requesón *m* cottage cheese.

requiebro *m* compliment.

requisa *f* inspection. **2** *(embargo)* requisition.

requisar *t* MIL to requisition. **2** *fam (apropiarse)* to grab.

requisito *m* requisite, requirement.

res *f* beast, animal.

resaca *f* hangover.

resaltar *i (sobresalir)* to project, jut out. **2** *fig* to stand out. **•hacer ~,** to emphasize.

resbaladizo,-a *adj* slippery.

resbalar(se) *i-p (deslizarse)* to slide. **2** *(sin querer)* to slip; AUTO to skid. **3** *fig* to slip up.

resbalón *m* slip.

rescatar *t* to rescue. **2** *(recuperar)* to recover.

rescate *m* rescue. **2** *(dinero)* ransom.

rescindir *t* to rescind, cancel.

rescoldo *m* embers *pl.* **2** *fig* lingering doubt.

resecar(se) [1] *t-p* to dry up.

reseco,-a *adj* very dry. **2** *(flaco)* lean, thin.

resentido,-a *adj-m,f* resentful (person).

resentimiento *m* resentment.

resentirse [35] *p* to suffer *(de,* from). **2** *(enojarse)* to become resentful, feel resentment.

reseña *f (crítica)* review. **2** *(narración)* brief account.

reseñar *t (crítica)* to review. **2** *(narrar)* to give an account of.

reserva *f (de plazas)* booking, reservation. **2** *(provisión)* reserve. **3** *(cautela)* reservation. **4** *(discreción)* discretion. **5** *(vino)* vintage. **6** *(parque)* reserve. **7** MIL reserve. **8** *pl* COM stock(s). **– 9** *mf* DEP reserve, substitute. **•sin ~,** openly.

reservado,-a *adj (plazas)* booked, reserved. **2** *(persona)* reserved, discreet. **– 3** *m* private room.

reservar(se) *t (plazas)* to book, reserve. **2** *(provisiones)* to keep, save. **3** *(ocultar)* to keep secret. **– 4** *p (conservarse)* to save o.s. *(para,* for). **5** *(cautelarse)* to withold.

resfriado *m* cold; *(poco importante)* chill.

resfriar(se) [13] *t* to cool. **– 2** *p* MED to catch a cold.

resguardar(se) *t-p* to protect (o.s.).

resguardo *m (protección)* protection. **2** *(recibo)* receipt.

residencia *f* residence. ■ **~ de estudiantes,** hall of residence, US dormitory.

residente *adj-mf* resident.

residir *i* to reside/live *(en,* in). **2** *fig* to lie *(en,* in).

residuo *m* residue. ■ **residuos radiactivos,** radioactive waste.

resignación *f* resignation.

resignar(se) *t-p* to resign (o.s.).

resina *f* resin.

resistencia *f* resistance. **2** *(capacidad)* endurance. **3** *(oposición)* reluctance, opposition.

resistente *adj* resistant *(a,* to). **2** *(fuerte)* tough.

resistir(se) *i* to resist. **– 2** *t (aguantar)* to bear, withstand. **3** *(tentación etc.)* to resist. **– 4** *p (forcejear)* to resist. **5** *(oponerse)* to offer resistance. **6** *fam (costar)* to struggle: *la física se le resiste,* he/she's struggling with physics.

resolución *f (ánimo)* resolution, decision. **2** *(solución)* solving.

resolver(se) [32] *t (decidir)* to resolve. **2** *(problema)* to solve. **3** QUÍM to dissolve. **– 4** *p* to resolve, make up one's mind. ▲ *pp* **resuelto,-a**.

resollar [31] *i* to breathe heavily. **2** *(de cansancio)* to puff.

resonancia *f* resonance. **2** *fig* importance. ●**tener** ~, to cause a sensation.

resonar [31] *i* to resound. **2** *fig* to have repercussions.

resoplar *i* to breathe heavily. **2** *(de cansancio)* to puff and pant.

resoplido, resoplo *m* puff, pant.

resorte *m* spring. **2** *fig* means

respaldar(se) *t* to support, back (up). **– 2** *p* to lean back *(en, on)*.

respaldo *m* back. **2** *fig* support, backing.

respectar *i* to concern. ●*por lo que a mí respecta,* as far as I'm concerned. ▲ *Used only in the 3rd pers. sing.*

respectivo,-a *adj* respective.

respecto *m* relation. ●*con* ~ *a*, with regard to.

respetable *adj* respectable.

respetar *t* to respect.

respeto *m* respect. **2** *fam (miedo)* fear. ●*fml* **presentar sus respetos a algn.,** to pay one's respects to sb.

respetuoso,-a *adj* respectful.

respingo *m (sacudida)* start. **2** *fig* gesture of unwillingness.

respingón,-ona *adj* **nariz respingona,** snub nose.

respiración *f* breathing. **2** *(aliento)* breath. **3** *(aire)* ventilation.

respiradero *m* air vent. **2** *fig* rest.

respirar *i* to breathe. **– 2** *i* to breathe (in). **3** *fig (relajar)* to breathe a sigh of relief.

respiratorio,-a *adj* respiratory.

respiro *m* breathing. **2** *(descanso)* breather. **3** *(prórroga)* respite.

resplandecer [43] *i* to shine.

resplandeciente *adj* resplendent.

resplandor *m (luz)* brightness. **2** *(esplendor)* splendour.

responder *t* to answer, reply. **– 2** *i (corresponder)* to answer: ~ *a una descripción,* to fit a description. **3** *(replicar)* to answer back. ●~ *de/por,* to be responsible for.

respondón,-ona *adj* argumentative.

responsabilidad *f* responsibility.

responsabilizar(se) [4] *t* to make/hold responsible *(de,* for). **– 2** *p* to assume responsibility *(de,* for).

responsable *adj* responsible. **– 2** *mf (jefe)* head.

respuesta *f* answer, reply; *(reacción)* response.

resquebrajar(se) *t-p* to crack.

resquicio *m* crack, gap. **2** *fig* glimmer; *(oportunidad)* chance.

resta *f* substraction.

restablecer(se) [43] *t* to reestablish, restore. **– 2** *p* MED to recover, get better.

restallar *i (látigo)* to crack. **2** *(hacer ruido)* to crackle.

restante *adj* remaining.

restañar *t* to staunch.

restar *t* MAT to subtract. **2** *(disminuir)* to reduce. **– 3** *i* to be left, remain. ●~ *importancia a algo,* to play sth. down.

restauración *f* restoration.

restaurador,-ra *m,f* restorer.

restaurante *m* restaurant.

restaurar *t* to restore.

restituir [62] *t* to restore. **2** *(devolver)* to return, give back.

resto *m* remainder, rest. **2** *pl* remains; CU-LIN leftovers. ■ **restos mortales,** mortal remains.

restregar [48] *t* to rub hard.

restricción *f* restriction.

restrictivo,-a *adj* restrictive.

restringir(se) [6] *t-p* to restrict (o.s.).

resucitar *t-i* to resuscitate. **2** *fig* to revive.

resuelto,-a *pp* → **resolver**. **– 2** *adj (decidido)* resolute, bold.

resuello *m* breathing.

resulta *f* consequence. ●*de resultas de,* as a result of.

resultado *m* result. ●*dar buen* ~, to work well.

resultar *i* to result. **2** *(ocurrir, ser)* to turn out to be: **resultó ser muy simpático,-a,** he/she turned out to be very nice. **3** *(salir)* to come out: ~ *bien/mal,* to come out well/badly. ●*resulta que,* it turns out that.

resumen *m* summary. ●*en* ~, in short, to sum up.

resumir *t* to summarize.

resurgimiento *m* resurgence.

resurgir [6] *i* to reappear, revive.

resurrección *f* resurrection.

retablo *m* altarpiece.

retaguarda, retaguardia *f* rearguard.

retahíla *f* string, series.

retal *m (trozo de tela)* oddment. **2** *(desperdicio)* remnant.

retama *f* broom.

retar *t* to challenge.

retardar *t (detener)* to slow down. **2** *(retrasar)* to delay.

retardo *m* delay.

retazo *m* (*retal*) remnant. **2** (*fragmento*) portion.

retén *m* MIL reserves *pl.* **2** (*previsión*) stock.

retener [87] *t* (*conservar*) to retain, keep back. **2** (*en la memoria*) to remember. **3** (*arrestar*) to detain, arrest. **4** FIN to deduct, withold.

retentiva *f* memory.

reticencia *f* reticence, reserve.

retina *f* retina.

retintín *m* (*sonido*) tinkling, ring. **2** *fig* innuendo, sarcastic tone.

retirada *f* MIL retreat, withdrawal.

retirado,-a *adj* (*apartado*) remote. — **2** *adj-m,f* MIL retired (officer).

retirar(se) *t* (*apartar*) to take away. — **2** *p* MIL to retreat. **3** (*apartarse*) to withdraw. **4** (*jubilarse*) to retire. ●*fml puede ~se,* you may leave.

retiro *m* (*jubilación*) retirement. **2** (*pensión*) pension. **3** (*lugar, recogimiento*) retreat.

reto *m* challenge. **2** AM insult.

retocar [1] *t* to touch up.

retoño *m* BOT sprout, shoot. **2** *fig* kid.

retoque *m* finishing touch.

retorcer(se) [54] *t* to twist. **2** (*tergiversar*) to distort. — **3** *p* (*de dolor*) to writhe; (*de risa*) to double up with laughter.

retorcido,-a *adj fig* twisted.

retórica *f* rhetoric.

retórico,-a *adj* rhetorical.

retornar(se) *t* (*restituir*) to return, give back. — **2** *i-p* (*volver*) to come/go back.

retorno *m* return. **2** (*recompensa*) reward.

retortijón *m* twisting. **2** *pl* MED cramps.

retozar [4] *i* to frolic, romp.

retractar(se) *t-p* to retract.

retraer(se) [88] *t* (*volver a traer*) to bring back. **2** (*reprochar*) to reproach. **3** (*disuadir*) to dissuade. — **4** *p* (*refugiarse*) to take refuge.

retraído,-a *adj* unsociable, withdrawn.

retransmisión *f* broadcast.

retransmisor *m* transmitter.

retransmitir *t* to broadcast.

retrasado,-a *adj* (*persona*) behind. **2** (*reloj*) slow. **3** (*tren*) late. **4** (*país*) backward. — **5** *m,f* mentally retarded person.

retrasar(se) *t* (*diferir*) to delay, put off. **2** (*reloj*) to put back. — **3** *i-p* (*ir atrás*) to fall behind: *va retrasado,-a en física,* he's behind in physics. **4** (*llegar tarde*) to be late. **5** (*reloj*) to be slow.

retraso *m* delay. **2** (*subdesarrollo*) backwardness.

retratar *t* ART to portray. **2** (*foto*) to photograph. **3** *fig* to describe.

retrato *m* ART portrait. **2** (*foto*) photograph. **3** *fig* description. ■ ~ *robot,* identikit/photofit picture.

retreta *f* retreat.

retrete *m* toilet, lavatory.

retribución *f* (*pago*) pay. **2** (*recompensa*) recompense, reward.

retribuir [41] *t* (*pagar*) to pay. **2** (*recompensar*) to remunerate, reward.

retroactivo,-a *adj* retroactive.

retroceder *i* to go back.

retroceso *m* backward movement.

retrógrado,-a *adj-m,f* reactionary.

retrospectivo,-a *adj-f* retrospective.

retrovisor *m* rear-view mirror.

retumbar *i* to resound.

reuma, reúma *m* rheumatism.

reumatismo *m* rheumatism.

reunión *f* meeting.

reunir(se) [19] *t-p* to meet.

revalidación *f* confirmation, ratification.

revalidar *t* to confirm, ratify.

revalorizar [4] *t* to revalue.

revancha *f* revenge.

revelación *f* revelation.

revelado *m* developing.

revelar *t* to reveal. **2** (*fotos*) to develop.

revender *t* to resell. **2** (*entradas*) to tout.

reventa *f* resale. **2** (*de entradas*) touting.

reventar(se) [27] *t-i-p* to burst. — **2** *t* (*molestar*) to annoy: *su amiga me revienta,* I hate his friend. — **3** *p* (*cansarse*) to tire o.s. out.

reventón *m* burst. **2** AUTO blowout.

reverberación *f* reverberation.

reverberar *i* to reverberate.

reverdecer [43] *i* to grow green again. **2** *fig* to revive.

reverencia *f* reverence. **2** (*gesto*) bow, curtsy.

reverenciar [12] *t* to revere, venerate.

reverendo,-a *adj-m,f* reverend.

reversible *adj* reversible.

reverso *m* reverse.

revertir [35] *i* to revert. **2** (*resultar*) to result (*en,* in).

revés *m* back, reverse. **2** (*bofetada*) slap. **3** (*contrariedad*) misfortune. ●*al/del ~,* (*al contrario*) the other way round; (*interior en exterior*) inside out; (*boca abajo*) upside down, the wrong way up; (*la parte de detrás delante*) back to front.

revestimiento *m* covering, coating.

revestir(se) [34] *t* to cover/coat (*de, with*). 2 (*disimular*) to conceal. 3 (*presentar*) to possess, have. – 4 *p* to arm o.s.: ~*se de paciencia,* to arm o.s. with patience.

revisar *t* to revise, review, check.

revisión *f* revision. ■ ~ *de cuentas,* audit; ~ *médica,* checkup.

revisor,-ra *m,f* ticket inspector.

revista *f* (*publicación*) magazine, review. 2 (*inspección*) inspection. 3 TEAT revue.

revistero *m* magazine rack.

revitalizar [4] *t* to revitalize.

revivir *i* to revive.

revocar [1] *t* (*dejar sin efecto*) to revoke. 2 (*disuadir*) to dissuade. 3 (*enlucir*) to plaster. 4 (*repintar*) to whitewash.

revolcar(se) [49] *t* (*derribar*) to knock down/over. 2 (*vencer*) to floor. – 3 *p* to roll about.

revolotear *i* to fly/flutter about.

revoloteo *m* fluttering.

revoltijo, revoltillo *m* mess, medley, jumble. 2 CULIN scrambled egg.

revoltoso,-a *adj* (*rebelde*) rebellious. 2 (*travieso*) mischievous, naughty. – 3 *m,f* (*sedicioso*) troublemaker.

revolución *f* revolution.

revolucionar *t* to revolutionize.

revolucionario,-a *adj-m,f* revolutionary.

revolver(se) [32] *t* (*agitar*) to stir, shake. 2 (*desordenar*) to mess up. 3 (*producir náuseas*) to upset. – 4 *p* (*moverse*) to move. 5 (*tiempo*) to turn stormy. ▲ *pp* *revuelto,-a.*

revólver *m* revolver. ▲ *pl* **revólveres.**

revuelo *m* fig commotion.

revuelta *f* (*revolución*) revolt, riot. 2 (*curva*) bend, turn.

revuelto,-a *pp* → **revolver.** – 2 *adj* (*desordenado*) confused, mixed up. 3 (*intricado*) intricate. 4 (*revoltoso*) agitated.

rey *m* king. ■ *(día de) Reyes,* the Epiphany; *los Reyes Magos,* the Three Kings, the Three Wise Men.

reyerta *f* quarrel, row, fight.

rezagar(se) [7] *t* to leave behind. 2 (*atrasar*) to delay, put off. – 3 *p* to fall/lag behind.

rezar [4] *t* to pray. 2 *fam* to say, read: *la carta reza así,* the letter says this.

rezo *m* prayer.

rezumar(se) *i* to ooze, leak. 2 fig to exude. – 3 *p* to leak out.

ría *f* estuary; (*técnicamente*) ria.

riada *f* flood.

ribera *f* (*de río*) bank. 2 (*de mar*) (sea)-shore.

ribete *m* border, trimming.

ribetear *t* to edge, border.

ricacho,-a, ricachón,-ona *m,f fam* moneybags.

rico,-a *adj* (*acaudalado*) rich, wealthy. 2 (*abundante*) rich; (*tierra*) fertile. 3 (*sabroso*) tasty, delicious. 4 *fam* lovely. 5 (*tratamiento*) sunshine: *mira ~, haz lo que te dé la gana,* look sunshine, just do what you want.

rictus *m inv* rictus. 2 (*de dolor*) wince. 3 (*de mofa*) grin.

ridiculez *f* ridiculous thing/action. 2 (*nimiedad*) triviality.

ridiculizar [4] *t* to ridicule.

ridículo,-a *adj* ridiculous, absurd. – 2 *m* ridicule. ●*hacer el ~,* to make a fool of o.s.; *poner a algn. en ~,* to make a fool of sb.

riego *m* irrigation, watering. ■ ~ *sanguíneo,* blood circulation.

riel *m* rail.

rienda *f* rein. 2 (*control*) restraint. ●*fig dar ~ suelta a,* to give free rein to.

riesgo *m* risk, danger.

rifa *f* raffle.

rifar *t* to raffle (off).

rigidez *f* stiffness. 2 (*severidad*) strictness.

rígido,-a *adj* rigid, stiff. 2 (*severo*) strict.

rigor *m* rigour. 2 (*severidad*) strictness. 3 (*dureza*) harshness. ●*de ~,* indispensable; *en ~,* strictly speaking.

riguroso,-a *adj* rigorous. 2 (*severo*) severe, strict.

rima *f* rhyme. 2 *pl* poems.

rimar *t-i* to rhyme.

rimbombante *adj* ostentatious.

rímel *m* mascara.

rincón *m* corner.

rinoceronte *m* rhinoceros.

riña *f* (*pelea*) fight. 2 (*discusión*) quarrel.

riñón *m* kidney. ●*fam costar un ~,* to cost a bomb.

río *m* river. ●*en ~ revuelto,* in troubled waters.

riqueza *f* (*cualidad*) richness. 2 (*abundancia*) wealth, riches *pl.*

risa *f* laugh. 2 *pl* laughter *sing.* ●*tomar a ~,* to treat as a joke.

risco *m* crag, cliff.

risotada *f* guffaw.

ristra *f* string: ~ *de ajos,* string of garlic.

risueño,-a *adj* smiling. 2 (*animado*) cheerful. 3 (*próspero*) bright.

ritmo *m* rhythm. **2** *fig* pace, speed: *trabajar a buen ~,* to work at a good pace.

rito *m* rite.

ritual *adj-m* ritual.

rival *mf* rival.

rivalidad *f* rivalry.

rivalizar [4] *i* to rival.

rizado,-a *adj (pelo)* curly. **2** MAR choppy. – **3** *m* curling.

rizar(se) [4] *t-p (pelo)* to curl. – **2** *t (papel)* to crease. ●*fig ~ el rizo,* to split hairs.

rizo *m* curl. **2** *(de agua)* ripple. **3** *(tejido)* terry towelling. **4** AV loop.

robar *t (banco, persona)* to rob; *(objeto)* to steal; *(casa)* to break into.

roble *m* oak (tree).

robo *m* theft, robbery; *(en casa)* burglary.

robot *m* robot.

robustecer [43] *t* to strengthen, fortify.

robusto,-a *adj* robust, strong.

roca *f* rock.

rocambolesco,-a *adj fam* incredible, fantastic.

roce *m (señal) (en superficie)* scuff mark; *(en piel)* chafing mark. **2** *(contacto físico)* light touch. **3** *(trato)* contact. **4** *(disensión)* friction.

rociador *m* sprayer.

rociar [13] *t* to spray. **2** *(arrojar)* to scatter. – **3** *i* to fall (dew): *hoy ha rociado,* there's a dew this morning. ▲ *3 used only in the 3rd pers. It does not take a subject.*

rocío *m* dew.

rockero,-a *adj* rock. – **2** *m,f (cantante)* rock singer, *(fan)* rock fan.

rocoso,-a *adj* rocky.

rodado,-a *adj (vehículo)* wheeled. **2** *(caballo)* dappled **3** *(piedra)* rounded. **4** *(persona)* experienced. ■ *tráfico ~,* wheeled traffic.

rodaja *f* slice.

rodaje *m* CINEM filming, shooting. **2** AUTO running-in.

rodar [31] *i (dar vueltas)* to roll, turn. **2** *(caer)* to roll down. **3** *(rondar)* to wander about, roam. **4** *(vehículos)* to run (on wheels). – **5** *t* CINEM to shoot. **6** AUTO to run in.

rodear(se) *t (cercar)* to surround, encircle. **2** *(hacer dar vuelta)* to make a detour. – **3** *p* to surrounds o.s. *(de,* with).

rodeo *m (desviación)* detour. **2** *(elusión)* evasiveness. **3** *(de ganado)* roundup. *(espectáculo)* rodeo.

rodera *f* tyre mark.

rodilla *f* knee. ●*ponerse de rodillas,* to kneel down.

rodillera *f* DEP knee pad. **2** COST knee patch.

rodillo *m* roller. **2** CULIN rolling pin.

rodríguez *m estar de ~,* to be a grass widower.

roedor,-ra *adj-m* rodent.

roer [82] *t* to gnaw.

rogar [52] *t* to request, ask, beg.

rojo,-a *adj-m-m,f* red.

rol *m* list, catalogue. **2** *(papel)* role.

rollizo,-a *adj* plump, chubby.

rollo *m* roll. **2** *fam (aburrimiento)* drag, bore. **3** *fam (amorío)* affair.

romance *adj-m* LING Romance (language). – **2** *m (amorío)* romance.

románico,-a *adj-m* ARQ Romanesque. **2** LING Romance.

romántico,-a *adj-m,f* romantic.

rombo *m* rhombus. **2** *(naipes)* diamond.

romería *f* pilgrimage. **2** *(excursión)* picnic.

romero,-a *m* BOT rosemary. – **2** *m,f (peregrino)* pilgrim.

rompecabezas *m inv* (jigsaw) puzzle. **2** *(problema)* riddle.

rompecorazones *mf inv fam* heartthrob.

rompeolas *m inv* breakwater.

romper(se) *t gen* to break; *(papel, tela)* to tear; *(cristal)* to smash. **2** *(gastar)* to wear out. **3** *(relaciones)* to break off. – **4** *i* to begin/start *(a,* with): *~ a llorar,* to start to cry. ●*de rompe y rasga,* resolute, determined; *~ con algn.,* to quarrel with sb.; *~se la cabeza,* to rack one's brains. ▲ *pp roto,-a.*

rompiente *m* reef.

ron *m* rum.

roncar [1] *i* to snore.

ronco,-a *adj* hoarse. ●*quedarse ~,* to lose one's voice.

ronda *f (patrulla)* patrol, night watch. **2** *(de policía)* beat. **3** *(visita)* round. **3** *(de bebidas, cartas)* round. **4** *(músicos)* group of strolling minstrels. **5** AUTO ring road.

rondar *t-i (vigilar)* to patrol. **2** *(merodear)* to prowl around.

ronquear *i* to be hoarse.

ronquera *f* hoarseness.

ronquido *m* snore, snoring.

ronronear *i* to purr.

roña *f (suciedad)* filth, dirt. – **2** *mf (tacaño)* scrooge.

roñoso,-a *adj (sucio)* filthy, dirty. **2** *(tacaño)* scrooge.

ropa *f* clothing, clothes *pl.* ■ *~ blanca,* linen; *~ interior,* underwear.

ropaje *m* clothing.

ropero *m* wardrobe.

roquero,-a *adj-m,f →* **rockero,-a**.

rosa *adj-m (color)* pink. — 2 *f* BOT rose. ●*fresco,-a como una ~,* as fresh as a daisy. ■ *~ náutica/de los vientos,* compass rose.

rosado,-a *adj* rosy, pink. — 2 *adj-m (vino)* rosé.

rosal *m* rosebush.

rosaleda *f* rose garden.

rosario *m* rosary. 2 *fig* string. ●*acabar como el ~ de la aurora,* to come to a bad end.

rosbif *m* roast beef.

rosca *f (en espiral)* thread. 2 *(anilla)* ring. ●*fam pasarse de ~,* to go too far.

rosco *m* ring-shaped roll/pastry. ●*arg no comerse un ~,* not to get one's oats.

rosquilla *f* doughnut.

rostro *m fml* face.

rotación *f* rotation.

rotativo,-a *adj* rotary. — 2 *m* newspaper.

rotatorio,-a *adj* rotary.

roto,-a *pp →* **romper**. — 2 *adj* broken. — 3 *m* hole, tear.

rotonda *f* rotunda.

rótula *f* knee-cap.

rotulador *m* felt-tip pen.

rotular *t* to label, letter.

rótulo *m (etiqueta)* label. 2 *(letrero)* sign. 3 *(anuncio)* poster, placard. ■ *~ luminoso,* illuminated sign.

rotundo,-a *adj* categorical. — 2 *rotundamente adv* flatly, roundly.

rotura *f* break(ing). 2 MED fracture.

roturar *t* to plough, US to plow.

rozadura *f* scratch.

rozar(se) [4] *t-i (tocar ligeramente)* to touch lightly. — 2 *t (raer)* to rub against. — 3 *p (tropezarse)* to trip over one's feet. 4 *(ser familiar)* to be familiar.

rubéola *f* German measles, rubella.

rubí *m* ruby. ▲ *pl* **rubíes**.

rubio,-a *adj* blond(e). ■ *tabaco ~,* Virginia tobacco.

rubor *m* blush, flush.

ruborizarse [4] *p* to blush, go red.

rúbrica *f* flourish (in signature). 2 *(título)* title.

rubricar [1] *t* to sign with a flourish. 2 *(respaldar)* to endorse.

rudeza *f* roughness, coarseness.

rudimentario,-a *adj* rudimentary.

rudimento *m* rudiment.

rudo,-a *adj* rough, coarse.

rueda *f* wheel. 2 *(círculo)* circle, ring. 3 *(rodaja)* round slice. 4 *(turno)* round. ●*fam ir sobre ruedas,* to go like clockwork. ■ *~ de recambio,* spare wheel.

ruego *m* request.

rufián *m (proxeneta)* pimp. 2 *(canalla)* scoundrel.

rugido *m* roar, bellow; *(del viento)* howl.

rugir [6] *i* to roar, bellow; *(viento)* to howl.

rugoso,-a *adj* rough, wrinkled.

ruido *m* noise. 2 *(jaleo)* din, row. ●*hacer/ meter ~,* to make a noise; *mucho ~ y pocas nueces,* much ado about nothing.

ruidoso,-a *adj* noisy, loud.

ruin *adj pey* mean, base, despicable, vile. 2 *(pequeño)* petty, insignificant. 3 *(tacaño)* stingy.

ruina *f* ruin. ●*amenazar ~,* to be about to collapse.

ruinoso,-a *adj* ruinous, disastrous.

ruiseñor *m* nightingale.

rulo *m (para pelo)* curler.

rumba *f* r(h)umba.

rumbo *m* course, direction. ●*(con) ~ a,* bound for.

rumiante *adj-m* ruminant.

rumiar [12] *i* to ruminate. 2 *fig* to meditate.

rumor *m (murmullo)* murmur. 2 *(noticia, voz)* rumour.

rumorearse *i* to be rumoured. ▲ *Used only in the 3rd pers. It does not take a subject.*

runrún, runruneo *m* buzz, noise.

rupestre *adj* rock. ■ *pintura ~,* cave painting.

ruptura *f* breaking, breakage. 2 *fig* breaking-off.

rural *adj* rural, country.

rústico,-a *adj* rustic. — 2 *m* peasant. ●*(libro) en rústica,* paper-backed (book).

ruta *f* route.

rutina *f* routine.

rutinario,-a *adj* routine.

S

sábado *m* Saturday.
sabana *f* savanna(h).
sábana *f* sheet.
sabandija *f* ZOOL bug. **2** *fig (persona)* swine, louse.
sabañón *m* chilblain.
sabático,-a *adj* sabbatical.
sabelotodo *mf inv pey* know-all.
saber [83] *m* knowledge. – **2** *t-i* to know. – **3** *i (sabor a)* to taste *(a,* of). **4** AM *(soler)* to be in the habit of. ●*hacer* ~, to inform; *que yo sepa,* as far as I know; ~ *(hablar) un idioma,* to be able to speak a language: *¿sabes francés?,* do/can you speak French?; *fml a* ~, namely; *fam ¡y yo que sé!,* how should I know!
sabiduría *f* knowledge. **2** *(prudencia)* wisdom.
sabiendas *a* ~, *adv* knowingly.
sabihondo,-a *m,f pey* know-(it-)all.
sabio,-a *adj-m,f* learned (person).
sablazo *m (golpe)* blow with a sabre. **2** *fam (de dinero)* sponging.
sable *m* sabre.
sablear *t fam* to touch for money, scrounge money from.
sabor *m* taste, flavour. **2** *fig* feeling. ●*fig dejar (a algn.) mal* ~ *de boca,* to leave a bad taste in one's mouth.
saborear *t* to taste. **2** *fig* to savour.
sabotaje *m* sabotage.
sabotear *t* to sabotage.
sabroso,-a *adj* tasty. **2** *(agradable)* pleasant, delightful.
sabueso *m* bloodhound. **2** *(persona)* sleuth.
sacacorchos *m inv* corkscrew.
sacapuntas *m inv* pencil sharpener.
sacar [1] *t gen* to take out. **2** *(obtener)* to get. **3** *(resolver)* to make out, solve. **4** *(quitar)* to remove. **5** *(extraer)* to extract, pull out. **6** *(restar)* to subtract. **7** *(premio)* to win. **8** *(foto)* to take. **9** *(moda)* to introduce. **10** *(billete)* to buy. **11** DEP to serve. **12** AM *(quitar)* to remove. ●~ *a bailar,* to ask to dance; ~ *a luz,* to bring to light; *(libro)* to publish; ~ *a relucir,* to mention; ~ *adelante,* to carry out; *(hijos)* to bring up; ~ *de quicio/sí,* to infuriate; ~ *de un apuro,* to bail out; ~ *algo en limpio,* to make sense of sth.; ~ *la lengua,* to stick one's tongue out.
sacarina *f* saccharin(e).
sacerdote *m* priest.
sacerdotisa *f* priestess.
saciar(se) [12] *t* to satiate; *(sed)* to quench. **2** *fig* to satisfy. – **3** *p* to satiate o.s., be satiated.
saciedad *f* satiety, satiation. ●*hasta la* ~, over and over (again).
saco *m* sack, bag. **2** *(contenido)* sackful, bagful. **3** AM coat. ■ ~ *de dormir,* sleeping bag.
sacramento *m* sacrament.
sacrificar(se) [1] *t* to sacrifice. **2** *(reses)* to slaughter. – **3** *p* to sacrifice o.s. *(por,* for).
sacrificio *m* sacrifice.
sacrilegio *m* sacrilege.
sacristán,-ana *m,f* verger, sexton.
sacristía *f* vestry, sacristy.
sacudida *f* shake.
sacudidor *m* carpet beater.
sacudir(se) *t* to shake. **2** *(para quitar el polvo)* to shake off. **3** *(golpear)* to beat. – **4** *p* to shake off.
sádico,-a *adj* sadistic. – **2** *m,f* sadist.
sagacidad *f* sagacity.
sagaz *adj* clever, sagacious.
Sagitario *m inv* Sagittarius.
sagrado,-a *adj* sacred, holy.
sagrario *m* tabernacle.
sainete *m* TEAT comic sketch.

sal *f* salt. **2** *fig* wit. ■ *sales de baño,* bath salts.

sala *f* room. **2** *(de hospital)* ward. **3** JUR *(lugar)* courtroom; *(tribunal)* court. ■ ~ *de espera,* waiting room; ~ *de fiestas,* nightclub, discotheque.

salado,-a *adj* salted. **2** *fam fig* witty. **3** AM unlucky.

salamandra *f* salamander.

salar *t* to salt.

salario *m* salary, wages *pl.*

salazón *f* salted meat/fish.

salchicha *f* sausage.

salchichón *m* salami-type sausage.

saldar *t (cuenta)* to settle, balance. **2** *(rebajar)* to sell off.

saldo *m (de una cuenta)* balance. **2** *(pago)* liquidation, settlement. **3** *(mercancía)* remnant: *precios de* ~, bargain prices.

salero *m* saltcellar. **2** *fig (gracia)* charm, wit.

saleroso,-a *adj* charming, witty.

salida *f (acto)* departure. **2** DEP start. **3** *(excursión)* trip, outing. **4** *(puerta etc.)* exit, way out. **5** *(astro)* rising. **6** *(despacho)* dispatch. **7** FIN *(inversión)* outlay. **8** INFORM output. **9** *fig (ocurrencia)* witty remark. ■ ~ *de tono,* improper remark.

saliente *adj* projecting. — **2** *m* projection.

salir(se) [84] *i gen* to go out. **2** *(ir de dentro para fuera)* to come out: *ven, sal al jardín,* come out here into the garden. **3** *(partir)* to leave: *el autobús sale a las tres,* the bus leaves at three. **4** *(aparecer)* to appear: ~ *en los periódicos,* to be/appear in the newspapers. **5** *(proceder)* to come *(de,* from). **6** *(resultar)* to turn out) to be: ~ *vencedor,-ra* to be the winner. **7** *(venir a costar)* to come to. **8** *(sobresalir)* to project, stand out. — **9** *p (líquido)* to leak (out). ●~ *adelante,* to be successful; ~ *bien/mal,* to turn out well/badly; ~ *con algn.,* to go out with sb.; ~ *con algo,* to come out with: *¡ahora me sales con esa!,* now you come out with this!; ~ *pitando/disparado,-a,* to rush out; *fam* ~*se con la suya,* to get one's own way.

saliva *f* saliva.

salmo *m* psalm.

salmón *m* salmon.

salmonete *m* red mullet.

salmuera *f* brine.

salón *m (en casa)* drawing room, lounge. **2** *(público)* hall. ■ ~ *de actos,* assembly hall; ~ *de baile,* ballroom; ~ *de belleza,* beauty salon/parlour.

salpicadero *m* dashboard.

salpicadura *f* splash(ing).

salpicar [1] *t* to splash, spatter. **2** *fig* to sprinkle.

salpicón *m* CULIN cocktail.

salpimentar [1] *t* to season.

salsa *f* sauce.

salsera *f* gravy boat.

saltador,-ra *adj* jumping. — **2** *m,f* jumper.

saltamontes *m inv* grasshopper.

saltar(se) *i* to jump. **2** *(romperse)* to break. **3** *(desprenderse)* to come off. **4** *fig (enfadarse)* to blow up. — **5** *t* to jump (over). **6** *(omitir)* to skip, miss out. — **7** *p (ley etc.)* to ignore. ●~ *a la cuerda/comba,* to skip; ~ *en pedazos,* to break into pieces; *fig* ~ *a la vista,* to be obvious.

saltimbanqui *mf (titiritero)* puppeteer. **2** *(malabarista)* juggler.

salto *m* jump, leap. **2** DEP jump; *(natación)* dive. **3** *fig* gap. ●*fig a* ~ *de mata,* flying and hiding; *fig en un* ~, in a flash. ■ ~ *de agua,* waterfall, falls *pl;* ~ *de cama,* negligée; ~ *mortal,* somersault.

salubre *adj* salubrious, healthy.

salud *f* health. — **2** *interj* cheers!

saludable *adj* healthy, wholesome. **2** *(beneficioso)* good.

saludar *t* to say hello to; *(mostrando respeto)* to greet. **2** MIL to salute. ●*salúdale de mi parte,* give him/her my regards.

saludo *m,* **salutación** *f* greeting. ●*(en carta)* "*un (atento)* ~ *de ...*", "best wishes from ... ".

salvación *f* salvation.

salvado *m* bran.

salvador,-ra *adj* saving. — **2** *m,f* saviour.

salvaguardar *t* to safeguard *(de,* from).

salvaguardia *f* safeguard, protection. — **2** *m* guardian.

salvajada *f* atrocity.

salvaje *adj gen* wild; *(pueblo)* savage, uncivilized. — **2** *mf* savage.

salvam(i)ento *m* rescue.

salvar(se) *t* to save, rescue *(de,* from). **2** *(obstáculo)* to clear. **3** *(dificultad)* to overcome. **4** *(distancia)* to cover. **5** *(exceptuar)* to exclude. — **6** *p (sobrevivir)* to survive. **7** REL to be saved. ●*¡sálvese quien pueda!,* every man for himself!

salvavidas *m inv* lifebelt.

salvedad *f* exception.

salvia *f* sage.

salvo,-a *adj* unharmed, safe. — **2** *adv* except (for). ●*estar a* ~, to be safe.

salvoconducto *m* safe-conduct.

sambenito *m fig* stigma. •*colgarle un ~ a algn.,* to give sb. a bad name.

san *adj →* **santo,-a**. ▲ *Used before all masculine names except those beginning To- and Do-.*

sanar *t-i* to heal, cure. − **2** *i (enfermo)* to recover, get better.

sanatorio *m* sanatorium.

sanción *f* sanction.

sancionar *t* to sanction.

sandalia *f* sandal.

sándalo *m* sandalwood.

sandía *f* watermelon.

sanear *t (tierra)* to drain. **2** *(edificio)* to clean. **3** *fig* to remedy, put right.

sangrar *t-i* to bleed. − **2** *t (texto)* to indent.

sangre *f* blood. •*de ~ caliente/fría,* warm-/cold-blooded. ■ *~ fría,* sang-froid.

sangría *f (bebida)* sangria. **2** MED bleeding. **3** *(texto)* indentation.

sangriento,-a *adj* bloody. **2** *(cruel)* cruel.

sanguijuela *f* leech.

sanguinario,-a *adj* bloodthirsty.

sanidad *f* health. **2** *(servicios)* public health.

sanitario,-a *adj* sanitary. − **2** *m,f* health officer. − **3** *m* toilet. **4** *pl* bathroom fittings.

sano,-a *adj* healthy. **2** *(entero)* sound. •*~ y salvo,* safe and sound.

santiamén *en un ~, adv* in the twinkling of an eye.

santidad *f* saintliness, holiness.

santificar [1] *t* to sanctify.

santiguar(se) [22] *t* to bless. − **2** *p* to cross o.s.

santo,-a *adj* holy, sacred. **2** *(para enfatizar)* blessed: **todo el ~ día,** the whole day long. − **3** *m,f* saint. − **4** *m (onomástica)* saint's day. •*fam írsele a algn. el ~ al cielo,* to clean forget sth. ■ *~ y seña,* countersign. ▲ → **san**.

santuario *m* sanctuary.

saña *f (enojo)* rage, fury. **2** *(crueldad)* cruelty.

sapo *m* toad.

saque *m (tenis)* service. **2** *(fútbol)* kick-off.

saquear *t* to sack, plunder; *(en casas y comercios)* to loot.

saqueo *m* sacking, plundering; *(casa, comercio)* looting.

sarampión *m* measles *pl.*

sarcasmo *m* sarcasm.

sarcástico,-a *adj* sarcastic.

sardina *f* sardine.

sargento *m* sergeant.

sarna *f* MED scabies. **2** ZOOL mange.

sarro *m* MED tartar. **2** *(sedimento)* deposit.

sarta *f* string.

sartén *f* frying pan, US skillet. •*fig tener la ~ por el mango,* to have the upper hand.

sastre,-a *m,f* tailor, *f* tailoress.

sastrería *f (tienda)* tailor's shop. **2** *(oficio)* tailoring.

satánico,-a *adj* satanic.

satélite *m* satellite.

satén *m* satin.

sátira *f* satire.

satírico,-a *adj* satiric(al).

satirizar [4] *t* to satirize.

sátiro *m* satyr.

satisfacción *f* satisfaction.

satisfacer(se) [85] *t* to satisfy. **2** *(deuda)* to pay. − **3** *p* to be satisfied. ▲ *pp* **satisfecho,-a**.

satisfactorio,-a *adj* satisfactory.

satisfecho,-a *pp →* **satisfacer**. − **2** *adj (contento)* satisfied, pleased. **3** *(presumido)* self-satisfied.

saturar *t* to saturate.

sauce *m* willow. ■ *~ llorón,* weeping willow.

sauna *f* sauna.

savia *f* sap.

saxofón, saxófono *m* saxophone.

sayo *m* cassock.

sazón *f (madurez)* ripeness. **2** *(sabor)* taste. **3** *(tiempo, ocasión)* season, time. •*a la ~,* at that time.

sazonar(se) *t-p (madurar)* to ripen, mature. − **2** *t (comida)* to season, flavour.

se *pron (reflexivo) (a él mismo)* himself; *(a ella misma)* herself; *(de por sí)* itself; *(a usted mismo)* yourself; *(a ellos mismos)* themselves; *(a ustedes mismos)* yourselves. **2** *(recíproco)* one another, each other: *~ quieren,* they love each other. **3** *(en pasivas e impersonales) ~ dice que ...,* it is said that ..., *~ han abierto las puertas,* the doors have been opened. **4** *(objeto indirecto) (a él)* him; *(a ella)* her; *(cosa)* it; *(a usted/ustedes)* you; *(a ellos/ellas)* them: *~ lo diré mañana, (a usted)* I'll tell you tomorrow; *(a él/ella)* I'll tell him/her tomorrow; *(a ellos/ellas)* I'll tell them tomorrow. ▲ **4** *is used before* **la, las, lo, los** *instead of* **le** *or* **les**.

sé *pres indic →* **saber**. − **2** *imperat →* **ser**.

sebo *m* fat. **2** *(para velas)* tallow.

secador,-ra *m* dryer. − **2** *f* clothes-/tumble-dryer. ■ *~ de pelo,* hairdryer.

secano *m* dry land.

secante *adj* drying. − 2 *adj-f (geometría)* secant. − 3 *m (papel)* ~, blotting paper.

secar(se) *t* to dry; *(lágrimas, vajilla)* to wipe. − 2 *p* to dry. 3 *(planta)* to wither. 4 *(enflaquecer)* to become thin.

sección *f* section.

seccionar *t* to section.

seco,-a *adj* gen dry. 2 *(delgado)* skinny. 3 *(planta)* withered. 4 *(golpe, ruido)* sharp. ●*a secas,* simply, just.

secreción *f* secretion.

secretaría *f* (secretary's) office.

secretario,-a *m,f* secretary.

secreto,-a *adj-m* secret.

secta *f* sect.

sector *m* sector. 2 *(zona)* area.

secuaz *mf* follower, supporter.

secuela *f* consequence.

secuencia *f* sequence.

secuestrador,-ra *m,f* kidnapper. 2 *(de avión)* hijacker.

secuestrar *t* to kidnap. 2 *(avión)* to hijack.

secuestro *m* kidnapping. 2 *(de avión)* hijacking.

secular *adj-m* secular.

secundar *t* to support.

secundario,-a *adj* secondary.

sed *f* thirst. ●*tener* ~, to be thirsty.

seda *f* silk. ●*fig como una* ~, smoothly.

sedal *m* fishing line.

sedante *adj-m* sedative.

sede *f (oficina central)* headquarters central office. 2 *(del gobierno)* seat. ■ *la Santa Sede,* the Holy See.

sedentario,-a *adj* sedentary.

sedición *f* sedition.

sediento,-a *adj* thirsty.

sedimentar(se) *t-p* to settle.

sedimento *m* sediment.

sedoso,-a *adj* silky, silken.

seducción *f* seduction.

seducir [46] *t* to seduce.

seductor,-ra *adj* seductive. 2 *(atractivo)* captivating. − 3 *m,f* seducer.

segador,-ra *m,f* harvester, reaper. − 2 *f* harvester, reaper; *(de césped)* lawn mower.

segar [48] *t* to reap; *(césped)* to mow.

seglar *adj* secular, lay. − 2 *mf* lay person.

segmento *m* segment.

segregación *f* segregation.

segregar [7] *t* to segregate.

seguido,-a *adj* continuous. 2 *(consecutivo)* consecutive: *dos días seguidos,* two

days running. 3 *(recto)* straight. ●*en seguida,* at once, immediately.

seguidor,-ra *m,f* follower.

seguimiento *m* pursuit.

seguir(se) [56] *t-p gen* to follow. − 2 *t (perseguir)* to pursue, chase. 3 *(continuar)* to continue. − 4 *i (proseguir)* to go on.

según *prep* according to: ~ *lo que dicen,* according to what they say. 2 *(depende)* depending on: ~ *lo que digan,* depending on what they say. 3 *(como)* just as. 4 *(a medida que)* as.

segundero *m* second hand.

segundo,-a *adj-m,f* second. − 2 *m* second. ●*decir algo con segundas,* to say sth. with a double meaning.

seguridad *f* security. 2 *(física)* safety. 3 *(certeza)* certainty, sureness. 4 *(confianza)* confidence. ■ ~ *social,* National Health Service.

seguro,-a *adj* secure. 2 *(físicamente)* safe. 3 *(firme)* firm, steady. 4 *(cierto)* certain. 5 *(confiado)* confident. − 6 *m (contrato, póliza)* insurance. 7 *(mecanismo)* safety catch/device. − 8 *adv* for sure, definitely. 9 *seguramente (de cierto)* surely. 10 *(probablemente)* most likely, probably: *seguramente vendrá hoy,* he/she will probably come today. ●*sobre* ~, without risk. ■ ~ *de vida,* life insurance.

seis *adj* six; *(sexto)* sixth. − 2 *m* six.

seiscientos,-as *adj* six hundred; *(ordinal)* six hundredth. − 2 *m* six hundred.

seísmo *m* earthquake.

selección *f* selection. ■ DEP ~ *nacional,* national team.

seleccionar *t* to select.

selectividad *f* selectivity. 2 EDUC university entrance examination.

selecto,-a *adj* select. 2 *(escogido)* exclusive.

selector *m* selector button.

selva *f (bosque)* forest. 2 *(jungla)* jungle.

sellar *t* to stamp; *(lacrar)* to seal. 2 *(cerrar)* to close. 3 *fig* to conclude.

sello *m* stamp. 2 *(de estampar, precinto)* seal. 3 *(distintivo)* hallmark.

semáforo *m* traffic lights *pl.*

semana *f* week. ■ ~ *Santa,* Easter; *(estrictamente)* Holy Week.

semanal *adj* weekly.

semanario *m* weekly magazine.

semántica *f* semantics.

semblante *m (cara)* face. 2 *(expresión)* countenance. 3 *(apariencia)* look.

sembrar [27] *t* AGR to sow. 2 *(esparcir)* to scatter, spread.

semejante *adj* similar. 2 *(tal)* such: ~ *insolencia,* such insolence. − 3 *m* fellow being.

semejanza *f* similarity, likeness.

semejar(se) *i-p* to resemble, be alike.

semen *m* semen.

semental *m* stud.

semestre *m* six-month period, semester.

semicírculo *m* semicircle.

semilla *f* seed.

semillero *m* seedbed. 2 *fig* hotbed.

seminario *m* EDUC seminar. 2 REL seminary.

seminarista *m* seminarist.

sémola *f* semolina.

sempiterno,-a *adj* everlasting, eternal.

senado *m* Senate.

senador,-ra *m,f* senator.

sencillez *f* simplicity.

sencillo,-a *adj* simple. 2 *(persona)* natural, unaffected. 3 *(ingenuo)* naïve.

senda *f,* **sendero** *m* path.

sendos,-as *adj* each.

senectud *f* old age.

senil *adj* senile.

seno *m* breast. 2 *fig* bosom. 3 *(matriz)* womb. 4 *(cavidad)* cavity, hollow. 5 MAT sine.

sensación *f* sensation, feeling.

sensacional *adj* sensational.

sensacionalismo *m* sensationalism.

sensatez *f* (good) sense.

sensato,-a *adj* sensible.

sensibilidad *f* sensitivity.

sensibilizar [4] *t* to sensitize.

sensible *adj* sensitive. 2 *(manifiesto)* perceptible, noticeable.

sensiblería *f* mawkishness.

sensitivo,-a *adj* sensitive.

sensual *adj* sensual.

sensualidad *f* sensuality.

sentado,-a *adj* seated, sitting. ●*dar algo por* ~, to take sth. for granted.

sentar(se) [27] *t* to sit, seat. 2 *(establecer)* to establish. − 3 *i (quedar bien/mal)* to suit; *(comida)* to agree with: *esta corbata te sienta bien,* this tie suits you. 4 *(agradar)* to please. − 5 *p* to sit down.

sentencia *f (decisión)* judgement. 2 *(condena)* sentence. 3 *(aforismo)* proverb, maxim.

sentenciar [12] *t* to sentence *(a,* to).

sentido,-a *adj* felt. 2 *(sensible)* touchy. − 3 *m* gen sense. 4 *(dirección)* direction. ●*perder el* ~, to faint; *tener* ~, to make sense. ■ ~ *común,* common sense; ~ *del humor,* sense of humour.

sentimental *adj* sentimental.

sentimiento *m* feeling. 2 *(pena)* sorrow, grief.

sentir(se) [35] *m (sentimiento)* feeling. 2 *(opinión)* opinion. − 3 *t-p* to feel. − 4 *t (lamentar)* to regret. 5 *(oír)* to hear. ●*¡lo siento!,* I'm sorry!; ~ *frío/miedo,* to be cold/afraid; ~*se mal,* to feel ill.

seña *f (indicio, gesto)* sign. 2 *(señal)* mark. 3 *pl* address *sing.* ●*hacer señas,* to signal. ■ *señas personales,* particulars.

señal *f* sign, signal. 2 *(marca)* mark; *(vestigio)* trace. 3 *(cicatriz)* scar. 4 *(de pago)* deposit. ●*en* ~ *de,* as a sign/token of. ■ ~ *de comunicar,* engaged tone, US busy signal; ~ *de la cruz,* sign of the cross; ~ *de tráfico,* road sign.

señalado,-a *adj* distinguished, famous. 2 *(fijado)* appointed.

señalar(se) *t (marcar)* to mark. 2 *(hacer notar)* to point to. 3 *(con el dedo)* to point at. 4 *(designar)* to appoint; *(fecha, lugar)* to set, determine. − 5 *p* to distinguish o.s.

señalización *f* road signs *pl.*

señor,-ra *adj (noble)* distinguished. 2 *fam* fine: *es un* ~ *coche,* it's quite a car. − 3 *m* man; *(caballero)* gentleman. 4 *(amo)* master. 5 *(en tratamientos)* sir; *(delante apellido)* Mr. − 6 *f* woman; *fml* lady. 7 *(ama)* mistress. 8 *(esposa)* wife. 9 *(en tratamientos)* madam; *(delante apellido)* Mrs. ■ *Nuestro,-a Señor/Señora,* Our Lord/Lady.

señoría *f fml (para hombre)* lordship; *(para mujer)* ladyship.

señorío *m (mando)* dominion. 2 *(territorio)* estate. 3 *(en el porte)* elegance. 4 *(nobleza)* nobility.

señorito,-a *m (tratamiento)* master. 2 *pey* daddy's boy. − 3 *f* young lady. 4 *(delante apellido)* miss.

señuelo *m* decoy.

sepa *pres subj* → **saber**.

separación *f* separation.

separado,-a *adj* separate. 2 *(divorciado)* separated.

separar(se) *t-p* to separate. − 2 *t (guardar)* to set aside.

separatismo *m* separatism.

sepelio *m* burial, interment.

sepia *f* cuttlefish. − 2 *adj-m (color)* sepia.

septentrional *adj* northern.

séptico,-a *adj* septic.

septiembre *m* September.

séptimo,-a *adj-m,f* seventh.

sepulcral *adj* sepulchral. ■ *silencio* ~, deathly silence.

sepulcro *m* tomb.

sepultar *t* to bury.

sepultura *f* grave. •*dar ~ a,* to bury.

sepulturero *m* gravedigger.

sequedad *f* dryness. 2 *fig* curtness.

sequía *f* drought. 2 AM thirst.

séquito *m* entourage, retinue.

ser [86] *i gen* to be. 2 *(pertenecer)* to belong *(de,* to). 3 *(proceder)* to come from. – 4 *verbo aux* to be: *fue encontrado,-a por Juan,* it was found by Juan; *es de esperar que ...,* it is to be expected that ... . – 5 *m (ente)* being. 6 *(valor)* core. •*a no ~ que,* unless; *a poder ~,* if possible; *de no ~ por ...,* had it not been for ...; *érase una vez,* once upon a time; *es más,* furthermore; *sea como sea,* in any case; *~ de,* to be made of: *es de madera,* it's made of wood; *fam ~ muy suyo,-a,* to be an eccentric.

serenarse *p* to become calm. 2 METEOR to clear up.

serenidad *f* serenity, calm.

sereno,-a *adj (sosegado)* calm. 2 METEOR clear. – 3 *m* night watchman.

serial *m* serial.

serie *f* series *inv.* ■ *fabricación en ~,* mass production.

seriedad *f (gravedad)* seriousness, gravity. 2 *(formalidad)* reliability.

serio,-a *adj* serious. 2 *(formal)* reliable. •*en ~,* seriously.

sermón *m* sermon.

serpentina *f* streamer.

serpiente *f* snake. ■ *~ de cascabel,* rattlesnake.

serrar [27] *t* to saw.

serrería *f* sawmill.

serrín *m* sawdust.

serrucho *m* handsaw.

servicial *adj* obliging.

servicio *m* service. 2 *(criados)* servants *pl.* 3 *(juego)* set: *~ de té,* tea set. 4 *pl* toilet *sing.* •*estar de ~,* to be on duty. ■ *~ a domicilio,* delivery service.

servidor,-ra *m,f* servant. 2 *(eufemismo)* me: *¿Francisco Reyes?,* —*~,* Francisco Reyes?, —yes? •*fml ~ de usted,* at your service; *fml su seguro ~,* yours faithfully.

servidumbre *f* servitude. 2 *(criados)* servants *pl.*

servil *adj* servile.

servilismo *m* servility.

servilleta *f* napkin, serviette.

servir(se) [34] *t-i* to serve. – 2 *i (ser útil)* to be useful. – 3 *p (comida etc.)* to help o.s. •*~ de,* to be used as; *~ para,* to be used for; *~se de,* to make use of; *fml sírvase,* please.

sesenta *adj* sixty; *(ordinal)* sixtieth. – 2 *m* sixty.

sesión *f* session, meeting. 2 CINEM showing. ■ *~ de tarde,* matinée.

seso *m* brain. 2 *fig* brains *pl.* •*fig calentarse/devanarse los sesos,* to rack one's brains.

seta *f* mushroom; *(no comestible)* toadstool.

setecientos,-as *adj* seven hundred; *(ordinal)* seven hundredth. – 2 *m* seven hundred.

setenta *adj* seventy; *(ordinal)* seventieth. – 2 *m* seventy.

setiembre *m* → **septiembre**.

seto *m* hedge.

seudónimo *m* pseudonym; *(de escritores)* pen name.

severidad *f* severity.

severo,-a *adj* severe.

sexagésimo,-a *adj-m,f* sixtieth.

sexista *adj* sexist. 2 *(machista)* male chauvinist.

sexo *m* sex. 2 *(órganos)* genitals *pl.*

sexto,-a *adj-m,f* sixth.

sexual *adj* sexual.

sexualidad *f* sexuality.

short *m* shorts *pl.*

si *conj* if, whether. 2 *(para enfatizar)* but: *¡~ yo no quería,* but I didn't want it! – 3 *m* MÚS ti, si, B. •*~ bien,* although; *por ~ acaso,* just in case. ▲ *pl of 3 is* **sis**.

sí *adv* yes. 2 *(enfático) (no se traduce) ~ que me gusta,* of course I like it. – 3 *pron pers (él)* himself; *(ella)* herself; *(cosa)* itself; *(uno mismo)* oneself; *(plural)* themselves. – 4 *m* yes. •*estar fuera de ~,* to be beside o.s.; *volver en ~,* to regain consciousness; *un día ~ y otro no,* every other day. ▲ *pl of 4 is* **síes**.

sibarita *adj-mf* sybarite.

sidecar *m* sidecar.

siderurgia *f* iron and steel industry.

sidra *f* cider.

siega *f* harvest. 2 *(acción)* reaping.

siembra *f* sowing.

siempre *adv* always. •*para ~,* forever, for good; *~ que/y cuando,* provided, as long as.

sien *f* temple.

sierra *f* saw. 2 GEOG mountain range.

siervo,-a *m,f* slave.

siesta *f* siesta, afternoon nap.

siete adj seven; (séptimo) seventh. – 2 m seven. 3 (rasgón) tear.

sífilis f inv syphilis.

sifón m (tubo encorvado) siphon. 2 (tubo acodado) U-bend. 3 (bebida) soda (water).

sigiloso,-a adj secretive.

sigla f acronym.

siglo m century. ■ el Siglo de Oro, the Golden Age.

signatario,-a adj-m,f signatory.

significación f meaning. 2 (trascendencia) significance.

significado,-a adj well-known. – 2 m meaning.

significar(se) [1] t to mean. 2 (hacer saber) to make known. – 3 p to stand out.

significativo,-a adj significant.

signo m sign. 2 GRAM mark. ■ ~ de admiración/interrogación, exclamation/question mark.

siguiente adj following, next.

sílaba f syllable.

silbar i to whistle. 2 (abuchear) to hiss.

silbato m whistle.

silbido m whistle.

silenciador m silencer.

silenciar [12] t (sonido) to muffle. 2 (callar) to hush.

silencio m silence. ●guardar ~, to keep quiet.

silencioso,-a adj quiet, silent.

silicona f silicone.

silla f chair. ■ ~ de montar, saddle; ~ de ruedas, wheelchair; ~ giratoria, swivel chair; ~ plegable, folding chair.

sillín m saddle.

sillón m armchair.

silo m silo.

silogismo m syllogism.

silueta f silhouette. 2 (figura) figure, shape.

silvestre adj wild.

sima f abyss, chasm.

simbólico,-a adj symbolic(al).

simbolizar [4] t to symbolize.

símbolo m symbol.

simetría f symmetry.

simétrico,-a adj symmetric(al).

simiente f seed.

símil adj similar. – 2 m (comparación) comparison. 3 (literario) simile.

similar adj similar.

similitud f similarity.

simio m simian, monkey.

simpatía f (cordialidad) affection. 2 (amabilidad) pleasant manner. 3 (afinidad) affinity. ●cogerle ~ a algn., to take a liking to sb.

simpático,-a adj pleasant, nice. ●hacerse el ~, to ingratiate o.s.

simpatizante adj supporting. – 2 mf supporter.

simpatizar [4] i to get on (con, with).

simple adj simple. 2 (mero) mere. – 3 mf simpleton. – 4 simplemente adv simply.

simpleza f (idiotez) simple-mindedness. 2 (tontería) nonsense.

simplicidad f simplicity.

simplificar [1] t to simplify.

simposio m symposium.

simulacro m sham, pretence: un ~ de ataque, a mock attack.

simular t to simulate, feign.

simultáneo,-a adj simultaneous. – 2 simultáneamente adv simultaneously.

sin prep without. ●~ embargo, nevertheless.

sinagoga f synagogue.

sincerarse p to open one's heart (con, to).

sinceridad f sincerity.

sincero,-a adj sincere.

síncope m syncope.

sincronizar [4] t synchronize.

sindicato m (trade) union.

síndrome m syndrome.

sinfín m endless number.

sinfonía f symphony.

singular adj (único) singular, single. 2 (excepcional) extraordinary. 3 (raro) peculiar. – 4 m GRAM singular.

singularidad f singularity. 2 (excepcionalidad) strangeness. 3 (rareza) peculiarity.

singularizar(se) [4] t to distinguish, single out. – 2 p to distinguish o.s.

siniestro,-a adj left, left-hand. 2 (malo) sinister. – 3 m disaster; (incendio) fire. – 4 f left hand.

sinnúmero m endless number.

sino conj but, except.

sinónimo,-a adj synonymous. – 2 m synonym.

sinóptico,-a adj synoptic(al). ■ cuadro ~, diagram.

sinsabor m worry, trouble.

sintáctico,-a adj syntactic(al).

sintaxis f inv syntax.

síntesis f inv synthesis.

sintético,-a adj synthetic.

síntoma m symptom.

sintonizar [4] *t* to tune in to. – 2 *i fig* to get on well.

sinusitis *f inv* sinusitis.

sinvergüenza *mf* cheeky devil.

siquiera *conj* although. – 2 *adv* at least. ●*ni ~,* not even.

sirena *f* siren.

sirimiri *m* fine drizzle.

sirviente,-a *m,f* servant.

sisa *f* COST dart. 2 *(hurto)* petty theft.

sisar *t* COST to dart. 2 *(hurtar)* to pilfer, filch.

sisear *i* to hiss.

sistema *m* system.

sistemático,-a *adj* systematic.

sitiar [12] *t* to besiege.

sitio *m* place. 2 *(espacio)* space, room. 3 MIL siege. ●*hacer ~,* to make room *(a, for).*

sito,-a *adj fml* located.

situación *f* situation. 2 *(posición)* position.

situar(se) [11] *t* to place, locate. – 2 *p* to be placed.

so *prep fml* under. ●*~ pena de,* under penalty of, on pain of.

sobaco *m* armpit.

sobar *t (ablandar)* to knead. 2 *(manosear)* to fondle.

soberanía *f* sovereignty.

soberano,-a *adj-m,f* sovereign.

soberbia *f* arrogance. 2 *(magnificiencia)* sumptuousness.

soberbio,-a *adj* arrogant. 2 *(magnífico)* superb.

sobón,-ona *adj-m,f fam* randy/fresh (person).

sobornar *t* to bribe.

soborno *m* bribery. 2 *(regalo)* bribe.

sobra *f* excess, surplus. 2 *pl* leftovers. ●*de ~, (no necesario)* superfluous; *(excesivo)* more than enough.

sobrado,-a *adj* abundant.

sobrar *i (quedar)* to be left over. 2 *(sin aprovechar)* to be more than enough. 3 *(estar de más)* to be superfluous.

sobre *prep (encima)* on, upon. 2 *(por encima)* over, above. – 3 *m* envelope. ●*~ todo,* above all.

sobrecarga *f* overload.

sobrecargar [7] *t* to overload.

sobrecogedor,-ra *adj* dramatic. 2 *(que da miedo)* frightening.

sobredosis *f inv* overdose.

sobrehilar *t* to whipstitch.

sobrellevar *t* to bear, endure.

sobremesa *f* after-dinner chat.

sobrenatural *adj* supernatural.

sobrentender(se) [28] *t* to deduce, infer. – 2 *p* to go without saying.

sobrepasar *t* to exceed.

sobreponer(se) [78] *t* to put on top. – 2 *p* to overcome *(a, -).* ▲ *pp* **sobrepuesto,-a**.

sobrepujar *t* to surpass.

sobresaliente *adj* outstanding. – 2 *m (calificación)* A, first.

sobresalir [84] *i (exceder)* to stand out, excel. 2 *(abultar)* to protrude.

sobresaltar(se) *t* to startle. – 2 *p* to be startled.

sobresalto *m* start; *(de temor)* fright.

sobretodo *m* overcoat.

sobrevenir [90] *i* to happen, occur.

sobrevivir *i* to survive.

sobrevolar [31] *t* to fly over.

sobriedad *f* sobriety, moderation.

sobrino,-a *m,f m* nephew, *f* niece.

sobrio,-a *adj* sober, temperate.

socarrón,-ona *adj* sarcastic, sly.

socarronería *f* slyness.

socavar *t fig* to undermine.

sociable *adj* sociable, friendly.

social *adj* social.

socialdemocracia *f* social democracy.

socialismo *m* socialism.

socialista *adj-mf* socialist.

sociedad *f* society. 2 COM company. ■ *~ anónima,* limited company, US incorporated company; *~ limitada,* private limited company.

socio,-a *m,f* member. 2 COM partner.

sociología *f* sociology.

socorrer *t* to help, assist.

socorrismo *m* life-saving.

socorrista *mf* life-saver, lifeguard.

socorro *m* help, aid, assistance. – 2 *interj* help!

soda *f* soda (water).

sodomita *adj-mf* sodomite.

soez *adj* vulgar, crude.

sofá *m* sofa, settee. ▲ *pl* **sofás**.

sofisticado,-a *adj* sophisticated.

sofocante *adj* suffocating, stifling.

sofocar(se) [1] *t* to suffocate, smother. 2 *(incendio)* to put out, extinguish. – 3 *p (ruborizarse)* to blush.

sofoco *m* suffocation. 2 *(vergüenza)* embarrassment.

sofreír [37] *t* to fry lightly, brown. ▲ *pp* **sofrito,-a**.

sofrito,-a *pp* → **sofreír**. – 2 *m* fried tomato and onion sauce.

soga *f* rope, cord.

soja *f* soya bean.

sol *m* sun. 2 *(luz)* sunlight, sunshine. 3 MÚS sol, G. ●*tomar el ~,* to sunbathe.

solamente *adv* only.

solapa *f (de prenda)* lapel. 2 *(de sobre, libro)* flap.

solar *adj* solar. — 2 *m (terreno)* plot. 3 *(casa)* ancestral house.

solariego,-a *adj* noble. ■ *casa solariega,* manor-house.

soldado *m* soldier. ■ *~ raso,* private.

soldadura *f* soldering, welding.

soldar [31] *t* to solder, weld.

soleado,-a *adj* sunny.

soledad *f* solitude. 2 *(sentimiento)* loneliness.

solemne *adj* solemn. 2 *pey* downright: *es una ~ estupidez,* it's downright stupidity.

solemnidad *f* solemnity. 2 *pl* formalities.

soler [32] *i (presente)* to be in the habit of. 2 *(pasado)* to use to. ▲ *Only used in pres and past indic.*

solera *f fig* tradition.

solfeo *m* solfa.

solicitante *mf* applicant.

solicitar *t* to request.

solícito,-a *adj* obliging.

solicitud *f (petición)* request; *(de trabajo)* application. 2 *(diligencia)* solicitude.

solidaridad *f* solidarity.

solidarizarse [4] *p* to support *(con, -).*

solidez *f* solidity.

solidificar(se) [1] *t-p* to solidify. 2 *(pasta)* to harden, set.

sólido,-a *adj-m* solid.

solista *mf* soloist.

solitario,-a *adj (sin compañía)* solitary. 2 *(sentimiento)* lonely. 3 *(lugar)* deserted. — 4 *m* solitaire. — 5 *f* MED tapeworm.

sollozar [4] *i* to sob.

sollozo *m* sob.

solo,-a *adj* alone. 2 *(solitario)* lonely. 3 *(único)* sole, single. — 4 *m fam* black coffee. 5 MÚS solo. ●*a solas,* alone, in private.

sólo *adv* → **solamente**.

solomillo *m* sirloin.

solsticio *m* solstice.

soltar(se) [31] *t (desasir)* to release. 2 *(desatar)* to untie, unfasten. 3 *fam (decir)* to come out with. — 4 *p (desatarse)* to come loose. 5 *(desprenderse)* to come off.

soltero,-a *adj* single, unmarried. — 2 *m,f* *m* bachelor, single man, *f* single woman.

solterón,-ona *m,f pey m* old bachelor, *f* old maid.

soltura *f* agility. 2 *(al hablar)* fluency.

soluble *adj* soluble.

solución *f* solution.

solucionar *t* to solve.

solvencia *f* FIN solvency. 2 *(fiabilidad)* reliability.

solventar *t (solucionar)* to solve. 2 FIN to settle.

sombra *f* shade. 2 *(silueta)* shadow. ■ *~ de ojos,* eye shadow.

sombrero *m* hat. ■ *~ de copa,* top hat; *~ hongo,* bowler hat.

sombrilla *f* parasol, sunshade.

sombrío,-a *adj (lugar)* dark. 2 *fig* gloomy.

somero,-a *adj* superficial.

someter(se) *t (subyugar)* to subdue. 2 *(probar)* to subject *(a, to): ~ a prueba,* to put to test. — 3 *p (rendirse)* to surrender *(a, to).* 4 *(tratamiento etc.)* to undergo *(a, -).*

somier *m* spring mattress.

somnífero,-a *adj* sleep-inducing. — 2 *m* sleeping pill.

somnolencia *f* sleepiness, drowsiness.

son *m* sound. 2 *(modo)* manner. ●*sin ton ni ~,* without rhyme or reason.

sonado,-a *adj (conocido)* famous. 2 *fam (loco)* mad, crazy.

sonajero *m* baby's rattle.

sonámbulo,-a *adj* sleepwalker.

sonar(se) [31] *i* to sound. 2 *(timbre etc.)* to ring. 3 *(reloj)* to strike. 4 *(conocer vagamente)* to sound familiar. — 5 *p* to blow one's nose.

sonda *f* probe.

sondear *t* to sound, probe. 2 *(encuestar)* to sound out.

sondeo *m* sounding, probing. 2 *(encuesta)* poll.

soneto *m* sonnet.

sonido *m* sound.

sonoridad *f* sonority.

sonoro,-a *adj (resonante)* loud, resounding. 2 CINEM sound.

sonreír(se) [37] *i-p* to smile.

sonriente *adj* smiling.

sonrisa *f* smile.

sonrojar(se) *t* to make blush. — 2 *p* to blush.

sonrojo *m* blush(ing).

sonrosado,-a *adj* rosy, pink.

sonsacar [1] *t* to wheedle. **2** *(secreto)* to worm out.
soñador,-ra *adj* dreamy. — **2** *m,f* dreamer.
soñar [31] *t-i* to dream.
soñoliento,-a *adj* drowsy, sleepy.
sopa *f* soup. ■ ~ *boba*, gruel.
sopero,-a *adj* soup. — **2** *f* soup tureen.
sopesar *t* to try the weight of. **2** *fig* to weigh up.
sopetón *m* slap. ●*de* ~, all of a sudden.
soplar *i* to blow. — **2** *t* to blow (away). **3** *(delatar)* to split on. **4** *(apuntar)* to prompt. **5** *fam (robar)* to steal. **6** *fam (beber)* to down.
soplete *m* blowtorch.
soplo *m* blow, puff. **2** *(de viento)* puff. **3** MED souffle. **4** *fam (de secreto etc.)* tip-off.
soplón,-ona *m,f fam* informer, squealer.
soponcio *m* swoon, fainting fit.
sopor *m* drowsiness.
soportable *adj* bearable.
soportar *t* to support, bear. **2** *fig* to tolerate.
soporte *m* support.
soprano *mf* soprano.
sorber *t* to sip. **2** *(absorber)* to absorb.
sorbete *m* sorbet, iced fruit drink.
sorbo *m* sip, gulp.
sordera *f* deafness.
sórdido,-a *adj (sucio)* squalid. **2** *(vil)* sordid.
sordo,-a *adj* deaf. **2** *(sonido, dolor)* dull. — **3** *m,f* deaf person.
sordomudo,-a *adj-m,f* deaf and dumb (person).
sorna *f* sarcasm.
sorprendente *adj* surprising.
sorprender(se) *t* to surprise. — **2** *p* to be surprised *(de,* at).
sorpresa *f* surprise.
sortear *t* to draw/cast lots for; *(rifar)* to raffle. **2** *(obstáculos)* to get round.
sorteo *m* draw; *(rifa)* raffle.
sortija *f* ring.
sortilegio *m* sorcery.
sosegado,-a *adj* calm, quiet.
sosegar(se) [48] *t-p* to calm (down).
sosería *f* insipidity, dullness.
sosiego *m* calmness, peace.
soslayar *t* to slant. **2** *fig (evitar)* to avoid, dodge.
soslayo *al/de* ~, *adv* sideways.
soso,-a *adj* tasteless. **2** *fig* dull.
sospecha *f* suspicion.
sospechar *t* to suspect.

sospechoso,-a *adj* suspicious. — **2** *m,f* suspect.
sostén *m* support. **2** *(prenda)* bra(ssière).
sostener(se) [87] *t* to support, hold up. **2** *fig (soportar)* to endure. **3** *(opinión)* to maintain, affirm. — **4** *p (mantenerse)* to support o.s. **5** *(permanecer)* to stay.
sostenido,-a *adj* sustained. — **2** *adj-m* MÚS sharp.
sota *f (cartas)* jack, knave.
sotana *f* cassock.
sótano *m* cellar, basement.
soto *m* grove.
sprintar *t* to sprint.
stárter *m* choke.
stop *m* stop sign.
su *adj pos (de él)* his; *(de ella)* her; *(de usted/ustedes)* your; *(de ellos)* their; *(de animales, cosas)* its.
suave *adj* soft. **2** *(liso)* smooth. **3** *(apacible)* gentle, mild. — **4** *suavemente adv* softly, smoothly.
suavidad *f* softness. **2** *(lisura)* smoothness. **3** *(docilidad)* gentleness, mildness.
suavizar [4] *t* to soften. **2** *(alisar)* to smooth.
subalterno,-a *adj-m,f* subordinate, subaltern.
subarrendar [27] *t* to sublet, sublease.
subasta *f* auction.
subastar *t* to auction.
subconsciente *adj-m* subconscious.
subdesarrollo *m* underdevelopment.
súbdito,-a *adj-m,f* subject.
subdividir *t* to subdivide.
subestimar *t* to undervalue.
subida *f (ascenso)* ascent; *(a montaña)* climb. **2** *(pendiente)* slope. **3** *(aumento)* rise. **4** *arg (drogas)* high.
subir(se) *i-p (ascender)* to go up. **2** *(montar) (vehículo)* get on; *(coche)* get into; *(caballo)* to mount. — **3** *i (elevarse, aumentar)* to rise. **4** *(categoría, puesto)* to be promoted. — **5** *t (escalar)* to climb. **6** *(mover arriba)* to carry/take up. ●*fig ~se por las paredes,* to hit the roof.
súbito,-a *adj* sudden. ●*de* ~, suddenly.
subjetivo,-a *adj* subjective.
subjuntivo *m* subjunctive.
sublevación *f* rising, revolt.
sublevar(se) *t* to incite to rebellion. **2** *(indignar)* to infuriate. — **3** *p* to rebel.
sublime *adj* sublime.
submarinismo *m* skin-diving.
submarinista *mf* skin-diver.
submarino,-a *adj-m* underwater. — **2** *m* submarine.

subnormal *adj-mf* mentally handi-capped (person).

suboficial *m* noncommissioned officer.

subordinado,-a *adj-m,f* subordinate.

subordinar *t* to subordinate.

subrayar *t* to underline. **2** *(recalcar)* to emphasize.

subsanar *t* to rectify, correct.

subscribir(se) *t* to sign, subscribe. − **2** *p* to subscribe to. ▲ *pp* **subscrito,-a.**

subscripción *f* subscription.

subscrito,-a *pp* → **subscribir.**

subsidiario,-a *adj* subsidiary.

subsidio *m* allowance. ■ ~ *de paro,* unemployment benefit.

subsiguiente *adj* subsequent.

subsistencia *f* subsistence. **2** *pl* provi-sions.

subsistir *i* to subsist.

substancia *f* substance. **2** *fig* essence.

substancial *adj* substantial. **2** *(funda-mental)* essential.

substantivo,-a *adj* substantive. − **2** *m* GRAM noun.

substitución *f* substitution, replace-ment.

substituir [62] *t* to substitute, replace.

substituto,-a *m,f* substitute.

substracción *f* substraction. **2** *(robo)* theft.

substraer [88] *t* *(restar)* to substract. **2** *(robar)* to steal.

subsuelo *m* subsoil.

subterfugio *m* subterfuge.

subterráneo,-a *adj* subterranean, un-derground. − **2** *m* underground passage.

suburbano,-a *adj* suburban.

suburbio *m* suburb; *(barrio pobre)* slums *pl.*

subvención *f* subsidy, grant.

subvencionar *t* to subsidize.

subversivo,-a *adj* subversive.

subyugar [7] *t* to subjugate.

succionar *t* to suck (in).

sucedáneo,-a *adj-m* substitute.

suceder *i* *(acontecer)* to happen, occur. **2** *(seguir)* to follow. **3** *(heredar)* to succeed. ▲ *1 used only in the 3rd person. It does not take a subject.*

sucesión *f* succession. **2** *(descendientes)* heirs *pl.*

sucesivo,-a *adj* following, successive. − **2** *sucesivamente adv* successively: *y así* ~, and so on. ●*en lo* ~, from now on.

suceso *m* *(hecho)* event, happening. **2** *(in-cidente)* incident. **3** *(delito)* crime.

sucesor,-ra *m,f* successor.

suciedad *f* *(inmundicia)* dirt. **2** *(calidad)* dirtiness.

sucinto,-a *adj* concise, brief.

sucio,-a *adj* dirty.

suculento,-a *adj* juicy, succulent.

sucumbir *i* to succumb/yield (*a,* to). **2** *(morir)* to perish.

sucursal *f* branch (office).

sudar *i* to sweat. ●*fam* ~ *la gota gorda,* to sweat blood.

sudario *m* shroud.

sudeste *m* southeast.

sudoeste *m* southwest.

sudor *m* sweat.

sudoroso,-a *adj* sweating.

suegro,-a *m,f* *m* father-in-law, *f* mother-in-law.

suela *f* sole.

sueldo *m* salary, pay.

suelo *m* ground; *(de interior)* floor. **2** *(tie-rra)* soil. **3** *(terreno)* land.

suelto,-a *adj* *(no sujeto)* loose; *(desatado)* undone. **2** *(estilo etc.)* easy. **3** *(libre)* free. **4** *(desparejado)* odd. − **5** *m* *(noticia)* news item. **6** *(cambio)* small change.

sueño *m* *(acto)* sleep. **2** *(ganas de dormir)* sleepiness. **3** *(mientras se duerme)* dream. ■ *fig* ~ *dorado,* cherished dream.

suero *m* MED serum.

suerte *f* *(fortuna)* luck. **2** *(azar)* chance. **3** *fml* *(tipo)* sort, kind. ●*echar (a) suertes,* to cast lots; *tener* ~, to be lucky.

suéter *m* sweater.

suficiencia *f* capacity. **2** *(engreimiento)* ar-rogance.

suficiente *adj* *(bastante)* sufficient. **2** *(apto)* suitable. **3** *(engreído)* smug.

sufragar [7] *t* to defray, pay. **2** *(ayudar)* to aid, assist.

sufragio *m* suffrage. ●*en* ~ *de ...,* for the soul of ... .

sufrido,-a *adj* patient, long-suffering.

sufrimiento *m* suffering.

sufrir *t* *(padecer)* to suffer. **2** *(ser sujeto de)* to have; *(operación)* to undergo: ~ *un accidente,* to have an accident. **3** *(sos-tener)* to bear.

sugerencia *f* suggestion.

sugerir [35] *t* to suggest, hint.

sugestión *f* suggestion.

sugestionar *t* to influence.

sugestivo,-a *adj* suggestive.

suicida *adj* suicidal. − **2** *mf* suicide.

suicidarse *p* to commit suicide.

suicidio *m* suicide.

sujetador,-ra *adj* fastening. − **2** *m* bra, brassière.

sujetapapeles *m inv* paper clip.
sujetar(se) *t (someter)* to subject. **2** *(agarrar)* to hold. **3** *(para que no caiga)* to fix, secure. **– 4** *p* to subject o.s. *(a,* to).
sujeto,-a *adj (sometido)* subject/liable *(a,* to). **2** *(agarrado)* fastened. **– 3** *m* LING subject. **4** *(persona)* fellow.
sulfato *m* sulphate.
sulfurar(se) *t* to exasperate. **– 2** *p* to get angry.
sulfuro *m* sulphide.
sultán *m* sultan.
suma *f (cantidad)* sum, amount. **2** MAT sum, addition. ●*en ~,* in short. ■ *~ y sigue,* carried forward.
sumamente *adv* extremely.
sumar(se) *t* MAT to add (up). **2** *(total)* to total. **– 3** *p* to join *(a,* in).
sumario,-a *adj* summary. **– 2** *m (resumen)* proceedings *pl.* **3** JUR legal proceedings *pl.*
sumergible *adj* submergible, submersible.
sumergir(se) [6] *t* to submerge, submerse. **– 2** *p fig* to become immersed *(en,* in).
sumidero *m* drain, sewer.
suministrar *t* to provide/supply with.
suministro *m* provision, supply.
sumir(se) *t (hundir)* to sink, plunge. **– 2** *p* to immerse o.s. *(en,* in).
sumisión *f* submission.
sumiso,-a *adj* submissive, obedient.
súmmum *m* summit.
sumo,-a *adj* highest. ●*a lo ~,* at most.
suntuosidad *f* sumptuousness.
suntuoso,-a *adj* sumptuous.
supeditar *t* to subordinate *(a,* to).
súper *fam adj* super, great. **– 2** *m (tienda)* supermarket.
superación *f* overcoming.
superar(se) *t* to surpass, exceed. **2** *(obstáculo etc.)* to overcome, surmount. **– 3** *p* to excel o.s.
superávit *m inv* surplus.
superdotado,-a *adj* exceptionally gifted. **– 2** *m,f* genius.
superficial *adj* superficial.
superficie *f* surface. **2** *(geometría)* area.
superfluo,-a *adj* superfluous.
superintendente *mf* superintendent.
superior *adj (encima de)* upper. **2** *(mayor)* greater. **3** *(mejor)* superior. **– 4** *mf* superior.
superioridad *f* superiority.
superlativo,-a *adj-m* superlative.
supermercado *m* supermarket.

superponer [78] *t* to superpose. ▲ *pp* **superpuesto,-a.**
supersónico,-a *adj* supersonic.
superstición *f* superstition.
supersticioso,-a *adj* superstitious.
supervisar *t* to supervise.
supervivencia *f* survival.
superviviente *adj* surviving. **– 2** *mf* survivor.
supino,-a *adj-m* supine.
suplantar *t* to supplant, replace.
suplementario,-a *adj* supplementary.
suplemento *m* supplement.
suplencia *f* substitution.
suplente *adj-mf* substitute.
supletorio,-a *adj* supplementary. **– 2** *m (teléfono)* extension.
súplica *f* request.
suplicante *adj* beseeching. **– 2** *mf* supli(c)ant.
suplicar [1] *t* to beseech, beg.
suplicio *m (castigo)* torture. **2** *(dolor)* pain; *fig* torment.
suplir *t* to replace, substitute.
suponer [78] *t* to suppose. **2** *(dar por sentado)* to assume. **3** *(acarrear)* to entail. **– 4** *m fam* supposition. ▲ *pp* **supuesto,-a.**
suposición *f* supposition, assumption.
supositorio *m* suppository.
supremacía *f* supremacy.
supremo,-a *adj* supreme.
supresión *f* suppression; *(de ley, impuesto)* abolition. **2** *(omisión)* omission; *(de palabra)* deletion.
suprimir *t* to suppress; *(ley, impuestos)* to abolish. **2** *(omitir)* to omit; *(palabras, texto)* to delete.
supuesto,-a *pp* → **suponer. – 2** *adj* supposed, assumed. **– 3** *m* supposition. ●*dar por ~,* to take for granted; *por ~,* of course.
supurar *i* to suppurate.
sur *m* south.
surcar [1] *t* AGR to furrow. ●*~ los mares,* to ply the seas.
surco *m (en tierra)* trench. **2** *(arruga)* wrinkle.
surgir [6] *i* to arise, appear. **2** *(agua)* to spring forth.
surtido,-a *adj* assorted. **– 2** *m* assortment.
surtidor *m (fuente)* fountain. **2** *(chorro)* jet, spout. ■ *~ de gasolina,* petrol pump.
surtir *t* to supply, provide. ●*~ efecto,* to work.
susceptibilidad *f* susceptibility.

susceptible *adj* susceptible. **2** *(sentido)* touchy.
suscitar *t* to cause.
suscribir *t* → **subscribir**.
suscripción *f* → **subscripción**.
suscrito,-a *pp* → **subscrito,-a**.
susodicho,-a *adj fml* above-mentioned.
suspender *t (levantar)* to hang (up). **2** *(aplazar)* to postpone. **3** EDUC to fail. **4** *(pagos)* to suspend.
suspense *m* suspense. ■ *película de* ~, thriller.
suspensión *f (acto)* hanging (up). **2** AUTO suspension. **3** *(aplazamiento)* postponement. **4** *(supresión)* suspension. ■ ~ *de pagos,* suspension of payments.
suspensivo,-a *adj puntos suspensivos,* (row of) dots, US suspension points.
suspenso,-a *adj* hanging, suspended. − **2** *m* EDUC fail.
suspicacia *f* suspiciousness, mistrust.
suspicaz *adj* suspicious, distrustful.
suspirar *i* to sigh. ●~ *por,* to long for.
suspiro *m* sigh.
sustancia *f* → **substancia**.
sustancial *adj* → **substancial**.

sustantivo,-a *adj* → **substantivo,-a**.
sustentar(se) *t (mantener)* to maintain. **2** *(sostener)* to hold up. **3** *(teoría, opinión)* to support, defend. − **4** *p* to sustain o.s.
sustento *m* sustenance.
sustitución *f* → **substitución**.
sustituir [62] *t* → **substituir**.
sustituto,-a *m,f* → **substituto,-a**.
susto *m* fright, scare.
sustracción *f* → **substracción**.
sustraer [88] *t* → **substraer**.
susurrar *i* to whisper. **2** *(agua)* to murmur. **3** *(hojas)* to rustle.
susurro *m* whisper. **2** *(agua)* murmur. **3** *(hojas)* rustle.
sutil *adj* thin, fine. **2** *fig* subtle.
sutileza *f* thinness. **2** *fig* subtlety.
suyo,-a *adj pos (de él/ella)* of his/hers: *¿es amigo* ~?, is he a friend of his/hers?; *(de usted/ustedes)* of yours; *(de animales/cosas)* of its; *(de ellos,-as)* of theirs. − **2** *pron pos (de él/ella)* his/hers; *(de usted/ustedes)* yours; *(de ellos,-as)* theirs: *éste es suyo,* this one is theirs. ●*salirse con la suya,* to get one's way; *fam hacer de las suyas,* to be up to one's tricks.

T

tabaco *m (planta, hoja)* tobacco. **2** *(cigarrillos)* cigarettes *pl*.

tábano *m* horsefly.

taberna *f* pub, bar.

tabernero,-a *m,f* bartender.

tabique *m* partition (wall). ■ ~ *nasal,* nasal bone.

tabla *f* board. **2** *(de madera)* plank, board. **3** ART panel. **4** COST pleat. **5** *(índice)* table. **6** MAT table. **7** *pl (ajedrez)* stalemate *sing*, draw *sing*. **8** *pl* TEAT stage *sing*. ●*fig a raja* ~, strictly, to the letter. ■ ~ *de materias,* (table of) contents *pl*.

tablado *m (suelo)* wooden floor. **2** *(plataforma)* wooden platform.

tablero *m (tablón)* panel, board. **2** *(en juegos)* board. **3** *(encerado)* blackboard.

tableta *f (pastilla)* tablet. **2** *(de chocolate)* bar.

tablilla *f* small board.

tablón *m* plank. **2** *(en construcción)* beam. ■ ~ *de anuncios,* notice board.

tabú *adj-m* taboo. ▲ *pl* **tabúes**.

taburete *m* stool.

tacañería *f* meanness, stinginess.

tacaño,-a *adj* mean, stingy. – **2** *m,f* miser.

tacha *f (defecto)* flaw, blemish, defect. **2** *(clavo grande)* large tack; *(decorativo)* large stud.

tachar *t* to cross out. ●*fig* ~ *de,* to accuse of.

tachón *m* crossing out.

tachuela *f* tack, stud.

tácito,-a *adj* tacit.

taciturno,-a *adj (callado)* taciturn, silent. **2** *(triste)* sullen. **3** *(lunático)* sulky, moody.

taco *m (tarugo)* plug, stopper. **2** *(para pared)* plug. **3** *(bloc de notas)* notepad, writing pad; *(calendario)* tear-off calendar; *(de entradas)* book; *(de billetes)* wad. **4** *(de billar)* cue. **5** CULIN cube, piece. **6** *fam (palabrota)* swearword. **7** *fam (años)* year. ●*armarse un* ~, to get all mixed up.

tacón *m* heel.

taconear *i (pisar)* to tap one's heels. **2** *(golpear)* to stamp one's heels.

taconeo *m (pisada)* heel tapping. **2** *(golpe)* stamping with the heels.

táctica *f* tactic(s) *pl*.

táctil *adj* tactile.

tacto *m* touch. **2** *fig (delicadeza)* tact. ●*tener* ~, to be tactful.

tafetán *m* taffeta.

tahúr,-ura *adj-m,f* cardsharp(er).

taimado,-a *adj* sly, crafty. – **2** *m,f* sly/crafty person.

tajada *f (rodaja)* slice. **2** *(corte)* cut; *(cuchillada)* stab. **3** *fam (borrachera)* drunkenness. ●*fig pillar una* ~, to get smashed; *fig sacar/llevarse* ~, to take one's share.

tajante *adj* sharp. **2** *fig* strong, sharp.

tajar *t* to cut, chop (off).

tajo *m (corte)* cut, slash. **2** *(escarpe)* steep cliff.

tal *adj (semejante)* such (a): *en tales condiciones,* in such conditions. **2** *(tan grande)* such, so: *es* ~ *su valor que ...,* he is so courageous that ... . **3** *(cosa sin especificar)* such and such: ~ *día,* such and such a day. **4** *(persona)* someone called: *te llamó un* ~ *García,* someone called García phoned you. – **5** *pron (alguno) (cosa)* something; *(persona)* someone, somebody. – **6** *conj* as. ●*como si* ~ *cosa,* as if nothing had happened; *con* ~ *(de) que,* so long as, provided; *de* ~ *manera que,* in such a way that; *¿qué* ~*?,* how are things?; ~ *cual,* just as it is; ~ *para cual,* two of a kind; ~ *vez,* perhaps, maybe; *y* ~ *y cual,* and so on.

tala *f* tree felling.

taladrar *t* to drill, drill a hole in. **2** *(billete)* to punch.

taladro *m (herramienta)* drill, bore; *(barrena)* gimlet. **2** *(agujero)* hole.

talante *m (semblante)* disposition. **2** *(voluntad)* willingness.

talar *t (árboles)* to fell, cut down. **2** *(lugar)* to devastate.

talco *m* talc. ■ *polvos de ~,* talcum powder *sing.*

talego *m (bolsa)* long bag/sack. **2** *(contenido)* bagful, sackful. **3** *arg (cárcel)* clink, hole. **4** *arg (mil pesetas)* one thousand peseta note.

talento *m* talent.

talismán *m* talisman, lucky charm.

talla *f (estatura)* height; *fig* stature. **2** *(de prenda)* size. **3** *(escultura)* carving, sculpture. **4** *(tallado)* cutting, carving; *(metal)* engraving.

tallar *t (madera, piedra)* to carve, shape; *(piedras preciosas)* to cut; *(metales)* to engrave. **2** *(medir)* to measure the (height of). **3** *(valorar)* to value, appraise.

tallarines *mpl* tagliatelle *sing,* noodles.

talle *m (cintura)* waist. **2** *(figura)* *(de hombre)* build, physique; *(de mujer)* figure.

taller *m (obrador)* (work)shop. **2** ART studio. **3** IND factory, mill.

tallo *m* stem, stalk.

talón *m* heel. **2** *(cheque)* cheque, US check.

talonario *m* cheque book, US check book.

tamaño,-a *adj* such a big, so big a. **– 2** *m (medida)* size. ●*del ~ de,* as big as.

tambalear(se) *i-p (persona)* to stagger, totter; *(mueble)* to wobble.

también *adv (también)* also, too, as well, so: *Pedro ~ estaba,* Peter was also there/there too/there as well; *¿lo harás? —yo ~,* are you going to do it? —so am I. **2** *(además)* besides, in addition.

tambor *m* MÚS *(instrumento)* drum. **2** *(persona)* drummer. **3** *(de arma)* cylinder, barrel. **4** *(de lavadora)* drum. **5** *(de jabón)* drum.

tamiz *m* sieve. ●*pasar por el ~,* to sift.

tamizar [1] *t (harina, tierra)* to sieve. **2** *(luz)* to filter. **3** *fig (seleccionar)* to screen.

tampoco *adv* neither, nor, not ... either: *Juan no vendrá y María ~,* Juan won't come and María won't either/neither will María; *yo ~,* me neither.

tampón *m (de entintar)* inkpad. **2** MED tampon.

tan *adv (tanto)* such (as), so: *no me gusta ~ dulce,* I don't like it so sweet. **2** *(comparativo)* as ... as, so ... (that): *es ~ alto como tú,* he's as tall as you (are); *iba ~ deprisa que no lo vi,* he went by so fast that I didn't see him. ●*de ~,* so; *~ siquiera,* even, just.

tanda *f (conjunto)* batch, lot; *(serie)* series, course. **2** *(turno)* shift. ●*por tandas,* in batches. ■ *~ de palos,* thrashing.

tangente *f* tangent.

tangible *adj* tangible.

tanque *m (depósito)* tank, reservoir. **2** MIL tank. **3** *(vehículo cisterna)* tanker.

tantear *t (calcular)* to estimate, guess. **2** *(probar) (medidas)* to size up; *(pesos)* to feel. **3** *fig (examinar)* to try out, put to the test. **– 4** *i* DEP to (keep) score. ●*~ a algn.,* to sound sb. out.

tanteo *m (cálculo aproximado)* estimate, guess. **2** *(prueba)* reckoning, rough estimate; *(de medidas)* sizing up. **3** *(sondeo)* trial, test; *(de la actitud de una persona)* sounding. **4** DEP score.

tanto,-a *adj-pron (incontables)* so much; *(contables)* so many: *¡ha pasado ~ tiempo!,* it's been so long! **2** *(aproximadamente)* odd: *cincuenta y tantas personas,* fifty odd people. **– 3** *(de cantidad)* so much: *¡te quiero ~!,* I love you so much! **4** *(tiempo)* so long. **5** *(frecuencia)* so often. **– 6** *m (punto)* point. **7** *(cantidad imprecisa)* so much, a certain amount. **8** *(poco)* bit. ●*a las tantas,* very late; *en/entre/mientras ~,* meanwhile; *estar al ~,* *(informado)* to be informed; *(alerta)* to be on the alert; *no es/hay para ~,* it's not that bad; *otro ~,* as much again, the same again; *por lo ~,* therefore; *~ más/menos,* all the more/less; *~ mejor/peor,* so much the better/worse; *uno,-a de tantos,-as,* run-of-the-mill; *¡y ~!,* oh, yes!, certainly!

tañer [38] *t (instrumento)* to play. **2** *(campanas)* to ring, toll.

tañido *m (de instrumento)* sound. **2** *(de campanas)* ringing, toll.

tapa *f (cubierta)* lid, top; *(de libro)* cover. **2** *(de zapato)* heelplate. **3** AUTO head. **4** CULIN *(comida)* appetizer, savoury. **5** *(de res)* round of beef.

tapadera *f* cover, lid. **2** *fig* cover, front.

tapar(se) *t* to cover; *(con tapa)* to put the lid/top on; *(con ropas/mantas)* to wrap up. **2** *(obstruir)* to obstruct; *(tubería)* to block. **3** *(ocultar)* to hide; *(vista)* to block. **– 4** *p (cubrirse)* to cover o.s.; *(abrigarse)* to wrap up. ●*~se los oídos,* to put one's fingers in one's ears.

tapete *m* table runner. •*fig estar sobre el ~, (discutir)* to be under discussion; *poner sobre el ~, (plantear)* to bring up.

tapia *f (cerca)* garden wall; *(de adobe)* mud/adobe wall.

tapiar [12] *t (área)* to wall in/off; *(puerta, ventana)* to wall, close up.

tapicería *f* ART tapestry making; *(tapices)* tapestry. **2** *(de muebles)* upholstery. **3** *(tienda)* upholsterer's (work)shop.

tapicero,-a *m,f (de muebles, coche)* upholsterer. **2** ART tapestry maker.

tapiz *m (paño)* tapestry. **2** *(alfombra)* rug, carpet.

tapizar [4] *t (muebles)* to upholster. **2** *(una pared)* to cover. **3** *(cubrir con tapices)* to cover with tapestries.

tapón *m* stopper, plug; *(de botella)* cap, cork. **2** *(del oído)* (ear)wax. **3** *fam (persona)* shorty, stubby person. **4** *(baloncesto)* block. **5** AUTO traffic jam.

taponar *t (tubería, hueco)* to plug, stop. **2** *(el paso)* to block. **3** *(poner el tapón)* to put the plug in. **4** MED to tampon.

taquigrafía *f* shorthand, stenography.

taquígrafo,-a *m,f* shorthand writer, stenographer.

taquilla *f* ticket/booking office; CINEM TEAT box-office. **2** *(recaudación)* takings *pl.* **3** *(armario)* locker.

taquillero,-a *m,f* booking/ticket clerk. – **2** *adj fig* popular.

tara *f (peso)* tare. **2** *(defecto)* defect, blemish, fault.

tarado,-a *adj (defectuoso)* defective, damaged. **2** *(persona)* handicapped. – **3** *m,f fam* idiot, nitwit.

tarambana *adj fam* madcap.

tararear *t* to hum.

tardanza *f* delay.

tardar *t (emplear tiempo)* to take: *tardé tres años,* it took me three years. – **2** *i (demorar)* to take long: *se tarda más en tren,* it takes longer by train. •*a más ~,* at the latest; *¿cuánto se tarda?,* how long does it take?; *no tardes,* don't be long.

tarde *f (hasta las seis)* afternoon: *son las 4 de la ~,* it is 4 o'clock in the afternoon. **2** *(después de las seis)* evening. – **3** *adv (hora avanzada)* late: *se está haciendo ~,* it's getting late. •*de ~ en ~,* very rarely, not very often; *(más) ~ o (más) temprano,* sooner or later.

tardío,-a *adj* late, belated.

tardo,-a *adj* slow.

tarea *f* task, job. ■ *las tareas de la casa,* the chores, the housework *sing;* **tareas escolares,** homework *sing.*

tarifa *f (precio)* tariff, rate; *(en transporte)* fare. **2** *(lista de precios)* price list. ■ *~ reducida,* reduced rate, special deal; *~ turística,* tourist class rate.

tarima *f* platform, dais.

tarjeta *f* card. ■ *(~) postal,* postcard.

tarro *m (vasija)* jar, pot. **2** *fam (cabeza)* bonce.

tarta *f* cake, tart, pie.

tartaja *mf fam* stammerer, stutterer.

tartamudear *i* to stutter, stammer.

tartamudo,-a *adj* stuttering, stammering. – **2** *m,f* stutterer, stammerer.

tartera *f (fiambrera)* lunch box. **2** *(cazuela)* baking tin.

tarugo *m (de madera)* lump of wood. **2** *(de pan)* chunk of stale bread. **3** *fam (persona)* blockhead.

tasa *f (valoración)* valuation, appraisal. **2** *(precio)* fee, charge. **3** *(impuesto)* tax. **4** *(límite)* limit; *(medida)* measure. **5** *(índice)* rate.

tasar *t (valorar)* to value, appraise. **2** *(poner precio)* to set/fix the price of. **3** *(gravar)* to tax. **4** *(regular)* to regulate. **5** *(limitar)* to limit. **6** *(racionar)* to ration.

tasca *f* bar, pub. •*ir de tascas,* to go on a pub crawl.

tatarabuelo,-a *m,f m* great-great-grandfather, *f* great-great-grandmother.

tatuaje *m (dibujo)* tattoo. **2** *(técnica)* tattooing.

tatuar [10] *t* to tattoo.

taurino,-a *adj* of/related to bullfighting.

Tauro *m* Taurus.

tauromaquia *f* tauromachy, (art of) bullfighting.

taxi *m* taxi.

taxímetro *m* taximeter, clock.

taxista *mf* taxi driver.

taza *f (recipiente)* cup. **2** *(contenido)* cupful. **3** *(de retrete)* bowl.

tazón *m* bowl.

te *pron pers* (to/for) you: *no quiero verte,* I don't want to see you; *~ compraré uno,* I'll buy one for you, I'll buy you one. **2** *(reflexivo)* yourself: *lávate,* wash yourself. **3** *(sin traducción): no ~ vayas,* don't go.

té *m* tea. ■ *~ con limón,* lemon tea.

tea *f* torch.

teatral *adj* theatrical, dramatic. **2** *fig (exagerado)* stagy, theatrical.

teatro *m* theatre. **2** ART theatre, acting, stage. **3** *(literatura)* drama. **4** *fig (lugar)* scene, theatre. **5** *fig (exageración)* theatrics. ●*fig hacer* ~, to play-act.

tebeo *m* comic (book).

techar *t* to roof.

techo *m (construcción)* ceiling; *(de coche, tejado)* roof. **2** *fig* limit, end.

techumbre *f* roof, covering.

tecla *f* key. ●*tocar muchas teclas,* to try to do too many things at once.

teclado *m* keyboard.

teclear *i (piano)* to press the keys; *(máquina de escribir, ordenador)* to type, tap the keyboard. **2** *(tamborilear)* to drum, tap one's fingers.

técnico,-a *adj* technical. **−2** *m,f* technician, technical expert. **−3** *f (tecnología)* technics *pl,* technology. **4** *(habilidad)* technique, method.

tedio *m* tedium, boredom.

tedioso,-a *adj* tedious.

teja *f* tile. ●*fam a toca* ~, on the nail.

tejado *m* roof.

tejanos *mpl* jeans.

tejedor,-ra *adj* weaving. **−2** *m,f* weaver.

tejer *t (en telar)* to weave. **2** *(hacer punto)* to knit. **3** *(araña)* to spin. **4** *fig (plan)* to weave, plot.

tejido *m (tela)* fabric, textile. **2** ANAT tissue. **3** *fig* web. **■** ~ *adiposo/óseo,* fatty/bone tissue; ~ *de punto,* knitted fabric.

tela *f (textil)* material, fabric, cloth. **2** *(de la leche)* skin. **3** *fam (dinero)* dough. **4** ART painting. ●*fig poner en* ~ *de juicio,* to question. **■** ~ *metálica,* gauze.

telar *m* loom.

telaraña *f* cobweb, spider's web.

telediario *m* television news bulletin.

teledirigir [6] *t* to operate/guide by remote control.

telefonazo *m fam* buzz, ring. ●*dar un* ~ *(a algn.),* to give (sb.) a ring.

telefonear *i-t* to (tele)phone.

telefonista *mf* (telephone) operator.

teléfono *m* (tele)phone.

telegrafiar [13] *t* to telegraph, wire.

telégrafo *m* telegraph. **2** *pl* post office *sing.*

telegrama *m* telegram, cable.

telescopio *m* telescope.

televisar *t* to televise.

televisión *f (sistema)* television. **2** *fam (aparato)* television set.

televisor *m* television set.

telón *m* curtain. **■** ~ *de fondo,* TEAT backdrop; *fig* background.

tema *m* topic. **2** MÚS theme. **3** GRAM root, stem. ●*atenerse al* ~, to keep to the point; *salir(se) del* ~, to go off at a tangent. **■** ~ *de actualidad,* current affair.

temario *m (de examen)* programme; *(de conferencia)* agenda.

temblar [27] *i (de frío)* to shiver; *(de miedo)* to tremble *(de,* with); *(con sacudidas)* to shake. **2** *(voz)* to quiver.

temblor *m* tremor, shudder.

tembloroso,-a *adj (de frío)* shivering; *(de miedo)* trembling; *(con sacudidas)* shaking. **2** *(voz)* quivering.

temer *t* to fear, be afraid of. **−2** *i* to be afraid. **3** *(preocuparse)* to worry.

temerario,-a *adj* reckless, rash.

temeridad *f (actitud)* temerity, rashness. **2** *(acto temerario)* reckless act.

temeroso,-a *adj* fearful, timid. **2** *(medroso)* frightful. ●~ *de Dios,* God-fearing.

temible *adj* dreadful, fearful, frightening.

temor *m (de Dios)* fear. **2** *(recelo)* worry, apprehension. ●*tener* ~, to feel apprehensive.

témpano *m* ice floe.

temperamento *m* temperament, nature. ●*tener* ~, to have a strong character.

temperatura *f* temperature.

tempestad *f* storm. **2** *fig* turmoil, uproar. ●*fig una* ~ *en un vaso de agua,* a storm in a teacup.

tempestuoso,-a *adj* stormy.

templado,-a *adj (agua)* (luke)warm; *(clima, temperatura)* mild, temperate. **2** *(moderado)* moderate; *(sereno)* composed, unruffled. **3** MÚS tuned. **4** *(metal)* tempered. ●*nervios bien templados,* steady nerves.

templanza *f (moderación)* moderation, restraint. **2** *(del clima)* mildness.

templar *t* to moderate, temper. **2** *(algo frío)* to warm up; *(algo caliente)* to cool down. **3** *(cólera)* to appease; *(apaciguar)* to calm down. **4** *(cuerda, tornillo)* to tighten up. **5** *(bebida)* to dilute. **6** MÚS to tune. **7** *(metal)* to temper. **8** *(colores)* to match.

temple *m (fortaleza)* boldness, courage. **2** *(estado de ánimo)* frame of mind, mood. **3** *(de metal)* temper.

templo *m* temple.

temporada *f (en artes, deportes, moda)* season. **2** *(período)* period, time. ●*en plena* ~, at the height of the season; *por temporadas,* on and off. **■** ~ *alta,* high/peak season; ~ *baja,* low/off season.

temporal *adj (transitorio)* temporary, provisional. − 2 *m* METEOR storm.

temprano,-a *adj-adv* early.

tenacidad *f* tenacity, perseverance. 2 *(de metal)* tensile strength.

tenaz *adj* tenacious; *(perseverante)* persevering, unflagging; *(persistente)* persistent, unremitting.

tenaza *f (herramienta)* pliers *pl*, pincers *pl*; *(para el fuego)* tongs *pl*. ▲ *gen pl*.

tendedero *m* clothesline, drying place.

tendencia *f* tendency, inclination. ●*tener ~ a hacer algo,* to tend to do sth., have a tendency to do sth.

tendencioso,-a *adj* tendentious, biased.

tender(se) [28] *t (mantel)* to spread; *(red)* to cast; *(puente)* to throw; *(vía, cable)* to lay; *(velas)* to spread. 2 *(ropa, colada)* to hang out. 3 *(mano)* to stretch/hold out. 4 *(emboscada, trampa)* to lay, set. 5 *(tener tendencia)* to tend *(a, to)*. − 6 *p (tumbarse)* to lie down, stretch out.

tenderete *m (puesto)* stall. 2 *(montón)* heap, mess.

tendero,-a *m,f* shopkeeper.

tendón *m* tendon, sinew.

tenebroso,-a *adj (sombrío)* dark, gloomy. 2 *(siniestro)* sinister, shady.

tenedor *m* fork.

tenencia *f* JUR tenancy, possession.

tener(se) [87] *t* to have (got): *tenemos un examen,* we've got an exam. 2 *(poseer)* to own, possess. 3 *(sostener)* to hold: *lo tienes en la mano,* you're holding it. 4 *(coger)* to take. 5 *(sensación, sentimiento)* to be, feel. 6 *(mantener)* to keep. 7 *(medir)* to measure. 8 *(contener)* to hold, contain. 9 *(edad)* to be: *tiene diez años,* he is ten. 10 *(celebrar)* to hold: *~ una reunión,* to hold a meeting. 11 *(considerar)* to consider, think: *me tienen por estúpido,* they think I'm a fool. − 12 *aux (obligación) ~ que,* to have (got) to, must: *tengo que irme,* I must leave. − 13 *p (sostenerse)* to stand up. 14 *(dominarse)* to control o.s. ●*no ~se,* to be tired out; *¿qué tienes?,* what's wrong with you?; *~ calor/frío,* to be hot/cold; *~ cariño a,* to be fond of; *~ compasión,* to take pity *(de,* on); *~ ganas de,* to feel like; *~ ilusión,* to be enthusiastic; *~ miedo,* to be frightened; *tenerla tomada con algn.,* to have it in for sb.

tenga *pres subj* → **tener**.

tengo *pres indic* → **tener**.

teniente *m* lieutenant. ■ *~ de alcalde,* deputy mayor.

tenis *m* tennis.

tenista *mf* tennis player.

tenor *m* MÚS tenor. 2 *(conforme)* tenor, purport. ●*a ~ de,* according to.

tensar *t (cable, cuerda)* to tauten; *(arco)* to draw.

tensión *f* ELEC tension, voltage. 2 MED pressure. 3 *(de una situación)* tension; *(de una relación)* stress, strain.

tenso,-a *adj* tense. 2 *(relaciones)* strained.

tentación *f* temptation.

tentáculo *m* tentacle.

tentador,-ra *adj* tempting.

tentar [27] *t (palpar)* to feel, touch. 2 *(incitar)* to tempt. 3 *(atraer)* to attract, appeal.

tentativa *f* attempt.

tenue *adj (delgado)* thin, light. 2 *(luz, sonido)* subdued, faint.

teñir [36] *t* to dye. 2 *fig* to tinge.

teología *f* theology.

teorema *m* theorem.

teoría *f* theory. ●*en ~,* theoretically.

teórico,-a *adj* theoretic(al). − 2 *m,f* theoretician, theorist.

teorizar [4] *t* to theorize on.

terapia *f* therapy.

tercer *adj* → **tercero,-a**. ▲ *Used in front of a sing masculine noun.*

tercero,-a *adj-m,f* third. − 2 *m (mediador)* mediator; *(persona ajena)* outsider, JUR third party.

terceto *m (poesía)* tercet. 2 MÚS trio.

terciar(se) [12] *i (mediar)* to mediate, arbitrate. − 2 *p (ocasión)* to arise. ●*si se tercia,* should the occasion arise.

tercio,-a *adj-m* (one) third.

terciopelo *m* velvet.

terco,-a *adj* obstinate, stubborn.

tergiversación *f* distortion.

tergiversar *t* to twist, distort.

terminal *adj* terminal. − 2 *f (estación)* terminus.

terminante *adj (categórico)* categorical. 2 *(dato, resultado)* conclusive, definitive.

terminar(se) *t-i (acabar)* to finish. − 2 *i (ir a parar)* to end up *(como,* as), end *(en,* in/with). 3 *(eliminar)* to put an end *(con,* to). 4 *(reñir)* to break up *(con,* with). − 5 *p (acabarse)* to finish, end, be over. 6 *(agotarse)* to run out.

término *m* end, finish. 2 *(estación)* terminus. 3 *(límite)* limit, boundary. 4 *(plazo)* term, time. 5 *(palabra, argumento)* term. 6 *(lugar, posición)* place. ●*dar ~ a,* to conclude; *en otros términos,* in other words; *en términos generales,* generally speaking; *llevar (algo) a buen/feliz ~,* to carry (sth.) through (successfully); **poner** ~ **a algo,** to put an end to sth.; *(por)* ~ **medio,** on average. ■ ~ **municipal,** district.

termómetro *m* thermometer.

termo *m* (thermos) flask.

ternero,-a *m,f* calf. — **2** *f* CULIN veal.

ternura *f* tenderness.

terquedad *f* obstinacy, stubbornness.

terraplén *m* embankment.

terrateniente *mf* landowner.

terraza *f (balcón)* terrace. **2** *(azotea)* roof terrace. **3** *(de un café)* veranda.

terremoto *m* earthquake.

terreno,-a *adj* worldly, earthly. — **2** *m (tierra)* (piece of) land, ground; *(solar)* plot, site; GEOG terrain; AGR *(de cultivo)* soil; *(campo)* field. **3** *fig* field, sphere. ●*fig* **estar en su propio** ~, to be on home ground; *fig* **saber uno el** ~ **que pisa,** to know what one's doing; *fig* **ser** ~ **abonado (para algo),** to be receptive (to sth.).

terrestre *adj* terrestrial, earthly. **2** *(por tierra)* by land.

terrible *adj* terrible, awful.

territorial *adj* territorial.

territorio *m* territory.

terrón *m* lump.

terror *m* terror. **2** CINEM horror.

terrorífico,-a *adj* terrifying, frightening.

terrorismo *m* terrorism.

terso,-a *adj (liso)* smooth. **2** *(estilo)* polished, fluent.

tertulia *f* get-together. ●**hacer** ~, to have a get-together.

tesis *f inv* thesis.

tesitura *f fig* attitude.

tesón *m* tenacity, firmness.

tesorería *f (oficina)* treasurer's office; *(cargo)* treasurer.

tesorero,-a *m,f* treasurer.

tesoro *m* treasure. **2** *(erario)* exchequer. **3** *(diccionario)* thesaurus.

testamentario,-a *adj* testamentary. — **2** *m,f m* executor, *f* executrix.

testamento *m* will, testament.

testar *i* to make/draw up one's will.

testarudo,-a *adj* obstinate, stubborn, pigheaded.

testículo *m* testicle.

testificar [1] *t* to testify.

testigo *mf* witness. — **2** *m* DEP baton. ●**poner (a algn.) por** ~, to call (sb.) to witness. ■ ~ **de cargo/descargo,** wit-

ness for the prosecution/defence; ~ **ocular/presencial,** eyewitness.

testimonio *m* testimony. **2** *(prueba)* evidence, proof. ●**dar** ~, to give evidence.

teta *f fam* tit(y), boob. **2** *(de vaca)* udder.

tetera *f* teapot.

tetina *f* (rubber) teat.

tétrico,-a *adj* gloomy, dull, dismal.

textil *adj-m* textile.

texto *m* text. ■ **libro de** ~, textbook.

textual *adj* textual. **2** *(exacto)* literal.

textura *f (textil)* texture. **2** *(minerales)* structure.

tez *f* complexion.

ti *pron pers* you. ▲ *Used only after prep.*

tía *f* aunt. **2** *fam (mujer)* girl, woman, bird.

tibia *f* tibia, shinbone.

tibieza *f* tepidity.

tibio,-a *adj* tepid, lukewarm.

tiburón *m* shark.

tic *m* tic, twitch. ▲ *pl* **tiques.**

tictac *m* tick-tock, ticking.

tiempo *m* time. **2** METEOR weather. **3** *(edad)* age: *¿cuánto/qué* ~ **tiene su niño?,** how old is your baby? **4** *(temporada)* season. **5** MÚS tempo, movement. **6** DEP *(parte)* half. **7** GRAM tense. ●*a su (debido)* ~, in due course; **al poco** ~, soon afterwards; **con** ~, in advance; *¿cuánto* ~?, how long?; *¿qué* ~ **hace?,** what's the weather like?

tienda *f* shop, US store. **2** *(de campaña)* tent.

tienta *f a tientas,* gropingly.

tiento *m (tacto)* tact, feel. **2** *(prudencia)* caution. ●**con** ~, tactfully.

tierno,-a *adj (blando)* tender, soft. **2** *(reciente)* fresh. **3** *(cariñoso)* affectionate, darling.

tierra *f (planeta)* earth. **2** *(superficie sólida)* land. **3** *(terreno cultivado)* soil, land. **4** *(país)* country. **5** *(suelo)* ground. **6** AM dust. ●**tocar** ~, MAR to reach harbour; AV to touch down; *fig* **echar** ~ **encima de,** to hush up. ■ ~ **natal,** homeland.

tieso,-a *adj (rígido)* stiff, rigid. **2** *(erguido)* upright, erect. **3** *fam (engreído)* stiff, starchy.

tiesto *m* flowerpot.

tifón *m* typhoon.

tigre *m* tiger.

tijera *f* (pair of) scissors *pl.* ▲ *gen pl.*

tila *f* lime/linden blossom tea.

tildar *t* to call, brand.

tilín *m* ting-a-ling. ●**hacer** ~, to please: **Juana le hace** ~, he fancies Juana.

tilo *m* lime tree.

timador,-ra *m,f* swindler.

timar *t* to swindle, cheat.

timbrar *t (carta)* to stamp, mark; *(documento)* to seal.

timbre *m (de la puerta)* bell. 2 *(sello)* stamp.

timidez *f* shyness.

tímido,-a *adj* shy, timid.

timo *m* swindle, fiddle.

timón *m* rudder. 2 *(del arado)* beam. ●*fig* **empuñar/llevar el ~,** to be at the helm.

timonel *m* steersman.

timorato,-a *adj* shy, timid.

tímpano *m* eardrum.

tina *f (recipiente)* vat, tub. 2 *(bañera)* bath(tub).

tinaja *f* large earthenware jar.

tinglado *m (cobertizo)* shed. 2 *(tablado)* platform. 3 *fig (embrollo)* mess. 4 *fig (intriga)* intrigue. 5 *fig (mundillo)* setup, racket.

tiniebla *f* darkness. 2 *fig (ignorancia)* ignorance. ▲ *gen pl*.

tinta *f* ink. 2 *pl* colours. ●*fig* **medias tintas,** ambiguities; *fig* **(re)cargar las tintas,** to exaggerate; *fig* **saber algo de buena ~,** to have got sth. straight from the horse's mouth; *fig* **sudar ~,** to sweat blood.

tinte *m (colorante)* dye. 2 *(proceso)* dyeing. 3 *(tintorería)* dry-cleaner's. 4 *fig (matiz)* shade, colouring.

tintero *m* inkpot.

tintin(e)ar *i (vidrio)* to clink, chink. 2 *(campanillas)* to jingle, tinkle.

tintineo *m (de vidrio)* clink(ing), chink. 2 *(de campanillas)* jingling, ting-a-ling.

tinto,-a *adj (vino)* red. 2 *(teñido)* dyed. – 3 *m* red wine.

tintorería *f* dry-cleaner's.

tiñoso,-a *adj* scabby, mang(e)y. 2 *fam (mezquino)* mean, stingy.

tío *m* uncle. 2 *fam* fellow, bloke, US guy.

tiovivo *m* merry-go-round, roundabout.

típico,-a *adj* typical, characteristic.

tipo *m (clase)* type, kind. 2 FIN rate. 3 ANAT *(de hombre)* build, physique; *(de mujer)* figure. 4 *fam (persona)* guy, fellow, bloke. ●**tener buen ~,** to have a good figure; *fig* **aguantar el ~,** to keep cool/calm.

tipografía *f* typography.

tiquete *f* AM ticket.

tira *f* strip. ●*fam* **la tira,** a lot, loads *pl*.

tirabuzón *m (rizo)* ringlet. 2 *(sacacorchos)* corkscrew.

tirada *f (impresión)* printing; *(edición)* edition. 2 *(distancia)* stretch. 3 *(serie)* (long) series. ●**de/en una ~,** in one go.

tirado,-a *fam adj (precio)* dirt cheap. 2 *(problema, asunto)* dead easy. 3 *(abandonado)* let down.

tirador,-ra *m,f (persona)* shooter. – 2 *m (de puerta, cajón)* knob, handle; *(cordón)* bell-pull.

tiranía *f* tyranny.

tiranizar [4] *t* to tyrannize.

tirano,-a *m,f* tyrant.

tirante *adj* taut, tight. 2 *fig (relación, situación)* tense. – 3 *mpl* braces, US suspenders.

tirantez *f* tautness, tightness. 2 *fig (de una relación/situación)* tension, strain.

tirar(se) *t (echar)* to throw; *(un tiro)* to fire; *(una bomba)* to drop; *(un beso)* to blow. 2 *(dejar caer)* to drop. 3 *(desechar)* to throw away. 4 *(derribar)* to knock down; *(casa, árbol)* to pull down; *(vaso, botella)* to knock over. 5 *(derramar)* to spill. 6 *(imprimir)* to print. 7 *(hacer) (foto)* to take; *(línea, plano)* to draw. – 8 *i (cuerda, puerta)* to pull *(de, -)*. 9 *(estufa, chimenea)* to draw. 10 *(en juegos)* to be a player's move/turn. 11 *(funcionar)* to work, run. 12 *(durar)* to last. 13 *(tender)* to tend *(a, towards)*. 14 *(parecerse)* to take after *(a, -)*. 15 *(ir)* to go, turn. – 16 *p (lanzarse)* to throw o.s. 17 *(tumbarse)* to lie down. 18 *(tiempo)* to spend. 19 *arg (fornicar)* to lay *(a, -)*. ●*ir* **tirando,** *(espabilarse)* to manage; *(tener buena salud)* to be okay; ~ **una moneda al aire,** to toss a coin; *fig* **tira y afloja,** give and take; *fig* ~ **el dinero,** to squander money; *fig* ~ **para,** to be attracted to.

tirita® *f* (sticking) plaster.

tiritar *i* to shiver, shake; *(dientes)* to chatter.

tiro *m (lanzamiento)* throw. 2 *(disparo, ruido)* shot. 3 *(caballerías)* team: **animal de** ~, draught animal. 4 *(de chimenea)* draught. 5 *(de escaleras)* flight. ●**a ~, (de arma)** within range; *(a mano)* within reach; **dar/pegar un ~,** to shoot, fire a shot; *fig* **de tiros largos,** all dressed up; *fam fig* **ni a tiros,** not for love or money. ■ **animal de ~,** draught animal; ~ **al blanco,** target shooting.

tirón *m* pull, tug. ●*fam* **de un ~,** in one go.

tirotear *t* to shoot, snipe.

tiroteo *m* shooting, firing to and fro.

tirria *f fam* dislike.

tisana *f* infusion, tisane.

tisis *f inv* phthisis, consumption.

títere *m* puppet, marionette.

titilar *i (temblar)* to quiver. **2** *(luz)* to flicker; *(de estrella)* to twinkle.

titiritar *i* to tremble, shiver.

titubear *i (tambalearse)* to stagger, totter. **2** *(tartamudear)* to stammer. **3** *(vacilar)* to hesitate.

titubeo *m (tartamudeo)* stammering. **2** *(duda)* hesitation.

titulación *f* qualifications *pl.*

titular(se) *t* to call. **– 2** *p* to be called. **3** EDUC to graduate *(en,* in). **– 4** *adj* appointed, official. **– 5** *mf (persona)* (office) holder. **– 6** *m (prensa)* headline.

título *m* title. **2** *(de texto legal)* heading. **3** EDUC degree; *(diploma)* certificate, diploma. **4** *(titular de prensa)* headline. **5** *(banca)* bond, security. **6** *pl (méritos)* qualifications, qualities. ■ ~ *de propiedad,* deeds.

tiza *f* chalk: *una* ~, a piece of chalk.

tiznado,-a *adj* sooky, blackened.

tiznar *t* to blacken, soil with soot.

tizne *m* soot.

tizón *m* half-burnt stick, brand.

toalla *f* towel.

toallero *m* towel rail/rack.

tobillo *m* ankle.

toca *f (sombrero)* headdress; *(de monja)* wimple.

tocadiscos *m inv* record player.

tocado,-a *adj (fruta)* bad, rotten. **2** *fam (perturbado)* crazy, touched. **3** DEP injured. **– 4** *m (peinado)* coiffure, hairdo. **5** *(prenda)* headdress.

tocador *m (mueble)* dressing table. **2** *(habitación)* dressing room, boudoir. ■ *artículos de* ~, toiletries; ~ *de señoras,* powder room.

tocante *tocante a,* *adv* concerning, about. ●*en lo* ~ *a,* with reference to.

tocar [1] *t* to touch. **2** *(sentir por el tacto)* to feel. **3** *(hacer sonar) (instrumento, canción)* to play; *(timbre)* to ring; *(bocina)* to blow, honk; *(campanas)* to strike. **4** DEP *(diana)* to hit. **5** *(mencionar)* to touch on. **– 6** *i (corresponder)* to be one's turn. **7** *(caer en suerte)* to win. **8** *(tener que)* to have to. **9** *(afectar)* to concern, affect. **10** *(ser parientes)* to be a relative of. **11** AV MAR to call *(en,* at), stop over *(en,* at). ●~ *a su fin,* to be coming to an end.

tocinería *f* pork butcher's.

tocino *m* lard. ■ ~ *ahumado,* smoked bacon; ~ *de cielo,* sweet *made with egg yolk.*

tocón,-ona *adj fam* groper.

todavía *adv (a pesar de ello)* nevertheless. **2** *(tiempo)* still, yet: ~ *la quiere,* he still loves her; ~ *no lo quiere,* he doesn't want it yet. **3** *(para reforzar)* even: *esto* ~ *te gustará más,* you'll enjoy this even more.

todo,-a *adj (sin excluir nada)* all. **2** *(entero)* complete. **3** *pl (cada)* every. **– 4** *m (totalidad)* whole. **– 5** *pron (sin excluir nada)* all, everything. **6** *(cualquiera)* anybody. **7** *pl (cada uno)* everybody. **– 8** *adv* completely, totally. ●*ante* ~, first of all; *con* ~, in spite of everything; *del* ~, completely; *estar en* ~, to be really with it; ~ *lo más,* at the most.

todopoderoso,-a *adj* almighty, all-powerful. ■ *el Todopoderoso,* the Almighty.

toga *f* robe, gown.

toldo *m* awning.

tolerable *adj* tolerable.

tolerancia *f* tolerance. **2** *(resistencia)* resistance.

tolerar *t* to tolerate. **2** *(inconvenientes)* to stand. **3** *(gente)* to put up with. **4** *(comida, bebida)* to take. **5** *(peso)* to bear.

toma *f (acción)* taking. **2** MED dose. **3** MIL capture. **4** *(grabación)* recording. **5** CINEM take, shot. ■ ~ *de posesión,* take-over.

tomado,-a *adj (voz)* hoarse. **2** AM *(bebido)* drunk.

tomar(se) *t-p* to take. **2** *(comer, beber)* to have. **– 3** *t (el autobús, el tren)* to catch. **4** *(adquirir)* to acquire. **– 5** *i (encaminarse)* to go, turn. ●~ *la costumbre,* to get into the habit; ~ *la palabra,* to speak; ~ *tierra,* to land; *fam tomarla con alguien,* to have it in for sb.

tomate *m* tomato. **2** *fam (jaleo)* fuss, commotion. **3** *fam (dificultad)* snag, catch. ●*fig ponerse como un* ~, to go as red as a beetroot.

tómbola *f* tombola.

tomillo *m* thyme.

tomo *m* volume.

ton *sin* ~ *ni son, adv* without rhyme or reason.

tonada *f* tune, song. **2** *(acento)* accent.

tonel *m* barrel, cask. ●*fam como un* ~, as fat as a pig.

tonelada *f* ton. ■ ~ *métrica,* metric ton.

tonelaje *m* tonnage.

tónico,-a *adj-m* tonic. **– 2** *f (bebida)* tonic. **3** *(tendencia)* tendency, trend.

tono *m* tone. **2** MÚS key, pitch. ●*a* ~ *con,* in tune/harmony with; *bajar de* ~/*el* ~, to lower one's voice; *subir de* ~/*el*

~, to speak louder; *fig darse* ~, to put on airs; *fig* **fuera de** ~, inappropiate, out of place; *fig sin venir a* ~, for no good reason.

tontada *f* silly thing, nonsense. 2 *(insignificancia)* triffle.

tontaina *fam adj* foolish, silly. − 2 *mf* fool, nitwit.

tontear *i (decir tonterías)* to act the clown, fool about. 2 *(galantear)* to flirt.

tontería *f (calidad de tonto)* stupidity, silliness. 2 *(dicho, hecho)* silly/stupid thing. 3 *(insignificancia)* triffle. ●*decir tonterías,* to talk nonsense; *dejarse de tonterías,* to be serious.

tonto,-a *adj* silly, dumb. − 2 *m,f* fool, idiot. ●*hacer el* ~, to act the fool; *hacerse el* ~, to play dumb; *ponerse* ~, to get stroppy.

topar *t-i (chocar)* to bump (into). 2 *(hallar casualmente)* to run into.

tope *adj* top, maximum. − 2 *m (límite)* limit, end. − 3 *adv fam* incredibly.

tópico,-a *adj* MED external. − 2 *m* commonplace, cliché.

topo *m* mole.

topografía *f* topography.

topónimo *m* place name.

toque *m (acto)* touch. 2 *(tañido)* ringing. 3 *(advertencia)* warning (note). ■ ~ **de queda,** curfew.

tórax *m inv* thorax.

torbellino *m* whirlwind.

torcedura *f* twist(ing). 2 MED sprain.

torcer(se) [54] *t (cuerda etc.)* to twist. 2 *(doblar)* to bend. 3 *(inclinar)* to slant. − 4 *p* MED to sprain. 5 *(plan)* to fall through. ●~ **la esquina,** to turn the corner.

torcido,-a *adj* twisted. 2 *(ladeado)* slanted.

tordo *m (pájaro)* thrush.

torear *i-t* to fight (bulls). − 2 *t (a persona)* to tease, confuse.

toreo *m* bullfighting.

torero,-a *adj* relating to bullfighting. − 2 *m,f* bullfighter. − 3 *f* bolero (jacket).

tormenta *f* storm.

tormento *m (tortura)* torture. 2 *(dolor)* torment, pain.

tormentoso,-a *adj* stormy.

tornado *m* tornado.

tornasol *m* BOT sunflower. 2 *(luz)* iridescense. 3 *(colorante)* litmus.

tornear *t* to turn.

torneo *m* tournament.

tornillo *m* screw.

torniquete *m* turnstile. 2 MED tourniquet.

torno *m* lathe. ●*en* ~ *a, (alrededor de)* around; *(acerca de)* about, concerning.

toro *m* bull.

torpe *adj* clumsy. 2 *(de movimiento)* slow.

torpedo *m* torpedo.

torpeza *f* clumsiness. 2 *(de movimiento)* slowness.

torre *f* tower. 2 *(chalé)* country house. 3 *(ajedrez)* rook, castle.

torrente *m* mountain stream, torrent.

tórrido,-a *adj* torrid.

torrija *f type* of French toast.

torsión *f* twist(ing).

torso *m* torso.

torta *f* cake. 2 *fam (golpe)* blow, crack.

tortícolis *f inv* stiff neck.

tortilla *f* omelet(te). 2 AM tortilla, pancake.

tortillera* *f arg* dyke*, lesbian.

tórtola *f* dove.

tortuga *f (de tierra)* tortoise, US turtle. 2 *(marina)* turtle.

tortuoso,-a *adj* tortuous.

tortura *f* torture.

torturar(se) *t-p* to torture (o.s.).

tos *f* cough(ing). ■ ~ **ferina,** whooping cough.

tosco,-a *adj* rough. 2 *(persona)* uncouth.

toser *i* to cough.

tosquedad *f* roughness.

tostado,-a *adj* toasted; *(café)* roasted. 2 *(moreno)* tanned. 3 *(color)* brown. − 4 *f* (slice) of toast.

tostar(se) [31] *t* to toast; *(café)* to roast; *(carnes)* to brown. 2 *(piel)* to tan. 3 AM *(zurrar)* to tan. − 4 *p* to get brown/tanned.

tostón *m fam fig* bore, drag.

total *adj-m* total. − 2 *adv* in short.

totalidad *f* whole, totality.

totalitario,-a *adj* totalitarian.

tóxico,-a *adj* toxic. − 2 *m* toxicant, poison.

tozudez *f* stubbornness.

tozudo,-a *adj* stubborn.

traba *f fig* hindrance, obstacle.

trabajador,-ra *adj* working. 2 *(laborioso)* hard-working. − 3 *m,f* worker.

trabajar *i* to work. − 2 *t (materiales)* to work (on). 3 *(a algn.)* to (try to) persuade.

trabajo *m* work. 2 *(tarea)* task, job. 3 *(empleo)* job. 4 *(esfuerzo)* effort. 5 EDUC report, paper. ■ ~ *a destajo,* piecework;

trabajos forzados, hard labour *sing;* *trabajos manuales,* arts and crafts.
trabajoso,-a *adj* hard, laborious.
trabalenguas *m inv* tongue twister.
trabar(se) *t (unir)* to join. 2 *(amistad, conversación)* to strike up. 3 *(líquido, salsa)* to thicken. — 4 *p (mecanismo)* to jam. ●*trabársele la lengua a algn.,* to get tongue-tied.
trabazón *f (unión)* joining. 2 *(conexión)* connection, relation.
trabuco *m* blunderbuss.
traca *f* string of firecrackers.
tracción *f* traction. ■ ~ *delantera/trasera,* front-/rear-wheel drive.
tractor *m* tractor.
tradición *f* tradition.
tradicional *adj* traditional.
traducción *f* translation. ■ ~ *automática,* machine translation.
traducir [46] *t* to translate *(a/de,* into/from).
traductor,-ra *adj* translating. — 2 *m,f* translator.
traer [88] *t* to bring. 2 *(llevar consigo)* to carry. 3 *(causar)* to bring about. 4 *(vestir)* to wear. ●~ *entre manos,* to be busy with; *fam* **traérselas,** to be really difficult.
traficante *mf* trader, dealer. 2 *(ilegal)* trafficker.
traficar [1] *i* to deal. 2 *(de forma ilegal)* to traffic *(con,* in).
tráfico *m* traffic.
tragaluz *m* skylight.
tragaperras *f inv (máquina)* ~, slot machine.
tragar(se) [7] *t-p* to swallow (up).
tragedia *f* tragedy.
trágico,-a *adj* tragic. — 2 *m,f* tragedian.
trago *m (sorbo)* swig. 2 *(bebida)* drink. ●*echar un* ~, to have a drink; *fig* *pasar un mal* ~, to have a bad time of it.
tragón,-ona *adj* greedy. — 2 *m,f* glutton.
traición *f* treason, betrayal.
traicionar *t* to betray. 2 *(delatar)* to give away.
traicionero,-a *adj* treacherous.
traidor,-ra *adj* treacherous. — 2 *m,f* traitor.
tráiler *m* CINEM trailer. 2 AUTO articulated lorry, US trailer truck.
traje *m (de hombre)* suit. 2 *(de mujer)* dress. ■ ~ *de baño,* bathing suit/costume; ~ *de etiqueta,* full dress; ~ *de luces,* bullfighter's costume; ~ *sastre,* skirt and jacket.

trajín *m* comings and goings *pl.*
trajinar *t (acarrear)* to carry. — 2 *i (moverse)* bustle about.
trama *f (textil)* weft, woof. 2 *(argumento)* plot.
tramar *t (tejidos)* to weave. 2 *(preparar)* to plot.
tramitar *t* to negotiate, carry out.
trámite *m (paso)* step. 2 *(negociación)* procedures *pl.*
tramo *m* stretch, section. 2 *(de escalera)* flight.
tramontana *f* north wind.
tramoya *f* stage machinery.
tramoyista *mf* scene shifter.
trampa *f* trap. 2 *(abertura)* trapdoor. 3 *fig (engaño)* fiddle. ●*hacer trampa(s),* to cheat.
trampilla *f* trapdoor.
trampolín *m (de piscina)* springboard, diving board. 2 *(de esquí)* ski jump.
tramposo,-a *adj* deceitful, tricky. — 2 *m,f* trickster.
tranca *f (palo)* club, truncheon. 2 *(para puertas etc.)* bar. ●*a trancas y barrancas,* with great difficulty.
trance *m* critical moment. 2 *(éxtasis)* trance. ●*a todo* ~, at any risk.
tranquilidad *f* calmness, tranquillity.
tranquilizante *m* tranquillizer.
tranquilizar(se) [4] *t-p* to calm down.
tranquilo,-a *adj* calm. 2 *(sin ruidos)* quiet.
transacción *f* transaction.
transatlántico,-a *adj* transatlantic. — 2 *m* (ocean) liner.
transbordador *m* ferry.
transbordo *m (de vehículo)* change, US transfer; *(de barco)* tran(s)shipment.
transcribir *t* to transcribe. ▲ *pp* **transcrito,-a.**
transcurrir *i* to pass, elapse.
transcurso *m* course/passing (of time).
transeúnte *mf* pedestrian. 2 *(residente transitorio)* temporary resident.
transferencia *f* transference. 2 FIN transfer.
transferir [35] *t* to transfer.
transfigurar(se) *t* to transfigure. — 2 *p* to become transfigured.
transformación *f* transformation.
transformador *m* transformer.
transformar(se) *t* to transform. — 2 *p* to change. ●~ *en,* to become.
tránsfuga *mf* fugitive; MIL deserter. 2 POL turncoat.
transgredir *t* to transgress, break. ▲ *Only used in forms which include the letter*

*i in their endings: transgredía, transgre-
diré, transgrediendo.*
transgresión *f* transgression.
transgresor,-ra *m,f* transgressor.
transición *f* transition.
transigencia *f* tolerance.
transigir *i* to compromise, be tolerant.
transistor *m* transistor.
transitable *adj* passable.
transitar *i* to travel (about).
transitivo,-a *adj* transitive.
tránsito *m* (*acción*) passage, transit. 2
AUTO traffic.
transitorio,-a *adj* transitory.
translúcido,-a *adj* translucent.
transmisión *f* transmission. 2 RAD TV
broadcast. 3 TÉC drive.
transmisor,-ra *adj* transmitting. − 2 *m,f*
transmitter.
transmitir *t gen* to transmit. 2 RAD TV to
broadcast.
transmutar(se) *t* to transmute. − 2 *p* to
change.
transparencia *f* transparency. 2 (*diapositiva*) slide.
transparentarse *p* to be transparent,
show through.
transparente *adj* transparent.
transpiración *f* perspiration.
transpirar *i* to perspire.
transplante *m* → **trasplante**.
transponer(se) [78] *t* (*de sitio*) to move.
2 (*trasplantar*) to transplant. 3 (*desaparecer*) to disappear. − 4 *p* (*astro*) to set.
▲ *transpuesto,-a.*
transportar *t* to transport; (*mercancías*)
to ship.
transporte *m* transport.
transportista *mf* carrier.
transpuesto,-a *pp* → **transponer**.
transvasar *t* to decant.
transversal *adj* transverse, cross.
tranvía *m* tram(car).
trapacero,-a *adj* tricky. − 2 *m,f* trickster.
trapecio *m* SP trapeze. 2 (*geometría*) tra-
pezium.
trapero,-a *m,f* rag-and-bone man.
trapo *m* (*tela vieja*) rag. 2 (*paño*) cloth. 3
MAR sails *pl.* − 4 *pl* clothes. ●*a todo ~,*
at full sail; *fig* flat out; *poner (a algn.)
como un ~ (sucio),* to tear sb. apart.
tráquea *f* trachea.
tras *prep* (*después de*) after. 2 (*detrás*) behind.
trascendencia *f* (*importancia*) significance. 2 (*filosofía*) transcendence.

trascendental *adj* (*importante*) significant. 2 (*filosofía*) transcendent(al).
trascender [28] *i* (*olor*) to smell. 2 (*darse
a conocer*) to become known. 3 (*tener
consecuencias*) to have an effect. − 4 *t*
(*averiguar*) to discover.
trascribir *t* → **transcribir**.
trascrito,-a *pp* → **transcribir**.
trasero,-a *adj* back, rear. − 2 *m fam* bottom, bun.
trasfondo *m* background.
trashumante *adj* transhumant.
trasiego *m* comings and goings *pl.*
trasladar(se) *t* to move. 2 (*de cargo etc.*)
to transfer. 3 (*aplazar*) to postpone, adjourn. − 4 *p* (*cosa*) to move (*de/a,* from/
to); (*persona*) to go.
traslado *m* move. 2 (*de cargo etc.*) transfer.
traslucir(se) *t-p fig* to show. − 2 *p* (*material*) to be translucent.
trasluz *m* diffused light. ●*mirar algo al
~,* to hold sth. against the light.
trasnochador,-ra *m,f* night bird.
trasnochar *i* to stay up late.
traspapelarse *p* to get mislaid.
traspasar(se) *t* to go through, cross. 2
(*perforar*) to pierce. 3 (*negocio etc.*) to
transfer. − 4 *p* to exceed o.s. ●*"se tras-
pasa",* "for sale".
traspaso *m* transfer. 2 (*precio*) take-over
fee.
traspié *m* stumble, trip.
trasplantar *t* to transplant.
trasplante *m* transplantation.
trasquilar *t* (*animales*) to shear.
trastada *f* dirty trick.
traste *m dar al ~ con,* to spoil, ruin.
trastienda *f* back room. 2 *fig* cunning.
trasto *m* piece of lumber. 2 (*persona*) useless
person. 3 *pl* (*utensilios*) tackle *sing.*
trastocarse [49] *p* to go mad.
trastornado,-a *adj* (*preocupado*) upset. 2
(*loco*) mad.
trastornar(se) *t* (*revolver*) to upset, turn
upside down. 2 (*alterar*) to disturb. 3
(*enloquecer*) to drive crazy. − 4 *p* to go
mad.
trastorno *m* (*desorden*) confusion. 2 (*molestia*) trouble. 3 MED upset.
trata *f* slave trade/traffic.
tratable *adj* friendly, congenial.
tratado *m* (*pacto*) treaty. 2 (*estudio*) treatise.
tratamiento *m* treatment. 2 (*título*) title,
form of address. ●MED *un ~ a base
de...,* a course of... .

tratante *mf* dealer.
tratar(se) *t* to treat. 2 *(asunto)* to discuss. 3 *(manejar)* to handle. 4 INFORM to process. — 5 *i (relacionarse)* to be acquainted *(con,* with): *he tratado más con la hermana,* I'm more acquainted with her sister. 6 *(tener tratos)* to deal/negotiate *(con,* with). 7 *(intentar)* ~ *de,* to try to. 8 *(llamar)* ~ *de,* to address as. 9 *(versar)* ~ *de/sobre/acerca,* to be about. 10 COM to deal *(en,* in). — 11 *p (ser cuestión)* ~ *de,* to be a question/matter of.

trato *m (de personas)* manner, treatment: *tener un* ~ *agradable,* to have a pleasant manner. 2 *(contacto)* contact; *pey* dealings *pl.* 3 *(acuerdo)* agreement. 4 COM deal. 5 *(tratamiento)* title. ■ *malos tratos,* ill-treatment *sing;* ~ *diario,* daily contact.

trauma *m* trauma.

través *m (de madera)* crosspiece, crossbeam. 2 *fig (desgracia)* misfortune. — 3 *adv a* ~ *de,* through. 4 *de* ~, *(transversalmente)* crosswise; *(de lado)* sideways. — 5 *prep al/a* ~, across, over.

travesaño *m* crosspiece. 2 DEP crossbar.

travesía *f (viaje)* voyage, crossing. 2 *(calle)* (cross) street. 3 *(distancia)* distance.

travesti, travestí *mf* transvestite.

travesura *f* mischief. ●*hacer travesuras,* to get into mischief.

travieso,-a *adj* mischievous, naughty. — 2 *f (ferrocarril)* sleeper. 3 *(construcción)* trimmer.

trayecto *m (distancia)* distance, way. 2 *(recorrido)* route, itinerary.

trayectoria *f* trajectory. 2 *fig* line, course.

traza *f (apariencia)* looks *pl,* appearance. 2 *(mañas)* skill, knack. 3 ARQ plan, design. ●*no llevar/tener trazas de,* not to look as if.

trazado *m (plano)* layout, plan. 2 *(dibujo)* drawing, sketch. 3 *(de carretera, ferrocarril)* route, course.

trazar [4] *i* to draw. 2 *(parque)* to lay out; *(edificio)* to design. 3 *(describir)* to sketch.

trazo *m (línea)* line. 2 *(de una letra)* stroke. 3 *(rasgo facial)* feature.

trébol *m* clover, trefoil. 2 *(naipes)* club.

trece *adj* thirteen; *(ordinal)* thirteenth. — 2 *m* thirteen.

trecho *m (distancia)* distance, way. 2 AGR plot, patch.

tregua *f* truce. 2 *fig* respite, rest.

treinta *adj* thirty; *(ordinal)* thirtieth. — 2 *m* thirty.

tremendo,-a *adj (terrible)* terrible, dreadful. 2 *(muy grande)* huge, tremendous.

trémulo,-a *adj* shaky, quivering; *(llama, luz)* flickering.

tren *m* train. 2 MIL convoy. 3 TÉC set (of gears/wheels). 4 *fig (ritmo)* speed, pace. ●*vivir a todo* ~, to lead a grand life. ■ ~ *de cercanías,* suburban train; ~ *de lavado,* car wash; ~ *directo,* through train.

trencilla *f* braided ribbon.

trenza *f (peluquería)* plait, US braid. 2 COST braid.

trenzar [4] *t* to intertwine. 2 *(peluquería)* to plait, US braid.

trepador,-ra *adj* climbing, creeper. — 2 *m,f fam* go-getter, social climber.

trepar *t-i* to climb.

trepidar *i* to vibrate, shake.

tres *adj* three; *(tercero)* third. — 2 *m* three.

trescientos,-as *adj* three hundred; *(ordinal)* three hundredth. — 2 *m* three hundred.

tresillo *m* (three-piece) suite.

treta *f* trick, ruse.

triangular *adj* triangular.

triángulo *m* triangle.

tribu *f* tribe.

tribulación *f* tribulation.

tribuna *f (plataforma)* rostrum, dais. 2 DEP grandstand. ■ ~ *de (la) prensa,* press box.

tribunal *m* court. 2 *(de examen)* board of examiners.

tributación *f* taxation. 2 *(pago)* payment.

tributar *t* to pay.

tributario,-a *adj* tributary, tax. — 2 *m,f* taxpayer.

tributo *m* tax. ■ ~ *de amistad,* token of friendship.

tricotar *t* to knit.

trienio *m* triennium.

trifulca *f* rumpus, row.

trigal *m* wheat field.

trigésimo,-a *adj-m,f* thirtieth.

trigo *m* wheat.

trigonometría *f* trigonometry.

trigueño,-a *adj (pelo)* corn-coloured, dark blonde. 2 *(piel)* dark, swarthy. 3 *(persona)* olive-skinned.

trilla *f* threshing.

trillado,-a *adj fig (expresión)* overworked, well-worn. 2 *(camino)* beaten.

trillar *t* to thresh.

trillizo,-a *m,f* triplet.

trimestral *adj* quarterly, three-monthly.

trimestre *m* quarter, trimester. **2** EDUC term.

trinar *i* to warble. **2** *fam (enfadarse)* to rage, fume.

trinchar *t* to carve, slice (up).

trinchera *f* trench.

trineo *m* sleigh, sled(ge).

trino *m* trill.

trío *m* trio.

tripa *f* gut, intestine; *fam* tummy.

triple *adj-m* triple.

triplicado,-a *adj* triplicate. ●*por* ~, in triplicate.

triplicar [1] *t* to triple, treble.

tripudo,-a *adj fam* paunchy, potbellied.

tripulación *f* crew.

tripular *t* to man.

triquiñuela *f fam* trick, dodge.

triste *adj (infeliz)* sad, unhappy; *(futuro)* bleak. **2** *(oscuro, sombrío)* gloomy, dismal. **3** *(único)* single. **4** *(insignificante)* poor, humble. ●*hacer un* ~ *papel*, to cut a sorry figure.

tristeza *f* sadness. **2** *pl* problems, sufferings.

triturar *t* to grind (up); *(papel)* to shred. **2** *fig (físicamente)* to beat (up); *(moralmente)* to tear apart.

triunfal *adj* triumphant.

triunfalista *adj* boastful. **2** POL jingoistic, chauvinist(ic).

triunfar *i* to triumph, win. ●~ *en la vida,* to succeed in life.

triunfo *m (victoria)* triumph, victory; DEP win. **2** *(éxito)* success. **3** *(naipes)* trump.

trivial *adj* trivial, petty.

triza *f* bit, fragment. ●*hacer trizas,* to tear to shreds; *(gastar)* to wear out; *fam fig estar hecho,-a trizas,* to feel washed out.

trocar(se) [49] *t (permutar)* to exchange, barter. **2** *(transformar)* to turn *(en,* into), convert. **– 3** *p (mudarse)* to change *(en,* into), switch round.

trocear *t* to cut up (into bit/pieces).

trofeo *m* trophy.

trola *f fam* lie, fib.

tromba *f* waterspout. ■ ~ *de agua,* violent downpour.

trombón *m* MÚS trombone. **– 2** *mf* trombonist.

trompa *f* MÚS horn. **2** *(de elefante)* trunk. **3** *(de insecto)* proboscis. **4** *fam (borrachera)* drunkenness.

trompazo *m* bump.

trompeta *f* MÚS trumpet. **– 2** *mf* trumpet player.

trompetista *mf* trumpet player.

trompicón *m (tropezón)* trip, stumble. **2** *(golpe)* blow, hit. ●*a trompicones,* in fits and starts.

tronada *f* thunderstorm.

tronar [31] *i* to thunder. ▲ *Only used in the 3rd pers. It does not take a subject.*

tronchar *t (árboles)* to cut down, fell. **2** *fig* to destroy. ●~*-se de risa,* to split one's sides with laughter.

tronco *m* ANAT trunk, torso. **2** BOT *(tallo de árbol)* trunk; *(leño)* log. **3** *(linaje)* family stock. **4** *arg (compañero)* mate, pal, chum.

trono *m* throne.

tropa *f* MIL troops *pl,* soldiers *pl.* **2** *(muchedumbre)* crowd.

tropel *m* throng, mob. ●*en* ~, in a mad rush.

tropelía *f (atropello)* outrage. **2** *(delito)* crime.

tropezar [47] *i (trompicar)* to trip, stumble *(con,* on). **2** *(encontrar)* to come *(con,* across). **3** *fig (con dificultades)* to come up against; *(con una persona)* to disagree with.

tropezón *m (traspié)* trip, stumble. **2** *fig (error)* slip-up. **3** *fam (de comida)* chunk of meat.

tropical *adj* tropical.

trópico *m* tropic.

tropiezo *m (obstáculo)* trip. **2** *fig (error)* blunder, faux pas; *(revés)* setback, mishap. **3** *(riña)* quarrel.

trotamundos *mf inv* globe-trotter.

trotar *i* to trot.

trote *m (de caballo)* trot. **2** *fam (actividad)* chasing about, (hustle and) bustle. ●*de/ para todo* ~, for everyday use/wear; *no estar para (esos) trotes,* not to be up to that.

trozo *m* piece, chunk.

trucar [1] *t* to doctor, alter.

trucha *f* trout.

truco *m (ardid)* trick. **2** CINEM TV gimmick. **3** *(tranquillo)* knack.

truculento,-a *adj (cruel)* cruel. **2** *(excesivo)* sensationalistic.

trueno *m* thunder(clap). **2** *fam (joven)* madcap.

trueque *m* barter, exchange.

trufa *f* truffle.

truhán,-ana *m,f* rogue, crook.

truncar(se) [1] *t* to truncate. **– 2** *t-p fig (escrito)* to leave unfinished, cut off; *(sentido)* to upset.

tu *adj pos* your: ~ *libro,* your book; *tus libros,* your books.

tú *pron pers* you. ●*de* ~ *a* ~, on equal terms.

tubérculo *m* BOT tuber. 2 MED tubercle.

tuberculosis *f inv* tuberculosis.

tubería *f (de agua)* piping, pipes *pl,* plumbing. 2 *(de gas, petróleo)* pipeline.

tubo *m* tube. 2 *(tubería)* pipe. ■ ~ *de escape,* exhaust pipe.

tuerca *f* nut.

tuerto,-a *adj* one-eyed, blind in one eye. – 2 *m,f* one-eyed person.

tuétano *m* marrow. ●*hasta los tuétanos,* through and through.

tufo *m (mal olor)* foul odour/smell, fug. 2 *(emanación)* fume, vapour.

tugurio *m* shepherd's hut. 2 *fig* hole.

tul *m* tulle.

tulipán *m* tulip.

tullir(se) [41] *t (maltratar)* to cripple. 2 *(de cansancio)* to wear/tire out. – 3 *p* to become crippled.

tumba *f* tomb, grave.

tumbar(se) *t (derribar)* to knock down/over. 2 *fam* EDUC to fail. – 3 *i (caer a tierra)* to fall down. – 4 *p (acostarse)* to lie/stretch down.

tumbo *m* jolt, bump. ●*dar tumbos,* to jolt, bump along.

tumor *m* tumour.

tumulto *m* tumult, commotion.

tunante,-a *adj-m,f* rascal, rogue.

tunda *f* thrashing, beating. 2 *fig (trabajo agotador)* exhausting job, drag.

túnel *m* tunnel.

tupido,-a *adj* dense, thick. 2 AM *(torpe)* clumsy.

turbación *f (alteración)* disturbance. 2 *(preocupación)* anxiety, worry. 3 *(desconcierto)* confusion, uneasiness.

turbar(se) *t (alterar)* to unsettle, disturb. 2 *(preocupar)* to upset, worry. 3 *(desconcertar)* to baffle, put off. – 4 *p (preocuparse)* to be(come) upset. 5 *(desconcertarse)* to be(come) confused/baffled.

turbina *f* turbine.

turbio,-a *adj (oscurecido)* cloudy, muddy. 2 *pey* shady, dubious. 3 *(turbulento)* turbulent.

turbulento,-a *adj* turbulent, troubled.

turgente *adj* turgid.

turismo *m* tourism. 2 *(industria)* tourist trade/industry. 3 AUTO private car. ●*hacer* ~, to go touring/sightseeing.

turista *mf* tourist.

turnar(se) *i* to alternate. – 2 *p* to take turns.

turno *m (tanda)* turn, go. 2 *(período de trabajo)* shift. ●*estar de* ~, to be on duty.

turquesa *adj-f* turquoise.

tutear *t to address as tú.* 2 *fig* to be on familiar terms with.

tutela *f* tutelage, guardianship. 2 *fig* protection, guidance.

tutor,-ra *m,f* guardian. 2 *fig* protector, guide. 3 EDUC tutor.

tuve *pret indic* → **tener.**

tuyo,-a *adj pos* of yours: ¿*es amigo* ~?, is he a friend of yours? – 2 *pron pos* yours: *éste es* ~, this one is yours. 3 *pl los tuyos, (familiares)* your family *sing; (amigos)* your friends.

U

u *conj* or. ▲ *Used only before words starting (h)o.*

ubicación *f* location, position.

ubicar [1] *i-p* to be (situated).

ubre *f* udder.

ufanarse *p* to boast (*de,* of).

ufano,-a *adj (orgulloso)* conceited, arrogant. 2 *(satisfecho)* satisfied, happy.

ujier *m* usher.

úlcera *f* ulcer.

ulterior *adj* further. 2 *(siguiente)* subsequent. — 3 **ulteriormente** *adv* subsequently, afterwards.

ultimar *t* to finish, complete.

ultimátum *m* ultimatum. ▲ *pl* **ultimátums**.

último,-a *adj* last. 2 *(más reciente)* latest; *(de dos)* latter. 3 *(más alejado)* furthest; *(más abajo)* bottom, lowest; *(más arriba)* top; *(más atrás)* back. 4 *(definitivo)* final. — 5 **últimamente** *adv* lately, recently. ●*a la última,* up to date; *a últimos de,* towards the end of; *por* ~, finally; *fig estar en las últimas, (moribundo)* to be at death's door; *(arruinado)* to be down and out.

ultrajante *adj* outrageous, insulting.

ultrajar *t* to outrage, insult.

ultraje *m* outrage, insult.

ultramar *m* overseas (countries *pl*).

ultramarino,-a *adj* overseas. — 2 *m (tienda)* grocer's (shop). 3 *pl (comestibles)* groceries.

ultranza *a* ~, *adv (a muerte)* to the death. 2 *(a todo trance)* at all costs, at any price. 3 *(acérrimo)* out-and-out, extreme.

ultratumba *adv* beyond the grave. — 2 *f* afterlife.

ulular *i* to howl.

umbral *m* threshold.

umbrío,-a *adj* shady.

un,-a *art indef* a, an: ~ *coche,* a car; ~ *huevo,* an egg. 2 *pl* some: *unas flores,* some flowers. — 3 *adj* one.

unánime *adj* unanimous.

unanimidad *f* unanimity. ●*por* ~, unanimously.

uncir [3] *t* to yoke.

undécimo,-a *adj-m,f* eleventh.

ungir [6] *t* to anoint.

ungüento *m* ointment.

unicelular *adj* unicellular.

único,-a *adj (solo)* only: *la única vez,* the only time. 2 *(extraordinario)* unique.

unidad *f* unit. 2 *(cohesión)* unity.

unificar [1] *t* to unify.

uniformar *t (igualar)* to make uniform, standardize. 2 *(poner en uniforme)* to put into uniform.

uniforme *adj-m* uniform. — 2 *adj (superficie)* even.

uniformidad *f* uniformity. 2 *(de superficie)* evenness.

unión *f* union. 2 TÉC *(acoplamiento)* joining; *(junta)* joint.

unir *t (juntar)* to unite, join (together). 2 *(combinar)* to combine (*a,* with). 3 *(enlazar)* to link. ●*estar muy unidos,* to be very attached to one another.

unísono *m* harmony, unison. ●*al* ~, in unison.

universal *adj* universal.

universidad *f* university. ■ ~ *a distancia,* Open University.

universitario,-a *adj* university. — 2 *m,f* university student/graduate.

universo *m* universe.

uno,-a *adj (cardinal)* one; *(ordinal)* first. 2 *pl* some; *(aproximado)* about, around: *habrá unos veinte,* there must be around twenty. — 3 *pron* one: ~ *(de ellos),* one of them. 4 *(impersonal)* one, you. 5

fam (persona) someone, somebody. — **6**
m one. — **7** *f* one o'clock. ●*hacerle una
a algn.,* to play a daily trick on sb.
untar(se) *t* to grease, smear: ~ *pan con
mantequilla,* to spread butter on bread.
2 *fam (sobornar)* to bribe. — **3** *p (man-
charse)* to get stained/smeared. **4** *fam
(forrarse)* to line one's pockets.
untuoso,-a *adj* unctuous, greasy, oily.
uña *f* nail. **2** *(garra)* claw; *(pezuña)* hoof.
●*ser ~ y carne,* to be inseparable.
uranio *m* uranium.
urbanidad *f* urbanity, politeness.
urbanismo *m* town planning.
urbanización *f (proceso)* urbanization. **2**
(conjunto residencial) housing develop-
ment/estate.
urbanizar [4] *t* to urbanize, develop.
■ *zona urbanizada,* built-up area.
urbano,-a *adj* urban, city. — **2** *m,f fam m*
(traffic) policeman, *f* (traffic) policewoman.
urbe *f* large city, metropolis.
urdimbre *f (textil)* warp. **2** *fig (trama)* intrigue.
urdir *t (textil)* to warp. **2** *fig (tramar)* to
plot.
urgencia *f* urgency. **2** *(necesidad)* urgent
need. **2** *(emergencia)* emergency.
urgente *adj* urgent. ■ *correo ~,* express
mail.
urgir [6] *i* to be urgent/pressing.
urinario,-a *adj* urinary. — **2** *m (retrete)* urinal.
urna *f* POL ballot box. **2** *(vasija)* urn. **3**
(caja) glass case. ●*fig acudir a las urnas,*
to vote.

urraca *f* magpie.
usado,-a *adj (gastado)* worn out, old. **2**
(de segunda mano) secondhand, used.
usar(se) *t* to use. **2** *(prenda)* to wear. — **3**
i to make use *(de,* of). — **4** *p* to be used/
in fashion.
uso *m* use. **2** *(ejercicio)* exercise: *el ~ de
un privilegio,* the exercise of a privilege.
3 *(de prenda)* wearing. **4** *(costumbre)*
usage, custom. **5** *(farmacia)* application:
~ *externo,* external application. ●*al ~,*
in the style/fashion of; *hacer ~ de la
palabra,* to take the floor. ■ *usos y costumbres,* ways and customs.
usted *pron pers fml* you. ▲ *pl* **ustedes.**
usual *adj* usual, common.
usuario,-a *m,f* user.
usufructo *m* usufruct.
usura *f* usury.
usurero,-a *m,f* usurer.
usurpación *f* usurpation.
usurpador,-ra *adj* usurping. — **2** *m,f*
usurper.
usurpar *t* to usurp.
utensilio *m (herramienta)* tool, utensil. **2**
(aparato) device, implement.
útil *adj* useful. — **2** *m (herramienta)* tool,
instrument. ■ *día ~,* working day.
utilidad *f* utility, usefulness. **2** *(beneficio)*
profit.
utilizable *adj* usable, fit/ready for use.
utilizar [4] *t* to use, utilize, make use of.
uva *f* grape. **2** *fig (humor)* mood. ● *fam de
mala ~,* in a bad mood.

V

vaca *f* cow. 2 *(carne)* beef. ■ *fig las vacas gordas,* the years of plenty.

vacaciones *fpl* holiday(s) *(pl).* ●*de ~,* on holiday.

vacante *adj* vacant, unoccupied. − 2 *f* vacancy.

vaciado *m* casting, moulding.

vaciar [13] *t (recipiente)* to empty. 2 *(contenido)* to pour away/out. 3 *(dejar hueco)* to hollow out. 4 *(moldear)* to cast, mould.

vacilación *f (duda)* hesitation. 2 *(oscilación)* swaying, unsteadiness.

vacilante *adj (dubitativo)* hesitating. 2 *(oscilante)* swaying.

vacilar *i (dudar)* to hesitate. 2 *(oscilar)* to sway, stagger.

vacío,-a *adj* empty. 2 *(no ocupado)* unoccupied. 3 *fig (vano)* vain. 4 *(hueco)* hollow. − 5 *m* void, emptiness. 6 FÍS vacuum. 7 *fig (hueco)* gap, blank. ●*envasado al ~,* vacuum-packed; *fig hacer el ~ a algn.,* to cold-shoulder sb.

vacuna *f* vaccine.

vacunación *f* vaccination.

vacunar *t* to vaccinate *(contra,* against).

vacuno,-a *adj* bovine. ■ *ganado ~,* cattle.

vadear *t (río)* to ford, wade. 2 *fig (dificultad)* to overcome.

vado *m (de río)* ford. ■ *"~ permanente",* "keep clear".

vagabundear *i* to wander, roam.

vagabundo,-a *adj* wandering, roving. − 2 *m,f* wanderer, tramp.

vagancia *f* idleness, vagrancy.

vagar [7] *i* to wander (about), roam (about).

vago,-a *adj (holgazán)* idle, lazy. 2 *(impreciso)* vague. − 3 *m,f* idler, loafer. ●*hacer el ~,* to laze around.

vagón *m (para pasajeros)* carriage, coach, US car. 2 *(para mercancías)* wagon, goods van, US boxcar, freight car. ■ *~ cama,* sleeping-car.

vaguedad *f* vagueness.

vahído *m* dizziness, faintness.

vaho *m* vapour, steam. 2 *(aliento)* breath. 3 *pl* MED inhalation *sing.*

vaina *f (funda)* sheath, scabbard. 2 BOT pod, husk.

vainilla *f* vanilla.

vaivén *m* swaying, swinging. 2 *(de la gente)* coming and going, bustle. 3 *fig (cambio)* fluctuation.

vajilla *f* tableware, dishes *pl,* crockery. ■ *una ~,* a set of dishes.

vale *m (comprobante)* voucher. 2 *(pagaré)* IOU, promissory note.

valedero,-a *adj* valid.

valentía *f* bravery, courage.

valentón,-ona *pey adj* arrogant, boastful. − 2 *m,f* braggart, bully.

valer(se) [89] *i* to be worth: *no vale nada,* it is worthless. 2 *(costar)* to cost, amount to: *¿cuánto vale?,* how much is it? 3 *(ser válido)* to be valid, count. 4 *(ganar)* to win, earn. 5 *(servir)* to be useful, be of use: *no vale para director,* he's no use as a manager. − 6 *p* to use, make use *(of,* de). 7 *(espabilarse)* to manage. ●*hacer ~,* to assert; *no vale,* it's no good; *¿vale?,* all right?, O.K.?; *vale más,* it is better; *~ la pena,* to be worthwhile; *¡válgame Dios!,* good heavens!

valeroso,-a *adj* courageous, brave.

valía *f* value, worth.

validez *f* validity.

válido,-a *adj* valid.

valiente *adj* brave, courageous. 2 *(fuerte)* strong, vigorous. 3 *fig (excelente)* fine, excellent. − 4 *mf* brave person.

valija *f (maleta)* suitcase. **2** *(de correos)* mailbag. ■ ~ *diplomática,* diplomatic bag.

valioso,-a *adj* valuable.

valla *f* fence, barrier. **2** DEP hurdle. **3** *fig* obstacle. ■ ~ *publicitaria,* hoarding, US billboard.

vallado *m* fence, enclosure.

vallar *t* to fence (in), enclose.

valle *m* valley.

valor *m* value, worth. **2** *(precio)* price. **3** *(coraje)* courage, valour. **4** *(desvergüenza)* daring, nerve. **5** *pl* securities, bonds. ●*armarse de* ~, to pluck up courage; *dar* ~ *a,* to attach importance to; *¡qué* ~*!,* what a nerve!; *sin (ningún)* ~, worthless.

valoración *f* valuation, valuing.

valorar, valorizar [4] *t (tasar)* to value, appraise. **2** *(aumentar el valor)* to raise the value of.

vals *m* waltz.

válvula *f* valve.

vampiro *m* vampire. **2** *fig* bloodsucker.

vanagloria *f* vainglory.

vanagloriarse [12]-*p* to boast *(de,* of).

vandalismo *m* vandalism.

vanidad *f* vanity, conceit.

vanidoso,-a *adj* vain, conceited.

vano,-a *adj (inútil)* vain, useless. **2** *(ilusorio)* illusory, futile. **3** *(frívolo)* frivolous. **4** *(arrogante)* vain, conceited. – **5** *m* opening. ●*en* ~, in vain.

vapor *m* vapour, steam. **2** *(barco)* steamship, steamer. ●CULIN *al* ~, steamed.

vaporizador *m* vaporizer, spray.

vaporizar(se) [4] *t-p* to vaporize.

vaporoso,-a *adj* vaporous. **2** *fig (ligero)* airy, light.

vapulear *t* to whip, thrash.

vapuleo *m* whipping, thrashing.

vaquería *f* dairy.

vaquero,-a *adj* cow, cattle. – **2** *m* cowherd, US cowboy. ■ *(pantalones) vaqueros,* (pair of) jeans.

vara *f* stick, rod. **2** *(mando)* staff, mace.

varadero *m* shipyard.

varar *i* to beach, dock.

variable *adj* variable, changeable.

variación *f* variation, change.

variado,-a *adj* varied, mixed.

variante *adj* variable. – **2** *f* variant.

variar [13] *t-i* to vary, change. ●*irón para* ~, as usual.

varicela *f* chickenpox.

variedad *f* variety, diversity. **2** *pl* TEAT variety show *sing.*

varilla *f* stick, rod. **2** *(de paraguas)* rib.

vario,-a *adj* varied, different. **2** *pl* some, several.

variz *f* varicose vein.

varón *m* male, man.

varonil *adj* manly, virile, male.

vas *pres indic* → **ir.**

vasija *f* vessel, pot, jar.

vaso *m* glass. **2** *(para flores)* vase. **3** ANAT vessel.

vástago *m* BOT shoot, bud. **2** *(descendencia)* offspring. **3** TÉC rod.

vasto,-a *adj* vast, immense, huge.

vaticinar *t* to predict, foretell.

vaticinio *m* prophecy, prediction.

vatio *m* watt.

vaya *pres subj & imperat* → **ir.**

¡vaya! *interj* well!: ~ *casa!,* what a house!

ve *pres indic* → **ver.** – **2** *imperat* → **ir.**

vecinal *adj* local. ■ *camino* ~, country road.

vecindad *f,* **vecindario** *m* neighbourhood. **2** *(vecinos)* neighbours *pl.*

vecino,-a *adj* nearby, next, neighbouring. – **2** *m,f* neighbour. **3** *(residente)* resident. **4** *(habitante)* inhabitant.

veda *f* prohibition. **2** *(de caza)* close season.

vedar *t* to prohibit, forbid. **2** *(impedir)* to prevent.

vega *f* fertile lowland.

vegetación *f* vegetation.

vegetal *adj-m* vegetable.

vegetar *i* to vegetate, live.

vegetariano,-a *adj-m,f* vegetarian.

vehemencia *f* vehemence.

vehemente *adj* vehement.

vehículo *m* vehicle. **2** *(coche)* car.

veinte *adj* twenty; *(vigésimo)* twentieth. – **2** *m* twentieth.

vejación *f* vexation.

vejar *t* to vex, annoy.

vejez *f* old age.

vela *f (vigilia)* watch, vigil. **2** *(desvelo)* wakefulness. **3** *(candela)* candle. **4** *(de barco)* sail. ●*pasar la noche en* ~, to have a sleepless night.

velada *f* evening (party).

velar(se) *i* to stay awake. **2** *(cuidar)* to watch *(por,* over), look *(por,* after). – **3** *t* to veil, hide. – **4** *p (fotografía)* to fog.

velatorio *m* wake, vigil.

veleidad *f (capricho)* caprice, whim. **2** *(inconstancia)* inconstancy.

veleidoso,-a *adj* inconstant, fickle.

veleta *f* weathercock. – **2** *mf fig (persona)* fickle person.

vello *m* hair.

velloso,-a *adj* downy, hairy.

velo *m* veil. ●*fig* *correr/echar un* ~ *sobre,* to draw a veil over.

velocidad *f* speed, velocity. 2 AUTO *(marcha)* gear.

velódromo *m* cycle track.

veloz *adj* fast, quick, swift.

vena *f* ANAT vein. 2 *(de metal)* vein, seam. 3 *fig (inspiración)* poetical inspiration. ●*estar en* ~, to be in the mood.

venablo *m* javelin, dart.

venado *m* ZOOL stag, deer. 2 CULIN venison.

vencedor,-ra *adj* DEP winning. 2 MIL conquering, victorious. – 3 *m,f* DEP winner. 4 MIL conqueror.

vencer [2] *t* DEP to beat. 2 MIL to defeat, conquer. 3 *(problema etc.)* to overcome. – 4 *i* DEP to win. 5 *(deuda)* to fall due. 6 *(plazo)* to expire.

vencido,-a *adj* defeated. 2 *(deuda)* due, payable.

venda *f* bandage.

vendaje *m* bandaging.

vendar *t* to bandage. ●*fig* ~ *los ojos,* to blindfold.

vendaval *m* strong wind, gale.

vendedor,-ra *adj* selling. – 2 *m,f* seller, *m* salesman, *f* saleswoman.

vender(se) *t* to sell. 2 *fig (traicionar)* to betray. – 3 *p* to be sold: *se venden a peso,* they are sold by weight. 4 *(dejarse sobornar)* to sell o.s., accept a bribe. ● *"se vende",* "for sale".

vendimia *f* grape harvest.

vendimiar [12] *t* to harvest.

vendré *fut indic* → **venir.**

veneno *m (química, vegetal)* poison; *(animal)* venom.

venenoso *adj* poisonous, venomous.

venerable *adj* venerable.

veneración *f* veneration, worship.

venerar *t* to venerate, worship.

venga *pres subj & imperat* → **venir.**

venganza *f* revenge, vengeance.

vengar(se) [7] *t* to avenge. – 2 *p* to take revenge *(de,* on).

vengo *pres indic* → **venir.**

venial *adj* venial.

venida *f* coming, arrival.

venidero,-a *adj* future, forthcoming. ●*en lo* ~, in the future.

venir(se) [90] *i gen* to come. 2 *(llegar)* to arrive. – 3 *p* to come back. ●*el mes que viene,* next month; ~ *a menos,* to decline; ~ *abajo,* to collapse; ~ *al caso,* to be relevant; ~ *al pelo,* to be opportune; ~ *bien/mal,* to be/not to be suitable; ~ *de,* to come from; ~ *motivado,-a por,* to be caused by; ~*se abajo,* to collapse, fall down.

venta *f* sale, selling. 2 *(hostal)* roadside inn. ● *"en* ~*",* "for sale"; *poner a la* ~, to put up for sale. ■ ~ *al por mayor/ menor,* wholesale/retail sale.

ventaja *f* advantage.

ventajoso,-a *adj* advantageous. 2 *(beneficioso)* profitable.

ventana *f* window.

ventilación *f* ventilation.

ventilador *m* ventilator, fan.

ventilar *t* to air, ventilate. 2 *fig (tema)* to discuss; *(opinión)* to air.

ventisca *f* snowstorm, blizzard.

ventolera *f* gust of wind. 2 *fig* caprice, whim.

ventosidad *f* wind, flatulence.

ventoso,-a *adj* windy.

ventrículo *m* ventricle.

ventrílocuo,-a *m,f* ventriloquist.

ventura *f (felicidad)* happiness. 2 *(suerte)* luck, fortune. 3 *(hazar)* hazard, risk. ●*por* ~, by chance.

venturoso,-a *adj* lucky, fortunate.

ver(se) [91] *t gen* to see. 2 *(mirar)* to look (at). 3 *(televisión)* to watch. 4 *(entender)* to understand. 5 *(visitar)* to visit. – 6 *p* to be seen. 7 *(con algn.)* to meet, see each other. 8 *(encontrarse)* to find o.s. ●*a* ~, let's see; *es de* ~, it is worth seeing; *hacer* ~, to pretend; *hasta más* ~, see you; *no poder* ~, to detest; *no tener nada que* ~ *con,* to have nothing to do with; *se ve que,* apparently; *véase,* see; ~ *venir,* to expect to happen; ~*se obligado,-a a,* to be obliged to; *ya se ve,* of course. ▲ *pp* **visto,-a.**

vera *f* edge, verge. ●*a la* ~ *de,* near, close to.

veracidad *f* veracity, truthfulness.

veraneante *mf* summer resident.

veranear *i* to spend the summer (holiday) *(en,* in/at).

veraneo *m* summer holiday.

veraniego,-a *adj* summer.

verano *m* summer (season).

veras *de* ~, *adv* really, truly.

veraz *adj* truthful, veracious.

verbal *adj* verbal, oral.

verbena *f* BOT verbena. 2 *(fiesta)* night party.

verbigracia *adv fml* for example.

verbo *m* verb.

verdad f truth. 2 *(confirmación)* **es bonita,
¿~?**, she's pretty, isn't she? ●*a decir ~*,
to tell the truth; *en ~*, really; *¿(no es)
~?*, isn't that so?

verdadero,-a adj true, real.

verde adj gen green. 2 *(fruta)* unripe. 3
fam (chiste) blue, dirty. – 4 m *(color)*
green. 5 *(hierba)* grass. ●*fam poner ~*, to
abuse. ■ *fam viejo ~*, dirty old man.

verdor m verdure, greenness.

verdoso,-a adj greenish.

verdugo m executioner.

verdulería f greengrocer's (shop).

verdulero,-a m,f greengrocer. – 2 f fig
coarse woman.

verdura f vegetables pl, greens pl.

vereda f (foot)path.

veredicto m verdict.

vergel m flower and fruit garden.

vergonzoso,-a adj *(acto)* shameful, shocking. 2 *(persona)* bashful, shy.

vergüenza f shame. 2 *(timidez)* bashful-
ness. 3 *(turbación)* embarrassment. ●*te-
ner/sentir ~*, to be ashamed.

verídico,-a adj truthful, true: **es ~**, it is
a fact.

verificar(se) [1] t to verify, confirm. 2
(probar) to prove. 3 *(efectuar)* to carry
out. – 4 p *(comprobarse)* to come true. 5
(efectuarse) to take place.

verja f *(reja)* grating. 2 *(cerca)* railing.

verosímil adj likely, probable.

verosimilitud f probability, likeliness.

verruga f wart.

versado,-a adj versed, proficient.

versar i to deal *(sobre, with)*, be *(sobre, about)*.

versátil adj versatile.

versificar [1] t to versify. – 2 i to write
in verse.

versión f version.

verso m verse.

vértebra f vertebra.

vertebrado,-a adj-m,f vertebrate.

vertedero m (rubbish) dump/tip.

verter [28] t to pour (out); *(basura)* to
dump. 2 *(derramar)* to spill; *(lágrimas)* to
shed. 3 *(vaciar)* to empty (out). – 4 i *(corriente, río)* to run, flow.

vertical adj-f vertical.

vértice m vertex.

vertiente f slope. 2 fig *(aspecto)* angle. 3
AM *(fuente)* fountain.

vertiginoso,-a adj dizzy, giddy.

vértigo m vertigo. 2 *(turbación)* dizziness,
giddiness.

vesícula f vesicle.

vespa ® f (motor) scooter.

vespertino,-a adj evening.

vestíbulo m *(de casa)* hall, entrance. 2 *(de
hotel etc.)* hall, lobby.

vestido m *(de mujer)* dress; *(de hombre)*
costume, suit. ■ *~ de etiqueta*, evening
dress.

vestigio m vestige, trace, remains pl.

vestir(se) [34] t *(llevar)* to wear. 2 *(a
algn.)* to dress *(de, in)*. 3 *(cubrir)* to cover
(de, with). – 4 i to dress: *~ de negro*,
to dress in black. 5 *(ser elegante, lucir)* to
be elegant, look smart. – 6 p to dress,
get dressed. ●*el mismo que viste y cal-
za*, the very same, none other; *~se de*,
to wear, dress in; *(disfrazarse)* to disguise o.s. *(de, as); ~se de punta en blanco*,
to dress up to the nines.

vestuario m wardrobe, clothes pl. 2 MIL
uniform. 3 TEAT *(camerino)* dressing
room. 4 DEP changing room.

veta f seam, vein. 2 fig streak.

veterano,-a adj-m,f veteran.

veterinario,-a m,f veterinary surgeon,
vet, US veterinarian. – 2 adj veterinary.
– 3 f veterinary medicine/science.

veto m veto.

vez f time. 2 *(turno)* turn; *(ocasión)* occasion. ●*a la ~*, at the same time; *a su ~*,
in turn; *a veces*, sometimes; *alguna ~*, sometimes; *(en pregunta)* ever;
cada ~, every time; *de una ~ para
siempre*, once for all; *de ~ en cuando*,
from time to time; *dos veces*, twice; *en
~ de*, instead of; *muchas veces*, often;
otra ~, again; *pocas veces*, seldom; *tal
~*, perhaps, maybe.

vía f *(camino)* road, way; *(calle)* street. 2
(de tren) track, line. 3 fig *(modo)* way,
manner. ●*en ~ de*, in process of. ■ *~
férrea*, railway, track; *~ pública*, thoroughfare.

viable adj viable.

viaducto m viaduct.

viajante m commercial traveller.

viajar i to travel.

viaje m journey, trip. 2 *(por mar/aire, largo)* voyage. 3 *(concepto de viajar)* travel.
4 *(carga)* load. ●*irse de ~*, to go on a
journey/trip. ■ *cheque de ~*, traveller's
cheque; *~ de ida y vuelta*, return trip,
US round trip.

viajero,-a adj travelling. – 2 m,f traveller.
3 *(pasajero)* passenger.

viandante mf pedestrian, passer-by.

víbora f viper.

vibración f vibration.

vibrar t-i to vibrate.

vicario,-a *m,f* vicar.

viceversa *adv* vice versa.

viciar(se) [12] *t* to vitiate, corrupt, spoil. − 2 *p* to take to vice, become corrupted.

vicio *m* vice, corruption. 2 *(mala costumbre)* bad habit. ●*de/por* ~, for no reason at all, for the sake of it.

vicioso,-a *adj* vicious, corrupt, depraved. − 2 *m,f* depraved person.

vicisitud *f* vicissitude.

víctima *f* victim.

victoria *f* victory, triumph.

victorioso,-a *adj* victorious, triumphant.

vid *f* (grape)vine.

vida *f* life. 2 *(viveza)* liveliness. 3 *(tiempo)* lifetime. 4 *(modo de vivir)* (way of) life. 5 *(medios)* living, livelihood. ●*de por* ~, for life; *en mi/tu/su* ~, never; *en* ~ *de*, during the life of; *ganarse la* ~, to earn one's living; *¡*~ *mía!*, my love!

vidente *mf* seer, soothsayer.

vídeo *m* video. 2 *(aparato)* video recorder, video. ■ *cinta de* ~, videotape.

videoaficionado,-a *m,f* video fan.

videocámara *f* video camera.

videocasete *m* video cassette.

videocinta *f* videotape.

videoclub *m* video club.

videojuego *m* video game.

videoteca *f* video library.

vidriera *f* glass window/door. 2 ART stained glass window.

vidrio *m* glass.

vidrioso,-a *adj (quebradizo)* brittle, glasslike. 2 *(resbaladizo)* slippery. 3 *(ojo)* glassy. 4 *fig (delicado)* touchy.

viejo,-a *adj (persona)* old, aged; *(cosa)* ancient, antique. − 2 *m,f m* old man, *f* old woman.

viento *m* wind.

vientre *m* belly, abdomen. 2 *(vísceras)* bowels *pl*. 3 *(de embarazada)* womb.

viernes *m inv* Friday. ■ *Viernes Santo*, Good Friday.

viga *f (de madera)* beam, rafter. 2 *(de acero etc.)* girder.

vigente *adj* in use, in force.

vigésimo,-a *adj-m,f* twentieth.

vigía *f (atalaya)* watchtower. − 2 *mf* lookout, *m* watchman, *f* watchwoman.

vigilancia *f* vigilance, watchfulness.

vigilante *adj* vigilant, watchful. − 2 *mf m* watchman, *f* watchwoman.

vigilar *t-i (ir con cuidado)* to watch. 2 *(con armas etc.)* to guard. 3 *(supervisar)* to oversee. 4 *(cuidar)* to look after.

vigor *m* vigour, strength. 2 *(validez)* force, effect. ●*en* ~, in force.

vigorizar [4] *t* to invigorate, strengthen, encourage.

vigoroso,-a *adj* vigorous, strong.

vil *adj* vile, base, despicable.

vileza *f (cualidad)* vileness, baseness. 2 *(acto)* vile act.

vilipendiar [12] *t* to revile, defame. 2 *(despreciar)* to despise.

villa *f (casa)* villa. 2 *(pueblo)* small town.

villancico *m* (Christmas) carol.

villano,-a *m,f* villain.

vilo *en* ~, *adv (supendido)* in the air. 2 *(inquieto)* in suspense.

vinagre *m* vinegar.

vinagreras *fpl* cruet (stand) *sing*.

vinculación *f* bond, link.

vincular *t* to link, bind. 2 *(relacionar)* to relate. 3 JUR to entail.

vínculo *m* tie, bond. 2 JUR entail. ■ *vínculos familiares*, family ties.

vindicación *f* vindication. 2 *(venganza)* revenge.

vindicar [1] *t* to vindicate. 2 *(vengar)* to avenge.

vine *pt indef indic* → **venir**.

vinícola *adj* wine-producing.

vino *m* wine. ■ ~ *de Jerez,* sherry; ~ *tinto,* red wine.

viña *f,* **viñedo** *m* vineyard.

violación *f (transgresión)* violation, infringement. 2 *(de persona)* rape.

violar *t (transgredir)* to violate, infringe. 2 *(persona)* to rape.

violencia *f* violence. 2 *(sentimiento)* embarrassment; *(situación)* embarrassing.

violentar(se) *t (obligar)* to force. 2 *(entrar)* to break into. − 3 *p (molestarse)* to get annoyed. 4 *(avergonzarse)* to be embarrassed, feel ashamed.

violento,-a *adj* violent. 2 *(vergonzoso)* embarrassing, awkward.

violeta *adj-m (color)* violet. − 2 *f* BOT violet.

violín *m* violin. − 2 *mf* violinist.

violinista *mf* violinist.

viraje *m* turn, bend.

virar *i* MAR to tack. 2 AUTO to turn round.

virgen *adj (persona)* virgin. 2 *fig* virgin, pure. 3 *(en estado natural)* unspoiled. 4 *(reputación)* unsullied. − 5 *f* virgin.

virginidad *f* virginity.

Virgo *m inv* Virgo.

viril *adj* virile, manly.

virilidad *f* virility.

virtual *adj* virtual.

virtud f virtue. **2** *(propiedad, eficacia)* property, quality.

virtuoso,-a *adj* virtuous. − **2** *m,f* virtuous person. **3** ART virtuoso.

viruela f smallpox. **2** *(marca)* pockmark.

virulencia f virulence.

virulento,-a *adj* virulent.

virus *m inv* virus.

viruta f shaving.

visado *m* visa.

víscera f internal organ. **2** *pl* viscera, entrails.

viscosidad f viscosity.

viscoso,-a *adj* viscous.

visera f *(de gorra)* peak; *(de casco)* visor.

visibilidad f visibility.

visible *adj* visible. **2** *(evidente)* evident.

visión f vision. **2** *(vista)* sight. ●*ver visiones,* to dream, see things.

visionario,-a *adj-m,f* visionary.

visita f visit. **2** *(invitado)* visitor, guest. ●*hacer una ~,* to pay a visit to.

visitante *adj* visiting. − **2** *mf* visitor.

visitar *t* to visit, pay a visit, call upon. **2** *(inspeccionar)* to inspect, examine.

vislumbrar *t* to glimpse, make out. **2** *fig (conjeturar)* to guess, conjecture.

viso *m (reflejo)* sheen, gloss. **2** *(ropa interior)* underskirt. **3** *fig* appearance.

visón *m* mink.

víspera f eve. **2** REL vespers. ●*en vísperas de,* on the eve of.

vista f sight, vision. **2** *(ojo)* eye(s). **3** *(panorama)* view, scene. **4** *(aspecto)* aspect, looks *pl.* **5** *(intención)* intention. **6** *(propósito)* outlook, prospect. **7** JUR trial, hearing. ●*a la ~,* at sight; *a primera/simple ~,* at first sight; *bajar la ~,* to look down; *con vistas a,* overlooking; *conocer de ~,* to know by sight; *en ~ de,* in view of; *estar a la ~,* to be evident; *hacer la ~ gorda,* to overlook; *hasta la ~,* good-bye, so long; *perder de ~,* to lose sight of.

vistazo *m* glance, look. ●*echar un ~ a,* to have a look at.

visto,-a *pp* → **ver.** − **2** *adj* seen. ●*estar bien ~,* to be well looked upon; *estar mal ~,* to be frowned upon; *nunca ~,* extraordinary; *por lo ~,* as it seems.

vistoso,-a *adj* bright, showy, colourful.

visual *adj* visual. − **2** f line of sight.

vital *adj* vital. **2** *(esencial)* essential. **3** *(persona)* lively.

vitalicio,-a *adj* (for) life.

vitamina f vitamin.

vitorear *t* to cheer, acclaim.

vitrina f *(armario)* glass/display cabinet. **2** *(de exposición)* glass case, showcase. **3** *(escaparate)* shop window.

vituperar *t* to censure, condemn.

vituperio *m* insult, censure.

viudez f widowhood.

viudo,-a *adj* widowed. − **2** *m,f m* widower, f widow.

viva *m* cheer, shout. − **2** *interj* hurrah!

vivaracho,-a *adj* vivacious, lively.

vivaz *adj (vivo)* vivacious, lively. **2** *(perspicaz)* keen, quick-witted.

víveres *mpl* food *sing,* provisions, victuals.

vivero *m (de plantas)* nursery. **2** *(de peces)* fish farm.

viveza f *(persona)* liveliness, vivacity. **2** *(color, relato)* vividness. **3** *(al hablar)* vehemence. **4** *(agudeza)* sharpness. **5** *(en ojos)* sparkle.

vivienda f housing, accommodation. **2** *(morada)* dwelling. **3** *(casa)* house. **4** *(piso)* flat.

viviente *adj* living, alive.

vivificar [1] *t* to vivify, enliven.

vivir *i* to live, to be alive. − **2** *t (pasar)* to live (through). − **3** *m* living, life. ●*~ de,* to live on; *fam ~ a lo grande,* to live it up, live in style.

vivo,-a *adj* alive, living. **2** *(color etc.)* bright, vivid. **3** *(animado)* lively. **4** *(dolor etc.)* acute, sharp. **5** *(listo)* quick-witted. − **6** *m,f* living person: *los vivos,* the living. ●TV *en ~,* live.

vizconde *m* viscount.

vizcondesa f viscountess.

vocablo *m* word, term.

vocabulario *m* vocabulary.

vocación f vocation, calling.

vocal *adj* vocal. − **2** f vowel. − **3** *mf (de junta etc.)* member.

vocear *i (dar voces)* to shout, cry out. − **2** *t (divulgar)* to publish. **3** *(gritar)* to shout, call. **4** *(aclamar)* to cheer, acclaim.

vocerío *m* shouting, uproar.

vociferar *i-t* to vociferate, shout.

volador,-ra *adj* flying.

voladura f blowing up, demolition.

volante *adj* flying. − **2** *m* COST flounce. **3** AUTO steering wheel. **4** *(aviso, orden)* note, order.

volar [31] *i* to fly. **2** *(desaparecer)* to disappear. **3** *(noticia)* to spread rapidly. − **4** *t (hacer explotar)* to blow up.

volátil *adj* volatile.

volcán *m* volcano.

volcar(se) [49] *t-i* to turn over, upset. **2** MAR to capsize. **3** *(vaciar)* to empty out. **− 4** *p* to turn over, overturn. **5** *fig (entregarse)* to devote o.s.

voltaje *m* voltage.

voltereta *f* somersault.

voltio *m* volt.

volubilidad *f* changeability, fickleness.

voluble *adj* changeable, fickle.

volumen *m* volume. **2** *(tamaño)* size. ●*bajar/subir el* ∼, to turn the volume down/up.

voluminoso,-a *adj* voluminous, bulky.

voluntad *f* will. **2** *(propósito)* intention, purpose. **3** *(deseo)* wish. ●*a* ∼, at will; *buena* ∼, goodwill.

voluntario,-a *adj* voluntary. **− 2** *m,f* volunteer. ●*ofrecerse* ∼, to volunteer.

voluntarioso,-a *adj* willing.

voluptuoso,-a *adj* voluptuous.

voluta *f* volute. **2** *(de humo)* ring.

volver(se) [32] *t (dar vuelta a)* to turn (over); *(hacia abajo)* to turn upside down; *(de fuera a dentro)* to turn inside out. **2** *(convertir)* to turn, make: ∼ *loco,-a,* to drive crazy. **3** *(devolver)* to give back; *(a su lugar)* to put back. **− 4** *i (regresar)* to come/go back, return. **− 5** *p (regresar)* to come/go back. **6** *(darse la vuelta)* to turn (round). **7** *(convertirse)* to turn, become. ●∼ *a,* to do again; ∼ *en sí,* to recover consciousness, come round; ∼*se atrás,* to back out. ▲ *pp vuelto,-a.*

vomitar *t-i* to vomit.

vómito *m (resultado)* vomit. **2** *(acción)* vomiting.

vorágine *f* vortex, whirlpool.

voraz *adj* voracious. **2** *fig* fierce.

vosotros,-as *pron pers m,f pl* you.

votación *f* vote, ballot. **2** *(acto)* vote, voting. ●*someter algo a* ∼, to put sth. to the vote, take a ballot on sth.

votante *mf* voter.

votar *i* to vote *(por/contra,* for/against).

voto *m* vote. **2** REL vow. **3** *(deseo)* wish, prayer.

voy *pres indic* → **ir.**

voz *f* voice. **2** *(grito)* shout. **3** *(en diccionario)* word. **4** GRAM voice. **5** *(rumor)* rumour, report. ●*dar voces,* to shout; *en* ∼ *alta,* aloud; *en* ∼ *baja,* in a low voice.

vuelco *m* overturning, upset.

vuelo *m* flight. **2** *(acción)* flying. **3** *(de vestido)* fullness, flare. **4** ARQ projection. ●*alzar el* ∼, to take flight, *fig* *cazarlas/cogerlas al* ∼, to be quick on the uptake.

vuelta *f* turn. **2** *(en un circuito)* lap, circuit. **3** *(paseo)* walk, stroll. **4** *(regreso)* return. **5** *(dinero de cambio)* change. **6** *(curva)* bend, curve. **7** *(reverso)* back, reverse. ●*a la* ∼, on the way back; *dar la* ∼, *(alrededor)* to go round; *(girar)* to turn (round); *(de arriba abajo)* to turn upside down; *(de dentro a fuera)* to turn inside out; *(cambiar de lado)* to turn over; *dar vueltas,* to turn; *estar de* ∼, to be back; *fig dar vueltas a algo,* to worry about sth.; *fig no tener* ∼ *de hoja,* to be beyond doubt; *fig poner de* ∼ *y media,* to insult.

vuelto,-a *pp* → **volver.**

vuestro,-a *adj pos* your, of yours: *vuestra casa,* your house; *un amigo* ∼, a friend of yours. **− 2** *pron pos* yours: *éstas son las vuestras,* these are yours.

vulgar *adj (grosero)* vulgar. **2** *(general)* common, general. **3** *(banal)* banal, ordinary.

vulgaridad *f (grosería)* vulgarity. **2** *(banalidad)* commonplace, platitude, triviality.

vulgarizar [4] *t* to popularize.

vulgo *m pey* mob.

vulnerable *adj* vulnerable.

vulnerar *t* to harm, damage. **2** *(ley etc.)* to violate.

vulva *f* vulva.

W

walkman® *m* walkman®.
wáter *m fam* toilet. ▲ *pl wáteres*.
waterpolo *m* water polo.
wélter *m* welterweight.

whisky *m* whisky; *(Irlandés)* whiskey.
windsurf *m* windsurfing.
windsurfista *mf* windsurfer.
wolfram, wolframio *m* wolfram.

X

xenofobia *f* xenophobia.
xerografía *f* xerography.

xilófono *m* xylophone.
xilografía *f (arte)* xylography. **2** *(impresión)* xylograph.

Y

y *conj* and. **2** *(hora)* past: **son las tres ~ cuarto,** it's a quarter past three. **3** *(en pregunta)* what about: *¿~ López?,* what about López? ●**~ eso que,** although, even though; *¿~ qué?,* so what?; *¿~ si ... ?,* what if ... ?; *¡~ tanto!,* you bet!, and how!

ya *adv (con pasado)* already: **~ lo sabía,** I already knew. **2** *(con presente)* now: **es preciso actuar ~,** it is vital that we act now. **3** *(ahora mismo)* immediately, at once. **— 4** *interj irón* oh yes! ●**~ entiendo,** I see; **~ era hora,** about time too; *¡~ está!,* there we are!, done!; **~ no,** any more, no longer; **~ que,** since.

yacer [92] *i* to lie, be lying.

yacimiento *m* bed, deposit.

yago *pres indic* → **yacer.**

yanqui *adj-mf pey* Yankee.

yarda *f* yard.

yate *m* yacht.

yedra *f* → **hiedra.**

yegua *f* mare.

yeguada *f* herd of horses.

yelmo *m* helmet.

yema *f (de huevo)* yolk. **2** BOT bud. **3** *(del dedo)* fingertip.

yerba *f* → **hierba.**

yermo,-a *adj (sin vegetación)* barren, uncultivated. **2** *(despoblado)* deserted, uninhabited. **— 3** *m (terreno inculto)* barren land, wasteland. **4** *(terreno inhabitado)* wilderness.

yerno *m* son-in-law.

yerro *m* error, mistake.

yerto,-a *adj* stiff, rigid.

yeso *m* gypsum. **2** *(construcción)* plaster. **3** *(tiza)* chalk.

yo *pron pers* I, me: **soy ~,** it's me. **— 2** *m* **el ~,** the ego/self.

yodo *m* iodine.

yoduro *m* iodide.

yogur *m* yog(h)urt.

yonqui *mf arg* junkie.

yóquey, yoqui *m* jockey.

yudo *m* judo.

yugo *m* yoke.

yunque *m* anvil.

yunta *f* yoke/team of oxen.

yute *m* jute.

yuxtaponer [78] *t* to juxtapose. ▲ *pp* **yuxtapuesto,-a.**

yuxtaposición *f* juxtaposition.

yuxtapuesto,-a *pp irreg* → **yuxtaponer.**

Z

zafar(se) *t (soltar)* to loosen, untie. **2** *(desembarazar)* to free, clear. — **3** *p (librarse)* to get away *(de,* from), escape *(de,* from).

zafio,-a *adj* uncouth, rough, coarse.

zafiro *m* sapphire.

zaga *f* rear. ●*a/en la ~,* behind, at the rear.

zagal,-la *m,f (muchacho) m* lad, *f* lass. **2** *(pastor) m* shepherd, *f* shepherdess.

zaguán *m* hall(way).

zaherir [35] *t (sentimientos)* to hurt. **2** *(reprender)* to reprimand. **3** *(censurar)* to reproach. **4** *(burlarse)* to mock.

zahorí *m (adivino)* seer, clairvoyant; *(de agua)* water diviner. **2** *fig* mindreader. ▲ *pl* **zahoríes**.

zahúrda *f* pigsty.

zaino,-a *adj (traidor)* treacherous. **2** *(caballo)* chestnut; *(res vacuna)* black.

zalamería *f* cajolery, flattery.

zalamero,-a *adj* flattering, fawning. — **2** *m,f* flatterer, fawner.

zamarra *f* sheepskin jacket.

zambo,-a *adj* knock-kneed.

zambomba *f kind of primitive drum.* — **2** *interj fam* phew!

zambombazo *m fam (explosión)* bang, explosion. **2** *(golpe)* blow.

zambullida *f* dive, plunge.

zambullir(se) [41] *t (en el agua) (persona)* to duck; *(cosa)* to dip, plunge. — **2** *p* to dive, plunge. **3** *(en una actividad)* to become absorbed *(en,* in).

zampar(se) *t-p* to wolf down.

zanahoria *f* carrot.

zanca *f* leg.

zancada *f* stride.

zancadilla *f* trip. **2** *fam (engaño)* ruse, trick. ●*ponerle/hacerle la ~ a algn.,* to trip sb. up.

zanco *m* stilt.

zancudo,-a *adj* longlegged. **2** *(ave)* wading. — **3** *fpl (aves)* waders.

zanganear *i* to idle, laze around.

zángano,-a *m,f fam (persona)* idler, lazybones *inv.* — **2** *m (insecto)* drone.

zanja *f* ditch, trench.

zanjar *t (abrir zanjas)* to dig a ditch/trench in. **2** *fig (asunto)* to settle.

zapatazo *m* blow with a shoe.

zapatear *t* to tap with the feet.

zapatería *f (tienda)* shoe shop. **2** *(oficio)* shoemaking.

zapatero,-a *m,f* shoemaker. ■ *~ remendón,* cobbler.

zapatilla *f* slipper. ■ *~ de ballet,* ballet shoe; *~ de deporte,* running shoe.

zapato *m* shoe. ■ *zapatos de tacón,* high-heeled shoes.

zarabanda *f* saraband. **2** *fam (jaleo)* bustle, confusion, turmoil.

zaragata *f* row, rumpus.

zaranda *f* sieve.

zarandajas *fpl* odds and ends, trifles.

zarandear(se) *t (cribar)* to sieve. **2** *(sacudir)* to shake; *(empujar)* to jostle, knock about. — **3** *p (ajetrearse)* to bustle/rush about. **4** *(contonearse)* to swagger, strut.

zarandeo *m (criba)* sieving. **2** *(sacudida)* shaking; *(empujones)* bustling/rushing about. **3** *(contoneo)* swaggering, strutting.

zarcillo *m (pendiente)* earring. **2** BOT tendril.

zarpa *f* claw, paw. ●*echar la ~ a,* to grab.

zarpar *i* to weigh anchor, set sail.

zarpazo *m* clawing. ●*dar/pegar un ~,* to claw.

zarrapastroso,-a *adj* scruffy. — **2** *m,f* scruff.

zarza *f* bramble, blackberry bush.

zarzal *m* bramble patch.
zarzamora *f* *(zarza)* blackberry bush; *(fruto)* blackberry.
¡zas! *interj* crash!, bang!
zascandil *m* fusspot. 2 *(casquivano)* featherbrain. 3 *(entrometido)* busybody, meddler.
zascandilear *i* to fuss about. 2 to meddle.
zenit *m* zenith.
zigzag *m* zigzag. ▲ *pl* **zigzags, zigzagues**.
zigzagueante *adj* zigzag.
zigzaguear *i* to zigzag.
zinc *m* zinc.
zipizape *m* rumpus, scuffle.
zócalo *m* *(de pared)* skirting board. 2 *(pedestal)* plinth.
zodiacal *adj* zodiacal.
zodiaco, zodíaco *m* zodiac.
zombi, zombie *mf* zombie. ●*fam estar* ~, to be groggy; *(loco)* to be crazy.
zona *f* zone, area. ■ ~ *verde*, park.
zonzo,-a *adj* AM silly.
zoo *m* zoo.
zoología *f* zoology.
zoológico,-a *adj* zoological. – 2 *m* zoo. ■ *parque* ~, zoo.
zoólogo,-a *m,f* zoologist.
zopenco,-a *adj* daft, stupid. – 2 *m,f* dope, half-wit.
zoquete *adj fam (lerdo)* stupid. – 2 *mf fam (lerdo)* blockhead. – 3 *m (tarugo)* block of wood.
zorrería *f fam* dirty trick.

zorro,-a *m,f (animal)* fox; *(piel)* fox-fur, fox-skin. 2 *(persona)* sly person, fox. – 3 *f fam (prostituta)* whore. – 4 *mpl (para el polvo)* duster *sing*. – 5 *adj (astuto)* cunning, sly. ●*fam estar hecho unos zorros*, to be knackered; *fam no tener ni zorra (idea)*, not to have the slightest idea.
zote *adj* dim-witted. – 2 *mf* dimwit.
zozobra *f (náutica)* sinking, capsizing. 2 *fig (congoja)* worry, anxiety.
zozobrar *i (náutica)* to sink, capsize. 2 *(persona)* to worry, be anxious. 3 *(proyecto)* to fail, be ruined.
zueco *m* clog.
zumbado,-a *adj fam* crazy, mad.
zumbar(se) *i* to hum, buzz. – 2 *t fam (pegar)* to thrash. – 3 *t-p (burlarse)* to tease, make fun of.
zumbido *m* buzzing, humming.
zumbón,-ona *adj* teasing, joking. – 2 *m,f* teaser, joker.
zumo *m* juice.
zurcido *m* darn, mend.
zurcir [3] *t* to darn, mend.
zurdo,-a *adj (persona)* left-handed; *(mano)* left. – 2 *m,f* left-handed person. – 3 *f (mano)* left hand.
zurra *f* beating, thrashing.
zurrar *t* to beat, thrash.
zurriagazo *m (latigazo)* lash, stroke. 2 *fig (desgracia)* mishap, stroke of bad luck.
zurriago *m* whip.
zurrón *m* shepherd's pouch/bag.
zutano,-a *m,f fam* so-and-so; *m* what's-his-name, *f* what's-her-name.

Nombres geográficos e idiomas

Adriático, mar	Adriatic Sea	argentino	Argentinian
Afganistán	Afghanistan	Armenia	Armenia
afgano	Afghan	armenio	Armenian
África	Africa	Ártico, océano	Arctic Ocean
africano	African	Asia	Asia
Albania	Albania	asiático	Asian
albano	Albanian	asturiano	Asturian
alemán	German	Asturias	Asturias
Alemania	Germany	Atlántico, océano	Atlantic Ocean
Alpes	Alps	Australia	Australia
Amazonas	Amazon	australiano	Australian
América	America	Austria	Austria
América del Norte	North America	austríaco	Austrian
América del Sur	South America	Azerbaiján	Azerbaijan
América Latina	Latin America	azerbaijano	Azerbaijani
Andalucía	Andalusia	Azores	Azores
andaluz	Andalusian		
Andes	Andes		
Andorra	Andorra	Bangladesh	Bangladesh
andorrano	Andorran	Balcanes	Balkans
Anglonormandas, Islas	Channel Islands	balear, baleárico	Balearic
		Baleares, Islas	Balearic Islands
anglosajón	Anglosaxon	Báltico, mar	Baltic Sea
Antártida	Antarctica	belga	Belgian
antillano	West Indian	Bélgica	Belgium
Antillas	West Indes	Belice	Belize
Apeninos	Apennines	Bielorrusia	Byelorussia
árabe	Arabian[4], Arabic[5]	bielorruso	Byelorussian
Arabia	Arabia	Bolivia	Bolivia
Arabia Saudí	Saudi Arabia	boliviano	Bolivian
Aragón	Aragon	Bosnia-Herzegovina	Bosnia-Herzegovina
aragonés	Aragonese	bosnio	Bosnian
Argel	Algiers	Brasil	Brazil
Argelia	Algeria	brasileño	Brazilian
argelino	Algerian	británico	British[2], Briton[1]
Argentina	Argentine		

Bulgaria	Bulgaria	Ecuador	Ecuador
búlgaro	Bulgarian	ecuatoriano	Ecuadorian
		Egeo, mar	Aegean Sea
		egipcio	Egyptian
Camboya	Cambodia	Egipto	Egypt
camboyano	Cambodian	Eire	Eire
Camerún	Cameroon	El Salvador	El Salvador
camerunés	Cameroonian	Emiratos Árabes	United Arab
Canadá	Canada	Unidos	Emirates
canadiense	Canadian	Escandinavia	Scandinavia
Canal de La	English Channel	escandinavo	Scandinavian
Mancha		escocés	Scot[1], Scots[2],
Canarias, Islas	Canary Islands		Scottish[3]
Cantabria	Cantabria	Escocia	Scotland
cántabro	Cantabrian	eslavo	Slav
Caribe, mar	Caribbean (Sea)	Eslovenia	Slovenia
caribeño	Caribbean	esloveno	Slovenian, Slovene
castellano	Castilian	España	Spain
Castilla	Castile	español	Spaniard[1],
catalán	Catalan[3],		Spanish[2]
	Catalonian[1]	Estados Unidos	United States (of
Cataluña	Catalonia	(de América)	America)
Ceilán	Ceylon	estadounidense	American
ceilanés	Ceylonese	Estonia	Estonia
celta	Celt[1], Celtic[4]	estonio	Estonian
Cerdeña	Sardinia	etíope	Ethiopian
Ceuta	Ceuta	Etiopía	Ethiopia
checo	Czech	Europa	Europe
checoslovaco	Chechoslovak(ian)	europeo	European
Checoslovaquia	Czechoslovakia	Extremadura	Estremadura
Chile	Chile	extremeño	Estremaduran
chileno	Chilean		
China	China		
chino	Chinese	Filipinas	Philippines
Chipre	Cyprus	filipino	Philippine[2],
chipriota	Cypriot(e)		Filipino[3]
Colombia	Colombia	finlandés	Finn[1], Finnish[2]
colombiano	Colombian	Finlandia	Finland
Córcega	Corsica	francés	French
Corea	Korea	Francia	France
coreano	Korean	Fuerteventura	Fuerteventura
corso	Corsican		
Costa Rica	Costa Rica	Gales	Wales
costarricense	Costa Rican	galés	Welsh[3],
Croacia	Croatia		Welshman[1]
croata	Croat, Croatian	Galicia	Galicia
Cuba	Cuba	gallego	Galician
cubano	Cuban	Georgia	Georgia
		georgiano	Georgian
		Gibraltar	Gibraltar
danés	Dane[1], Danish[2]	gibraltareño	Gibraltarian
Danubio	Danube	Golfo de León	Gulf of Lions
Dinamarca	Denmark	Golfo de Vizcaya	Bay of Biscay
dominicano	Dominican	Gran Canaria	Gran Canaria,
dublinés	Dubliner[1]		Grand Canary

Gran Bretaña	(Great) Britain	Jordania	Jordan
Grecia	Greece	jordano	Jordanian
griego	Greek	Júpiter	Jupiter
Groenlandia	Greenland		
Guatemala	Guatemala		
guatemalteco	Guatemalan	Kenia, Kenya	Kenya
		keniano	Kenyan
		Kuwait	Kuwait
Haití	Haiti	kuwaití	Kuwaiti
haitiano	Haitian		
hebreo	hebrew		
Himalaya	Himalayas	Lanzarote	Lanzarote
hindú	Indian	Laos	Laos
Hispanoamérica	Spanish America	laosiano	Laotian
hispanoamericano	Spanish American	Latinoamérica	Latin America
Holanda	Holland	latinoamericano	Latin American
holandés	Dutch	Lejano Oriente	Far East
Honduras	Honduras	letón	Latvian
hondureño	Honduran	Letonia	Latvia
húngaro	Hungarian	libanés	Lebanese
Hungría	Hungary	Líbano	Lebanon
		Libia	Libya
		libio	Libyan
Ibiza	Ibiza	Liechtenstein	Liechtenstein
ibizenco	Ibizan	liechtenstiense	Liechtensteiner[1],
India	India		Liechtenstein[2]
Indico, océano	Indian Ocean	Lituania	Lithuania
indio	Indian	lituano	Lithuanian
Indochina	Indochina	londinense	Londoner
Indonesia	Indonesia	luso	Portuguese
indonesio	Indonesian	Luxemburgo	Luxembourg
Inglaterra	England	luxemburgués	Luxembourger
inglés	English		
Iraq	Irak, Iraq		
Irán	Iran	Macedonia	Macedonia
iraní	Iranian	macedonio	Macedonian
iraquí	Iraqi	Malasia	Malaysia
Irlanda	Ireland	malayo	Malaysian
Irlanda del Norte	Northern Ireland	Mallorca	Majorca
irlandés	Irish	Malvinas, Islas	Falkland Islands
islandés	Icelander[1],	marroquí	Moroccan
	Icelandic[2]	Marruecos	Morocco
Islandia	Iceland	Marte	Mars
Israel	Israel	Mediterráneo, mar	Mediterranean Sea
israelí	Israeli	mejicano	Mexican
israelita	Israelite	Méjico, México	Mexico
Italia	Italy	Melilla	Melilla
italiano	Italian	Menorca	Minorca
		menorquín	Minorcan
		Mercurio	Mercury
Jamaica	Jamaica	Misisipí	Mississippi
jamaicano,	Jamaican	Moldavia	Moldavia
jamaiquino		moldavo	Moldavian
Japón	Japan	Mónaco	Monaco
japonés	Japanese	monegasco	Monegasque

Montañas Rocosas	Rocky Mountains	portugués	Portuguese
Montenegro	Montenegro	portorriqueño,	Puerto Rican
montenegrino	Montenegrin	puertorriqueño	
Muerto, mar	Dead Sea	Puerto Rico	Puerto Rico
Navarra	Navarre	Reino Unido	United Kingdom
navarro	Navarrese	República de	Eire
Negro, mar	Black Sea	Irlanda	
neoyorquino	New Yorker	República	Dominican
neocelandés	New Zealander[1]	Dominicana	Republic
Nepal	Nepal	Rin	Rhine
nepalí	Nepalese	Ródano	Rhone
Neptuno	Neptune	Rojo, mar	Red Sea
Nicaragua	Nicaragua	Rumanía	Romania,
nicaragüense	Nicaraguan		Rumania
Nigeria	Nigeria	rumano	Romanian,
nigeriano	Nigerian		Rumanian
Nilo	Nile	Rusia	Russia
Norte, mar del	North Sea	ruso	Russian
norteamericano	North American		
Noruega	Norway	salvadoreño	Salvador(i)an
noruego	Norwegian	sardo	Sardinian
Nueva Zelanda	New Zealand	Saturno	Saturn
		saudí, saudita	Saudi (Arabian)
		Sena	Seine
Oceanía	Oceania	serbio	Serb, Serbian
Oriente Medio	Middle East	serbocroata	Serbo-Croat,
			Serbo-Croatian
Pacífico, océano	Pacific Ocean	Sicilia	Sicily
País Vasco	Basque Country	siciliano	Sicilian
Países Bajos	Netherlands	Singapur	Singapore
Pakistán,	Pakistan	Siria	Syria
Paquistán		sirio	Syrian
Pakistaní,	Pakistani	Sudamérica	South America
Paquistaní		sudamericano	South American
Palestina	Palestine	Suecia	Sweden
palestino	Palestinian	sueco	Swede[1], Swedish[2]
Panamá	Panama	Suiza	Switzerland
panameño	Panamanian	suizo	Swiss
Paraguay	Paraguay	Suráfrica	South Africa
paraguayo	Paraguayan	surafricano	South African
Península Ibérica	Iberian Peninsula	Suriname	Surinam
persa, pérsico	Persian	surinamés	Surinamese
Perú	Peru		
peruano	Peruvian	tailandés	Thai
Pirineos	Pyrenees	Tailandia	Thailand
Plutón	Pluto	Taiwan	Taiwan
Polinesia	Polynesia	Támesis	Thames
polinesio	Polynesian	Tenerife	Tenerife
Polo Norte	North Pole	Tierra	Earth
Polo Sur	South Pole	tunecino	Tunisian
polaco	Pole[1], Polish[2]	Túnez	Tunisia
Polonia	Poland	turco	Turk[1], Turkish[2]
Portugal	Portugal	Turquía	Turkey

Ucrania	Ukraine	Venezuela	Venezuela
ucraniano	Ukrainian	Venus	Venus
Urano	Uranus	Vietnam	Vietnam
Uruguay	Uruguay	vietnamita	Vietnamese
uruguayo	Uruguayan		
		Yugoslavia	Yugoslavia
Valencia	Valencia	yugoslavo	Yugoslav(ian)
valenciano	Valencian		
vasco	Basque		
Vaticano	Vatican	Zaire	Zaire
venezolano	Venezuelan	zairense	Zairian